유형 해결의 법칙

Speed check

미적분

0937 ② **0938** $F(x)=\frac{2}{3}x\sqrt{x}-x+2$ **0939** ④

0940 $2\ln 2$ **0941** e **0942** ③ **0943** ④

0944 1 **0945** 5 **0946** ① **0947** 2

0948 $\frac{\pi}{3}+\frac{1}{2}$ **0949** 1 **0950** 4 **0951** 9

0952 2 **0953** ⑤ **0954** ① **0955** -6

0956 ⑤ **0957** 2 **0958** ④ **0959** ②

0960 ③ **0961** 1 **0962** ⑤

0963 $f(x)=\frac{1}{2}\tan^2 x+5$ **0964** ① **0965** ④

0966 ④ **0967** $\frac{3\sqrt{3}}{4}$ **0968** $3\ln 2+2$ **0969** $\ln 2$

0970 e^3 **0971** 16 **0972** ③ **0973** $-\frac{\ln 3}{4}$

0974 $-2x+8\ln|x+1|+C$ **0975** $2e^2$ **0976** ②

0977 0 **0978** ⑤ **0979** ④ **0980** ①

0981 ② **0982** -2 **0983** ⑤ **0984** ①

0985 ① **0986** ② **0987** ④ **0988** ③

0989 ⑤ **0990** ④ **0991** ③ **0992** ②

0993 ① **0994** ⑤ **0995** ③ **0996** ④

0997 ③ **0998** $\frac{7}{\ln 4}+1$ **0999** $-\frac{9}{2}e^2$

1000 (1) $f(x)g(x)=e^{\sin x}+C$ (2) 1 (3) $g(x)=\frac{e^{\sin x}+1}{e^x}$

1001 ① **1002** ③ **1003** $\frac{1}{6}(\ln x)^3+\ln x-\frac{1}{2x^2}+C$

1004 ①

9 정적분 p. 158~175

1005 12 **1006** $\frac{62}{5}$ **1007** $\frac{4}{9}$ **1008** 1

1009 $\frac{1}{4}(e^{12}-1)$ **1010** 1 **1011** 0 **1012** $-\frac{1}{\ln 2}$

1013 $\frac{4}{3}$ **1014** $2(e^2-1)$ **1015** 18 **1016** 0

1017 4 **1018** $\frac{1}{e}+e-2$ **1019** 0 **1020** $\frac{16}{3}$

1021 $2\left(e^4-\frac{1}{e^4}\right)$ **1022** 0 **1023** 6

1024 10 **1025** $\frac{14}{3}$ **1026** 9 **1027** $\frac{1}{2}\ln 3$

1028 $\ln 2$ **1029** $\frac{1}{2}(e-1)$ **1030** $\frac{1}{4}$

1031 (가) $\cos\theta$ (나) 0 (다) $\theta+\frac{1}{2}\sin 2\theta$ (라) $\frac{\pi}{4}$

1032 $\frac{\pi}{4}$ **1033** $\frac{\pi}{6}$ **1034** 1 **1035** 1

1036 $f(x)=-e^{-x}$ **1037** $f(x)=\frac{1}{x}-1$

1038 $f(x)=-\sin x+2$ **1039** (1) 3 (2) $7-e^3$

1040 $\ln 2-\frac{5}{8}$ **1041** ② **1042** ③ **1043** ④

1044 ⑤ **1045** 8 **1046** ⑤ **1047** $3-\frac{1}{e}$

1048 ④ **1049** ③ **1050** ③ **1051** 2

1052 $-\frac{1}{e^2}-\frac{\pi}{2}$ **1053** $-2e^3+\frac{53}{9}$

1054 ② **1055** ⑤ **1056** ④ **1057** $e+\frac{1}{e}$

1058 ① **1059** $a+b$ **1060** ㄱ, ㄷ **1061** ③

1062 3 **1063** ③ **1064** 31 **1065** ④

1066 2 **1067** ② **1068** ④ **1069** ②

1070 ② **1071** ① **1072** $\frac{1}{2}$ **1073** ②

1074 ⑤ **1075** ④ **1076** π **1077** $\frac{9}{4}\pi$

1078 $\frac{\pi}{6}$ **1079** $\frac{\pi}{4}$ **1080** ⑤ **1081** ①

1082 $1-\frac{2}{e}$ **1083** ① **1084** $4\ln 2-\frac{7}{4}$ **1085** ④

1086 ② **1087** ③ **1088** $-\ln 2$ **1089** ④

1090 ② **1091** ① **1092** ① **1093** $-e$

1094 $\frac{e+1}{2}$ **1095** ③ **1096** ③ **1097** $2-e$

1098 ② **1099** ⑤ **1100** $\frac{5}{2}+6\ln\frac{3}{2}$

1101 $-\frac{e^3}{2}$ **1102** ④ **1103** ③ **1104** $-\frac{1}{2}$

1105 ④ **1106** ③ **1107** ② **1108** ①

1109 ② **1110** ② **1111** ④ **1112** ⑤

1113 ③ **1114** ② **1115** ② **1116** ③

1117 ② **1118** ④ **1119** ② **1120** 1

1121 $\frac{1}{3}$ **1122** 2

1123 (1) $f(x)$: 우함수, $g(x)$: 기함수 (2) $\frac{3}{\ln 2}$

1124 (1) $2f\left(\frac{\pi}{2}\right)$ (2) $\frac{4}{3}$ **1125** $\frac{3}{8}\ln 3+4$

1126 π **1127** 20 **1128** ① **1129** $1+\frac{2}{e^3}$

10 정적분의 활용 p. 178~191

1130 (가) $\frac{1}{n}$ (나) $\frac{k}{n}$ (다) x^4 (라) $\frac{1}{5}$ **1131** $\frac{7}{3}$ **1132** 2

1133 1 **1134** 2 **1135** $2\left(e-\frac{1}{e}\right)$ **1136** 1

1137 $\frac{16\sqrt{2}}{3}$ **1138** 21 **1139** e^2+1 **1140** $e-\frac{1}{e}$

1141 $4-3\ln 3$ **1142** $e+\frac{1}{e}-2$ **1143** $\sqrt{2}-1$ **1144** $4\sqrt{6}$

1145 $\frac{1}{2}(e^{20}-1)$ cm³

1146 (1) $\frac{1}{2}e^6-\frac{1}{2}$ (2) $\frac{1}{2}e^{10}-\frac{1}{2}$ (3) $\frac{1}{2}e^8-\frac{1}{2}$

1147 $\frac{4}{3}$ **1148** 3 **1149** 13 **1150** $\sqrt{2}(e^3-e)$

1151 $\frac{14}{3}$ **1152** $e-\frac{1}{e}$ **1153** ② **1154** ②, ③

1155 $\frac{49}{3}$ **1156** ③ **1157** $2\ln 2-1$ **1158** ①

1159 $a^2-a+\frac{1}{2}$ **1160** 49 **1161** ② **1162** ④

1163 $e+\frac{1}{e}-2$ **1164** ② **1165** ② **1166** ①

1167 e **1168** ③ **1169** ② **1170** $\frac{\pi}{2}-1$

1171 ② **1172** $\frac{5}{2}$ **1173** ⑤ **1174** $\frac{2}{\pi}$

1175 ④ **1176** $\frac{1}{e}$ **1177** ③ **1178** ②

1179 $\frac{\pi}{6}$ **1180** ② **1181** $\frac{11}{12}$ **1182** ①

1183 $\frac{2}{3}$ **1184** $e+1$ **1185** $48-\frac{14}{\ln 2}$ **1186** e^2-2e

1187 ③ **1188** $\frac{500}{3}\pi$ **1189** ⑤ **1190** ③

1191 ① **1192** $\frac{2\sqrt{3}}{3}$ **1193** 4 **1194** $\frac{4}{\pi}$

1195 4 **1196** ② **1197** 2 **1198** ②

1199 ④ **1200** ① **1201** 3 **1202** ③

1203 ⑤ **1204** ③ **1205** ③ **1206** ①

1207 ② **1208** ③ **1209** ② **1210** ⑤

1211 ⑤ **1212** $\frac{3}{2}-2\ln 2$ **1213** $15+4\ln 2$

1214 (1) $4\sin\frac{k}{n}\pi$ (2) $\frac{8}{\pi}$ **1215** -3 **1216** 9

1217 43 **1218** 15 **1219** ①

0281 ④ 0282 ① 0283 ② 0284 ③
0285 ④ 0286 16 0287 ③ 0288 ①
0289 ② 0290 ④ 0291 ③ 0292 ④
0293 ① 0294 ② 0295 $\frac{1}{3}$ 0296 10
0297 ⑤ 0298 $\frac{1}{5}$ 0299 ③ 0300 ②
0301 ④ 0302 6 0303 1 0304 2
0305 $\frac{1}{5\ln 2}$ 0306 ① 0307 $-3\log_7 3$ 0308 ③
0309 ④ 0310 ② 0311 2 0312 ⑤
0313 $3\ln 5$ 0314 ③ 0315 $\frac{5}{3}$ 0316 4
0317 ⑤ 0318 $\ln\sqrt{2}$ 0319 ③ 0320 2
0321 2 0322 ② 0323 1 0324 3
0325 4 0326 ① 0327 ② 0328 $-90\ln 3$
0329 ⑤ 0330 $\frac{2}{e}$ 0331 26 0332 ④
0333 ⑤ 0334 ⑤ 0335 ② 0336 ③
0337 ③ 0338 ④ 0339 ② 0340 ⑤
0341 ④ 0342 ② 0343 ① 0344 ④
0345 ② 0346 6 0347 $2+\frac{1}{2\ln 2}$
0348 (1) 1 (2) $\ln 2-\frac{1}{4}$ (3) $\frac{3}{4}+\ln 2$
0349 ③ 0350 $\frac{1}{2}$ 0351 ③ 0352 1

0411 $\frac{1}{8}$ 0412 ① 0413 ⑤ 0414 ③
0415 $\frac{1}{6}$ 0416 $\frac{3}{4}\pi$ 0417 -2 0418 5
0419 ③ 0420 $\frac{1}{2}$ 0421 ③ 0422 ②
0423 ③ 0424 $-\frac{1}{2}$ 0425 $-\frac{9}{2}\pi$ 0426 11
0427 2 0428 $\frac{1}{2}$ 0429 $\frac{1}{3}$ 0430 2
0431 1 0432 $\frac{1}{4}$ 0433 ② 0434 1
0435 ④ 0436 ① 0437 ③ 0438 $\frac{3}{2}\pi$
0439 -4 0440 ⑤ 0441 3 0442 ①
0443 2 0444 0 0445 ① 0446 ①
0447 ⑤ 0448 ④ 0449 ④ 0450 ③
0451 ① 0452 ① 0453 ① 0454 ②
0455 ④ 0456 ① 0457 ⑤ 0458 0
0459 2 0460 $\frac{4}{3}$
0461 (1) $\overline{\mathrm{AC}}=\frac{2}{\tan\frac{\theta}{2}}$ (2) $S(\theta)=\frac{2\sin^3\theta}{\tan^2\frac{\theta}{2}\sin 2\theta\sin 3\theta}$ (3) $\frac{4}{3}$
0462 (1) $f(x)=\sin x-x\cos x$ (2) $f'(x)=x\sin x$ (3) $\frac{\pi}{12}$
0463 ③ 0464 $\frac{3A-4A^3}{1-12A^2}$ 0465 5
0466 $\frac{43}{12}$

4 삼각함수의 미분 p. 60~75

0353 $\frac{\sqrt{6}-\sqrt{2}}{4}$ 0354 $\frac{\sqrt{2}-\sqrt{6}}{4}$ 0355 $2+\sqrt{3}$ 0356 $2-\sqrt{3}$
0357 $\frac{\sqrt{2}}{2}$ 0358 $\frac{\sqrt{3}}{2}$ 0359 $\sqrt{3}$
0360 $4\sin\left(\theta+\frac{\pi}{3}\right)$ 0361 $5\sqrt{2}\sin\left(\theta+\frac{7}{4}\pi\right)$
0362 최댓값: $\sqrt{2}$, 최솟값: $-\sqrt{2}$, 주기: 2π
0363 최댓값: 2, 최솟값: -2, 주기: 2π
0364 (1) $-\frac{24}{25}$ (2) $-\frac{7}{25}$ (3) $\frac{24}{7}$ 0365 3
0366 -2 0367 -2 0368 $\sqrt{2}$ 0369 $\frac{2}{3}$
0370 $\frac{3}{5}$ 0371 2 0372 5 0373 1
0374 $\frac{1}{4}$ 0375 $y'=1-2\cos x$
0376 $y'=-\sin x-e^x$ 0377 $y'=\cos x+3\sin x$
0378 $y'=\cos^2 x-\sin^2 x$ 0379 $y'=-\sin x\times\ln x+\frac{\cos x}{x}$
0380 $y'=4\sin x\cos x$ 0381 ③ 0382 ⑤
0383 2 0384 ③ 0385 ⑤ 0386 ④
0387 $\frac{4}{5}$ 0388 $\frac{7\sqrt{2}}{10}$ 0389 ① 0390 -3
0391 ③ 0392 $\frac{2\sqrt{5}}{5}$ 0393 ④ 0394 ②
0395 ③ 0396 50 0397 $-\frac{\sqrt{17}}{9}$ 0398 ②
0399 ⑤ 0400 $\frac{3}{4}$ 0401 ⑤ 0402 $\frac{1}{9}$
0403 ② 0404 $\frac{14}{5}$ 0405 ⑤ 0406 ②
0407 ① 0408 ④ 0409 $-\frac{1}{4}$ 0410 -1

5 여러 가지 미분법 p. 78~95

0467 $y'=-\frac{1}{(x-1)^2}$ 0468 $y'=-\frac{1}{x(\ln x)^2}$
0469 $y'=\frac{5}{(x+2)^2}$ 0470 $y'=\frac{2x^2+2x+4}{(2x+1)^2}$
0471 $y'=\frac{1-x}{e^x}$ 0472 $y'=-\frac{1+\sin x}{\cos^2 x}$
0473 $y'=-\frac{15}{x^6}$ 0474 $y'=-\frac{2}{x^3}-\frac{4}{x^5}$
0475 (1) $\frac{5}{4}$ (2) $-\frac{5}{3}$ (3) $-\frac{3}{4}$ 0476 (1) 2 (2) $\sqrt{2}$ (3) $-\frac{\sqrt{3}}{3}$
0477 $-\frac{8}{3}$ 0478 $\frac{10}{9}$ 0479 $y'=\sec^2 x-\sin x$
0480 $y'=\sec x\tan x-\csc x\cot x$
0481 $y'=\cot x-x\csc^2 x$ 0482 $y'=6(2x-1)^2$
0483 $y'=\frac{3}{(2-x)^4}$ 0484 $y'=2(3x+1)(6x^2+x-3)$
0485 $y'=\frac{-5x^3+6x^2+1}{(x^3+1)^3}$ 0486 $y'=3\sin^2 x\cos x$
0487 $y'=-2\sin(2x+3)$ 0488 $y'=-2x\csc^2 x^2$
0489 $y'=\cos(\tan x)\sec^2 x$ 0490 $y'=(2x-1)e^{x^2-x}$
0491 $y'=5^{5x+2}\ln 5$ 0492 $y'=-2^{\cos x}\ln 2\times\sin x$
0493 $y'=\ln|x|+1$ 0494 $y'=\frac{3}{(3x+1)\ln 2}$
0495 $y'=\frac{e^x}{e^x+1}$ 0496 $y'=\cot x$
0497 $\frac{dy}{dx}=\frac{4}{3}t$ 0498 $\frac{dy}{dx}=-\frac{1}{2t^3}$
0499 $\frac{dy}{dx}=2e^{t+2}$ 0500 $\frac{dy}{dx}=\frac{\sin\theta}{1-\cos\theta}$

0501 $\frac{dy}{dx}=-\frac{x+1}{y-3}(y\neq3)$
0502 $\frac{dy}{dx}=-\frac{y}{x}$
0503 $\frac{dy}{dx}=-\frac{2x+6xy}{3x^2-3y^2}(x^2\neq y^2)$
0504 $\frac{dy}{dx}=\frac{\cos x}{\sin y}(\sin y\neq0)$
0505 $y'=-\frac{1}{5x\sqrt[5]{x}}$
0506 $y'=\frac{3\sqrt{x}}{2}$
0507 $y'=\sqrt{3}x^{\sqrt{3}-1}$
0508 $y'=-\frac{e}{x^{e+1}}$
0509 $y'=-\frac{x}{\sqrt{1-x^2}}$
0510 $y'=\frac{2}{3\sqrt[3]{(2x-5)^2}}$
0511 $\frac{dy}{dx}=\frac{1}{3\sqrt[3]{x^2}}$
0512 $\frac{dy}{dx}=\frac{1}{6\sqrt[6]{x^5}}$
0513 $\frac{dy}{dx}=\frac{1}{3\sqrt[3]{(x-3)^2}}$
0514 $y''=24x$
0515 $y''=\frac{2}{x^3}$
0516 $y''=-\frac{1}{4(x+1)\sqrt{x+1}}$
0517 $y''=4e^{-2x}$
0518 $y''=-\frac{1}{x^2}$
0519 $y''=-9\sin 3x$
0520 $y''=\frac{1}{x}$
0521 $y''=-2e^x\sin x$
0522 ①
0523 ④
0524 $\frac{1}{2}$
0525 -1
0526 ①
0527 4
0528 $2\sqrt{3}-4$
0529 ②
0530 $y'=3x^2+\frac{3}{x^2}-\frac{2}{x^3}$
0531 ①
0532 ④
0533 36
0534 20
0535 ④
0536 ①
0537 ④
0538 ①
0539 3
0540 ①
0541 12
0542 6
0543 $\frac{2}{3}$
0544 ③
0545 ④
0546 -24
0547 ①
0548 $\frac{3\sqrt{3}}{4}$
0549 ②
0550 ①
0551 ⑤
0552 $-2\sqrt{3}e$
0553 ⑤
0554 $\frac{6}{5}$
0555 $\frac{4}{3}$
0556 $\frac{3}{2}$
0557 ②
0558 -2
0559 ④
0560 ⑤
0561 $-\frac{1}{3}$
0562 ①
0563 ④
0564 ⑤
0565 $-\frac{1}{2}$
0566 6
0567 ③
0568 ⑤
0569 28
0570 3
0571 20
0572 ④
0573 ①
0574 ③
0575 $-\frac{1}{5}$
0576 ⑤
0577 2
0578 ③
0579 $\frac{1}{5}$
0580 ②
0581 ④
0582 10
0583 ③
0584 -1
0585 ⑤
0586 ①
0587 ①
0588 ⑤
0589 ①
0590 ③
0591 ①
0592 ⑤
0593 ②
0594 ④
0595 ②
0596 ③
0597 ⑤
0598 ①
0599 ③
0600 ①
0601 ②
0602 $\frac{21}{2}$
0603 1
0604 2
0605 (1) $f(x)=\frac{x}{x-1}$ (2) $f'(x)=-\frac{1}{(x-1)^2}$ (3) 7
0606 (1) $f(x)+g(x)=e^{-x}-2e^x$
(2) $f(x)=e^{-x}-4e^x$, $g(x)=2e^x$ (3) $\frac{1}{e}$
0607 0
0608 1
0609 ⑤
0610 $\frac{\sqrt{2}}{2}$
0611 ⑤

6 도함수의 활용(1) p. 98~117

0612 $y=-x+1$
0613 $y=\frac{1}{3}x+\frac{4}{3}$
0614 $y=ex$
0615 $y=x$
0616 $y=1$
0617 $y=-2x+\frac{\pi}{2}$
0618 $y=-x+3e$
0619 $y=2x-2$
0620 $y=2x+2$
0621 $y=x+2$
0622 $y=x+\ln 2-\frac{1}{2}$
0623 $y=x-\frac{3}{2}\pi$
0624 $y=-4x+4$
0625 $y=\frac{1}{2}x+1$
0626 $y=-e^2x-e^2$
0627 $y=\frac{1}{e}x$
0628 (1) $\frac{dy}{dx}=\frac{t^2-1}{2t^3}$ (2) $x=\frac{1}{4}$, $y=\frac{5}{2}$, $\frac{dy}{dx}=-3$
(3) $y=-3x+\frac{13}{4}$
0629 (1) $\frac{dy}{dx}=\frac{-2x+2}{2y-3}\left(y\neq\frac{3}{2}\right)$ (2) 4 (3) $y=4x-11$
0630 (가) $e^x(x+1)$ (나) -1 (다) 감소 (라) 증가
0631 구간 $(-\infty, -1]$, $[1, \infty)$에서 증가, 구간 $[-1, 0)$, $(0, 1]$에서 감소
0632 구간 $\left(-\infty, -\frac{1}{3}\right]$, $[3, \infty)$에서 증가, 구간 $\left[-\frac{1}{3}, 3\right]$에서 감소
0633 구간 $(-\infty, -1]$에서 감소, 구간 $[-1, \infty)$에서 증가
0634 구간 $(-\infty, 0]$에서 증가, 구간 $[0, \infty)$에서 감소
0635 구간 $(-\infty, 0]$에서 감소, 구간 $[0, \infty)$에서 증가
0636 구간 $(-\infty, -2]$, $[0, \infty)$에서 증가, 구간 $[-2, 0]$에서 감소
0637 구간 $(0, 1]$에서 감소, 구간 $[1, \infty)$에서 증가
0638 구간 $(0, e]$에서 증가, 구간 $[e, \infty)$에서 감소
0639 구간 $(0, \pi]$에서 감소, 구간 $[\pi, 2\pi)$에서 증가
0640 구간 $\left(0, \frac{\pi}{4}\right]$에서 증가, 구간 $\left[\frac{\pi}{4}, \pi\right)$에서 감소
0641 구간 $\left(-\frac{\pi}{2}, \frac{\pi}{2}\right)$에서 증가
0642 극댓값: 2
0643 극솟값: 1
0644 극댓값: 1
0645 극솟값: $-\frac{1}{e}$
0646 극댓값: $\frac{2}{3}\pi+\sqrt{3}$
0647 (1) $f'(x)=3x^2-6x$, $f''(x)=6x-6$ (2) $f''(0)<0$, $f''(2)>0$
(3) 극댓값: 1, 극솟값: -3
0648 극솟값: $-\frac{1}{2e}$
0649 극댓값: $\frac{5}{3}\pi+\sqrt{3}$, 극솟값: $\frac{\pi}{3}-\sqrt{3}$
0650 극댓값: e, 극솟값: $\frac{1}{e}$
0651 ⑤
0652 $y=2x-e^2$
0653 -2
0654 ③
0655 1
0656 ④
0657 $-\frac{\pi}{3}$
0658 3
0659 0
0660 ③
0661 ①
0662 ④
0663 3
0664 $\frac{\pi}{2}-1$
0665 ④
0666 ⑤
0667 ③
0668 ③
0669 $\frac{1}{2}\left(e-\frac{1}{e}\right)$
0670 2
0671 ①
0672 ④
0673 ④
0674 $\frac{5}{4}$
0675 ④
0676 ①
0677 $\frac{5}{4}$
0678 ③
0679 ④
0680 ⑤
0681 $\frac{4}{3}$
0682 ④
0683 -3
0684 ④
0685 $\frac{1}{2}$
0686 ⑤
0687 -1
0688 ①
0689 2
0690 2
0691 ⑤
0692 ②
0693 2
0694 3
0695 -2
0696 ③
0697 ④
0698 ④
0699 ①
0700 1
0701 ③
0702 $k\leq-\sqrt{2}$ 또는 $k\geq\sqrt{2}$
0703 -1
0704 -4
0705 $-\frac{4}{7}$
0706 2
0707 ①
0708 2
0709 ①
0710 1
0711 ②
0712 $2e$
0713 ②
0714 ③
0715 6

0716 ④ 0717 ⑤ 0718 1 0719 ④
0720 ② 0721 ④ 0722 ③ 0723 ①
0724 3 0725 ④ 0726 $-\frac{1}{3}<k<0$
0727 ③ 0728 ② 0729 ⑤ 0730 ③
0731 ④ 0732 ② 0733 ① 0734 ④
0735 ④ 0736 ② 0737 ③ 0738 ②
0739 ③ 0740 ③ 0741 ④ 0742 ⑤
0743 $\frac{3\sqrt{2}}{2}$ 0744 2 0745 4
0746 (1) $4f'(e)-4$ (2) $\frac{1}{2}$ (3) 50
0747 (1) $\frac{dy}{dx}=\frac{\cos\theta-\frac{1}{2}}{1-\sin\theta}(\sin\theta\neq1)$ (2) $\frac{\pi}{3}$ (3) $\frac{\sqrt{3}}{2}-\frac{\pi}{6}$
0748 3 0749 770 0750 $\frac{e^{\frac{\pi}{4}}}{e^{2\pi}-1}$ 0751 ⑤
0752 ②

7 도함수의 활용(2) p. 120~139

0753 구간 $(-\infty, 1)$에서 위로 볼록, 구간 $(1, \infty)$에서 아래로 볼록
0754 구간 $(-\infty, 0)$, $(1, \infty)$에서 위로 볼록, 구간 $(0, 1)$에서 아래로 볼록
0755 구간 $(-\infty, 0)$에서 아래로 볼록, 구간 $(0, \infty)$에서 위로 볼록
0756 구간 $(-\infty, \infty)$에서 아래로 볼록
0757 구간 $(-\infty, -1)$에서 위로 볼록, 구간 $(-1, \infty)$에서 아래로 볼록
0758 구간 $(0, \infty)$에서 아래로 볼록
0759 구간 $(0, \pi)$에서 위로 볼록, 구간 $(\pi, 2\pi)$에서 아래로 볼록
0760 $(0, 1)$ 0761 $(0, 0)$, $(2, -16)$
0762 $\left(-1, \frac{1}{4}\right)$, $\left(1, \frac{1}{4}\right)$ 0763 $\left(-2, -\frac{2}{e^2}\right)$
0764 $(-1, \ln 2)$, $(1, \ln 2)$ 0765 $(1, 2)$
0766 $\left(\frac{\pi}{2}, \frac{\pi}{2}\right)$, $\left(\frac{3}{2}\pi, \frac{3}{2}\pi\right)$ 0767 풀이 참조 0768 풀이 참조
0769 풀이 참조 0770 풀이 참조 0771 풀이 참조 0772 풀이 참조
0773 풀이 참조 0774 풀이 참조 0775 최댓값: 9, 최솟값: 5
0776 최댓값: $\frac{1}{3}$, 최솟값: -1 0777 최댓값: $\sqrt{3}$, 최솟값: $\sqrt{2}$
0778 최댓값: $4e^2$, 최솟값: 0
0779 최댓값: $2e-1$, 최솟값: $1+\ln 2$
0780 최댓값: $2e^{\frac{5}{6}\pi}$, 최솟값: $\sqrt{2}e^{\frac{\pi}{4}}$
0781 최댓값: 1, 최솟값: $-\sqrt{2}$ 0782 1 0783 2
0784 1 0785 2 0786 1
0787 (1) $k=1$ 또는 $k>2$ (2) $1<k\leq2$
0788 (가) e^x-1 (나) 0 (다) 0 0789 풀이 참조 0790 풀이 참조
0791 속도: $3e^2$, 가속도: $4e^2$ 0792 속도: $\frac{3}{2}$, 가속도: $-\frac{1}{4}$
0793 속도: 1, 가속도: -1 0794 속도: $(2, 4)$, 가속도: $(0, 2)$
0795 속도: $(\sqrt{3}, -3)$, 가속도: $(0, -4)$
0796 속도: $(2e^4, 4)$, 가속도: $(4e^4, 2)$
0797 속도: $\left(-\frac{\sqrt{3}}{2}, \frac{1}{2}\right)$, 가속도: $\left(-\frac{1}{2}, -\frac{\sqrt{3}}{2}\right)$
0798 속도: $\left(\frac{1}{2}, \frac{\sqrt{3}}{2}\right)$, 가속도: $\left(\frac{\sqrt{3}}{2}, \frac{1}{2}\right)$
0799 속력: $\sqrt{10}$, 가속도의 크기: $2\sqrt{5}$
0800 속력: $\frac{\sqrt{5}}{2}$, 가속도의 크기: $\frac{\sqrt{17}}{4}$
0801 ④ 0802 ② 0803 ② 0804 ④
0805 $\frac{\pi}{2}$ 0806 $\frac{1}{2\sqrt{e}}$ 0807 $\frac{3}{2}$ 0808 ⑤
0809 9 0810 $-6+2\ln 2$ 0811 ⑤
0812 ② 0813 ① 0814 ③ 0815 ④
0816 (b, d) 0817 ㄴ, ㄷ 0818 ⑤ 0819 ③

0820 ⑤ 0821 20 0822 ③ 0823 ①
0824 $2\sqrt{2}$ 0825 ① 0826 ② 0827 ②
0828 ⑤ 0829 ④ 0830 $\frac{5}{2}$ 0831 ②
0832 ⑤ 0833 $\frac{\sqrt{2}}{2}e^{\frac{\pi}{4}}$ 0834 4 0835 15
0836 9 0837 32 0838 ③ 0839 $\sqrt{e}$
0840 ④ 0841 1 0842 $\frac{1}{e}$ 0843 $\frac{1}{e}$
0844 $3\sqrt{3}$ 0845 ⑤ 0846 $\sqrt{6}$ 0847 ①
0848 $12\sqrt{3}\ \text{m}^2$ 0849 $5\sqrt{5}$ m 0850 ② 0851 ⑤
0852 ② 0853 ① 0854 $0\leq k<\pi$ 0855 $0<k<\frac{1}{3e}$
0856 ③ 0857 ⑤ 0858 $a<-4$ 0859 $k>-2$
0860 $a\leq1$ 0861 ④ 0862 -1 0863 ①
0864 $0\leq m\leq e$ 0865 ② 0866 -2 0867 ①
0868 2번 0869 ⑤ 0870 2 0871 ②
0872 20 m/s 0873 $\frac{1}{\pi}$ 0874 $6\sqrt{3}$ 0875 ④
0876 1 0877 ⑤ 0878 ① 0879 ⑤
0880 ③ 0881 ① 0882 ① 0883 ②
0884 ② 0885 ④ 0886 ③ 0887 ⑤
0888 ⑤ 0889 1 0890 $\frac{3\sqrt{3}}{4}$ 0891 1
0892 (1) $\frac{n+1}{n}$ (2) $a_n=n\ln\left(1+\frac{1}{n}\right)+n\left(1-\cos\frac{1}{n}\right)$ (3) 1
0893 (1) $(2e^t\cos t, -\cos t)$ (2) $|\cos t|\sqrt{4e^{2t}+1}$ (3) 0
0894 ① 0895 $\frac{\sqrt{2}}{2}$ 0896 $2\sqrt{2}$ 0897 190
0898 $\frac{\sqrt{7}}{2}$

8 여러 가지 적분법 p. 142~155

0899 $\frac{3}{4}x^3\sqrt[3]{x}+C$ 0900 $\frac{2}{7}x^3\sqrt{x}+C$
0901 $\frac{3}{5}x\sqrt[3]{x^2}+\frac{3}{x}+C$ 0902 $\frac{2}{3}x\sqrt{x}+2\sqrt{x}+C$
0903 $\frac{1}{3}x^3-3x+\ln|x|+C$ 0904 $2x^2-4x+\ln|x|+C$
0905 $-\frac{1}{x}-\ln|x|+C$ 0906 $\frac{3}{4}x\sqrt[3]{x}-x+C$
0907 $\frac{1}{2}x^2+\frac{2}{3}x\sqrt{x}+x+C$ 0908 $e^{x+3}+C$
0909 $e^x-\frac{2^x}{\ln 2}+C$ 0910 $\frac{4^x}{\ln 4}+\frac{2^{x+1}}{\ln 2}+x+C$
0911 $\frac{3^x}{\ln 3}-x+C$ 0912 $-2\cos x-3\sin x+C$
0913 $x+\sec x+C$ 0914 $\tan x+2\sin x+C$
0915 $\tan x-x+C$ 0916 $-\cot x-x+C$
0917 $x-\cos x+C$ 0918 $\frac{1}{5}(x^2-1)^5+C$
0919 $e^{x^2}+C$ 0920 $\frac{1}{3}\sin^3 x+C$
0921 $\frac{1}{10}(2x+5)^5+C$ 0922 $\frac{2}{9}(3x-2)\sqrt{3x-2}+C$
0923 $\frac{1}{4}\sin(4x+1)+C$ 0924 $\ln|x^2-2x-1|+C$
0925 $\ln(e^x+1)+C$ 0926 $\ln|x+\cos x|+C$
0927 $-\ln|\cos x|+C$ 0928 $\frac{1}{2}x^2+3\ln|x-1|+C$
0929 $\frac{1}{2}x^2-x+2\ln|x+1|+C$ 0930 $\ln\left|\frac{x}{x+1}\right|+C$
0931 $\ln|(x+1)^2(x-1)|+C$ 0932 xe^x-e^x+C
0933 $-x\cos x+\sin x+C$ 0934 $(2x-2)e^{2x}+C$
0935 $x\ln x-x+C$ 0936 $\frac{1}{2}x^2\ln x-\frac{1}{4}x^2+C$

1 수열의 극한 p. 8~25

0001 0　0002 0　0003 1　0004 3
0005 수렴, 0　0006 양의 무한대로 발산
0007 음의 무한대로 발산　0008 수렴, 0　0009 수렴, 10
0010 양의 무한대로 발산　0011 발산(진동)
0012 (1) -17 (2) 9 (3) -30 (4) $-\frac{4}{15}$　0013 3
0014 0　0015 -6　0016 2　0017 수렴, $\frac{3}{2}$
0018 수렴, $\frac{1}{2}$　0019 수렴, 0　0020 발산　0021 $\frac{1}{2}$
0022 1　0023 발산　0024 발산　0025 $\frac{1}{2}$
0026 수렴　0027 발산　0028 발산　0029 수렴
0030 수렴　0031 발산　0032 수렴, 0　0033 수렴, 3
0034 수렴, $-\frac{5}{4}$　0035 발산　0036 $-\frac{1}{2}<r\le\frac{1}{2}$
0037 $0<r\le1$　0038 ㄴ, ㄷ, ㅁ　0039 ①, ⑤　0040 발산
0041 20　0042 ④　0043 4　0044 ③
0045 ③　0046 ②　0047 3　0048 ③
0049 -1　0050 8　0051 ③　0052 ④
0053 $\frac{2}{3}$　0054 ②　0055 ②　0056 ③
0057 ②　0058 ⑤　0059 4　0060 3
0061 ④　0062 ③　0063 ①　0064 $\frac{1}{2}$
0065 1　0066 ②　0067 ②　0068 0
0069 ④　0070 ①　0071 3　0072 ⑤
0073 ③　0074 $\frac{1}{2}$　0075 ⑤　0076 ①
0077 2　0078 3　0079 0　0080 0
0081 ④　0082 6　0083 ③　0084 ⑤
0085 ⑤　0086 5　0087 ②　0088 2
0089 $-\frac{\pi}{4}<x\le\frac{\pi}{4}$　0090 ⑤　0091 2
0092 ③　0093 ①　0094 0　0095 ②
0096 21　0097 1　0098 ①　0099 ㄴ, ㄷ
0100 ⑤　0101 4　0102 $\frac{4}{3}$　0103 ②
0104 ①　0105 10　0106 $\frac{4}{7}$ L　0107 ⑤
0108 ⑤　0109 ③　0110 ③　0111 ②
0112 ①　0113 ②　0114 ⑤　0115 ④
0116 ③　0117 ①　0118 ④　0119 ②
0120 ①　0121 6　0122 $\frac{4}{3}$　0123 6π
0124 (1) $a_{n+1}<\frac{2}{3}a_n$ (2) 0 (3) 3
0125 (1) $a_{n+1}-2=\frac{1}{2}(a_n-2)$ (2) $a_n=-\left(\frac{1}{2}\right)^{n-1}+2$ (3) -2
0126 121　0127 200　0128 ④　0129 500
0130 ④

2 급수 p. 28~41

0131 $\frac{1}{2}$　0132 1　0133 -1　0134 0
0135 발산　0136 수렴, $\frac{3}{2}$　0137 발산　0138 수렴, 1
0139 수렴, $-\frac{1}{2}$　0140 발산　0141 발산　0142 수렴, 1
0143 풀이 참조　0144 풀이 참조　0145 풀이 참조　0146 풀이 참조
0147 풀이 참조　0148 풀이 참조　0149 풀이 참조　0150 풀이 참조
0151 (1) 8 (2) -11　0152 수렴, $\frac{4}{3}$　0153 발산
0154 발산　0155 수렴, $\frac{3}{5}$　0156 수렴, 6　0157 $\frac{3}{4}$
0158 $\frac{4}{3}$　0159 -2　0160 23　0161 $\frac{\sqrt{2}}{2}$
0162 $\frac{4}{5}$　0163 $-\frac{1}{2}<x<\frac{1}{2}$　0164 $0<x<\frac{1}{2}$
0165 $-2<x<2$　0166 $\frac{34}{333}$　0167 $\frac{13}{45}$
0168 $\frac{124}{99}$　0169 ④　0170 ①　0171 $\frac{3}{4}$
0172 ②　0173 1　0174 -1　0175 ③
0176 발산　0177 ⑤　0178 -1　0179 ②
0180 ④　0181 4　0182 ①　0183 ④
0184 -1　0185 9　0186 ㄱ, ㄴ　0187 ㄱ, ㄴ
0188 $\frac{17}{6}$　0189 $\frac{11}{16}$　0190 $\frac{62}{105}$　0191 $\frac{1}{60}$
0192 $\frac{4}{13}$　0193 $-\frac{2}{3}$　0194 1　0195 $\sqrt{3}$
0196 13　0197 $0\le x<99$　0198 ㄱ, ㄷ　0199 ①
0200 ①　0201 2　0202 ③　0203 ①
0204 $\frac{1}{2}$　0205 $\frac{10}{81}$　0206 $\frac{2}{3}$　0207 ②
0208 ③　0209 $\frac{4}{3}$　0210 ②　0211 $\frac{4}{3}$
0212 $\left(\frac{6}{5}, \frac{9}{5}\right)$　0213 $\left(\frac{\sqrt{3}}{3}, 1\right)$　0214 ②　0215 54
0216 600 cm　0217 $4+2\sqrt{3}$　0218 2　0219 $2+\sqrt{2}$
0220 10　0221 $\frac{\pi}{2}-1$　0222 2　0223 ①
0224 ①　0225 ⑤　0226 ④　0227 ②
0228 ③　0229 ①　0230 ⑤　0231 ④
0232 ②　0233 $\frac{1}{3}<x<1$
0234 (1) $r_{n+1}=(\sqrt{2}-1)r_n$ (2) $(2+2\sqrt{2})\pi$ (3) 8
0235 3640　0236 630　0237 -13　0238 $\frac{120}{7}$
0239 20

3 지수함수와 로그함수의 미분 p. 44~57

0240 0　0241 $-\infty$　0242 -1　0243 0
0244 4　0245 -16　0246 $-\infty$　0247 ∞
0248 $-\infty$　0249 3　0250 2　0251 e^3
0252 $e^{\frac{1}{2}}$　0253 e^3　0254 $\frac{1}{e}$　0255 $\ln 5$
0256 $-\ln 2$　0257 2　0258 $\frac{1}{2}$　0259 $\sqrt{3}$
0260 $\ln 10$　0261 $\frac{1}{2}$　0262 3　0263 $\frac{3}{\ln 2}$
0264 2　0265 $-\frac{1}{2}$　0266 $\frac{1}{4}\ln 2$　0267 $y'=e^{x+1}$
0268 $y'=xe^x$　0269 $y'=x^2e^x(x+3)$
0270 $y'=2\times3^x\ln 3$　0271 $y'=2\times5^{2x-1}\ln 5$
0272 $y'=3^x(1+x\ln 3)$　0273 $y'=\frac{1}{x}$　0274 $y'=\frac{3}{x}$
0275 $y'=3\ln 2x+3$　0276 $y'=\frac{2\ln x}{x}$
0277 $y'=2x+\frac{1}{x\ln 5}$　0278 $y'=\frac{1}{x\ln 2}$
0279 $y'=\log_2 x+\frac{1}{\ln 2}$　0280 $y'=\log_5 3x+\frac{1}{\ln 5}$

유형 해결의 법칙

내신에 최적화된
문제
기본서

개념과 문제를 유형화하여 공부하는 것은
수학 실력 향상의 밑거름입니다.
가장 효율적으로 유형을 나누어 연습하는

최고의 유형 문제집 !

이책의 구성과 특징

Structure

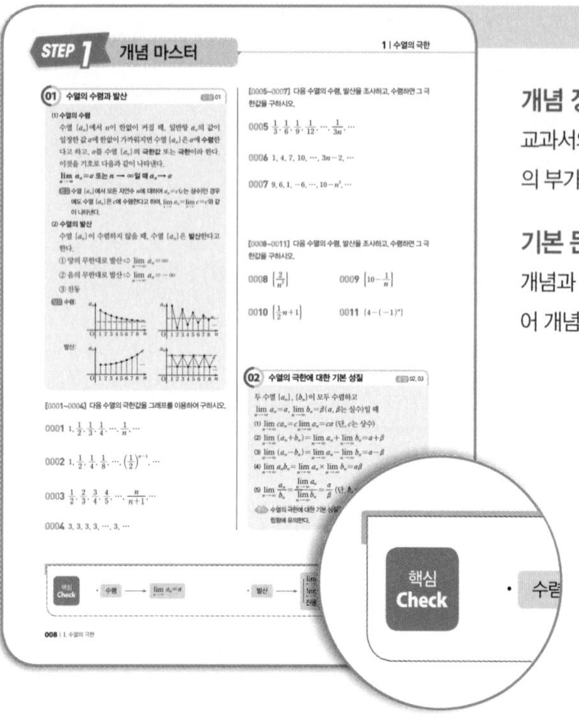

STEP 1 | 개념 마스터

개념 정리

교과서의 핵심 개념 및 기본 공식, 정의 등을 정리하고 예, 참고 등의 부가설명을 통해 보다 쉽게 개념을 이해할 수 있도록 하였습니다.

기본 문제

개념과 공식을 바로 적용하여 해결할 수 있는 기본적인 문제를 다루어 개념을 확실하게 익힐 수 있도록 하였습니다.

핵심 Check

핵심 개념을 도식화하여 요점 정리하였습니다.

STEP 2 | 유형 마스터

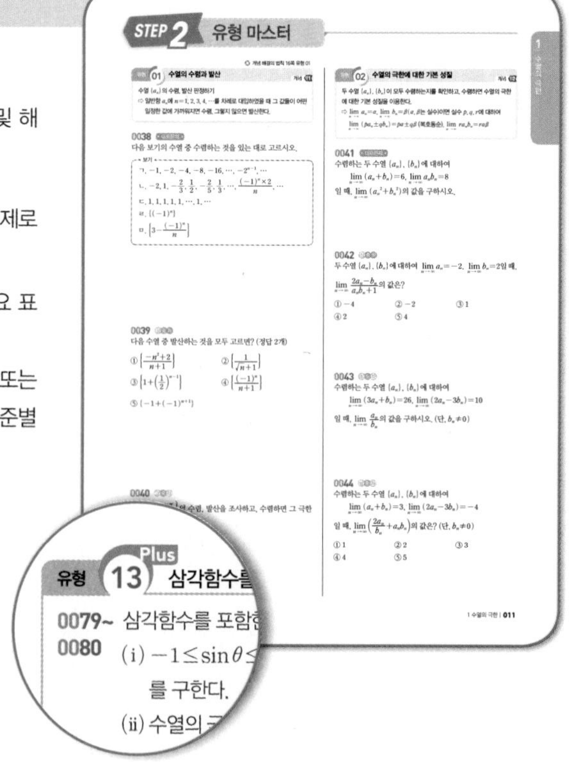

유형 & 해결 전략

중단원의 핵심 유형을 선정하고, 그 유형 학습에 필요한 개념 및 해결 전략을 제시하여 문제 해결력을 키울 수 있도록 하였습니다.

- **대표문제** 각 유형에서 시험에 자주 출제되는 문제를 대표문제로 지정하였습니다.
- **★중요** 내신 출제율이 높고 꼭 알아두어야 할 유형에 중요 표시 하였습니다.
- **발전 유형** 정규 교과 과정의 내용은 아니나 알아둬야 할 유형 또는 발전 유형을 기본 유형과 다른 색으로 표시하여 수준별 학습이 가능하도록 하였습니다.

유형 Plus

각 유형에서 약간 응용되어 변별력이 있는 문제들을 'Plus'로 구분하고 추가 풀이 전략을 제시하여 보다 쉽게 접근하도록 하였습니다.

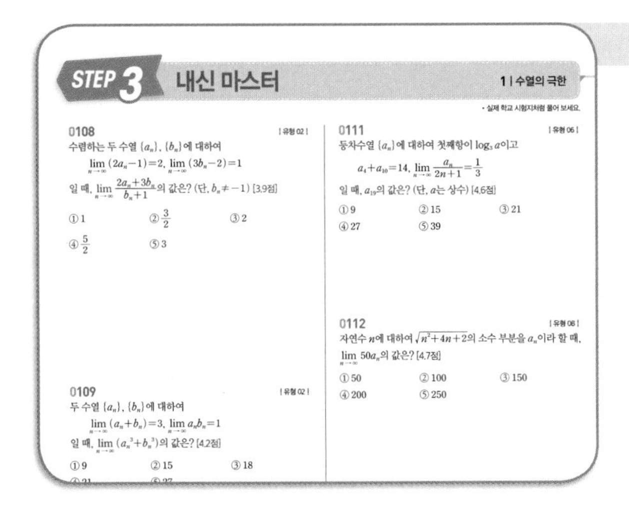

STEP 3 | 내신 마스터

문항별로 점수를 제시하고, 서술형 문제들을 따로 모아 제공하여 실제 학교 시험지처럼 구성하였습니다.

문항별로 관련 유형을 링크하여 어떤 유형과 연계된 문제인지 알 수 있도록 하였습니다.

성/취/도 Check 중단원 학습을 마무리하고, 자신의 실력을 체크하여 성취도에 맞춰 피드백할 수 있도록 하였습니다. 유형 학습이 부족한 경우는 관련 유형을 다시 한 번 익히도록 합니다.

창의·융합 교과서 속 심화문제

교과서 속 심화 문제 및 도전해 볼만한 수능·모의고사 기출문제를 제공하여 고득점에 대비할 수 있도록 하였습니다.
창의력, **융합형**, **창의·융합** 문제를 통해 다각화된 수학적 문제 해결 능력을 강화할 수 있도록 하였습니다.

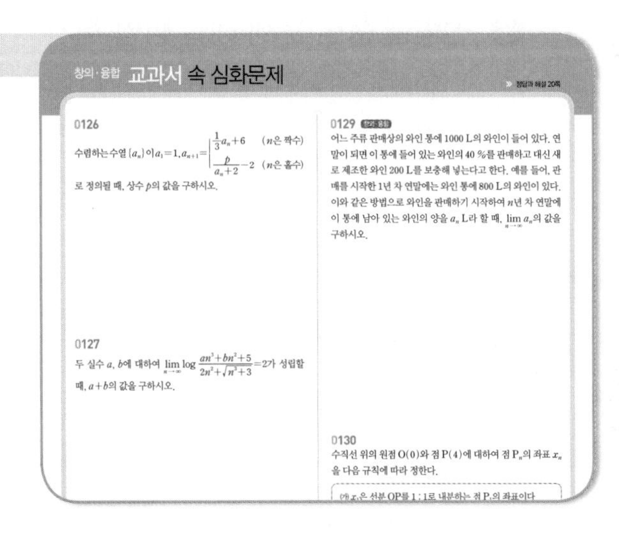

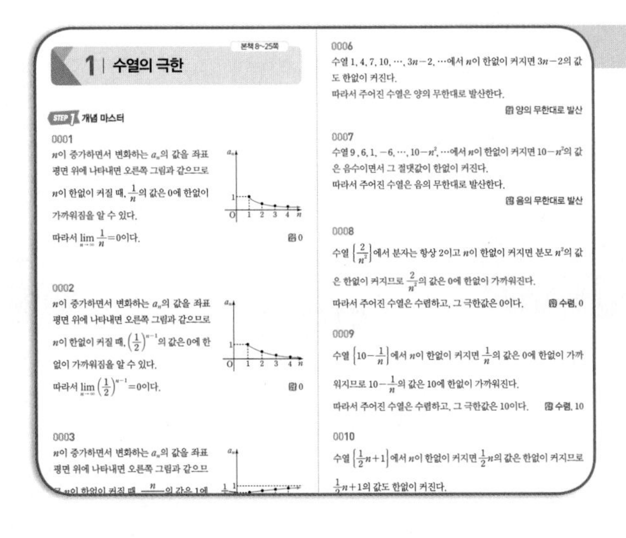

정답과 해설

자세하고 친절한 해설을 수록하였습니다.

전략 문제에 접근할 수 있는 실마리를 제공하였습니다.

다른 풀이 일반적인 풀이 방법 외에 다른 원리나 개념을 이용한 풀이를 제시하였습니다.

Lecture 풀이를 이해하는데 도움이 되는 내용, 풀이 과정에서 범할 수 있는 실수, 주의할 내용들을 짚어줍니다.

유형 해결의 법칙의

특장과 활용법

Merits & Use

특장

❶ 수학의 모든 유형의 문제를 다룬다.

전국 고등학교의 내신 기출 문제를 수집, 분석하여 유형별로 수록함으로써 개념을 익힐 수 있는 충분한 문제 연습이 가능하도록 하였습니다.

❷ 내신에 최적화된 문제 기본서

기본 문제로 개념 확인하기, 유형별로 문제 익히기, 실전 시험에 대비하기, 교과서 속 심화 문제를 통해 응용력 강화하기 등 단계별로 학습이 가능한 내신에 최적화된 시스템으로 구성하였습니다.

❸ 전략을 통한 문제 해결 방법 제시

유형별 해결 전략을 제시하여 핵심 유형을 마스터하고 해결 능력을 스스로 향상시킬 수 있도록 하였습니다.

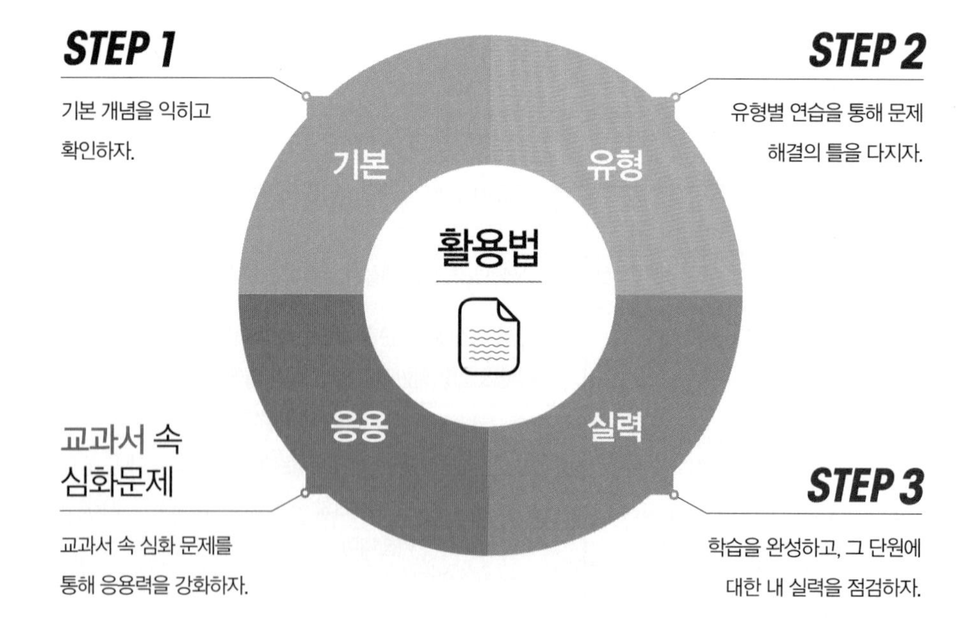
STEP 1
기본 개념을 익히고 확인하자.
STEP 2
유형별 연습을 통해 문제 해결의 틀을 다지자.
기본
유형
활용법
응용
실력
교과서 속 심화문제
교과서 속 심화 문제를 통해 응용력을 강화하자.
STEP 3
학습을 완성하고, 그 단원에 대한 내 실력을 점검하자.

이책의 차례

Contents

미적분

1

수열의 극한

내일의 삶은 너무 늦다.
오늘을 살아라.

-마르티 알리스

기출 문제 분석
빅 데이터

* 전국 300여 개 고등학교 기출 문제를 분석하였습니다.

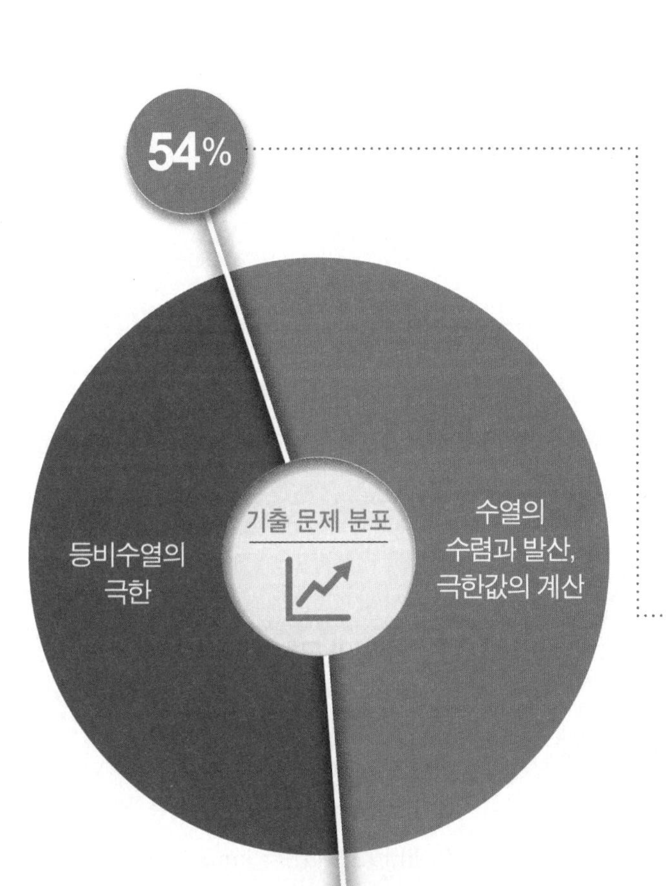

유형01 수열의 수렴과 발산
유형02 수열의 극한에 대한 기본 성질
유형03 $\lim_{n\to\infty} a_n = \lim_{n\to\infty} a_{n+1} = \alpha$($\alpha$는 실수)의 이용
유형04 $\frac{\infty}{\infty}$ 꼴의 극한
유형05 $\frac{\infty}{\infty}$ 꼴의 극한 – 합 또는 곱
유형06 $\frac{\infty}{\infty}$ 꼴의 극한 – 로그를 포함한 식
유형07 $\frac{\infty}{\infty}$ 꼴의 극한 – 미정계수의 결정
유형08 $\infty-\infty$ 꼴의 극한
유형09 $\infty-\infty$ 꼴의 극한 – 분수 꼴
유형10 $\infty-\infty$ 꼴의 극한 – 미정계수의 결정
유형11 일반항 a_n을 포함한 식의 극한값
유형12 수열의 극한에 대한 진위 판정 문제
유형13 수열의 극한의 대소 관계

유형14 등비수열의 극한
유형15 등비수열의 수렴 조건
유형16 r^n을 포함한 수열의 극한
유형17 x^n을 포함한 극한으로 정의된 함수
유형18 귀납적으로 정의된 수열의 극한
유형19 수열의 극한의 활용 (1)
유형20 수열의 극한의 활용 (2)

STEP 1 개념 마스터

01 수열의 수렴과 발산 유형 01

(1) 수열의 수렴

수열 $\{a_n\}$에서 n이 한없이 커질 때, 일반항 a_n의 값이 일정한 값 α에 한없이 가까워지면 수열 $\{a_n\}$은 α에 **수렴**한다고 하고, α를 수열 $\{a_n\}$의 **극한값** 또는 **극한**이라 한다. 이것을 기호로 다음과 같이 나타낸다.

$\lim_{n\to\infty} a_n=\alpha$ 또는 $n \to \infty$일 때 $a_n \to \alpha$

참고 수열 $\{a_n\}$에서 모든 자연수 n에 대하여 $a_n=c$(c는 상수)인 경우에도 수열 $\{a_n\}$은 c에 수렴한다고 하며, $\lim_{n\to\infty} a_n=\lim_{n\to\infty} c=c$와 같이 나타낸다.

(2) 수열의 발산

수열 $\{a_n\}$이 수렴하지 않을 때, 수열 $\{a_n\}$은 **발산**한다고 한다.

① 양의 무한대로 발산 ⇨ $\lim_{n\to\infty} a_n=\infty$

② 음의 무한대로 발산 ⇨ $\lim_{n\to\infty} a_n=-\infty$

③ 진동

참고 수렴:

발산:

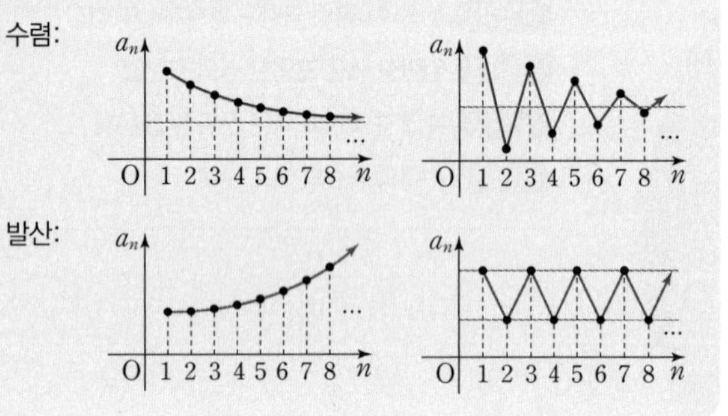

[0001~0004] 다음 수열의 극한값을 그래프를 이용하여 구하시오.

0001 $1, \frac{1}{2}, \frac{1}{3}, \frac{1}{4}, \cdots, \frac{1}{n}, \cdots$

0002 $1, \frac{1}{2}, \frac{1}{4}, \frac{1}{8}, \cdots, \left(\frac{1}{2}\right)^{n-1}, \cdots$

0003 $\frac{1}{2}, \frac{2}{3}, \frac{3}{4}, \frac{4}{5}, \cdots, \frac{n}{n+1}, \cdots$

0004 $3, 3, 3, 3, \cdots, 3, \cdots$

[0005~0007] 다음 수열의 수렴, 발산을 조사하고, 수렴하면 그 극한값을 구하시오.

0005 $\frac{1}{3}, \frac{1}{6}, \frac{1}{9}, \frac{1}{12}, \cdots, \frac{1}{3n}, \cdots$

0006 $1, 4, 7, 10, \cdots, 3n-2, \cdots$

0007 $9, 6, 1, -6, \cdots, 10-n^2, \cdots$

[0008~0011] 다음 수열의 수렴, 발산을 조사하고, 수렴하면 그 극한값을 구하시오.

0008 $\left\{\frac{2}{n^2}\right\}$

0009 $\left\{10-\frac{1}{n}\right\}$

0010 $\left\{\frac{1}{2}n+1\right\}$

0011 $\{4-(-1)^n\}$

02 수열의 극한에 대한 기본 성질 유형 02, 03

두 수열 $\{a_n\}$, $\{b_n\}$이 모두 수렴하고

$\lim_{n\to\infty} a_n=\alpha$, $\lim_{n\to\infty} b_n=\beta$ (α, β는 실수)일 때

(1) $\lim_{n\to\infty} ca_n=c\lim_{n\to\infty} a_n=c\alpha$ (단, c는 상수)

(2) $\lim_{n\to\infty} (a_n+b_n)=\lim_{n\to\infty} a_n+\lim_{n\to\infty} b_n=\alpha+\beta$

(3) $\lim_{n\to\infty} (a_n-b_n)=\lim_{n\to\infty} a_n-\lim_{n\to\infty} b_n=\alpha-\beta$

(4) $\lim_{n\to\infty} a_nb_n=\lim_{n\to\infty} a_n\times\lim_{n\to\infty} b_n=\alpha\beta$

(5) $\lim_{n\to\infty} \frac{a_n}{b_n}=\frac{\lim_{n\to\infty} a_n}{\lim_{n\to\infty} b_n}=\frac{\alpha}{\beta}$ (단, $b_n\neq0$, $\beta\neq0$)

주의 수열의 극한에 대한 기본 성질은 각각의 수열이 모두 수렴할 때만 성립함에 유의한다.

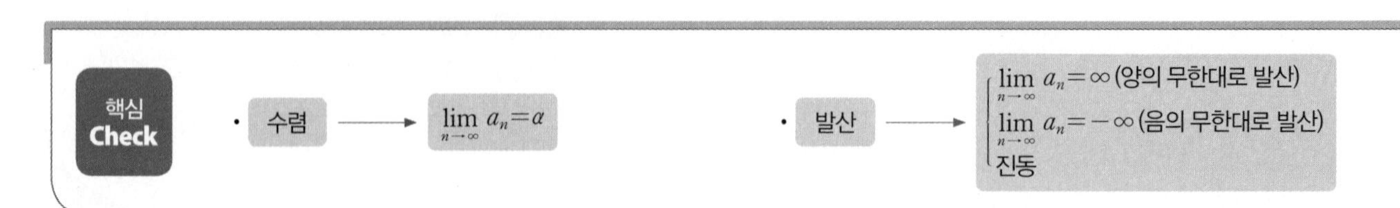

0012 $\lim_{n\to\infty} a_n=2$, $\lim_{n\to\infty} b_n=-5$일 때, 다음 극한값을 구하시오.

(1) $\lim_{n\to\infty}(-a_n+3b_n)$ (2) $\lim_{n\to\infty}(2a_n-b_n)$

(3) $\lim_{n\to\infty} 3a_nb_n$ (4) $\lim_{n\to\infty}\frac{2a_n}{3b_n}$

[0013~0016] 다음 극한값을 구하시오.

0013 $\lim_{n\to\infty}\left(3+\frac{2}{n}\right)$

0014 $\lim_{n\to\infty}\frac{n-2}{n^2}$

0015 $\lim_{n\to\infty}\left(2+\frac{1}{n}\right)\left(\frac{1}{n}-3\right)$

0016 $\lim_{n\to\infty}\frac{\frac{2}{n^2}+4}{2-\frac{1}{n}}$

03 수열의 극한값의 계산

유형 04~12

(1) $\frac{\infty}{\infty}$ 꼴의 극한

분모의 최고차항으로 분모, 분자를 각각 나눈다.

① (분자의 차수)=(분모의 차수)
⇨ 극한값은 최고차항의 계수의 비

② (분자의 차수)<(분모의 차수)
⇨ 극한값은 0

③ (분자의 차수)>(분모의 차수)
⇨ 극한값은 없다. (∞ 또는 $-\infty$로 발산)

(2) $\infty-\infty$ 꼴의 극한

① $\sqrt{}$ 가 포함된 경우
⇨ $\sqrt{}$ 를 포함하는 분모 또는 분자를 유리화한다.

② $\sqrt{}$ 가 없는 다항식인 경우
⇨ 최고차항으로 묶는다.

[0017~0020] 다음 극한을 조사하고, 극한이 존재하면 그 극한값을 구하시오.

0017 $\lim_{n\to\infty}\frac{3n^2-n+2}{2n^2+3n-1}$

0018 $\lim_{n\to\infty}\frac{(n+3)(n-1)}{(2n+1)(n-2)}$

0019 $\lim_{n\to\infty}\frac{2+n}{1+n^3}$

0020 $\lim_{n\to\infty}\frac{2n^2+n-3}{n+1}$

[0021~0022] 다음 극한값을 구하시오.

0021 $\lim_{n\to\infty}(\sqrt{n^2+n}-n)$

0022 $\lim_{n\to\infty}\frac{1}{\sqrt{n^2+2n}-n}$

[0023~0024] 다음 극한을 조사하시오.

0023 $\lim_{n\to\infty}(2n^2-5n)$

0024 $\lim_{n\to\infty}(n+n^2-n^3)$

핵심 Check

- $\frac{\infty}{\infty}$ 꼴의 극한 → 분모의 최고차항으로 분모, 분자를 각각 나눈다.
- $\infty-\infty$ 꼴의 극한 → ① $\sqrt{}$ 를 포함 ⇨ 유리화 ② 다항식 ⇨ 최고차항으로 묶기

04 수열의 극한의 대소 관계 유형 13

두 수열 $\{a_n\}$, $\{b_n\}$이 모두 수렴하고
$\lim_{n\to\infty} a_n=\alpha$, $\lim_{n\to\infty} b_n=\beta$($\alpha$, β는 실수)일 때

(1) 모든 자연수 n에 대하여 $a_n \le b_n$이면 $\alpha \le \beta$

(2) 수열 $\{c_n\}$이 모든 자연수 n에 대하여 $a_n \le c_n \le b_n$이고 $\alpha=\beta$이면 수열 $\{c_n\}$은 수렴하고 $\lim_{n\to\infty} c_n=\alpha$

참고 (1) 모든 자연수 n에 대하여 $a_n<b_n$이지만 $\lim_{n\to\infty} a_n=\lim_{n\to\infty} b_n$인 경우도 있다.
(2) 모든 자연수 n에 대하여 $a_n<c_n<b_n$이고 $\alpha=\beta$이어도 $\lim_{n\to\infty} c_n=\alpha$이다.

0025 수열 $\{a_n\}$이 모든 자연수 n에 대하여

$$\frac{n^2+1}{2n^2+3}<a_n<\frac{n^2+4}{2n^2+1}$$

를 만족시킬 때, $\lim_{n\to\infty} a_n$의 값을 구하시오.

05 등비수열 $\{r^n\}$의 수렴과 발산 유형 14~20

등비수열 $\{r^n\}$에서

(1) $r>1$일 때, $\lim_{n\to\infty} r^n=\infty$ ⇨ 발산

(2) $r=1$일 때, $\lim_{n\to\infty} r^n=1$ ⇨ 수렴
└ $r=1$이면 자연수 n에 대하여 $r^n=1$이므로 $\lim_{n\to\infty} r^n=1$

(3) $-1<r<1$일 때, $\lim_{n\to\infty} r^n=0$ ⇨ 수렴

(4) $r\le-1$일 때, 수열 $\{r^n\}$은 진동 ⇨ 발산
└ $r=-1$이면 수열 $\{r^n\}$은 $-1, 1, -1, 1, \cdots$이므로 발산(진동)한다.

참고 • 등비수열 $\{r^n\}$의 수렴 조건 ⇨ $-1<r\le1$
• 등비수열 $\{ar^{n-1}\}$의 수렴 조건 ⇨ $a=0$ 또는 $-1<r\le1$

[0026~0027] 다음 등비수열의 수렴, 발산을 조사하시오.

0026 $1, -\frac{1}{2}, \frac{1}{4}, \cdots, \left(-\frac{1}{2}\right)^{n-1}, \cdots$

0027 $\sqrt{2}, \sqrt{6}, 3\sqrt{2}, \cdots, \sqrt{2}\times(\sqrt{3})^{n-1}, \cdots$

[0028~0031] 다음 등비수열의 수렴, 발산을 조사하시오.

0028 $\{2.1^n\}$

0029 $\{(-0.8)^n\}$

0030 $\left\{\left(\frac{2}{3}\right)^n\right\}$

0031 $\{(-2)^n\}$

[0032~0035] 다음 수열의 수렴, 발산을 조사하고, 수렴하면 그 극한값을 구하시오.

0032 $\left\{\frac{3^n}{2^{2n}-3^n}\right\}$

0033 $\left\{\frac{(-3)^{n+1}+2^{n+1}}{2^n-(-3)^n}\right\}$

0034 $\left\{\frac{2\times3^n+5^{n+1}}{3^n-4\times5^n}\right\}$

0035 $\{3^n-2^n\}$

[0036~0037] 다음 등비수열이 수렴하기 위한 실수 r의 값의 범위를 구하시오.

0036 $1, 2r, 4r^2, 8r^3, \cdots$

0037 $1, (2r-1), (2r-1)^2, (2r-1)^3, \cdots$

핵심 Check

• $a_n\le c_n\le b_n$이고 $\lim_{n\to\infty} a_n=\lim_{n\to\infty} b_n=\alpha$ ⟶ $\lim_{n\to\infty} c_n=\alpha$

• 등비수열 $\{r^n\}$의 수렴 조건 ⟶ $-1<r\le1$

STEP 2 유형 마스터

개념 해결의 법칙 16쪽 유형 01

유형 01 수열의 수렴과 발산

개념 01

수열 $\{a_n\}$의 수렴, 발산 판정하기

⇨ 일반항 a_n에 $n=1, 2, 3, 4, \cdots$를 차례로 대입하였을 때 그 값들이 어떤 일정한 값에 가까워지면 수렴, 그렇지 않으면 발산한다.

0038 • 대표문제 •

다음 보기의 수열 중 수렴하는 것을 있는 대로 고르시오.

보기

ㄱ. $-1, -2, -4, -8, -16, \cdots, -2^{n-1}, \cdots$

ㄴ. $-2, 1, -\frac{2}{3}, \frac{1}{2}, -\frac{2}{5}, \frac{1}{3}, \cdots, \frac{(-1)^n\times 2}{n}, \cdots$

ㄷ. $1, 1, 1, 1, 1, \cdots, 1, \cdots$

ㄹ. $\{(-1)^n\}$

ㅁ. $\left\{3-\frac{(-1)^n}{n}\right\}$

0039 상중하

다음 수열 중 발산하는 것을 모두 고르면? (정답 2개)

① $\left\{\frac{-n^2+2}{n+1}\right\}$ ② $\left\{\frac{1}{\sqrt{n}+1}\right\}$

③ $\left\{1+\left(\frac{1}{2}\right)^{n-1}\right\}$ ④ $\left\{\frac{(-1)^n}{n+1}\right\}$

⑤ $\{-1+(-1)^{n+1}\}$

0040 상중하

수열 $\left\{\cos\frac{n\pi}{2}\right\}$의 수렴, 발산을 조사하고, 수렴하면 그 극한값을 구하시오.

유형 02 수열의 극한에 대한 기본 성질

개념 02

두 수열 $\{a_n\}$, $\{b_n\}$이 모두 수렴하는지를 확인하고, 수렴하면 수열의 극한에 대한 기본 성질을 이용한다.

⇨ $\lim_{n\to\infty} a_n=\alpha$, $\lim_{n\to\infty} b_n=\beta$($\alpha$, β는 실수)이면 실수 p, q, r에 대하여

$\lim_{n\to\infty}(pa_n\pm qb_n)=p\alpha\pm q\beta$ (복호동순), $\lim_{n\to\infty} ra_nb_n=r\alpha\beta$

0041 • 대표문제 •

수렴하는 두 수열 $\{a_n\}$, $\{b_n\}$에 대하여

$$\lim_{n\to\infty}(a_n+b_n)=6,\ \lim_{n\to\infty} a_nb_n=8$$

일 때, $\lim_{n\to\infty}({a_n}^2+{b_n}^2)$의 값을 구하시오.

0042 상중하

두 수열 $\{a_n\}$, $\{b_n\}$에 대하여 $\lim_{n\to\infty} a_n=-2$, $\lim_{n\to\infty} b_n=2$일 때, $\lim_{n\to\infty}\frac{2a_n-b_n}{a_nb_n+1}$의 값은?

① -4 ② -2 ③ 1

④ 2 ⑤ 4

0043 상중하

수렴하는 두 수열 $\{a_n\}$, $\{b_n\}$에 대하여

$$\lim_{n\to\infty}(3a_n+b_n)=26,\ \lim_{n\to\infty}(2a_n-3b_n)=10$$

일 때, $\lim_{n\to\infty}\frac{a_n}{b_n}$의 값을 구하시오. (단, $b_n\neq 0$)

0044 상중하

수렴하는 두 수열 $\{a_n\}$, $\{b_n\}$에 대하여

$$\lim_{n\to\infty}(a_n+b_n)=3,\ \lim_{n\to\infty}(2a_n-3b_n)=-4$$

일 때, $\lim_{n\to\infty}\left(\frac{2a_n}{b_n}+a_nb_n\right)$의 값은? (단, $b_n\neq 0$)

① 1 ② 2 ③ 3

④ 4 ⑤ 5

유형 03 $\lim_{n\to\infty} a_n = \lim_{n\to\infty} a_{n+1} = \alpha$($\alpha$는 실수)의 이용

개념 02

수열 $\{a_n\}$이 수렴하고 $\lim_{n\to\infty} a_n = \alpha$($\alpha$는 실수)이면

⇨ $\lim_{n\to\infty} a_{n-1} = \lim_{n\to\infty} a_{n+1} = \lim_{n\to\infty} a_{n+2} = \cdots = \lim_{n\to\infty} a_{2n} = \cdots = \alpha$

0045 • 대표문제 •

수렴하는 수열 $\{a_n\}$에 대하여 $\lim_{n\to\infty} \frac{a_{n+2}+3}{2a_n+1} = 2$일 때, $\lim_{n\to\infty} a_n$의 값은?

① -4 ② $-\frac{1}{3}$ ③ $\frac{1}{3}$

④ 4 ⑤ 6

0046 상중하

수열 $\{a_n\}$에 대하여 $\lim_{n\to\infty} a_n = \alpha$, $\lim_{n\to\infty} a_{n+1} = \beta$이고 $\lim_{n\to\infty} (3a_{n+1} - a_{n-1}) = 4$일 때, $\alpha^2 + \beta^2$의 값은?

(단, α, β는 실수)

① 5 ② 8 ③ 10

④ 13 ⑤ 20

0047 상중하 서술형

수열 $\{a_n\}$이 0이 아닌 실수에 수렴하고

$$\frac{9}{a_{n+1}} = 6 - a_n \ (n=1, 2, 3, \cdots)$$

을 만족시킬 때, $\lim_{n\to\infty} a_n$의 값을 구하시오.

중요

개념 해결의 법칙 17쪽 유형 02

유형 04 $\frac{\infty}{\infty}$ 꼴의 극한

개념 03

(i) 분모의 최고차항으로 주어진 식의 분모, 분자를 각각 나눈다.

(ii) 분모의 차수와 분자의 차수를 비교한다.

0048 • 대표문제 •

다음 중 극한값이 가장 작은 것은?

① $\lim_{n\to\infty} \frac{2n^2+3n+1}{3n^2+1}$ ② $\lim_{n\to\infty} \frac{\sqrt{n^2+3n}}{3n}$

③ $\lim_{n\to\infty} \frac{1-n}{2n+1}$ ④ $\lim_{n\to\infty} \frac{2n^2+3}{n^3+1}$

⑤ $\lim_{n\to\infty} \frac{\sqrt{n}}{\sqrt{16n+4}}$

0049 상중하

$\lim_{n\to\infty} \frac{(2n+1)^2}{3-2n^2} + \lim_{n\to\infty} \frac{2n}{\sqrt{n^2+1}+n}$의 값을 구하시오.

0050 상중하

수열 $\{a_n\}$의 첫째항부터 제n항까지의 합 S_n이 $S_n = 2n^2 - n$일 때, $\lim_{n\to\infty} \frac{a_n^2}{S_n}$의 값을 구하시오.

개념 해결의 법칙 17쪽 유형 02

유형 05 $\frac{\infty}{\infty}$ 꼴의 극한 – 합 또는 곱

개념 03

(i) 합 또는 곱으로 된 부분을 간단히 정리하여 n에 대한 식으로 나타낸다.

(ii) $\frac{\infty}{\infty}$ 꼴로 변형한 다음 극한값을 구한다.

0051 대표문제

$\lim_{n\to\infty}\frac{1^2+2^2+3^2+\cdots+n^2}{n(1+2+3+\cdots+n)}$의 값은?

① $\frac{1}{3}$ ② $\frac{1}{2}$ ③ $\frac{2}{3}$
④ 1 ⑤ 2

0052 상중하

$\lim_{n\to\infty}\frac{2n(2n+1)(4n+1)}{1^2+2^2+3^2+\cdots+n^2}$의 값은?

① 36 ② 40 ③ 44
④ 48 ⑤ 52

0053 상중하 서술형

세 수열 $\{a_n\}$, $\{b_n\}$, $\{c_n\}$의 일반항이 다음과 같을 때, $\lim_{n\to\infty}\frac{a_nb_n}{c_n}$의 값을 구하시오.

$a_n=\left(1-\frac{1}{2}\right)\left(1-\frac{1}{3}\right)\left(1-\frac{1}{4}\right)\times\cdots\times\left(1-\frac{1}{n}\right)$
$b_n=1\times2+2\times3+3\times4+\cdots+n(n+1)$
$c_n=1+2+3+\cdots+n$

유형 06 $\frac{\infty}{\infty}$ 꼴의 극한 – 로그를 포함한 식

개념 03

일반적으로 수열 $\{a_n\}$에 대하여 $\lim_{n\to\infty}a_n=\alpha\,(a_n>0,\,\alpha>0)$일 때

⇨ $\lim_{n\to\infty}\log a_n=\log(\lim_{n\to\infty}a_n)=\log\alpha$

0054 대표문제

$\lim_{n\to\infty}\{\log_2(2n^2-n+3)-2\log_2(n+1)\}$의 값은?

① $\frac{1}{2}$ ② 1 ③ 2
④ 4 ⑤ 8

0055 상중하

$\lim_{n\to\infty}(\log_9\sqrt{n^2+2n+5}-\log_9\sqrt{9n^2-n+2})$의 값은?

① -1 ② $-\frac{1}{2}$ ③ $-\frac{1}{3}$
④ $\frac{1}{2}$ ⑤ 1

0056 상중하

수열 $\{a_n\}$의 일반항이 $a_n=\log\frac{n+1}{n}$일 때,

$\lim_{n\to\infty}\frac{3n-5}{10^{a_1+a_2+\cdots+a_n}}$의 값은?

① 1 ② 2 ③ 3
④ 4 ⑤ 5

개념 해결의 법칙 19쪽 유형 04

유형 07 $\frac{\infty}{\infty}$ 꼴의 극한 - 미정계수의 결정

개념 03

$\lim_{n\to\infty} a_n=\infty$, $\lim_{n\to\infty} b_n=\infty$이고 $\lim_{n\to\infty} \frac{a_n}{b_n}=\alpha$($\alpha$는 실수)일 때

(1) $\alpha=0$이면
⇨ (a_n의 차수)$<$(b_n의 차수)

(2) $\alpha\neq0$이면
⇨ (a_n의 차수)$=$(b_n의 차수)이고, 최고차항의 계수의 비가 α이다.

0057 • 대표문제 •

$\lim_{n\to\infty} \frac{an^2+bn+1}{3n+5}=\frac{1}{3}$일 때, 상수 a, b에 대하여 $a-b$의 값은?

① -2 ② -1 ③ 0
④ 1 ⑤ 2

0058 상중하

$\lim_{n\to\infty} \frac{an^3+bn+3}{cn^2-2n-4}=-2$일 때, 상수 a, b, c에 대하여 $a+b+c$의 값은?

① -4 ② -2 ③ -1
④ 2 ⑤ 4

0059 상중하

$\lim_{n\to\infty} \frac{an^2-2n-1}{bn^3+n^2+3}=\frac{1}{2}$일 때, 상수 a, b에 대하여 $\lim_{n\to\infty} \frac{n^2+3n-4}{(an+b)^2}$의 값을 구하시오.

0060 상중하

$\lim_{n\to\infty} \frac{\sqrt{n^2+n}+n}{n^a}=b$일 때, 상수 a, b에 대하여 $a+b$의 값을 구하시오. (단, $b\neq0$)

개념 해결의 법칙 18쪽 유형 03

중요 유형 08 $\infty-\infty$ 꼴의 극한

개념 03

무리식이 포함된 경우 분모를 1로 보고 분자를 유리화하여 $\frac{\infty}{\infty}$ 꼴로 변형한 다음 극한값을 구한다.

0061 • 대표문제 •

$\lim_{n\to\infty} (\sqrt{4n^2+3n}-2n)$의 값은?

① 0 ② $\frac{1}{4}$ ③ $\frac{1}{2}$
④ $\frac{3}{4}$ ⑤ 1

0062 상중하

$\lim_{n\to\infty} \sqrt{n}(\sqrt{n+1}-\sqrt{n})$의 값은?

① 2 ② 1 ③ $\frac{1}{2}$
④ $\frac{1}{4}$ ⑤ 0

0063 상중하

자연수 n에 대하여 이차방정식
$x^2-4(n-\sqrt{n^2+2n})x+2=0$의 두 근을 α_n, β_n이라 할 때,
$\lim_{n\to\infty} \left(\frac{1}{\alpha_n}+\frac{1}{\beta_n}\right)$의 값은?

① -2 ② -1 ③ 0
④ 1 ⑤ 2

0064 상중하 서술형

자연수 n에 대하여 $\sqrt{n^2+5n+4}$의 소수 부분을 a_n이라 할 때, $\lim_{n\to\infty} a_n$의 값을 구하시오.

개념 해결의 법칙 18쪽 유형 03

유형 09 $\infty-\infty$ 꼴의 극한 – 분수 꼴 개념 03

(1) 분모에만 근호가 있으면 분모를 유리화한다.
(2) 분모, 분자에 모두 근호가 있으면 분모, 분자를 각각 유리화한다.

0065 • 대표문제 •

$\lim_{n\to\infty}\frac{2}{\sqrt{n^2+n}-\sqrt{n^2-3n}}$의 값을 구하시오.

0066 상중하

$\lim_{n\to\infty}\frac{\sqrt{n+2}-\sqrt{n}}{\sqrt{n+3}-\sqrt{n+1}}+\lim_{n\to\infty}\frac{1}{n-\sqrt{n(n-1)}}$의 값은?

① 2 ② 3 ③ 4
④ 5 ⑤ 6

0067 상중하

$\lim_{n\to\infty}\frac{n-\sqrt{n^2+1003}}{\sqrt{n^2+1004}-n}$의 값은?

① $-\frac{1004}{1003}$ ② $-\frac{1003}{1004}$ ③ $-\frac{502}{1003}$
④ $\frac{1003}{1004}$ ⑤ $\frac{1004}{1003}$

개념 해결의 법칙 19쪽 유형 04

유형 10 $\infty-\infty$ 꼴의 극한 – 미정계수의 결정 개념 03

(i) 무리식을 유리화하여 $\frac{\infty}{\infty}$ 꼴로 변형한다.
(ii) 0이 아닌 실수 α로 수렴하면 최고차항의 계수의 비가 α임을 이용한다.

0068 • 대표문제 •

$\lim_{n\to\infty}\{\sqrt{4n^2+4n}-(an+b)\}=3$일 때, 상수 a, b에 대하여 $a+b$의 값을 구하시오.

0069 상중하

$\lim_{n\to\infty}(\sqrt{pn^2+2n}-4n+q)=2$일 때, 상수 p, q에 대하여 pq의 값은?

① 7 ② 14 ③ 21
④ 28 ⑤ 35

0070 상중하

$\lim_{n\to\infty}\frac{1}{\sqrt{an^2+2n+1}-\sqrt{n^2+bn}}=\frac{1}{5}$일 때, 상수 a, b에 대하여 $a+b$의 값은?

① -7 ② -6 ③ -5
④ -4 ⑤ -3

중요

개념 해결의 법칙 20쪽 유형 05

유형 11 일반항 a_n을 포함한 식의 극한값 개념 03

$\lim_{n\to\infty} f(n)a_n=\alpha$($\alpha$는 실수)일 때, $\lim_{n\to\infty} g(n)a_n$의 값은 다음과 같이 구한다.

(i) $f(n)a_n=b_n$으로 놓고 a_n을 b_n에 대한 식으로 나타낸다.

(ii) (i)의 식을 $\lim_{n\to\infty} g(n)a_n$에 대입한 다음 $\lim_{n\to\infty} b_n=\alpha$임을 이용한다.

0071 • 대표문제 •

수열 $\{a_n\}$에 대하여 $\lim_{n\to\infty}\frac{3a_n-1}{a_n+1}=2$일 때, $\lim_{n\to\infty} a_n$의 값을 구하시오.

0072 상중하

수열 $\{a_n\}$에 대하여 $\lim_{n\to\infty}(n+1)a_n=3$일 때, $\lim_{n\to\infty}(4n+3)a_n$의 값은?

① 4 ② 6 ③ 8
④ 10 ⑤ 12

0073 상중하

두 수열 $\{a_n\}$, $\{b_n\}$에 대하여

$$\lim_{n\to\infty}(2n^2-n)a_n=2,\ \lim_{n\to\infty}\frac{n^3+n^2+1}{b_n}=3$$

일 때, $\lim_{n\to\infty}\frac{a_nb_n}{n}$의 값은?

① $-\frac{1}{3}$ ② 0 ③ $\frac{1}{3}$
④ $\frac{2}{3}$ ⑤ $\frac{3}{2}$

0074 상중하

두 수열 $\{a_n\}$, $\{b_n\}$에 대하여

$$\lim_{n\to\infty}(a_n-2b_n)=3,\ \lim_{n\to\infty} b_n=\infty$$

일 때, $\lim_{n\to\infty}\frac{b_n-3}{a_n+3}$의 값을 구하시오.

유형 12 수열의 극한에 대한 진위 판정 문제 개념 03

(1) 성립하지 않는 성질에 대한 것은 반례를 찾는다.

(2) 극한값을 구하려는 수열을 수렴하는 수열에 대한 식으로 나타낸다.

0075 • 대표문제 •

두 수열 $\{a_n\}$, $\{b_n\}$에 대하여 다음 보기 중 옳은 것을 있는 대로 고른 것은?

보기

ㄱ. $\lim_{n\to\infty}(a_n-b_n)=0$이면 $\lim_{n\to\infty}\frac{b_n}{a_n}=1$이다.

ㄴ. $\lim_{n\to\infty} a_n=0$, $\lim_{n\to\infty}\frac{b_n}{a_n}=1$이면 $\lim_{n\to\infty}(a_n-b_n)=0$이다.

ㄷ. $\lim_{n\to\infty}\frac{b_n}{a_n}=1$이면 $\lim_{n\to\infty}\frac{a_n}{b_n}=1$이다.

① ㄱ ② ㄴ ③ ㄷ
④ ㄱ, ㄴ ⑤ ㄴ, ㄷ

0076 상중하

두 수열 $\{a_n\}$, $\{b_n\}$에 대하여 다음 보기 중 옳은 것을 있는 대로 고른 것은?

보기

ㄱ. 수열 $\{a_n\}$이 수렴하고 $\lim_{n\to\infty}(a_n-b_n)=0$이면 $\lim_{n\to\infty} a_n=\lim_{n\to\infty} b_n$이다.

ㄴ. 실수 a에 대하여 $\lim_{n\to\infty} a_n^2=a$이면 $\lim_{n\to\infty} a_n=\sqrt{a}$ 또는 $\lim_{n\to\infty} a_n=-\sqrt{a}$이다. (단, $a>0$)

ㄷ. $\lim_{n\to\infty} a_nb_n=0$이면 $\lim_{n\to\infty} a_n=0$ 또는 $\lim_{n\to\infty} b_n=0$이다.

① ㄱ ② ㄴ ③ ㄷ
④ ㄱ, ㄴ ⑤ ㄱ, ㄷ

개념 해결의 법칙 21쪽 유형 06

유형 13 수열의 극한의 대소 관계

개념 04

세 수열 $\{a_n\}$, $\{b_n\}$, $\{c_n\}$에 대하여 $\lim_{n\to\infty} a_n=\alpha$, $\lim_{n\to\infty} b_n=\beta$($\alpha$, β는 실수)일 때

⇨ 모든 자연수 n에 대하여 $a_n \le c_n \le b_n$이고 $\alpha=\beta$이면 $\lim_{n\to\infty} c_n=\alpha$

0077 • 대표문제 •

수열 $\{a_n\}$이 모든 자연수 n에 대하여

$$2n^2+n+1<n(n+1)a_n<2n^2+3n+5$$

를 만족시킬 때, $\lim_{n\to\infty} a_n$의 값을 구하시오.

0078 상중하

수열 $\{a_n\}$이 모든 자연수 n에 대하여

$$2n^2+3n-3<a_n<2n^2+3n+4$$

를 만족시킬 때, $\lim_{n\to\infty} \dfrac{a_n-2n^2}{n}$의 값을 구하시오.

유형 13 Plus 삼각함수를 포함한 수열의 극한의 대소 관계

0079~0080 삼각함수를 포함한 수열 $\{a_n\}$의 극한은 다음과 같이 구한다.

(i) $-1\le\sin\theta\le1$, $-1\le\cos\theta\le1$임을 이용하여 a_n의 값의 범위를 구한다.

(ii) 수열의 극한의 대소 관계를 이용한다.

0079 상중하

$\lim_{n\to\infty} \dfrac{1}{\sqrt{n}}\cos\dfrac{n\pi}{2}+\lim_{n\to\infty}\dfrac{1}{n}\tan\dfrac{\pi}{3n}$의 값을 구하시오.

(단, n은 자연수)

0080 상중하 서술형

$\lim_{n\to\infty} \dfrac{\sin(n^2+n)\theta}{n^3}$의 값을 구하시오. (단, θ는 상수)

중요

개념 해결의 법칙 25쪽 유형 01

유형 14 등비수열의 극한

개념 05

(1) 분모에 r^n 꼴이 들어 있는 분수식의 극한은 분모 중 밑의 절댓값이 가장 큰 항으로 분모, 분자를 각각 나눈다.

(2) $-1<r<1$이면 $\lim_{n\to\infty} r^n=0$임을 이용하여 주어진 수열의 극한값을 구한다.

0081 • 대표문제 •

$\lim_{n\to\infty}\dfrac{4^n+3^{n+1}}{3^n-2^{2n}}=a$, $\lim_{n\to\infty}(a^{2n}-a^{2n+1})=b$일 때, $a+b$의 값은?

① -2 ② -1 ③ 0 ④ 1 ⑤ 2

0082 상중하

수렴하는 수열 $\{a_n\}$에 대하여 $\lim_{n\to\infty}\dfrac{2^n\times a_n+3^{n+1}}{3^n\times a_n-2^n}=\dfrac{1}{2}$일 때, $\lim_{n\to\infty} a_n$의 값을 구하시오.

0083 상중하

이차방정식 $x^2-x-1=0$의 두 근을 α, β라 할 때,

$\lim_{n\to\infty}\dfrac{\alpha^n+\beta^n}{\alpha^{n+1}+\beta^{n+1}}$의 값은?

① $\dfrac{-\sqrt{5}-1}{2}$ ② $\dfrac{-\sqrt{5}+1}{2}$ ③ $\dfrac{\sqrt{5}-1}{2}$ ④ $\dfrac{\sqrt{5}+1}{2}$ ⑤ $\sqrt{5}-1$

0084 상중하

두 실수 a, b가 $0<a<b$를 만족시킬 때, $\lim_{n\to\infty}(b^n-a^n)^{\frac{1}{n}}$의 값은?

① $-b$ ② $-a$ ③ 1
④ a ⑤ b

0085 상중하

수열 $\{a_n\}$의 첫째항부터 제n항까지의 합 S_n이 $S_n=3\times5^n-3$일 때, $\lim_{n\to\infty}\frac{S_n}{a_n}$의 값은?

① $\frac{1}{4}$ ② $\frac{1}{2}$ ③ $\frac{3}{4}$
④ 1 ⑤ $\frac{5}{4}$

0086 상중하

첫째항이 3이고 공비가 $r(r>1)$인 등비수열 $\{a_n\}$의 첫째항부터 제n항까지의 합을 S_n이라 할 때, $\lim_{n\to\infty}\frac{a_n}{S_n}=\frac{4}{5}$이다. 이때, r의 값을 구하시오.

0087 상중하

자연수 n에 대하여 다항식 $f(x)=x^{n+1}+x^n+2$를 $x-\frac{4}{3}$, $x-2$로 나누었을 때의 나머지를 각각 a_n, b_n이라 할 때, $\lim_{n\to\infty}\frac{a_n-b_n}{a_n+2^{n-1}}$의 값은?

① -9 ② -6 ③ -3
④ $-\frac{1}{3}$ ⑤ $-\frac{1}{6}$

개념 해결의 법칙 26쪽 유형 02

중요 유형 15 등비수열의 수렴 조건 개념 05

(1) 등비수열 $\{r^n\}$의 수렴 조건 ⇨ $-1<r\le1$
(2) 등비수열 $\{ar^n\}$의 수렴 조건 ⇨ $a=0$ 또는 $-1<r\le1$

0088 • 대표문제 •

등비수열 $\left\{\left(\frac{x^2-x}{2}\right)^n\right\}$이 수렴하도록 하는 모든 정수 x의 값의 합을 구하시오.

0089 상중하

등비수열 $\{(\sqrt{2}\sin x)^n\}$이 수렴하기 위한 x의 값의 범위를 구하시오. $\left(\text{단, } -\frac{\pi}{2}<x<\frac{\pi}{2}\right)$

0090 상중하

두 등비수열 $\{(\log_3 x)^n\}$, $\left\{\left(\frac{x}{2}\right)^n\right\}$이 모두 수렴하기 위한 x의 값의 범위가 $\alpha<x\le\beta$일 때, $\alpha+\beta$의 값은?

① 1 ② $\frac{4}{3}$ ③ $\frac{5}{3}$
④ 2 ⑤ $\frac{7}{3}$

0091 상중하 서술형

수열 $(x+1)$, $(x+1)(2-x)$, $(x+1)(2-x)^2$, $(x+1)(2-x)^3$, $\cdots$이 수렴하도록 하는 모든 정수 x의 값의 합을 구하시오.

0092 상중하

n이 자연수일 때, $\lim_{n\to\infty}\frac{5^{n+2}}{(\log_2 x-2)^n}$이 0이 아닌 극한값을 갖도록 하는 실수 x에 대하여 $8x$의 값은?

① 2^8 ② 2^9 ③ 2^{10}
④ 2^{11} ⑤ 2^{12}

유형 15 Plus 등비수열 $\{r^n\}$이 수렴할 때 수렴하는 수열

0093 (i) 등비수열의 수렴 조건을 이용하여 수렴하는 수열에서 r의 값의 범위를 구한다.
(ii) (i)에서 구한 r의 값의 범위를 이용하여 각 수열의 공비가 $-1<(\text{공비})\le 1$을 만족시키는지 확인한다.

0093 상중하

등비수열 $\{r^n\}$이 수렴할 때, 다음 보기 중 반드시 수렴하는 수열을 있는 대로 고른 것은?

보기

ㄱ. $\{(-r)^n\}$
ㄴ. $\left\{\left(\frac{r-1}{3}\right)^n\right\}$
ㄷ. $\left\{\left(\frac{r}{2}-1\right)^n\right\}$
ㄹ. $\left\{\left(\frac{1}{r}\right)^n\right\}$ (단, $r\neq 0$)

① ㄴ ② ㄱ, ㄴ ③ ㄴ, ㄷ
④ ㄴ, ㄹ ⑤ ㄱ, ㄷ, ㄹ

개념 해결의 법칙 27쪽 유형 03

유형 16 r^n을 포함한 수열의 극한 개념 05

r의 값의 범위를 $|r|<1$, $r=1$, $|r|>1$, $r=-1$인 경우로 나누어 극한값을 구한다.

⇨ $\lim_{n\to\infty} r^n=\begin{cases} 0 & (|r|<1) \\ 1 & (r=1) \\ \text{발산} & (|r|>1 \text{ 또는 } r=-1)\end{cases}$

0094 대표문제

수열 $\left\{\frac{r^n-1}{r^n+1}\right\}$의 극한값은 $|r|<1$일 때 a, $r=1$일 때 b, $|r|>1$일 때 c이다. 이때, $a+b+c$의 값을 구하시오.

0095 상중하

$r>0$일 때, 수열 $\left\{\frac{r^n-5}{r^{n+1}+1}\right\}$의 극한값 중 정수의 개수는?

① 1 ② 2 ③ 3
④ 4 ⑤ 5

0096 상중하

자연수 k에 대하여

$$a_k=\lim_{n\to\infty}\frac{\left(\frac{5}{k}\right)^{n+1}}{\left(\frac{5}{k}\right)^n+4}$$

이라 할 때, $\sum_{k=1}^{15}ka_k$의 값을 구하시오.

유형 17 x^n을 포함한 극한으로 정의된 함수 개념 05

x의 값의 범위를 $|x|<1$, $x=1$, $|x|>1$, $x=-1$인 경우로 나누어 함수 식을 구한다.

(1) $|x|<1$일 때 ⇨ $\lim_{n\to\infty} x^n=0$

(2) $|x|>1$일 때 ⇨ $\lim_{n\to\infty} \frac{1}{x^n}=0$

0097 • 대표문제 •

함수 $f(x)=\lim_{n\to\infty}\frac{x^{n+1}+x^2-1}{x^n+x+1}$에 대하여

$f\left(-\frac{1}{3}\right)+f(1)+f(2)$의 값을 구하시오.

0098 상중하

$x\neq-1$인 실수 전체의 집합에서 정의된 함수 $f(x)$가

$f(x)=\lim_{n\to\infty}\frac{x^{n+1}-2}{x^n+1}$를 만족시킬 때,

$f(-3)+f\left(\frac{1}{5}\right)+f(1)$의 값은?

① $-\frac{11}{2}$ ② $-\frac{7}{2}$ ③ $-\frac{3}{2}$
④ $\frac{1}{2}$ ⑤ $\frac{3}{2}$

0099 상중하

함수 $f(x)=\lim_{n\to\infty}\frac{x^{2n-1}-2}{1+x^{2n}}$에 대하여 다음 보기 중 옳은 것을 있는 대로 고르시오.

보기
ㄱ. $f(1)=f(-1)$
ㄴ. $|x|<1$일 때, $f(x)=-2$
ㄷ. $|x|>1$일때, $f(x)=\frac{1}{x}$

유형 18 귀납적으로 정의된 수열의 극한 개념 05

(i) 주어진 식을 변형하여 수열의 일반항을 구한다.
(ii) (i)의 일반항을 구하는 식에 대입하여 극한값을 구한다.

0100 • 대표문제 •

수열 $\{a_n\}$이 $a_1=1$, $a_{n+1}=\frac{1}{2}a_n+10(n=1, 2, 3, \cdots)$으로 정의될 때, $\lim_{n\to\infty} a_n$의 값은?

① -20 ② -10 ③ 0
④ 10 ⑤ 20

0101 상중하

수열 $\{a_n\}$이 $a_1=1$, $a_{n+1}=a_n+2^n(n=1, 2, 3, \cdots)$으로 정의될 때, $\lim_{n\to\infty}\frac{4a_n}{2^n+1}$의 값을 구하시오.

0102 상중하 서술형

첫째항이 2이고 모든 항이 양수인 수열 $\{a_n\}$이 있다. x에 대한 이차방정식 $x^2-\sqrt{a_n}\,x+(a_{n+1}-1)=0$이 모든 자연수 n에 대하여 중근을 가질 때, $\lim_{n\to\infty} a_n$의 값을 구하시오.

발전 유형 19 수열의 극한의 활용 (1)

개념 05

(ⅰ) 점의 좌표 또는 선분의 길이를 n에 대한 식으로 나타낸다.
(ⅱ) (ⅰ)에서 구한 식의 극한값을 구한다.

0103 • 대표문제 •

오른쪽 그림과 같이 자연수 n에 대하여 곡선 $y=\sqrt{x+1}$ 위의 점 $P_n(n, \sqrt{n+1})$에서 x축에 내린 수선의 발을 Q_n이라 할 때, $\lim_{n\to\infty}(\overline{OP_n}-\overline{OQ_n})$의 값은? (단, O는 원점이다.)

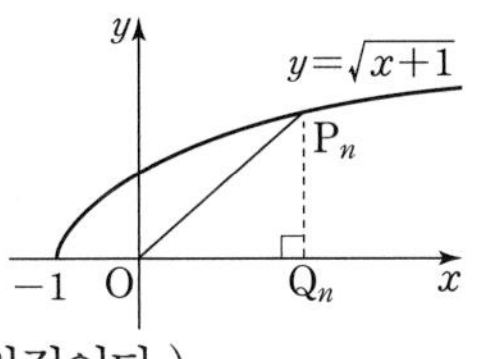

① $\frac{1}{4}$　　② $\frac{1}{2}$　　③ 1
④ 2　　⑤ 4

0104 상중하

오른쪽 그림과 같이 x축 위에서

$$\overline{OA_1}=1,\ \overline{A_1A_2}=\frac{1}{2},$$
$$\overline{A_2A_3}=\left(\frac{1}{2}\right)^2,\ \cdots$$

을 만족시키는 점 A_1, A_2, A_3, $\cdots$에 대하여 제1사분면에 선분 OA_1, A_1A_2, A_2A_3, $\cdots$을 각각 한 변으로 하는 정사각형 $OA_1B_1C_1$, $A_1A_2B_2C_2$, $A_2A_3B_3C_3$, $\cdots$을 계속하여 만든다. 원점 O와 점 $B_n(x_n, y_n)$을 지나는 직선의 방정식을 $y=a_nx$라 할 때, $\lim_{n\to\infty}2^na_n$의 값은?

① 1　　② 2　　③ 3
④ 4　　⑤ 5

0105 상중하

오른쪽 그림과 같이 자연수 n에 대하여 가로의 길이가 n, 세로의 길이가 20인 직사각형 OAB_nC_n이 있다. 대각선 AC_n과 선분 B_1C_1의 교점을 D_n이라 할 때, $\lim_{n\to\infty}\frac{\overline{AC_n}-\overline{OC_n}}{\overline{B_1D_n}}$의 값을 구하시오.

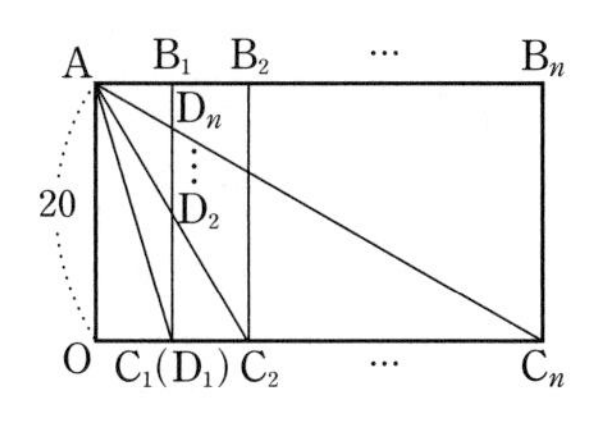

발전 유형 20 수열의 극한의 활용 (2)

개념 05

(ⅰ) 주어진 조건을 이용하여 a_n, a_{n+1} 또는 a_n, a_{n+1}, a_{n+2} 사이의 관계식을 구한다.
(ⅱ) (ⅰ)에서 구한 식을 변형하여 일반항 a_n을 구한다.
(ⅲ) 극한에 대한 기본 성질을 이용하여 $\lim_{n\to\infty}a_n$의 값을 구한다.

0106 • 대표문제 •

1 L의 물이 두 그릇 A, B에 나누어 담겨 있다. A그릇에 담긴 물의 $\frac{1}{4}$을 퍼내어 B그릇에 붓고, 다시 B그릇에 담긴 물의 $\frac{1}{4}$을 퍼내어 A그릇에 부었다. 이러한 시행을 한없이 반복할 때, A그릇에 들어 있는 물의 양은 몇 L에 가까워지는지 구하시오.

0107 상중하

수직선 위의 두 점 $A_1(1)$, $A_2(4)$에 대하여 선분 A_nA_{n+1}을 $2:1$로 내분하는 점을 A_{n+2}라 하자. 점 A_n의 좌표를 x_n이라 할 때, $\lim_{n\to\infty}x_n$의 값은? (단, n은 자연수)

① $\frac{11}{5}$　　② $\frac{5}{2}$　　③ $\frac{8}{3}$
④ $\frac{17}{6}$　　⑤ $\frac{13}{4}$

• 실제 학교 시험지처럼 풀어 보세요.

0108 | 유형 02 |

수렴하는 두 수열 $\{a_n\}$, $\{b_n\}$에 대하여

$$\lim_{n\to\infty}(2a_n-1)=2,\ \lim_{n\to\infty}(3b_n-2)=1$$

일 때, $\lim_{n\to\infty}\frac{2a_n+3b_n}{b_n+1}$의 값은? (단, $b_n\neq-1$) [3.9점]

① 1 ② $\frac{3}{2}$ ③ 2
④ $\frac{5}{2}$ ⑤ 3

0109 | 유형 02 |

두 수열 $\{a_n\}$, $\{b_n\}$에 대하여

$$\lim_{n\to\infty}(a_n+b_n)=3,\ \lim_{n\to\infty}a_nb_n=1$$

일 때, $\lim_{n\to\infty}(a_n^3+b_n^3)$의 값은? [4.2점]

① 9 ② 15 ③ 18
④ 21 ⑤ 27

0110 | 유형 04 |

등차수열 $\{a_n\}$의 첫째항부터 제n항까지의 합을 S_n이라 하고, $\lim_{n\to\infty}\frac{S_n}{2n^2+2n-1}=3$일 때, 등차수열 $\{a_n\}$의 공차는? [4.3점]

① 10 ② 11 ③ 12
④ 13 ⑤ 14

0111 | 유형 06 |

등차수열 $\{a_n\}$에 대하여 첫째항이 $\log_3 a$이고

$$a_4+a_{10}=14,\ \lim_{n\to\infty}\frac{a_n}{2n+1}=\frac{1}{3}$$

일 때, a_{19}의 값은? (단, a는 상수) [4.6점]

① 9 ② 15 ③ 21
④ 27 ⑤ 39

0112 | 유형 08 |

자연수 n에 대하여 $\sqrt{n^2+4n+2}$의 소수 부분을 a_n이라 할 때, $\lim_{n\to\infty}50a_n$의 값은? [4.7점]

① 50 ② 100 ③ 150
④ 200 ⑤ 250

0113 | 유형 10 |

$\lim_{n\to\infty}\left(\sqrt{n^2+\left[\frac{n}{a}\right]}-n\right)=\frac{1}{6}$일 때, 실수 a의 값은?

(단, $[x]$는 x보다 크지 않은 최대의 정수이다.) [4.6점]

① 2 ② 3 ③ 4
④ 5 ⑤ 6

0114 | 유형 11 |

수열 $\{a_n\}$에 대하여 $\lim_{n\to\infty}\frac{3a_n-5}{2a_n+3}=\frac{3}{4}$일 때, $\lim_{n\to\infty}6a_n$의 값은? [4.2점]

① 21 ② 23 ③ 25
④ 27 ⑤ 29

0115

| 유형 12 + 유형 13 |

세 수열 $\{a_n\}$, $\{b_n\}$, $\{c_n\}$에 대하여 다음 보기 중 옳은 것을 있는 대로 고른 것은? [4.3점]

보기

ㄱ. 두 수열 $\{a_n\}$, $\{b_n\}$이 수렴하고 모든 자연수 n에 대하여 $a_n<b_n$이면 $\lim_{n\to\infty} a_n<\lim_{n\to\infty} b_n$이다.

ㄴ. 모든 자연수 n에 대하여 $a_n<b_n$이고 $\lim_{n\to\infty} a_n=\infty$이면 $\lim_{n\to\infty} b_n=\infty$이다.

ㄷ. 모든 자연수 n에 대하여 $a_n<b_n<c_n$이고 $\lim_{n\to\infty}(c_n-a_n)=0$이면 어떤 수열 $\{b_n\}$은 발산할 수도 있다.

① ㄱ ② ㄴ ③ ㄱ, ㄷ
④ ㄴ, ㄷ ⑤ ㄱ, ㄴ, ㄷ

0116

| 유형 16 |

수열 $\left\{\dfrac{x^n+4^n}{x^n-4^n}\right\}$의 극한값이 -1이 되도록 하는 정수 x의 개수는? (단, $|x|\neq4$) [4.3점]

① 5 ② 6 ③ 7
④ 8 ⑤ 9

0117

| 유형 13 + 유형 18 |

모든 항이 2보다 큰 수열 $\{a_n\}$이

$$a_{n+1}<\frac{1}{2}a_n+1\ (n=1, 2, 3, \cdots)$$

을 만족시킬 때, $\lim_{n\to\infty} a_n$의 값은? [4.7점]

① 2 ② $\frac{5}{2}$ ③ 3
④ $\frac{7}{2}$ ⑤ 4

0118

| 유형 18 |

수렴하는 수열

$$1+\frac{1}{2},\ 1+\cfrac{1}{2+\cfrac{1}{2}},\ 1+\cfrac{1}{2+\cfrac{1}{2+\cfrac{1}{2}}},\ \cdots$$

의 극한값을 m이라 할 때, m^2의 값은? [4.8점]

① 1 ② $\frac{5}{4}$ ③ $\frac{4}{3}$
④ 2 ⑤ 4

0119

| 유형 19 |

$-3\le x\le4$에서 정의된 함수 $y=f(x)$의 그래프가 오른쪽 그림과 같다.

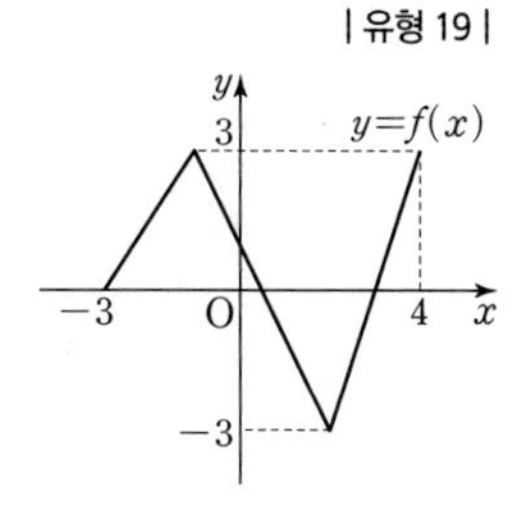

$$\lim_{n\to\infty}\frac{|2nf(a)-1|-nf(a)}{3n-2}=2$$

를 만족시키는 실수 a의 개수는? [4.5점]

① 1 ② 2 ③ 3
④ 4 ⑤ 5

0120

| 유형 19 |

자연수 n에 대하여 점 $(3n, 4n)$을 중심으로 하고 x축에 접하는 원 O_n이 있다. 원 O_n 위를 움직이는 점과 점 $(-1, 0)$ 사이의 거리의 최댓값을 a_n, 최솟값을 b_n이라 할 때, $\lim_{n\to\infty}\frac{a_n}{b_n}$의 값은? [4.9점]

① 9 ② 10 ③ 11
④ 12 ⑤ 13

서술형 문제

• 풀이 과정에 점수가 부여되니 풀이 과정 및 정답을 상세하게 서술하세요.

단답형

0121
| 유형 11 |

두 수열 $\{a_n\}$, $\{b_n\}$에 대하여

$$\lim_{n\to\infty} a_n=\infty,\ \lim_{n\to\infty}(a_n-b_n)=2$$

일 때, $\lim_{n\to\infty}\left(\frac{{a_n}^2}{b_n}-\frac{{b_n}^2}{a_n}\right)$의 값을 구하시오. [7점]

0122
| 유형 14 |

2 이상의 자연수 n에 대하여 다항식 $(x+1)^n$을 x^2-x로 나누었을 때의 나머지를 $R_n(x)$라 할 때, $\lim_{n\to\infty}\frac{2^{n+2}+1}{2^n+R_n(2)}$의 값을 구하시오. [6점]

0123
| 유형 19 |

밑면의 반지름의 길이가 3, 높이가 8인 직원기둥이 있다. 두 점 A, B가 각각 밑면과 윗면의 원주 위에 있고 선분 AB의 길이는 직원기둥의 높이와 같다. 다음 그림과 같이 점 A에서 시작하여 직원기둥의 옆면을 한 바퀴 돌아 점 B까지 가는 최단 거리를 a_1, 두 바퀴 돌아 점 B까지 가는 최단 거리를 a_2, $\cdots$, n바퀴 돌아 점 B까지 가는 최단 거리를 a_n이라 하자. 이때, $\lim_{n\to\infty}\frac{a_n}{n}$의 값을 구하시오. [7점]

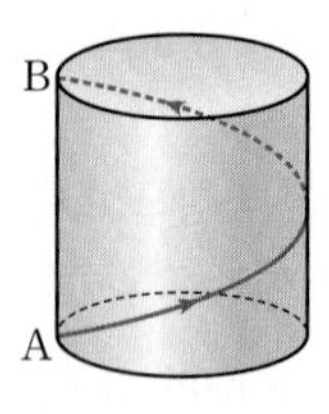

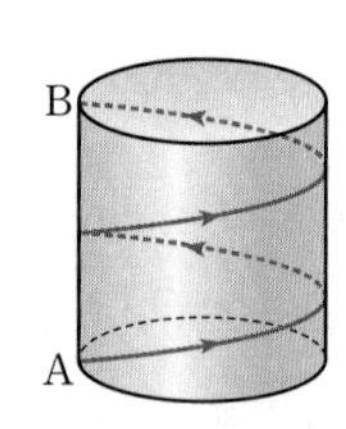

단계형

0124
| 유형 13 + 유형 18 |

모든 항이 양수인 수열 $\{a_n\}$에 대하여 x에 대한 이차부등식

$a_nx^2-2a_{n+1}x+\frac{4}{9}a_n>0$이 항상 성립할 때,

$\lim_{n\to\infty}\frac{a_n+3n^2-2}{2a_n+n^2+n}$의 값을 구하려고 한다. 다음 물음에 답하시오. [12점]

(1) a_n과 a_{n+1} 사이의 관계식을 구하시오. [5점]

(2) $\lim_{n\to\infty} a_n$의 값을 구하시오. [5점]

(3) $\lim_{n\to\infty}\frac{a_n+3n^2-2}{2a_n+n^2+n}$의 값을 구하시오. [2점]

0125
| 유형 18 |

수열 $\{a_n\}$의 첫째항부터 제n항까지의 합 S_n이

$$a_n+S_n=2n\ (n=1, 2, 3, \cdots)$$

을 만족시킬 때, $\lim_{n\to\infty}(2^n-1)(a_n-2)$의 값을 구하려고 한다. 다음 물음에 답하시오. [10점]

(1) 수열 $\{a_n\}$을 $a_{n+1}-\alpha=p(a_n-\alpha)$ 꼴로 변형하여 나타내시오. [4점]

(2) 일반항 a_n을 구하시오. [4점]

(3) $\lim_{n\to\infty}(2^n-1)(a_n-2)$의 값을 구하시오. [2점]

성/취/도 Check　　점수　　/ 100점

STEP 1 개념+기본 문제 학습

STEP 2 유형 대표 문제 학습

STEP 3의 틀린 문제에 해당하는 STEP 2 유형 학습

STEP 3의 틀린 문제 복습

교과서 속 심화문제 시작

≫ 정답과 해설 20쪽

0126

수렴하는 수열 $\{a_n\}$이 $a_1=1$, $a_{n+1}=\begin{cases} \frac{1}{3}a_n+6 & (n\text{은 짝수}) \\ \frac{p}{a_n+2}-2 & (n\text{은 홀수}) \end{cases}$ 로 정의될 때, 상수 p의 값을 구하시오.

0127

두 실수 a, b에 대하여 $\lim_{n\to\infty}\log\frac{an^3+bn^2+5}{2n^2+\sqrt{n^3+3}}=2$가 성립할 때, $a+b$의 값을 구하시오.

0128

양수 a와 자연수 n에 대하여 곡선 $y=x^2$과 직선 $y=ax+n$이 만나서 생기는 두 교점 사이의 거리를 l_n이라 할 때, $\lim_{n\to\infty}\frac{{l_n}^2}{n}=20$이 되도록 하는 a의 값은?

① $\frac{1}{2}$ ② 1 ③ $\frac{3}{2}$
④ 2 ⑤ 3

0129 창의·융합

어느 주류 판매상의 와인 통에 1000 L의 와인이 들어 있다. 연말이 되면 이 통에 들어 있는 와인의 40 %를 판매하고 대신 새로 제조한 와인 200 L를 보충해 넣는다고 한다. 예를 들어, 판매를 시작한 1년 차 연말에는 와인 통에 800 L의 와인이 있다. 이와 같은 방법으로 와인을 판매하기 시작하여 n년 차 연말에 이 통에 남아 있는 와인의 양을 a_n L라 할 때, $\lim_{n\to\infty}a_n$의 값을 구하시오.

0130

수직선 위의 원점 O(0)와 점 P(4)에 대하여 점 P_n의 좌표 x_n을 다음 규칙에 따라 정한다.

> (가) x_1은 선분 OP를 1 : 1로 내분하는 점 P_1의 좌표이다.
> (나) x_n은 선분 $P_{n-1}P$를 $1:n$으로 내분하는 점 P_n의 좌표이다. (단, $n=2, 3, 4, \cdots$)

이때, $\lim_{n\to\infty}x_n$의 값은?

① 1 ② 2 ③ 3
④ 4 ⑤ 5

2
급수

끊임없이 떨어지는 물방울이
바위에 구멍을 낸다.
-루크레티우스

기출 문제 분석

빅 데이터

* 전국 300여 개 고등학교 기출 문제를 분석하였습니다.

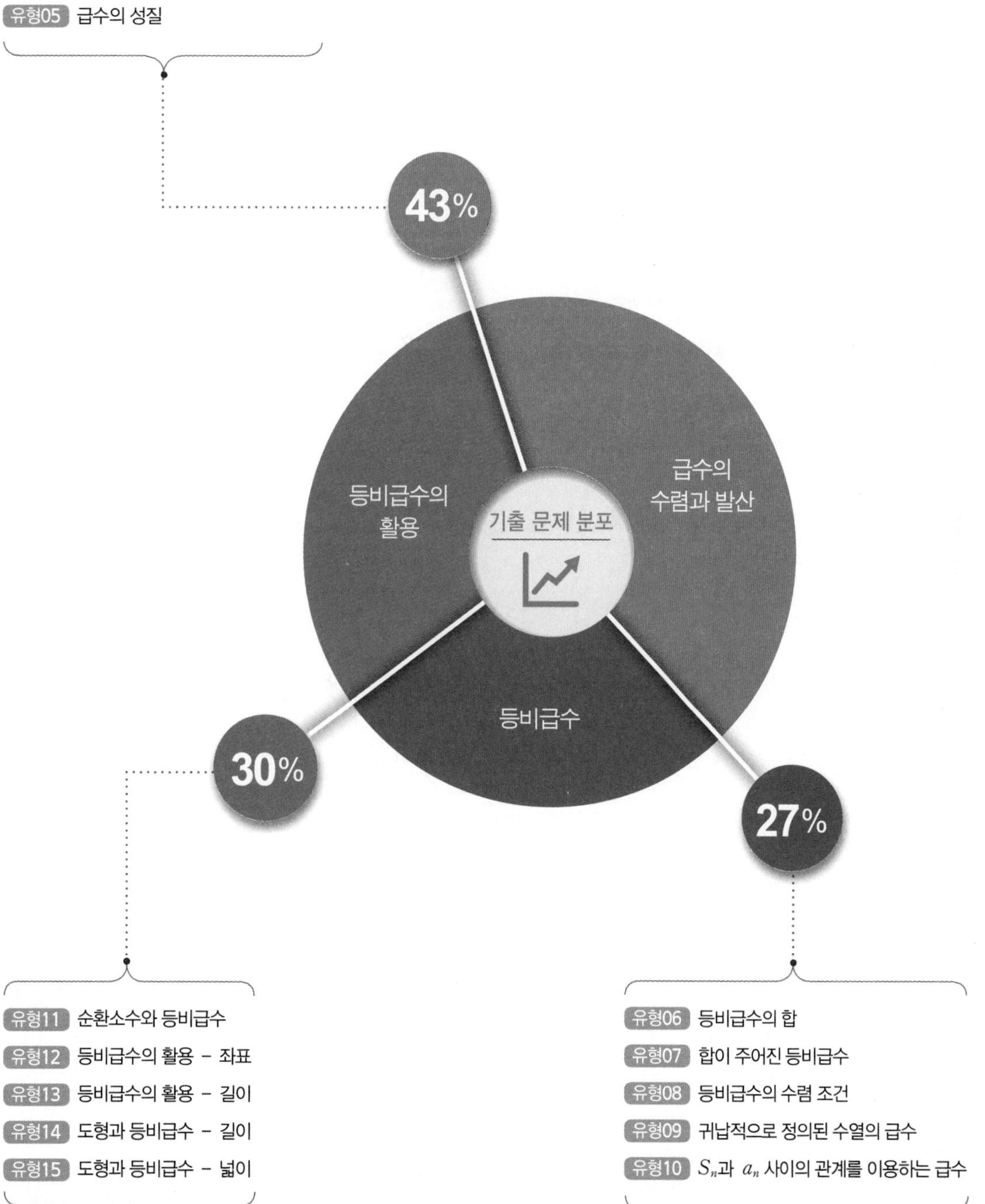

STEP 1 개념 마스터

01 급수의 수렴과 발산

유형 01~03, 09, 10

(1) **급수**: 수열 $\{a_n\}$의 각 항을 차례로 덧셈 기호 $+$로 연결한 식을 **급수**라 하고, 기호 $\sum$를 사용하여 $\sum_{n=1}^{\infty} a_n$과 같이 나타낸다. 즉,

$$a_1+a_2+a_3+\cdots+a_n+\cdots=\sum_{n=1}^{\infty} a_n$$

(2) **부분합**: 급수 $\sum_{n=1}^{\infty} a_n$에서 첫째항부터 제n항까지의 합 S_n을 이 급수의 제n항까지의 **부분합**이라 한다. 즉,

$$S_n=a_1+a_2+a_3+\cdots+a_n=\sum_{k=1}^{n} a_k$$

(3) **급수의 합**: 급수 $\sum_{n=1}^{\infty} a_n$의 부분합으로 이루어진 수열 $\{S_n\}$이 일정한 값 S에 수렴할 때, 즉 $\lim_{n\to\infty} S_n=\lim_{n\to\infty}\sum_{k=1}^{n} a_k=S$일 때, 급수 $\sum_{n=1}^{\infty} a_n$은 S에 수렴한다고 한다. 이때, S를 **급수의 합**이라 하고, 다음과 같이 나타낸다.

$$a_1+a_2+a_3+\cdots+a_n+\cdots=S \text{ 또는 } \sum_{n=1}^{\infty} a_n=S$$

참고 • 급수 $\sum_{n=1}^{\infty} a_n$의 부분합으로 이루어진 수열 $\{S_n\}$이 발산할 때, 급수 $\sum_{n=1}^{\infty} a_n$은 발산한다고 한다.
• 발산하는 급수에 대해서는 그 합을 생각하지 않는다.

[0131~0134] 수열 $\{a_n\}$의 첫째항부터 제n항까지의 합 S_n이 다음과 같을 때, 급수 $\sum_{n=1}^{\infty} a_n$의 합을 구하시오.

0131 $S_n=\dfrac{n+2}{2n+1}$

0132 $S_n=1-\left(\dfrac{1}{2}\right)^n$

0133 $S_n=\dfrac{10-n^2}{n(n-3)}$

0134 $S_n=(-3)^n\left(\dfrac{1}{5}\right)^n$

[0135~0137] 다음 급수의 수렴, 발산을 조사하고, 수렴하면 그 합을 구하시오.

0135 $2+5+8+11+\cdots+(3n-1)+\cdots$

0136 $1+\dfrac{1}{3}+\dfrac{1}{9}+\dfrac{1}{27}+\cdots+\left(\dfrac{1}{3}\right)^{n-1}+\cdots$

0137 $2+(-2)+2+(-2)+\cdots+2\times(-1)^{n-1}+\cdots$

[0138~0142] 다음 급수의 수렴, 발산을 조사하고, 수렴하면 그 합을 구하시오.

0138 $\sum_{n=1}^{\infty}\dfrac{1}{n(n+1)}$

0139 $\sum_{n=1}^{\infty}\left(\dfrac{n}{n+1}-\dfrac{n+1}{n+2}\right)$

0140 $\sum_{n=1}^{\infty}\log\dfrac{n+1}{n}$

0141 $\sum_{n=1}^{\infty}(\sqrt{n+1}-\sqrt{n})$

0142 $\sum_{n=1}^{\infty}\left(\dfrac{1}{\sqrt{n}}-\dfrac{1}{\sqrt{n+1}}\right)$

• 급수 → $a_1+a_2+a_3+\cdots+a_n+\cdots=\sum_{n=1}^{\infty} a_n$

• 급수의 합 → $\sum_{n=1}^{\infty} a_n=\lim_{n\to\infty} \underbrace{S_n}_{\text{부분합}}=\lim_{n\to\infty}\sum_{k=1}^{n} a_k$

02 급수와 수열의 극한값 사이의 관계 유형 04

(1) 급수 $\sum_{n=1}^{\infty} a_n$이 수렴하면 $\lim_{n \to \infty} a_n = 0$이다.

(2) $\lim_{n \to \infty} a_n \neq 0$이면 급수 $\sum_{n=1}^{\infty} a_n$은 발산한다.

─ 서로 대우인 명제

참고 • (1)의 역은 성립하지 않는다. 예를 들어, $\lim_{n \to \infty} \frac{1}{n} = 0$이지만 급수 $\sum_{n=1}^{\infty} \frac{1}{n}$은 양의 무한대로 발산한다.

• (2)를 이용하면 급수의 발산을 쉽게 판정할 수 있다.

[0143~0146] 다음 급수가 발산함을 보이시오.

0143 $2+4+6+8+\cdots$

0144 $-2+1+4+7+\cdots$

0145 $5+5+5+5+\cdots$

0146 $\frac{7}{\sqrt{3}}+\frac{5}{\sqrt{3}}+\frac{3}{\sqrt{3}}+\frac{1}{\sqrt{3}}+\cdots$

[0147~0150] 다음 급수가 발산함을 보이시오.

0147 $\sum_{n=1}^{\infty} \frac{n^2}{n(n+2)}$

0148 $\sum_{n=1}^{\infty} (\sqrt{n^2+2n}-n)$

0149 $\sum_{n=1}^{\infty} \log_2 \frac{n}{2n-1}$

0150 $\sum_{n=1}^{\infty} \frac{3^{n+1}+1}{3^n+2^n}$

03 급수의 성질 유형 05

두 급수 $\sum_{n=1}^{\infty} a_n$, $\sum_{n=1}^{\infty} b_n$이 수렴하고, 그 합을 각각 S, T라 할 때

(1) $\sum_{n=1}^{\infty} ca_n = c\sum_{n=1}^{\infty} a_n = cS$ (단, c는 상수)

(2) $\sum_{n=1}^{\infty} (a_n+b_n) = \sum_{n=1}^{\infty} a_n + \sum_{n=1}^{\infty} b_n = S+T$

(3) $\sum_{n=1}^{\infty} (a_n-b_n) = \sum_{n=1}^{\infty} a_n - \sum_{n=1}^{\infty} b_n = S-T$

주의 $\sum_{n=1}^{\infty} a_nb_n \neq \sum_{n=1}^{\infty} a_n \sum_{n=1}^{\infty} b_n$, $\sum_{n=1}^{\infty} \frac{a_n}{b_n} \neq \frac{\sum_{n=1}^{\infty} a_n}{\sum_{n=1}^{\infty} b_n}$

참고 급수의 성질은 수렴하는 급수에 대해서만 성립한다.

0151 $\sum_{n=1}^{\infty} a_n = 2$, $\sum_{n=1}^{\infty} b_n = 3$일 때, 다음 급수의 합을 구하시오.

(1) $\sum_{n=1}^{\infty} (a_n+2b_n)$　　(2) $\sum_{n=1}^{\infty} \left(\frac{a_n}{2}-4b_n\right)$

04 등비급수의 수렴과 발산 유형 06~10

(1) **등비급수**

등비수열 $\{ar^{n-1}\}$의 각 항을 차례로 덧셈 기호 +로 연결하여 얻은 급수

$\sum_{n=1}^{\infty} ar^{n-1} = a+ar+ar^2+\cdots+ar^{n-1}+\cdots$

을 첫째항이 a, 공비가 r인 **등비급수**라 한다.

(2) **등비급수의 수렴과 발산**

등비급수 $\sum_{n=1}^{\infty} ar^{n-1} (a \neq 0)$은

① $|r|<1$일 때, 수렴하고 그 합은 $\frac{a}{1-r}$이다.

② $|r| \geq 1$일 때, 발산한다.

참고 • 등비급수 $\sum_{n=1}^{\infty} r^n$이 수렴하기 위한 조건 ⇨ $-1<r<1$

• 등비급수 $\sum_{n=1}^{\infty} ar^{n-1}$이 수렴하기 위한 조건
⇨ $a=0$ 또는 $-1<r<1$

• $\sum_{n=1}^{\infty} a_n$이 수렴 ⟶ $\lim_{n \to \infty} a_n = 0$

• $\lim_{n \to \infty} a_n \neq 0$ ⟶ $\sum_{n=1}^{\infty} a_n$은 발산

[0152~0156] 다음 등비급수의 수렴, 발산을 조사하고, 수렴하면 그 합을 구하시오.

0152 $1+\frac{1}{4}+\frac{1}{16}+\frac{1}{64}+\cdots$

0153 $\frac{1}{\sqrt{2}}+-1+\sqrt{2}-2+\cdots$

0154 $2-3+\frac{9}{2}-\frac{27}{4}+\cdots$

0155 $\sum_{n=1}^{\infty}\left(-\frac{2}{3}\right)^{n-1}$

0156 $\sum_{n=1}^{\infty}3\times\left(\frac{1}{2}\right)^{n-1}$

[0157~0162] 다음 등비급수의 합을 구하시오.

0157 $\sum_{n=1}^{\infty}\left\{\left(\frac{1}{3}\right)^n+\left(\frac{1}{5}\right)^n\right\}$

0158 $\sum_{n=1}^{\infty}\left(\frac{3}{2^n}-\frac{5}{4^n}\right)$

0159 $\sum_{n=1}^{\infty}\frac{2^n-3^n}{4^n}$

0160 $\sum_{n=1}^{\infty}\left(\frac{3}{2^n}+\frac{4^n}{5^{n-1}}\right)$

0161 $\sum_{n=1}^{\infty}(1-\sqrt{2})^{n-1}$

0162 $\sum_{n=1}^{\infty}\frac{2^{n+1}}{3^n}\sin\frac{(2n-1)\pi}{2}$

[0163~0165] 다음 등비급수가 수렴하기 위한 실수 x의 값의 범위를 구하시오.

0163 $1+2x+4x^2+8x^3+\cdots$

0164 $1+(4x-1)+(4x-1)^2+(4x-1)^3+\cdots$

0165 $1-\frac{x}{2}+\frac{x^2}{4}-\frac{x^3}{8}+\cdots$

05 등비급수의 활용

유형 11~15

(1) 순환소수와 등비급수

등비급수를 이용하여 순환소수를 분수로 나타낼 수 있다.

(i) 순환소수를 등비급수로 나타낸 후 첫째항 a와 공비 r를 구한다.

(ii) 등비급수의 합의 공식 $S=\frac{a}{1-r}$에 대입한다.

(2) 도형과 등비급수

닮은꼴이 한없이 반복되는 도형에서의 점의 위치, 선분의 길이, 도형의 넓이의 합에 대한 문제는 등비급수를 이용하여 해결한다.

(i) 한없이 반복되는 성질을 이용하여 첫째항 a와 공비 r를 구한다.

(ii) 등비급수의 합의 공식 $S=\frac{a}{1-r}$에 대입한다.

[0166~0168] 등비급수를 이용하여 다음 순환소수를 분수로 나타내시오.

0166 $0.\dot{1}0\dot{2}$

0167 $0.2\dot{8}$

0168 $1.\dot{2}\dot{5}$

핵심 Check

등비급수 $\sum_{n=1}^{\infty}ar^{n-1}\ (a\neq0)$
- $|r|<1$일 때 ⟶ 수렴하고 그 합은 $\frac{a}{1-r}$
- $|r|\geq1$일 때 ⟶ 발산

STEP 2 유형 마스터

개념 해결의 법칙 36쪽 유형 01

유형 01 부분분수를 이용하는 급수

개념 01

(i) 주어진 급수의 제n항을 찾는다.

(ii) $\frac{1}{AB}=\frac{1}{B-A}\left(\frac{1}{A}-\frac{1}{B}\right)$임을 이용하여 부분합 S_n을 구한다.
(단, $A\neq B$)

(iii) 부분합의 극한값 $\lim_{n\to\infty} S_n$을 구한다.

0169 • 대표문제 •

급수 $1+\frac{1}{1+2}+\frac{1}{1+2+3}+\cdots$의 합은?

① 1 ② $\frac{4}{3}$ ③ $\frac{3}{2}$
④ 2 ⑤ $\frac{5}{2}$

0170 상중하

다음 급수의 합은?

$$\frac{1}{2^2-1}+\frac{1}{4^2-1}+\frac{1}{6^2-1}+\frac{1}{8^2-1}+\cdots$$

① $\frac{1}{2}$ ② $\frac{3}{4}$ ③ 1
④ $\frac{4}{3}$ ⑤ 2

0171 상중하

x에 대한 이차방정식 $x^2-(2n-1)x+n^2=0$의 두 근을 α_n, β_n이라 할 때, 급수 $\sum_{n=1}^{\infty}\frac{1}{(\alpha_n+1)(\beta_n+1)}$의 합을 구하시오.

개념 해결의 법칙 36쪽 유형 01

유형 02 로그를 포함한 급수

개념 01

급수 $\sum_{n=1}^{\infty}\log a_n$의 합은 로그의 성질을 이용한다.

⇨ $\lim_{n\to\infty}\sum_{k=1}^{n}\log a_k=\lim_{n\to\infty}(\log a_1+\log a_2+\log a_3+\cdots+\log a_n)$
$=\lim_{n\to\infty}\log(a_1a_2a_3\cdots a_n)$

0172 • 대표문제 •

급수 $\sum_{n=2}^{\infty}\log\frac{n^2}{n^2-1}$의 합은?

① $\frac{1}{2}\log 2$ ② $\log 2$ ③ $\log 3$
④ $\log 4$ ⑤ 1

0173 상중하

수열 $\{a_n\}$에 대하여

$$a_1a_2a_3\cdots a_n=\frac{6n-1}{2n+1}\ (n=1,\ 2,\ 3,\ \cdots)$$

이 성립할 때, 급수 $\sum_{n=1}^{\infty}\log_3 a_n$의 합을 구하시오.

0174 상중하 서술형

급수 $\log_2\left(1-\frac{1}{2^2}\right)+\log_2\left(1-\frac{1}{3^2}\right)+\log_2\left(1-\frac{1}{4^2}\right)+\cdots$의 합을 구하시오.

유형 03 항의 부호가 교대로 바뀌는 급수

개념 01

홀수 번째 항까지의 부분합 S_{2n-1}과 짝수 번째 항까지의 부분합 S_{2n}을 구한 후 다음을 이용한다.

(1) $\lim_{n\to\infty} S_{2n-1}=\lim_{n\to\infty} S_{2n}=\alpha$($\alpha$는 실수)이면 ⇨ $\lim_{n\to\infty} S_n=\alpha$로 수렴

(2) $\lim_{n\to\infty} S_{2n-1}\neq\lim_{n\to\infty} S_{2n}$이면 ⇨ $\lim_{n\to\infty} S_n$은 발산

0175 • 대표문제 •

다음 급수의 제n항까지의 부분합을 S_n이라 할 때, $\lim_{n\to\infty} S_{2n-1}+\lim_{n\to\infty} S_{2n}$의 값은?

$$1-\frac{1}{3}+\frac{1}{3}-\frac{2}{5}+\frac{2}{5}-\frac{3}{7}+\frac{3}{7}-\frac{4}{9}+\cdots$$

① 1 ② $\frac{5}{4}$ ③ $\frac{3}{2}$
④ $\frac{7}{4}$ ⑤ 2

0176 상중하

급수 $2-\frac{3}{2}+\frac{3}{2}-\frac{4}{3}+\frac{4}{3}-\frac{5}{4}+\frac{5}{4}-\cdots$의 수렴, 발산을 조사하고, 수렴하면 그 합을 구하시오.

0177 상중하

다음 보기의 급수 중 수렴하는 것을 있는 대로 고른 것은?

보기

ㄱ. $1-1+1-1+1-1+\cdots$

ㄴ. $1-(1-1)-(1-1)-(1-1)-\cdots$

ㄷ. $1-\frac{1}{3}+\frac{1}{3}-\frac{1}{5}+\frac{1}{5}-\cdots$

① ㄱ ② ㄴ ③ ㄷ
④ ㄱ, ㄷ ⑤ ㄴ, ㄷ

중요

개념 해결의 법칙 37쪽 유형 02

유형 04 급수와 수열의 극한값 사이의 관계

개념 02

$\sum_{n=1}^{\infty} a_n$이 수렴하면 ⇨ $\lim_{n\to\infty} a_n=0$

0178 • 대표문제 •

수열 $\{a_n\}$에 대하여 급수

$$(a_1-1)+\left(\frac{a_2}{2}-1\right)+\left(\frac{a_3}{3}-1\right)+\cdots+\left(\frac{a_n}{n}-1\right)+\cdots$$

이 수렴할 때, $\lim_{n\to\infty}\frac{3n-4a_n}{2n-a_n}$의 값을 구하시오.

0179 상중하

수열 $\{a_n\}$에 대하여 $\sum_{n=1}^{\infty}\frac{a_n}{n}=2$일 때, $\lim_{n\to\infty}\frac{a_n^2-n^2}{na_n+n^2-n}$의 값은?

① -2 ② -1 ③ 0
④ 1 ⑤ 2

0180 상중하

수열 $\{a_n\}$의 첫째항부터 제n항까지의 합을 S_n이라 하자. $\sum_{n=1}^{\infty} a_n=\frac{4}{3}$일 때, $\lim_{n\to\infty}\frac{5a_n+6S_n+4}{2a_n+3S_n-5}$의 값은?

① -3 ② -6 ③ -9
④ -12 ⑤ -15

0181 상중하 서술형

수열 $\{a_n\}$에 대하여 $\sum_{n=1}^{\infty} \frac{n^2 a_n - 2n}{2n+1} = 5$일 때, $\lim_{n \to \infty} 2na_n$의 값을 구하시오.

유형 04 Plus 급수의 수렴과 발산

0182~0183
(1) $\lim_{n \to \infty} a_n \neq 0$ ⇨ $\sum_{n=1}^{\infty} a_n$은 발산한다.
(2) $\lim_{n \to \infty} a_n = 0$ ⇨ 급수의 부분합 S_n을 구하여 $\lim_{n \to \infty} S_n$의 수렴, 발산을 조사한다.

0182 상중하

다음 보기의 급수 중 수렴하는 것을 있는 대로 고른 것은?

보기
ㄱ. $\sum_{n=1}^{\infty} \frac{3}{2^{n+1}}$ ㄴ. $\sum_{n=1}^{\infty} \frac{n}{2n+1}$
ㄷ. $\sum_{n=1}^{\infty} \frac{1}{\sqrt{n} + \sqrt{n+1}}$

① ㄱ ② ㄱ, ㄴ ③ ㄱ, ㄷ
④ ㄴ, ㄷ ⑤ ㄱ, ㄴ, ㄷ

0183 상중하

다음 급수 중 수렴하는 것은?

① $2+1+\frac{2}{3}+\frac{1}{2}+\cdots$ ② $\frac{2}{3}+\frac{4}{5}+\frac{6}{7}+\frac{8}{9}+\cdots$
③ $\sum_{n=1}^{\infty} \frac{n^2}{n(n+5)}$ ④ $\sum_{n=1}^{\infty} \frac{1}{2n(2n+2)}$
⑤ $\sum_{n=1}^{\infty} \frac{2n^2}{1+2+3+\cdots+n}$

중요 개념 해결의 법칙 38쪽 유형 03

유형 05 급수의 성질

개념 03

$\sum_{n=1}^{\infty} a_n = \alpha$, $\sum_{n=1}^{\infty} b_n = \beta$($\alpha$, β는 실수)이면 실수 p, q에 대하여
⇨ $\sum_{n=1}^{\infty} (pa_n \pm qb_n) = p\sum_{n=1}^{\infty} a_n \pm q\sum_{n=1}^{\infty} b_n = p\alpha \pm q\beta$ (복호동순)

0184 • 대표문제 •

두 급수 $\sum_{n=1}^{\infty} a_n$, $\sum_{n=1}^{\infty} b_n$이 모두 수렴하고

$$\sum_{n=1}^{\infty} (3a_n + 2b_n) = 12, \ \sum_{n=1}^{\infty} (-5a_n + 7b_n) = 11$$

일 때, 급수 $\sum_{n=1}^{\infty} (a_n - b_n)$의 합을 구하시오.

0185 상중하 서술형

두 급수 $\sum_{n=1}^{\infty} a_n$, $\sum_{n=1}^{\infty} b_n$에 대하여

$$\sum_{n=1}^{\infty} b_n = 3, \ \sum_{n=1}^{\infty} (3a_n - 5b_n) = 12$$

일 때, 급수 $\sum_{n=1}^{\infty} a_n$의 합을 구하시오.

0186 상중하

두 급수 $\sum_{n=1}^{\infty} a_n$, $\sum_{n=1}^{\infty} b_n$이 모두 수렴할 때, 다음 보기의 급수 중 수렴하는 것을 있는 대로 고르시오.

보기
ㄱ. $\sum_{n=1}^{\infty} \frac{a_n + b_n}{2}$ ㄴ. $\sum_{n=1}^{\infty} (a_n - a_{n+1})$ ㄷ. $\sum_{n=1}^{\infty} \frac{1}{b_n}$

0187 상중하

두 수열 $\{a_n\}$, $\{b_n\}$에 대하여 다음 보기 중 옳은 것을 있는 대로 고르시오.

보기
ㄱ. $\sum_{n=1}^{\infty} a_n$과 $\sum_{n=1}^{\infty} (a_n + b_n)$이 수렴하면 $\sum_{n=1}^{\infty} b_n$도 수렴한다.
ㄴ. $\sum_{n=1}^{\infty} a_n$과 $\sum_{n=1}^{\infty} b_n$이 수렴하면 $\lim_{n \to \infty} a_n b_n = 0$이다.
ㄷ. $\sum_{n=1}^{\infty} a_n b_n$이 수렴하고 $\lim_{n \to \infty} a_n \neq 0$이면 $\lim_{n \to \infty} b_n = 0$이다.

개념 해결의 법칙 43쪽 유형 01

유형 06 등비급수의 합

개념 04

주어진 급수를 $\sum_{n=1}^{\infty} ar^{n-1}(a\neq0)$의 꼴로 나타낸 다음 $-1<r<1$인 경우 그 합은 $\frac{a}{1-r}$임을 이용한다.

0188 • 대표문제 •

다음 급수의 합을 구하시오.

$$\sum_{n=1}^{\infty} \frac{1}{2^{2n+1}}+\sum_{n=1}^{\infty} \frac{3^n+(-2)^n}{4^n}$$

0189 상중하

급수 $\sum_{n=1}^{\infty} \frac{1+3+3^2+\cdots+3^n}{9^n}$의 합을 구하시오.

0190 상중하

급수 $\sum_{n=1}^{\infty}\left(\frac{1}{2}\right)^n \sin\frac{n\pi}{2}+\sum_{n=1}^{\infty}\left(\frac{1+\cos n\pi}{5}\right)^n$의 합을 구하시오.

0191 상중하

1보다 큰 자연수 n에 대하여 방정식 $x^n=(-3)^{n-1}$의 실근의 개수를 a_n이라 할 때, $\sum_{n=2}^{\infty} \frac{2a_n}{5^n}$의 값을 구하시오.

유형 07 합이 주어진 등비급수 (중요)

개념 04

$\sum_{n=1}^{\infty} ar^{n-1}=\alpha$($\alpha$는 실수)이면 ⇨ $\frac{a}{1-r}=\alpha$

0192 • 대표문제 •

등비수열 $\{a_n\}$이

$$\sum_{n=1}^{\infty} a_n=1,\ \sum_{n=1}^{\infty} a_n^{\,2}=\frac{1}{2}$$

을 만족시킬 때, 급수 $\sum_{n=1}^{\infty} a_n^{\,3}$의 합을 구하시오.

0193 상중하

등비급수 $1+\frac{1-x}{2}+\left(\frac{1-x}{2}\right)^2+\cdots$의 합이 6일 때, x의 값을 구하시오.

0194 상중하

방정식 $1+\cos^2 x+\cos^4 x+\cos^6 x+\cdots=2$를 만족시키는 x의 값에 대하여 $\tan x$의 값을 구하시오. $\left(단,\ 0<x<\frac{\pi}{2}\right)$

0195 상중하

$\sum_{n=1}^{\infty} \frac{x^n+(-x)^n}{2^n}=6$일 때, 양의 실수 x의 값을 구하시오.

중요 개념 해결의 법칙 44쪽 유형 02

유형 08 등비급수의 수렴 조건

개념 04

등비급수 $\sum_{n=1}^{\infty} ar^{n-1}$이 수렴하기 위한 조건은

⇨ $a=0$ 또는 $-1<r<1$

0196 • 대표문제 •

등비수열 $\left\{\left(\frac{x-8}{3}\right)^n\right\}$과 등비급수 $\sum_{n=1}^{\infty}\left(\frac{5-x}{3}\right)^n$이 모두 수렴하도록 하는 모든 정수 x의 값의 합을 구하시오.

0197 상중하

등비급수 $x+x\{1-\log(x+1)\}+x\{1-\log(x+1)\}^2+\cdots$ 이 수렴하기 위한 실수 x의 값의 범위를 구하시오.

0198 상중하

등비급수 $\sum_{n=1}^{\infty} r^n$이 수렴할 때, 다음 보기의 급수 중 반드시 수렴하는 것을 있는 대로 고르시오.

보기

ㄱ. $\sum_{n=1}^{\infty} r^{2n-1}$

ㄴ. $\sum_{n=1}^{\infty}\left(\frac{1}{r}\right)^n$ (단, $r\neq0$)

ㄷ. $\sum_{n=1}^{\infty}\left(\frac{r-1}{2}\right)^n$

ㄹ. $\sum_{n=1}^{\infty}\left(\frac{r}{2}-1\right)^n$

0199 상중하

등비급수 $\sum_{n=1}^{\infty} r^n$이 수렴할 때, 다음 중 그 합이 될 수 없는 것은?

① -1　② $-\frac{2}{5}$　③ 0　④ $\frac{1}{2}$　⑤ $\frac{2}{3}$

유형 09 귀납적으로 정의된 수열의 급수

개념 01, 04

다음과 같은 여러 가지 수열의 귀납적 정의를 이용하여 일반항 a_n을 구한 후 급수의 합을 구한다.

(1) $a_{n+1}=a_n+f(n)$ 꼴 ⇨ $a_n=a_1+\sum_{k=1}^{n-1} f(k)$

(2) $a_{n+1}=a_nf(n)$ 꼴 ⇨ $a_n=a_1f(1)f(2)\cdots f(n-1)$

(3) $a_{n+1}=pa_n+q\,(p\neq1, pq\neq0)$ 꼴

⇨ $a_{n+1}-\alpha=p(a_n-\alpha)$ 꼴로 변형

(4) $pa_{n+2}+qa_{n+1}+ra_n=0\,(p+q+r=0, pqr\neq0)$ 꼴

⇨ $a_{n+2}-a_{n+1}=\frac{r}{p}(a_{n+1}-a_n)$ 꼴로 변형

0200 • 대표문제 •

수열 $\{a_n\}$이 $a_1=-5$, $2a_{n+1}=a_n-3\,(n=1, 2, 3, \cdots)$으로 정의될 때, 급수 $\sum_{n=1}^{\infty}(a_n+3)$의 합은?

① -4　② -3　③ -2　④ -1　⑤ 0

0201 상중하 서술형

수열 $\{a_n\}$이 $a_1=1$, $a_{n+1}=a_n+n+1\,(n=1, 2, 3, \cdots)$로 정의될 때, 급수 $\sum_{n=1}^{\infty}\frac{1}{a_n}$의 합을 구하시오.

0202 상중하

수열 $\{a_n\}$이 $a_1=1$, $a_2=2$, $a_{n+2}=a_{n+1}+a_n\,(n=1, 2, 3, \cdots)$으로 정의될 때, 급수 $\sum_{n=1}^{\infty}\frac{a_n}{a_{n+1}a_{n+2}}$의 합은?

① $\frac{1}{6}$　② $\frac{1}{3}$　③ $\frac{1}{2}$　④ 1　⑤ 2

개념 해결의 법칙 45쪽 유형 03

유형 10 S_n과 a_n 사이의 관계를 이용하는 급수 개념 01.04

$a_1=S_1$, $a_n=S_n-S_{n-1}(n\geq 2)$임을 이용하여 일반항 a_n을 구하고 이를 통해 급수의 합을 구한다.

0203 대표문제

수열 $\{a_n\}$의 첫째항부터 제n항까지의 합 S_n이 $S_n=1-\left(\frac{2}{3}\right)^n$일 때, 급수 $a_1+a_3+a_5+\cdots$의 합은?

① $\frac{3}{5}$ ② $\frac{2}{3}$ ③ $\frac{3}{4}$
④ $\frac{4}{5}$ ⑤ 1

0204 상중하

수열 $\{a_n\}$에 대하여 $\sum_{k=1}^{n} a_k=n^2$일 때, 급수 $\sum_{n=1}^{\infty} \frac{1}{a_n a_{n+1}}$의 합을 구하시오.

0205 상중하

수열 $\{a_n\}$의 첫째항부터 제n항까지의 합 S_n이 $\log(S_n+1)=n$을 만족시킬 때, 급수 $\frac{1}{a_1}+\frac{1}{a_2}+\frac{1}{a_3}+\cdots$의 합을 구하시오.

0206 상중하

첫째항이 3이고 제n항까지의 합이 S_n인 수열 $\{a_n\}$이

$$a_{n+1}=S_n+3\ (n=1, 2, 3, \cdots)$$

을 만족시킬 때, 급수 $\sum_{n=1}^{\infty} \frac{1}{a_n}$의 합을 구하시오.

유형 11 순환소수와 등비급수 개념 05

(i) 주어진 순환소수를 분수로 나타낸다.
(ii) 첫째항과 공비를 구하여 등비급수의 합을 구한다.

0207 대표문제

첫째항이 $0.\dot{4}$, 제4항이 $0.0\dot{5}$이고 각 항이 실수인 등비급수의 합은?

① $0.\dot{6}$ ② $0.\dot{8}$ ③ $0.8\dot{1}$
④ $0.8\dot{3}$ ⑤ $0.\dot{8}\dot{5}$

0208 상중하

등비수열 $\{a_n\}$의 공비가 $0.\dot{3}$이고 $\sum_{n=1}^{\infty} a_n=0.\dot{1}\dot{8}$일 때, a_1의 값은?

① $0.\dot{0}\dot{8}$ ② $0.\dot{1}\dot{0}$ ③ $0.\dot{1}\dot{2}$
④ $0.\dot{1}\dot{4}$ ⑤ $0.\dot{1}\dot{6}$

유형 11 Plus 자릿수와 등비급수

0209~0210 수열 $\{a_n\}$에서 $a_1, a_2, a_3, \cdots$을 차례로 구하여 주어진 등비급수의 첫째항과 공비를 찾는다.

0209 상중하

$\frac{4}{33}$를 순환소수로 나타낼 때, 소수점 아래 n째 자리의 숫자를 a_n이라 하자. 이때, 급수 $\sum_{n=1}^{\infty} \frac{a_n}{2^n}$의 합을 구하시오.

0210 상중하

자연수 n에 대하여 7^n+1을 5로 나누었을 때의 나머지를 a_n이라 할 때, 급수 $\sum_{n=1}^{\infty} \frac{a_n}{10^n}$의 합은?

① $0.\dot{3}02\dot{4}$ ② $0.\dot{3}04\dot{2}$ ③ $0.\dot{3}20\dot{4}$
④ $0.\dot{3}40\dot{2}$ ⑤ $0.\dot{3}42\dot{0}$

발전 유형 12 등비급수의 활용 – 좌표 개념 05

한없이 움직이는 점이 가까워지는 점의 x좌표, y좌표를 각각 찾아 등비급수의 합을 이용한다.

0211 • 대표문제 •

오른쪽 그림과 같이 점 P가 원점 O를 출발하여 P_1, P_2, P_3, $\cdots$으로 움직인다. $\overline{OP_1}=1$, $\overline{P_1P_2}=\frac{3}{4}\overline{OP_1}$, $\overline{P_2P_3}=\frac{3}{4}\overline{P_1P_2}$, $\cdots$일 때, 점 P_n이 한없이 가까워지는 점 (α, β)에 대하여 $\frac{\alpha}{\beta}$의 값을 구하시오.

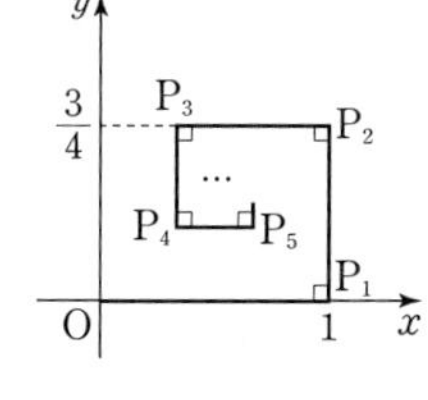

0212 상중하

오른쪽 그림과 같이 점 P가 원점 O를 출발하여 P_1, P_2, P_3, $\cdots$으로 움직인다. $\overline{OP_1}=1$, $\overline{P_1P_2}=\frac{2}{3}\overline{OP_1}$, $\overline{P_2P_3}=\frac{2}{3}\overline{P_1P_2}$, $\cdots$일 때, 점 P_n이 한없이 가까워지는 점의 좌표를 구하시오.

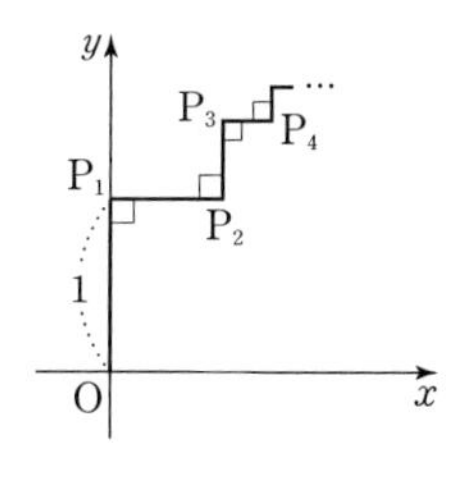

0213 상중하

오른쪽 그림과 같이 점 P가 원점 O를 출발하여 P_1, P_2, P_3, $\cdots$으로 움직인다. $\overline{OP_1}=1$, $\overline{P_1P_2}=\frac{1}{2}\overline{OP_1}$, $\overline{P_2P_3}=\frac{1}{2}\overline{P_1P_2}$, $\cdots$일 때, 점 P_n이 한없이 가까워지는 점의 좌표를 구하시오.

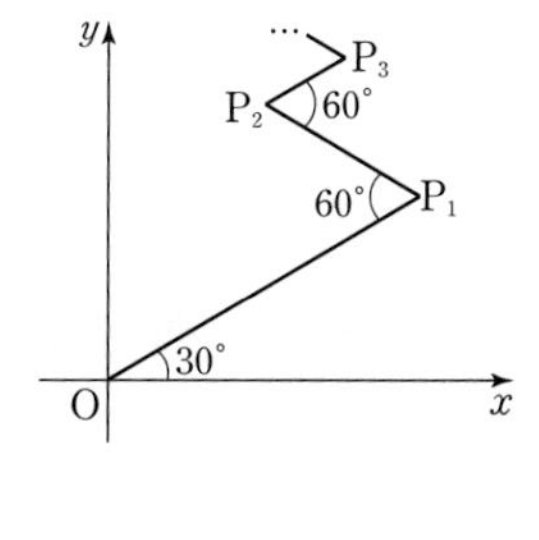

발전 유형 13 등비급수의 활용 – 길이 개념 05

일정한 비율 또는 규칙에 따라 무한히 반복될 때, 첫째항과 공비를 찾아 등비급수의 합을 이용한다.

0214 • 대표문제 •

어떤 공을 높이가 h m인 곳에서 수직으로 떨어뜨리면 떨어진 높이의 $\frac{2}{3}$만큼 튀어 오른다고 한다. 이 공을 높이가 5 m인 곳에서 수직으로 떨어뜨릴 때, 이 공이 정지할 때까지 움직인 거리는?

① 20 m ② 25 m ③ 30 m ④ 35 m ⑤ 40 m

0215 상중하

길이가 30 m인 줄의 $\frac{1}{3}$만큼을 잘라내고 길이가 1 m인 줄을 붙인다. 또, 그 줄의 $\frac{1}{3}$만큼을 잘라내고 길이가 1 m인 줄을 붙인다. 이와 같은 작업을 n번 반복한 줄의 길이를 l_n m라 할 때, 급수 $\sum_{n=1}^{\infty}(l_n-3)$의 합을 구하시오.

0216 상중하

오른쪽 그림과 같이 어떤 추를 A 위치에서 놓으면 처음에 60 cm만큼 움직였다가 방향을 바꾸어 54 cm만큼 움직인다. 이와 같이 추가 항상 앞에서 움직인 거리의 $\frac{9}{10}$만큼 방향을 바꾸어 움직인다고 할 때, 이 추가 A 위치에서부터 정지할 때까지 움직인 거리를 구하시오.

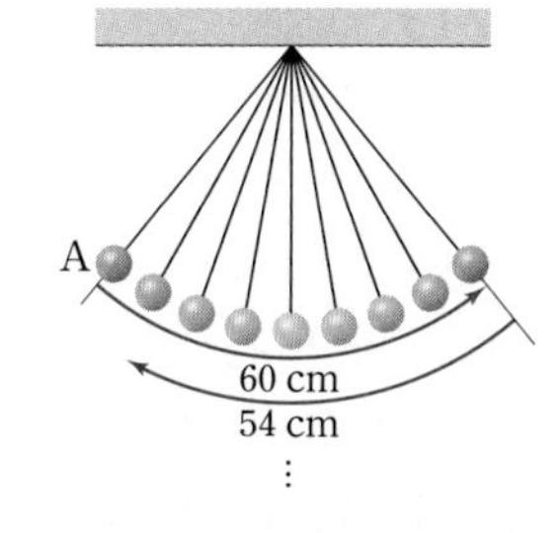

개념 해결의 법칙 46쪽 유형 04

발전 유형 14 도형과 등비급수 – 길이

개념 05

선분의 길이 또는 도형의 둘레의 길이 등이 줄어들거나 늘어나는 일정한 규칙을 찾아 등비급수의 합을 이용한다.

0217 • 대표문제 •

오른쪽 그림에서 $\angle XOY=30°$, $\overline{OP}=2$이다. 점 P에서 $\overrightarrow{OY}$에 내린 수선의 발을 P_1, 점 P_1에서 $\overrightarrow{OX}$에 내린 수선의 발을 P_2, 점 P_2에서 $\overrightarrow{OY}$에 내린 수선의 발을 P_3이라 하자. 이와 같은 과정을 한없이 반복할 때, $\overline{PP_1}+\overline{P_1P_2}+\overline{P_2P_3}+\cdots$의 값을 구하시오.

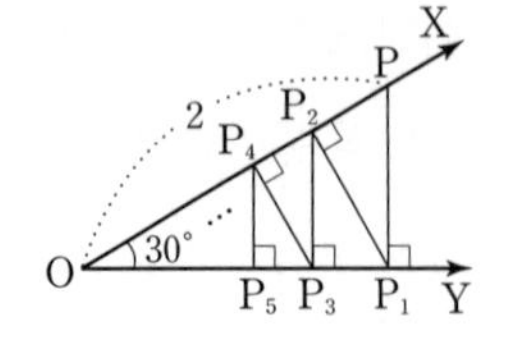

0218 상중하

오른쪽 그림과 같이 둘레의 길이가 2인 $\triangle ABC$의 각 변의 중점을 꼭짓점으로 하는 $\triangle A_1B_1C_1$을 만들고, 다시 $\triangle A_1B_1C_1$의 각 변의 중점을 꼭짓점으로 하는 $\triangle A_2B_2C_2$를 만든다. 이와 같은 과정을 한없이 반복할 때, $\triangle A_nB_nC_n$의 둘레의 길이를 a_n이라 하자. 급수 $\sum_{n=1}^{\infty} a_n$의 합을 구하시오.

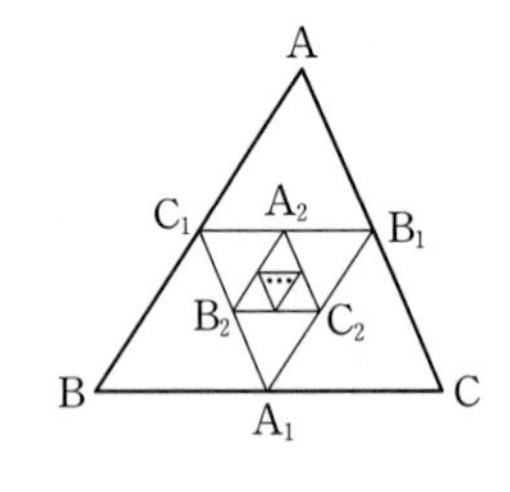

0219 상중하

오른쪽 그림과 같이 $\overline{AB}=2$인 직각이등변삼각형 ABC에서 꼭짓점 A를 중심, $\overline{AB}$를 반지름으로 하는 원이 $\overline{AC}$와 만나는 점을 A_1, $\overline{AC}\perp\overline{A_1B_1}$이면서 $\overline{BC}$ 위에 있는 점을 B_1, 다시 점 B_1을 중심, $\overline{A_1B_1}$을 반지름으로 하는 원이 $\overline{CB_1}$과 만나는 점을 B_2, $\overline{CB_1}\perp\overline{A_2B_2}$이면서 $\overline{A_1C}$ 위에 있는 점을 A_2라 하자. 이와 같은 과정을 한없이 반복할 때, $\overline{AB}+\overline{A_1B_1}+\overline{A_2B_2}+\cdots$의 값을 구하시오.

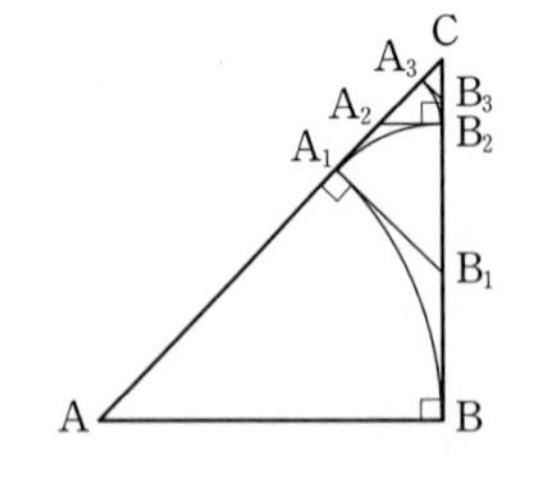

발전 유형 15 도형과 등비급수 – 넓이

중요

개념 05

도형의 넓이가 줄어들거나 늘어나는 일정한 규칙을 찾아 등비급수의 합을 이용한다.

0220 • 대표문제 •

오른쪽 그림과 같이 직각을 낀 두 변의 길이가 2인 직각이등변삼각형의 내부에 넓이가 S_1, S_2, S_3, $\cdots$인 정사각형을 한없이 만들어 나간다. 모든 정사각형의 넓이의 합을 S라 할 때, $6S$의 값을 구하시오.

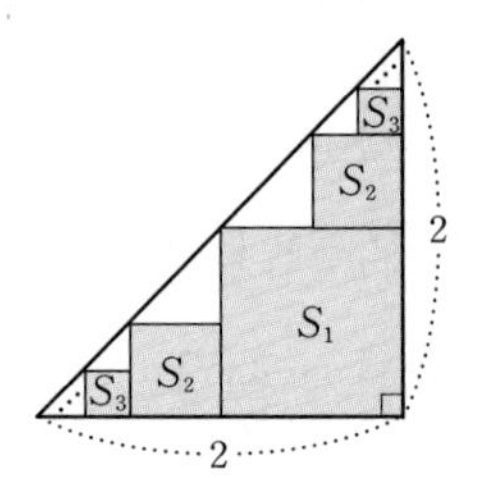

0221 상중하

오른쪽 그림과 같이 한 변의 길이가 1인 정사각형에 내접하는 사분원을 그리고 다시 이 사분원에 내접하는 정사각형을 그린다. 이와 같은 과정을 한없이 반복할 때, 색칠한 부분의 넓이의 합을 구하시오.

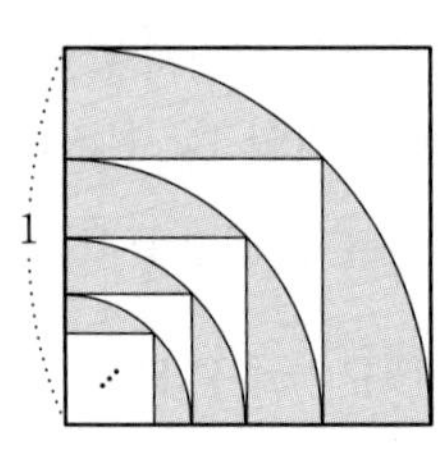

0222 상중하

오른쪽 그림과 같이 2만큼 떨어진 두 평행선에 수직인 선분 A_1B_1, A_2B_2, A_3B_3, $\cdots$이 있다. 선분 $A_nB_n(n=1, 2, 3, \cdots)$ 위에 빗변이 놓여 있는 2^{n-1}개의 합동인 직각이등변삼각형을 그림과 같이 한없이 그릴 때, 모든 직각이등변삼각형의 넓이의 합을 구하시오.

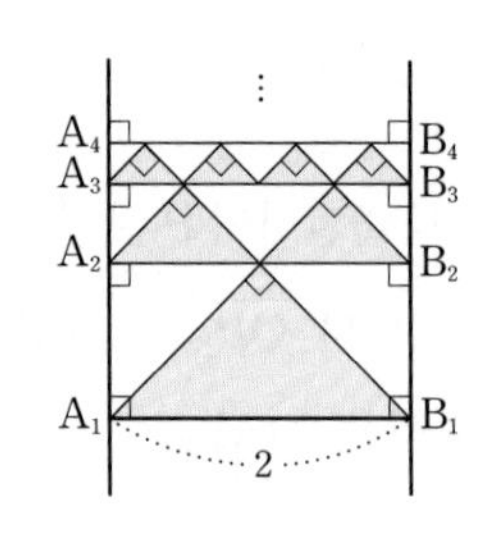

• 실제 학교 시험지처럼 풀어 보세요.

0223 | 유형 01 |

모든 자연수 n에 대하여 수열 $\{a_n\}$이 다음 두 조건을 모두 만족시킬 때, 급수 $\sum_{n=1}^{\infty} a_n$의 합은? [4.8점]

> (가) $a_n \neq 0$
> (나) x에 대한 다항식 $a_n x^2 + a_n x + 5$를 $x-n$으로 나누었을 때의 나머지가 15이다.

① 10 ② 12 ③ 14
④ 16 ⑤ 18

0224 | 유형 02 |

수열 $\{a_n\}$의 일반항이

$$a_n = \log_3 \frac{n+3}{n+2} - \log_3 \frac{n+2}{n+1}$$

일 때, 급수 $\sum_{n=1}^{\infty} a_n$의 합은? [5점]

① $\log_3 2 - 1$ ② $\log_3 2$ ③ $\log_3 2 + 1$
④ $1 - \log_3 2$ ⑤ $2 \log_3 2$

0225 | 유형 04 |

두 수열 $\{a_n\}$, $\{b_n\}$에 대하여 급수 $\sum_{n=1}^{\infty} \left(a_n - \frac{2n}{n+1}\right)$과 $\sum_{n=1}^{\infty} (a_n + 2b_n)$이 모두 수렴할 때, $\lim_{n\to\infty} \frac{a_n+3}{b_n+2}$의 값은?

(단, $b_n \neq -2$) [5점]

① 1 ② 2 ③ 3
④ 4 ⑤ 5

0226 | 유형 05 |

두 수열 $\{a_n\}$, $\{b_n\}$에 대하여 $\sum_{n=1}^{\infty} (2a_n - 5) = 200$, $\sum_{n=1}^{\infty} (2b_n + 5) = 180$일 때, 급수 $\sum_{n=1}^{\infty} (a_n + b_n)$의 합은? [4.8점]

① 160 ② 170 ③ 180
④ 190 ⑤ 200

0227 | 유형 07 |

첫째항이 2인 등비수열 $\{a_n\}$에 대하여 $\sum_{n=1}^{\infty} a_n = 6$일 때, 급수 $\sum_{n=1}^{\infty} (a_{3n-1} - a_{3n})$의 합은? [5.1점]

① $\frac{11}{19}$ ② $\frac{12}{19}$ ③ $\frac{13}{19}$
④ $\frac{14}{19}$ ⑤ $\frac{15}{19}$

0228 | 유형 09 |

수열 $\{a_n\}$이 $a_1 = 1$, $a_{n+1} = 2a_n (n=1, 2, 3, \cdots)$으로 정의된다. a_n을 3으로 나누었을 때의 나머지를 b_n이라 할 때, $\sum_{n=1}^{\infty} \left(\frac{b_n}{5}\right)^n = S$라 하자. 이때, $168S$의 값은? [5.3점]

① 64 ② 66 ③ 67
④ 68 ⑤ 70

0229 | 유형 09 + 유형 10 |

수열 $\{a_n\}$의 첫째항부터 제n항까지의 합 S_n이

$$S_1 = 10,\ S_{n+1} = \frac{1}{2} S_n + 1\ (n = 1, 2, 3, \cdots)$$

을 만족시킬 때, 급수 $a_2 + a_4 + a_6 + \cdots$의 합은? [5.3점]

① $-\frac{16}{3}$ ② $-\frac{10}{3}$ ③ $-\frac{4}{3}$
④ 0 ⑤ $\frac{4}{3}$

0230 | 유형 11 |

$\frac{123}{999}$을 순환소수로 나타낼 때, 소수점 아래 n째 자리의 숫자를 a_n이라 하자. 이때, 급수 $\sum_{n=1}^{\infty} \frac{a_n}{3^n}$의 합은? [4.9점]

① $\frac{5}{13}$ ② $\frac{6}{13}$ ③ $\frac{7}{13}$
④ $\frac{8}{13}$ ⑤ $\frac{9}{13}$

0231 | 유형 14 |

오른쪽 그림과 같이 자연수 n에 대하여 중심이 점 $A_n\left(\frac{1}{4^{n-1}}, 0\right)$이고 직선 $3x+4y=0$에 접하는 원을 C_n이라 하자. 직선 $3x+4y=0$과 원 C_n의 접점을 B_n이라 하고, 선분 OB_n의 길이를 L_n이라 할 때, 급수 $\sum_{n=1}^{\infty} L_n$의 합은? (단, O는 원점이다.) [5.4점]

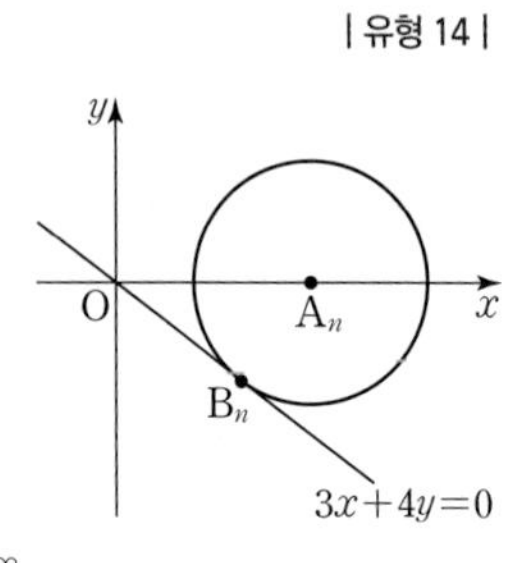

① $\frac{11}{15}$ ② $\frac{13}{15}$ ③ $\frac{14}{15}$
④ $\frac{16}{15}$ ⑤ $\frac{17}{15}$

0232 | 유형 14 |

오른쪽 그림과 같이 $\overline{AB}=3$, $\overline{BC}=5$, $\angle B=60°$인 삼각형 ABC 안의 마름모 S_1, S_2, S_3, …에 대하여 이 마름모의 둘레의 길이를 각각 l_1, l_2, l_3, …이라 할 때, 급수 $\sum_{n=1}^{\infty} l_n$의 합은? [5.4점]

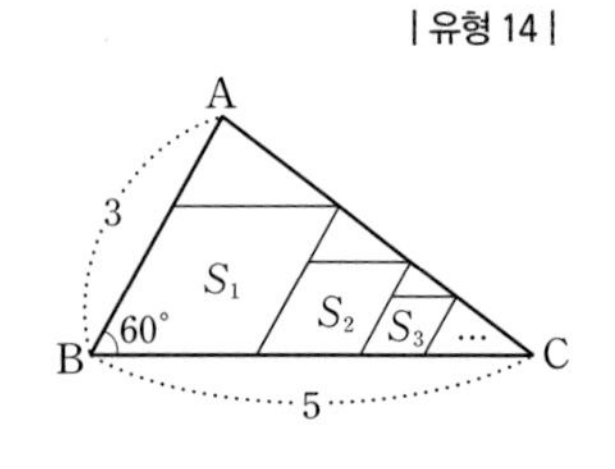

① 15 ② 20 ③ 25
④ 30 ⑤ 35

서술형 문제

• 풀이 과정에 점수가 부여되니 풀이 과정 및 정답을 상세하게 서술하세요.

단답형

0233 | 유형 08 |

등비수열 $\{(x-2)(3x-2)^{n-1}\}$과 등비급수 $\sum_{n=1}^{\infty} (x^2-x+1)^n$이 모두 수렴하도록 하는 실수 x의 값의 범위를 구하시오. [7점]

단계형

0234 | 유형 15 |

반지름의 길이가 $2(\sqrt{2}+1)$인 원 C가 있다.
원 C를 사분원으로 나누어 한 사분원에 내접하는 원을 C_1, 원 C_1을 사분원으로 나누어 한 사분원에 내접하는 원을 C_2, 원 C_2를 사분원으로 나누어 한 사분원에 내접하는 원을 C_3이라 하자. 이와 같은 과정을 계속하여 얻어진 원 C_n의 넓이를 S_n이라 할 때, $\sum_{n=1}^{\infty} S_n=(p+q\sqrt{2})\pi$ (p, q는 자연수)이다. 이때, p^2+q^2의 값을 구하려고 한다. 다음 물음에 답하시오. [12점]

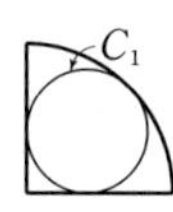

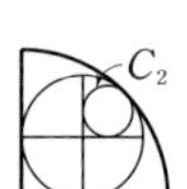

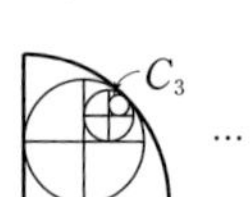

(1) 원 C_n의 반지름의 길이를 r_n이라 할 때, r_n과 r_{n+1} 사이의 관계식을 구하시오. [5점]

(2) 급수 $\sum_{n=1}^{\infty} S_n$의 합을 구하시오. [5점]

(3) p^2+q^2의 값을 구하시오. [2점]

성/취/도 Check

• 이 단원은 70점 만점입니다. 점수 / 70점

STEP 1 개념+기본 문제 학습

STEP 2 유형 대표 문제 학습

STEP 3의 틀린 문제에 해당하는 STEP 2 유형 학습

STEP 3의 틀린 문제 복습

교과서 속 심화문제 시작

» 정답과 해설 36쪽

0235

수열 $\{a_n\}$에 대하여 급수

$$(a_1-1)+\left(a_2-\frac{4}{5}\right)+\left(a_3-\frac{3}{4}\right)+\cdots+\left(a_n-\frac{2n}{3n-1}\right)+\cdots$$

이 수렴할 때, $\lim_{n\to\infty}\sin\left\{\left(30a_n+\frac{k}{2}\right)\pi\right\}=0$ 또는 $\lim_{n\to\infty}\sin\left\{\left(30a_n+\frac{k}{2}\right)\pi\right\}=1$을 만족시키는 모든 두 자리 자연수 k의 값의 합을 구하시오.

0236

곡선 $y=\left(\frac{1}{2}\right)^x$을 x축의 방향으로 평행이동시켜 점 $(-n, 3)$을 지나도록 하였다. 이 곡선의 y절편을 a_n이라 할 때, $\frac{p}{9}\sum_{n=1}^{\infty}a_n$의 값이 20 이하의 자연수가 되도록 하는 모든 자연수 p의 값의 합을 구하시오. (단, n은 자연수)

0237

수열 $\{a_n\}$의 첫째항부터 제n항까지의 합을 S_n이라 하자.

$$a_1=4,\ S_nS_{n+1}=2^n\ (n=1, 2, 3, \cdots)$$

일 때, $\lim_{n\to\infty}\left(\frac{15a_{2n}}{a_{2n-1}}+\frac{8S_{2n}}{S_{2n-1}}\right)$의 값을 구하시오.

0238

H스포츠에서 만든 농구공과 배구공을 지면으로부터 h m의 높이에서 수직으로 떨어뜨리면 각각 $0.6h$ m, $0.4h$ m만큼 튀어 오른다고 한다. 이 농구공을 지면으로부터 10 m의 높이에서 수직으로 떨어뜨린 후 n번째로 지면에 닿을 때까지 움직인 거리를 a_n m, 이 배구공을 지면으로부터 x m의 높이에서 수직으로 떨어뜨린 후 n번째로 지면에 닿을 때까지 움직인 거리를 b_n m라 하자. $\lim_{n\to\infty}\frac{a_n}{b_n}=1$일 때, x의 값을 구하시오.

0239 창의력

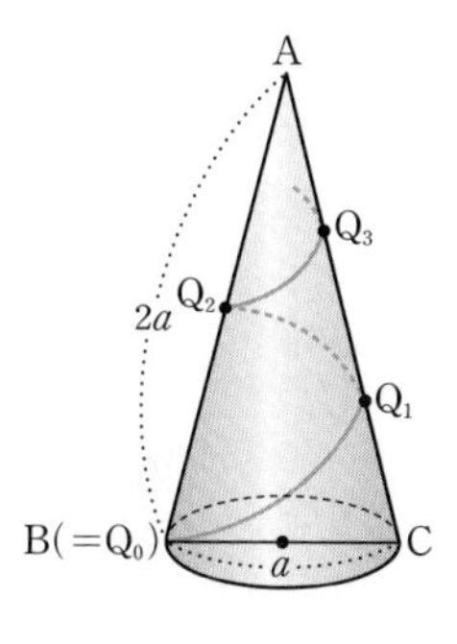

오른쪽 그림과 같이 점 A를 꼭짓점으로 하고 선분 BC를 밑면의 지름으로 하며 $\overline{AB}=2a$, $\overline{BC}=a$인 직원뿔이 있다. 모선 AC 위의 점 Q_1은 점 B에서 직원뿔의 옆면을 돌아 모선 AC에 최단 거리로 이르는 점이고, 모선 AB 위의 점 Q_2는 점 Q_1에서 직원뿔의 옆면을 돌아 모선 AB에 최단 거리로 이르는 점이다. 이와 같은 방법으로 점 Q_n은 모선 AB 또는 모선 AC 위의 점 Q_{n-1}에서 직원뿔의 옆면을 돌아 다른 모선에 최단 거리로 이르는 점이라고 하자. 점 Q_{n-1}에서 점 Q_n에 이르는 최단 거리를 l_n이라 할 때, $\sum_{n=1}^{\infty}l_n$의 값이 100을 넘지 않도록 하는 자연수 a의 최댓값을 구하시오.

3

지수함수와 로그함수의 미분

오랫동안 꿈을 그리는 사람은
마침내 그 꿈을 닮아간다.
-앙드레 말로

기출 문제 분석
빅 데이터

* 전국 300여 개 고등학교 기출 문제를 분석하였습니다.

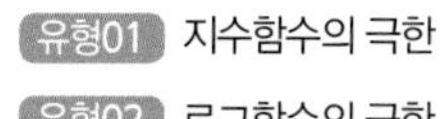

유형01 지수함수의 극한

유형02 로그함수의 극한

유형03 $\lim_{x\to0}(1+x)^{\frac{1}{x}}=e$를 이용한 함수의 극한

유형04 $\lim_{x\to\infty}\left(1+\frac{1}{x}\right)^{x}=e$를 이용한 함수의 극한

유형05 $\lim_{x\to0}\frac{\ln(1+x)}{x}=1$을 이용한 함수의 극한

유형06 $\lim_{x\to0}\frac{e^{x}-1}{x}=1$을 이용한 함수의 극한

유형07 $\lim_{x\to0}\frac{\log_{a}(1+x)}{x}=\frac{1}{\ln a}$을 이용한 함수의 극한

유형08 $\lim_{x\to0}\frac{a^{x}-1}{x}=\ln a$를 이용한 함수의 극한

유형09 지수함수와 로그함수의 극한 – 미정계수의 결정

유형10 극한의 변형

유형11 지수함수와 로그함수의 극한 – 도형에의 활용

유형12 지수함수와 로그함수의 연속

88%

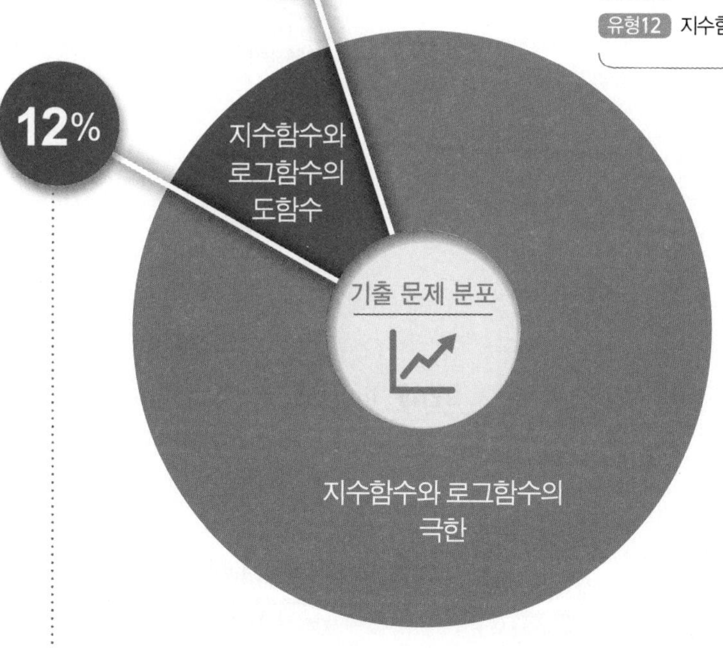

유형13 지수함수의 도함수

유형14 로그함수의 도함수

유형15 지수함수와 로그함수의 도함수 – 미분가능성

01 지수함수의 극한

유형 01

지수함수 $y=a^x\,(a>0,\,a\neq1)$에서

(1) $a>1$일 때

$\lim_{x\to\infty} a^x=\infty,\ \lim_{x\to-\infty} a^x=0$

(2) $0<a<1$일 때

$\lim_{x\to\infty} a^x=0,\ \lim_{x\to-\infty} a^x=\infty$

$a>1$

$0<a<1$
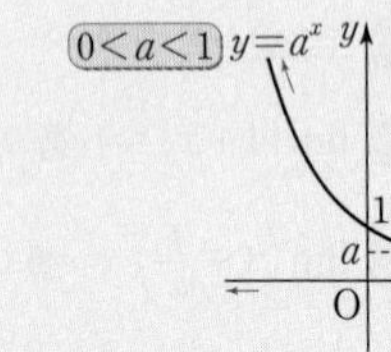

참고 지수함수 $y=a^x\,(a>0,\,a\neq1)$은 모든 실수에서 연속이므로 임의의 실수 r에 대하여 $\lim_{x\to r} a^x=a^r$

02 로그함수의 극한

유형 02

로그함수 $y=\log_a x\,(a>0,\,a\neq1)$에서

(1) $a>1$일 때

$\lim_{x\to0+} \log_a x=-\infty,\ \lim_{x\to\infty} \log_a x=\infty$

(2) $0<a<1$일 때

$\lim_{x\to0+} \log_a x=\infty,\ \lim_{x\to\infty} \log_a x=-\infty$

$a>1$
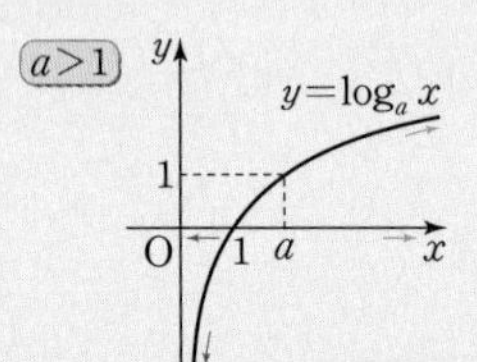

$0<a<1$
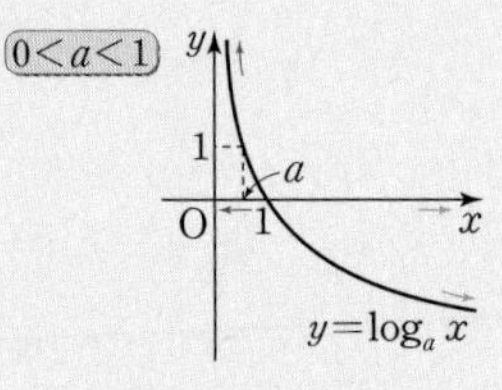

참고 로그함수 $y=\log_a x\,(a>0,\,a\neq1)$는 모든 양의 실수에서 연속이므로 임의의 양의 실수 r에 대하여 $\lim_{x\to r} \log_a x=\log_a r$

[0240~0245] 다음 극한을 조사하시오.

0240 $\lim_{x\to\infty} \frac{4^x}{3^{2x}}$

0241 $\lim_{x\to\infty} (3^x-4^x)$

0242 $\lim_{x\to-\infty} \frac{5^x+5^{-x}}{5^x-5^{-x}}$

0243 $\lim_{x\to\infty} \frac{2^x+4^x}{3^x+5^x}$

0244 $\lim_{x\to0} \left\{\left(\frac{1}{2}\right)^x+3\right\}$

0245 $\lim_{x\to2} \frac{4^x}{3^{x-1}-2^x}$

[0246~0250] 다음 극한을 조사하시오.

0246 $\lim_{x\to\infty} \log\frac{1}{x}$

0247 $\lim_{x\to0+} \log_{\frac{1}{5}} x$

0248 $\lim_{x\to1+} \log_3 (x-1)$

0249 $\lim_{x\to27} \log_3 x$

0250 $\lim_{x\to\infty} \{\log_2 (4x+1)-\log_2 x\}$

핵심 Check

- $y=a^x\,(a>0,\,a\neq1)$
  - $a>1$일 때, $\lim_{x\to\infty} a^x=\infty,\ \lim_{x\to-\infty} a^x=0$
  - $0<a<1$일 때, $\lim_{x\to\infty} a^x=0,\ \lim_{x\to-\infty} a^x=\infty$
- $y=\log_a x\,(a>0,\,a\neq1)$
  - $a>1$일 때, $\lim_{x\to0+} \log_a x=-\infty,\ \lim_{x\to\infty} \log_a x=\infty$
  - $0<a<1$일 때, $\lim_{x\to0+} \log_a x=\infty,\ \lim_{x\to\infty} \log_a x=-\infty$

03 무리수 e와 자연로그

유형 03, 04

(1) 무리수 e

$$e=\lim_{x\to 0}(1+x)^{\frac{1}{x}}=\lim_{x\to\infty}\left(1+\frac{1}{x}\right)^x$$

$(e=2.71828182845904\cdots)$

(2) 무리수 e를 밑으로 하는 로그 $\log_e x$를 **자연로그**라 하고, 이를 간단히 $\ln x$와 같이 나타낸다.

참고 무리수 e를 밑으로 하는 지수함수를 $y=e^x$으로 나타낸다. 이때, 지수함수 $y=e^x$과 로그함수 $y=\ln x$는 서로 역함수 관계에 있다.

[0251~0252] 다음 극한값을 구하시오.

0251 $\lim_{x\to 0}(1+3x)^{\frac{1}{x}}$

0252 $\lim_{x\to\infty}\left(1+\frac{1}{2x}\right)^x$

[0253~0256] 다음 등식을 만족시키는 x의 값을 구하시오.

0253 $\ln x=3$

0254 $\ln x=-1$

0255 $e^x=5$

0256 $e^{2x}=\frac{1}{4}$

[0257~0260] 다음 값을 구하시오.

0257 $\ln e^2$

0258 $\ln\sqrt{e}$

0259 $\ln e^{\sqrt{3}}$

0260 $\frac{1}{\log_5 e}+\frac{1}{\log_2 e}$

04 e의 정의를 이용한 지수함수와 로그함수의 극한

유형 05~12

$a>0$, $a\neq1$일 때

(1) $\lim_{x\to 0}\frac{\ln(1+x)}{x}=1$ (2) $\lim_{x\to 0}\frac{e^x-1}{x}=1$

(3) $\lim_{x\to 0}\frac{\log_a(1+x)}{x}=\frac{1}{\ln a}$ (4) $\lim_{x\to 0}\frac{a^x-1}{x}=\ln a$

참고 • $\lim_{x\to 0}\frac{\ln(1+x)}{x}=\lim_{x\to 0}\ln(1+x)^{\frac{1}{x}}=\ln e=1$

• $\lim_{x\to 0}\frac{e^x-1}{x}$에서 $e^x-1=t$로 놓으면 $x=\ln(1+t)$이고 $x\to 0$일 때 $t\to 0$이므로

$\lim_{x\to 0}\frac{e^x-1}{x}=\lim_{t\to 0}\frac{t}{\ln(1+t)}=\lim_{t\to 0}\frac{1}{\ln(1+t)^{\frac{1}{t}}}=\frac{1}{\ln e}=1$

[0261~0263] 다음 극한값을 구하시오.

0261 $\lim_{x\to 0}\frac{\ln(1+x)}{2x}$

0262 $\lim_{x\to 0}\frac{\ln(1+x)^3}{x}$

0263 $\lim_{x\to 0}\frac{\log_2(1+3x)}{x}$

[0264~0266] 다음 극한값을 구하시오.

0264 $\lim_{x\to 0}\frac{e^{2x}-1}{x}$

0265 $\lim_{x\to 0}\frac{e^{-x}-1}{2x}$

0266 $\lim_{x\to 0}\frac{2^x-1}{4x}$

• $e=\lim_{x\to 0}(1+x)^{\frac{1}{x}}=\lim_{x\to\infty}\left(1+\frac{1}{x}\right)^x$

• (1) $\lim_{x\to 0}\frac{\ln(1+x)}{x}=1$ (2) $\lim_{x\to 0}\frac{e^x-1}{x}=1$

05 지수함수의 도함수

유형 13, 15

(1) $y=e^x \Rightarrow y'=e^x$

(2) $y=a^x(a>0, a\neq1) \Rightarrow y'=a^x \ln a$

참고 미분가능한 함수 $f(x)$의 도함수는

$f'(x)=\lim_{h\to0}\frac{f(x+h)-f(x)}{h}$임을 이용하면

(1) $y'=\lim_{h\to0}\frac{e^{x+h}-e^x}{h}=\lim_{h\to0}\frac{e^x(e^h-1)}{h}=e^x\lim_{h\to0}\frac{e^h-1}{h}$
$=e^x$

(2) $y'=\lim_{h\to0}\frac{a^{x+h}-a^x}{h}=\lim_{h\to0}\frac{a^x(a^h-1)}{h}=a^x\lim_{h\to0}\frac{a^h-1}{h}$
$=a^x\ln a$

[0267~0269] 다음 함수를 미분하시오.

0267 $y=e^{x+1}$

0268 $y=(x-1)e^x$

0269 $y=x^3e^x$

[0270~0272] 다음 함수를 미분하시오.

0270 $y=2\times3^x$

0271 $y=5^{2x-1}$

0272 $y=x\times3^x$

06 로그함수의 도함수

유형 14, 15

(1) $y=\ln x \Rightarrow y'=\frac{1}{x}$

(2) $y=\log_a x\,(a>0, a\neq1) \Rightarrow y'=\frac{1}{x\ln a}$

참고 (1) $y'=\lim_{h\to0}\frac{\ln(x+h)-\ln x}{h}=\lim_{h\to0}\frac{1}{h}\ln\frac{x+h}{x}$
$=\lim_{h\to0}\frac{1}{h}\ln\left(1+\frac{h}{x}\right)=\lim_{t\to0}\frac{1}{tx}\ln(1+t)$
$=\frac{1}{x}\lim_{t\to0}\ln(1+t)^{\frac{1}{t}}=\frac{1}{x}\ln e=\frac{1}{x}$

$\frac{h}{x}=t$로 놓으면 $h\to0$일 때 $t\to0$

(2) $\log_a x=\frac{\ln x}{\ln a}$이므로

$y'=\left(\frac{\ln x}{\ln a}\right)'=\frac{1}{\ln a}(\ln x)'=\frac{1}{\ln a}\times\frac{1}{x}=\frac{1}{x\ln a}$

참고 $a>0, a\neq1, b>0, b\neq1, N>0$일 때

$\log_a N=\frac{\log_b N}{\log_b a}$

[0273~0276] 다음 함수를 미분하시오.

0273 $y=\ln 2x$

0274 $y=\ln x^3$

0275 $y=3x\ln 2x$

0276 $y=(\ln x)^2$

[0277~0280] 다음 함수를 미분하시오.

0277 $y=x^2+\log_5 x$

0278 $y=\log_2 3x$

0279 $y=x\log_2 x$

0280 $y=x\log_5 3x$

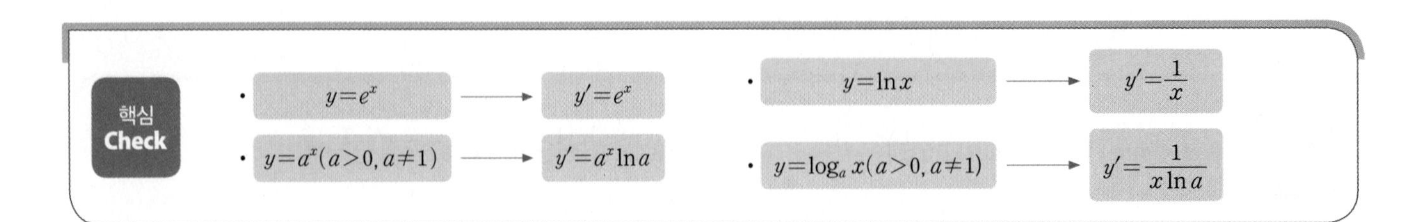

핵심 Check
$y=e^x$ → $y'=e^x$
$y=a^x(a>0, a\neq1)$ → $y'=a^x\ln a$
$y=\ln x$ → $y'=\frac{1}{x}$
$y=\log_a x(a>0, a\neq1)$ → $y'=\frac{1}{x\ln a}$

STEP 2 유형 마스터

개념 해결의 법칙 60쪽 유형 01

유형 01 지수함수의 극한

개념 01

(i) 주어진 함수가 $\frac{\infty}{\infty}$ 꼴 또는 $\infty-\infty$ 꼴인지를 확인한다.

① $\frac{\infty}{\infty}$ 꼴 ⇨ 분모에서 밑이 가장 큰 항으로 분모, 분자를 각각 나눈다.

② $\infty-\infty$ 꼴 ⇨ 밑이 가장 큰 항으로 묶는다.

(ii) $a>1$이면 $\lim_{x\to\infty} a^x=\infty$, $0<a<1$이면 $\lim_{x\to\infty} a^x=0$임을 이용한다.

0281 대표문제

$\lim_{x\to\infty} (4^x+3^x)^{\frac{1}{x}}$의 값은?

① $\frac{1}{2}$ ② 1 ③ 2
④ 4 ⑤ 6

0282 상중하

$\lim_{x\to-\infty} \frac{3^x-x^3+1}{1-2x^3}=\frac{a}{b}$일 때, 서로소인 자연수 a, b에 대하여 $2a+b$의 값은?

① 4 ② 5 ③ 6
④ 7 ⑤ 8

0283 상중하

다음 보기 중 극한값이 존재하는 것을 있는 대로 고른 것은?

보기

ㄱ. $\lim_{x\to-\infty} \frac{5^x}{5^x-5^{-x}}$

ㄴ. $\lim_{x\to0} \frac{2^{\frac{1}{x}}}{2^{\frac{1}{x}}-2^{-\frac{1}{x}}}$

ㄷ. $\lim_{x\to-\infty} \frac{7^x}{\sqrt{5^x}}$

ㄹ. $\lim_{x\to-\infty} \frac{1}{1-3^{\frac{1}{x}}}$

① ㄱ, ㄴ ② ㄱ, ㄷ ③ ㄱ, ㄹ
④ ㄴ, ㄷ ⑤ ㄴ, ㄹ

개념 해결의 법칙 61쪽 유형 02

유형 02 로그함수의 극한

개념 02

(i) 주어진 식을 로그의 성질을 이용하여 $\lim_{x\to\infty} \{\log_a f(x)\}$ 꼴로 변형한다.

(ii) $\lim_{x\to\infty} \{\log_a f(x)\}=\log_a \left\{\lim_{x\to\infty} f(x)\right\}$임을 이용한다.

$\left(\text{단, } a>0, a\neq1, f(x)>0, \lim_{x\to\infty} f(x)>0\right)$

0284 대표문제

$\lim_{x\to2} (\log_2 |x^2+4x-12|-\log_2 |x-2|)$의 값은?

① 1 ② 2 ③ 3
④ 4 ⑤ 5

0285 상중하

$\lim_{x\to\infty} (\log_7 \sqrt{7x^2+x}-\log_7 x)$의 값은?

① -1 ② $-\frac{1}{2}$ ③ 0
④ $\frac{1}{2}$ ⑤ 1

0286 상중하

$\lim_{x\to\infty} \{\log_2 (ax+1)-\log_2 (x+1)\}=4$일 때, 상수 a의 값을 구하시오.

0287 상중하

$\lim_{x\to\infty} \frac{1}{x}\log_5 (10^x+25^x)$의 값은?

① $\frac{1}{5}$ ② 1 ③ 2
④ $\frac{5}{2}$ ⑤ 5

3 지수함수와 로그함수의 미분

유형 03 $\lim_{x\to 0}(1+x)^{\frac{1}{x}}=e$를 이용한 함수의 극한

개념 03

상수 a에 대하여 $ax=t$로 놓으면

⇨ $\lim_{x\to 0}(1+ax)^{\frac{1}{ax}}=\lim_{t\to 0}(1+t)^{\frac{1}{t}}=e$

0288 • 대표문제 •

$\lim_{x\to 0}(1-4x)^{\frac{1}{2x}}$의 값은?

① $\frac{1}{e^2}$　② $\frac{1}{e}$　③ 1　④ e　⑤ e^2

0289 상중하

$\lim_{x\to 0}(1+2x)^{\frac{1}{x}}+\lim_{x\to 0}(1-5x)^{\frac{1}{x}}$의 값은?

① $\frac{1}{e^2}+\frac{1}{e^5}$　② $e^2+\frac{1}{e^5}$　③ $e^5+\frac{1}{e^2}$　④ e^2+e^5　⑤ e^7

0290 상중하

$\lim_{x\to 1}x^{\frac{1}{1-x}}$의 값은?

① $-e$　② $-\frac{1}{e}$　③ 0　④ $\frac{1}{e}$　⑤ e

유형 04 $\lim_{x\to \infty}\left(1+\frac{1}{x}\right)^{x}=e$를 이용한 함수의 극한

개념 03

상수 a에 대하여 $ax=t$로 놓으면

⇨ $\lim_{x\to \infty}\left(1+\frac{1}{ax}\right)^{ax}=\lim_{t\to \infty}\left(1+\frac{1}{t}\right)^{t}=e$

0291 • 대표문제 •

$\lim_{x\to \infty}\left\{\frac{1}{2}\left(1+\frac{1}{x}\right)\left(1+\frac{1}{x+1}\right)\left(1+\frac{1}{x+2}\right)\cdots\left(1+\frac{1}{2x}\right)\right\}^{2x}$
의 값은?

① $\frac{1}{e}$　② 1　③ e　④ $2e$　⑤ e^2

0292 상중하

다음 보기 중 극한값이 e인 것을 있는 대로 고른 것은?

보기

ㄱ. $\lim_{x\to 0}\left(\frac{3+x}{3}\right)^{\frac{3}{x}}$　ㄴ. $\lim_{x\to \infty}\left(\frac{x-1}{x}\right)^{-x}$

ㄷ. $\lim_{x\to 2}\left(\frac{x}{2}\right)^{\frac{1}{x-2}}$　ㄹ. $\lim_{x\to -2}(x+3)^{\frac{1}{x+2}}$

① ㄱ, ㄴ　② ㄷ, ㄹ　③ ㄱ, ㄴ, ㄷ　④ ㄱ, ㄴ, ㄹ　⑤ ㄴ, ㄷ, ㄹ

0293 상중하

$\lim_{x\to \infty}\left(\frac{x-a}{x+a}\right)^{x}=e^{10}$, $\lim_{x\to \infty}\left(\frac{x+1}{x-1}\right)^{x}=b$를 만족시키는 상수 a, b에 대하여 ab의 값은?

① $-5e^2$　② $-5e$　③ 1　④ $5e$　⑤ $5e^2$

개념 해결의 법칙 62쪽 유형 03

유형 05 $\lim_{x \to 0} \frac{\ln(1+x)}{x}=1$을 이용한 함수의 극한

개념 04

$\lim_{● \to 0} \frac{\ln(1+●)}{●}=1$임을 이용한다.

0294 • 대표문제 •

$\lim_{x \to 0} \frac{\ln(1-x)}{4x}$의 값은?

① $-\frac{1}{2}$ ② $-\frac{1}{4}$ ③ 0
④ $\frac{1}{4}$ ⑤ $\frac{1}{2}$

0295 상중하 서술형

함수 $f(x)=e^{3x}-1$의 역함수를 $g(x)$라 할 때, $\lim_{x \to 0} \frac{g(x)}{x}$의 값을 구하시오.

0296 상중하

$\lim_{x \to 0} \frac{1}{x} \ln(1+x)(1+2x)(1+3x)(1+4x)$의 값을 구하시오.

0297 상중하

$\lim_{x \to 0} \frac{1}{x} \ln \frac{(3+2x)(3+5x)}{9+3x}$의 값은?

① -2 ② -1 ③ 0
④ 1 ⑤ 2

0298 상중하

$\lim_{x \to 0} \frac{\ln(1+ax)}{x^2+5x}=10$일 때, $\lim_{x \to 0} \frac{\ln(1+10x)}{ax}$의 값을 구하시오. (단, a는 상수)

유형 05 Plus $\lim_{x \to \infty} x\ln\left(1+\frac{1}{x}\right)=1$을 이용한 함수의 극한

0299~0300 $\lim_{x \to \infty}\left(1+\frac{1}{x}\right)^x=e$이므로

$\lim_{x \to \infty} x\ln\left(1+\frac{1}{x}\right)=\lim_{x \to \infty} \ln\left(1+\frac{1}{x}\right)^x=\ln e=1$임을 이용한다.

0299 상중하

$\lim_{x \to \infty} x\{\ln(5x+1)-\ln 5x\}$의 값은?

① $-\frac{1}{2}$ ② $-\frac{1}{5}$ ③ $\frac{1}{5}$
④ $\frac{1}{2}$ ⑤ 1

0300 상중하

모든 자연수 n에 대하여 $\left(1+\frac{3}{n}\right)^{f(n)}=e$일 때, $\lim_{n \to \infty} \frac{f(n)}{n}$의 값은?

① $-\frac{1}{2}$ ② $\frac{1}{3}$ ③ $\frac{1}{2}$
④ 1 ⑤ 2

3 지수함수와 로그함수의 미분

개념 해결의 법칙 62쪽 유형 03

유형 06 $\lim_{x \to 0} \frac{e^x-1}{x}=1$을 이용한 함수의 극한

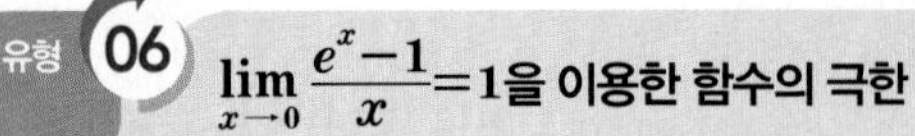

개념 04

$\lim_{▲ \to 0} \frac{e^{▲}-1}{▲}=1$임을 이용한다.

0301 • 대표문제 •

$\lim_{x \to 0} \frac{e^{3x}-1}{\ln(1+2x)}$의 값은?

① $\frac{1}{2}$ ② $\frac{2}{3}$ ③ 1
④ $\frac{3}{2}$ ⑤ 2

0302 상중하

$\lim_{x \to 0} \frac{e^{2x}+10x-1}{x} \times \lim_{x \to 0} \frac{x^2+2x}{e^{4x}-1}$의 값을 구하시오.

0303 상중하

$\lim_{x \to 0} \frac{\ln(1+2x)(1+3x)}{e^{5x}-1}$의 값을 구하시오.

0304 상중하

$\lim_{x \to 1} \frac{x^3-e^{x-1}}{x-1}$의 값을 구하시오.

개념 해결의 법칙 63쪽 유형 04

유형 07 $\lim_{x \to 0} \frac{\log_a(1+x)}{x}=\frac{1}{\ln a}$을 이용한 함수의 극한

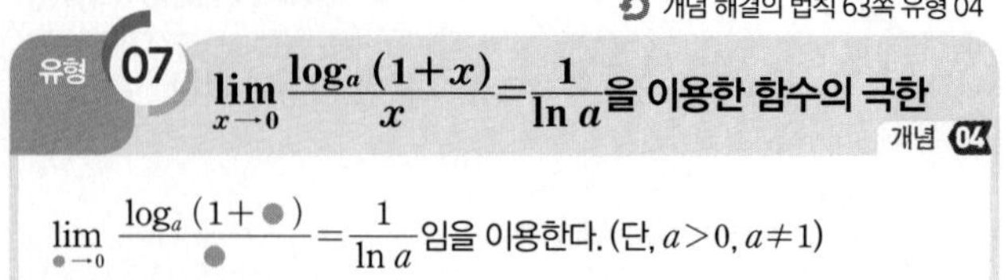

개념 04

$\lim_{● \to 0} \frac{\log_a(1+●)}{●}=\frac{1}{\ln a}$임을 이용한다. (단, $a>0$, $a \neq 1$)

0305 • 대표문제 •

$\lim_{x \to 0} \frac{\log_2(x+5)-\log_2 5}{x}$의 값을 구하시오.

0306 상중하

$\lim_{x \to -1} \frac{\log_2(x+2)}{x+1}$의 값은?

① $\frac{1}{\ln 2}$ ② $\frac{1}{2}$ ③ $\ln 2$
④ 1 ⑤ 2

0307 상중하

$\lim_{x \to 0} \frac{\log_7(1-6x)}{\log_3(1+2x)}$의 값을 구하시오.

0308 상중하

$\lim_{x \to 0} \frac{\log_5(1+4x)}{x}=\frac{4}{\ln a}$일 때, 상수 a의 값은?

① 3 ② 4 ③ 5
④ 6 ⑤ 7

개념 해결의 법칙 63쪽 유형 04

유형 08 $\lim\limits_{x\to 0}\frac{a^x-1}{x}=\ln a$를 이용한 함수의 극한

개념 04

$\lim\limits_{\blacktriangle\to 0}\frac{a^{\blacktriangle}-1}{\blacktriangle}=\ln a$임을 이용한다. (단, $a>0$, $a\neq 1$)

0309 • 대표문제 •

$\lim\limits_{x\to 0}\frac{4^x-3^x}{x}=\ln\frac{b}{a}$일 때, 서로소인 자연수 a, b에 대하여 $a-b$의 값은?

① -4 ② -3 ③ -2
④ -1 ⑤ 0

0310 상중하

$\lim\limits_{x\to -1}\frac{3^{x+1}-1}{x^2-1}$의 값은?

① $-\ln 3$ ② $-\ln\sqrt{3}$ ③ 1
④ $\ln\sqrt{3}$ ⑤ $\ln 3$

0311 상중하

$\lim\limits_{x\to 0}\frac{2^{x+1}-2}{e^x-1}=a\ln a$일 때, 상수 a의 값을 구하시오.

개념 해결의 법칙 64쪽 유형 05

유형 09 지수함수와 로그함수의 극한 – 미정계수의 결정

개념 04

분수 꼴의 함수에서 $x\to a$일 때
(1) (분모) $\to 0$이고 극한값이 존재하면 ⇨ (분자) $\to 0$
(2) (분자) $\to 0$이고 0이 아닌 극한값이 존재하면 ⇨ (분모) $\to 0$

0312 • 대표문제 •

$\lim\limits_{x\to 0}\frac{e^{x-1}-b}{ax}=3e^2$을 만족시키는 상수 a, b에 대하여 $\frac{b}{a}$의 값은?

① $\frac{1}{3e^2}$ ② $\frac{1}{3e}$ ③ 1
④ $3e$ ⑤ $3e^2$

0313 상중하

$\lim\limits_{x\to 0}\frac{x^2+3x}{\log_5(1+x)+a}=b$를 만족시키는 상수 a, b에 대하여 $b-a$의 값을 구하시오. (단, $b\neq 0$)

0314 상중하

$\lim\limits_{x\to 0}\frac{a^x+b}{\ln(x+1)}=\ln 3$을 만족시키는 상수 a, b에 대하여 $a-b$의 값은? (단, $a>0$, $a\neq 1$)

① 0 ② 2 ③ 4
④ 6 ⑤ 8

0315 상중하 서술형

$\lim\limits_{x\to 0}\frac{\ln(a-2x)}{e^{-3x}-1}=b$를 만족시키는 상수 a, b에 대하여 $a+b$의 값을 구하시오.

발전 유형 10 극한의 변형

개념 04

$\lim_{x \to a} f(x)=\alpha$, $\lim_{x \to a} g(x)=\beta$ (α, β는 실수)일 때

$\lim_{x \to a} f(x)g(x)=\lim_{x \to a} f(x) \lim_{x \to a} g(x)=\alpha\beta$

임을 이용할 수 있도록 식을 변형한다.

0316 • 대표문제 •

함수 $f(x)$가 $\lim_{x \to 0} xf(x)=2$를 만족시킬 때,

$\lim_{x \to 0} f(x) \ln(1+2x)$의 값을 구하시오.

0317 상중하

함수 $f(x)$가 $\lim_{x \to \infty} xf(x)=5$를 만족시킬 때,

$\lim_{x \to \infty} x \ln\{1+2f(x)\}$의 값은?

① 6 ② 7 ③ 8 ④ 9 ⑤ 10

발전 유형 11 지수함수와 로그함수의 극한 – 도형에의 활용 (중요)

개념 04

지수함수와 로그함수의 극한의 활용 문제는 다음과 같은 순서로 푼다.

(i) 구하는 선분의 길이, 도형의 넓이, 점의 좌표를 식으로 나타낸다.

(ii) 극한의 성질을 이용하여 극한값을 구한다.

0318 • 대표문제 •

오른쪽 그림과 같이 곡선 $y=2^x-1$ 위의 임의의 점 P와 세 점 O(0, 0), A(1, 0), B(0, 2)에 대하여 삼각형 OAP와 삼각형 OBP의 넓이를 각각 S_1, S_2라 할 때, $\lim_{P \to O} \frac{S_1}{S_2}$의 값을 구하시오. (단, 점 P는 제1사분면 위의 점이다.)

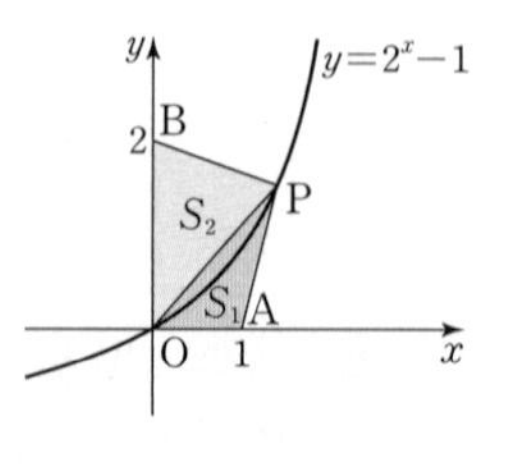

0319 상중하

오른쪽 그림과 같이 곡선 $y=\ln(5x+1)$ 위를 움직이는 점 P와 원점 O를 이은 선분이 x축의 양의 방향과 이루는 각의 크기를 θ라 하자. 점 P가 원점 O에 한없이 가까워질 때, $\tan\theta$의 극한값은? (단, 점 P는 제1사분면 위의 점이다.)

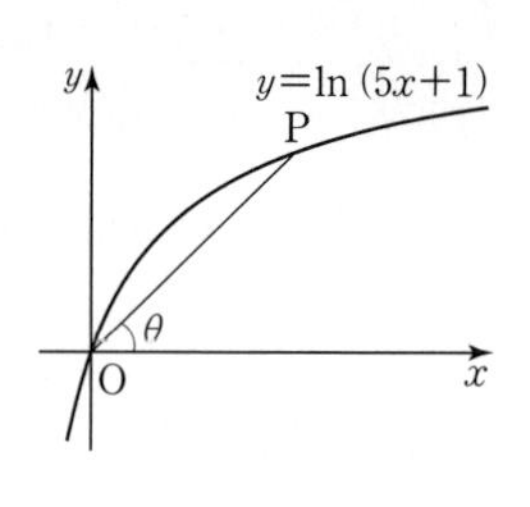

① 1 ② 2 ③ 5 ④ e ⑤ $\ln 5$

0320 상중하

오른쪽 그림과 같이 두 곡선 $y=ax^2(a>0)$, $y=\ln(2x+1)$이 제1사분면에서 만나는 점을 A라 하자. 원점 O와 두 점 B(1, 0), C(0, 1)에 대하여 삼각형 OAB의 넓이를 S_1, 삼각형 OAC의 넓이를 S_2라 하자. a의 값이 한없이 커질 때, $\frac{S_1}{S_2}$의 값은 α에 한없이 가까워진다. 이때, α의 값을 구하시오.

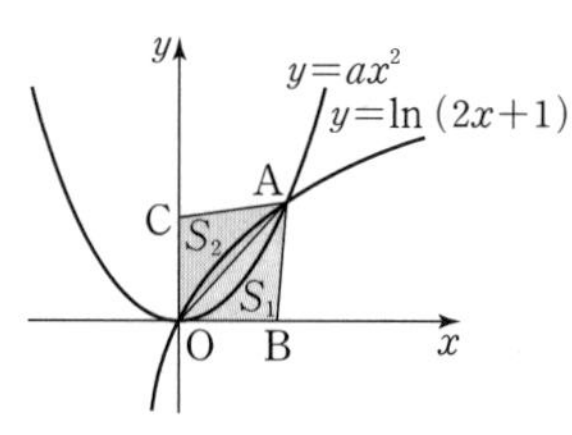

개념 해결의 법칙 65쪽 유형 06

유형 12 지수함수와 로그함수의 연속

개념 04

$x \neq a$인 모든 실수 x에서 연속인 함수 $g(x)$에 대하여 함수

$f(x)=\begin{cases} g(x) & (x \neq a) \\ c & (x=a) \end{cases}$ (c는 상수)

가 모든 실수 x에서 연속이면 ⇨ $\lim_{x \to a} g(x)=c$

0321 • 대표문제 •

함수 $f(x)=\begin{cases} \frac{\ln(2x+a)}{x} & (x \neq 0) \\ b & (x=0) \end{cases}$가 $x=0$에서 연속일 때,

상수 a, b에 대하여 ab의 값을 구하시오.

0322 상중하

함수 $f(x)=\begin{cases} \dfrac{e^{2x}-a}{3x} & (x\neq 0) \\ b & (x=0) \end{cases}$ 가 $x=0$에서 연속이 되도록 상수 a, b의 값을 정할 때, $a+b$의 값은?

① $\frac{2}{3}$ ② $\frac{5}{3}$ ③ $\frac{8}{3}$
④ $\frac{11}{3}$ ⑤ $\frac{14}{3}$

0323 상중하

함수 $f(x)=\begin{cases} \dfrac{\ln(x-1)}{e^{x-2}-1} & (x\neq 2) \\ a & (x=2) \end{cases}$ 가 열린구간 $(1, \infty)$에서 연속일 때, 상수 a의 값을 구하시오.

0324 상중하

$x>-\frac{1}{3}$에서 연속인 함수 $f(x)$가

$$(e^x-1)f(x)=\ln(3x+1)$$

을 만족시킬 때, $f(0)$의 값을 구하시오.

0325 상중하

x의 계수가 1인 일차함수 $f(x)$와 함수

$$g(x)=\begin{cases} \dfrac{x}{\ln(1+2x)} & (x\neq 0) \\ 6 & (x=0) \end{cases}$$

에 대하여 함수 $f(x)g(x)$가 열린구간 $\left(-\frac{1}{2}, \infty\right)$에서 연속일 때, $f(4)$의 값을 구하시오.

개념 해결의 법칙 69쪽 유형 01

유형 13 지수함수의 도함수

개념 05

(1) $y=e^x \Rightarrow y'=e^x$
(2) $y=a^x(a>0, a\neq 1) \Rightarrow y'=a^x \ln a$

0326 • 대표문제 •

함수 $f(x)=(x+a)e^{x+b}$에 대하여 $f'(0)=0$, $f'(-1)=-1$일 때, $a+b$의 값은? (단, a, b는 상수)

① 0 ② 1 ③ 2
④ 3 ⑤ 4

0327 상중하

함수 $f(x)=2^{x+1}$에 대하여 $x=1$에서의 미분계수가 $a\ln 2$일 때, 상수 a의 값은?

① 3 ② 4 ③ 5
④ 6 ⑤ 7

0328 상중하

함수 $f(x)=5\times 3^{x+1}$에 대하여 $\lim_{h\to 0}\dfrac{f(1-h)-f(1+h)}{h}$의 값을 구하시오.

개념 해결의 법칙 70쪽 유형 02

유형 14 로그함수의 도함수

개념 06

(1) $y=\ln x \Rightarrow y'=\frac{1}{x}$

(2) $y=\log_a x(a>0, a\neq 1) \Rightarrow y'=\frac{1}{x\ln a}$

0329 • 대표문제 •

함수 $f(x)=x^3\ln x-6$에 대하여 $f'(e)$의 값은?

① e ② $2e$ ③ e^2
④ $2e^2$ ⑤ $4e^2$

0330 상중하

함수 $y=\ln 2x$의 그래프 위의 점 $\left(\frac{e}{2}, 1\right)$에서의 접선의 기울기를 구하시오.

0331 상중하

함수 $f(x)=x^3\log_4 8x$에 대하여 $f'(2)=a+\frac{b}{\ln 2}$일 때, $a+b$의 값을 구하시오. (단, a, b는 유리수)

0332 상중하

함수 $f(x)=x^2+x\ln x$에 대하여

$$\lim_{h\to 0}\frac{f(1+2h)-f(1-h)}{h}$$

의 값은?

① 6 ② 7 ③ 8
④ 9 ⑤ 10

개념 해결의 법칙 71쪽 유형 03

유형 15 지수함수와 로그함수의 도함수 – 미분가능성

중요

개념 05, 06

함수 $F(x)=\begin{cases} f(x) & (x\geq a) \\ g(x) & (x<a) \end{cases}$가 $x=a$에서 미분가능하면

(1) 함수 $F(x)$가 $x=a$에서 연속이다.
$\Rightarrow \lim_{x\to a+}f(x)=\lim_{x\to a-}g(x)=F(a)$

(2) $F'(a)$가 존재한다. $\Rightarrow \lim_{x\to a+}f'(x)=\lim_{x\to a-}g'(x)$

0333 • 대표문제 •

함수 $f(x)=\begin{cases} \ln ax & (x\geq 1) \\ bx^2+3 & (x<1) \end{cases}$이 $x=1$에서 미분가능할 때, 상수 a, b에 대하여 $\ln a+b$의 값은?

① -4 ② -2 ③ 0
④ 2 ⑤ 4

0334 상중하

함수 $f(x)=\begin{cases} ax^2-3x-1 & (x\geq 2) \\ e^{x-2}+b & (x<2) \end{cases}$가 $x=2$에서 미분가능할 때, 상수 a, b에 대하여 a^2+b^2의 값은?

① 5 ② 8 ③ 13
④ 16 ⑤ 17

0335 상중하

함수 $f(x)=\begin{cases} e^x+a & (x\geq 1) \\ x^2+ax+b & (x<1) \end{cases}$가 모든 실수 x에서 미분가능할 때, 상수 a, b에 대하여 $a-b$의 값은?

① -2 ② -1 ③ 0
④ 1 ⑤ 2

• 실제 학교 시험지처럼 풀어 보세요.

0336 | 유형 02 |

두 함수 $f(x)=\log_5 \dfrac{2}{x}$, $g(x)=\log_5\left(\dfrac{3}{x}+1\right)$에 대하여

$\lim\limits_{x\to 0+} \dfrac{f(x)}{g(x)}$의 값은? [4.3점]

① $\frac{1}{3}$　② $\frac{1}{2}$　③ 1　④ 2　⑤ 3

0337 | 유형 04 |

함수 $f(x)=\left(\dfrac{x-1}{x}\right)^x (x>1)$에 대하여 다음 보기 중 옳은 것을 있는 대로 고른 것은? [4.8점]

보기

ㄱ. $\lim\limits_{x\to\infty} f(x)=\dfrac{1}{e}$

ㄴ. $\lim\limits_{x\to\infty} f(x)f(x-1)=\dfrac{1}{e^2}$ (단, $x>2$)

ㄷ. $k\geq 2$일 때, $\lim\limits_{x\to\infty} f(kx)=e^{-k}$이다.

① ㄱ,　② ㄷ　③ ㄱ, ㄴ　④ ㄴ, ㄷ　⑤ ㄱ, ㄴ, ㄷ

0338 | 유형 05 |

$\lim\limits_{x\to 0} \dfrac{\ln(1+5x)+7x}{2x}$의 값은? [4점]

① 3　② 4　③ 5　④ 6　⑤ 7

0339 | 유형 06 |

$\lim\limits_{x\to 0} \dfrac{e^{3x}+9x-1}{x}$의 값은? [4점]

① 9　② 12　③ 15　④ 18　⑤ 21

0340 | 유형 06 + 유형 08 |

$\lim\limits_{x\to 0} \dfrac{e^{2x}-1}{27^x-1}$의 값은? [4.3점]

① $\frac{1}{\ln 3}$　② $\frac{2}{\ln 3}$　③ $\frac{1}{2\ln 3}$　④ $\frac{1}{3\ln 3}$　⑤ $\frac{2}{3\ln 3}$

0341 | 유형 09 |

$\lim\limits_{x\to 0} \dfrac{\ln(1+ax)}{bx-c}=10$을 만족시키는 상수 a, b, c에 대하여 $\dfrac{a}{b}+c$의 값은? (단, $b\neq 0$) [4.5점]

① 1　② 2　③ 5　④ 10　⑤ 12

0342 | 유형 10 |

함수 $f(x)$가 $x>-1$인 모든 실수 x에 대하여 부등식

$$\ln(1+x)\leq f(x)\leq \frac{1}{2}(e^{2x}-1)$$

을 만족시킬 때, $\lim\limits_{x\to 0} \dfrac{f(ex)}{x}$의 값은? [5점]

① 2　② e　③ 3　④ 4　⑤ $2e$

0343 | 유형 11 |

오른쪽 그림과 같이 두 함수 $y=4^x$, $y=3^x$의 그래프와 직선 $x=a(a>0)$의 교점을 각각 P, Q라 할 때, $\lim_{a \to 0+} \frac{\overline{PQ}}{a}$의 값은? [4.8점]

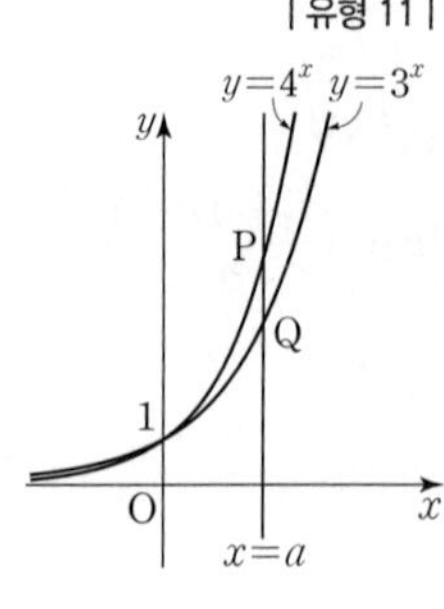

① $\ln \frac{4}{3}$ ② $\ln \frac{5}{3}$ ③ $\ln 2$ ④ $\ln \frac{7}{3}$ ⑤ $\ln 3$

0344 | 유형 14 |

함수 $f(x)=x^3-x^2\ln x$에 대하여

$$\lim_{h \to 0} \frac{f(1+3h)-f(1-h)}{h}$$

의 값은? [4.5점]

① 5 ② 6 ③ 7 ④ 8 ⑤ 9

0345 | 유형 15 |

함수 $f(x)=\begin{cases} \ln x+ax^3 & (x \ge 1) \\ be^{x-1} & (x<1) \end{cases}$이 $x=1$에서 미분가능할 때, 상수 a, b에 대하여 $a+b$의 값은? [4.8점]

① $-\frac{3}{2}$ ② -1 ③ $-\frac{1}{2}$ ④ 0 ⑤ 1

서술형 문제

• 풀이 과정에 점수가 부여되니 풀이 과정 및 정답을 상세하게 서술하세요.

단답형

0346 | 유형 12 |

함수 $f(x)=\begin{cases} \dfrac{\ln(a+x)}{e^{bx}-1} & (x>0) \\ x^2-x+6 & (x \le 0) \end{cases}$이 실수 전체의 집합에서 연속일 때, 양수 a, b에 대하여 $\frac{a}{b}$의 값을 구하시오. [7점]

0347 | 유형 14 |

오른쪽 그림과 같이 곡선 $y=\log_2 x$ 위를 움직이는 점 P가 있다. 점 P의 좌표가 $(t, \log_2 t)$이고 점 P에서 x축에 내린 수선의 발을 Q라 하자. 점 A$(0, 1)$에 대하여 삼각형 PAQ의 넓이를 $S(t)$라 할 때, $S'(16)$의 값을 구하시오. (단, $t>1$) [6점]

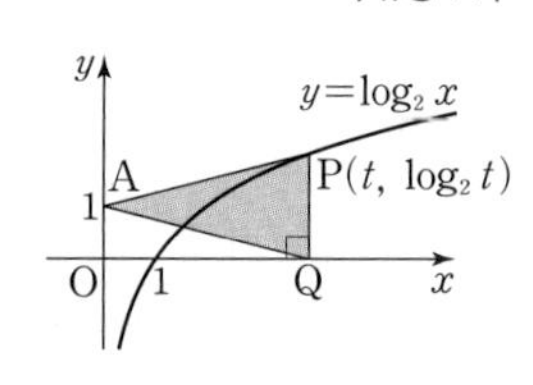

단계형

0348 | 유형 09 + 유형 13 |

함수 $f(x)=2^x-ax$에 대하여 $\lim_{x \to 2} \frac{f(x)-2}{x^2-4}=b$일 때, $a+b$의 값을 구하려고 한다. 다음 물음에 답하시오. (단, a, b는 상수) [12점]

(1) a의 값을 구하시오. [4점]

(2) b의 값을 구하시오. [6점]

(3) $a+b$의 값을 구하시오. [2점]

성/취/도 Check

• 이 단원은 70점 만점입니다.

점수 / 70점

STEP 1 개념+기본 문제 학습

STEP 2 유형 대표 문제 학습

STEP 3의 틀린 문제에 해당하는 STEP 2 유형 학습

STEP 3의 틀린 문제 복습

교과서 속 심화문제 시작

기출 문제 분석

빅 데이터

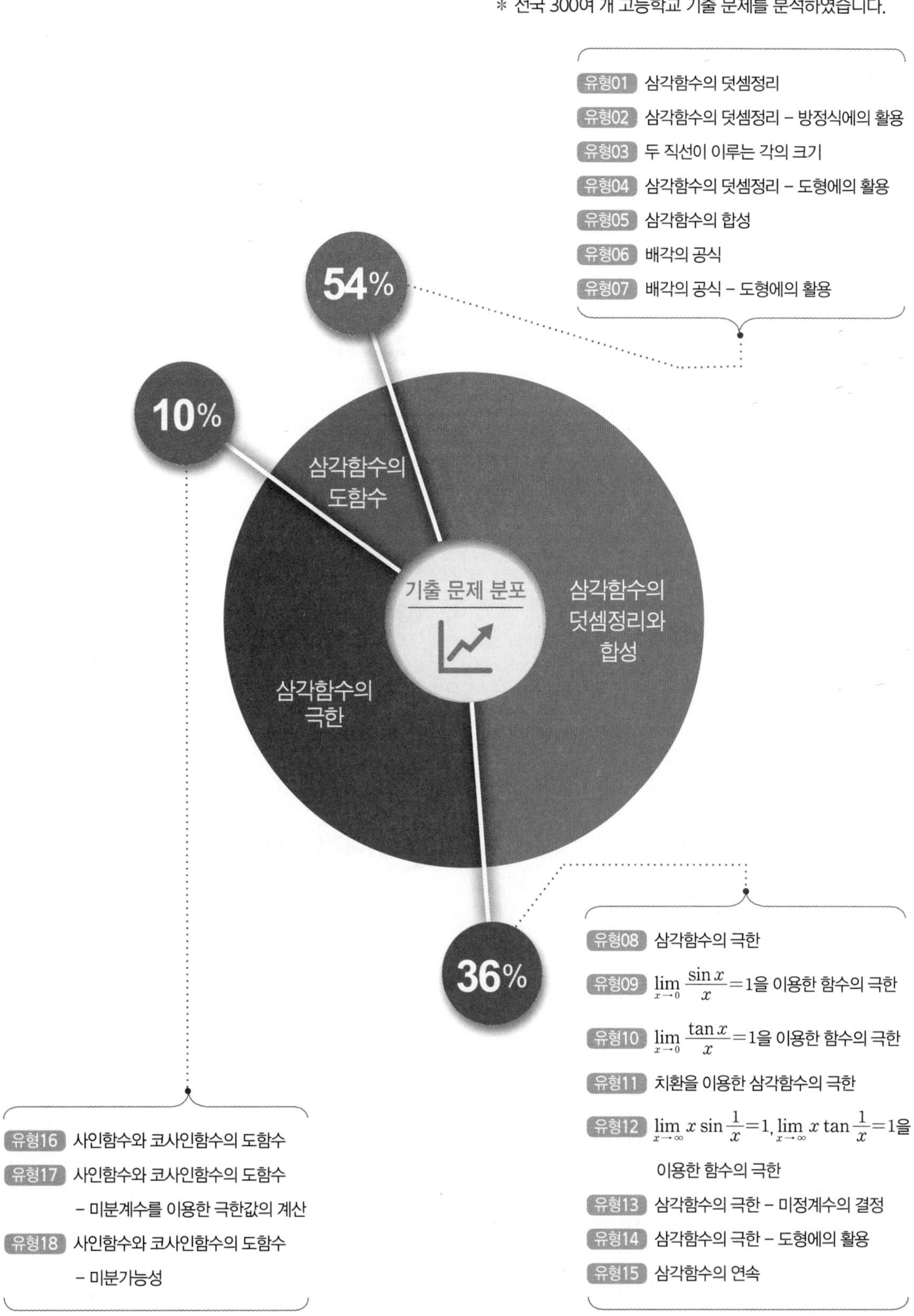

＊ 전국 300여 개 고등학교 기출 문제를 분석하였습니다.
유형01 삼각함수의 덧셈정리
유형02 삼각함수의 덧셈정리 – 방정식에의 활용
유형03 두 직선이 이루는 각의 크기
유형04 삼각함수의 덧셈정리 – 도형에의 활용
유형05 삼각함수의 합성
유형06 배각의 공식
유형07 배각의 공식 – 도형에의 활용
54%
10%
삼각함수의 도함수
기출 문제 분포
삼각함수의 덧셈정리와 합성
삼각함수의 극한
36%
유형08 삼각함수의 극한
유형09 $\lim_{x\to 0}\frac{\sin x}{x}=1$을 이용한 함수의 극한
유형10 $\lim_{x\to 0}\frac{\tan x}{x}=1$을 이용한 함수의 극한
유형11 치환을 이용한 삼각함수의 극한
유형12 $\lim_{x\to\infty}x\sin\frac{1}{x}=1$, $\lim_{x\to\infty}x\tan\frac{1}{x}=1$을 이용한 함수의 극한
유형13 삼각함수의 극한 – 미정계수의 결정
유형14 삼각함수의 극한 – 도형에의 활용
유형15 삼각함수의 연속
유형16 사인함수와 코사인함수의 도함수
유형17 사인함수와 코사인함수의 도함수 – 미분계수를 이용한 극한값의 계산
유형18 사인함수와 코사인함수의 도함수 – 미분가능성

STEP 1 개념 마스터

01 삼각함수의 덧셈정리 유형 01~04

(1) $\sin(\alpha+\beta)=\sin\alpha\cos\beta+\cos\alpha\sin\beta$
$\sin(\alpha-\beta)=\sin\alpha\cos\beta-\cos\alpha\sin\beta$

(2) $\cos(\alpha+\beta)=\cos\alpha\cos\beta-\sin\alpha\sin\beta$
$\cos(\alpha-\beta)=\cos\alpha\cos\beta+\sin\alpha\sin\beta$

(3) $\tan(\alpha+\beta)=\dfrac{\tan\alpha+\tan\beta}{1-\tan\alpha\tan\beta}$
$\tan(\alpha-\beta)=\dfrac{\tan\alpha-\tan\beta}{1+\tan\alpha\tan\beta}$

[0353~0356] 다음 삼각함수의 값을 구하시오.

0353 $\sin 15^\circ$

0354 $\cos 105^\circ$

0355 $\tan 75^\circ$

0356 $\tan\dfrac{\pi}{12}$

[0357~0359] 다음 식의 값을 구하시오.

0357 $\sin 85^\circ\cos 40^\circ-\cos 85^\circ\sin 40^\circ$

0358 $\cos 50^\circ\cos 20^\circ+\sin 50^\circ\sin 20^\circ$

0359 $\dfrac{\tan 75^\circ-\tan 15^\circ}{1+\tan 75^\circ\tan 15^\circ}$

02 삼각함수의 합성 유형 05

(1) $a\sin\theta+b\cos\theta=\sqrt{a^2+b^2}\sin(\theta+\alpha)$
$\left(\text{단, } \sin\alpha=\dfrac{b}{\sqrt{a^2+b^2}},\ \cos\alpha=\dfrac{a}{\sqrt{a^2+b^2}}\right)$

(2) $a\sin\theta+b\cos\theta=\sqrt{a^2+b^2}\cos(\theta-\beta)$
$\left(\text{단, } \sin\beta=\dfrac{a}{\sqrt{a^2+b^2}},\ \cos\beta=\dfrac{b}{\sqrt{a^2+b^2}}\right)$

참고 함수 $y=a\sin\theta+b\cos\theta=\sqrt{a^2+b^2}\sin(\theta+\alpha)$ $(a\neq0,\ b\neq0)$의 최댓값은 $\sqrt{a^2+b^2}$, 최솟값은 $-\sqrt{a^2+b^2}$, 주기는 2π이다.

[0360~0361] 다음 식을 $r\sin(\theta+\alpha)$ 꼴로 변형하시오. (단, $r>0$, $0<\alpha<2\pi$)

0360 $2\sin\theta+2\sqrt{3}\cos\theta$

0361 $5\sin\theta-5\cos\theta$

[0362~0363] 다음 함수의 최댓값, 최솟값, 주기를 각각 구하시오.

0362 $y=\sin x+\cos x$

0363 $y=-\sin x+\sqrt{3}\cos x$

03 배각의 공식 유형 06, 07

(1) $\sin 2\alpha=2\sin\alpha\cos\alpha$

(2) $\cos 2\alpha=\cos^2\alpha-\sin^2\alpha=2\cos^2\alpha-1=1-2\sin^2\alpha$
└ $\sin^2\alpha+\cos^2\alpha=1$임을 이용한다.

(3) $\tan 2\alpha=\dfrac{2\tan\alpha}{1-\tan^2\alpha}$

참고 삼각함수의 덧셈정리 중 $\sin(\alpha+\beta)$, $\cos(\alpha+\beta)$, $\tan(\alpha+\beta)$에서 β 대신 α를 대입하면 배각의 공식을 얻을 수 있다.

핵심 Check

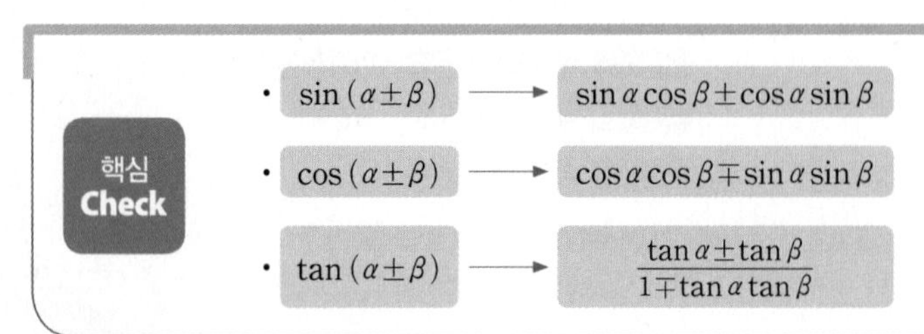

• $a\sin\theta+b\cos\theta=\sqrt{a^2+b^2}\sin(\theta+\alpha)$
$\left(\text{단, } \sin\alpha=\dfrac{b}{\sqrt{a^2+b^2}},\ \cos\alpha=\dfrac{a}{\sqrt{a^2+b^2}}\right)$

0364 $\cos\alpha=-\frac{3}{5}$일 때, 배각의 공식을 이용하여 다음 삼각함수의 값을 구하시오. $\left(\text{단, } \frac{\pi}{2}<\alpha<\pi\right)$

(1) $\sin 2\alpha$

(2) $\cos 2\alpha$

(3) $\tan 2\alpha$

04 삼각함수의 극한 유형 08~15

(1) 삼각함수의 극한

임의의 실수 a에 대하여

① $\lim_{x\to a}\sin x=\sin a$ ② $\lim_{x\to a}\cos x=\cos a$

③ $\lim_{x\to a}\tan x=\tan a$ $\left(\text{단, } a\neq n\pi+\frac{\pi}{2}, n\text{은 정수}\right)$

참고 $\lim_{x\to\infty}\sin x$, $\lim_{x\to\infty}\cos x$, $\lim_{x\to\frac{\pi}{2}}\tan x$의 값은 존재하지 않는다.

(2) 함수 $\frac{\sin x}{x}$의 극한

x의 단위가 라디안일 때

① $\lim_{x\to 0}\frac{\sin x}{x}=1$ ② $\lim_{x\to 0}\frac{\tan x}{x}=1$

참고 $\frac{0}{0}$ 꼴의 삼각함수의 극한값을 구할 때는 $\lim_{●\to 0}\frac{\sin ●}{●}=1$ 또는 $\lim_{▲\to 0}\frac{\tan ▲}{▲}=1$을 이용할 수 있도록 식을 변형한다.

[0365~0368] 다음 극한값을 구하시오.

0365 $\lim_{x\to\frac{\pi}{6}}3\sin 3x$

0366 $\lim_{x\to\frac{\pi}{8}}-2\tan 2x$

0367 $\lim_{x\to 0}\frac{\sin^2 x}{\cos x-1}$

0368 $\lim_{x\to\frac{\pi}{4}}\frac{\sin 2x}{\cos x}$

[0369~0374] 다음 극한값을 구하시오.

0369 $\lim_{x\to 0}\frac{\sin 2x}{3x}$

0370 $\lim_{x\to 0}\frac{3x}{\tan 5x}$

0371 $\lim_{x\to 0}\frac{\sin x+\tan 3x}{2x}$

0372 $\lim_{x\to 0}\frac{2x+\sin 3x}{\tan x}$

0373 $\lim_{x\to\infty}x\sin\frac{1}{x}$

0374 $\lim_{x\to\frac{\pi}{4}}\frac{\tan\left(\frac{\pi}{4}-x\right)}{\pi-4x}$

05 삼각함수의 도함수 유형 16~18

(1) $y=\sin x \Rightarrow y'=\cos x$

(2) $y=\cos x \Rightarrow y'=-\sin x$

[0375~0377] 다음 함수를 미분하시오.

0375 $y=x-2\sin x$

0376 $y=\cos x-e^x$

0377 $y=\sin x-3\cos x$

[0378~0380] 다음 함수를 미분하시오.

0378 $y=\sin x\cos x$

0379 $y=\cos x\times\ln x$

0380 $y=\sin^2 x-\cos^2 x$

핵심 Check

- (1) $\lim_{x\to a}\sin x=\sin a$ (2) $\lim_{x\to a}\cos x=\cos a$ (3) $\lim_{x\to a}\tan x=\tan a$
- (1) $\lim_{x\to 0}\frac{\sin x}{x}=1$ (2) $\lim_{x\to 0}\frac{\tan x}{x}=1$
- $y=\sin x$ → $y'=\cos x$
- $y=\cos x$ → $y'=-\sin x$

STEP 2 유형 마스터

★중요 개념 해결의 법칙 80쪽 유형 01

유형 01 삼각함수의 덧셈정리 (개념 01)

(1) $\sin(\alpha\pm\beta)=\sin\alpha\cos\beta\pm\cos\alpha\sin\beta$ (복호동순)
(2) $\cos(\alpha\pm\beta)=\cos\alpha\cos\beta\mp\sin\alpha\sin\beta$ (복호동순)
(3) $\tan(\alpha\pm\beta)=\dfrac{\tan\alpha\pm\tan\beta}{1\mp\tan\alpha\tan\beta}$ (복호동순)

0381 • 대표문제 •

$\sin\alpha=\frac{3}{5}$, $\cos\beta=-\frac{5}{13}$일 때, $\sin(\alpha+\beta)$의 값은? $\left(\text{단, } 0<\alpha<\frac{\pi}{2}, \frac{\pi}{2}<\beta<\pi\right)$

① $-\frac{11}{16}$ ② $-\frac{33}{65}$ ③ $\frac{33}{65}$
④ $\frac{11}{16}$ ⑤ $\frac{63}{65}$

0382 상중하

$\sin 70^\circ \sin 140^\circ+\sin 20^\circ \sin 50^\circ$의 값은?

① $-\frac{\sqrt{3}}{2}$ ② $-\frac{1}{2}$ ③ $\frac{1}{2}$
④ $\frac{\sqrt{2}}{2}$ ⑤ $\frac{\sqrt{3}}{2}$

0383 상중하

$\alpha+\beta=\frac{\pi}{4}$일 때, $(1+\tan\alpha)(1+\tan\beta)$의 값을 구하시오.

0384 상중하

$\sin\alpha+\sin\beta=\frac{1}{2}$, $\cos\alpha+\cos\beta=\frac{\sqrt{3}}{2}$일 때, $\cos(\alpha-\beta)$의 값은?

① $-\frac{\sqrt{3}}{2}$ ② $-\frac{\sqrt{2}}{2}$ ③ $-\frac{1}{2}$
④ $\frac{1}{2}$ ⑤ 1

유형 02 삼각함수의 덧셈정리 – 방정식에의 활용 (개념 01)

이차방정식의 근과 계수의 관계를 이용한다.
⇨ 이차방정식 $ax^2+bx+c=0$의 두 근이 α, β일 때
$\alpha+\beta=-\frac{b}{a}$, $\alpha\beta=\frac{c}{a}$

0385 • 대표문제 •

이차방정식 $2x^2-5x+1=0$의 두 근이 $\tan\alpha$, $\tan\beta$일 때, $\tan(\alpha+\beta)$의 값은?

① 1 ② 2 ③ 3
④ 4 ⑤ 5

0386 상중하

x에 대한 이차방정식 $x^2-2ax+(a^2-4)=0$의 두 실근 $\tan\alpha$, $\tan\beta$에 대하여 $\alpha-\beta=\frac{\pi}{4}$일 때, 양수 a의 값은? (단, $\tan\alpha>\tan\beta$)

① $\sqrt{2}$ ② $\sqrt{3}$ ③ $\sqrt{5}$
④ $\sqrt{7}$ ⑤ $\sqrt{10}$

0387 상중하

이차방정식 $x^2-4x-2=0$의 두 근이 $\tan\alpha$, $\tan\beta$일 때, $\sin(\alpha+\beta)$의 값을 구하시오. $\left(\text{단, } 0<\alpha+\beta<\frac{\pi}{2}\right)$

개념 해결의 법칙 81쪽 유형 02

유형 03 두 직선이 이루는 각의 크기

개념 01

(1) 직선 $y=mx+n$이 x축의 양의 방향과 이루는 각의 크기를 θ라 하면
⇨ $m=\tan\theta$

(2) 두 직선 l, m이 x축의 양의 방향과 이루는 각의 크기를 각각 α, β라 하고, 두 직선 l, m이 이루는 예각의 크기를 θ라 하면
⇨ $\tan\theta=|\tan(\alpha-\beta)|=\left|\dfrac{\tan\alpha-\tan\beta}{1+\tan\alpha\tan\beta}\right|$

0388 • 대표문제 •

두 직선 $y=2x+2$, $y=-\dfrac{1}{3}x-\dfrac{1}{3}$이 이루는 예각의 크기를 θ라 할 때, $\sin\theta$의 값을 구하시오.

0389 상중하

두 직선 $kx-y-1=0$, $x+2y+3=0$이 이루는 예각의 크기가 $\dfrac{\pi}{4}$일 때, 양수 k의 값은?

① $\dfrac{1}{3}$ ② $\dfrac{1}{2}$ ③ 1
④ 2 ⑤ 3

0390 상중하 서술형

오른쪽 그림과 같이 직선 $y=\dfrac{1}{3}x$ 위의 점 $(3, 1)$을 중심으로 $45°$만큼 시계 반대 방향으로 회전하여 얻은 직선의 방정식을 $y=ax+b$라 하자. 이때, 상수 a, b에 대하여 $a+b$의 값을 구하시오.

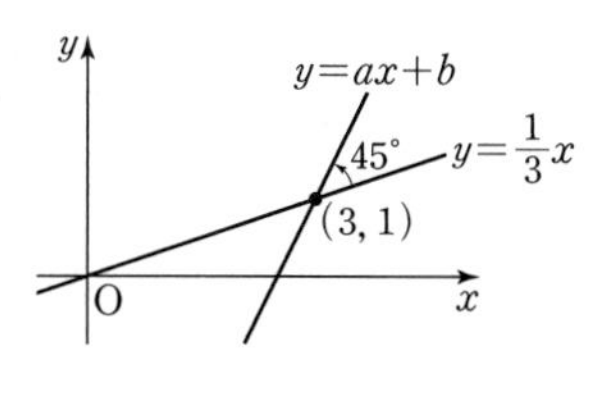

유형 04 삼각함수의 덧셈정리 – 도형에의 활용

개념 01

주어진 도형에서 적당한 각을 문자로 놓은 후 삼각함수의 덧셈정리를 이용한다.

0391 • 대표문제 •

오른쪽 그림과 같이 정사각형 ABCD에서 선분 BC의 중점을 P, 선분 CD의 삼등분점 중 점 D에 가까운 점을 Q라 하자. 이때, $\angle PAQ$의 크기는?

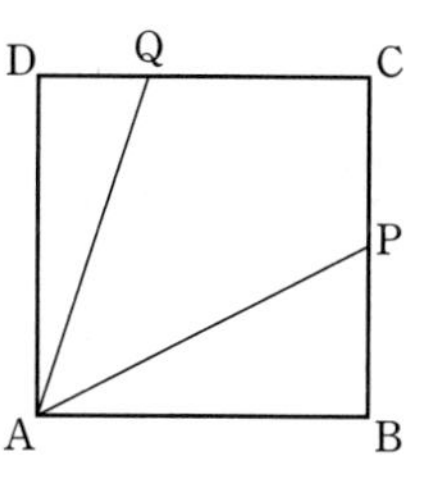

① $\dfrac{\pi}{12}$ ② $\dfrac{\pi}{6}$ ③ $\dfrac{\pi}{4}$
④ $\dfrac{\pi}{3}$ ⑤ $\dfrac{5}{12}\pi$

0392 상중하

오른쪽 그림과 같이 직사각형 ABCD는 두 선분 EF, GH에 의하여 세 개의 정사각형으로 나누어진다. $\angle EBC=\alpha$, $\angle DBC=\beta$라 할 때, $\sin(\alpha+\beta)$의 값을 구하시오.

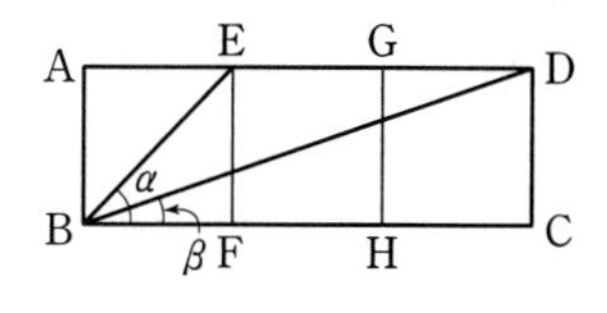

0393 상중하

오른쪽 그림과 같이 $\overline{AB}=3$, $\overline{AC}=\sqrt{73}$인 직각삼각형 ABC의 변 BC를 사등분하는 점을 각각 P, Q, R라 하자. $\angle PAR=\theta$라 할 때, $\tan\theta$의 값은?

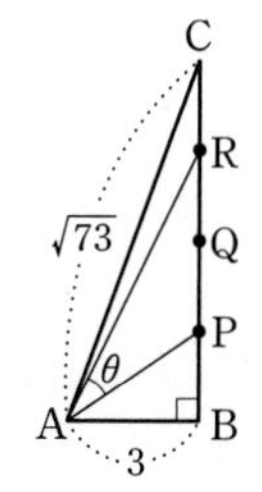

① $\dfrac{1}{7}$ ② $\dfrac{2}{7}$
③ $\dfrac{3}{7}$ ④ $\dfrac{4}{7}$ ⑤ $\dfrac{5}{7}$

유형 05 삼각함수의 합성

개념 02

(1) $a\sin\theta+b\cos\theta=\sqrt{a^2+b^2}\sin(\theta+\alpha)$

$\left(\text{단, } \sin\alpha=\frac{b}{\sqrt{a^2+b^2}}, \cos\alpha=\frac{a}{\sqrt{a^2+b^2}}\right)$

(2) 함수 $y=a\sin x+b\cos x$의 최댓값과 최솟값을 구할 때는

⇨ 삼각함수의 합성을 이용한다.

0394 • 대표문제 •

함수 $y=\sqrt{3}\cos x+k\cos\left(\frac{\pi}{2}-x\right)-1$의 최댓값이 3일 때, 양수 k의 값은?

① $2\sqrt{3}$ ② $\sqrt{13}$ ③ $\sqrt{14}$
④ $\sqrt{15}$ ⑤ 4

0395 상중하

함수 $f(x)=\sin x+\sqrt{7}\cos x-a$의 최댓값이 $\sqrt{2}$일 때, 함수 $f(x)$의 최솟값은? (단, a는 상수)

① $-5\sqrt{2}$ ② $-4\sqrt{2}$ ③ $-3\sqrt{2}$
④ $-2\sqrt{2}$ ⑤ $-\sqrt{2}$

0396 상중하

오른쪽 그림과 같이 길이가 10인 선분 AB를 지름으로 하는 반원 위의 한 점 P에 대하여 $3\overline{AP}+4\overline{BP}$의 최댓값을 구하시오.

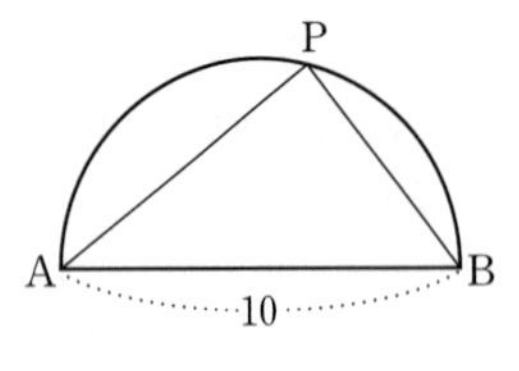

유형 06 배각의 공식

개념 03

(1) $\sin 2\alpha=2\sin\alpha\cos\alpha$

(2) $\cos 2\alpha=\cos^2\alpha-\sin^2\alpha=2\cos^2\alpha-1=1-2\sin^2\alpha$

(3) $\tan 2\alpha=\frac{2\tan\alpha}{1-\tan^2\alpha}$

0397 • 대표문제 •

$\sin\theta-\cos\theta=\frac{1}{3}$일 때, $\cos 2\theta$의 값을 구하시오.

$\left(\text{단, } 0<\theta<\frac{\pi}{2}\right)$

0398 상중하

$\sin\theta=\frac{2}{3}$일 때, $\cos 2\theta$의 값은?

① $\frac{1}{18}$ ② $\frac{1}{9}$ ③ $\frac{1}{6}$
④ $\frac{2}{9}$ ⑤ $\frac{5}{18}$

0399 상중하

함수 $f(x)=\cos 2x+4\sin x+1$의 최댓값은?

① 2 ② $\frac{5}{2}$ ③ 3
④ $\frac{7}{2}$ ⑤ 4

0400 상중하 서술형

두 직선 $y=2x$, $y=x$가 이루는 예각의 크기를 θ라 할 때, $\tan 2\theta$의 값을 구하시오.

0401 상중하

$0 \le x < 2\pi$일 때, 방정식 $\sin 2x = 2\cos x - 2\cos^2 x$의 서로 다른 모든 해의 합은?

① π　② $\frac{5}{4}\pi$　③ $\frac{3}{2}\pi$
④ $\frac{7}{4}\pi$　⑤ 2π

유형 07 배각의 공식 – 도형에의 활용 개념 03

원주각과 중심각의 크기 사이의 관계, 삼각형의 넓이 구하는 공식 등을 이용하여 필요한 삼각함수의 값을 구하고, 배각의 공식을 적용한다.

0402 • 대표문제 •

오른쪽 그림과 같이 $\angle C=90°$인 직각삼각형 ABC에서 $\angle BAD=\angle ABD$가 되도록 변 BC 위에 점 D를 잡는다. $\overline{AB}:\overline{AC}=3:2$일 때, $\cos(\angle ADC)$의 값을 구하시오.

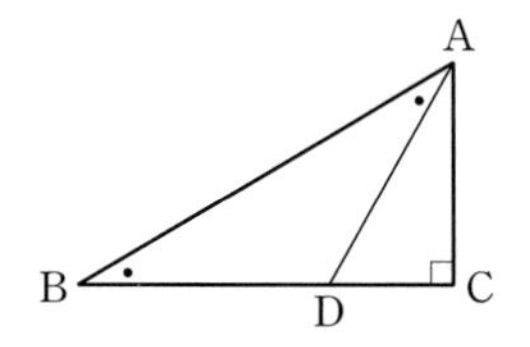

0403 상중하

반지름의 길이가 1인 원에 내접하는 직사각형 ABCD가 있다. $\angle ADB=\frac{\pi}{8}$일 때, 직사각형 ABCD의 넓이는?

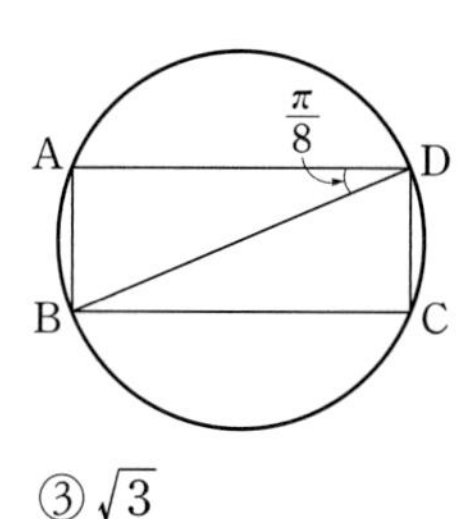

① 1　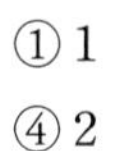② $\sqrt{2}$　③ $\sqrt{3}$
④ 2　⑤ $\sqrt{5}$

0404 상중하

오른쪽 그림과 같이 길이가 10인 선분 AB를 지름으로 하는 원이 있다. 이 원 위의 두 점 P, Q에 대하여 $\overline{AP}=8$이고 $\angle QAB=2\angle PAB$일 때, $\overline{AQ}$의 길이를 구하시오.

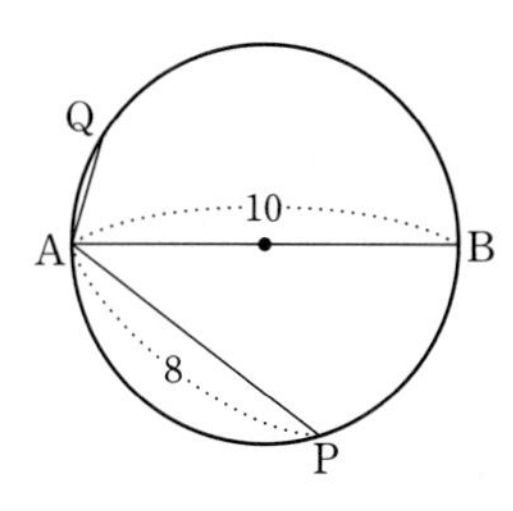

0405 상중하

오른쪽 그림과 같이 중심이 O인 원 위에 세 점 A, B, C가 있다. $\overline{AC}=4$, $\overline{BC}=3$이고 $\triangle ABC$의 넓이가 2이다. $\angle AOB=\theta$일 때, $\sin\theta$의 값은? (단, $0<\theta<\pi$)

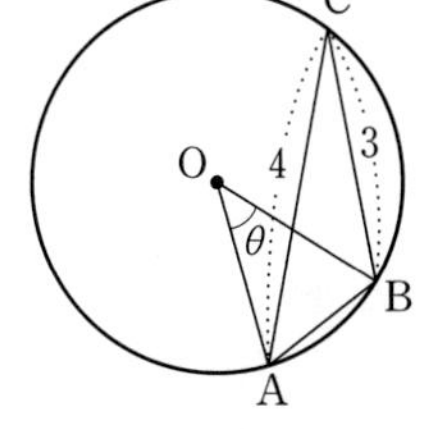

① $\frac{2\sqrt{2}}{9}$　② $\frac{5\sqrt{2}}{18}$
③ $\frac{\sqrt{2}}{3}$　④ $\frac{7\sqrt{2}}{18}$　⑤ $\frac{4\sqrt{2}}{9}$ 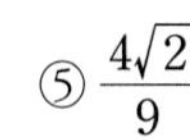

4 삼각함수의 미분

개념 해결의 법칙 85쪽 유형 01

유형 08 삼각함수의 극한

개념 04

(i) 삼각함수의 여러 가지 공식을 이용하여 주어진 식을 간단히 한다.
(ii) 임의의 실수 a에 대하여
① $\lim_{x\to a}\sin x=\sin a$ ② $\lim_{x\to a}\cos x=\cos a$
③ $\lim_{x\to a}\tan x=\tan a\left(a\neq n\pi+\frac{\pi}{2}, n\text{은 정수}\right)$
임을 이용한다.

0406 • 대표문제 •

$\lim_{x\to 0}\frac{\tan^2 x}{1-\cos 2x}$의 값은?

① $\frac{1}{4}$ ② $\frac{1}{2}$ ③ 1
④ $\frac{3}{2}$ ⑤ 2

0407 상중하

$\lim_{x\to \frac{\pi}{4}}\frac{1-\tan x}{\sin x-\cos x}$의 값은?

① $-\sqrt{2}$ ② -1 ③ 0
④ 1 ⑤ $\sqrt{2}$

0408 상중하

$\lim_{x\to 0}\frac{\sin^2 x}{1-\cos x}+\lim_{x\to \frac{\pi}{2}}\frac{\cos^2 x}{1-\sin x}$의 값은?

① 1 ② 2 ③ 3
④ 4 ⑤ 5

개념 해결의 법칙 86쪽 유형 02

유형 09 $\lim_{x\to 0}\frac{\sin x}{x}=1$을 이용한 함수의 극한 (중요)

개념 04

$\lim_{x\to 0}\frac{\sin ax}{bx}=\lim_{x\to 0}\frac{\sin ax}{ax}\times\frac{a}{b}=\frac{a}{b}$ (단, a, b는 0이 아닌 상수)

0409 • 대표문제 •

$\lim_{x\to 0}\frac{\sin(3x^2-x)}{x^2+4x}$의 값을 구하시오.

0410 상중하

$\lim_{x\to 0}\frac{\sin 2x+1-e^{5x}}{\sin 3x}$의 값을 구하시오.

유형 09 Plus $\lim_{x\to 0}\frac{1-\cos x}{x}$ 꼴의 극한

0411~0412
(i) 분모, 분자에 $1+\cos x$를 각각 곱한다.
(ii) $1-\cos^2 x=\sin^2 x$임을 이용한다.
(iii) 삼각함수의 극한을 이용한다.

0411 상중하

$\lim_{x\to 0}\frac{1-\cos x}{x\sin 4x}$의 값을 구하시오.

0412 상중하

$\lim_{x\to 0}\frac{1-\cos kx}{2x^2}=9$일 때, 양수 k의 값은?

① 6 ② 7 ③ 8
④ 9 ⑤ 10

개념 해결의 법칙 86쪽 유형 02

유형 10 $\lim_{x \to 0} \frac{\tan x}{x}=1$을 이용한 함수의 극한

개념 04

$\lim_{x \to 0} \frac{\tan ax}{bx}=\lim_{x \to 0} \frac{\tan ax}{ax} \times \frac{a}{b}=\frac{a}{b}$ (단, a, b는 0이 아닌 상수)

0413 • 대표문제 •

$\lim_{x \to 0} \frac{\tan(\tan 5x)}{\tan 4x}$의 값은?

① $\frac{1}{4}$　② $\frac{1}{2}$　③ $\frac{3}{4}$　④ 1　⑤ $\frac{5}{4}$

0414 상중하

$\lim_{x \to 0} \frac{e^{2x^2}-1}{\tan x \sin 2x}$의 값은?

① $\frac{1}{4}$　② $\frac{1}{2}$　③ 1　④ 2　⑤ 4

0415 상중하

자연수 n에 대하여

$$f(n)=\lim_{x \to 0} \frac{x}{\tan x+\tan 2x+\tan 3x+\cdots+\tan nx}$$

일 때, $f(3)$의 값을 구하시오.

개념 해결의 법칙 87쪽 유형 03

유형 11 치환을 이용한 삼각함수의 극한

개념 04

$x-a=t$로 놓으면 $x \to a$일 때 $t \to 0$이므로

(1) $\lim_{x \to a} \frac{\sin(x-a)}{x-a}=\lim_{t \to 0} \frac{\sin t}{t}=1$

(2) $\lim_{x \to a} \frac{\tan(x-a)}{x-a}=\lim_{t \to 0} \frac{\tan t}{t}=1$

0416 • 대표문제 •

$\lim_{x \to -1} \frac{\sin\left(\cos \frac{3}{2}\pi x\right)}{x^2-1}$의 값을 구하시오.

0417 상중하

$\lim_{x \to \frac{\pi}{2}} \frac{2x-\pi}{\cos x}$의 값을 구하시오.

0418 상중하

$\lim_{x \to \frac{\pi}{3}} \frac{\sin x-\sqrt{3}\cos x}{3x-\pi}=\frac{q}{p}$일 때, $p+q$의 값을 구하시오.

(단, p와 q는 서로소인 자연수이다.)

0419 상중하

$f(x)=\frac{1+\sin 3x}{1+\sin x}$일 때, $\lim_{x \to \frac{\pi}{2}} f(x)f(-x)$의 값은?

① 3　② 6　③ 9　④ 12　⑤ 15

개념 해결의 법칙 87쪽 유형 03

유형 12 $\lim_{x\to\infty} x\sin\frac{1}{x}=1$, $\lim_{x\to\infty} x\tan\frac{1}{x}=1$을 이용한 함수의 극한

개념 04

$\frac{1}{x}=t$로 놓으면 $x\to\infty$일 때 $t\to0$이므로

(1) $\lim_{x\to\infty} x\sin\frac{1}{x}=\lim_{t\to0}\frac{\sin t}{t}=1$

(2) $\lim_{x\to\infty} x\tan\frac{1}{x}=\lim_{t\to0}\frac{\tan t}{t}=1$

0420 • 대표문제 •

$\lim_{x\to\infty} x\sin\frac{1}{2x}$의 값을 구하시오.

0421 상중하

$\lim_{x\to\infty} x^{\circ}\tan\frac{1}{x}$의 값은?

① 0 ② $\frac{\pi}{270}$ ③ $\frac{\pi}{180}$
④ $\frac{\pi}{90}$ ⑤ 1

0422 상중하

$\lim_{x\to\infty}\frac{2x-1}{3}\tan\frac{3}{x-2}$의 값은?

① 1 ② 2 ③ 3
④ 4 ⑤ 5

개념 해결의 법칙 88쪽 유형 04

중요 유형 13 삼각함수의 극한 – 미정계수의 결정

개념 04

분수 꼴의 함수에서 $x\to a$일 때

(1) (분모) $\to0$이고 극한값이 존재하면 ⇨ (분자) $\to0$

(2) (분자) $\to0$이고 0이 아닌 극한값이 존재하면 ⇨ (분모) $\to0$

0423 • 대표문제 •

$\lim_{x\to0}\frac{\sin ax}{\ln(x+b)}=2$를 만족시키는 상수 a, b에 대하여 $a+b$의 값은?

① 1 ② 2 ③ 3
④ 4 ⑤ 5

0424 상중하 서술형

$\lim_{x\to a}\frac{3^x-1}{2\sin(x-a)}=b\ln3$을 만족시키는 상수 a, b에 대하여 $a-b$의 값을 구하시오.

0425 상중하

$\lim_{x\to\frac{\pi}{2}}\frac{ax+b}{\cos x}=3$을 만족시키는 상수 a, b에 대하여 ab의 값을 구하시오.

0426 상중하

$\lim_{x\to0}\frac{\ln(x^a+1)}{(1-\cos x)\tan bx}=\frac{1}{4}$을 만족시키는 상수 a, b에 대하여 $a+b$의 값을 구하시오.

발전 유형 14 삼각함수의 극한 – 도형에의 활용

개념 04

(1) 부채꼴의 호의 길이 l과 넓이 S는

⇨ $l=r\theta$, $S=\frac{1}{2}r^2\theta=\frac{1}{2}rl$

(2) 직각삼각형 ABC에서

① $\overline{AB}=\overline{AC}\cos\theta$

② $\overline{BC}=\overline{AC}\sin\theta$

③ $\overline{BC}=\overline{AB}\tan\theta$

0427 • 대표문제 •

오른쪽 그림과 같이 $\angle B=\frac{\pi}{2}$, $\overline{AB}=4$인 직각삼각형 ABC가 있다. 꼭짓점 B에서 빗변 AC에 내린 수선의 발을 H라 하자. $\angle A=\theta$일 때, $\lim_{\theta\to0+}\frac{\overline{BC}-\overline{BH}}{\theta^3}$의 값을 구하시오.

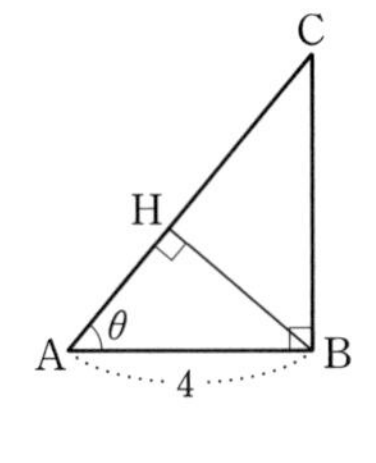

0428 상중하

오른쪽 그림과 같이 반지름의 길이가 1인 사분원 위의 점 A에서 반지름 OB에 내린 수선의 발을 H라 하자. $\angle AOB=\theta$일 때, $\lim_{\theta\to0+}\frac{\overline{BH}}{\theta^2}$의 값을 구하시오.

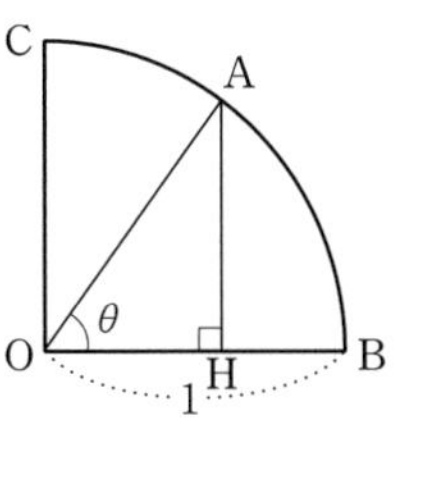

0429 상중하

오른쪽 그림과 같이 $\angle ABC=\theta$, $\angle ACB=3\theta$인 삼각형 ABC에 대하여 $\lim_{\theta\to0+}\frac{\overline{AC}}{\overline{AB}}$의 값을 구하시오.

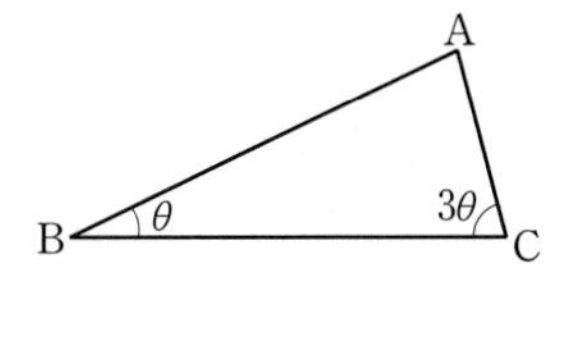

0430 상중하

오른쪽 그림과 같이 반지름의 길이가 2인 원 O에서 부채꼴 POQ의 중심각의 크기를 θ라 할 때, 색칠한 부분의 넓이를 $S(\theta)$라 하자. $\lim_{\theta\to0+}\frac{S(\theta)}{\theta^3}$의 값을 구하시오.

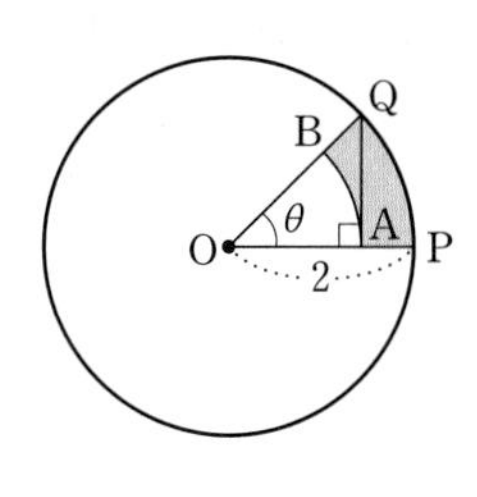

0431 상중하

오른쪽 그림과 같이 중심이 원점 O이고 반지름의 길이가 a인 원 위를 움직이는 점 P와 점 A$(a, 0)$에 대하여 $\angle POA=\theta$, 점 P에서 x축에 내린 수선의 발을 B라 할 때, $\lim_{\theta\to0+}\frac{(\text{부채꼴 OPA의 넓이})}{(\triangle\text{OBP의 넓이})}$의 값을 구하시오.

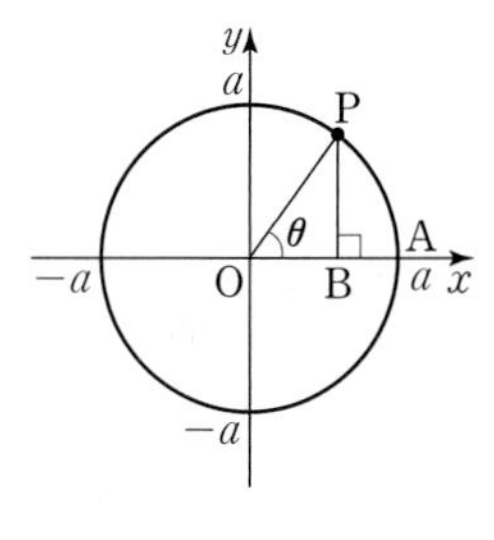

0432 상중하

오른쪽 그림과 같이 $\angle B=\angle C=\theta$이고 $\overline{BC}=2$인 이등변삼각형 ABC가 있다. 삼각형 ABC의 내접원의 중심을 O, 변 AB와 내접원이 만나는 점을 D, 변 AC와 내접원이 만나는 점을 E라 하자. 삼각형 OED의 넓이를 $S(\theta)$라 할 때, $\lim_{\theta\to0+}\frac{S(\theta)}{\theta^3}$의 값을 구하시오.

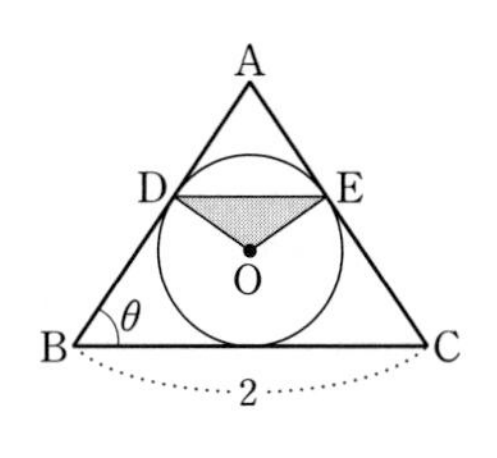

4 삼각함수의 미분

중요

개념 해결의 법칙 89쪽 유형 05

유형 15 삼각함수의 연속

개념 04

$x\neq a$인 모든 실수 x에서 연속인 함수 $g(x)$에 대하여 함수

$f(x)=\begin{cases} g(x) & (x\neq a) \\ c & (x=a) \end{cases}$ (c는 상수)

가 모든 실수 x에서 연속이면 ⇨ $\lim_{x\to a} g(x)=c$

0433 • 대표문제 •

함수 $f(x)=\begin{cases} \dfrac{\sin 2(x-1)}{x-1} & (x\neq 1) \\ k & (x=1) \end{cases}$ 가 $x=1$에서 연속일 때, 상수 k의 값은?

① 1 ② 2 ③ 3
④ 4 ⑤ 5

0434 상중하

함수 $f(x)=\begin{cases} \dfrac{e^{ax}+b}{\tan x} & (x\neq 0) \\ 2 & (x=0) \end{cases}$ 가 열린구간 $\left(-\dfrac{\pi}{2}, \dfrac{\pi}{2}\right)$에서 연속일 때, 상수 a, b에 대하여 $a+b$의 값을 구하시오.

0435 상중하

함수 $f(x)=\begin{cases} \dfrac{e^{x}-\sin 2x-a}{3x} & (x\neq 0) \\ b & (x=0) \end{cases}$ 가 $x=0$에서 연속일 때, 상수 a, b에 대하여 $a-b$의 값은?

① $\dfrac{1}{3}$ ② $\dfrac{2}{3}$ ③ 1
④ $\dfrac{4}{3}$ ⑤ $\dfrac{5}{3}$

개념 해결의 법칙 92쪽 유형 01

유형 16 사인함수와 코사인함수의 도함수

개념 05

(1) $y=\sin x$ ⇨ $y'=\cos x$
(2) $y=\cos x$ ⇨ $y'=-\sin x$

0436 • 대표문제 •

함수 $f(x)=e^{x}\sin x$에 대하여 $f'(0)$의 값은?

① 1 ② 2 ③ 3
④ 4 ⑤ 5

0437 상중하

함수 $f(x)=3x\sin x+2\cos x$에 대하여 $f'\left(\dfrac{\pi}{3}\right)$의 값은?

① $\dfrac{\pi}{2}+\dfrac{1}{2}$ ② $\dfrac{\pi}{2}+\dfrac{\sqrt{2}}{2}$ ③ $\dfrac{\pi}{2}+\dfrac{\sqrt{3}}{2}$
④ $\pi+\dfrac{\sqrt{2}}{2}$ ⑤ $\pi+\dfrac{\sqrt{3}}{2}$

0438 상중하 서술형

함수 $f(x)=e^{x}\cos x$에 대하여 열린구간 $(0, 2\pi)$에서 $f'(x)=0$을 만족시키는 모든 x의 값의 합을 구하시오.

개념 해결의 법칙 92쪽 유형 01

유형 17 사인함수와 코사인함수의 도함수 – 미분계수를 이용한 극한값의 계산

개념 05

(i) 미분계수의 정의

$\lim_{h \to 0} \frac{f(a+h)-f(a)}{h}=f'(a)$, $\lim_{x \to a} \frac{f(x)-f(a)}{x-a}=f'(a)$

를 이용하여 주어진 식을 $f'(a)$가 포함된 식으로 변형한다.

(ii) $f'(x)$를 구하여 $f'(a)$의 값을 구한 후 (i)에 대입한다.

0439 • 대표문제 •

함수 $f(x)=2x\cos x$에 대하여 $\lim_{h \to 0} \frac{f(\pi+h)-f(\pi-h)}{h}$의 값을 구하시오.

0440 상중하

함수 $f(x)=x\sin x$에 대하여 $\lim_{h \to 0} \frac{f(\pi+2h)-f(\pi-3h)}{h}$의 값은?

① -25π ② -20π ③ -15π
④ -10π ⑤ -5π

0441 상중하

미분가능한 함수 $f(x)$가 $\lim_{x \to \pi} \frac{2f(x)-1}{x-\pi}=3$을 만족시키고 $g(x)=-2f(x)\cos x$일 때, $g'(\pi)$의 값을 구하시오.

개념 해결의 법칙 93쪽 유형 02

유형 18 사인함수와 코사인함수의 도함수 – 미분가능성

개념 05

함수 $F(x)=\begin{cases} f(x) & (x \ge a) \\ g(x) & (x<a) \end{cases}$가 $x=a$에서 미분가능하면

(1) 함수 $F(x)$가 $x=a$에서 연속이다.

⇨ $\lim_{x \to a+} f(x)=\lim_{x \to a-} g(x)=F(a)$

(2) $F'(a)$가 존재한다. ⇨ $\lim_{x \to a+} f'(x)=\lim_{x \to a-} g'(x)$

0442 • 대표문제 •

함수 $f(x)=\begin{cases} e^x\cos x & (x \ge 0) \\ x^2+ax+b & (x<0) \end{cases}$가 $x=0$에서 미분가능할 때, 상수 a, b에 대하여 ab의 값은?

① 1 ② 2 ③ 3
④ 4 ⑤ 5

0443 상중하

함수 $f(x)=\begin{cases} \sin x+a & (x \ge 0) \\ bx+1 & (x<0) \end{cases}$이 $x=0$에서 미분가능할 때, 상수 a, b에 대하여 $a+b$의 값을 구하시오.

0444 상중하

함수 $f(x)=\begin{cases} \sin x-\cos x & (x \ge 0) \\ ax+b & (x<0) \end{cases}$가 모든 실수 x에서 미분가능할 때, 상수 a, b에 대하여 $a+b$의 값을 구하시오.

4 삼각함수의 미분

• 실제 학교 시험지처럼 풀어 보세요.

0445 | 유형 01 |

$\sin\alpha+\cos\beta=\frac{1}{\sqrt{2}}$, $\cos\alpha+\sin\beta=\frac{1}{2}$일 때, $\sin(\alpha+\beta)$의 값은? [4점]

① $-\frac{5}{8}$ ② $-\frac{3}{8}$ ③ $\frac{1}{8}$ ④ $\frac{3}{8}$ ⑤ $\frac{5}{8}$

0446 | 유형 02 |

이차방정식 $x^2-4x+2=0$의 두 근이 $\tan\alpha$, $\tan\beta$일 때, $\tan(\alpha+\beta)$의 값은? [4점]

① -4 ② -2 ③ -1 ④ 1 ⑤ 2

0447 | 유형 04 |

오른쪽 그림과 같이 $\overline{AB}=\overline{DE}=3$, $\overline{BC}=\overline{AD}=4$이고 $\overline{BC}\,/\!/\,\overline{DE}$인 두 직각삼각형 ABC와 ADE가 있다. $\angle CAE=\theta$일 때, $48\tan\theta$의 값은? [4.3점]

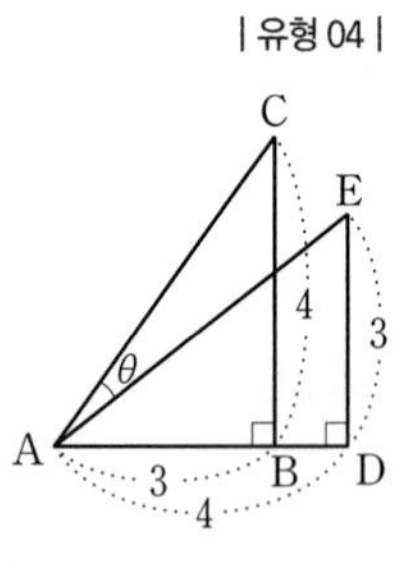

① 6 ② 8 ③ 10 ④ 12 ⑤ 14

0448 | 유형 01 + 유형 05 |

함수 $f(x)=2\cos\left(x-\frac{\pi}{6}\right)+3\sin x$의 최댓값은? [4.5점]

① 4 ② $\sqrt{17}$ ③ $3\sqrt{2}$ ④ $\sqrt{19}$ ⑤ $2\sqrt{5}$

0449 | 유형 05 |

$\sqrt{3}\cos\theta-\sin\theta=\frac{1}{2}$일 때, $\sqrt{3}\sin\theta+\cos\theta$의 값은? $\left(단,\ 0<\theta<\frac{\pi}{2}\right)$ [4.8점]

① $\sqrt{3}$ ② $\frac{\sqrt{13}}{2}$ ③ $\frac{\sqrt{14}}{2}$ ④ $\frac{\sqrt{15}}{2}$ ⑤ 2

0450 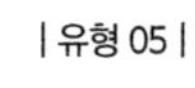 | 유형 05 |

오른쪽 그림과 같이 길이가 a인 선분 AB를 지름으로 하는 반원 위에 점 P를 잡았을 때, $\overline{AP}+\overline{BP}$의 최댓값과 그때의 $\overline{AP}$의 길이의 합은? [4.8점]

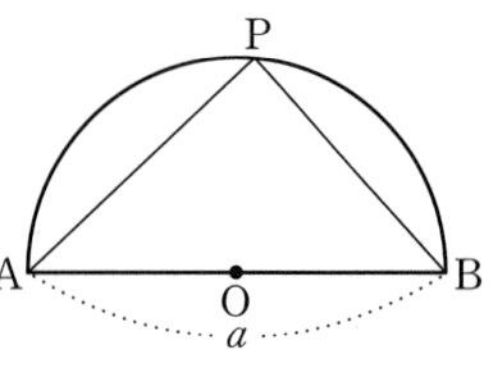

① $\frac{\sqrt{2}}{2}a$ ② $\sqrt{2}a$ ③ $\frac{3\sqrt{2}}{2}a$ ④ $2\sqrt{2}a$ ⑤ $\frac{5\sqrt{2}}{2}a$

0451
| 유형 06 |

$\sin\theta=\frac{3}{5}$일 때, $\sin 2\theta$의 값은? $\left(단, \frac{\pi}{2}<\theta<\pi\right)$ [4점]

① $-\frac{24}{25}$ ② $-\frac{21}{25}$ ③ $-\frac{16}{25}$
④ $-\frac{12}{25}$ ⑤ $-\frac{9}{25}$

0452
| 유형 07 |

오른쪽 그림과 같이 중심이 O인 원 위에 세 점 A, B, C가 있다. $\overline{AC}=10$, $\overline{BC}=8$, $\angle ACB=\theta$이고 $\triangle ABC$의 넓이가 10이다. $\angle AOB=\alpha$일 때, $\sin\alpha$의 값은? $\left(단, 0<\theta<\frac{\pi}{2}\right)$ [4.6점]

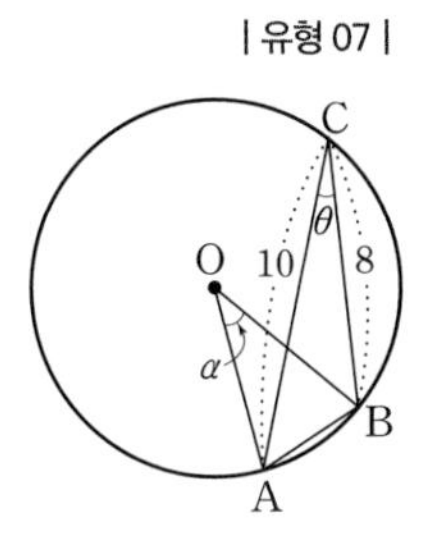

① $\frac{\sqrt{15}}{8}$ ② $\frac{\sqrt{15}}{7}$ ③ $\frac{\sqrt{15}}{6}$
④ $\frac{\sqrt{15}}{5}$ ⑤ $\frac{\sqrt{15}}{4}$

0453
| 유형 09 |

$\lim_{x\to 0}\frac{3\cos^2 x+2\cos x-5}{x^2}$의 값은? [4.6점]

① -4 ② -2 ③ 1
④ 2 ⑤ 4

0454
| 유형 09 + 유형 10 |

$\lim_{x\to 0}\frac{\tan 2x}{\sin 3x}$의 값은? [4.4점]

① $\frac{1}{3}$ ② $\frac{2}{3}$ ③ 1
④ $\frac{3}{2}$ ⑤ $\frac{5}{3}$

0455
| 유형 15 |

$-\pi<x<\pi$에서 정의된 함수

$$f(x)=\begin{cases}\frac{e^{2x}-1}{2\sin x} & (x\neq 0)\\ a & (x=0)\end{cases}$$

가 $x=0$에서 연속일 때, 상수 a의 값은? [4.6점]

① $\frac{1}{5}$ ② $\frac{1}{3}$ ③ $\frac{1}{2}$
④ 1 ⑤ $\frac{3}{2}$

0456
| 유형 05 + 유형 16 |

함수 $f(x)=\sin x-\sqrt{3}\cos x+x$에 대하여 $f'(a)=\sqrt{2}+1$을 만족시키는 상수 a의 값은? $\left(단, 0<a<\frac{\pi}{2}\right)$ [4.6점]

① $\frac{\pi}{12}$ ② $\frac{\pi}{10}$ ③ $\frac{\pi}{8}$
④ $\frac{\pi}{6}$ ⑤ $\frac{\pi}{4}$

0457
| 유형 17 |

함수 $f(x)=\sin x\cos x$에 대하여

$$\lim_{x\to 0}\frac{f(x+a)-f(a)}{x}=0$$

을 만족시키는 상수 a의 값은? $\left(단, 0<a<\frac{\pi}{2}\right)$ [4.8점]

① $\frac{\pi}{64}$ ② $\frac{\pi}{32}$ ③ $\frac{\pi}{16}$
④ $\frac{\pi}{8}$ ⑤ $\frac{\pi}{4}$

서술형 문제

• 풀이 과정에 점수가 부여되니 풀이 과정 및 정답을 상세하게 서술하세요.

단답형

0458 | 유형 01 |

함수 $f(x)=\cos x$의 역함수 $g(x)$에 대하여

$g\left(\frac{8}{17}\right)=\alpha$, $g\left(\frac{15}{17}\right)=\beta$일 때, $f(\alpha+\beta)$의 값을 구하시오.

(단, $0<x<\pi$) [6점]

0459 | 유형 09 |

자연수 n에 대하여

$$f(n)=\lim_{x\to 0}\frac{x}{\sin x+\sin 2x+\sin 3x+\cdots+\sin nx}$$

일 때, $\sum_{n=1}^{\infty}f(n)$의 값을 구하시오. [7점]

0460 | 유형 18 |

함수 $f(x)=\begin{cases}3ae^{x} & (x\geq 0)\\ \sin x+b & (x<0)\end{cases}$가 $x=0$에서 미분가능할 때, 상수 a, b에 대하여 $a+b$의 값을 구하시오. [7점]

단계형

0461 | 유형 14 |

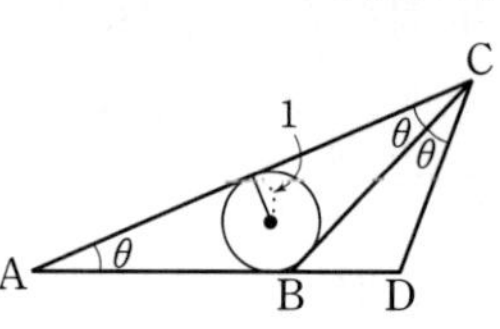

오른쪽 그림과 같이 반지름의 길이가 1인 원에 외접하고 $\angle CAB=\angle BCA=\theta$인 이등변삼각형 ABC가 있다. 선분 AB의 연장선 위에 점 A가 아닌 점 D를 $\angle DCB=\theta$가 되도록 잡는다. 삼각형 BDC의 넓이를 $S(\theta)$라 할 때, $\lim_{\theta\to 0+}\theta S(\theta)$의 값을 구하려고 한다. 다음 물음에 답하시오. $\left(\text{단, } 0<\theta<\frac{\pi}{4}\right)$ [12점]

(1) $\overline{AC}$를 삼각함수를 이용하여 나타내시오. [4점]

(2) $S(\theta)$를 삼각함수를 이용하여 나타내시오. [5점]

(3) $\lim_{\theta\to 0+}\theta S(\theta)$의 값을 구하시오. [3점]

0462 | 유형 17 |

함수 $f(x)$가 $f(x)=\lim_{t\to x}\frac{t\sin x-x\sin t}{t-x}$일 때, $f'\left(\frac{\pi}{6}\right)$의 값을 구하려고 한다. 다음 물음에 답하시오. [10점]

(1) $f(x)$를 간단히 하시오. [5점]

(2) $f'(x)$를 구하시오. [3점]

(3) $f'\left(\frac{\pi}{6}\right)$의 값을 구하시오. [2점]

성/취/도 Check

점수 / 100점

STEP 1 개념+기본 문제 학습

STEP 2 유형 대표 문제 학습

STEP 3의 틀린 문제에 해당하는 STEP 2 유형 학습

STEP 3의 틀린 문제 복습

교과서 속 심화문제 시작

≫ 정답과 해설 65쪽

0463

두 함수 $f(x)=3\sin x$, $g(x)=4\cos x$에 대하여 다음 보기 중 옳은 것을 있는 대로 고른 것은?

보기

ㄱ. 함수 $y=\dfrac{f(x)}{g(x)}$의 주기는 π이다.

ㄴ. 함수 $y=f(x)+g(x)+2$의 최솟값은 -2이다.

ㄷ. 함수 $y=|f(\pi x)g(\pi x)|$의 주기와 최댓값의 곱은 3이다.

① ㄱ ② ㄱ, ㄴ ③ ㄱ, ㄷ
④ ㄴ, ㄷ ⑤ ㄱ, ㄴ, ㄷ

0464

오른쪽 그림과 같이 원 $x^2+y^2=1$ 위의 점 P_1에서의 접선이 x축과 만나는 점을 Q_1이라 할 때, $\angle Q_1OP_1=\theta$이다. 점 P_1을 원점 O를 중심으로 2θ만큼 회전시킨 점을 P_2라 하고, 점 P_2에서의 접선이 x축과 만나는 점을 Q_2라 하자. 삼각형 OP_1Q_1의 넓이를 A라 할 때, 삼각형 OP_2Q_2의 넓이를 A를 사용하여 나타내시오.

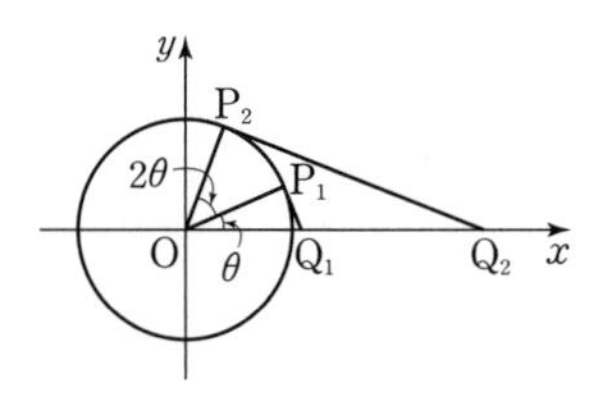

$\left(\text{단, } 0<\theta<\dfrac{\pi}{6}\right)$

0465

오른쪽 그림과 같이 길이가 r인 선분 AB를 지름으로 하는 반원이 있다. 호 AB 위의 점 P에 대하여 $a\overline{AP}+b\overline{BP}$의 최댓값이 r^2이 되도록 하는 순서쌍 (a, b)의 개수가 10보다 클 때, 자연수 r의 최솟값을 구하시오. (단, a, b는 정수)

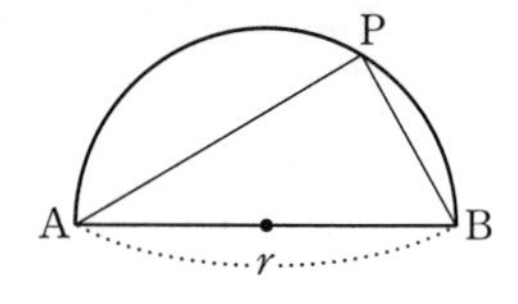

0466

오른쪽 그림과 같이 $\angle ABC=2\theta$, $\angle ACB=3\theta$인 삼각형 ABC의 꼭짓점 A에서 변 BC에 내린 수선의 발을 H라 하고, 변 BC를 빗변으로 하고 $\angle CBD=\theta$인 직각삼각형 CBD가 있다. 삼각형 ABH, AHC, CBD의 넓이를 각각 S_1, S_2, S_3이라 할 때, $\lim\limits_{\theta\to0+}\dfrac{S_1+S_3}{S_2}$의 값을 구하시오.

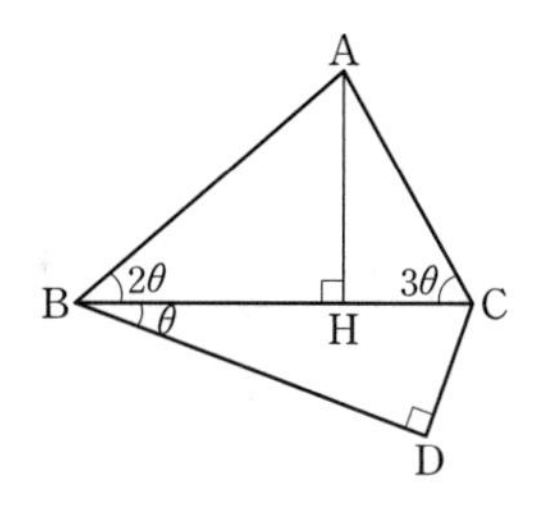

5

여러 가지 미분법

항상 해온 대로하면
항상 받아온 대로 받을 것이다.
-토니 로빈스

기출 문제 분석

빅 데이터

＊ 전국 300여 개 고등학교 기출 문제를 분석하였습니다.

유형01 함수의 몫의 미분법 – $\frac{1}{g(x)}$ 꼴

유형02 함수의 몫의 미분법 – $\frac{f(x)}{g(x)}$ 꼴

유형03 함수 $y=x^n$(n은 정수)의 도함수

유형04 삼각함수 사이의 관계

유형05 삼각함수의 도함수

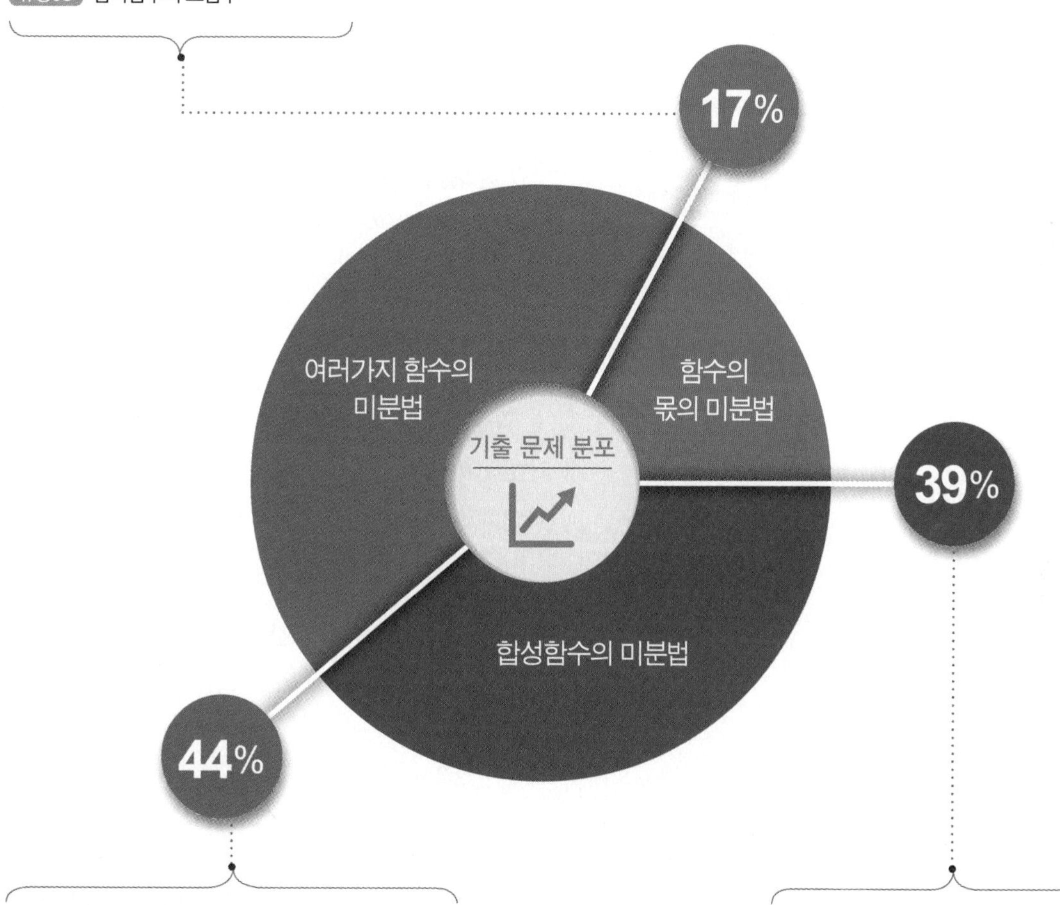

유형12 매개변수로 나타낸 함수의 미분법

유형13 음함수의 미분법

유형14 함수 $y=x^n$(n은 실수)의 도함수

유형15 역함수의 미분법 – $x=f(y)$ 꼴로 주어진 경우

유형16 역함수의 미분법 – 역함수의 미분계수 구하기

유형17 이계도함수

유형18 이계도함수 – 방정식으로 주어진 경우

유형19 n계도함수

유형06 합성함수의 미분법

유형07 합성함수의 미분법 – $f(ax+b)$ 꼴

유형08 합성함수의 미분법 – $\{f(x)\}^n$ 꼴

유형09 지수함수의 도함수

유형10 로그함수의 도함수

유형11 로그함수의 도함수의 활용

STEP 1 개념 마스터

01 함수의 몫의 미분법 유형 01~03

(1) 함수의 몫의 미분법

두 함수 $f(x)$, $g(x)$ $(g(x)\neq0)$가 미분가능할 때

① $y=\dfrac{1}{g(x)}$이면 $y'=-\dfrac{g'(x)}{\{g(x)\}^2}$

② $y=\dfrac{f(x)}{g(x)}$이면 $y'=\dfrac{f'(x)g(x)-f(x)g'(x)}{\{g(x)\}^2}$

(2) 함수 $y=x^n$ (n은 정수)의 도함수

n이 정수일 때, $y=x^n$이면 $y'=nx^{n-1}$

[0467~0472] 다음 함수를 미분하시오.

0467 $y=\dfrac{1}{x-1}$

0468 $y=\dfrac{1}{\ln x}$

0469 $y=\dfrac{2x-1}{x+2}$

0470 $y=\dfrac{x^2-2}{2x+1}$

0471 $y=\dfrac{x}{e^x}$

0472 $y=\dfrac{\sin x+1}{\cos x}$

[0473~0474] 다음 함수를 미분하시오.

0473 $y=3x^{-5}$

0474 $y=\dfrac{x^2+1}{x^4}$

02 삼각함수 사이의 관계 유형 04

(1) $\csc\theta$, $\sec\theta$, $\cot\theta$의 정의

각 θ를 나타내는 동경이 반지름의 길이가 r인 원 O와 만나는 점을 $\mathrm{P}(x, y)$라 할 때

$\csc\theta=\dfrac{r}{y}$ $(y\neq0)$

$\sec\theta=\dfrac{r}{x}$ $(x\neq0)$

$\cot\theta=\dfrac{x}{y}$ $(y\neq0)$

이때, 이 함수들을 차례로 θ에 대한 **코시컨트함수, 시컨트함수, 코탄젠트함수**라 한다.

참고 $\csc\theta=\dfrac{1}{\sin\theta}$, $\sec\theta=\dfrac{1}{\cos\theta}$, $\cot\theta=\dfrac{1}{\tan\theta}=\dfrac{\cos\theta}{\sin\theta}$

(2) 삼각함수 사이의 관계

① $1+\tan^2\theta=\sec^2\theta$ ② $1+\cot^2\theta=\csc^2\theta$

참고 위의 관계는 $\sin^2\theta+\cos^2\theta=1$의 양변을 $\cos^2\theta$ $(\cos\theta\neq0)$로 나누면 ①을, $\sin^2\theta$ $(\sin\theta\neq0)$로 나누면 ②를 얻을 수 있다.

0475 원점 O와 점 $\mathrm{P}(-3, 4)$를 지나는 동경 OP가 나타내는 각을 θ라 할 때, 다음 값을 구하시오.

(1) $\csc\theta$ (2) $\sec\theta$

(3) $\cot\theta$

0476 다음 삼각함수의 값을 구하시오.

(1) $\csc\dfrac{\pi}{6}$ (2) $\sec\dfrac{\pi}{4}$

(3) $\cot\dfrac{2}{3}\pi$

0477 $\sin\theta+\cos\theta=\dfrac{1}{2}$일 때, $\tan\theta+\cot\theta$의 값을 구하시오.

0478 $\tan\theta=3$일 때, $\csc^2\theta$의 값을 구하시오.

- $y=\dfrac{f(x)}{g(x)} \Rightarrow y'=\dfrac{f'(x)g(x)-f(x)g'(x)}{\{g(x)\}^2}$
- $y=x^n$ (n은 정수) $\Rightarrow y'=nx^{n-1}$
- $\csc\theta=\dfrac{1}{\sin\theta}$, $\sec\theta=\dfrac{1}{\cos\theta}$, $\cot\theta=\dfrac{1}{\tan\theta}$
- $1+\tan^2\theta=\sec^2\theta$, $1+\cot^2\theta=\csc^2\theta$

03 삼각함수의 도함수

유형 05

(1) $y=\tan x$이면 $y'=\sec^2 x$
(2) $y=\sec x$이면 $y'=\sec x\tan x$
(3) $y=\csc x$이면 $y'=-\csc x\cot x$
(4) $y=\cot x$이면 $y'=-\csc^2 x$

참고 • $y=\sin x$이면 $y'=\cos x$
$y=\cos x$이면 $y'=-\sin x$
• $\tan x$, $\sec x$, $\csc x$, $\cot x$의 도함수는 $\sin x$, $\cos x$의 도함수와 함수의 몫의 미분법을 이용하여 구할 수 있다.

[0479~0481] 다음 함수를 미분하시오.

0479 $y=\tan x+\cos x$

0480 $y=\sec x+\csc x$

0481 $y=x\cot x$

04 합성함수의 미분법

유형 06~08

미분가능한 두 함수 $y=f(u)$, $u=g(x)$에 대하여 합성함수 $y=f(g(x))$의 도함수는

$\frac{dy}{dx}=\frac{dy}{du}\times\frac{du}{dx}$ 또는 $\boldsymbol{y'=f'(g(x))g'(x)}$

참고 함수 $f(x)$가 미분가능할 때
① $y=f(ax+b)$(a, b는 상수)이면 $y'=af'(ax+b)$
② $y=\{f(x)\}^n$(n은 정수)이면 $y'=n\{f(x)\}^{n-1}f'(x)$

[0482~0489] 다음 함수를 미분하시오.

0482 $y=(2x-1)^3$

0483 $y=\frac{1}{(2-x)^3}$

0484 $y=(3x+1)^2(x^2-1)$

0485 $y=\frac{x-1}{(x^3+1)^2}$

0486 $y=\sin^3 x$

0487 $y=\cos(2x+3)$

0488 $y=\cot x^2$

0489 $y=\sin(\tan x)$

05 지수함수의 도함수

유형 09

미분가능한 함수 $f(x)$에 대하여
(1) $y=e^{f(x)}$이면 $y'=e^{f(x)}f'(x)$
(2) $y=a^{f(x)}$($a>0$, $a\neq1$)이면 $y'=a^{f(x)}\ln a\times f'(x)$

[0490~0492] 다음 함수를 미분하시오.

0490 $y=e^{x^2-x}$

0491 $y=5^{5x+1}$

0492 $y=2^{\cos x}$

06 로그함수의 도함수

유형 10, 11

(1) $y=\ln|x|$이면 $y'=\frac{1}{x}$
(2) $y=\log_a|x|$($a>0$, $a\neq1$)이면 $y'=\frac{1}{x\ln a}$
(3) $y=\ln|f(x)|$이면 $\boldsymbol{y'=\frac{f'(x)}{f(x)}}$
(4) $y=\log_a|f(x)|$($a>0$, $a\neq1$)이면 $y'=\frac{f'(x)}{f(x)\ln a}$
(단, $f(x)$는 미분가능하고 $f(x)\neq0$)

핵심 Check

• $y=\tan x \Rightarrow y'=\sec^2 x$
• $y=\sec x \Rightarrow y'=\sec x\tan x$
• $y=\csc x \Rightarrow y'=-\csc x\cot x$
• $y=\cot x \Rightarrow y'=-\csc^2 x$
• $y=f(g(x)) \Rightarrow y'=f'(g(x))g'(x)$
• $y=e^{f(x)} \Rightarrow y'=e^{f(x)}f'(x)$
• $y=\ln|f(x)| \Rightarrow y'=\frac{f'(x)}{f(x)}$

[0493~0496] 다음 함수를 미분하시오.

0493 $y=x\ln|x|$

0494 $y=\log_2|3x+1|$

0495 $y=\ln|e^x+1|$

0496 $y=\ln|\sin x|$

07 매개변수로 나타낸 함수의 미분법

유형 12

(1) 매개변수로 나타낸 함수

두 변수 x, y 사이의 관계가 변수 t를 매개로 하여

$\begin{cases} x=f(t) \\ y=g(t) \end{cases}$ ……㉠의 꼴로 나타날 때, 변수 t를 x, y의 **매개변수**라 하며, ㉠을 매개변수로 나타낸 함수라 한다.

(2) 매개변수로 나타낸 함수의 미분법

매개변수로 나타낸 함수 $\begin{cases} x=f(t) \\ y=g(t) \end{cases}$가 t에 대하여 미분가능하고 $f'(t)\neq0$이면

$$\frac{dy}{dx}=\frac{\frac{dy}{dt}}{\frac{dx}{dt}}=\frac{g'(t)}{f'(t)}$$

[0497~0500] 다음 매개변수로 나타낸 함수에서 $\frac{dy}{dx}$를 구하시오.

0497 $\begin{cases} x=3t-1 \\ y=2t^2-3 \end{cases}$

0498 $\begin{cases} x=t^2+1 \\ y=\frac{1}{t} \end{cases}$ $(t>0)$

0499 $\begin{cases} x=e^{t+1} \\ y=e^{2t+3} \end{cases}$

0500 $\begin{cases} x=\theta-\sin\theta \\ y=1-\cos\theta \end{cases}$ $(0<\theta<2\pi)$

08 음함수의 미분법

유형 13, 14

(1) 음함수

방정식 $f(x, y)=0$에서 x, y의 값의 범위를 적당히 정하여 y가 x의 함수가 될 때, y는 x의 **음함수**의 꼴로 표현되었다고 한다.

(2) 음함수의 미분법

x의 함수 y가 음함수의 꼴 $f(x, y)=0$으로 주어질 때, $f(x, y)=0$의 각 항을 x에 대하여 미분하여 $\frac{dy}{dx}$를 구한다.

예 $x^2+y^2=1$의 각 항을 x에 대하여 미분하면

$$\frac{d}{dx}(x^2)+\frac{d}{dx}(y^2)=\frac{d}{dx}(1),\ 2x+2y\frac{dy}{dx}=0$$

$$\therefore \frac{dy}{dx}=-\frac{x}{y}\ (y\neq0)$$

참고 음함수의 미분법은 $f(x, y)=0$을 $y=g(x)$의 꼴로 고치기 어려울 때 이용하면 편리하다.

(3) 함수 $y=x^n$ (n은 실수)의 도함수

n이 실수일 때, $y=x^n$이면 $y'=nx^{n-1}$

[0501~0504] 다음 음함수에서 $\frac{dy}{dx}$를 구하시오.

0501 $(x+1)^2+(y-3)^2=2$

0502 $xy=4$

0503 $x^2-y^3+3x^2y-1=0$

0504 $\sin x+\cos y=1$

[0505~0508] 다음 함수를 미분하시오.

0505 $y=\frac{1}{\sqrt[5]{x}}$

0506 $y=x\sqrt{x}$

0507 $y=x^{\sqrt{3}}$

0508 $y=x^{-e}$

- $\begin{cases} x=f(t) \\ y=g(t) \end{cases}$ ⇨ $\frac{dy}{dx}=\frac{g'(t)}{f'(t)}$
- $f(x, y)=0$ ⇨ 각 항을 x에 대하여 미분
- $y=x^n$ (n은 실수) ⇨ $y'=nx^{n-1}$

[0509~0510] 다음 함수를 미분하시오.

0509 $y=\sqrt{1-x^2}$

0510 $y=\sqrt[3]{2x-5}$

09 역함수의 미분법

유형 15, 16

미분가능한 함수 $f(x)$의 역함수 $f^{-1}(x)$가 존재하고 미분가능할 때, $y=f^{-1}(x)$의 도함수는

$$(f^{-1})'(x)=\frac{1}{f'(f^{-1}(x))} \text{ 또는 } \frac{dy}{dx}=\frac{1}{\frac{dx}{dy}}$$

참고 • 역함수의 정의에 의하여 $f(f^{-1}(x))=x$이므로 양변을 x에 대하여 미분하면

$$f'(f^{-1}(x))(f^{-1})'(x)=1 \qquad \therefore (f^{-1})'(x)=\frac{1}{f'(f^{-1}(x))}$$

• $y=f^{-1}(x)$에서 $\frac{dy}{dx}=(f^{-1})'(x)$, $x=f(y)$에서 $\frac{dy}{dx}=f'(y)$ 이므로

$$\frac{dy}{dx}=(f^{-1})'(x)=\frac{1}{f'(f^{-1}(x))}=\frac{1}{f'(y)}=\frac{1}{\frac{dx}{dy}}$$

• 역함수의 미분법을 이용하면 역함수를 직접 구하지 않고도 역함수의 미분계수를 구할 수 있다.

[0511~0513] 역함수의 미분법을 이용하여 다음 함수에서 $\frac{dy}{dx}$를 구하시오.

0511 $x=y^3\ (x\neq0)$

0512 $y=\sqrt[6]{x}\ (x>0)$

0513 $y=\sqrt[3]{x-3}\ (x>3)$

10 이계도함수

유형 17~19

함수 $y=f(x)$의 도함수 $f'(x)$가 미분가능할 때, 함수 $f'(x)$의 도함수

$$\lim_{h\to0}\frac{f'(x+h)-f'(x)}{h}$$

를 함수 $y=f(x)$의 **이계도함수**라 하고, 이것을 기호로

$$\boldsymbol{f''(x),\ y'',\ \frac{d^2y}{dx^2},\ \frac{d^2}{dx^2}f(x)}$$

와 같이 나타낸다.

참고 일반적으로 양의 정수 n에 대하여 함수 $f(x)$를 n번 미분하여 얻은 함수를 $y=f(x)$의 n계도함수라 하고, 기호로 $f^{(n)}(x)$, $y^{(n)}$, $\frac{d^ny}{dx^n}$, $\frac{d^n}{dx^n}f(x)$와 같이 나타낸다.

[0514~0521] 다음 함수의 이계도함수를 구하시오.

0514 $y=4x^3+2x+5$

0515 $y=\frac{1}{x}$

0516 $y=\sqrt{x+1}$

0517 $y=e^{-2x}$

0518 $y=\ln 5x$

0519 $y=\sin 3x$

0520 $y=x\ln x$

0521 $y=e^x\cos x$

• $y=f^{-1}(x) \Rightarrow \frac{dy}{dx}=\frac{1}{\frac{dx}{dy}}$

• 함수 $y=f(x)$ →(미분) 도함수 $y'=f'(x)$ →(미분) 이계도함수 $y''=f''(x)$

STEP 2 유형 마스터

개념 해결의 법칙 103쪽 유형 01

유형 01 함수의 몫의 미분법 - $\frac{1}{g(x)}$ 꼴

개념 01

함수 $g(x)(g(x)\neq0)$가 미분가능할 때

$y=\frac{1}{g(x)} \Rightarrow y'=-\frac{g'(x)}{\{g(x)\}^2}$

0522 • 대표문제 •

함수 $f(x)=\frac{1}{x^2+1}$에 대하여 $\lim_{h\to0}\frac{f(1+h)-f(1-h)}{h}$의 값은?

① -1 ② $-\frac{1}{2}$ ③ $-\frac{1}{4}$
④ $\frac{1}{2}$ ⑤ 1

0523 상중하

함수 $f(x)=\frac{1}{e^x-1}$에 대하여 $f'(\ln 2)$의 값은?

① $-\frac{1}{4}$ ② $-\frac{1}{2}$ ③ -1
④ -2 ⑤ -4

0524 상중하

함수 $f(x)=-\frac{2}{x^2-3}$에 대하여 $\lim_{x\to1}\frac{f(x)-1}{x^2-1}$의 값을 구하시오.

개념 해결의 법칙 103쪽 유형 01

유형 02 함수의 몫의 미분법 - $\frac{f(x)}{g(x)}$ 꼴

개념 01

두 함수 $f(x), g(x)(g(x)\neq0)$가 미분가능할 때

$y=\frac{f(x)}{g(x)} \Rightarrow y'=\frac{f'(x)g(x)-f(x)g'(x)}{\{g(x)\}^2}$

0525 • 대표문제 •

함수 $f(x)=\frac{ax+b}{x^2+x+1}$에 대하여 $f'(0)=-3, f'(-1)=1$일 때, $a+b$의 값을 구하시오. (단, a, b는 상수)

0526 상중하

미분가능한 두 함수 $f(x), g(x)$가 $f(x)=\frac{x}{g(x)+3}$를 만족시킨다. $f'(0)=1$일 때, $g(0)$의 값은? (단, $g(x)\neq-3$)

① -2 ② -1 ③ 0
④ 1 ⑤ 2

0527 상중하 서술형

함수 $f(x)=\frac{x^2-3x+5}{x^2+1}$에 대하여 $f'(x)\le0$을 만족시키는 정수 x의 개수를 구하시오.

0528 상중하

함수 $f(x)=\frac{1-\sin x}{\cos x}$에 대하여 $\lim_{x\to\frac{\pi}{3}}\frac{f(x)-2+\sqrt{3}}{x-\frac{\pi}{3}}$의 값을 구하시오.

개념 해결의 법칙 104쪽 유형 02

유형 03 함수 $y=x^n$ (n은 정수)의 도함수 개념 01

n이 정수일 때, $y=x^n \Rightarrow y'=nx^{n-1}$

0529 대표문제

함수 $f(x)=\frac{1}{x^2}+\frac{2}{x^3}+\frac{3}{x^4}+\frac{4}{x^5}$에 대하여 $f'(1)$의 값은?

① -42 ② -40 ③ -38
④ -36 ⑤ -34

0530 상중하

함수 $y=\frac{x^5-3x+1}{x^2}$의 도함수를 구하시오.

개념 해결의 법칙 105쪽 유형 03

유형 04 삼각함수 사이의 관계 개념 02

(1) $\csc\theta=\frac{1}{\sin\theta}$, $\sec\theta=\frac{1}{\cos\theta}$, $\cot\theta=\frac{1}{\tan\theta}$
(2) $1+\tan^2\theta=\sec^2\theta$, $1+\cot^2\theta=\csc^2\theta$

0531 대표문제

$\sin\theta+\cos\theta=\frac{1}{3}$일 때, $\frac{\csc\theta}{\sec\theta-\tan\theta}+\frac{\csc\theta}{\sec\theta+\tan\theta}$의 값은?

① $-\frac{9}{2}$ ② $-\frac{9}{4}$ ③ $-\frac{4}{9}$
④ $\frac{4}{9}$ ⑤ $\frac{9}{4}$

0532 상중하

$(1+\tan\theta+\sec\theta)(1+\cot\theta-\csc\theta)$를 간단히 하면?

① $-\sec\theta$ ② -1 ③ 0
④ 2 ⑤ $2\csc\theta$

0533 상중하

$\tan\theta+\cot\theta=6$일 때, $\sec^2\theta+\csc^2\theta$의 값을 구하시오.

0534 상중하

$\sin\theta=-\frac{2}{3}$일 때, $\frac{1-\cot\theta}{1+\tan\theta}+\frac{1+\cot\theta}{1-\tan\theta}$의 값을 구하시오.

0535 상중하

x에 대한 이차방정식 $x^2-ax+2=0$의 두 근이 $\sec\theta$, $\csc\theta$일 때, 양수 a의 값은?

① $\frac{\sqrt{2}}{2}$ ② 1 ③ 2
④ $2\sqrt{2}$ ⑤ 4

개념 해결의 법칙 106쪽 유형 04

유형 05 삼각함수의 도함수

개념 03

(1) $(\sin x)'=\cos x$　(2) $(\cos x)'=-\sin x$

(3) $(\tan x)'=\sec^2 x$　(4) $(\sec x)'=\sec x\tan x$

(5) $(\csc x)'=-\csc x\cot x$　(6) $(\cot x)'=-\csc^2 x$

0536 대표문제

함수 $f(x)=\dfrac{1-\csc x}{\cot x}$에 대하여 $f'\left(\dfrac{\pi}{4}\right)$의 값은?

① $2-\sqrt{2}$　② $-2+\sqrt{2}$　③ $-2-\sqrt{2}$

④ -2　⑤ $2+\sqrt{2}$

0537 상중하

함수 $f(x)=\sin x+\tan x$에 대하여

$\lim\limits_{h\to 0}\dfrac{f(\pi+h)-f(\pi)}{h}$의 값은?

① -3　② -2　③ -1

④ 0　⑤ 1

0538 상중하

함수 $f(x)=\tan x$에 대하여 세 실수 a, b, c가

$$f'(a)+f'(b)+f'(c)=3$$

을 만족시킬 때, $f(a)+f(b)+f(c)$의 값은?

① 0　② $\dfrac{1}{3}$　③ $\dfrac{1}{2}$

④ 2　⑤ 3

개념 해결의 법칙 112쪽 유형 01

유형 06 합성함수의 미분법 (중요)

개념 04

두 함수 $y=f(u)$, $u=g(x)$가 미분가능할 때, 합성함수 $y=f(g(x))$의 도함수는

⇨ $\dfrac{dy}{dx}=\dfrac{dy}{du}\times\dfrac{du}{dx}$ 또는 $y'=f'(g(x))g'(x)$

0539 대표문제

미분가능한 함수 $f(x)$와 $g(x)=\dfrac{4x-1}{x+1}$의 합성함수 $h(x)=(f\circ g)(x)$에 대하여 $h'(0)=15$일 때, $f'(-1)$의 값을 구하시오.

0540 상중하

두 함수 $f(x)=\dfrac{x}{x^2+1}$, $g(x)=x^2-5x+4$의 합성함수 $h(x)=(f\circ g)(x)$에 대하여 $h'(1)$의 값은?

① -3　② -1　③ 0

④ 1　⑤ 3

0541 상중하

미분가능한 함수 $f(x)$에 대하여

$$f(1)=2,\ f(2)=2,\ f'(1)=3,\ f'(2)=4$$

일 때, $\lim\limits_{x\to 1}\dfrac{f(f(x))-2}{x-1}$의 값을 구하시오.

0542 상중하 서술형

미분가능한 두 함수 $f(x)$, $g(x)$가

$$\lim_{x\to 2}\frac{f(x)+1}{x-2}=3,\ \lim_{x\to -1}\frac{g(x)-2}{x+1}=2$$

를 만족시킬 때, 함수 $y=(g\circ f)(x)$의 $x=2$에서의 미분계수를 구하시오.

개념 해결의 법칙 112쪽 유형 01

유형 07 합성함수의 미분법 – $f(ax+b)$ 꼴 개념 04

함수 $f(x)$가 미분가능할 때
$y=f(ax+b)$(a, b는 상수) ⇨ $y'=af'(ax+b)$

0543 • 대표문제 •

미분가능한 함수 $f(x)$가 모든 실수 x에 대하여
$$f(x)=f(3x-1)$$
을 만족시키고 $f'(2)=6$일 때, $f'(14)$의 값을 구하시오.

0544 상중하

미분가능한 함수 $f(x)$가 모든 실수 x에 대하여
$$f(-3x+2)=x^3-x^2+x+5$$
를 만족시킬 때, $f'(5)$의 값은?

① $-\frac{1}{3}$ ② $-\frac{2}{3}$ ③ -2
④ -3 ⑤ $-\frac{10}{3}$

0545 상중하

미분가능한 함수 $f(x)$가 모든 실수 x에 대하여
$$f(2x-3)=\sin 2\pi x-\cos \pi x$$
를 만족시킬 때, $f'(-1)$의 값은?

① -3π ② $-\pi$ ③ $\frac{\sqrt{2}}{2}\pi$
④ π ⑤ 2π

개념 해결의 법칙 112쪽 유형 01

유형 08 합성함수의 미분법 – $\{f(x)\}^n$ 꼴 개념 04

함수 $f(x)$가 미분가능할 때
$y=\{f(x)\}^n$(n은 정수) ⇨ $y'=n\{f(x)\}^{n-1}f'(x)$

0546 • 대표문제 •

함수 $f(x)=\frac{1}{2x-1}$에 대하여 함수 $g(x)=\{f(x)+1\}^3$일 때, $g'(1)$의 값을 구하시오.

0547 상중하

함수 $f(x)=\left(\frac{x+a}{2x+1}\right)^3$에 대하여 $f'(0)=-3$일 때, 정수 a의 값은?

① 1 ② 2 ③ 3
④ 4 ⑤ 5

0548 상중하

함수 $f(x)=\cos^3(2x-\pi)$에 대하여 $f'\left(\frac{\pi}{3}\right)$의 값을 구하시오.

0549 상중하

미분가능한 함수 $f(x)$에 대하여 $f(1)=1$, $f'(1)=2$일 때, 함수 $y=\{x^2f(x)\}^2$의 $x=1$에서의 미분계수는?

① 6 ② 8 ③ 10
④ 12 ⑤ 14

개념 해결의 법칙 113쪽 유형 02

유형 09 지수함수의 도함수

개념 05

함수 $f(x)$가 미분가능할 때

(1) $y=e^{f(x)} \Rightarrow y'=e^{f(x)}f'(x)$

(2) $y=a^{f(x)}\,(a>0, a\neq1) \Rightarrow y'=a^{f(x)}\ln a\times f'(x)$

0550 • 대표문제 •

함수 $f(x)=2^{\sin x}$에 대하여 $\lim_{h\to0}\frac{f(\pi+2h)-f(\pi)}{h}$의 값은?

① $-2\ln2$ ② $-\ln2$ ③ 1

④ $\ln2$ ⑤ $2\ln2$

0551 상중하

함수 $f(x)=\frac{x^2+1}{e^{2x}}$에 대하여 $f(1)-f'(1)$의 값은?

① $-\frac{4}{e^2}$ ② $-\frac{2}{e^2}$ ③ 0

④ $\frac{2}{e^2}$ ⑤ $\frac{4}{e^2}$

0552 상중하

두 함수 $f(x)=\cos x$, $g(x)=2e^{2x}$에 대하여

$\lim_{x\to\frac{\pi}{3}}\frac{g(f(x))-2e}{x-\frac{\pi}{3}}$의 값을 구하시오.

중요

개념 해결의 법칙 114쪽 유형 03

유형 10 로그함수의 도함수

개념 06

(1) $y=\ln|x| \Rightarrow y'=\frac{1}{x}$

(2) $y=\log_a|x|\,(a>0, a\neq1) \Rightarrow y'=\frac{1}{x\ln a}$

(3) $y=\ln|f(x)| \Rightarrow y'=\frac{f'(x)}{f(x)}$

(4) $y=\log_a|f(x)|\,(a>0, a\neq1) \Rightarrow y'=\frac{f'(x)}{f(x)\ln a}$

(단, $f(x)$는 미분가능하고 $f(x)\neq0$)

0553 • 대표문제 •

함수 $y=\ln\sqrt{\frac{1-\cos x}{1+\cos x}}$의 $x=\frac{\pi}{6}$에서의 미분계수는?

① 0 ② $\frac{2\sqrt{2}}{3}$ ③ 1

④ $\sqrt{2}$ ⑤ 2

0554 상중하

다항함수 $f(x)$가 등식

$$\log\{(x+1)f(x)\}=\log(x+4)+\log(x^3+1)$$

을 만족시키고 $g(x)=\ln|f(x)|$라 할 때, $g'(1)$의 값을 구하시오.

0555 상중하

함수 $f(x)=\log_3(3x-1)^3$에 대하여 $f'(a)=\frac{3}{\ln3}$일 때, 상수 a의 값을 구하시오.

0556 상중하

함수 $f(x)=\ln(x^2-1)$에 대하여 $\sum_{n=2}^{\infty}\frac{f'(n)}{n}$의 값을 구하시오.

발전 유형 11 로그함수의 도함수의 활용

개념 06

$y=\frac{f(x)}{g(x)}$ 또는 $y=\{f(x)\}^{g(x)}$ 꼴의 도함수를 구할 때는

(i) 주어진 식의 양변의 절댓값에 자연로그를 취한다.

(ii) (i)의 식의 양변을 x에 대하여 미분한 후 y'에 대하여 정리한다.

0557 • 대표문제 •

함수 $f(x)=\frac{(x+1)^3}{x^2(x-1)}$에 대하여 $f'(2)$의 값은?

① $-\frac{29}{4}$　② $-\frac{27}{4}$　③ $-\frac{25}{4}$

④ $-\frac{23}{4}$　⑤ $-\frac{21}{4}$

0558 상중하 서술형

함수 $f(x)=\frac{(x-1)^2\sqrt{x+1}}{x+2}$에 대하여 $g(x)=\frac{f'(x)}{f(x)}$일 때, $g(0)$의 값을 구하시오.

0559 상중하

함수 $f(x)=x^x\,(x>0)$에 대하여 $f'(e)$의 값은?

① $\frac{1}{2e}$　② $\frac{1}{e}$　③ e^e

④ $2e^e$　⑤ e^{2e}

0560 상중하

함수 $f(x)=x^{\sin x}\,(x>0)$에 대하여 $\lim_{x\to\pi}\frac{f(x)-1}{x-\pi}$의 값은?

① $-\frac{1}{\pi}$　② $-\pi$　③ π

④ $\ln\pi$　⑤ $\ln\frac{1}{\pi}$

개념 해결의 법칙 122쪽 유형 01

유형 12 매개변수로 나타낸 함수의 미분법

개념 07

매개변수로 나타낸 함수 $\begin{cases} x=f(t) \\ y=g(t) \end{cases}$가 t에 대하여 미분가능하고 $f'(t)\neq0$이면

⇨ $\frac{dy}{dx}=\frac{\frac{dy}{dt}}{\frac{dx}{dt}}=\frac{g'(t)}{f'(t)}$

0561 • 대표문제 •

매개변수로 나타낸 함수 $x=t^3-t^2,\ y=t^3+\frac{1}{3}t^2-1$에 대하여 $\lim_{t\to0}\frac{dy}{dx}$의 값을 구하시오.

0562 상중하

매개변수로 나타낸 함수

$$x=\theta\cos\theta-\sin\theta,\ y=\theta\sin\theta+\cos\theta\ (0<\theta<\pi)$$

에서 $\theta=\frac{\pi}{6}$일 때, $\frac{dy}{dx}$의 값은?

① $-\sqrt{3}$　② $-\frac{\sqrt{3}}{3}$　③ $\frac{\sqrt{3}}{3}$

④ $\frac{\sqrt{3}}{2}$　⑤ $\sqrt{3}$

0563 상중하

매개변수로 나타낸 함수 $x=t^2$, $y=2t^3+1$에 대하여 $y=f(x)$로 나타낼 때, $\lim_{h\to0}\frac{f(4+2h)-f(4-3h)}{h}$의 값은?

(단, $t>0$)

① 15 ② 20 ③ 25
④ 30 ⑤ 35

0564 상중하

매개변수로 나타낸 곡선

$$x=t^3,\ y=t^2-at-2a^2$$

에 대하여 $t=1$에 대응하는 점에서의 접선의 기울기가 -1일 때, 상수 a의 값은?

① 1 ② 2 ③ 3
④ 4 ⑤ 5

0565 상중하 서술형

매개변수로 나타낸 곡선

$$x=\tan\theta,\ y=\cos^2\theta\ \left(-\frac{\pi}{2}<\theta<\frac{\pi}{2}\right)$$

위의 점 $\left(1,\ \frac{1}{2}\right)$에서의 접선의 기울기를 구하시오.

개념 해결의 법칙 123쪽 유형 02

유형 13 음함수의 미분법

개념 08

음함수 $f(x,y)=0$에서 y를 x의 함수로 보고 각 항을 x에 대하여 미분하여 $\frac{dy}{dx}$를 구한다.

⇨ $\frac{d}{dx}(x^n)=nx^{n-1}$, $\frac{d}{dx}(y^n)=ny^{n-1}\frac{dy}{dx}$ (단, n은 정수)

0566 • 대표문제 •

곡선 $x^2-y^2+axy+b=0$ 위의 점 $(1,2)$에서의 $\frac{dy}{dx}$의 값이 8일 때, 상수 a, b에 대하여 $a-b$의 값을 구하시오.

0567 상중하

곡선 $2\pi x=y+\sin xy$ 위의 점 $(1,2\pi)$에서의 $\frac{dy}{dx}$의 값은?

① $-\frac{\pi}{2}$ ② $-\frac{\pi}{3}$ ③ 0
④ $\frac{\pi}{3}$ ⑤ $\frac{\pi}{2}$

0568 상중하

곡선 $y^3=\ln(5-x^2)+xy+4$ 위의 점 $(2,2)$에서의 접선의 기울기는?

① $-\frac{3}{5}$ ② $-\frac{1}{2}$ ③ $-\frac{2}{5}$
④ $-\frac{3}{10}$ ⑤ $-\frac{1}{5}$

0569 상중하

곡선 $\frac{a}{x}+\frac{b}{y}=xy$ 위의 점 $(1,2)$에서의 접선의 기울기가 1일 때, 상수 a, b에 대하여 $b-a$의 값을 구하시오.

0570 상중하

어떤 화학 반응에서 반응이 시작된 지 t초 후의 물질의 양 x는

$$\frac{x}{3-x}=e^{4(t-3)}$$

의 관계를 만족시킨다고 한다. 이때, 반응이 시작된 지 3초 후의 x의 순간변화율 $\frac{dx}{dt}$의 값을 구하시오. (단, $0<x<3$)

개념 해결의 법칙 124쪽 유형 03

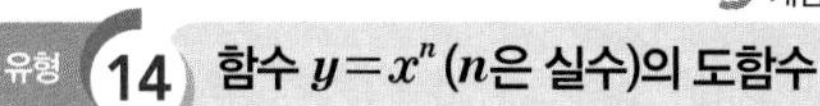

유형 14 함수 $y=x^n$ (n은 실수)의 도함수

개념 08

함수 $f(x)$가 미분가능할 때

(1) $y=x^n$ (n은 실수) ⇨ $y'=nx^{n-1}$

(2) $y=\{f(x)\}^n$ (n은 실수) ⇨ $y'=n\{f(x)\}^{n-1}f'(x)$

0571 • 대표문제 •

함수 $f(x)=(2x-\sqrt{4x^2+1})^5$에 대하여 $f'(1)=a$, $f'(-1)=b$일 때, ab의 값을 구하시오.

0572 상중하

함수 $f(x)=\frac{1-\sqrt{1-x^2}}{x}$에 대하여 $\lim_{x\to 0}f'(x)$의 값은?

① -1 ② $-\frac{1}{2}$ ③ $\frac{1}{4}$

④ $\frac{1}{2}$ ⑤ 1

유형 15 역함수의 미분법 – $x=f(y)$ 꼴로 주어진 경우

개념 09

y를 x에 대하여 직접 미분하기 어려운 경우에는 x를 y에 대하여 미분한 후 역함수의 미분법을 이용한다.

⇨ $\frac{dy}{dx}=\frac{1}{\frac{dx}{dy}}$

0573 • 대표문제 •

함수 $x=\sqrt{y^2+2y}-2$ $(y>0)$에 대하여 $\frac{dy}{dx}$는?

① $\frac{\sqrt{y^2+2y}}{y+1}$ ② $\frac{\sqrt{y^2+2y}}{y}$ ③ $\frac{\sqrt{y^2+2y}}{y-1}$

④ $\frac{y}{\sqrt{y^2+2y}}$ ⑤ $\frac{y+1}{\sqrt{y^2+2y}}$

0574 상중하

함수 $x=\tan y\left(0<y<\frac{\pi}{2}\right)$에 대하여 $x=1$에서의 $\frac{dy}{dx}$의 값은?

① 0 ② $\frac{1}{4}$ ③ $\frac{1}{2}$

④ $\frac{3}{4}$ ⑤ 1

0575 상중하

오른쪽 그림과 같이 눈높이가 1.5 m인 사람이 일정한 속력으로 높이가 5.5 m인 나무에 다가가고 있다. 이 사람과 나무 사이의 거리가 x m일 때, 나무의 끝을 올려다본 각의 크기를 θ라 하자. 이 사람이 나무로부터 2 m 떨어져 있을 때, $\frac{d\theta}{dx}$의 값을 구하시오.

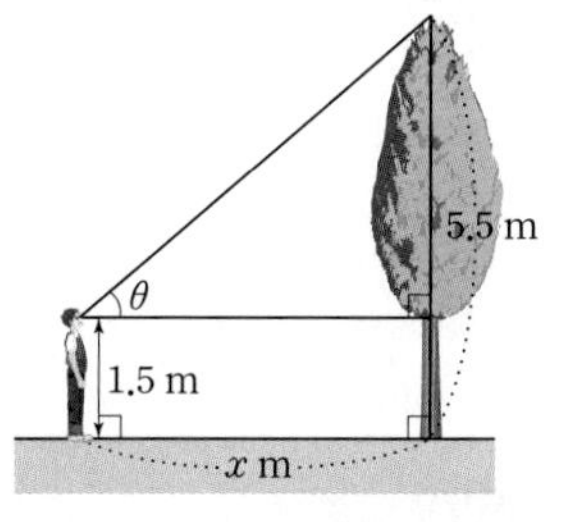

개념 해결의 법칙 125쪽 유형 04

유형 16 역함수의 미분법 – 역함수의 미분계수 구하기

개념 09

미분가능한 함수 $f(x)$의 역함수가 $g(x)$이고 $g(b)=a$이면

$\Rightarrow g'(b)=\dfrac{1}{f'(g(b))}=\dfrac{1}{f'(a)}$

0576 • 대표문제 •

함수 $f(x)=x^2-4x+6(x>2)$의 역함수를 $g(x)$라 할 때, $g'(18)$의 값은?

① 1 ② $\frac{1}{2}$ ③ $\frac{1}{4}$
④ $\frac{1}{6}$ ⑤ $\frac{1}{8}$

0577 상중하

$f(2)=3, f'(2)=\dfrac{1}{2}$을 만족시키는 미분가능한 함수 $f(x)$의 역함수를 $g(x)$라 할 때, $g'(3)$의 값을 구하시오.

0578 상중하

$0\le x<\dfrac{\pi}{2}$에서 정의된 함수 $f(x)=2\sin x+1$의 역함수를 $g(x)$라 할 때, $g'(2)$의 값은?

① $\frac{\sqrt{2}}{3}$ ② $\frac{1}{2}$ ③ $\frac{\sqrt{3}}{3}$
④ $\frac{\sqrt{2}}{2}$ ⑤ $\sqrt{3}$

0579 상중하

$\displaystyle\lim_{x\to3}\frac{x-3}{f(x)-1}=\frac{1}{5}$을 만족시키는 미분가능한 함수 $f(x)$의 역함수를 $g(x)$라 할 때, $g'(1)$의 값을 구하시오.

개념 해결의 법칙 126쪽 유형 05

유형 17 이계도함수

개념 10

함수 $f(x)$의 도함수 $f'(x)$가 미분가능할 때, $f(x)$의 이계도함수는

$\Rightarrow f''(x)=\displaystyle\lim_{h\to0}\frac{f'(x+h)-f'(x)}{h}$

0580 • 대표문제 •

두 함수 $f(x)=\ln(x+1), g(x)=x^2$의 합성함수 $h(x)=(g\circ f)(x)$에 대하여 $\displaystyle\lim_{x\to0}\frac{h'(x)}{x}$의 값은?

① 1 ② 2 ③ 3
④ 4 ⑤ 5

0581 상중하

함수 $f(x)=\dfrac{1}{x}$에 대하여 $\displaystyle\lim_{x\to1}\frac{f'(x)+1}{x-1}$의 값은?

① $\frac{1}{4}$ ② $\frac{1}{2}$ ③ 1
④ 2 ⑤ 4

0582 상중하 서술형

함수 $f(x)=xe^{ax+b}(a\neq0)$에 대하여 $f'(3)=4$, $f''(-2)=0$일 때, a^2+b^2의 값을 구하시오. (단, a, b는 상수)

유형 18 이계도함수 – 방정식으로 주어진 경우

개념 10

함수 $f(x)$의 도함수 $f'(x)$와 이계도함수 $f''(x)$를 포함한 등식이 주어질 때는
⇨ $f'(x)$, $f''(x)$를 각각 구하여 주어진 식에 대입한다.

0583 • 대표문제 •

함수 $f(x)=e^x \sin x$에 대하여 등식

$f''(x)=af'(x)+bf(x)$

가 x의 값에 관계없이 항상 성립할 때, a^2+b^2의 값은?

(단, a, b는 상수)

① 1 ② 5 ③ 8
④ 13 ⑤ 18

0584 상중하

함수 $f(x)=e^{-x}(\cos 2x+1)$에 대하여 $f'(0)+kf''(0)=0$일 때, 상수 k의 값을 구하시오.

0585 상중하

함수 $f(x)=\sqrt{3}\sin x-\cos x$에 대하여 $f''(x)=1$을 만족시키는 모든 x의 값의 합은? (단, $0 \le x \le 2\pi$)

① $\frac{2}{3}\pi$ ② π ③ $\frac{4}{3}\pi$
④ 3π ⑤ $\frac{10}{3}\pi$

발전 유형 19 n계도함수

개념 10

함수 $f(x)$의 n계도함수 $f^{(n)}(x)$를 구할 때는
⇨ $f^{(1)}(x)$, $f^{(2)}(x)$, $f^{(3)}(x)$, …를 차례로 구하여 $f^{(n)}(x)$를 추정한다.

0586 • 대표문제 •

함수 $f(x)=\cos x$의 n계도함수 $f^{(n)}(x)$에 대하여 $f^{(101)}\left(\frac{\pi}{3}\right)$의 값은?

① $-\frac{\sqrt{3}}{2}$ ② $-\frac{1}{2}$ ③ $\frac{1}{2}$
④ $\frac{\sqrt{3}}{2}$ ⑤ $\sqrt{3}$

0587 상중하

함수 $y=e^x(\sin x+\cos x)$의 n계도함수를 $y^{(n)}$이라 할 때, $y^{(3)}$은?

① $-4e^x \sin x$ ② $-4e^x \cos x$
③ $-2e^x(\sin x+\cos x)$ ④ $2e^x(\sin x-\cos x)$
⑤ $4e^x \cos x$

0588 상중하

함수 $f(x)=e^{\frac{x}{2}}$의 n계도함수 $f^{(n)}(x)$에 대하여 $F(x)=\sum_{n=1}^{\infty} f^{(n)}(x)$라 할 때, $F(4)$의 값은?

① $\frac{1}{2e^2}$ ② $\frac{1}{e^2}$ ③ $\frac{3}{e^2}$
④ $\frac{e^2}{2}$ ⑤ e^2

• 실제 학교 시험지처럼 풀어 보세요.

0589 | 유형 02 |

함수 $f(x)=\dfrac{x^2+a}{x+1}$에 대하여 방정식 $f'(x)=0$의 한 근이 2일 때, 다른 한 근은? (단, a는 상수) [4.4점]

① -4 ② -2 ③ 1
④ 4 ⑤ 8

0590 | 유형 04 |

$\sin\theta-\cos\theta=\dfrac{1}{2}$일 때, $\sec\theta\csc\theta$의 값은? [4.3점]

① $\dfrac{8}{5}$ ② 2 ③ $\dfrac{8}{3}$
④ 4 ⑤ 8

0591 | 유형 05 |

함수 $f(x)=\dfrac{1+\tan x}{\sec x}$에 대하여 $f'\left(\dfrac{\pi}{4}\right)$의 값은? [4.3점]

① 0 ② $\dfrac{\sqrt{2}}{2}$ ③ 1
④ $\sqrt{2}$ ⑤ $2\sqrt{2}$

0592 | 유형 06 |

함수 $f(x)=\sin(\tan 2x)$의 그래프 위의 점 $\left(\dfrac{\pi}{2}, 0\right)$에서의 접선의 기울기는? [4.4점]

① -2 ② -1 ③ 0
④ 1 ⑤ 2

0593 | 유형 07 |

미분가능한 함수 $f(x)$가 모든 실수 x에 대하여

$$f(4-x)=f(4+x),\ \lim_{x\to 3}\frac{f(x)-f(5)}{x-3}=1$$

을 만족시킬 때, $f'(5)$의 값은? [4.4점]

① -2 ② -1 ③ 0
④ 1 ⑤ 2

0594 | 유형 08 |

함수 $f(x)=\sin^2\dfrac{x}{2}$에 대하여 $\displaystyle\lim_{x\to 0}\frac{f'(x)}{x}$의 값은? [4.5점]

① -1 ② $-\dfrac{1}{2}$ ③ 0
④ $\dfrac{1}{2}$ ⑤ 1

0595 | 유형 09 |

함수 $f(x)=2^{4x}$에 대하여 $f'(a)=64\ln 2$를 만족시키는 상수 a의 값은? [4.3점]

① $\dfrac{1}{2}$ ② 1 ③ $\dfrac{3}{2}$
④ 2 ⑤ $\dfrac{5}{2}$

0596 | 유형 10 |

$x>-1$에서 정의된 미분가능한 함수 $f(x)$가 다음 조건을 모두 만족시킨다.

> (가) $f'(x)=e^x+f(x)$
> (나) $f(0)=0$

함수 $g(x)=\ln f'(x)$에 대하여 $g'(0)$의 값은? [4.5점]

① 0 ② 1 ③ 2 ④ e ⑤ $2e$

0597 | 유형 11 |

미분가능한 함수 $f(x)$에 대하여 $e^{f(x)}=\sqrt{\frac{1+\sin x}{1-\sin x}}$일 때, $f'\left(\frac{\pi}{3}\right)$의 값은? [4.7점]

① $\frac{1}{2}$ ② $\frac{\sqrt{3}}{3}$ ③ $\frac{\sqrt{3}}{2}$ ④ $\frac{2\sqrt{3}}{3}$ ⑤ 2

0598 | 유형 12 |

매개변수로 나타낸 함수

$$x=e^{2t}-e^{-2t},\ y=e^{2t}+e^{-2t}$$

에서 $t=\ln 3$일 때, $\frac{dy}{dx}$의 값은? [4.3점]

① $\frac{40}{41}$ ② $\frac{41}{42}$ ③ $\frac{42}{43}$ ④ $\frac{43}{44}$ ⑤ $\frac{44}{45}$

0599 | 유형 06 + 유형 14 |

두 함수 $f(x)=\sqrt{1-x^2}$, $g(x)=2\cos x$의 합성함수 $h(x)=f(g(x))$에 대하여 $h'\left(\frac{\pi}{2}\right)$의 값은? [4.5점]

① -2 ② -1 ③ 0 ④ 1 ⑤ 2

0600 | 유형 16 |

함수 $f(x)=(x^2+1)e^{-x}$의 역함수를 $g(x)$라 할 때, 곡선 $y=g(x)$ 위의 점 $(2e,\ -1)$에서의 접선의 기울기는? [4.5점]

① $-\frac{1}{4e}$ ② $-\frac{1}{2e}$ ③ -1 ④ $\frac{1}{2e}$ ⑤ $\frac{1}{4e}$

0601 | 유형 17 |

실수 전체의 집합에서 이계도함수를 갖는 함수 $f(x)$가 다음 조건을 모두 만족시킨다.

> (가) $f(1)=1$, $f'(1)=2$
> (나) $\lim_{x\to 1}\frac{f'(f(x))-2}{x-1}=4$

$f''(1)$의 값은? [4.9점]

① 1 ② 2 ③ 3 ④ 4 ⑤ 5

서술형 문제

• 풀이 과정에 점수가 부여되니 풀이 과정 및 정답을 상세하게 서술하세요.

단답형

0602 | 유형 10 |

$\lim_{x \to 0} \frac{1}{x} \ln \frac{e^x+e^{2x}+\cdots+e^{20x}}{20}$의 값을 구하시오. [7점]

0603 | 유형 13 |

곡선 $\sin(x+y)+\sin(x-y)=1$ 위의 점 $\left(\frac{\pi}{4}, \frac{\pi}{4}\right)$에서의 접선의 기울기를 구하시오. [6점]

0604 | 유형 16 |

함수 $f(x)=\ln(e^x-1)$의 역함수를 $g(x)$라 할 때, 양수 a에 대하여 $\frac{1}{f'(a)}+\frac{1}{g'(a)}$의 값을 구하시오. [7점]

단계형

0605 | 유형 02 |

함수 $f(x)=1+e^{-\ln x}+e^{-2\ln x}+\cdots+e^{-n\ln x}+\cdots$에 대하여 $4f(3)-f'(2)$의 값을 구하려고 한다. 다음 물음에 답하시오. (단, $x>1$) [10점]

(1) $f(x)$를 간단히 하시오. [5점]

(2) $f'(x)$를 구하시오. [3점]

(3) $4f(3)-f'(2)$의 값을 구하시오. [2점]

0606 | 유형 18 |

이계도함수를 갖는 두 함수 $f(x)$, $g(x)$가

$$f''(x)+g''(x)+g(x)=e^{-x},$$
$$f''(x)+g''(x)-f(x)=2e^x$$

을 만족시킬 때, $f(1)+2g'(1)$의 값을 구하려고 한다. 다음 물음에 답하시오. [12점]

(1) $f(x)+g(x)$를 구하시오. [3점]

(2) $f(x)$, $g(x)$를 각각 구하시오. [6점]

(3) $f(1)+2g'(1)$의 값을 구하시오. [3점]

성/취/도 Check 점수 / 100점

50점 STEP 1 개념+기본 문제 학습

STEP 2 유형 대표 문제 학습

STEP 3의 틀린 문제에 해당하는 STEP 2 유형 학습

STEP 3의 틀린 문제 복습

교과서 속 심화문제 시작

» 정답과 해설 83쪽

0607

함수 $f(x)=\lim_{t\to x}\frac{t\cos x-x\cos t}{t^2-x^2}$에 대하여 $f'(\pi)$의 값이 $a+\frac{b}{\pi^2}$일 때, $a+b$의 값을 구하시오. (단, a, b는 유리수)

0608

미분가능한 함수 $f(x)$가 모든 실수 x에 대하여 $f(4^x-2^x+3)=2^x+5$를 만족시킬 때, $f'(3)$의 값을 구하시오.

0609

두 함수 $f(x)=3^x$, $g(x)=\ln(x+1)$에 대하여 다음 보기 중 옳은 것을 있는 대로 고른 것은?

보기

ㄱ. $\lim_{x\to 0}\frac{f(x)+g(x)-1}{x}=\ln 3e$

ㄴ. $\lim_{x\to 0}\frac{g(f(x))-\ln 2}{x}=\ln\sqrt{3}$

ㄷ. $\lim_{x\to 0}\frac{\{f(g(x))\}^2-1}{x}=\ln 9$

① ㄱ ② ㄴ ③ ㄱ, ㄴ
④ ㄱ, ㄷ ⑤ ㄱ, ㄴ, ㄷ

0610 융합형

미분가능한 함수 $f(x)$의 역함수 $g(x)$에 대하여

$$h(x)=\sqrt{x^2+1}\,\{g(x)\}^2+(x+1)g(x)$$

이다. $f(h(x))=x$일 때, $f'(a)=-2\sqrt{2}$가 되도록 하는 양수 a의 값을 구하시오.

0611

매개변수로 나타낸 함수

$$x=2t-\sin t,\ y=3-\cos 2t$$

에 대하여 $t=0$일 때, $\frac{d^2y}{dx^2}$의 값은?

① -3 ② $-\frac{1}{2}$ ③ 0
④ 1 ⑤ 4

6

도함수의 활용(1)

자신감은 성공으로 이끄는
제1의 비결이다.
- 에디슨

기출 문제 분석

빅 데이터

＊ 전국 300여 개 고등학교 기출 문제를 분석하였습니다.

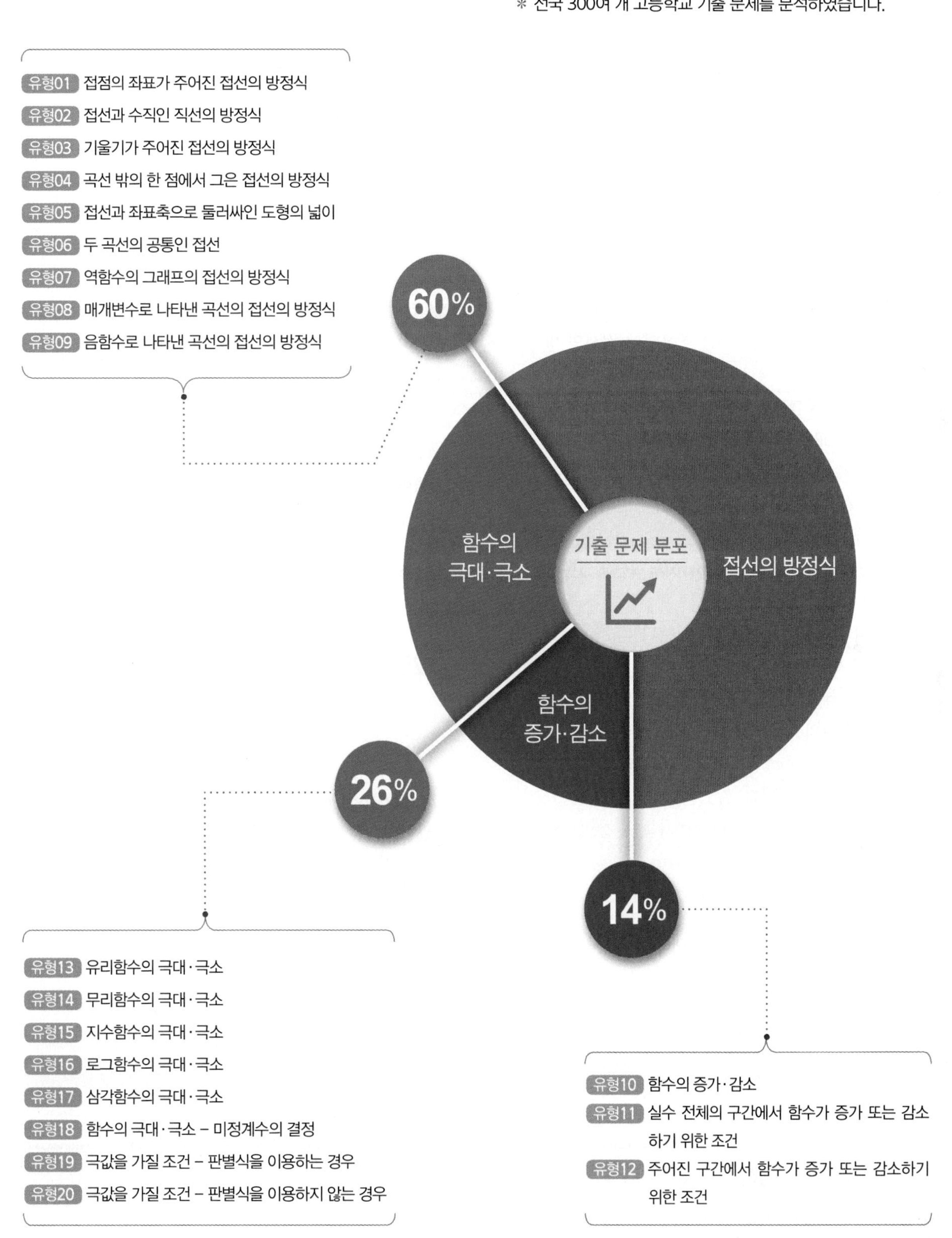

유형01 접점의 좌표가 주어진 접선의 방정식
유형02 접선과 수직인 직선의 방정식
유형03 기울기가 주어진 접선의 방정식
유형04 곡선 밖의 한 점에서 그은 접선의 방정식
유형05 접선과 좌표축으로 둘러싸인 도형의 넓이
유형06 두 곡선의 공통인 접선
유형07 역함수의 그래프의 접선의 방정식
유형08 매개변수로 나타낸 곡선의 접선의 방정식
유형09 음함수로 나타낸 곡선의 접선의 방정식
60%
함수의
극대·극소
기출 문제 분포
접선의 방정식
함수의
증가·감소
26%
14%
유형13 유리함수의 극대·극소
유형14 무리함수의 극대·극소
유형15 지수함수의 극대·극소
유형16 로그함수의 극대·극소
유형17 삼각함수의 극대·극소
유형18 함수의 극대·극소 – 미정계수의 결정
유형19 극값을 가질 조건 – 판별식을 이용하는 경우
유형20 극값을 가질 조건 – 판별식을 이용하지 않는 경우
유형10 함수의 증가·감소
유형11 실수 전체의 구간에서 함수가 증가 또는 감소
하기 위한 조건
유형12 주어진 구간에서 함수가 증가 또는 감소하기
위한 조건

01 접선의 방정식 유형 01~07

(1) 접선의 방정식

함수 $f(x)$가 $x=a$에서 미분가능할 때, 곡선 $y=f(x)$ 위의 점 $\mathrm{P}(a, f(a))$에서의 접선의 방정식은

$$\boldsymbol{y-f(a)=f'(a)(x-a)}$$

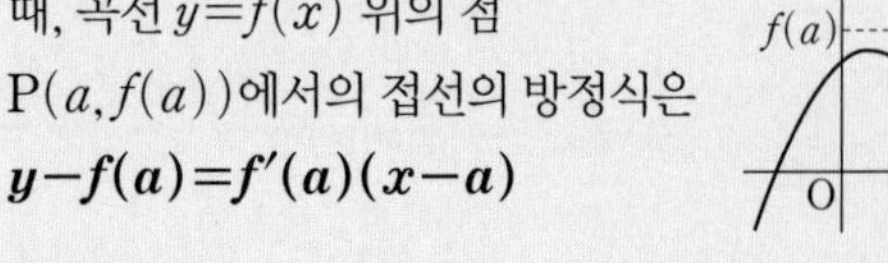

참고 곡선 $y=f(x)$ 위의 점 $(a, f(a))$를 지나고 이 점에서의 접선에 수직인 직선의 방정식은

$$y-f(a)=-\frac{1}{f'(a)}(x-a) \text{ (단, } f'(a)\neq 0)$$

(2) 접선의 방정식을 구하는 방법

① **곡선 $y=f(x)$ 위의 점 $(a, f(a))$에서의 접선의 방정식**

(i) 접선의 기울기 $f'(a)$를 구한다.

(ii) $y-f(a)=f'(a)(x-a)$를 이용하여 접선의 방정식을 구한다.

② **곡선 $y=f(x)$에 접하고 기울기가 m인 접선의 방정식**

(i) 접점의 좌표를 $(a, f(a))$로 놓는다.

(ii) $f'(a)=m$임을 이용하여 접점의 좌표를 구한다.

(iii) $y-f(a)=m(x-a)$를 이용하여 접선의 방정식을 구한다.

③ **곡선 $y=f(x)$ 밖의 한 점 (x_1, y_1)에서 곡선에 그은 접선의 방정식**

(i) 접점의 좌표를 $(a, f(a))$로 놓는다.

(ii) 접선의 기울기 $f'(a)$를 구한다.

(iii) $y-f(a)=f'(a)(x-a)$에 점 (x_1, y_1)의 좌표를 대입하여 a의 값을 구한다.

(iv) a의 값을 $y-f(a)=f'(a)(x-a)$에 대입하여 접선의 방정식을 구한다.

참고 두 곡선 $y=f(x)$, $y=g(x)$가 $x=a$인 점에서 공통인 접선을 가지면 $f(a)=g(a)$, $f'(a)=g'(a)$

[0612~0617] 다음 곡선 위의 주어진 점에서의 접선의 방정식을 구하시오.

0612 $y=\dfrac{1}{x+1}$ $(0, 1)$

0613 $y=\sqrt{2x-1}$ $(5, 3)$

0614 $y=e^x$ $(1, e)$

0615 $y=\ln(x+1)$ $(0, 0)$

0616 $y=\sin x$ $\left(\dfrac{\pi}{2}, 1\right)$

0617 $y=\cos 2x$ $\left(\dfrac{\pi}{4}, 0\right)$

0618 곡선 $y=3x-x\ln x$ 위의 점 $(e, 2e)$를 지나고, 이 점에서의 접선에 수직인 직선의 방정식을 구하시오.

[0619~0620] 다음 곡선에 접하고 기울기가 2인 접선의 방정식을 구하시오.

0619 $y=-\dfrac{2}{x+1}$ $(x>-1)$

0620 $y=4\sqrt{x}$

[0621~0623] 다음 곡선에 접하고 기울기가 1인 접선의 방정식을 구하시오.

0621 $y=e^{x+1}$

0622 $y=\ln(2x+1)$

0623 $y=\cos x$ $(0\le x\le 2\pi)$

핵심 Check

- 접점의 좌표가 주어지면 → 접선의 기울기를 구한다.
- 접선의 기울기가 주어지면 → 접점의 좌표를 구한다.
- 곡선 밖의 한 점이 주어지면 → 접점의 좌표를 구한다.

[0624~0627] 주어진 점에서 다음 곡선에 그은 접선의 방정식을 구하시오.

0624 $y=\frac{1}{x}$ $(1, 0)$

0625 $y=\sqrt{x+1}$ $(-2, 0)$

0626 $y=e^{-x}$ $(-1, 0)$

0627 $y=\ln x$ $(0, 0)$

02 매개변수로 나타낸 곡선의 접선의 방정식 유형 08

매개변수로 나타낸 곡선 $\begin{cases} x=f(t) \\ y=g(t) \end{cases}$에서 $t=a$에 대응하는 점에서의 접선의 방정식은

(i) $\frac{g'(t)}{f'(t)}$를 구한다.

(ii) $f(a), g(a), \frac{g'(a)}{f'(a)}$의 값을 구한다.

(iii) (ii)에서 구한 값을 $y-g(a)=\frac{g'(a)}{f'(a)}\{x-f(a)\}$에 대입하여 접선의 방정식을 구한다.

0628 매개변수로 나타낸 곡선 $\begin{cases} x=t^2 \\ y=t+\frac{1}{t} \end{cases}$에 대하여 다음을 구하시오.

(1) $\frac{dy}{dx}$

(2) $t=\frac{1}{2}$에서의 x, y의 값과 접선의 기울기

(3) $t=\frac{1}{2}$에 대응하는 점에서의 접선의 방정식

03 음함수로 나타낸 곡선의 접선의 방정식 유형 09

곡선 $f(x, y)=0$ 위의 점 (a, b)에서의 접선의 방정식은

(i) 음함수의 미분법을 이용하여 $\frac{dy}{dx}$를 구한다.

(ii) (i)에서 구한 $\frac{dy}{dx}$에 $x=a, y=b$를 대입하여 접선의 기울기 m을 구한다.

(iii) (ii)에서 구한 m의 값을 $y-b=m(x-a)$에 대입하여 접선의 방정식을 구한다.

0629 곡선 $x^2-2x-3y+y^2=1$에 대하여 다음을 구하시오.

(1) $\frac{dy}{dx}$

(2) 주어진 곡선 위의 점 $(3, 1)$에서의 접선의 기울기

(3) 주어진 곡선 위의 점 $(3, 1)$에서의 접선의 방정식

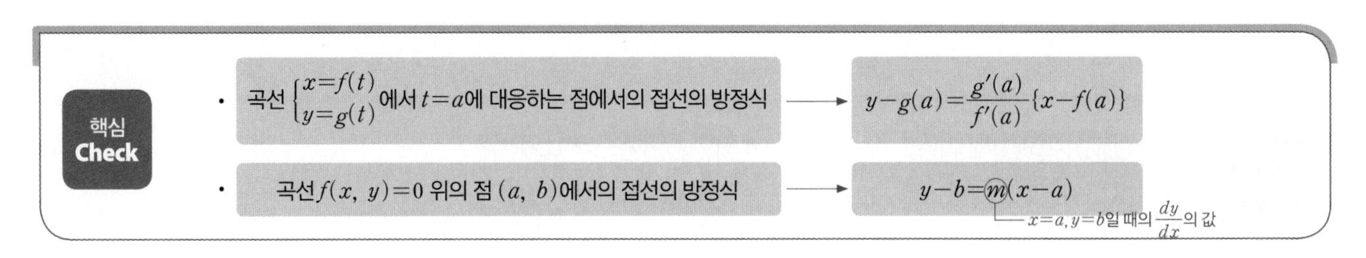

핵심 Check
• 곡선 $\begin{cases} x=f(t) \\ y=g(t) \end{cases}$에서 $t=a$에 대응하는 점에서의 접선의 방정식 → $y-g(a)=\frac{g'(a)}{f'(a)}\{x-f(a)\}$
• 곡선 $f(x, y)=0$ 위의 점 (a, b)에서의 접선의 방정식 → $y-b=m(x-a)$
$x=a, y=b$일 때의 $\frac{dy}{dx}$의 값

04 함수의 증가·감소

유형 10~12

(1) 함수의 증가·감소

함수 $f(x)$가 어떤 구간에 속하는 임의의 두 실수 x_1, x_2에 대하여

① $x_1<x_2$일 때 $f(x_1)<f(x_2)$이면 $f(x)$는 그 구간에서 증가한다고 한다.

② $x_1<x_2$일 때 $f(x_1)>f(x_2)$이면 $f(x)$는 그 구간에서 감소한다고 한다.

증가

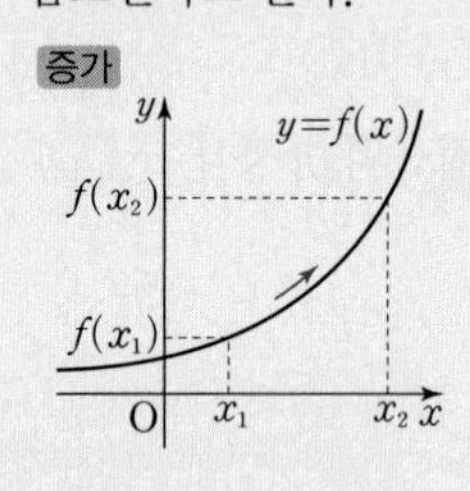

감소

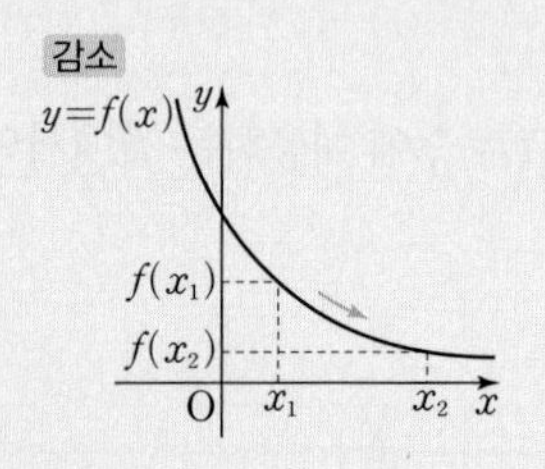

(2) 함수의 증가·감소의 판정

함수 $f(x)$가 어떤 구간에서 미분가능하고 그 구간에 속하는 모든 x에 대하여

① $f'(x)>0$이면 $f(x)$는 그 구간에서 증가한다.

② $f'(x)<0$이면 $f(x)$는 그 구간에서 감소한다.

주의 일반적으로 위의 역은 성립하지 않는다. 예를 들어 함수 $f(x)=x^3$은 구간 $(-\infty, \infty)$에서 증가하지만 $f'(x)=3x^2$에서 $f'(0)=0$이다.

참고 함수 $f(x)$가 어떤 구간에서 미분가능하고 그 구간에서
① $f(x)$가 증가하면 ⇨ $f'(x)\ge 0$
② $f(x)$가 감소하면 ⇨ $f'(x)\le 0$

0630 다음은 함수 $f(x)=xe^x$의 증가, 감소를 조사하는 과정이다. (가)~(라)에 알맞은 것을 써넣으시오.

$f(x)=xe^x$에서 $f'(x)=$ (가)
$f'(x)=0$에서 $x=$ (나)

x	$\cdots$	(나)	$\cdots$
$f'(x)$	$-$	0	$+$
$f(x)$	↘		↗

따라서 함수 $f(x)$는 구간 $(-\infty,$ (나) $]$에서 (다) 하고,
구간 $[$ (나) $, \infty)$에서 (라) 한다.

[0631~0634] 다음 함수의 증가, 감소를 조사하시오.

0631 $f(x)=x+\dfrac{1}{x}$

0632 $f(x)=\dfrac{-3x+4}{x^2+1}$

0633 $f(x)=\sqrt{x^2+2x+2}$

0634 $f(x)=\dfrac{3}{\sqrt{x^2+2}}$

[0635~0638] 다음 함수의 증가, 감소를 조사하시오.

0635 $f(x)=e^x-x$

0636 $f(x)=x^2e^x$

0637 $f(x)=x-\ln x$

0638 $f(x)=\dfrac{\ln x}{x}$

[0639~0641] 다음 함수의 증가, 감소를 조사하시오.

0639 $f(x)=1+\cos x\ (0<x<2\pi)$

0640 $f(x)=\sin x+\cos x\ (0<x<\pi)$

0641 $f(x)=\tan x-x\ \left(-\dfrac{\pi}{2}<x<\dfrac{\pi}{2}\right)$

핵심 Check

• 미분가능한 함수 $f(x)$의 증가와 감소 — 어떤 구간에서 — $f'(x)>0$ → 증가 / $f'(x)<0$ → 감소

05 함수의 극대·극소 유형 13~20

(1) 함수의 극대·극소

함수 $f(x)$가 $x=a$를 포함하는 어떤 열린구간에 속하는 모든 x에 대하여

① $f(x)\le f(a)$이면 함수 $f(x)$는 $x=a$에서 극대라 하고, $f(a)$를 극댓값이라 한다.

② $f(x)\ge f(a)$이면 함수 $f(x)$는 $x=a$에서 극소라 하고, $f(a)$를 극솟값이라 한다.

이때, 극댓값과 극솟값을 통틀어 극값이라 한다.

참고 • 함수 $f(x)$가 $x=a$에서 연속일 때, $x=a$의 좌우에서
① $f(x)$가 증가하다가 감소하면 $f(x)$는 $x=a$에서 극대이다.
② $f(x)$가 감소하다가 증가하면 $f(x)$는 $x=a$에서 극소이다.
• 하나의 함수에서 여러 개의 극값이 존재할 수 있으며 극댓값이 극솟값보다 반드시 큰 것은 아니다.

(2) 도함수를 이용한 함수의 극대·극소의 판정

함수 $f(x)$가 미분가능하고 $f'(a)=0$일 때, $x=a$의 좌우에서 $f'(x)$의 부호가

① 양(+)에서 음(−)으로 바뀌면 $f(x)$는 $x=a$에서 극대이고, 극댓값 $f(a)$를 갖는다.

② 음(−)에서 양(+)으로 바뀌면 $f(x)$는 $x=a$에서 극소이고, 극솟값 $f(a)$를 갖는다.

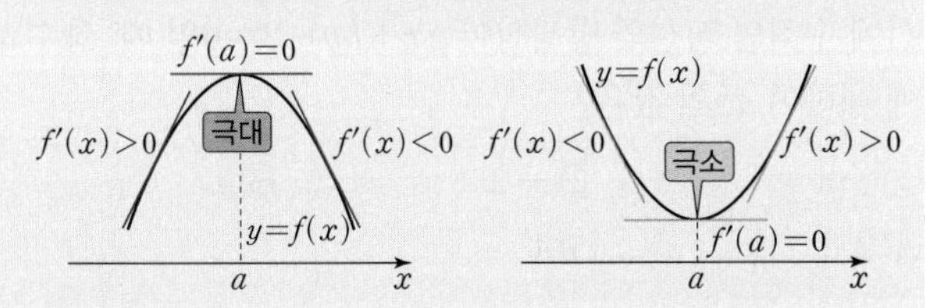

참고 • 함수 $f(x)$가 $x=a$에서 미분가능하고 $x=a$에서 극값을 가지면 $f'(a)=0$이다.
• 함수 $f(x)$가 $x=a$에서 극값을 가져도 $f'(a)$가 존재하지 않을 수 있다.

(3) 이계도함수를 이용한 함수의 극대·극소의 판정

이계도함수를 갖는 함수 $f(x)$에 대하여 $f'(a)=0$일 때

① $f''(a)<0$이면 $f(x)$는 $x=a$에서 극대이다.

② $f''(a)>0$이면 $f(x)$는 $x=a$에서 극소이다.

참고 $f'(a)=0$, $f''(a)=0$이면 함수 $f(x)$가 $x=a$에서 극값을 갖는지 판정할 수 없다.

[0642~0646] 증감표를 이용하여 다음 함수의 극값을 구하시오.

0642 $f(x)=\dfrac{-x^2+2}{x^2+1}$

0643 $f(x)=\sqrt{2x^2+1}$

0644 $f(x)=x-e^{x-2}$

0645 $f(x)=x\ln x$

0646 $f(x)=x+2\sin x\ (0<x<\pi)$

0647 함수 $f(x)=x^3-3x^2+1$에 대하여 다음을 구하시오.

(1) $f'(x)$, $f''(x)$

(2) $f'(x)=0$인 x의 값에서의 $f''(x)$의 부호

(3) 함수 $f(x)$의 극값

[0648~0650] 이계도함수를 이용하여 다음 함수의 극값을 구하시오.

0648 $f(x)=x^2\ln x$

0649 $f(x)=x-2\sin x\ (0<x<2\pi)$

0650 $f(x)=e^{\sin x}\ (0<x<2\pi)$

핵심 Check

• 미분가능한 함수 $f(x)$의 극대와 극소 —($f'(a)=0$일 때)→ $x=a$의 좌우에서 $f'(x)$의 부호의 변화 조사 / $f''(a)$의 부호 조사

STEP 2 유형 마스터

★중요

개념 해결의 법칙 135쪽 유형 01

유형 01 접점의 좌표가 주어진 접선의 방정식

개념 01

곡선 $y=f(x)$ 위의 점 $(a, f(a))$가 주어질 때
(i) 접선의 기울기 $f'(a)$를 구한다.
(ii) $y-f(a)=f'(a)(x-a)$를 이용하여 접선의 방정식을 구한다.

0651 • 대표문제 •

곡선 $y=e^{-x^2+x}$ 위의 점 $(1, 1)$에서의 접선의 방정식이 $y=ax+b$일 때, 상수 a, b에 대하여 a^2+b^2의 값은?

① 1　② 2　③ 3
④ 4　⑤ 5

0652 상중하

곡선 $y=x\ln x-x$ 위의 x좌표가 e^2인 점에서의 접선의 방정식을 구하시오.

0653 상중하

곡선 $y=\sin x+2\cos x$ 위의 x좌표가 π인 점에서의 접선이 점 (k, π)를 지날 때, k의 값을 구하시오.

0654 상중하

곡선 $y=\sin x$ 위의 점 $(t, \sin t)$에서의 접선의 x절편을 $f(t)$라 할 때, $\lim_{t\to 0}\frac{f(t)}{t}$의 값은?

① -2　② -1　③ 0
④ 1　⑤ 2

개념 해결의 법칙 135쪽 유형 01

유형 02 접선과 수직인 직선의 방정식

개념 01

곡선 $y=f(x)$ 위의 점 $(a, f(a))$를 지나고 이 점에서의 접선에 수직인 직선의 방정식은
⇨ $y-f(a)=-\frac{1}{f'(a)}(x-a)$

0655 • 대표문제 •

곡선 $y=\sqrt{2x+3}+a$ 위의 $x=-1$인 점을 지나고 이 점에서의 접선에 수직인 직선의 y절편이 1일 때, 상수 a의 값을 구하시오.

0656 상중하

곡선 $y=2\ln(x-1)$ 위의 점 $(2, 0)$을 지나고 이 점에서의 접선에 수직인 직선의 방정식이 $ax+by-2=0$일 때, 상수 a, b에 대하여 ab의 값은?

① -4　② -2　③ 1
④ 2　⑤ 4

0657 상중하 서술형

곡선 $y=\sin 3x$ 위의 점 $(t, \sin 3t)$를 지나고 이 점에서의 접선에 수직인 직선의 y절편을 $g(t)$라 할 때, $g(\pi)$의 값을 구하시오.

중요

개념 해결의 법칙 136쪽 유형 02

유형 03 기울기가 주어진 접선의 방정식

개념 01

(1) 곡선 $y=f(x)$의 접선의 기울기 m이 주어질 때
 (i) 접점의 좌표를 $(a, f(a))$로 놓는다.
 (ii) $f'(a)=m$임을 이용하여 접점의 좌표를 구한다.
 (iii) $y-f(a)=m(x-a)$를 이용하여 접선의 방정식을 구한다.

(2) 기울기가 직접적으로 주어지지 않은 경우
 ① 평행한 두 직선은 기울기가 서로 같고, 수직인 두 직선은 기울기의 곱이 -1이다.
 ② 직선이 x축의 양의 방향과 이루는 각의 크기 $\theta(0°\le\theta<90°)$가 주어지면 (기울기)$=\tan\theta$임을 이용한다.

0658 • 대표문제 •

곡선 $y=x\ln x+x$에 접하고 직선 $x+2y+2=0$에 수직인 직선의 방정식을 $y=ax+b$라 할 때, 상수 a, b에 대하여 $a-b$의 값을 구하시오.

0659 상중하

두 직선 $y=-2x+a$, $y=-2x+b$가 곡선 $y=\dfrac{2}{x-2}$에 접할 때, 상수 a, b에 대하여 ab의 값을 구하시오.

0660 상중하

곡선 $y=\cos^2 x(0\le x\le\pi)$에 접하고, 직선 $y=-x+1$에 평행한 직선의 방정식은?

① $y=-x+1+\dfrac{\pi}{4}$ ② $y=-x+1+\dfrac{\pi}{2}$ ③ $y=-x+\dfrac{1}{2}+\dfrac{\pi}{4}$ ④ $y=-x+\dfrac{1}{2}+\dfrac{\pi}{2}$ ⑤ $y=-x+1-\dfrac{\pi}{4}$

0661 상중하

곡선 $y=e^{2x}+ax$가 x축과 접할 때, 상수 a의 값은?

① $-2e$ ② $-2\sqrt{e}$ ③ $\sqrt{e}$ ④ $2\sqrt{e}$ ⑤ $2e$

0662 상중하

곡선 $y=ke^{x-1}$과 직선 $y=2x$가 $x=a$에서 서로 접할 때, $4a+k^2$의 값은? (단, k는 상수)

① 2 ② 4 ③ 6 ④ 8 ⑤ 10

0663 상중하

오른쪽 그림과 같이 곡선 $y=\ln x$ 위를 움직이는 점 P와 두 점 $\mathrm{A}(-2, 0)$, $\mathrm{B}(0, 2)$를 꼭짓점으로 하는 삼각형 ABP의 넓이의 최솟값을 구하시오.

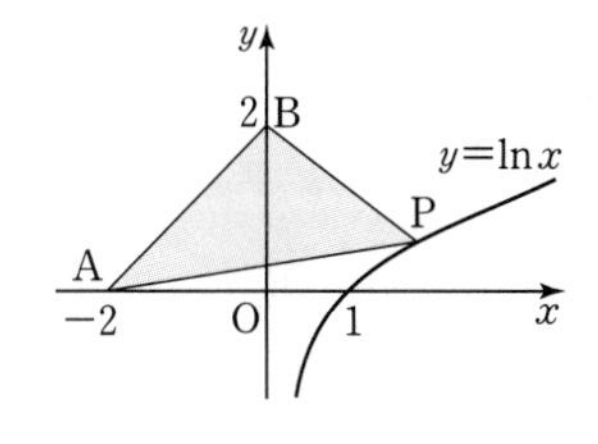

0664 상중하

곡선 $y=\sin x-\cos x(0<x<\pi)$에 접하는 직선이 x축의 양의 방향과 이루는 각의 크기가 45°일 때, 이 직선의 x절편을 구하시오.

개념 해결의 법칙 137쪽 유형 03

유형 04 곡선 밖의 한 점에서 그은 접선의 방정식

개념 01

곡선 $y=f(x)$ 밖의 한 점 (x_1, y_1)이 주어질 때
(i) 접점의 좌표를 $(a, f(a))$로 놓는다.
(ii) $y-f(a)=f'(a)(x-a)$에 점 (x_1, y_1)의 좌표를 대입하여 a의 값을 구한다.
(iii) a의 값을 $y-f(a)=f'(a)(x-a)$에 대입하여 접선의 방정식을 구한다.

0665 • 대표문제 •

점 $(0, 0)$에서 곡선 $y=\frac{e^x}{x}$에 그은 접선이 점 $\left(k, \frac{e}{2}\right)$를 지날 때, k의 값은?

① e ② $\frac{e}{2}$ ③ $\frac{1}{e}$
④ $\frac{2}{e}$ ⑤ $\frac{4}{e}$

0666 상중하

점 $(3, 3)$에서 곡선 $y=\frac{x}{x+1}$에 그은 두 접선의 기울기를 각각 m_1, m_2라 할 때, m_1+m_2의 값은?

① $\frac{1}{4}$ ② $\frac{3}{8}$ ③ $\frac{4}{9}$
④ $\frac{2}{3}$ ⑤ $\frac{5}{4}$

0667 상중하

점 $(1, 0)$에서 곡선 $y=\frac{x}{\sqrt{x^2+1}}$에 그은 접선의 y절편은?

① $-\sqrt{2}$ ② $-\frac{\sqrt{2}}{2}$ ③ $-\frac{\sqrt{2}}{4}$
④ $\frac{\sqrt{2}}{4}$ ⑤ $\frac{\sqrt{2}}{2}$

0668 상중하

점 $(-1, 0)$에서 곡선 $y=xe^{-x}$에 그은 두 접선의 기울기의 곱은?

① $-2e$ ② $-e$ ③ e
④ $2e$ ⑤ $3e$

0669 상중하

오른쪽 그림과 같이 원점에서 두 곡선 $y=e^x$, $y=\ln x$에 접선을 그어 두 접선이 이루는 예각의 크기를 θ라 할 때, $\tan\theta$의 값을 구하시오.

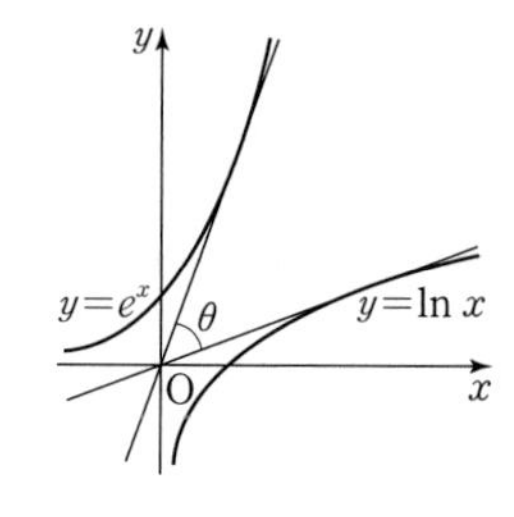

유형 04 Plus 곡선 밖의 한 점에서 그은 접선의 개수

0670~0671
(i) 접점의 좌표를 $(a, f(a))$로 놓고 접선의 방정식을 세운다.
(ii) (i)의 방정식에 곡선 밖의 점의 좌표를 대입하여 a에 대한 방정식을 세운다.
(iii) (ii)의 방정식에서 실근의 개수를 이용하여 접선의 개수를 구한다.

0670 상중하

점 $(2, 1)$에서 곡선 $y=x+\frac{4}{x}$에 그을 수 있는 접선의 개수를 구하시오.

0671 상중하

점 $(a, 0)$에서 곡선 $y=xe^x$에 서로 다른 두 개의 접선을 그을 수 있을 때, 양의 정수 a의 최솟값은?

① 1 ② 2 ③ 3
④ 4 ⑤ 5

유형 05 접선과 좌표축으로 둘러싸인 도형의 넓이 개념 01

(i) 접선의 방정식을 구한다.
(ii) x절편과 y절편을 찾아 도형의 넓이를 구한다.

0672 • 대표문제 •

곡선 $y=x^2\ln x$ 위의 점 (e, e^2)에서의 접선 및 x축, y축으로 둘러싸인 도형의 넓이는?

① e ② e^2 ③ $\frac{1}{3}e^3$
④ $\frac{2}{3}e^3$ ⑤ e^3

0673 상중하

곡선 $y=e^{3-x}$에 접하고 기울기가 -1인 직선이 x축, y축과 만나는 점을 각각 P, Q라 할 때, 삼각형 OPQ의 넓이는? (단, O는 원점)

① 2 ② 4 ③ 6
④ 8 ⑤ 10

0674 상중하 서술형

오른쪽 그림과 같이 원점에서 곡선 $y=\ln\frac{x}{2}+1$에 그은 접선의 접점을 P, 점 P를 지나고 접선에 수직인 직선이 x축과 만나는 점을 Q라 할 때, 삼각형 POQ의 넓이를 구하시오.

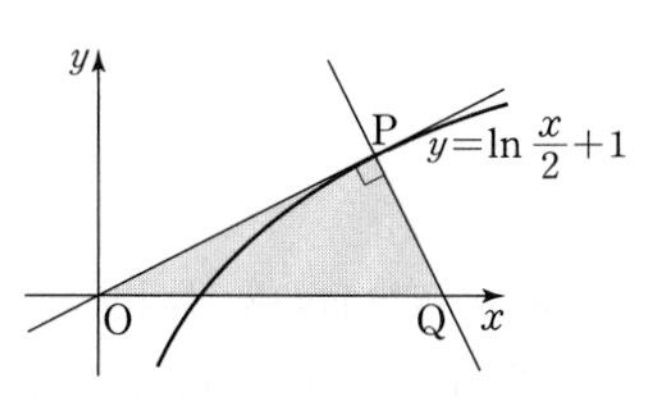

유형 06 두 곡선의 공통인 접선 개념 01

두 곡선 $y=f(x)$, $y=g(x)$가 $x=t$에서 공통인 접선을 가지면
(1) $x=t$에서 두 곡선이 만난다. ⇨ $f(t)=g(t)$
(2) $x=t$에서의 두 곡선의 접선의 기울기가 같다. ⇨ $f'(t)=g'(t)$

0675 • 대표문제 •

두 곡선 $y=ax^3$과 $y=\ln x$가 한 점에서 접할 때, 상수 a의 값은?

① $-\frac{1}{e}$ ② $-\frac{1}{2e}$ ③ $-\frac{1}{3e}$
④ $\frac{1}{3e}$ ⑤ $\frac{1}{2e}$

0676 상중하

두 곡선 $y=\frac{1}{x^2}-x+2$, $y=x^2+ax+2b$가 $x=1$에서 공통인 접선을 가질 때, 상수 a, b에 대하여 $a+b$의 값은?

① -2 ② 0 ③ 2
④ 4 ⑤ 6

0677 상중하

두 곡선 $y=\sin^2 x-a$, $y=\cos x$가 $x=t$에서 공통인 접선을 가질 때, 상수 a의 값을 구하시오. (단, $0<t<\pi$)

유형 07 역함수의 그래프의 접선의 방정식

개념 01

함수 $f(x)$의 역함수를 $g(x)$라 할 때, 곡선 $y=g(x)$ 위의 $x=a$인 점에서의 접선의 방정식은

(i) $f(b)=a$를 만족시키는 b의 값을 구한다.

(ii) $g'(a)=\frac{1}{f'(g(a))}=\frac{1}{f'(b)}$임을 이용하여 접선의 기울기를 구한다.

(iii) $y-b=g'(a)(x-a)$에 대입하여 접선의 방정식을 구한다.

0678 • 대표문제 •

함수 $f(x)=\tan x\left(-\frac{\pi}{2}<x<\frac{\pi}{2}\right)$의 역함수 $g(x)$에 대하여 곡선 $y=g(x)$ 위의 x좌표가 -1인 점에서의 접선의 x절편이 $a+b\pi$일 때, $a+2b$의 값은? (단, a, b는 유리수)

① -2 ② -1 ③ 0 ④ 1 ⑤ 2

0679 상중하

함수 $f(x)=\sqrt{x+3}$의 역함수를 $g(x)$라 할 때, 곡선 $y=g(x)$ 위의 $x=2$인 점에서의 접선의 방정식은?

① $y=\frac{1}{4}x-\frac{1}{2}$ ② $y=\frac{1}{4}x+\frac{1}{2}$ ③ $y=x-7$ ④ $y=4x-7$ ⑤ $y=4x+7$

0680 상중하

함수 $f(x)=e^{x-2}$의 역함수를 $g(x)$라 할 때, 곡선 $y=g(x)$ 위의 $x=1$인 점에서의 접선의 y절편은?

① $-\frac{1}{2}$ ② $-\frac{1}{3}$ ③ $\frac{1}{3}$ ④ $\frac{1}{2}$ ⑤ 1

개념 해결의 법칙 138쪽 유형 04

유형 08 매개변수로 나타낸 곡선의 접선의 방정식

개념 02

매개변수로 나타낸 곡선 $x=f(t)$, $y=g(t)$에서 $t=a$에 대응하는 점에서의 접선의 방정식은

(i) $\frac{g'(t)}{f'(t)}$를 구한다.

(ii) $f(a)$, $g(a)$, $\frac{g'(a)}{f'(a)}$의 값을 구한다.

(iii) (ii)에서 구한 값을 $y-g(a)=\frac{g'(a)}{f'(a)}\{x-f(a)\}$에 대입하여 접선의 방정식을 구한다.

0681 • 대표문제 •

매개변수로 나타낸 곡선 $x=\frac{t}{1+t^2}$, $y=\frac{t^2}{1+t^2}$에 대하여 $t=2$에 대응하는 점에서의 접선의 y절편을 구하시오.

0682 상중하

매개변수로 나타낸 곡선 $x=1-2t$, $y=3-2t+t^2$에 대하여 $x=5$인 점에서의 접선의 x절편은?

① $\frac{1}{3}$ ② $\frac{2}{3}$ ③ 1 ④ $\frac{4}{3}$ ⑤ $\frac{5}{3}$

0683 상중하

매개변수로 나타낸 곡선 $x=\cos^3\theta$, $y=\sin^3\theta$에 대하여 $\theta=\frac{\pi}{3}$에 대응하는 점에서의 접선의 방정식이 $y=ax+b$일 때, 상수 a, b에 대하여 $2ab$의 값을 구하시오.

0684 상중하

매개변수로 나타낸 곡선 $x=e^{at}$, $y=e^{-at}$에 대하여 $t=\ln 2$에 대응하는 점에서의 접선의 방정식이 $y=-\frac{1}{16}x+\frac{1}{2}$일 때, 상수 a의 값은?

① -2　② $-\frac{1}{2}$　③ 1
④ 2　⑤ 4

0685 상중하

매개변수로 나타낸 곡선 $x=\frac{t-1}{t}$, $y=\frac{t}{t+1}$에 대하여 $t=1$에 대응하는 점 P에서의 접선이 x축과 만나는 점을 Q라 할 때, 삼각형 OPQ의 넓이를 구하시오. (단, O는 원점)

0686 상중하

매개변수로 나타낸 곡선 $x=\cos\theta$, $y=2\sin\theta\,(0\le\theta<\pi)$ 위의 점 $\mathrm{P}(a, b)$에서의 접선의 기울기는 -2이다. 이 접선이 x축, y축과 만나는 점을 각각 A, B라 할 때, 삼각형 OAB의 넓이는? (단, O는 원점)

① $\frac{1}{2}$　② $\frac{\sqrt{2}}{2}$　③ 1
④ $\sqrt{2}$　⑤ 2

개념 해결의 법칙 139쪽 유형 05

유형 09 음함수로 나타낸 곡선의 접선의 방정식

개념 03

곡선 $f(x, y)=0$ 위의 점 (a, b)에서의 접선의 방정식은

(i) 음함수의 미분법을 이용하여 $\frac{dy}{dx}$를 구한다.

(ii) (i)에서 구한 $\frac{dy}{dx}$에 $x=a$, $y=b$를 대입하여 접선의 기울기 m을 구한다.

(iii) (ii)에서 구한 m의 값을 $y-b=m(x-a)$에 대입하여 접선의 방정식을 구한다.

0687 • 대표문제 •

곡선 $x^3+y^3-5xy+1=0$ 위의 점 $(1, 2)$에서의 접선의 x절편을 구하시오.

0688 상중하

다음 중 곡선 $x\cos y+y\cos x+2\pi=0$ 위의 점 (π, π)에서의 접선 위의 점은?

① $(0, 2\pi)$　② $(0, -2\pi)$　③ $\left(\frac{\pi}{2}, 0\right)$
④ $(-\pi, 0)$　⑤ $(-2\pi, 0)$

0689 상중하 서술형

곡선 $x^2+2ye^x+y^2-3=0$ 위의 점 $(0, 1)$에서의 접선이 x축과 만나는 점의 좌표가 $(a, 0)$일 때, a의 값을 구하시오.

0690 상중하

오른쪽 그림과 같이 곡선 $\sqrt{x}+\sqrt{y}=2$ 위의 점 $(1, 1)$에서의 접선이 x축, y축과 만나는 점을 각각 A, B라 하자. 이때, 삼각형 OAB의 넓이를 구하시오. (단, O는 원점)

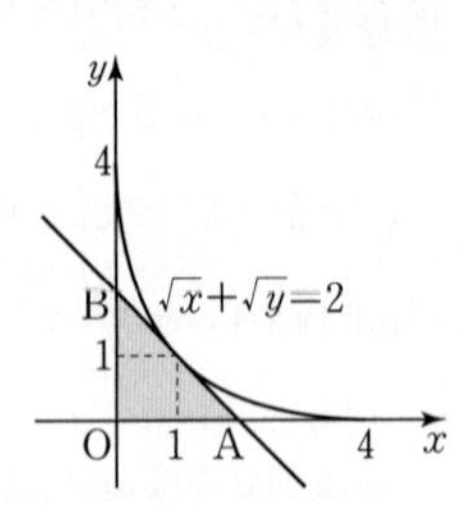

0691 상중하

곡선 $x^2y^2-1=0$ 위의 점 $(-1, 1)$에서의 접선을 l이라 할 때, 점 $(2, 0)$과 직선 l 사이의 거리는?

① 1 ② $\sqrt{2}$ ③ $\sqrt{3}$
④ 2 ⑤ $2\sqrt{2}$

0692 상중하

곡선 $xy=3$ 위의 점 $P_n(x_n, y_n)$에서의 접선이 x축과 만나는 점을 $Q_{n+1}(x_{n+1}, 0)$이라 하자. 점 $P_1(1, 3)$일 때, $\sum_{n=1}^{\infty} y_n$의 값은?

① 4 ② 6 ③ 8
④ 10 ⑤ 12

개념 해결의 법칙 144쪽 유형 01

유형 10 함수의 증가 · 감소

개념 04

함수 $f(x)$가 어떤 구간에서 미분가능하고 그 구간에서
(1) $f'(x)>0 \Rightarrow f(x)$는 그 구간에서 증가
(2) $f'(x)<0 \Rightarrow f(x)$는 그 구간에서 감소

0693 • 대표문제 •

함수 $f(x)=\frac{x-1}{x^2+3}$이 구간 $[a, b]$에서 증가하고, 구간 $(-\infty, a]$, $[b, \infty)$에서 감소할 때, 상수 a, b에 대하여 $a+b$의 값을 구하시오.

0694 상중하 서술형

함수 $f(x)=x+\sqrt{8-x^2}$이 증가하는 구간에 속하는 모든 정수 x의 값의 합을 구하시오. (단, $x>0$)

0695 상중하

함수 $f(x)=\frac{e^{-x}}{3x^2+1}$이 증가하는 x의 값의 범위가 $\alpha \le x \le \beta$일 때, $\alpha+\beta$의 값을 구하시오.

0696 상중하

다음 중 함수 $f(x)=3\ln(x^2+1)-x^3$이 감소하는 구간에 속하는 x의 값이 아닌 것은?

① -4 ② -2 ③ $\frac{1}{2}$
④ 2 ⑤ 4

개념 해결의 법칙 144쪽 유형 01

유형 11 실수 전체의 구간에서 함수가 증가 또는 감소하기 위한 조건

개념 04

함수 $f(x)$가 미분가능하고, 실수 전체의 집합에서
(1) 증가하면 ⇨ 모든 실수 x에 대하여 $f'(x)\geq 0$
(2) 감소하면 ⇨ 모든 실수 x에 대하여 $f'(x)\leq 0$

0697 • 대표문제 •

함수 $f(x)=(ax^2-1)e^{-x}$이 실수 전체의 집합에서 증가할 때, 실수 a의 값의 범위는?

① $-3\leq a<-2$ ② $-2<a\leq -1$ ③ $-2\leq a<-1$
④ $-1\leq a\leq 0$ ⑤ $0\leq a<1$

0698 상중하

함수 $f(x)=ax+\ln(x^2+4)$가 구간 $(-\infty, \infty)$에서 감소하도록 하는 실수 a의 최댓값은?

① -2 ② $-\frac{3}{2}$ ③ -1
④ $-\frac{1}{2}$ ⑤ 0

0699 상중하

함수 $f(x)=(x^2+2ax+b)e^x$이 실수 전체의 집합에서 증가할 때, b의 최솟값은? (단, a, b는 실수)

① 1 ② 2 ③ 3
④ 4 ⑤ 5

유형 12 주어진 구간에서 함수가 증가 또는 감소하기 위한 조건

개념 04

함수 $f(x)$가 어떤 구간에서 미분가능하고, 그 구간에서
(1) 증가하면 ⇨ 그 구간에 속하는 모든 x에 대하여 $f'(x)\geq 0$
(2) 감소하면 ⇨ 그 구간에 속하는 모든 x에 대하여 $f'(x)\leq 0$

0700 • 대표문제 •

함수 $f(x)=\frac{x^2+2x+a}{x^2+1}$가 구간 $(-1, 1)$에서 증가하기 위한 실수 a의 값을 구하시오.

0701 상중하

함수 $f(x)=ax-\sin x$가 $0<x<\frac{\pi}{2}$에서 감소하도록 하는 실수 a의 최댓값은?

① -2 ② -1 ③ 0
④ 1 ⑤ 2

0702 상중하

함수 $f(x)=k^2\ln x+x^2-4x$의 역함수가 존재하도록 하는 실수 k의 값의 범위를 구하시오.

개념 해결의 법칙 145쪽 유형 02

유형 13 유리함수의 극대 · 극소 (중요) 개념 05

유리함수 $f(x)$의 극값을 구할 때는 (분모)$\neq0$인 x의 값의 범위에서 $f'(x)$의 부호를 조사한다.

0703 • 대표문제 •

함수 $f(x)=\dfrac{2x-1}{x^2+2}$이 $x=\alpha$에서 극댓값, $x=\beta$에서 극솟값을 가질 때, $\dfrac{f(\alpha)}{\beta}+\dfrac{f(\beta)}{\alpha}$의 값을 구하시오.

0704 상중하

함수 $f(x)=\dfrac{x^2+3}{x+1}$의 극댓값과 극솟값의 합을 구하시오.

개념 해결의 법칙 145쪽 유형 02

유형 14 무리함수의 극대 · 극소 개념 05

무리함수 $f(x)$의 극값을 구할 때는 (근호 안의 식의 값)≥0인 x의 값의 범위에서 $f'(x)$의 부호를 조사한다.

0705 • 대표문제 •

함수 $f(x)=\dfrac{1}{\sqrt{x-2}-x}$의 극솟값을 구하시오.

0706 상중하

함수 $f(x)=\sqrt{x}+\sqrt{2-x}$의 극댓값을 구하시오.

개념 해결의 법칙 145쪽 유형 02

유형 15 지수함수의 극대 · 극소 개념 05

지수함수를 포함한 함수 $f(x)$의 극값을 구할 때는

(1) $(e^x)'=e^x$

(2) $\{e^{g(x)}\}'=e^{g(x)}g'(x)$

임을 이용하여 $f'(x)$의 부호를 조사한다.

0707 • 대표문제 •

함수 $f(x)=(x^2-3x+1)e^x$의 극댓값과 극솟값의 곱은?

① $-5e$　② $-\dfrac{5}{e}$　③ 1

④ $\dfrac{5}{e}$　⑤ $5e$

0708 상중하

함수 $f(x)=e^x+e^{-x}$이 $x=a$에서 극솟값 b를 가질 때, $a+b$의 값을 구하시오.

0709 상중하

함수 $f(x)=e^{-x^2}$에 대하여 다음 보기 중 옳은 것을 있는 대로 고른 것은?

보기

ㄱ. 극댓값 1을 갖는다.

ㄴ. 극솟값 $\dfrac{1}{e}$을 갖는다.

ㄷ. 구간 $[0, \infty)$에서 증가한다.

① ㄱ　② ㄴ　③ ㄱ, ㄴ

④ ㄱ, ㄷ　⑤ ㄴ, ㄷ

개념 해결의 법칙 145쪽 유형 02

유형 16 로그함수의 극대 · 극소

개념 05

로그함수 $\ln g(x)$를 포함한 함수 $f(x)$의 극값을 구할 때는 $g(x)>0$인 x의 값의 범위에서 $f'(x)$의 부호를 조사한다.

0710 • 대표문제 •

함수 $f(x)=1-x(\ln x)^2$에서 극댓값을 갖는 x의 값을 구하시오.

0711 상중하

함수 $f(x)=x+2-\ln x$는 $x=\alpha$에서 극솟값 β를 갖는다. 이때, $\alpha+\beta$의 값은?

① 2 ② 4 ③ 6
④ 8 ⑤ 10

0712 상중하

함수 $f(x)=\dfrac{x}{\ln x}$가 $x=a$에서 극솟값 b를 가질 때, $a+b$의 값을 구하시오.

0713 상중하

함수 $f(x)=e^x-e\ln(x+e)$의 극솟값은?

① $2-e$ ② $1-e$ ③ e
④ $1+e$ ⑤ $2+e$

중요

개념 해결의 법칙 145쪽 유형 02

유형 17 삼각함수의 극대 · 극소

개념 05

삼각함수를 포함한 함수 $f(x)$의 극값을 구할 때는

(1) $(\sin x)'=\cos x$ (2) $(\cos x)'=-\sin x$
(3) $(\tan x)'=\sec^2 x$ (4) $(\sec x)'=\sec x\tan x$
(5) $(\csc x)'=-\csc x\cot x$ (6) $(\cot x)'=-\csc^2 x$

임을 이용하여 $f'(x)$의 부호를 조사한다.

0714 • 대표문제 •

$0<x<\pi$에서 함수 $f(x)=x+2\cos x$의 극댓값을 M, 극솟값을 m이라 할 때, $M-m$의 값은?

① $-\dfrac{2}{3}\pi$ ② $-\dfrac{2}{3}\pi+2$ ③ $-\dfrac{2}{3}\pi+2\sqrt{3}$
④ $\dfrac{2}{3}\pi-2\sqrt{3}$ ⑤ $\dfrac{2}{3}\pi-2$

0715 상중하 서술형

함수 $f(x)=2\cos x-\cos 2x\ (0<x<2\pi)$의 극댓값을 α, 극솟값을 β라 할 때, $2\alpha-\beta$의 값을 구하시오.

0716 상중하

구간 $(0, \pi)$에서 함수 $f(x)=(\sin 2x)^2+1$이 극대 또는 극소가 되는 점의 개수는?

① 0 ② 1 ③ 2
④ 3 ⑤ 4

★중요 개념 해결의 법칙 146쪽 유형 03

유형 18 함수의 극대·극소 – 미정계수의 결정 개념 05

미분가능한 함수 $f(x)$가 $x=\alpha$에서 극값 β를 가지면
⇨ $f(\alpha)=\beta, f'(\alpha)=0$

0717 • 대표문제 •

함수 $f(x)=\dfrac{x^2+ax+b}{x+1}$가 $x=-4$에서 극댓값 -9를 가질 때, $f(x)$의 극솟값은? (단, a, b는 상수)

① -6　② -3　③ 0
④ 1　⑤ 3

0718 상중하 서술형

함수 $f(x)=a\sin x+b\cos 2x$가 $x=\dfrac{\pi}{6}$에서 극댓값 $\dfrac{3}{2}$을 가질 때, 상수 a, b에 대하여 $a-b$의 값을 구하시오.

0719 상중하

함수 $f(x)=\dfrac{x^2+ax+1}{x^2-x+1}$의 극솟값은 -1이고 극댓값은 α일 때, $a+\alpha$의 값은? (단, $a>-1$)

① 9　② 10　③ 11
④ 12　⑤ 13

0720 상중하

함수 $f(x)=e^x+9e^{-x}+a$의 극솟값이 2일 때, 상수 a의 값은?

① -5　② -4　③ -3
④ -2　⑤ -1

0721 상중하

함수 $f(x)=\dfrac{1}{2}x^2-a\ln x\,(a>0)$의 극솟값이 0일 때, 상수 a의 값은?

① $\dfrac{1}{e}$　② $\dfrac{2}{e}$　③ $\sqrt{e}$
④ e　⑤ $2e$

0722 상중하

함수 $f(x)=x+a\cos x\,(a>1)$가 $0<x<2\pi$에서 극솟값 0을 가질 때, 함수 $f(x)$의 극댓값은?

① 0　② 1　③ π
④ $\pi+\dfrac{1}{2}$　⑤ 2π

발전 유형 19 극값을 가질 조건 – 판별식을 이용하는 경우

개념 05

미분가능한 함수 $f(x)$의 도함수 $f'(x)=\frac{h(x)}{g(x)}$에서 $h(x)$가 이차식이고 모든 실수 x에 대하여 $g(x)>0$이면

(1) $f(x)$가 극값을 갖는다. ⇨ $h(x)=0$이 서로 다른 두 실근을 갖는다.

(2) $f(x)$가 극값을 갖지 않는다. ⇨ $h(x)=0$이 중근 또는 허근을 갖는다.

0723 • 대표문제 •

함수 $f(x)=(x^2-x+k)e^x$이 극댓값과 극솟값을 모두 가질 때, 정수 k의 최댓값은?

① 1 ② 2 ③ 3
④ 4 ⑤ 5

0724 상중하

함수 $f(x)=\left(\frac{1}{2}x^2+kx+1\right)e^x$이 극값을 갖지 않도록 하는 정수 k의 개수를 구하시오.

0725 상중하

함수 $f(x)=2\ln x+\frac{a}{x}-x$가 극댓값과 극솟값을 모두 갖도록 하는 실수 a의 값의 범위는?

① $-2<a\le-1$ ② $-1\le a<0$ ③ $-1<a\le0$
④ $0<a<1$ ⑤ $1<a\le2$

0726 상중하

함수 $y=\frac{1}{3}\cos^3x+k\cos^2x+k\cos x$가 $0<x<\pi$에서 극댓값과 극솟값을 모두 가질 때, 실수 k의 값의 범위를 구하시오.

발전 유형 20 극값을 가질 조건 – 판별식을 이용하지 않는 경우

개념 05

상수함수가 아닌 함수 $f(x)$가 미분가능할 때

(1) $f(x)$가 극값을 갖는다.
⇨ $f'(x)=0$이 실근을 갖고, 그 실근의 좌우에서 $f'(x)$의 부호가 바뀐다.

(2) $f(x)$가 극값을 갖지 않는다.
⇨ 모든 실수 x에 대하여 $f'(x)\ge0$ 또는 $f'(x)\le0$이다.

0727 • 대표문제 •

함수 $f(x)=kx+\sin x$가 극값을 갖지 않을 때, 다음 중 상수 k의 값이 될 수 없는 것은?

① -2 ② -1 ③ $\frac{1}{2}$
④ 1 ⑤ 2

0728 상중하

함수 $f(x)=e^x+ke^{-x}(k>0)$이 $0<x<1$에서 극값을 갖도록 하는 실수 k의 값의 범위는?

① $0<k\le e$ ② $1<k<e^2$ ③ $1<k\le e^2$
④ $1\le k<e^2$ ⑤ $e<k<e^2$

0729 상중하

두 실수 a, b에 대하여 함수

$$f(x)=a\sin x+bx+1$$

이 극값을 가질 때, 다음 중 항상 옳은 것은?

① $a<b$ ② $a>b$ ③ $a^2=b^2$
④ $a^2<b^2$ ⑤ $a^2>b^2$

• 실제 학교 시험지처럼 풀어 보세요.

0730 | 유형 01 |

곡선 $y=\frac{1}{x^2}$ 위의 점 $\mathrm{P}(-1, 1)$에서의 접선이 x축과 만나는 점을 Q, 이 곡선과 만나는 점 P가 아닌 점을 R라 할 때, $\overline{\mathrm{PQ}} : \overline{\mathrm{QR}}$는? [4.5점]

① $1:2$ ② $1:3$ ③ $1:4$
④ $1:5$ ⑤ $1:6$

0731 | 유형 03 |

곡선 $y=\frac{x+1}{x-1}$에 접하고 기울기가 -2인 두 직선 사이의 거리는? [4.5점]

① $\frac{2\sqrt{5}}{5}$ ② $\frac{4\sqrt{5}}{5}$ ③ $\frac{6\sqrt{5}}{5}$
④ $\frac{8\sqrt{5}}{5}$ ⑤ $\frac{9\sqrt{5}}{5}$

0732 | 유형 04 |

곡선 $y=2x-\ln x$에 대하여 점 $(0, 1)$에서 그은 접선과 점 $(a, 0)$에서 그은 접선이 서로 수직일 때, a의 값은? [4.5점]

① $1+\ln 2$ ② $1+\ln 3$ ③ $2+\ln 2$
④ $2+\ln 3$ ⑤ $3+\ln 2$

0733 | 유형 05 |

곡선 $y=(x^2+1)e^x$ 위의 점 $(0, 1)$에서의 접선 및 x축, y축으로 둘러싸인 도형의 넓이는? [4.3점]

① $\frac{1}{2}$ ② 1 ③ $\frac{3}{2}$
④ 2 ⑤ $\frac{5}{2}$

0734 | 유형 06 |

두 곡선 $y=e^{2x}$, $y=2\sqrt{x+a}$가 $x=b$인 점에서 접할 때, 상수 a, b에 대하여 $a-b$의 값은? [4.5점]

① $-\frac{1}{2}$ ② $-\frac{1}{4}$ ③ 0
④ $\frac{1}{4}$ ⑤ $\frac{1}{2}$

0735 | 유형 08 |

매개변수로 나타낸 곡선 $x=1+\sin\theta$, $y=\theta-\cos\theta$에 대하여 $\theta=\pi$에 대응하는 점에서의 접선과 x축 및 y축으로 둘러싸인 도형의 넓이는? [4.4점]

① $\frac{1}{4}(\pi-1)^2$ ② $\frac{1}{2}(2\pi+1)^2$ ③ $\frac{1}{4}(\pi+2)^2$
④ $\frac{1}{2}(\pi+2)^2$ ⑤ $(\pi+2)^2$

0736 | 유형 11 |

함수 $f(x)=(a-x)e^{x^2}$이 실수 전체의 집합에서 감소할 때, 실수 a의 값의 범위는? [4.4점]

① $-2\le a\le 2$ ② $-\sqrt{2}\le a\le\sqrt{2}$
③ $-1\le a\le\sqrt{3}$ ④ $0\le a\le\sqrt{3}$
⑤ $\sqrt{2}\le a\le\sqrt{3}$

0737 | 유형 12 |

함수 $f(x)=a\cos x+x$가 구간 $\left(-\frac{\pi}{2}, \frac{\pi}{2}\right)$에서 증가하도록 하는 양수 a의 최댓값은? [4.4점]

① $\frac{1}{4}$ ② $\frac{1}{2}$ ③ 1
④ 2 ⑤ 4

0738 | 유형 13 |

함수 $f(x)=-\frac{2x}{x^2+1}$의 극댓값과 극솟값의 곱은? [4.4점]

① -3 ② -1 ③ 0
④ 1 ⑤ 3

0739 | 유형 14 |

함수 $f(x)=x\sqrt{4-x^2}\,(-2<x<2)$의 극댓값을 a, 극솟값을 b라 할 때, a^2+b^2의 값은? [4.4점]

① 2 ② 5 ③ 8
④ 16 ⑤ 18

0740 | 유형 17 |

함수 $f(x)=\cos x+x\sin x\,(0<x<2\pi)$는 $x=\alpha$에서 극솟값 β를 갖는다. 이때, $\alpha+\beta$의 값은? [4.5점]

① $-\pi$ ② $-\frac{\pi}{2}$ ③ 0
④ π ⑤ 2π

0741 | 유형 18 |

함수 $f(x)=3\ln x+ax-\frac{b}{x}$가 $x=1$에서 극솟값 -1을 가질 때, 상수 a, b에 대하여 ab의 값은? [4.5점]

① -4 ② -3 ③ -2
④ 2 ⑤ 3

0742 | 유형 19 |

함수 $f(x)=2p\ln x+\frac{q}{x}+x$가 극댓값과 극솟값을 모두 가질 때, 다음 중 순서쌍 (p, q)가 될 수 있는 것은? [4.7점]

① $(0, -1)$ ② $(1, 1)$ ③ $(0, 1)$
④ $(-1, -2)$ ⑤ $(-2, -3)$

서술형 문제

• 풀이 과정에 점수가 부여되니 풀이 과정 및 정답을 상세하게 서술하세요.

단답형

0743 | 유형 03 |

곡선 $y=2\sqrt{x}$ 위의 점에서 직선 $y=x+4$ 까지의 거리의 최솟값을 구하시오. [6점]

0744 | 유형 02 + 유형 09 |

곡선 $y=x^x$ 위의 점 $(1, 1)$을 지나고 이 점에서의 접선에 수직인 직선이 점 $(a, 0)$을 지날 때, a의 값을 구하시오. [7점]

0745 | 유형 18 |

함수 $f(x)=(ax^2-b)e^x$이 $x=1$에서 극솟값을 갖고, 곡선 $y=f(x)$ 위의 $x=0$인 점에서의 접선의 기울기가 -3이다. 이때, 상수 a, b에 대하여 $a+b$의 값을 구하시오. [7점]

단계형

0746 | 유형 01 |

양의 실수 전체의 집합에서 미분가능한 함수 $f(x)$에 대하여 함수 $g(x)$를

$$g(x)=f(x)\ln x^4$$

이라 하자. 곡선 $y=f(x)$ 위의 점 $(e, -e)$에서의 접선과 곡선 $y=g(x)$ 위의 점 $(e, -4e)$에서의 접선이 서로 수직일 때, $100f'(e)$의 값을 구하려고 한다. 다음 물음에 답하시오. [10점]

(1) $g'(e)$를 $f'(e)$를 사용하여 나타내시오. [4점]

(2) $f'(e)$의 값을 구하시오. [4점]

(3) $100f'(e)$의 값을 구하시오. [2점]

0747 | 유형 17 |

매개변수로 나타낸 함수

$$x=\theta+\cos\theta,\ y=\sin\theta-\frac{1}{2}\theta$$

의 극댓값을 구하려고 한다. 다음 물음에 답하시오.

(단, $0<\theta<\pi$) [12점]

(1) $\dfrac{dy}{dx}$를 구하시오. [4점]

(2) $\dfrac{dy}{dx}=0$을 만족시키는 θ의 값을 구하시오. [4점]

(3) 극댓값을 구하시오. [4점]

성/취/도 Check

점수 / 100점

STEP 1 개념+기본 문제 학습

STEP 2 유형 대표 문제 학습

STEP 3의 틀린 문제에 해당하는 STEP 2 유형 학습

STEP 3의 틀린 문제 복습

교과서 속 심화문제 시작

≫ 정답과 해설 105쪽

0748

곡선 $y=\frac{1}{1-\sin x}\left(0<x<\frac{\pi}{2}\right)$ 위의 점 $\mathrm{P}\left(t, \frac{1}{1-\sin t}\right)$에서의 접선이 x축과 만나는 점을 Q, 점 P에서 x축에 내린 수선의 발을 R라 하자. $\lim_{t \to \frac{\pi}{2}-} \frac{\frac{\pi}{2}-\overline{\mathrm{OQ}}}{\overline{\mathrm{QR}}}$의 값을 구하시오.

(단, O는 원점)

0749

자연수 n에 대하여 곡선 $y=a_n e^{x-1}$과 직선 $y=nx$가 서로 접할 때, 그 접점의 y좌표를 b_n이라 하자. 이때, $\sum_{n=1}^{10}(a_n{}^2+b_n{}^2)$의 값을 구하시오.

0750

함수 $f(x)=\sqrt{2}e^{-x}\cos x\,(x\ge 0)$에 대하여 $f(x)$의 모든 극댓값의 합을 구하시오.

0751 창의·융합

함수 $f(x)=e^x(\sin x+\cos x)$에 대하여 다음 보기 중 옳은 것을 있는 대로 고른 것은?

보기

ㄱ. $\lim_{x \to -\infty} f(x)=0$

ㄴ. $f(x)$는 $x=\frac{\pi}{2}$에서 극댓값을 갖는다.

ㄷ. $\frac{\pi}{2}<t<\frac{3}{4}\pi$일 때, $y=f(x)$의 그래프 위의 점 $(t, f(t))$에서의 접선은 제3사분면을 지나지 않는다.

① ㄱ ② ㄴ ③ ㄱ, ㄴ
④ ㄱ, ㄷ ⑤ ㄱ, ㄴ, ㄷ

0752

함수 $f(x)=e^{-x}(\ln x-1)$이 $x=a$에서 극값을 가질 때, 다음 중 a가 속하는 구간은?

① $(1, e)$ ② (e, e^2) ③ (e^2, e^3)
④ (e^3, e^4) ⑤ (e^4, e^5)

7

도함수의 활용(2)

실수를 해보지 않은 사람은
결코 새로운 것을 시도하지 않는다.
- 알버트 아인슈타인

기출 문제 분석

빅 데이터

* 전국 300여 개 고등학교 기출 문제를 분석하였습니다.

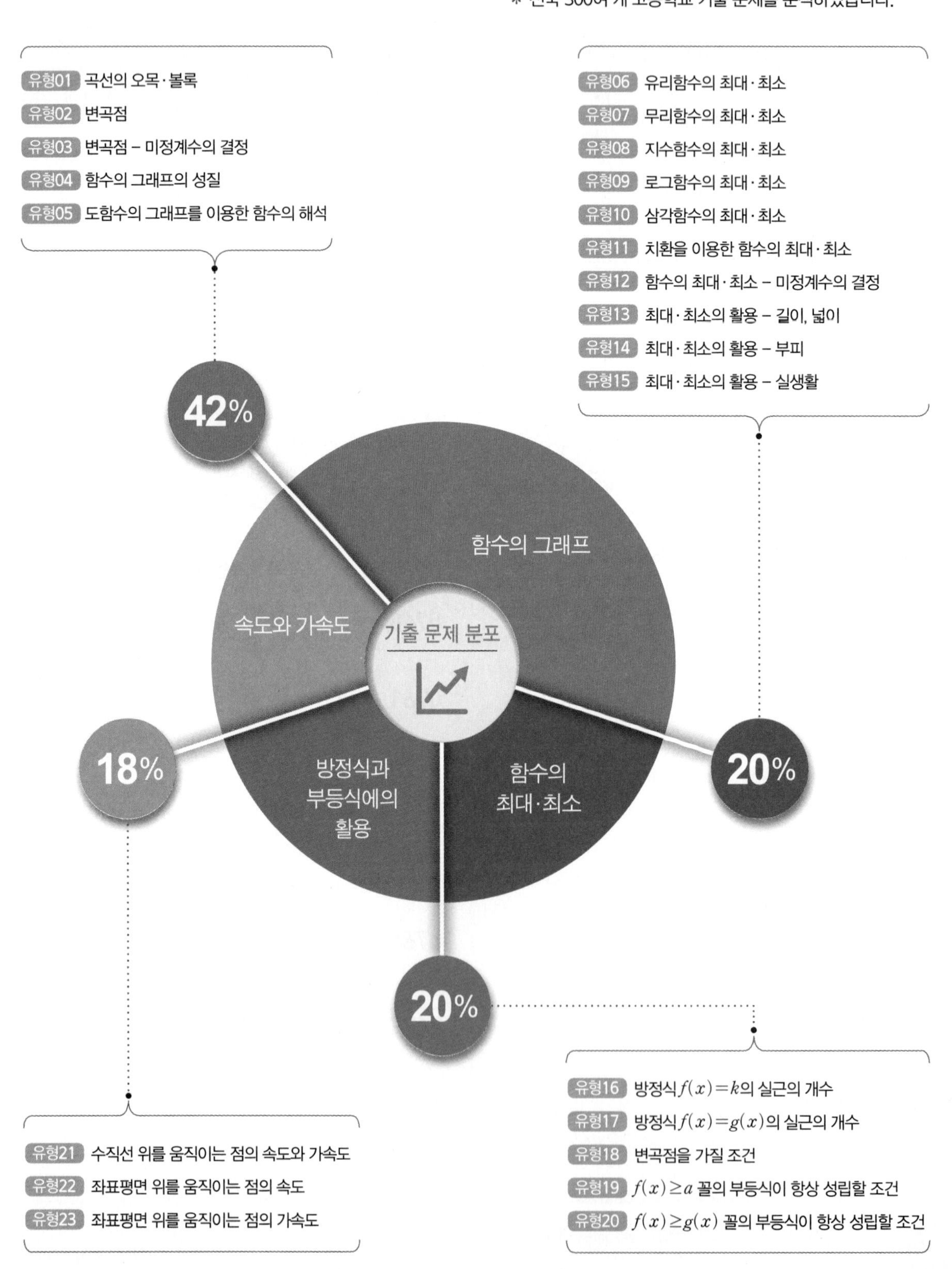

유형01 곡선의 오목·볼록
유형02 변곡점
유형03 변곡점 – 미정계수의 결정
유형04 함수의 그래프의 성질
유형05 도함수의 그래프를 이용한 함수의 해석
유형06 유리함수의 최대·최소
유형07 무리함수의 최대·최소
유형08 지수함수의 최대·최소
유형09 로그함수의 최대·최소
유형10 삼각함수의 최대·최소
유형11 치환을 이용한 함수의 최대·최소
유형12 함수의 최대·최소 – 미정계수의 결정
유형13 최대·최소의 활용 – 길이, 넓이
유형14 최대·최소의 활용 – 부피
유형15 최대·최소의 활용 – 실생활
42%
함수의 그래프
속도와 가속도
기출 문제 분포
18%
방정식과 부등식에의 활용
함수의 최대·최소
20%
20%
유형16 방정식 $f(x)=k$의 실근의 개수
유형17 방정식 $f(x)=g(x)$의 실근의 개수
유형18 변곡점을 가질 조건
유형19 $f(x)\geq a$ 꼴의 부등식이 항상 성립할 조건
유형20 $f(x)\geq g(x)$ 꼴의 부등식이 항상 성립할 조건
유형21 수직선 위를 움직이는 점의 속도와 가속도
유형22 좌표평면 위를 움직이는 점의 속도
유형23 좌표평면 위를 움직이는 점의 가속도

STEP 1 개념 마스터

01 곡선의 오목·볼록

유형 01, 04, 05

(1) 곡선의 오목과 볼록

어떤 구간에서 곡선 $y=f(x)$ 위의 임의의 두 점 P, Q에 대하여

① 두 점 P, Q를 잇는 곡선 부분이 항상 선분 PQ의 아래쪽에 있으면 곡선 $y=f(x)$는 이 구간에서 **아래로 볼록**(또는 **위로 오목**)하다고 한다.

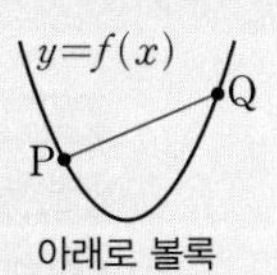

② 두 점 P, Q를 잇는 곡선 부분이 항상 선분 PQ의 위쪽에 있으면 곡선 $y=f(x)$는 이 구간에서 **위로 볼록**(또는 **아래로 오목**)하다고 한다.

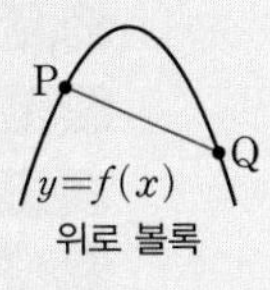

(2) 곡선의 오목과 볼록의 판정

함수 $f(x)$가 어떤 구간에서

① $f''(x)>0$이면 곡선 $y=f(x)$는 이 구간에서 아래로 볼록하다.

② $f''(x)<0$이면 곡선 $y=f(x)$는 이 구간에서 위로 볼록하다.

[0753~0759] 다음 곡선의 오목과 볼록을 조사하시오.

0753 $y=x^3-3x^2+5$

0754 $y=-x^4+2x^3-1$

0755 $y=x-\frac{1}{2x}$

0756 $y=3^x$

0757 $y=xe^{2x}$

0758 $y=x-\ln x$

0759 $y=\sin x \ (0<x<2\pi)$

02 변곡점

유형 02~05, 18

(1) 변곡점

곡선 $y=f(x)$ 위의 점 $P(a, f(a))$를 경계로 하여 곡선의 모양이 위로 볼록에서 아래로 볼록으로 바뀌거나 아래로 볼록에서 위로 볼록으로 바뀔 때, 점 P를 곡선 $y=f(x)$의 **변곡점**이라 한다.

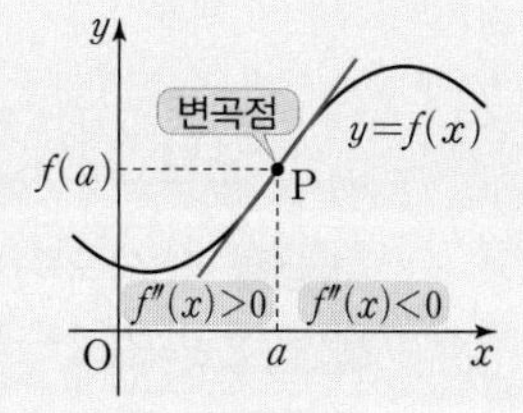

(2) 변곡점의 판정

함수 $f(x)$에서 $f''(a)=0$이고, $x=a$의 좌우에서 $f''(x)$의 부호가 바뀌면 점 $(a, f(a))$는 곡선 $y=f(x)$의 변곡점이다.

참고 • 변곡점 $(a, f(a))$의 좌우에서 $f''(x)$의 부호가 바뀌므로 $f''(a)$가 존재하면 $f''(a)=0$이다.
• $f''(a)=0$이라고 해서 점 $(a, f(a))$가 항상 변곡점인 것은 아니다.

예 $f(x)=x^4$에서 $f'(x)=4x^3$, $f''(x)=12x^2$이므로 $f''(0)=0$이지만 $x=0$의 좌우에서 $f''(x)>0$이므로 점 $(0, 0)$은 곡선 $y=f(x)$의 변곡점이 아니다.

[0760~0766] 다음 곡선의 변곡점의 좌표를 구하시오.

0760 $y=x^3+x+1$

0761 $y=x^4-4x^3$

0762 $y=\frac{1}{x^2+3}$

0763 $y=xe^x$

0764 $y=\ln(x^2+1)$

0765 $y=x^2-2x\ln x+1$

0766 $y=x+2\cos x \ (0<x<2\pi)$

핵심 Check

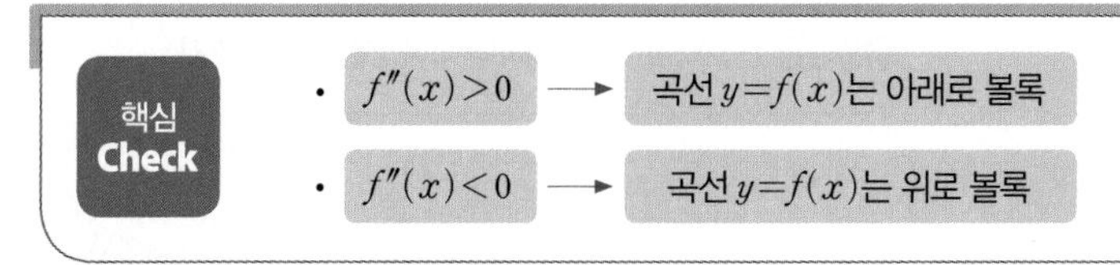

• f''(x)>0 → 곡선 y=f(x)는 아래로 볼록
• f''(x)<0 → 곡선 y=f(x)는 위로 볼록

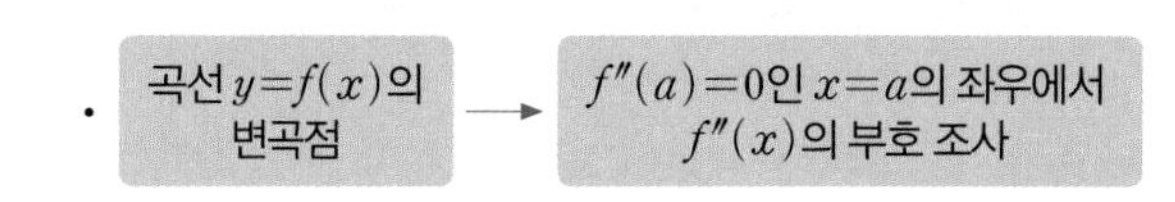

• 곡선 y=f(x)의 변곡점 → f''(a)=0인 x=a의 좌우에서 f''(x)의 부호 조사

03 함수의 그래프의 개형

유형 04, 05

함수 $y=f(x)$의 그래프의 개형은 다음을 조사하여 그릴 수 있다.

① 함수의 정의역과 치역
② 곡선의 대칭성과 주기
③ 곡선과 좌표축의 교점
④ 함수의 증가와 감소, 극대와 극소
⑤ 곡선의 오목과 볼록, 변곡점
⑥ $\lim_{x \to \infty} f(x)$, $\lim_{x \to -\infty} f(x)$, 점근선

참고 곡선 $y=f(x)$의 점근선
① $\lim_{x \to a-} |f(x)|=\infty$ 또는 $\lim_{x \to a+} |f(x)|=\infty$
⇨ 직선 $x=a$가 곡선 $y=f(x)$의 점근선
② $\lim_{x \to \infty} f(x)=b$ 또는 $\lim_{x \to -\infty} f(x)=b$
⇨ 직선 $y=b$가 곡선 $y=f(x)$의 점근선

[0767~0774] 다음 함수의 그래프의 개형을 그리시오.

0767 $f(x)=x^4-2x^3+2$

0768 $f(x)=\frac{x^2+1}{x}$

0769 $f(x)=\frac{x}{x^2+4}$

0770 $f(x)=x-\sqrt{x}$

0771 $f(x)=e^x+e^{-x}$

0772 $f(x)=\frac{x}{e^x}$ $(x>0)$

0773 $f(x)=\ln(x^2+2)$

0774 $f(x)=x+\sin x$ $(0 \le x \le 2\pi)$

04 함수의 최대·최소

유형 06~15

함수 $f(x)$가 닫힌구간 $[a, b]$에서 연속일 때, 최댓값과 최솟값은 다음과 같은 순서로 구한다.

(i) 주어진 구간에서 $f(x)$의 극댓값과 극솟값을 구한다.
(ii) 주어진 구간의 양 끝에서의 함숫값 $f(a)$, $f(b)$를 구한다.
(iii) (i), (ii)에서 구한 극댓값, 극솟값, $f(a)$, $f(b)$ 중에서 가장 큰 값이 최댓값이고, 가장 작은 값이 최솟값이다.

참고 • 주어진 닫힌구간에서 함수 $f(x)$가 연속이면 극댓값과 극솟값은 여러 개 존재할 수 있지만, 최댓값과 최솟값은 오직 한 개씩만 존재한다.
• 극댓값과 극솟값이 반드시 최댓값과 최솟값이 되는 것은 아니다.

[0775~0781] 주어진 구간에서 다음 함수의 최댓값과 최솟값을 구하시오.

0775 $f(x)=\frac{x^2-5x+15}{x-2}$ $[3, 6]$

0776 $f(x)=\frac{x}{x^2+x+1}$ $[-2, 2]$

0777 $f(x)=\sqrt{3-x^2}$ $[-1, 1]$

0778 $f(x)=x^2e^x$ $[-1, 2]$

0779 $f(x)=2x-\ln x$ $\left[\frac{1}{e}, e\right]$

0780 $f(x)=\frac{e^x}{\sin x}$ $\left[\frac{\pi}{6}, \frac{5}{6}\pi\right]$

0781 $f(x)=\sin x-\cos x$ $[\pi, 2\pi]$

핵심 Check

• 닫힌구간 $[a, b]$에서 연속인 함수 $f(x)$의 최대·최소 —극댓값, 극솟값, $f(a)$, $f(b)$ 중에서→ (1) 가장 큰 값 ⇨ 최댓값 (2) 가장 작은 값 ⇨ 최솟값

05 방정식의 실근의 개수

유형 16~18

(1) 방정식 $f(x)=0$의 서로 다른 실근의 개수는 함수 $y=f(x)$의 그래프와 x축의 교점의 개수와 같다.

(2) 방정식 $f(x)=g(x)$의 서로 다른 실근의 개수는 두 함수 $y=f(x)$, $y=g(x)$의 그래프의 교점의 개수와 같다.

참고 (1) 방정식 $f(x)=0$의 실근은 함수 $y=f(x)$의 그래프와 x축의 교점의 x좌표와 같다.
(2) 방정식 $f(x)=g(x)$의 실근은 두 함수 $y=f(x)$, $y=g(x)$의 그래프의 교점의 x좌표와 같다.

[0782~0784] 다음 방정식의 서로 다른 실근의 개수를 구하시오.

0782 $\sqrt{x+1}-x=0$

0783 $e^x-x-2=0$

0784 $\ln x-x+1=0$

[0785~0786] 다음 방정식의 서로 다른 실근의 개수를 구하시오.

0785 $x+\frac{1}{e^x}=2$

0786 $x-\cos x=1$

0787 방정식 $x-2\sqrt{x-2}=k$가 다음과 같은 근을 갖도록 하는 실수 k의 값 또는 k의 값의 범위를 구하시오.

(1) 한 실근

(2) 서로 다른 두 실근

06 부등식에의 활용

유형 19, 20

(1) 어떤 구간에서 부등식 $f(x)\ge 0$이 성립함을 증명하려면
⇨ 그 구간에서 **($f(x)$의 최솟값)≥ 0**임을 보인다.

(2) 어떤 구간에서 부등식 $f(x)\ge g(x)$가 성립함을 증명하려면
⇨ $h(x)=f(x)-g(x)$로 놓고 그 구간에서
($h(x)$의 최솟값)≥ 0임을 보인다.

참고 어떤 구간에서 $f(x)$의 최솟값이 a이면 그 구간에서 $f(x)\ge a$이다.

0788 다음은 모든 실수 x에 대하여 부등식 $e^x\ge x+1$이 성립함을 증명하는 과정이다.

$f(x)=e^x-x-1$로 놓으면 $f'(x)=$ (가)
$f'(x)=0$에서 $x=$ (나)

x	$\cdots$	(나)	$\cdots$
$f'(x)$	$-$	0	$+$
$f(x)$	↘	(다)	↗

이때, $\lim_{x\to\infty} f(x)=\infty$, $\lim_{x\to-\infty} f(x)=\infty$이므로 $f(x)$의 최솟값은 $f($(나)$)=$(다)이다.
즉, $f(x)\ge 0$이므로 $e^x-x-1\ge 0$
따라서 모든 실수 x에 대하여 부등식 $e^x\ge x+1$이 성립한다.

위의 증명 과정에서 (가), (나), (다)에 알맞은 것을 써넣으시오.

0789 $x>1$일 때, 부등식 $x\ge \ln(x-1)$이 성립함을 증명하시오.

0790 $x>0$일 때, $\cos x>1-2x$가 성립함을 증명하시오.

핵심 Check

- 방정식 $f(x)=g(x)$의 서로 다른 실근의 개수 → 함수 $y=f(x)-g(x)$의 그래프와 x축의 교점의 개수
- 어떤 구간에서 $f(x)\ge g(x)$ → 그 구간에서 ($f(x)-g(x)$의 최솟값)≥ 0

07 속도와 가속도 유형 21~23

(1) 수직선 위를 움직이는 점의 속도와 가속도

수직선 위를 움직이는 점 P의 시각 t에서의 위치 x가 $x=f(t)$일 때, 시각 t에서의 점 P의 속도 v와 가속도 a는

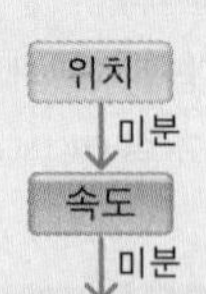

① $v=\dfrac{dx}{dt}=f'(t)$

② $a=\dfrac{dv}{dt}=f''(t)$

참고 속도 v의 부호에 따른 운동 방향

수직선 위를 움직이는 점 P에 대하여

① $v>0$ ⇨ 양의 방향

② $v<0$ ⇨ 음의 방향

③ $v=0$ ⇨ 운동 방향이 바뀌거나 정지

(2) 좌표평면 위를 움직이는 점의 속도와 가속도

좌표평면 위를 움직이는 점 P의 시각 t에서의 위치 (x, y)가 $x=f(t)$, $y=g(t)$일 때, 시각 t에서의 점 P의 속도, 속력, 가속도, 가속도의 크기는

① 속도: $\left(\dfrac{dx}{dt}, \dfrac{dy}{dt}\right)$, 즉 $(f'(t), g'(t))$

② 속력: $\sqrt{\left(\dfrac{dx}{dt}\right)^2+\left(\dfrac{dy}{dt}\right)^2}=\sqrt{\{f'(t)\}^2+\{g'(t)\}^2}$

③ 가속도: $\left(\dfrac{d^2x}{dt^2}, \dfrac{d^2y}{dt^2}\right)$, 즉 $(f''(t), g''(t))$

④ 가속도의 크기:

$\sqrt{\left(\dfrac{d^2x}{dt^2}\right)^2+\left(\dfrac{d^2y}{dt^2}\right)^2}=\sqrt{\{f''(t)\}^2+\{g''(t)\}^2}$

참고 속도의 크기를 속력이라 한다.

[0791~0793] 수직선 위를 움직이는 점 P의 시각 t에서의 위치 $x=f(t)$가 다음과 같을 때, 주어진 시각 t에서의 점 P의 속도와 가속도를 구하시오.

0791 $f(t)=te^t$ $[t=2]$

0792 $f(t)=t+\ln(t+1)$ $[t=1]$

0793 $f(t)=t+\sin t$ $\left[t=\dfrac{\pi}{2}\right]$

[0794~0796] 좌표평면 위를 움직이는 점 P의 시각 t에서의 위치 (x, y)가 다음과 같을 때, $t=2$에서의 점 P의 속도와 가속도를 구하시오.

0794 $x=2t+1$, $y=t^2-3$

0795 $x=\sqrt{3}t$, $y=t-\dfrac{1}{3}t^3$

0796 $x=e^{2t}$, $y=t^2+1$

[0797~0798] 좌표평면 위를 움직이는 점 P의 시각 t에서의 위치 (x, y)가 다음과 같을 때, $t=\dfrac{\pi}{3}$에서의 점 P의 속도와 가속도를 구하시오.

0797 $x=\cos t$, $y=\sin t$

0798 $x=t-\sin t$, $y=1-\cos t$

[0799~0800] 좌표평면 위를 움직이는 점 P의 시각 t에서의 위치 (x, y)가 다음과 같을 때, $t=1$에서의 점 P의 속력과 가속도의 크기를 구하시오.

0799 $x=t-\dfrac{2}{t}$, $y=2t+\dfrac{1}{t}$

0800 $x=\ln(t+1)$, $y=-\dfrac{1}{2}t^2+3$

• 위치 (x, y) —미분→ 속도 $\left(\dfrac{dx}{dt}, \dfrac{dy}{dt}\right)$ —미분→ 가속도 $\left(\dfrac{d^2x}{dt^2}, \dfrac{d^2y}{dt^2}\right)$

STEP 2 유형 마스터

개념 해결의 법칙 157쪽 유형 01

유형 01 곡선의 오목·볼록

개념 01

함수 $f(x)$가 어떤 구간에서
(1) $f''(x)>0$이면 ⇨ 곡선 $y=f(x)$는 이 구간에서 아래로 볼록
(2) $f''(x)<0$이면 ⇨ 곡선 $y=f(x)$는 이 구간에서 위로 볼록

0801 대표문제
구간 $(0, 2\pi)$에서 곡선 $y=e^x \sin x$가 위로 볼록한 구간은?

① $\left(0, \frac{\pi}{4}\right)$ ② $\left(\frac{\pi}{4}, \frac{\pi}{2}\right)$ ③ $\left(\frac{\pi}{3}, \pi\right)$
④ $\left(\frac{\pi}{2}, \frac{3}{2}\pi\right)$ ⑤ $\left(\frac{3}{2}\pi, 2\pi\right)$

0802 상중하
구간 (a, ∞)에서 곡선 $y=x^2(\ln x-1)$이 아래로 볼록할 때, 실수 a의 최솟값은?

① $\frac{1}{e}$ ② $\frac{1}{\sqrt{e}}$ ③ $\sqrt{e}$
④ e ⑤ e^2

0803 상중하
임의의 서로 다른 두 실수 a, b에 대하여

$$f\left(\frac{a+b}{2}\right)<\frac{1}{2}\{f(a)+f(b)\}$$

를 만족시키는 함수를 보기에서 있는 대로 고른 것은?

보기
ㄱ. $f(x)=\ln x$
ㄴ. $f(x)=e^{3x}$
ㄷ. $f(x)=\cos x \left(0<x<\frac{\pi}{2}\right)$

① ㄱ ② ㄴ ③ ㄷ
④ ㄱ, ㄴ ⑤ ㄴ, ㄷ

개념 해결의 법칙 158쪽 유형 02

유형 02 변곡점

개념 02

함수 $f(x)$에서 $f''(a)=0$이고 $x=a$의 좌우에서 $f''(x)$의 부호가 바뀌면
⇨ 점 $(a, f(a))$는 곡선 $y=f(x)$의 변곡점이다.

0804 대표문제
함수 $f(x)=\ln(x^2+4)$에 대하여 곡선 $y=f(x)$의 두 변곡점 사이의 거리는?

① 1 ② 2 ③ 3
④ 4 ⑤ 5

0805 상중하 서술형
함수 $f(x)=1+\cos^2 x \left(-\frac{\pi}{2}<x<\frac{\pi}{2}\right)$에 대하여 곡선 $y=f(x)$의 두 변곡점의 x좌표의 차를 구하시오.

0806 상중하
곡선 $y=e^{-2x^2}$의 두 변곡점을 각각 P, Q라 할 때, △OPQ의 넓이를 구하시오. (단, O는 원점)

0807 상중하
자연수 n에 대하여 곡선

$$y=n\sin^2 x+n-1 \left(0<x<\frac{\pi}{2}\right)$$

의 변곡점의 y좌표를 a_n이라 할 때, $\lim_{n\to\infty}\frac{a_n}{n}$의 값을 구하시오.

중요

개념 해결의 법칙 159쪽 유형 03

유형 03 변곡점 – 미정계수의 결정

개념 02

함수 $f(x)$에 대하여
(1) $f(x)$가 $x=a$에서 극값 b를 가지면 ⇨ $f'(a)=0, f(a)=b$
(2) 점 (a, b)가 곡선 $y=f(x)$의 변곡점이면 ⇨ $f''(a)=0, f(a)=b$

0808 • 대표문제 •

함수 $f(x)=(2x+a)e^{-bx}$이 $x=-2$에서 극값을 갖고 곡선 $y=f(x)$의 변곡점의 x좌표가 -1일 때, 상수 a, b에 대하여 $a+b$의 값은? (단, $b\neq0$)

① 3 ② 4 ③ 5
④ 6 ⑤ 7

0809 상중하

곡선 $y=x^4+ax^3+bx^2+2x+1$의 변곡점의 좌표가 $(-1, 0)$일 때, 상수 a, b에 대하여 ab의 값을 구하시오.

0810 상중하

함수 $f(x)=x^2+px+q\ln x$가 $x=\frac{1}{2}$에서 극대이고 곡선 $y=f(x)$의 변곡점의 x좌표가 1일 때, 함수 $f(x)$의 극솟값을 구하시오. (단, p, q는 상수)

0811 상중하

곡선 $y=\left(\ln\frac{1}{ax}\right)^2$의 변곡점이 직선 $y=2x$ 위에 있을 때, 양수 a의 값은?

① e ② $\frac{5}{4}e$ ③ $\frac{3}{2}e$
④ $\frac{7}{4}e$ ⑤ $2e$

개념 해결의 법칙 160쪽 유형 04

유형 04 함수의 그래프의 성질

개념 01~03

함수 $f(x)$에 대하여
① 함수의 정의역과 치역 ② 곡선의 대칭성과 주기
③ 곡선과 좌표축의 교점 ④ 함수의 증가와 감소, 극대와 극소
⑤ 곡선의 오목과 볼록, 변곡점 ⑥ $\lim_{x\to\infty}f(x)$, $\lim_{x\to-\infty}f(x)$, 점근선
등을 조사하여 $y=f(x)$의 그래프의 성질을 확인한다.

0812 • 대표문제 •

함수 $f(x)=\frac{x}{x^2+1}$에 대한 다음 설명 중 옳지 않은 것은?

① $x=1$에서 극댓값 $\frac{1}{2}$을 갖는다.
② $y=f(x)$의 그래프의 변곡점의 개수는 2이다.
③ $y=f(x)$의 그래프는 원점에 대하여 대칭이다.
④ $y=f(x)$의 그래프는 구간 $(1, \sqrt{3})$에서 위로 볼록하다.
⑤ $x=-1$에서 극솟값 $-\frac{1}{2}$을 갖는다.

0813 상중하

함수 $f(x)=\ln(x^2+3)$에 대하여 다음 보기 중 옳은 것을 있는 대로 고른 것은?

보기
ㄱ. $x=0$에서 극솟값 $\ln 3$을 갖는다.
ㄴ. $y=f(x)$의 그래프는 구간 $(-\sqrt{3}, 0)$에서 위로 볼록하다.
ㄷ. $y=f(x)$의 그래프의 변곡점의 개수는 3이다.

① ㄱ ② ㄴ ③ ㄱ, ㄴ
④ ㄱ, ㄷ ⑤ ㄱ, ㄴ, ㄷ

0814 상중하

함수 $f(x)=x\ln(x^2+1)-x$에 대하여 다음 보기 중 옳은 것을 있는 대로 고른 것은?

보기
ㄱ. 모든 실수 x에 대하여 $f(-x)=-f(x)$이다.
ㄴ. $y=f(x)$의 그래프의 변곡점의 개수는 1이다.
ㄷ. $x<0$에서 $y=f(x)$의 그래프는 아래로 볼록하다.

① ㄱ ② ㄴ ③ ㄱ, ㄴ
④ ㄱ, ㄷ ⑤ ㄱ, ㄴ, ㄷ

유형 05 도함수의 그래프를 이용한 함수의 해석 개념 01~03

(1) 극대, 극소
⇨ $f'(x)$의 부호를 조사
⇨ 곡선 $y=f(x)$ 위의 점에서의 접선의 기울기를 조사
(2) 오목, 볼록, 변곡점
⇨ $f''(x)$의 부호를 조사
⇨ 곡선 $y=f'(x)$ 위의 점에서의 접선의 기울기를 조사

0815 • 대표문제 •

연속함수 $y=f(x)$의 도함수 $y=f'(x)$의 그래프가 다음 그림과 같을 때, 곡선 $y=f(x)$의 변곡점의 개수는?

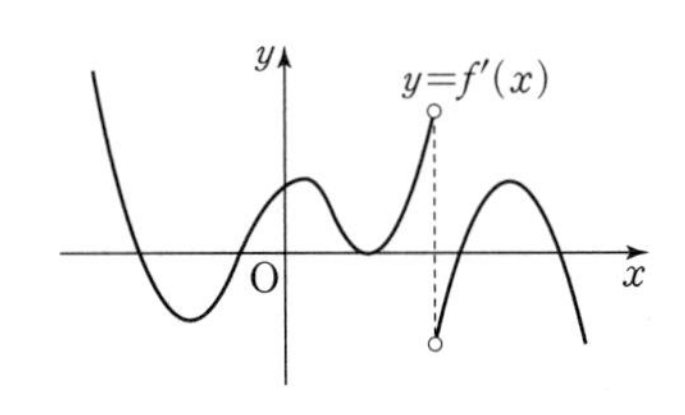

① 1 ② 2 ③ 3
④ 4 ⑤ 5

0816 상중하

미분가능한 함수 $y=f(x)$의 도함수 $y=f'(x)$의 그래프가 오른쪽 그림과 같을 때, 곡선 $y=f(x)$가 위로 볼록한 구간을 구하시오.

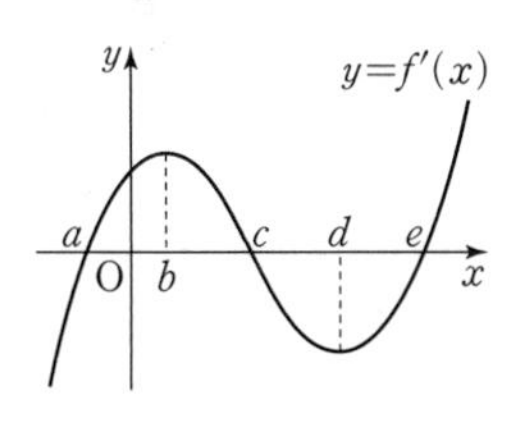

0817 상중하

사차함수 $f(x)$의 도함수 $y=f'(x)$의 그래프가 오른쪽 그림과 같을 때, 함수 $f(x)$에 대하여 다음 보기 중 옳은 것을 있는 대로 고르시오.

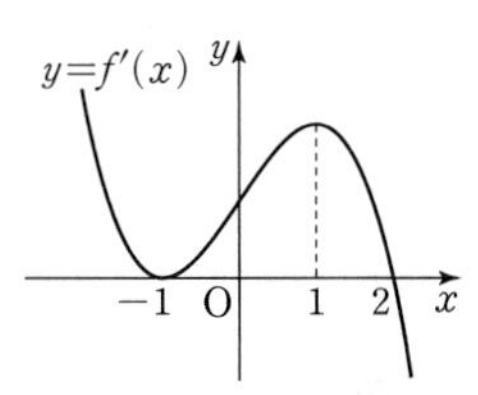

보기
ㄱ. $x=-1$에서 극솟값을 갖는다.
ㄴ. $x=2$에서 극댓값을 갖는다.
ㄷ. $y=f(x)$의 그래프의 변곡점의 개수는 2이다.

0818 상중하

다음 그림과 같이 미분가능한 함수 $y=f(x)$의 그래프 위에 점 A, B, C, ⋯, H가 있다.

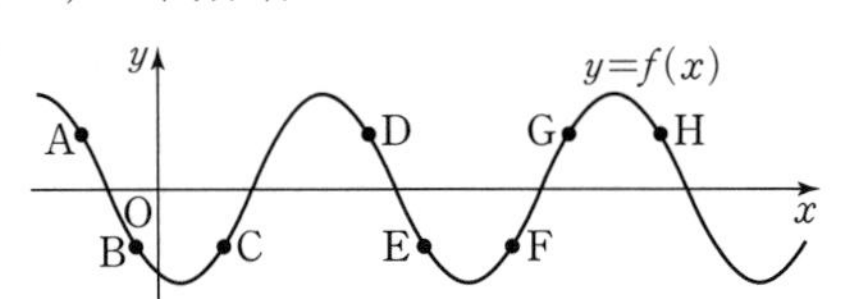

이때, 이 점들 중 집합

$$\{(x, f(x))\,|\,f(x)f'(x)f''(x)>0\}$$

의 원소인 것을 모두 고른 것은?

① A, C, F, G ② A, F, G, H
③ B, C, E, F ④ B, D, E, H
⑤ A, B, D, E, H

개념 해결의 법칙 161쪽 유형 05

유형 06 유리함수의 최대 · 최소

개념 04

(i) $\left\{\dfrac{f(x)}{g(x)}\right\}'=\dfrac{f'(x)g(x)-f(x)g'(x)}{\{g(x)\}^2}$ $(g(x)\neq 0)$임을 이용하여 극값을 구한다.

(ii) 주어진 구간에서의 극댓값, 극솟값, 구간의 양 끝에서의 함숫값을 비교하여 최댓값과 최솟값을 구한다.

0819 • 대표문제 •

함수 $f(x)=\dfrac{2(x-1)}{x^2+3}$의 최댓값을 M, 최솟값을 m이라 할 때, $M+m$의 값은?

① -2 ② $-\dfrac{4}{3}$ ③ $-\dfrac{2}{3}$

④ 0 ⑤ $\dfrac{2}{3}$

0820 상중하

함수 $f(x)=\dfrac{x^2+x+1}{x}$ $(x>0)$이 $x=\alpha$에서 최솟값 β를 가질 때, $\alpha\beta$의 값은?

① -3 ② -2 ③ 1

④ 2 ⑤ 3

0821 상중하

구간 $[-1, 2]$에서 함수 $f(x)=x-3+\dfrac{4}{x-3}$의 최댓값과 최솟값의 곱을 구하시오.

개념 해결의 법칙 161쪽 유형 05

유형 07 무리함수의 최대 · 최소

개념 04

(i) (근호 안의 식의 값)≥ 0인 x의 값의 범위를 구한다.

(ii) $\{\sqrt{f(x)}\}'=\dfrac{f'(x)}{2\sqrt{f(x)}}$ $(f(x)\neq 0)$임을 이용하여 극값을 구한다.

(iii) (i)에서 구한 구간에서의 극댓값, 극솟값, 구간의 양 끝에서의 함숫값을 비교하여 최댓값과 최솟값을 구한다.

0822 • 대표문제 •

함수 $f(x)=x\sqrt{2-x^2}$의 최댓값과 최솟값의 차는?

① 0 ② 1 ③ 2

④ 3 ⑤ 4

0823 상중하

함수 $f(x)=x+\sqrt{8-x^2}$의 최댓값을 M, 최솟값을 m이라 할 때, $M+m$의 값은?

① $4-2\sqrt{2}$ ② $4-\sqrt{2}$ ③ $4\sqrt{2}$

④ $4+\sqrt{2}$ ⑤ $4+2\sqrt{2}$

0824 상중하 서술형

함수 $f(x)=\sqrt{x}+\sqrt{4-x}$의 최댓값을 구하시오.

★중요 개념 해결의 법칙 162쪽 유형 06

유형 08 지수함수의 최대 · 최소

개념 04

(i) $(e^x)'=e^x$임을 이용하여 극값을 구한다.
(ii) 주어진 구간에서의 극댓값, 극솟값, 구간의 양 끝에서의 함숫값을 비교하여 최댓값과 최솟값을 구한다.

0825 • 대표문제 •

구간 $[-2, 1]$에서 함수 $f(x)=(x^2+x-1)e^x$의 최댓값을 M, 최솟값을 m이라 할 때, $M-m$의 값은?

① $e+1$ ② $e+\frac{1}{e}$ ③ $e-\frac{1}{e^2}$
④ $\frac{1}{e^2}+\frac{1}{e}$ ⑤ $\frac{1}{e^2}+1$

0826 상중하

$-1\le x\le 1$에서 함수 $f(x)=xe^{-2x}$의 최댓값과 최솟값의 곱은?

① $-e^2$ ② $-\frac{e}{2}$ ③ -1
④ $\frac{1}{2e^3}$ ⑤ $\frac{1}{e^2}$

0827 상중하

함수 $f(x)=(x^2-kx+k)e^{-x}$의 극솟값을 $g(k)$라 할 때, $g(k)$의 최댓값은? (단, $k<2$)

① $\frac{1}{e^2}$ ② $\frac{1}{e}$ ③ 1
④ e ⑤ e^2

★중요 개념 해결의 법칙 162쪽 유형 06

유형 09 로그함수의 최대 · 최소

개념 04

(i) (진수)>0인 x의 값의 범위를 구한다.
(ii) $(\ln x)'=\frac{1}{x}$, $(\log_a x)'=\frac{1}{x\ln a}$임을 이용하여 극값을 구한다.
(iii) (i)에서 구한 구간에서의 극댓값, 극솟값, 구간의 양 끝에서의 함숫값을 비교하여 최댓값과 최솟값을 구한다.

0828 • 대표문제 •

함수 $f(x)=x^2-\ln x$의 최솟값은?

① 0 ② $\ln 2$ ③ $\frac{1}{2}\ln 2$
④ $\frac{1}{2}(1-\ln 2)$ ⑤ $\frac{1}{2}(1+\ln 2)$

0829 상중하

구간 $\left[\frac{1}{e}-1, e-1\right]$에서 함수

$$f(x)=(x+1)\ln(x+1)-x+1$$

의 최댓값을 M, 최솟값을 m이라 할 때, $M+m$의 값은?

① 1 ② 2 ③ e
④ 3 ⑤ $e+2$

0830 상중하

함수 $f(x)=\log_2(x+6)+\log_4(-x)$의 최댓값을 구하시오.

중요 개념 해결의 법칙 162쪽 유형 06

유형 10 삼각함수의 최대·최소

개념 04

(i) $(\sin x)'=\cos x$, $(\cos x)'=-\sin x$임을 이용하여 극값을 구한다.
(ii) 주어진 구간에서의 극댓값, 극솟값, 구간의 양 끝에서의 함숫값을 비교하여 최댓값과 최솟값을 구한다.

0831 • 대표문제 •

함수 $f(x)=x+\sin 2x\left(0\le x\le\frac{\pi}{2}\right)$가 $x=\alpha$에서 최댓값을 갖고 $x=\beta$에서 최솟값을 가질 때, $\alpha+\beta$의 값은?

① $\frac{\pi}{4}$ ② $\frac{\pi}{3}$ ③ $\frac{\pi}{2}$
④ $\frac{2}{3}\pi$ ⑤ $\frac{5}{6}\pi$

0832 상중하

함수 $f(x)=(1+\cos x)\sin x\left(0\le x\le\frac{\pi}{2}\right)$의 최댓값을 M이라 할 때, $16M^2$의 값은?

① 15 ② 18 ③ 21
④ 24 ⑤ 27

0833 상중하 서술형

구간 $\left[-\frac{\pi}{2}, \frac{\pi}{2}\right]$에서 함수 $f(x)=e^x\cos x$의 최댓값과 최솟값의 합을 구하시오.

유형 11 치환을 이용한 함수의 최대·최소

개념 04

함수 $f(x)$의 식에 공통부분이 있으면
(i) 공통부분을 t로 치환한 후 주어진 구간에서 t의 값의 범위를 구한다.
(ii) $f(x)$를 t에 대한 함수 $g(t)$로 나타낸다.
(iii) (i)에서 구한 범위에서 $g(t)$의 최댓값과 최솟값을 구한다.

0834 • 대표문제 •

함수 $f(x)=\cos^3 x+3\sin^2 x+1$의 최댓값을 구하시오.

0835 상중하

구간 $[10, 1000]$에서 함수 $f(x)=3(\log x)^4-8(\log x)^3+2$의 최댓값과 최솟값의 합을 구하시오.

0836 상중하

함수

$$f(x)=8^x+8^{-x}+4^x+4^{-x}+2(2^x+2^{-x})+1$$

의 최솟값을 구하시오.

0837 상중하

실수 전체의 집합에서 정의된 두 함수 $f(x)$, $g(x)$가

$$f(x)=2x^3-3x^2+10,\ g(x)=\sqrt{3}\sin x+\cos x$$

일 때, 합성함수 $(f\circ g)(x)$의 최댓값과 최솟값의 차를 구하시오.

개념 해결의 법칙 163쪽 유형 07

유형 12 함수의 최대·최소 – 미정계수의 결정 개념 04

미정계수를 포함한 함수 $f(x)$의 최댓값 또는 최솟값이 주어지면
⇨ 증감표에서 미정계수를 이용하여 나타낸 최댓값 또는 최솟값을 찾은 후 주어진 값과 비교한다.

0838 대표문제

$0\le x\le \frac{\pi}{2}$에서 함수 $f(x)=k\sin 2x-kx\ (k>0)$의 최댓값이 $\sqrt{3}-\frac{\pi}{3}$일 때, $f(x)$의 최솟값은? (단, k는 상수)

① $-\frac{5}{3}\pi$ ② $-\frac{4}{3}\pi$ ③ $-\pi$
④ $-\frac{2}{3}\pi$ ⑤ $-\frac{1}{3}\pi$

0839 상중하 서술형

함수 $f(x)=\frac{1}{4}x^2-\frac{1}{2}\ln kx\ (k>0)$의 최솟값이 0일 때, 상수 k의 값을 구하시오.

0840 상중하

함수 $f(x)=10^{x^3}\times 10^{-3x^2+k}$에 대하여 구간 $[1, 3]$에서의 최솟값이 10^{10}일 때, 상수 k의 값은?

① 11 ② 12 ③ 13
④ 14 ⑤ 15

개념 해결의 법칙 164쪽 유형 08

유형 13 최대·최소의 활용 – 길이, 넓이 개념 04

도형의 길이, 넓이의 최댓값 또는 최솟값을 구할 때는
(i) 점의 x좌표, 각의 크기, 선분의 길이 등을 t로 놓고 t의 값의 범위를 구한다.
(ii) 길이 또는 넓이를 t에 대한 함수 $f(t)$로 나타낸다.
(iii) (i)에서 구한 범위에서 $f(t)$의 최댓값 또는 최솟값을 구한다.

0841 대표문제

오른쪽 그림과 같이 y축에 평행한 직선이 곡선 $y=e^x$과 만나는 점을 P, 직선 $y=x$와 만나는 점을 Q라 할 때, 선분 PQ의 길이의 최솟값을 구하시오.

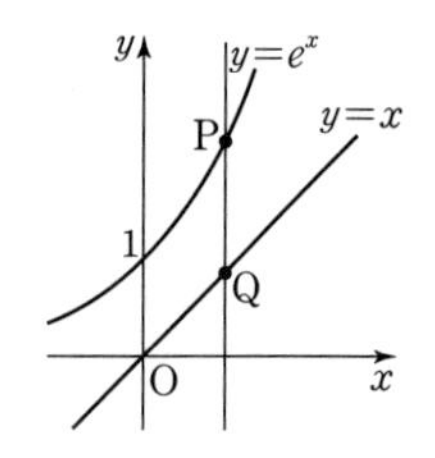

0842 상중하

양수 a에 대하여 두 곡선 $y=e^{-2x}$, $y=e^{2x}$ 위의 두 점 (a, e^{-2a}), $(-a, e^{-2a})$을 잡아 오른쪽 그림과 같이 직사각형을 만들었을 때, 이 직사각형의 넓이의 최댓값을 구하시오.

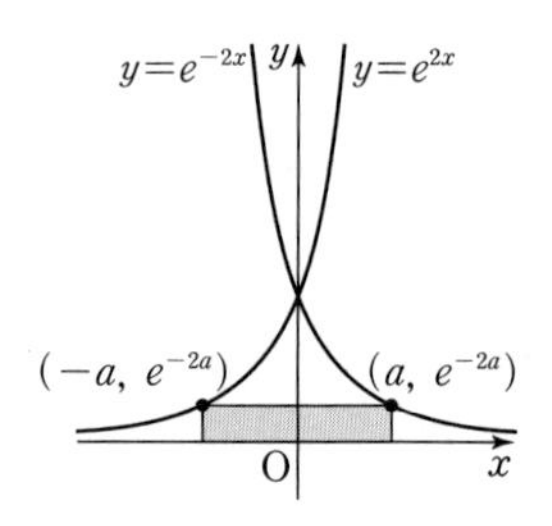

0843 상중하

오른쪽 그림과 같이 곡선 $y=\ln x$ 위의 점 P에서 x축, y축에 내린 수선의 발을 각각 Q, R라 할 때, 직사각형 ORPQ의 넓이의 최댓값을 구하시오. (단, O는 원점이고, 점 P는 제4사분면 위의 점이다.)

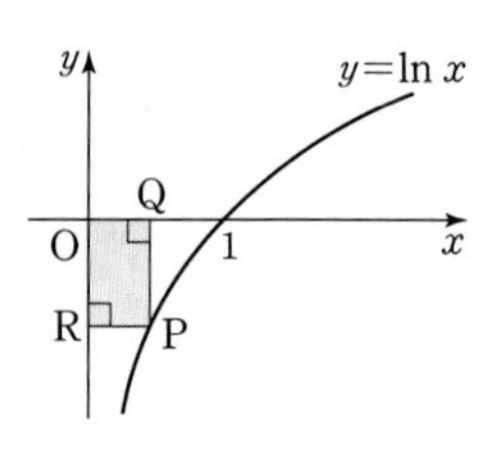

0844 상중하

오른쪽 그림과 같이 가로, 세로의 길이가 각각 4, 6인 직사각형 모양의 종이 ABCD를 변 AB, BC 위에 있는 점 P, Q를 지나는 선분으로 접어서 점 B가 변 CD 위의 점 R에 놓이도록 할 때, 접힌 선분 PQ의 길이의 최솟값을 구하시오.

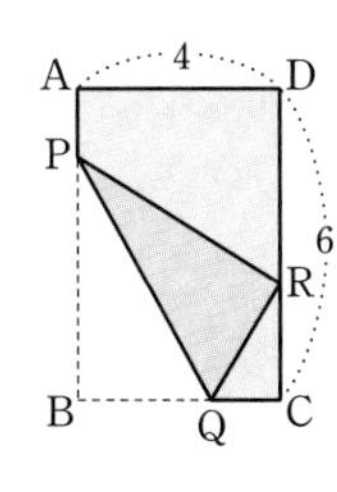

0845 상중하

오른쪽 그림과 같이 반지름의 길이가 1인 사분원에서 $\overline{PQ}$는 반지름 OB에 평행하고, 사각형 PQQ′P′은 정사각형이다. 색칠한 부분의 넓이를 최대로 하는 선분 PQ의 길이는?

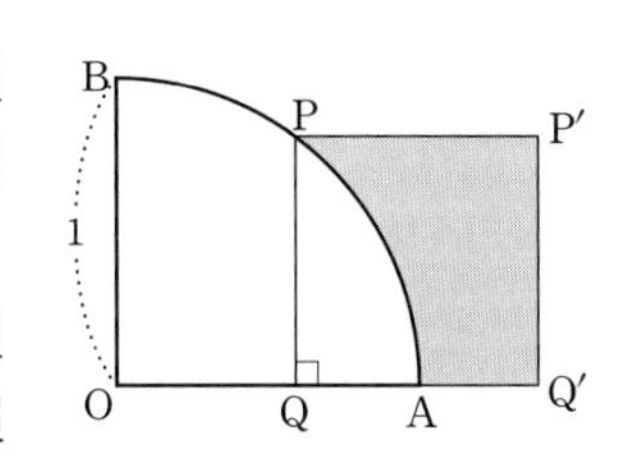

① $\frac{1}{2}$ ② $\frac{\sqrt{3}}{3}$ ③ $\frac{2}{3}$
④ $\frac{\sqrt{5}}{3}$ ⑤ $\frac{2\sqrt{5}}{5}$

개념 해결의 법칙 164쪽 유형 08

유형 14 최대·최소의 활용 – 부피

개념 04

평면도형의 길이, 넓이 공식, 입체도형의 부피 공식, 피타고라스 정리 등을 이용하여 부피를 한 문자에 대한 함수로 나타낸 후 최댓값과 최솟값을 구한다.

0846 • 대표문제 •

오른쪽 그림은 밑면 PQRS가 정사각형이고 옆면의 한 대각선의 길이가 3인 사각기둥의 전개도이다. 사각기둥의 부피가 최대일 때, 밑면의 한 변의 길이를 구하시오.

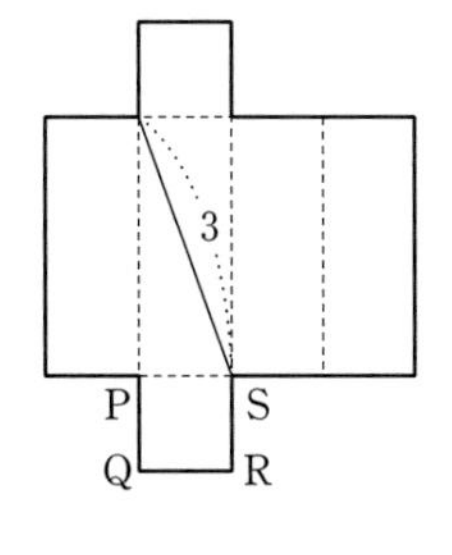

0847 상중하

반지름의 길이가 4인 구에 외접하는 직원뿔의 부피가 최소일 때, 직원뿔의 밑면의 반지름의 길이는?

① $4\sqrt{2}$ ② 6 ③ 8
④ $6\sqrt{2}$ ⑤ $8\sqrt{2}$

발전 유형 15 최대·최소의 활용 – 실생활

개념 04

피타고라스 정리 등을 이용하여 구하는 값을 한 문자에 대한 함수로 나타낸다.

0848 • 대표문제 •

오른쪽 그림과 같이 단면이 등변사다리꼴 모양인 물이 흐르는 통로를 만들려고 한다. 통로의 단면에서 밑변과 등변의 길이가 모두 4 m이고 단면의 넓이가 최대가 되도록 설계할 때, 단면의 넓이를 구하시오.

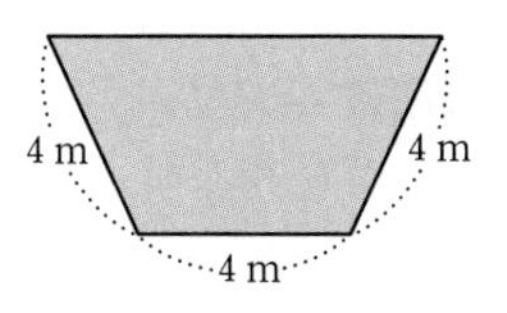

0849 상중하

오른쪽 그림과 같이 폭이 각각 8 m, 1 m인 통로가 수직으로 만나고 있다. 막대를 수평으로 들고 모서리를 돌아갈 때, 막대의 최대 길이를 구하시오. (단, 막대의 두께는 무시한다.)

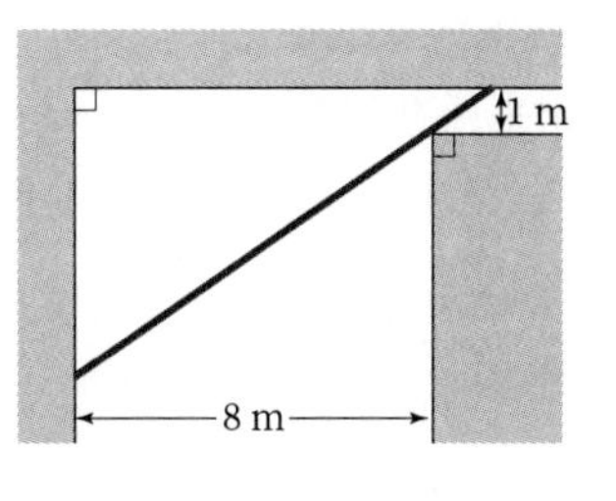

개념 해결의 법칙 168쪽 유형 01

유형 16 방정식 $f(x)=k$의 실근의 개수 (중요, 개념 05)

방정식 $f(x)=k$의 서로 다른 실근의 개수는
⇨ 함수 $y=f(x)$의 그래프와 직선 $y=k$의 교점의 개수와 같다.

0850 • 대표문제 •

x에 대한 방정식 $\frac{2}{x^2-4x+5}=k$가 오직 한 개의 실근을 가질 때, 실수 k의 값은?

① 1 ② 2 ③ 3
④ 4 ⑤ 5

0851 상중하

x에 대한 방정식 $e^x+e^{-x}-k=0$이 서로 다른 두 실근을 갖도록 하는 실수 k의 값의 범위가 $k>\alpha$일 때, α의 값은?

① -2 ② -1 ③ 0
④ 1 ⑤ 2

0852 상중하

x에 대한 방정식 $x\ln x-2x-k=0$이 적어도 하나의 실근을 갖기 위한 실수 k의 최솟값은?

① $-2e$ ② $-e$ ③ 0
④ e ⑤ $2e$

개념 해결의 법칙 169쪽 유형 02

유형 17 방정식 $f(x)=g(x)$의 실근의 개수 (개념 05)

방정식 $f(x)=g(x)$의 서로 다른 실근의 개수는
⇨ 두 함수 $y=f(x)$, $y=g(x)$의 그래프의 교점의 개수와 같다.

0853 • 대표문제 •

x에 대한 방정식 $\ln x=ax$가 오직 한 개의 실근을 갖도록 하는 양수 a의 값은?

① $\frac{1}{e}$ ② $\frac{2}{e}$ ③ 1
④ e ⑤ $2e$

0854 상중하

$-1\le x\le 1$에서 x에 대한 방정식 $\sin \pi x=kx$가 서로 다른 세 실근을 갖도록 하는 실수 k의 값의 범위를 구하시오.

0855 상중하

x에 대한 방정식 $\ln x=kx^3$이 서로 다른 두 실근을 가질 때, 실수 k의 값의 범위를 구하시오.

유형 18 변곡점을 가질 조건

개념 02, 05

곡선 $y=f(x)$가 변곡점을 갖기 위해서는
(i) 방정식 $f''(x)=0$이 실근을 갖고
(ii) 그 실근의 좌우에서 $f''(x)$의 부호가 바뀌어야 한다.

0856 • 대표문제 •

곡선 $y=2\cos x+ax^2+3x$가 변곡점을 갖도록 하는 실수 a의 값의 범위는?

① $-2<a\le-1$　② $-2\le a<-1$　③ $-1<a<1$
④ $-1\le a<0$　⑤ $0<a\le1$

0857 상중하

다음 중 곡선 $y=\sin x+\frac{1}{2}ax^2-2x\ (0<x<2\pi)$가 두 개의 변곡점을 갖도록 하는 실수 a의 값이 될 수 없는 것은?

① $-\frac{1}{2}$　② $-\frac{1}{4}$　③ $\frac{1}{4}$
④ $\frac{1}{2}$　⑤ 1

0858 상중하

곡선 $y=e^{2x}+e^{-2x}+ax^2$이 변곡점을 갖도록 하는 실수 a의 값의 범위를 구하시오.

★중요

개념 해결의 법칙 170쪽 유형 03

유형 19 $f(x)\ge a$ 꼴의 부등식이 항상 성립할 조건

개념 06

(1) 어떤 구간에서 부등식 $f(x)\le a$가 성립하려면
⇨ 그 구간에서 ($f(x)$의 최댓값)$\le a$
(2) 어떤 구간에서 부등식 $f(x)\ge a$가 성립하려면
⇨ 그 구간에서 ($f(x)$의 최솟값)$\ge a$

0859 • 대표문제 •

$x>0$인 모든 실수 x에 대하여 부등식 $x^2+\frac{1}{x^2}+k>0$이 성립하도록 하는 실수 k의 값의 범위를 구하시오.

0860 상중하

$x>0$인 모든 실수 x에 대하여 부등식 $\ln(1+x)-x<-a+1$이 성립하도록 하는 실수 a의 값의 범위를 구하시오.

0861 상중하

$\frac{\pi}{4}\le x\le\pi$인 모든 실수 x에 대하여 부등식
$\sin x+k\cos x\le k$가 성립하도록 하는 실수 k의 최솟값은?

① 0　② $\sqrt{2}-1$　③ $2-\sqrt{2}$
④ $\sqrt{2}+1$　⑤ $2+\sqrt{2}$

0862 상중하 서술형

$x>0$인 모든 실수 x에 대하여 부등식 $e^x-\frac{x^2}{2}-x+k>0$이 성립하도록 하는 실수 k의 최솟값을 구하시오.

개념 해결의 법칙 170쪽 유형 03

유형 20 $f(x) \ge g(x)$ 꼴의 부등식이 항상 성립할 조건 개념 06

어떤 구간에서 부등식 $f(x)>g(x)$가 항상 성립하려면 그 구간에서
⇨ 곡선 $y=f(x)$가 곡선 $y=g(x)$보다 항상 위쪽에 있어야 한다.
⇨ ($f(x)$의 최솟값) $>$ ($g(x)$의 최댓값)

0863 • 대표문제 •

$x>0$인 모든 실수 x에 대하여 부등식 $x^2>a\ln x$가 성립할 때, 양수 a의 값의 범위는?

① $0<a<2e$ ② $0<a<\frac{5}{2}e$ ③ $0<a<3e$
④ $0<a<\frac{7}{2}e$ ⑤ $0<a<4e$

0864 상중하

모든 실수 x에 대하여 부등식 $e^x \ge mx$가 성립할 때, 실수 m의 값의 범위를 구하시오.

0865 상중하

두 함수 $f(x)=x+\frac{1}{x}$, $g(x)=\frac{3x}{x^2+1}+a$가 있다. 임의의 양의 실수 x에 대하여 $f(x) \ge g(x)$를 만족시키는 실수 a의 최댓값은?

① $\frac{1}{3}$ ② $\frac{1}{2}$ ③ 1
④ $\frac{3}{2}$ ⑤ 2

개념 해결의 법칙 175쪽 유형 01

유형 21 수직선 위를 움직이는 점의 속도와 가속도 개념 07

수직선 위를 움직이는 점 P의 시각 t에서의 위치 x가 $x=f(t)$일 때, 시각 t에서의 점 P의 속도 v와 가속도 a는

(1) $v=\frac{dx}{dt}=f'(t)$ (2) $a=\frac{dv}{dt}=f''(t)$

0866 • 대표문제 •

수직선 위를 움직이는 점 P의 시각 t에서의 위치 $x=f(t)$가 $f(t)=a\sin\left(5t+\frac{\pi}{6}\right)$이다. $t=\pi$에서의 속도가 $5\sqrt{3}$일 때, 상수 a의 값을 구하시오.

0867 상중하

수직선 위를 움직이는 점 P의 시각 t에서의 위치 $x=f(t)$가 $f(t)=2\ln(t+1)+t$일 때, 속도가 2인 순간의 점 P의 가속도는?

① $-\frac{1}{2}$ ② $-\frac{1}{4}$ ③ 0
④ $\frac{1}{4}$ ⑤ $\frac{1}{2}$

0868 상중하

수직선 위를 움직이는 점 P의 시각 t에서의 위치 $x=f(t)$가 $f(t)=(t^2-7t+13)e^t$일 때, 점 P가 운동 방향을 몇 번 바꾸는지 구하시오.

0869 상중하

수직선 위를 움직이는 점 P의 시각 t에서의 위치 $x=f(t)$가 $f(t)=\sin 2t+\sqrt{3}\cos 2t$일 때, 점 P의 최대 속력은?

① $\sqrt{2}$ ② $\sqrt{3}$ ③ 2
④ 3 ⑤ 4

개념 해결의 법칙 176쪽 유형 02

유형 22 좌표평면 위를 움직이는 점의 속도

개념 07

좌표평면 위를 움직이는 점 P의 시각 t에서의 위치 (x, y)가 $x=f(t)$, $y=g(t)$일 때, 시각 t에서의 점 P의 속도와 속력은

(1) 속도 ⇨ $(f'(t), g'(t))$

(2) 속력 ⇨ $\sqrt{\{f'(t)\}^2+\{g'(t)\}^2}$

0870 대표문제

좌표평면 위를 움직이는 점 P의 시각 t에서의 위치 (x, y)가 $x=3t+1$, $y=4t-t^2$이다. 점 P의 속력이 최소일 때의 시각을 구하시오.

0871 상중하

좌표평면 위를 움직이는 점 P의 시각 t에서의 위치 (x, y)가 $x=e^t\cos t$, $y=e^t\sin t$이다. 점 P의 속력이 4일 때의 시각은?

① $\ln 2$ ② $\ln 2\sqrt{2}$ ③ $\ln 2\sqrt{3}$
④ $2\ln 2$ ⑤ $\ln 2\sqrt{5}$

0872 상중하

어떤 골프 선수가 수평면으로부터 45°의 각을 이루는 방향으로 20 m/s의 속력으로 골프공을 쳤다. 이 골프공의 t초 후의 수평 방향의 위치 x m와 수직 방향의 위치 y m가

$x=10\sqrt{2}t$, $y=-5t^2+10\sqrt{2}t$

일 때, 골프공이 지면에 떨어질 때의 속력을 구하시오.

0873 상중하 서술형

좌표평면 위를 움직이는 점 P의 시각 t에서의 위치 (x, y)가 $x=at^2+\cos t$, $y=t-\sin t$이다. $t=\frac{\pi}{2}$에서의 속력이 1일 때, 상수 a의 값을 구하시오.

개념 해결의 법칙 176쪽 유형 02

유형 23 좌표평면 위를 움직이는 점의 가속도

개념 07

좌표평면 위를 움직이는 점 P의 시각 t에서의 위치 (x, y)가 $x=f(t)$, $y=g(t)$일 때, 시각 t에서의 점 P의 가속도와 가속도의 크기는

(1) 가속도 ⇨ $(f''(t), g''(t))$

(2) 가속도의 크기 ⇨ $\sqrt{\{f''(t)\}^2+\{g''(t)\}^2}$

0874 대표문제

좌표평면 위를 움직이는 점 P의 시각 t에서의 위치 (x, y)가 $x=\sqrt{17}t$, $y=t^3-t$이다. 점 P의 속력이 9일 때, 가속도의 크기를 구하시오. (단, $t>0$)

0875 상중하

좌표평면 위를 움직이는 점 P의 시각 t에서의 위치 (x, y)가 $x=3\cos t$, $y=3\sin t$일 때, 점 P의 속력을 a, 가속도의 크기를 b라 하자. 이때, $a+b$의 값은?

① 3 ② 4 ③ 5
④ 6 ⑤ 7

0876 상중하

좌표평면 위를 움직이는 점 P의 시각 t에서의 위치 (x, y)가 $x=t^2+9t$, $y=at^3-5t$이다. $t=1$에서의 가속도의 크기가 $2\sqrt{10}$일 때, 양수 a의 값을 구하시오.

• 실제 학교 시험지처럼 풀어 보세요.

0877

| 유형 01 |

곡선 $y=\sin^2 x\left(0<x<\frac{\pi}{2}\right)$가 위로 볼록한 x의 값의 범위가 $a<x<b$일 때, $a+b$의 값은? [4.7점]

① $\frac{\pi}{4}$ ② $\frac{\pi}{3}$ ③ $\frac{\pi}{2}$
④ $\frac{2}{3}\pi$ ⑤ $\frac{3}{4}\pi$

0878

| 유형 02 |

곡선 $y=e^x-e^{-x}+1$의 변곡점에서 그은 접선이 x축과 만나는 점의 좌표는? [4.7점]

① $\left(-\frac{1}{2}, 0\right)$ ② $\left(-\frac{1}{3}, 0\right)$ ③ $\left(-\frac{1}{4}, 0\right)$
④ $\left(\frac{1}{4}, 0\right)$ ⑤ $\left(\frac{1}{2}, 0\right)$

0879

| 유형 04 |

함수 $f(x)=\frac{x^2-3}{x-2}$에 대하여 다음 보기 중 옳은 것을 있는 대로 고른 것은? [4.8점]

보기

ㄱ. $x=3$에서 극댓값을 갖는다.
ㄴ. $y=f(x)$의 그래프의 변곡점은 존재하지 않는다.
ㄷ. 직선 $y=x+2$는 $y=f(x)$의 그래프의 점근선이다.

① ㄱ ② ㄴ ③ ㄷ
④ ㄱ, ㄷ ⑤ ㄴ, ㄷ

0880

| 유형 06 |

자연수 n에 대하여 함수 $y=\frac{2nx}{x^2-x+1}$의 최댓값과 최솟값의 합을 $f(n)$이라 할 때, $\sum_{n=1}^{12} f(n)$의 값은? [4.9점]

① 60 ② 88 ③ 104
④ 130 ⑤ 156

0881

| 유형 07 |

구간 $[0, 1]$에서 함수 $f(x)=x+\sqrt{1-x}$의 최댓값을 M, 최솟값을 m이라 할 때, $M-m$의 값은? [4.7점]

① $\frac{1}{4}$ ② $\frac{1}{2}$ ③ $\frac{3}{4}$
④ 1 ⑤ $\frac{5}{4}$

0882

| 유형 08 |

구간 $[-3, -1]$에서 함수 $f(x)=\frac{e^{-x}}{x^2}$의 최댓값을 M, 최솟값을 m이라 할 때, $\frac{M}{m}$의 값은? [4.8점]

① $\frac{4}{e}$ ② $\frac{9}{e}$ ③ $\frac{36}{e}$
④ $\frac{4}{e^2}$ ⑤ $\frac{9}{e^2}$

0883 | 유형 11 |

함수 $f(x)=\sin^2 x\cos x$의 최댓값을 M, 최솟값을 m이라 할 때, $M^2+m^2=\frac{q}{p}$이다. 이때, $p+q$의 값은?

(단, p와 q는 서로소인 자연수이다.) [4.9점]

① 25 ② 35 ③ 45
④ 55 ⑤ 65

0884 | 유형 12 |

$1\le x\le e^2$에서 함수 $f(x)=x\ln x-ax-1$의 최솟값이 $-e-1$일 때, $f(x)$의 최댓값은? (단, $1<a<3$) [4.8점]

① -2 ② -1 ③ 1
④ 2 ⑤ 3

0885 | 유형 16 |

x에 대한 방정식 $\ln x-x+20-n=0$이 서로 다른 두 실근을 갖도록 하는 자연수 n의 개수는? [4.8점]

① 15 ② 16 ③ 17
④ 18 ⑤ 19

0886 | 유형 18 |

곡선 $y=ax^2+\sin x+\cos x$가 변곡점을 갖지 않도록 하는 실수 a의 값의 범위는? [5점]

① $a<0$ 또는 $a>\sqrt{2}$ ② $0<a<\sqrt{2}$
③ $a\le-\frac{\sqrt{2}}{2}$ 또는 $a\ge\frac{\sqrt{2}}{2}$ ④ $-\frac{\sqrt{2}}{2}\le a\le\frac{\sqrt{2}}{2}$
⑤ $-\sqrt{2}\le a\le 0$

0887 | 유형 19 |

$-2\le x\le 2$인 모든 실수 x에 대하여 부등식

$$\alpha e^{-x}\le 2x^2-3x\le\beta e^{-x}$$

이 성립하도록 하는 실수 α, β를 정할 때, $\beta-\alpha$의 최솟값은? [5점]

① e ② $2e$ ③ e^2
④ $e(e+1)$ ⑤ $e(2e+1)$

0888 | 유형 21 |

수직선 위를 움직이는 점 P의 시각 t에서의 위치 $x=f(t)$가 $f(t)=e^{\cos t}$일 때, 점 P가 두 번째로 운동 방향을 바꿀 때의 위치는? (단, $t>0$) [4.9점]

① $\frac{1}{e}$ ② $\frac{1}{\sqrt{e}}$ ③ 1
④ $\sqrt{e}$ ⑤ e

7 도함수의 활용 (2)

STEP 3 ≫ 정답과 해설 129쪽

서술형 문제

• 풀이 과정에 점수가 부여되니 풀이 과정 및 정답을 상세하게 서술하세요.

단답형

0889 | 유형 03 |

곡선 $y=\ln(x^2+k)$의 두 변곡점 사이의 거리가 2일 때, 양의 정수 k의 값을 구하시오. [7점]

0890 | 유형 13 |

오른쪽 그림과 같이 반지름의 길이가 1인 반원에 내접하고 $\overline{\mathrm{AB}}$가 원의 지름인 등변사다리꼴 ABCD가 있다. 이 사다리꼴의 넓이의 최댓값을 구하시오. [7점]

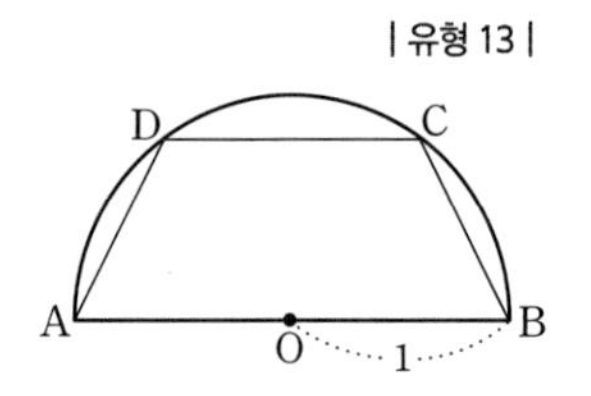

0891 | 유형 19 |

모든 실수 x에 대하여 부등식 $\ln(x^2+1)+\dfrac{1}{x^2+1}+k\geq 0$이 성립하도록 하는 음의 정수 k의 개수를 구하시오. [6점]

단계형

0892 | 유형 09 |

자연수 n에 대하여 함수 $f(x)=n\ln x+\dfrac{n+1}{x}-n\cos\dfrac{1}{n}$의 최솟값을 a_n이라 할 때, $\lim\limits_{n\to\infty}a_n$의 값을 구하려고 한다. 다음 물음에 답하시오. [12점]

(1) $f'(x)=0$을 만족시키는 x의 값을 구하시오. [3점]

(2) a_n을 구하시오. [4점]

(3) $\lim\limits_{n\to\infty}a_n$의 값을 구하시오. [5점]

0893 | 유형 23 |

좌표평면 위를 움직이는 점 P의 시각 t에서의 위치 (x, y)가

$$x=e^t\sin t,\ y=\cos t$$

일 때, 가속도의 크기의 최솟값을 구하려고 한다. 다음 물음에 답하시오. [10점]

(1) 점 P의 시각 t에서의 가속도를 구하시오. [3점]

(2) 점 P의 시각 t에서의 가속도의 크기를 구하시오. [3점]

(3) 가속도의 크기의 최솟값을 구하시오. [4점]

성/취/도 Check 점수 / 100점

50점 STEP 1 개념+기본 문제 학습
60점 STEP 2 유형 대표 문제 학습
70점 STEP 3의 틀린 문제에 해당하는 STEP 2 유형 학습

80점 STEP 3의 틀린 문제 복습
90점 교과서 속 심화문제 시작

≫ 정답과 해설 130쪽

0894

함수 $f(x)=-\ln(e^x+a)$에 대하여 다음 보기 중 옳은 것을 있는 대로 고른 것은?

보기

ㄱ. $\lim_{x\to\infty} f'(x)=-1$

ㄴ. $a>0$일 때, $y=f(x)$의 그래프는 아래로 볼록하다.

ㄷ. $a>1$일 때, 방정식 $f(x)=a$는 한 개의 실근을 갖는다.

① ㄱ　② ㄷ　③ ㄱ, ㄴ
④ ㄴ, ㄷ　⑤ ㄱ, ㄴ, ㄷ

0895

곡선 $y=\ln x$ 위의 점 $(t, \ln t)$에서의 접선이 곡선 $y=x^2+k$에 접할 때, 실수 k의 값이 최소가 되도록 하는 t의 값을 구하시오.

0896 융합형

함수 $y=x^2$의 그래프 위를 움직이는 점 $P(a, a^2)$ $(a>0)$에서의 접선과 수직이며 점 P를 지나는 직선 l이 있다. 이 직선 l과 직선 OP가 이루는 예각의 크기를 θ라 할 때, $\tan\theta$의 최솟값을 구하시오. (단, O는 원점)

0897

$(2n-2)\pi<x<(2n-1)\pi$인 모든 실수 x에 대하여 부등식 $\ln(\sin x)\le k-x$가 항상 성립하도록 하는 실수 k의 최솟값을 m_n이라 하자. $\sum_{n=1}^{10} m_n=a\pi+b\ln 2$일 때, 유리수 a, b에 대하여 $2a+b$의 값을 구하시오. (단, n은 자연수)

0898

좌표평면 위를 움직이는 점 P의 시각 t에서의 위치 (x, y)가

$$x=2\sin t-2\cos t,\ y=3\sin t\cos t$$

일 때, 점 P의 속력이 최대가 되는 순간의 $\frac{dy}{dx}$의 값을 구하시오. $\left(단,\ 0\le t\le\frac{\pi}{4}\right)$

8

여러 가지 적분법

어떤 것이 당신의 계획대로 되지 않는다고 해서
그것이 불필요한 것은 아니다.

-토마스 에디슨

기출 문제 분석

빅 데이터

* 전국 300여 개 고등학교 기출 문제를 분석하였습니다.

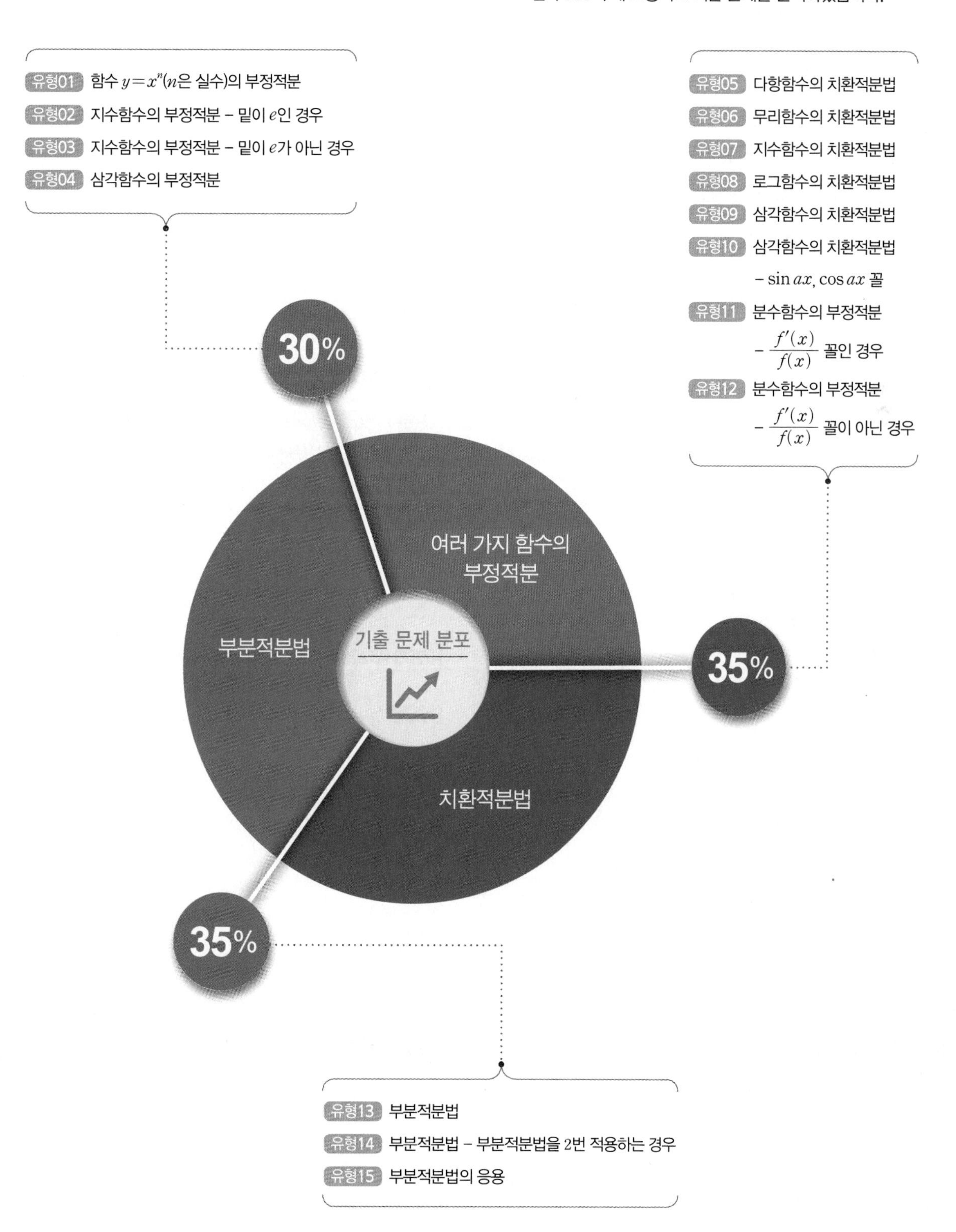

STEP 1 개념 마스터

01 함수 $y=x^n$(n은 실수)의 부정적분 유형 01

실수 n에 대하여

(1) $n\neq-1$일 때, $\int x^n dx=\frac{1}{n+1}x^{n+1}+C$

일반적으로 부정적분에서 적분상수는 C로 나타낸다.

예 $\int\sqrt{x}\,dx=\int x^{\frac{1}{2}}dx=\frac{1}{\frac{1}{2}+1}x^{\frac{1}{2}+1}+C=\frac{2}{3}x^{\frac{3}{2}}+C$
$=\frac{2}{3}x\sqrt{x}+C$

(2) $n=-1$일 때, $\int x^{-1}dx=\int\frac{1}{x}dx=\ln|x|+C$

예 $\int\frac{2}{x}dx=2\int\frac{1}{x}dx=2\ln|x|+C$

참고 **함수의 실수배, 합, 차의 부정적분**

두 함수 $f(x)$, $g(x)$에 대하여

① $\int kf(x)dx=k\int f(x)dx$ (단, k는 0이 아닌 상수)

② $\int\{f(x)\pm g(x)\}dx=\int f(x)dx\pm\int g(x)dx$ (복호동순)

[0899~0902] 다음 부정적분을 구하시오.

0899 $\int\sqrt[3]{x}\,dx$

0900 $\int x^2\sqrt{x}\,dx$

0901 $\int\left(\sqrt[3]{x^2}-\frac{3}{x^2}\right)dx$

0902 $\int\left(\sqrt{x}+\frac{1}{\sqrt{x}}\right)dx$

[0903~0905] 다음 부정적분을 구하시오.

0903 $\int\frac{x^3-3x+1}{x}dx$

0904 $\int\frac{(2x-1)^2}{x}dx$

0905 $\int\frac{1-x}{x^2}dx$

[0906~0907] 다음 부정적분을 구하시오.

0906 $\int(\sqrt[6]{x}-1)(\sqrt[6]{x}+1)\,dx$

0907 $\int\frac{\sqrt{x^3}}{\sqrt{x}-1}dx-\int\frac{1}{\sqrt{x}-1}dx$

02 지수함수의 부정적분 유형 02, 03

(1) $\int e^x dx=e^x+C$

(2) $\int a^x dx=\frac{a^x}{\ln a}+C$ (단, $a>0$, $a\neq1$)

참고 a^{x+k}($a>0$, $a\neq1$, k는 실수) 꼴은 지수법칙을 이용하여 $a^x\times a^k$으로 변형한 후 부정적분을 구한다.

예1 $\int e^{x+2}dx=\int e^x\times e^2dx=e^2\int e^x dx=e^2\times e^x+C=e^{x+2}+C$

예2 $\int 2^{x+1}dx=\int 2\times2^x dx=2\int 2^x dx=2\times\frac{2^x}{\ln 2}+C$
$=\frac{2^{x+1}}{\ln 2}+C$

[0908~0911] 다음 부정적분을 구하시오.

0908 $\int e^{x+3}dx$

0909 $\int\frac{e^{2x}-4^x}{e^x+2^x}dx$

0910 $\int(2^x+1)^2dx$

0911 $\int\frac{9^x-1}{3^x+1}dx$

핵심 Check

- $\int x^n dx=\frac{1}{n+1}x^{n+1}+C$ (단, $n\neq-1$)
- $\int x^{-1}dx=\int\frac{1}{x}dx=\ln|x|+C$
- $\int e^x dx=e^x+C$
- $\int a^x dx=\frac{a^x}{\ln a}+C$ (단, $a>0$, $a\neq1$)

03 삼각함수의 부정적분 유형 04

(1) $\int \sin x\,dx=-\cos x+C$

(2) $\int \cos x\,dx=\sin x+C$

(3) $\int \sec^2 x\,dx=\tan x+C$

(4) $\int \csc^2 x\,dx=-\cot x+C$

(5) $\int \sec x \tan x\,dx=\sec x+C$

(6) $\int \csc x \cot x\,dx=-\csc x+C$

참고 $\tan^2 x$, $\cot^2 x$는 $1+\tan^2 x=\sec^2 x$, $1+\cot^2 x=\csc^2 x$임을 이용하여 식을 변형한 후 적분한다.

[0912~0914] 다음 부정적분을 구하시오.

0912 $\int(2\sin x-3\cos x)\,dx$

0913 $\int(\cos x+\tan x)\sec x\,dx$

0914 $\int \frac{1+2\cos^3 x}{\cos^2 x}\,dx$

[0915~0917] 다음 부정적분을 구하시오.

0915 $\int \tan^2 x\,dx$

0916 $\int \cot^2 x\,dx$

0917 $\int \frac{\cos^2 x}{1-\sin x}\,dx$

04 치환적분법 유형 05~10

미분가능한 함수 $g(x)$에 대하여 $g(x)=t$로 놓으면

$\int f(g(x))g'(x)dx=\int f(t)dt$

이처럼 미분가능한 함수를 다른 변수로 바꾸어 적분하는 방법을 **치환적분법**이라 한다.

참고 치환적분법으로 구한 부정적분은 그 결과를 처음의 변수로 바꾸어 나타낸다.

예 $\int(2x-1)^2dx$에서 $2x-1=t$로 놓으면 $2=\frac{dt}{dx}$이므로

$$\int(2x-1)^2dx=\int t^2\times\frac{1}{2}dt=\frac{1}{2}\times\frac{1}{3}t^3+C$$
$$=\frac{1}{6}(2x-1)^3+C$$

[0918~0920] 다음 부정적분을 구하시오.

0918 $\int 2x(x^2-1)^4\,dx$

0919 $\int 2xe^{x^2}\,dx$

0920 $\int \sin^2 x\cos x\,dx$

[0921~0923] 다음 부정적분을 구하시오.

0921 $\int(2x+5)^4\,dx$

0922 $\int\sqrt{3x-2}\,dx$

0923 $\int\cos(4x+1)\,dx$

- $\int \sin x\,dx=-\cos x+C$
- $\int \cos x\,dx=\sin x+C$
- $\int \sec^2 x\,dx=\tan x+C$
- $\int \csc^2 x\,dx=-\cot x+C$
- $\int \sec x\tan x\,dx=\sec x+C$
- $\int \csc x\cot x\,dx=-\csc x+C$
- $\int f(g(x))g'(x)dx$ ↓ $g(x)=t$로 치환 $\int f(t)dt$

05 분수함수의 부정적분

유형 11, 12

(1) $\frac{f'(x)}{f(x)}$ 꼴의 부정적분

$$\int \frac{f'(x)}{f(x)}dx=\ln|f(x)|+C$$

(2) $\frac{f'(x)}{f(x)}$ 꼴이 아닌 경우의 부정적분

① (분자의 차수)≥(분모의 차수)인 경우

⇨ 분자를 분모로 나누어 몫과 나머지의 꼴로 나타낸 후 부정적분을 구한다.

② (분자의 차수)<(분모의 차수)이고 분모가 인수분해되는 경우

⇨ 부분분수로 변형한 후 부정적분을 구한다.

참고 분수함수의 형태에 따라 다음과 같이 변형한다.

① $\frac{1}{(x+a)(x+b)}=\frac{1}{b-a}\left(\frac{1}{x+a}-\frac{1}{x+b}\right)$ (단, $a\neq b$)

② $\frac{px+q}{(x+a)(x+b)}=\frac{A}{x+a}+\frac{B}{x+b}$

└ x에 대한 항등식임을 이용하여 A, B의 값을 구한다.

[0924~0927] 다음 부정적분을 구하시오.

0924 $\int \frac{2x-2}{x^2-2x-1}dx$

0925 $\int \frac{e^x}{e^x+1}dx$

0926 $\int \frac{1-\sin x}{x+\cos x}dx$

0927 $\int \tan x\,dx$

[0928~0931] 다음 부정적분을 구하시오.

0928 $\int \frac{x^2-x+3}{x-1}dx$

0929 $\int \frac{x^2+1}{x+1}dx$

0930 $\int \frac{1}{x(x+1)}dx$

0931 $\int \frac{3x-1}{x^2-1}dx$

06 부분적분법

유형 13~15

미분가능한 두 함수 $f(x)$, $g(x)$에 대하여

$$\int f(x)g'(x)\,dx=f(x)g(x)-\int f'(x)g(x)\,dx$$

└ 일반적으로 로그함수, 다항함수, 삼각함수, 지수함수 순으로 택하면 편리하다.

이처럼 곱의 꼴로 된 함수를 적분하는 방법을 **부분적분법**이라 한다.

참고 두 함수의 곱의 미분법에서

$\{f(x)g(x)\}'=f'(x)g(x)+f(x)g'(x)$

이므로 이 식의 양변을 x에 대하여 적분하면

$f(x)g(x)=\int f'(x)g(x)\,dx+\int f(x)g'(x)\,dx$

$\therefore \int f(x)g'(x)\,dx=f(x)g(x)-\int f'(x)g(x)\,dx$

[0932~0934] 다음 부정적분을 구하시오.

0932 $\int xe^x\,dx$

0933 $\int x\sin x\,dx$

0934 $\int (4x-2)e^{2x}\,dx$

[0935~0936] 다음 부정적분을 구하시오.

0935 $\int \ln x\,dx$

0936 $\int x\ln x\,dx$

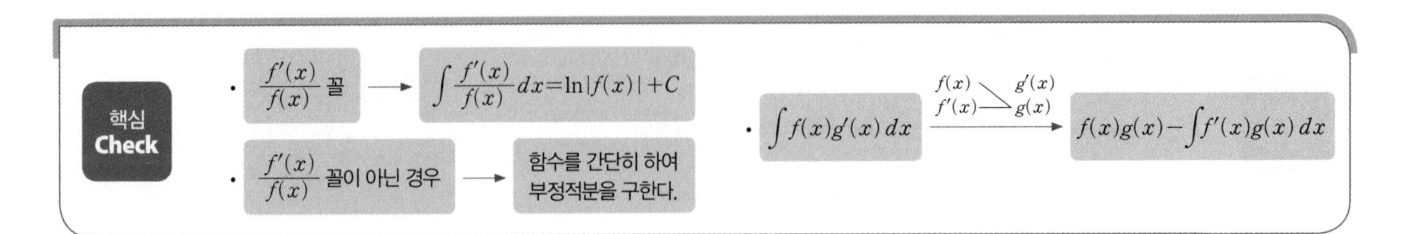

핵심 Check
$\frac{f'(x)}{f(x)}$ 꼴 → $\int \frac{f'(x)}{f(x)}dx=\ln|f(x)|+C$
$\frac{f'(x)}{f(x)}$ 꼴이 아닌 경우 → 함수를 간단히 하여 부정적분을 구한다.
$\int f(x)g'(x)\,dx$ → $f(x)g(x)-\int f'(x)g(x)\,dx$
$f(x)$ $g'(x)$
$f'(x)$ $g(x)$

STEP 2 유형 마스터

개념 해결의 법칙 186쪽 유형 01

유형 01 함수 $y=x^n$(n은 실수)의 부정적분

개념 01

피적분함수가 분수 꼴이거나 거듭제곱근의 꼴이면 피적분함수를 x^n(n은 실수) 꼴인 항의 합으로 변형한 후 다음을 이용한다.

(1) $n \neq -1$일 때, $\int x^n dx = \frac{1}{n+1}x^{n+1}+C$

(2) $n=-1$일 때, $\int \frac{1}{x}dx = \ln|x|+C$

0937 대표문제

함수 $f(x)=\int \frac{(x-1)^2}{x}dx$에 대하여 $f(e)=\frac{1}{2}e^2-2e$일 때, $f(1)$의 값은?

① $-\frac{7}{2}$ ② $-\frac{5}{2}$ ③ -1

④ $\frac{1}{3}$ ⑤ $\frac{5}{3}$

0938 상중하

함수 $f(x)=\frac{x-1}{\sqrt{x}+1}$의 한 부정적분을 $F(x)$라 하자. $F(1)=\frac{5}{3}$일 때, 함수 $F(x)$를 구하시오.

0939 상중하

$x \neq 0$에서 미분가능한 함수 $f(x)$의 한 부정적분을 $F(x)$라 하면 $F(x)=xf(x)+\frac{4}{x}$가 성립한다. $f(1)=4$일 때, $8f(4)$의 값은?

① 31 ② 39 ③ 40

④ 47 ⑤ 48

개념 해결의 법칙 187쪽 유형 02

유형 02 지수함수의 부정적분 – 밑이 e인 경우

개념 02

지수법칙과 인수분해를 이용하여 피적분함수를 변형한 후 $\int e^x dx = e^x + C$임을 이용한다.

0940 대표문제

함수 $f(x)$에 대하여

$$f'(x)=\frac{xe^x+2}{x},\ f(1)=e-e^2$$

일 때, $f(2)$의 값을 구하시오.

0941 상중하

두 함수 $f(x)$, $g(x)$가 다음 조건을 모두 만족시킬 때, $f(1)-g(1)$의 값을 구하시오.

(가) $f'(x)+g'(x)=e^{-x}$
(나) $f'(x)-g'(x)=e^x$
(다) $f(0)=0$, $g(0)=-1$

0942 상중하

함수 $f(x)=\ln x-1$의 역함수 $g(x)$에 대하여 $G(x)=\int g(x)dx$라 하자. $G(-1)=2$일 때, $G\left(\ln\frac{2}{e}\right)$의 값은?

① 1 ② 2 ③ 3

④ 4 ⑤ 5

개념 해결의 법칙 187쪽 유형 02

유형 03 지수함수의 부정적분 – 밑이 e가 아닌 경우 개념 02

지수법칙과 인수분해를 이용하여 피적분함수를 변형한 후
$\int a^x dx = \frac{a^x}{\ln a} + C$ $(a>0, a\neq 1)$임을 이용한다.

0943 • 대표문제 •

함수 $f(x)=\int(3^x+9^x)dx$에 대하여 곡선 $y=f(x)$가 점 $\left(0, \frac{3}{\ln 9}\right)$을 지날 때, $f(1)$의 값은?

① $\frac{6}{\ln 3}$ ② $\frac{13}{2\ln 3}$ ③ $\frac{7}{\ln 3}$
④ $\frac{15}{2\ln 3}$ ⑤ $\frac{8}{\ln 3}$

0944 상중하

함수 $f(x)=-\int\left(\frac{1}{2}\right)^x \ln 2\, dx$에 대하여 $f(0)=1$일 때, $f(1)f(-1)$의 값을 구하시오.

0945 상중하

함수 $f(x)$에 대하여

$f'(x)=4^x \ln 2, f(1)=2$

이다. $\sum_{n=1}^{\infty}\frac{1}{f(n)}=\frac{q}{p}$일 때, $p+q$의 값을 구하시오.

(단, p와 q는 서로소인 자연수이다.)

개념 해결의 법칙 188쪽 유형 03

유형 04 삼각함수의 부정적분 개념 03

삼각함수를 포함한 피적분함수가 간단히 적분되지 않는 경우에는
⇨ 삼각함수 사이의 관계, 삼각함수의 덧셈정리, 배각의 공식 등을 이용하여 피적분함수를 적분하기 쉬운 꼴로 변형한 후 적분한다.

0946 • 대표문제 •

곡선 $y=f(x)$ 위의 점 $(x, f(x))$에서의 접선의 기울기가 $\frac{\sin^2 x}{1+\cos x}$이고 이 곡선이 점 $(0, 1)$을 지날 때, $f\left(\frac{\pi}{2}\right)$의 값은?

① $\frac{\pi}{2}$ ② π ③ $\frac{3}{2}\pi$
④ 2π ⑤ $\frac{5}{2}\pi$

0947 상중하

등식 $\int\frac{1}{1-\sin x}dx=a\tan x+b\sec x+cx+C$가 성립할 때, 상수 a, b, c에 대하여 $a+b+c$의 값을 구하시오.

(단, C는 적분상수)

유형 04 Plus 삼각함수의 부정적분 – 배각의 공식을 이용하는 경우

0948~0949 배각의 공식
$\sin 2a = 2\sin a\cos a$
$\cos 2a = \cos^2 a - \sin^2 a = 2\cos^2 a - 1 = 1 - 2\sin^2 a$

0948 상중하

함수 $f(x)=\int\left(\sin\frac{x}{2}+\cos\frac{x}{2}\right)^2 dx$에 대하여 $f(0)=0$일 때, $f\left(\frac{\pi}{3}\right)$의 값을 구하시오.

0949 상중하

$x\neq n\pi+\frac{\pi}{2}$ (n은 정수)인 실수 전체의 집합에서 미분가능한 함수 $f(x)$가

$$\lim_{h\to 0}\frac{f(x+3h)-f(x+h)}{h}=\frac{4}{1+\cos 2x}$$

를 만족시킬 때, $f\left(\frac{\pi}{4}\right)-f(\pi)$의 값을 구하시오.

개념 해결의 법칙 194쪽 유형 01

유형 05 다항함수의 치환적분법

개념 04

피적분함수가 $f'(x)\{f(x)\}^n$ 꼴인 부정적분

⇨ $f(x)=t$로 놓으면 $f'(x)=\frac{dt}{dx}$이므로

$\int f'(x)\{f(x)\}^n dx=\int t^n dt$

0950 • 대표문제 •

함수 $f(x)=\int(3x-1)^5dx$에 대하여 $f(0)=\frac{1}{2}$일 때, $f(x)$를 $x-1$로 나누었을 때의 나머지를 구하시오.

0951 상중하

등식 $\int(4x-2)(x^2-x-3)^5dx=\frac{1}{a}(x^2-x-3)^b+C$가 성립할 때, 상수 a, b에 대하여 $a+b$의 값을 구하시오.

(단, C는 적분상수)

0952 상중하

함수 $f(x)=(ax-3)^7$의 한 부정적분을 $F(x)$라 하자. $F(x)$의 최고차항의 계수가 16일 때, 실수 a의 값을 구하시오.

개념 해결의 법칙 194쪽 유형 01

유형 06 무리함수의 치환적분법

개념 04

피적분함수가 $f'(x)\sqrt{f(x)}$ 또는 $\frac{f'(x)}{\sqrt{f(x)}}$ 꼴인 부정적분

⇨ $f(x)=t$로 놓으면 $f'(x)=\frac{dt}{dx}$이므로

$\int f'(x)\sqrt{f(x)}\,dx=\int\sqrt{t}\,dt$, $\int\frac{f'(x)}{\sqrt{f(x)}}dx=\int\frac{1}{\sqrt{t}}dt$

0953 • 대표문제 •

함수 $f(x)=\int x\sqrt{x^2+1}\,dx$에 대하여 $f(0)=2$일 때, $f(2)$의 값은?

① $\frac{\sqrt{5}}{3}$ ② $\sqrt{5}$ ③ $\frac{5\sqrt{5}}{3}$
④ $\frac{1}{3}(\sqrt{5}+1)$ ⑤ $\frac{5}{3}(\sqrt{5}+1)$

0954 상중하

함수 $f(x)=\int\frac{x-1}{\sqrt{x+1}}dx$의 극솟값이 $-\frac{8\sqrt{2}}{3}$일 때, $f(3)$의 값은?

① $-\frac{8}{3}$ ② -2 ③ $-\frac{4}{3}$
④ $-\frac{2}{3}$ ⑤ 0

0955 상중하 서술형

함수 $f(x)=\int\frac{x}{\sqrt{x^2+3}}dx$에 대하여 $f(1)=-1$일 때, 방정식 $f(x)=0$을 만족시키는 모든 실수 x의 값의 곱을 구하시오.

개념 해결의 법칙 195쪽 유형 02

유형 07 지수함수의 치환적분법
개념 04

(1) 피적분함수가 $f'(x)e^{f(x)}$ 꼴인 부정적분

⇨ $f(x)=t$로 놓으면 $f'(x)=\frac{dt}{dx}$이므로

$$\int f'(x)e^{f(x)}\,dx=\int e^t dt$$

(2) 피적분함수가 $f(e^x)e^x$ 꼴인 부정적분

⇨ $e^x=t$로 놓으면 $e^x=\frac{dt}{dx}$이므로

$$\int f(e^x)e^x dx=\int f(t)dt$$

0956 • 대표문제 •
함수 $f(x)=\int(x-1)e^{x^2-2x+3}dx$에 대하여 $y=f(x)$의 그래프가 점 $\left(0, \frac{e^3}{2}\right)$을 지날 때, $f(1)$의 값은?

① $-\frac{e^2}{2}$　② $-\frac{e^2}{4}$　③ 0
④ $\frac{e^2}{4}$　⑤ $\frac{e^2}{2}$

0957 상중하
함수 $f(x)=\int\frac{e^x}{\sqrt{e^x+3}}dx$에 대하여 $f(\ln 13)-f(\ln 6)$의 값을 구하시오.

0958 상중하
$0\le x\le \ln 7$에서 정의된 함수 $f(x)$에 대하여 $f'(x)=3e^x\sqrt{e^x+2}$이고 $f(0)=6\sqrt{3}$일 때, $f(x)$의 최댓값은?

① $6\sqrt{3}$　② 16　③ $12\sqrt{6}$
④ 54　⑤ $48\sqrt{3}$

중요

개념 해결의 법칙 195쪽 유형 02

유형 08 로그함수의 치환적분법
개념 04

피적분함수가 $\frac{f(\ln x)}{x}$ 꼴인 부정적분

⇨ $\ln x=t$로 놓으면 $\frac{1}{x}=\frac{dt}{dx}$이므로

$$\int\frac{f(\ln x)}{x}dx=\int f(t)dt$$

0959 • 대표문제 •
함수 $f(x)=\frac{4(\ln x)^3}{x}$의 한 부정적분을 $F(x)$라 하자. $F(e)=2$일 때, $F(e^2)$의 값은?

① 16　② 17　③ 18
④ 19　⑤ 20

0960 상중하
곡선 $y=f(x)$ 위의 점 $(x, f(x))$에서의 접선의 기울기가 $\frac{\ln x^4}{x}$이고 이 곡선이 점 $(e, 0)$을 지날 때, $f(e^2)$의 값은?

① 0　② 3　③ 6
④ 9　⑤ 12

0961 상중하
함수 $f(x)$에 대하여 $xf'(x)=\ln x$가 성립하고 $f(1)=\frac{1}{2}$일 때, $f(e)$의 값을 구하시오.

중요 개념 해결의 법칙 196쪽 유형 03

유형 09 삼각함수의 치환적분법 개념 04

피적분함수가 $f(\sin x)\cos x$ 꼴인 부정적분

⇨ $\sin x=t$로 놓으면 $\cos x=\dfrac{dt}{dx}$이므로

$$\int f(\sin x)\cos x\,dx=\int f(t)\,dt$$

0962 • 대표문제 •

미분가능한 함수 $f(x)$가

$$\lim_{h\to 0}\frac{f(x+h)-f(x)}{h}=\cos^3 x$$

를 만족시키고 $f(0)=2$일 때, $f\left(\dfrac{\pi}{2}\right)$의 값은?

① $\dfrac{4}{3}$ ② $\dfrac{5}{3}$ ③ 2
④ $\dfrac{7}{3}$ ⑤ $\dfrac{8}{3}$

0963 상중하

함수 $f(x)=\int \tan x\sec^2 x\,dx$에 대하여 $f(0)=5$일 때, 함수 $f(x)$를 구하시오.

0964 상중하

함수 $f(x)$에 대하여

$$f'(x)=\frac{\sin x}{2+\cos x},\ f(0)=0$$

일 때, $f\left(-\dfrac{\pi}{2}\right)$의 값은?

① $\ln\dfrac{3}{2}$ ② $\ln 2$ ③ $\ln\dfrac{5}{2}$
④ $\ln 3$ ⑤ $\ln\dfrac{7}{2}$

유형 10 삼각함수의 치환적분법 – $\sin ax$, $\cos ax$ 꼴 개념 04

(1) $\int \sin ax\,dx=-\dfrac{1}{a}\cos ax+C$

(2) $\int \cos ax\,dx=\dfrac{1}{a}\sin ax+C$

0965 • 대표문제 •

함수 $f(x)=\int \sin 2x\cos^2 x\,dx+\int 2\sin^3 x\cos x\,dx$에 대하여 $f(\pi)=-\dfrac{1}{2}$일 때, $f\left(\dfrac{\pi}{3}\right)$의 값은?

① $-\dfrac{1}{2}$ ② $-\dfrac{1}{4}$ ③ 0
④ $\dfrac{1}{4}$ ⑤ $\dfrac{1}{2}$

0966 상중하

함수 $f(x)$에 대하여 $f'(x)=5-2\sin^2 x$이고 곡선 $y=f(x)$가 두 점 $(\pi, 3\pi)$, $\left(\dfrac{\pi}{4}, a\right)$를 지날 때, a의 값은?

① $-\dfrac{1}{2}$ ② $-\dfrac{1}{4}$ ③ $\dfrac{1}{4}$
④ $\dfrac{1}{2}$ ⑤ 1

0967 상중하 서술형

$0<x<\pi$에서 정의된 함수 $f(x)$에 대하여 $f'(x)=\sin x-\cos 2x$이고, $f(x)$의 극솟값이 $-\dfrac{3\sqrt{3}}{4}$일 때, $f(x)$의 극댓값을 구하시오.

개념 해결의 법칙 197쪽 유형 04

유형 11 분수함수의 부정적분 - $\frac{f'(x)}{f(x)}$ 꼴인 경우

개념 05

$\int \frac{f'(x)}{f(x)}dx=\ln|f(x)|+C$

0968 • 대표문제 •

함수 $f(x)$에 대하여 $f'(x)=\frac{6x}{x^2+1}$이고 $f(0)=2$일 때, $f(1)$의 값을 구하시오.

0969 상중하

함수 $f(x)=\int \frac{2e^{2x}}{e^{2x}+1}dx$에 대하여 $f(\ln 3)-f(\ln 2)$의 값을 구하시오.

0970 상중하

함수 $f(x)$가 모든 실수 x에 대하여 $f(x)=f'(x)$, $f(x)>0$을 만족시키고 $f(0)=e^2$일 때, $f(1)$의 값을 구하시오.

0971 상중하

두 함수 $f(x)$, $g(x)$가 다음 조건을 모두 만족시킬 때, $f(\ln 2)+g(\ln 2)$의 값을 구하시오. (단, $f(x)\neq -g(x)$)

> (가) $f'(x)=2g(x)$, $g'(x)=2f(x)$
> (나) $f(0)=1$, $g(0)=3$

개념 해결의 법칙 198쪽 유형 05

유형 12 분수함수의 부정적분 - $\frac{f'(x)}{f(x)}$ 꼴이 아닌 경우

개념 05

(1) (분자의 차수)≥(분모의 차수)인 경우
⇨ 분자를 분모로 나누어 몫과 나머지의 꼴로 나타낸 후 부정적분을 구한다.
(2) (분자의 차수)<(분모의 차수)이고 분모가 인수분해되는 경우
⇨ 부분분수로 변형한 후 부정적분을 구한다.

0972 • 대표문제 •

등식 $\int \frac{4x}{x^2-2x-3}dx=\ln|x+a|+b\ln|x-3|+C$가 성립할 때, 상수 a, b에 대하여 ab의 값은? (단, C는 적분상수)

① 1　② 2　③ 3　④ 4　⑤ 5

0973 상중하

함수 $f(x)$에 대하여

$$f'(x)=\frac{1}{4x^2-1},\ f(0)=0$$

일 때, $f(1)$의 값을 구하시오.

0974 상중하 서술형

함수 $f(x)=\frac{6-x}{2+x}$의 역함수를 $g(x)$라 할 때, 부정적분 $\int g(x)\,dx$를 구하시오.

개념 해결의 법칙 201쪽 유형 01

유형 13 부분적분법

개념 06

곱의 꼴이면서 치환적분법을 이용할 수 없는 경우, 쉽게 적분이 되지 않는 함수가 주어진 경우에는 미분한 결과가 간단한 함수를 $f(x)$, 적분하기 쉬운 함수를 $g'(x)$로 놓고 부분적분법을 이용한다.

⇨ $\int f(x)g'(x)dx=f(x)g(x)-\int f'(x)g(x)dx$

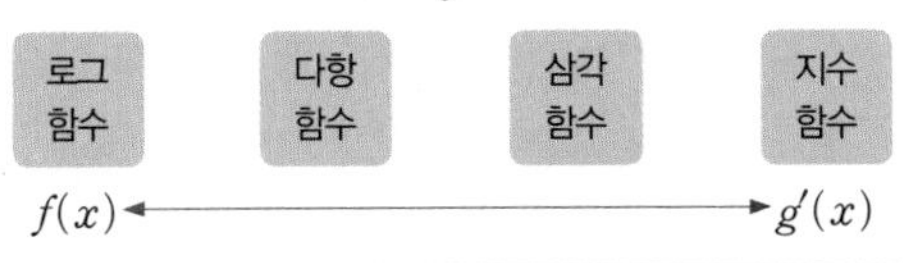

$f(x)$ ←——→ $g'(x)$

0975 • 대표문제 •

함수 $f(x)=\int (x+1)e^x dx$에 대하여 $f(0)=0$일 때, $f(2)$의 값을 구하시오.

0976 상중하

함수 $f(x)=\int ax\ln x dx$에 대하여

$$f'(e^2)=2e^2,\ f\left(\frac{1}{e}\right)=-\frac{3}{4e^2}$$

일 때, $f(e)$의 값은? (단, a는 상수)

① $\frac{1}{8}e^2$ ② $\frac{1}{4}e^2$ ③ $\frac{1}{2}e^2$
④ $2e^2$ ⑤ $4e^2$

0977 상중하

미분가능한 함수 $f(x)$에 대하여

$$\{e^{f(x)}\}'=x\sin x\times e^{f(x)},\ f\left(\frac{\pi}{2}\right)=1$$

일 때, $\lim_{x\to 0}\frac{f(x)+f'(x)}{x}$의 값을 구하시오.

0978 상중하

함수 $y=f(x)$의 그래프 위의 점 (x, y)에서의 접선의 기울기가 xe^{4x}이고 $f\left(\frac{1}{4}\right)=1$일 때, $f(x)$의 최솟값은?

① $\frac{3}{16}$ ② $\frac{3}{8}$ ③ $\frac{9}{16}$
④ $\frac{3}{4}$ ⑤ $\frac{15}{16}$

0979 상중하

$x>0$에서 정의된 미분가능한 함수 $f(x)$가 다음 조건을 모두 만족시킬 때, $f(e^2)$의 값은?

(가) $f(e)=1$
(나) $f(x)+xf'(x)=2\ln x$

① 0 ② $\frac{1}{e^3}$ ③ $1+\frac{1}{e^2}$
④ $2+\frac{1}{e}$ ⑤ $3+e$

0980 상중하

미분가능한 함수 $f(x)$가

$$\lim_{h\to 0}\frac{f(x+h)-f(x)}{h}=\frac{x(1+\cos 2x)}{2}$$

를 만족시키고 $f(0)=\frac{1}{4}$일 때, $f\left(\frac{\pi}{2}\right)$의 값은?

① $\frac{\pi^2}{16}$ ② $\frac{\pi^2}{8}$ ③ $\frac{\pi^2}{4}$
④ $\frac{\pi^2}{2}$ ⑤ π^2

개념 해결의 법칙 202쪽 유형 02

유형 14 부분적분법 – 부분적분법을 2번 적용하는 경우 개념 06

부분적분법을 한 번 적용해서 적분이 되지 않는 경우에는 부분적분법을 한 번 더 적용한다.

0981 • 대표문제 •

곡선 $y=f(x)$ 위의 점 (x, y)에서의 접선의 기울기가 $e^x\cos x$이고 y절편이 $\frac{1}{2}$일 때, $f(\pi)$의 값은?

① $-e^{\pi}$ ② $-\frac{1}{2}e^{\pi}$ ③ 0
④ $\frac{1}{2}e^{\pi}$ ⑤ e^{π}

0982 상중하

함수 $f(x)$에 대하여

$$f'(x)=(4-x^2)e^x, f(0)=2$$

일 때, 방정식 $f(x)=0$의 두 실근의 곱을 구하시오.

0983 상중하

$x>0$에서 정의된 미분가능한 함수 $f(x)$가

$$\lim_{h\to 0}\frac{f(x+2h)-f(x-2h)}{h}=4(\ln x)^2$$

을 만족시키고 $f(e^3)=5e^3+1$일 때, $f\left(\frac{1}{e}\right)$의 값은?

① $\frac{1}{e}$ ② $\frac{2}{e}$ ③ $\frac{3}{e}$
④ $\frac{4}{e}+1$ ⑤ $\frac{5}{e}+1$

유형 15 부분적분법의 응용 개념 06

주어진 식을 변형하고 부분적분법을 이용하여 부정적분을 구한다.

0984 • 대표문제 •

미분가능한 함수 $f(x)$의 한 부정적분 $F(x)$에 대하여 $F(x)=xf(x)-x^2e^x$, $F(1)=e$일 때, $f(0)$의 값은?

① 1 ② 2 ③ 3
④ e ⑤ $2e$

0985 상중하

$x>0$에서 정의된 미분가능한 함수 $f(x)$에 대하여

$$\int f(x)dx=xf(x)-x^3\ln x, f(e)=\frac{5}{4}e^2+\frac{3}{4}$$

일 때, $f(1)$의 값은?

① $\frac{1}{2}$ ② 1 ③ $\frac{3}{2}$
④ 2 ⑤ $\frac{5}{2}$

0986 상중하

미분가능한 함수 $f(x)$에 대하여 $f(x)+f'(x)=xe^x$이다. $g(x)=e^xf(x)$, $g(1)=\frac{1}{4}e^2$일 때, $g(0)$의 값은?

① $-\frac{1}{2}$ ② $-\frac{1}{4}$ ③ 0
④ $\frac{1}{4}$ ⑤ $\frac{1}{2}$

• 실제 학교 시험지처럼 풀어 보세요.

0987 | 유형 01 |

함수 $f(x)=\int \frac{x}{\sqrt{x}-1}dx-\int \frac{1}{\sqrt{x}-1}dx$에 대하여 $f(1)=\frac{2}{3}$일 때, $f(9)$의 값은? [3.8점]

① 3 ② 9 ③ 16
④ 26 ⑤ 32

0988 | 유형 02 |

함수 $f(x)=\int \frac{e^{3x}-1}{e^{2x}+e^{x}+1}dx$에 대하여 곡선 $y=f(x)$가 점 $(0, 2)$를 지날 때, 함수 $f(x)$는? [3.8점]

① e^{x} ② $e^{x}-x$ ③ $e^{x}-x+1$
④ $2e^{x}$ ⑤ $2e^{x}-x$

0989 | 유형 04 |

실수 전체의 집합에서 연속인 함수 $f(x)$에 대하여

$$f'(x)=\begin{cases} \cos x & (x>0) \\ \sin x+1 & (x<0) \end{cases}$$

이고 $f(-\pi)=1$일 때, $f\left(\frac{\pi}{2}\right)$의 값은? [4.3점]

① $-\pi$ ② $-\frac{\pi}{2}$ ③ 0
④ $\frac{\pi}{2}$ ⑤ π

0990 | 유형 05 |

등식 $\int 3x^{2}(x^{3}+2)^{3}dx=\frac{1}{a}(x^{3}+2)^{b}+C$가 성립할 때, 상수 a, b에 대하여 ab의 값은? (단, C는 적분상수) [4점]

① 4 ② 8 ③ 12
④ 16 ⑤ 20

0991 | 유형 06 |

함수 $f(x)$에 대하여 $f'(x)=\frac{x}{\sqrt{1-x^{2}}}$, $f(0)=0$일 때, 방정식 $f(x)=1$을 만족시키는 모든 실수 x의 값의 합은? [4점]

① -1 ② $-\frac{1}{2}$ ③ 0
④ 1 ⑤ $\frac{3}{2}$

0992 | 유형 07 |

함수 $f(x)=\int 2xe^{x^{2}-1}dx$에 대하여 $f(\sqrt{2})-f(1)$의 값은? [4점]

① $e-\frac{1}{e}$ ② $e-1$ ③ $e^{5}-1$
④ $e^{15}-\frac{1}{e}$ ⑤ $e^{15}-1$

0993 | 유형 08 |

$x>0$에서 정의된 미분가능한 함수 $f(x)$의 한 부정적분을 $F(x)$라 하면 $F(x)=xf(x)-4x\ln x$가 성립한다. $f(e)=8$일 때, $f(x)$의 최솟값은? [4.5점]

① 0 ② 2 ③ 8
④ 18 ⑤ 50

0994 | 유형 09 |

함수 $f(x)$에 대하여 $f'(x)=(1+\sin x)^{2}\cos x$이고 곡선 $y=f(x)$가 두 점 $\left(0, \frac{2}{3}\right)$, $\left(\frac{\pi}{2}, a\right)$를 지날 때, a의 값은? [4점]

① $\frac{1}{3}$ ② 1 ③ $\frac{5}{3}$
④ $\frac{8}{3}$ ⑤ 3

0995 | 유형 10 |

$0<x<\pi$에서 정의된 미분가능한 함수 $f(x)$가 다음 조건을 모두 만족시킬 때, $f\left(\frac{\pi}{4}\right)$의 값은? [4.5점]

(가) $\lim_{h \to 0} \frac{f(x+h)-f(x)}{h}=\sin 2x-\cos x$

(나) 함수 $f(x)$의 극댓값은 $\frac{7}{2}$이다.

① $2-\sqrt{2}$ ② $3-\sqrt{3}$ ③ $4-\frac{\sqrt{2}}{2}$
④ $5-\frac{\sqrt{3}}{3}$ ⑤ $6-2\sqrt{2}$

0996 | 유형 11 |

함수 $f(x)=\int \frac{2x+3}{x^2+3x+1}dx$에 대하여 $f(1)-f(-1)$의 값은? [3.8점]

① $\ln 2$ ② $\ln 3$ ③ $\ln 4$
④ $\ln 5$ ⑤ $\ln 6$

0997 | 유형 08 + 유형 13 |

곡선 $y=f(x)$ 위의 점 (x, y)에서의 접선의 기울기가 $\frac{\ln x}{x^2}$이고 x절편이 1일 때, $f\left(\frac{1}{e}\right)$의 값은? [4.3점]

① $\frac{1}{e^2}$ ② $\frac{1}{e}$ ③ 1
④ e ⑤ e^2

서술형 문제

• 풀이 과정에 점수가 부여되니 풀이 과정 및 정답을 상세하게 서술하세요.

단답형

0998 | 유형 03 |

함수 $f(x)=\int \frac{8^x-1}{2^x-1}dx$에 대하여 $f(0)=\frac{1}{\ln 2}$일 때, $f(1)$의 값을 구하시오. [6점]

0999 | 유형 15 |

미분가능한 함수 $f(x)$의 한 부정적분을 $F(x)$라 하면 $F(x)=xf(x)+3x^2e^{2x}$이 성립한다. 곡선 $y=f(x)$가 두 점 $\left(0, -\frac{3}{2}\right)$, $(1, a)$를 지날 때, a의 값을 구하시오. [7점]

단계형

1000 | 유형 07 + 유형 09 |

두 함수 $f(x)=e^x$, $h(x)=e^{\sin x}\cos x$에 대하여

$$f'(x)g(x)+f(x)g'(x)=h(x)$$

를 만족시키는 미분가능한 함수 $g(x)$가 있다. $g(0)=2$일 때, $g(x)$를 구하려고 한다. 다음 물음에 답하시오. [12점]

(1) $f'(x)g(x)+f(x)g'(x)=\{f(x)g(x)\}'$임을 이용하여 $\{f(x)g(x)\}'$의 부정적분을 구하시오. [5점]

(2) 적분상수 C를 구하시오. [4점]

(3) $g(x)$를 구하시오. [3점]

성/취/도 Check

• 이 단원은 70점 만점입니다.

점수 / 70점

STEP 1 개념+기본 문제 학습

STEP 2 유형 대표 문제 학습

STEP 3의 틀린 문제에 해당하는 STEP 2 유형 학습

STEP 3의 틀린 문제 복습

교과서 속 심화문제 시작

≫ 정답과 해설 146쪽

1001

함수 $f(x)=\int \frac{x^3e^{x^2}}{(x^2+1)^2}dx$에 대하여 $f(0)=\frac{1}{2}$일 때, 방정식 $f(x)=k$의 서로 다른 실근의 개수가 1이 되도록 하는 실수 k의 값은?

① $\frac{1}{2}$ ② $\frac{e}{4}$ ③ $\frac{e^2}{6}$
④ $\frac{e^3}{8}$ ⑤ $\frac{e^4}{10}$

1002

$x>1$에서 정의된 함수 $f(x)=\int \frac{a}{x}\cos(\ln x^b)dx$가 다음 조건을 모두 만족시킬 때, 방정식 $f(x)=4$의 실근 중 최솟값은?
(단, $a>0$, $b>0$)

> (가) $f(1)=2$
> (나) $f(x)$의 최댓값은 4이다.
> (다) 방정식 $f(x)=0$의 실근 중 최솟값은 $e^{\frac{\pi}{2}}$이다.

① $e^{\frac{\pi}{18}}$ ② $e^{\frac{\pi}{12}}$ ③ $e^{\frac{\pi}{6}}$
④ $e^{\frac{\pi}{2}}$ ⑤ $e^{\frac{5}{6}\pi}$

1003

$x>0$에서 정의된 미분가능한 함수 $f(x)$와 $g(x)$가 각각

$$\frac{f(x)}{x}+f'(x)=1+\ln x^2,\ \frac{g(x)}{x}-g'(x)=1-\ln x$$

를 만족시킨다. $f(1)=g(1)=1$일 때, $\int \frac{f(x)+g(x)}{x^2}dx$를 구하시오.

1004 융합형

미분가능한 함수 $f(x)$가 다음 조건을 모두 만족시킨다. 함수 $g(x)=\int xf(x)dx$에 대하여 $g(1)-g(-1)=ae^3+be^{-1}$이 성립할 때, $a+b$의 값은? (단, a, b는 유리수)

> (가) $f(0)=0$
> (나) 모든 실수 x에 대하여 $f(x)>-e$이다.
> (다) 모든 실수 x에 대하여 $f'(x)=2\{f(x)+e\}$이다.

① 1 ② 2 ③ 3
④ 4 ⑤ 5

9

정적분

바다는 비에 젖지 않는다.
-〈노인과 바다〉 헤밍웨이

기출 문제 분석

빅 데이터

* 전국 300여 개 고등학교 기출 문제를 분석하였습니다.

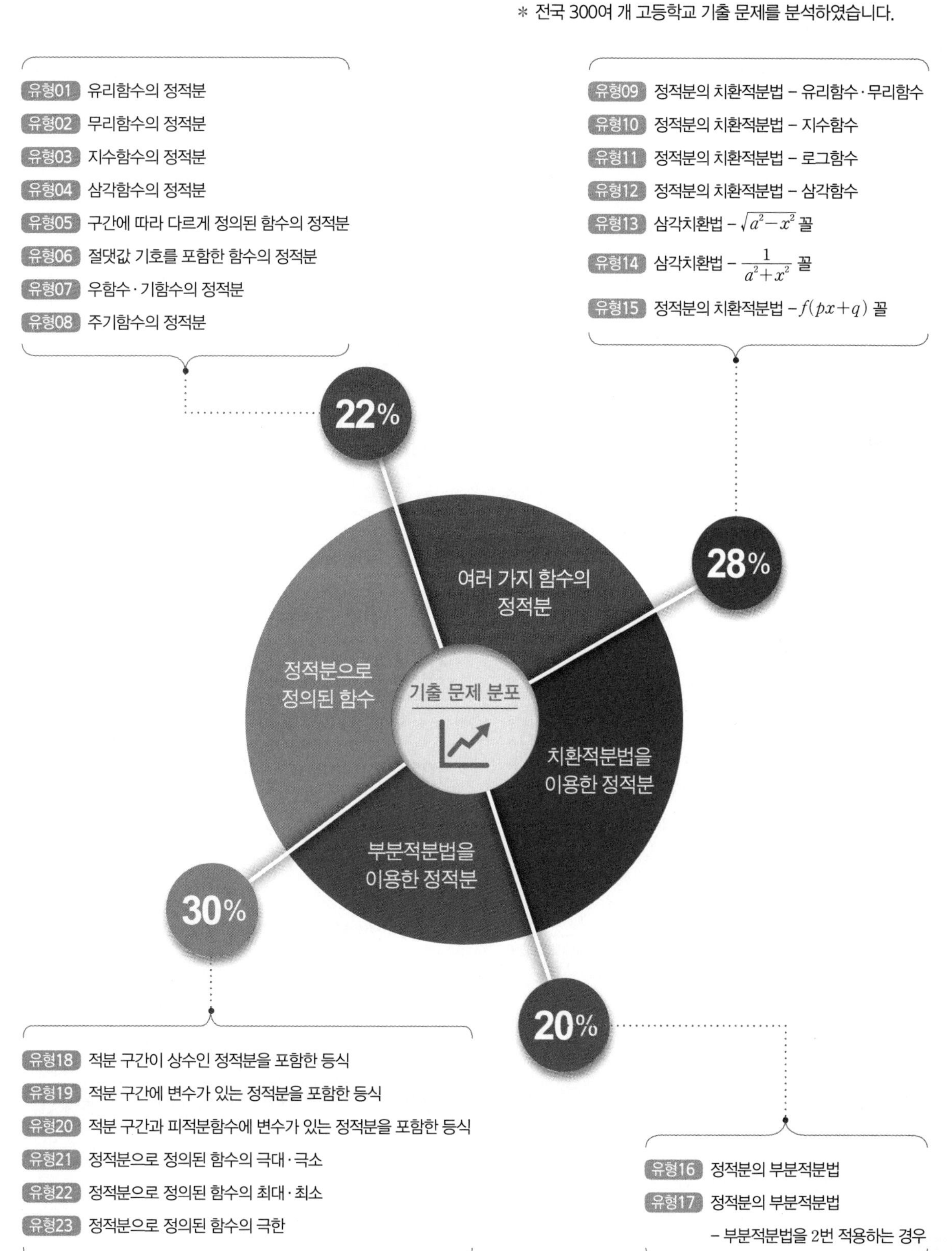

유형01 유리함수의 정적분
유형02 무리함수의 정적분
유형03 지수함수의 정적분
유형04 삼각함수의 정적분
유형05 구간에 따라 다르게 정의된 함수의 정적분
유형06 절댓값 기호를 포함한 함수의 정적분
유형07 우함수·기함수의 정적분
유형08 주기함수의 정적분
22%
유형09 정적분의 치환적분법 – 유리함수·무리함수
유형10 정적분의 치환적분법 – 지수함수
유형11 정적분의 치환적분법 – 로그함수
유형12 정적분의 치환적분법 – 삼각함수
유형13 삼각치환법 – $\sqrt{a^2-x^2}$ 꼴
유형14 삼각치환법 – $\frac{1}{a^2+x^2}$ 꼴
유형15 정적분의 치환적분법 – $f(px+q)$ 꼴
28%
여러 가지 함수의 정적분
정적분으로 정의된 함수
기출 문제 분포
치환적분법을 이용한 정적분
부분적분법을 이용한 정적분
30%
20%
유형18 적분 구간이 상수인 정적분을 포함한 등식
유형19 적분 구간에 변수가 있는 정적분을 포함한 등식
유형20 적분 구간과 피적분함수에 변수가 있는 정적분을 포함한 등식
유형21 정적분으로 정의된 함수의 극대·극소
유형22 정적분으로 정의된 함수의 최대·최소
유형23 정적분으로 정의된 함수의 극한
유형16 정적분의 부분적분법
유형17 정적분의 부분적분법 – 부분적분법을 2번 적용하는 경우

STEP 1 개념 마스터

01 정적분의 정의

유형 01~06

(1) 닫힌구간 $[a, b]$에서 연속인 함수 $f(x)$의 한 부정적분을 $F(x)$라 할 때, $f(x)$의 a에서 b까지의 정적분은 다음과 같다.

$$\int_a^b f(x)dx = \Big[F(x)\Big]_a^b = F(b) - F(a)$$

(2) $a \geq b$일 때, 정적분 $\int_a^b f(x)dx$는 다음과 같이 정의한다.

① $a=b$일 때, $\int_a^a f(x)dx = 0$

② $a>b$일 때, $\int_a^b f(x)dx = -\int_b^a f(x)dx$

[1005~1008] 다음 정적분의 값을 구하시오.

1005 $\int_0^8 \sqrt[3]{x}\,dx$

1006 $\int_1^4 x\sqrt{x}\,dx$

1007 $\int_1^3 \frac{1}{x^3}\,dx$

1008 $\int_e^{e^2} \frac{1}{x}\,dx$

[1009~1012] 다음 정적분의 값을 구하시오.

1009 $\int_0^3 e^{4x}\,dx$

1010 $\int_0^{\frac{\pi}{2}} \cos x\,dx$

1011 $\int_\pi^\pi \sec^2 x\,dx$

1012 $\int_1^0 2^x\,dx$

02 정적분의 성질

유형 01~06

두 함수 $f(x)$, $g(x)$가 임의의 세 실수 a, b, c를 포함하는 닫힌구간에서 연속일 때

(1) $\int_a^b kf(x)dx = k\int_a^b f(x)dx$ (단, k는 상수)

(2) $\int_a^b \{f(x) \pm g(x)\}dx = \int_a^b f(x)dx \pm \int_a^b g(x)dx$ (복호동순)

(3) $\int_a^c f(x)dx + \int_c^b f(x)dx = \int_a^b f(x)dx$

참고 (3)의 성질은 a, b, c의 대소에 관계없이 성립한다.

[1013~1014] 다음 정적분의 값을 구하시오.

1013 $\int_0^1 (\sqrt{x}+1)dx + \int_0^1 (\sqrt{x}-1)dx$

1014 $\int_0^2 (e^x+1)dx + \int_0^2 (e^x-1)dx$

[1015~1016] 다음 정적분의 값을 구하시오.

1015 $\int_0^5 \sqrt{x}\,dx + \int_5^9 \sqrt{x}\,dx$

1016 $\int_0^{\frac{\pi}{2}} \sin 2x\,dx - \int_\pi^{\frac{\pi}{2}} \sin 2y\,dy$

[1017~1018] 다음 정적분의 값을 구하시오.

1017 $\int_{\frac{\pi}{2}}^{\frac{5}{2}\pi} |\cos x|\,dx$

1018 $\int_{-1}^1 |e^x - 1|\,dx$

- $\int_a^b f(x)dx = \Big[F(x)\Big]_a^b = F(b) - F(a)$
- $\int_a^c f(x)dx + \int_c^b f(x)dx = \int_a^b f(x)dx$

03 우함수 · 기함수의 정적분 유형 07

함수 $f(x)$가 닫힌구간 $[-a,\ a]$에서 연속일 때, 이 구간의 모든 x에 대하여

(1) $f(x)$가 우함수, 즉 $f(-x)=f(x)$이면

$$\int_{-a}^{a} f(x)dx=2\int_{0}^{a} f(x)dx$$

(2) $f(x)$가 기함수, 즉 $f(-x)=-f(x)$이면

$$\int_{-a}^{a} f(x)dx=0$$

참고 우함수의 그래프는 y축에 대하여 대칭이고, 기함수의 그래프는 원점에 대하여 대칭이다.

[1019~1022] 다음 정적분의 값을 구하시오.

1019 $\int_{-1}^{1} (\tan x-x)dx$ **1020** $\int_{-2}^{2} (\sin 2x+x^2)dx$

1021 $\int_{-4}^{4} (e^x+e^{-x})dx$ **1022** $\int_{-\pi}^{\pi} (\sin x+\cos x)dx$

04 주기함수의 정적분 유형 08

주기가 $p(p\neq0)$인 연속함수 $f(x)$에 대하여

(1) $\int_{a}^{b} f(x)dx=\int_{a+np}^{b+np} f(x)dx$ (단, n은 정수)

(2) $\int_{a}^{a+p} f(x)dx=\int_{b}^{b+p} f(x)dx$

참고 주기가 p인 함수 $f(x)$는 $f(x+p)=f(x)$를 만족시킨다.

1023 연속함수 $f(x)$가 모든 실수 x에 대하여 $f(x+2)=f(x)$를 만족시키고 $\int_{-1}^{1} f(x)dx=2$일 때, 정적분 $\int_{-1}^{5} f(x)dx$의 값을 구하시오.

05 치환적분법을 이용한 정적분 유형 09~15

미분가능한 함수 $t=g(x)$의 도함수 $g'(x)$가 닫힌구간 $[a,\ b]$에서 연속이고, $g(a)=\alpha$, $g(b)=\beta$에 대하여 함수 $f(t)$가 α와 β를 양 끝으로 하는 닫힌구간에서 연속일 때

$$\int_{a}^{b} f(g(x))g'(x)dx=\int_{\alpha}^{\beta} f(t)dt$$

참고 정적분의 삼각치환법

(1) 피적분함수가 $\sqrt{a^2-x^2}\,(a>0)$ 꼴

⇨ $x=a\sin\theta\left(-\frac{\pi}{2}\le\theta\le\frac{\pi}{2}\right)$로 치환

(2) 피적분함수가 $\frac{1}{a^2+x^2}\,(a>0)$ 꼴

⇨ $x=a\tan\theta\left(-\frac{\pi}{2}<\theta<\frac{\pi}{2}\right)$로 치환

[1024~1027] 다음 정적분의 값을 구하시오.

1024 $\int_{0}^{1} (2x+1)^3dx$ **1025** $\int_{0}^{3} \sqrt{x+1}\,dx$

1026 $\int_{1}^{2} 2x(x^2-1)^2dx$ **1027** $\int_{0}^{2} \frac{x}{2x^2+1}dx$

[1028~1030] 다음 정적분의 값을 구하시오.

1028 $\int_{0}^{\ln 3} \frac{e^x}{e^x+1}dx$

1029 $\int_{0}^{1} xe^{x^2}dx$

1030 $\int_{0}^{\frac{\pi}{2}} \sin^3 x\cos x\,dx$

핵심 Check

- $f(-x)=f(x)$ → $\int_{-a}^{a} f(x)dx=2\int_{0}^{a} f(x)dx$
- $f(-x)=-f(x)$ → $\int_{-a}^{a} f(x)dx=0$
- $f(x+p)=f(x)$ → $\int_{a}^{b} f(x)dx=\int_{a+np}^{b+np} f(x)dx$
- $\int_{a}^{b} f(g(x))g'(x)dx$ ↓ $g(x)=t$ $\int_{g(a)}^{g(b)} f(t)dt$

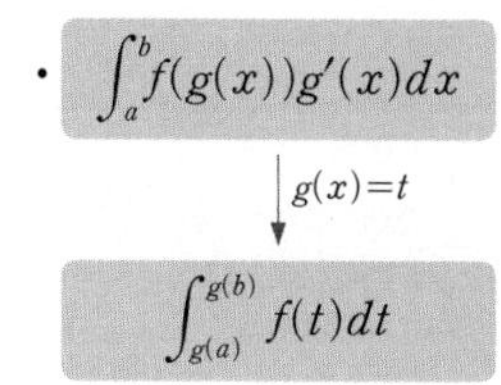

1031 다음은 정적분 $\int_0^1 \sqrt{1-x^2}\,dx$의 값을 구하는 과정이다. (가)~(라)에 알맞은 것을 써넣으시오.

> $x=\sin\theta\left(-\frac{\pi}{2}\le\theta\le\frac{\pi}{2}\right)$로 놓으면 $\frac{dx}{d\theta}=$ (가)
>
> $x=0$일 때 $\theta=$ (나), $x=1$일 때 $\theta=\frac{\pi}{2}$이므로
>
> $\int_0^1 \sqrt{1-x^2}\,dx=\int_{(나)}^{\frac{\pi}{2}} \sqrt{1-\sin^2\theta}\times$ (가) $d\theta$
>
> $=\int_{(나)}^{\frac{\pi}{2}} \cos^2\theta\,d\theta$
>
> 이때, $\cos 2\theta=2\cos^2\theta-1$에서 $\cos^2\theta=\frac{1+\cos 2\theta}{2}$이므로
>
> $\int_0^1 \sqrt{1-x^2}\,dx=\int_{(나)}^{\frac{\pi}{2}} \cos^2\theta\,d\theta=\frac{1}{2}\int_{(나)}^{\frac{\pi}{2}}(1+\cos 2\theta)\,d\theta$
>
> $=\frac{1}{2}\Big[$ (다) $\Big]_{(나)}^{\frac{\pi}{2}}=$ (라)

[1032~1033] 다음 정적분의 값을 구하시오.

1032 $\int_0^{\sqrt{2}} \frac{1}{\sqrt{4-x^2}}\,dx$

1033 $\int_0^{\frac{1}{\sqrt{3}}} \frac{1}{x^2+1}\,dx$

06 부분적분법을 이용한 정적분 유형 16, 17

미분가능한 두 함수 $f(x)$, $g(x)$에 대하여 $f'(x)$, $g'(x)$가 닫힌구간 $[a, b]$에서 연속일 때

$$\int_a^b f(x)g'(x)\,dx=\Big[f(x)g(x)\Big]_a^b-\int_a^b f'(x)g(x)\,dx$$

참고 미분한 결과가 간단한 함수를 $f(x)$, 적분하기 쉬운 함수를 $g'(x)$로 놓는다.

[1034~1035] 다음 정적분의 값을 구하시오.

1034 $\int_0^1 xe^x\,dx$

1035 $\int_1^e \ln x\,dx$

07 정적분으로 정의된 함수 유형 18~23

(1) 정적분으로 정의된 함수의 미분

① $\frac{d}{dx}\int_a^x f(t)\,dt=f(x)$ (단, a는 상수)

② $\frac{d}{dx}\int_x^{x+a} f(t)\,dt=f(x+a)-f(x)$ (단, a는 상수)

(2) 정적분으로 정의된 함수의 극한

① $\lim_{x\to a}\frac{1}{x-a}\int_a^x f(t)\,dt=f(a)$

② $\lim_{x\to 0}\frac{1}{x}\int_a^{x+a} f(t)\,dt=f(a)$

참고 정적분의 위끝 또는 아래끝에 변수가 있으면 정적분의 결과는 그 변수에 대한 함수이다.

[1036~1038] 임의의 실수 x에 대하여 다음 등식이 성립할 때, $f(x)$를 구하시오.

1036 $\int_0^x f(t)\,dt=e^{-x}-1$

1037 $\int_1^x f(t)\,dt=\ln x-x+1$ $(x>0)$

1038 $\int_{\frac{\pi}{2}}^x f(t)\,dt=\cos x+2x-\pi$

1039 $f(x)=x^2-e^{x+1}+3$일 때, 다음 극한값을 구하시오.

(1) $\lim_{x\to -1}\frac{1}{x+1}\int_{-1}^x f(t)\,dt$

(2) $\lim_{x\to 0}\frac{1}{x}\int_2^{x+2} f(t)\,dt$

- $\int_a^b f(x)g'(x)\,dx$ $\xrightarrow[f'(x)\,\searrow\,g(x)]{f(x)\,\searrow\,g'(x)}$ $\Big[f(x)g(x)\Big]_a^b-\int_a^b f'(x)g(x)\,dx$
- $\frac{d}{dx}\int_a^x f(t)\,dt=f(x)$
- $\lim_{x\to 0}\frac{1}{x}\int_a^{x+a} f(t)\,dt=f(a)$

STEP 2 유형 마스터

개념 해결의 법칙 211쪽 유형 01

유형 01 유리함수의 정적분

개념 01, 02

(1) $\int_a^b x^n dx = \left[\frac{1}{n+1}x^{n+1}\right]_a^b = \frac{1}{n+1}(b^{n+1}-a^{n+1})$ (단, $n \neq -1$)

(2) $\int_a^b \frac{1}{x}dx = \left[\ln|x|\right]_a^b = \ln|b| - \ln|a|$

1040 • 대표문제 •

정적분 $\int_1^2 \frac{x^2-2x+1}{x^3}dx$의 값을 구하시오.

1041 상중하

$\int_{-1}^1 \frac{x+2}{x^2-x-6}dx = -\ln a$일 때, 상수 a의 값은?

① 1 ② 2 ③ 3
④ 4 ⑤ 5

1042 상중하

정적분

$$\int_2^1 \frac{1}{x(x+1)}dx + \int_1^4 \frac{1}{y(y+1)}dy + \int_4^3 \frac{1}{z(z+1)}dz$$

의 값은?

① $\frac{\ln 2}{3}$ ② $\frac{\ln 3}{2}$ ③ $\ln\frac{9}{8}$
④ $3\ln 2$ ⑤ $2\ln 3$

개념 해결의 법칙 211쪽 유형 01

유형 02 무리함수의 정적분

개념 01, 02

$\sqrt[p]{x^q} = x^{\frac{q}{p}}$ (p, q는 자연수) 꼴로 변형한 후 $n \neq -1$일 때

$\int_a^b x^n dx = \left[\frac{1}{n+1}x^{n+1}\right]_a^b = \frac{1}{n+1}(b^{n+1}-a^{n+1})$

임을 이용한다.

1043 • 대표문제 •

정적분 $\int_0^1 (\sqrt{x}-\sqrt[3]{x})^2 dx$의 값은?

① $\frac{1}{99}$ ② $\frac{22}{100}$ ③ $\frac{100}{101}$
④ $\frac{1}{110}$ ⑤ $\frac{101}{110}$

1044 상중하

함수 $f(x)=\sqrt{x}$에 대하여 $\int_1^3 \frac{\{f(x-1)\}^2}{f(x)}dx$의 값은?

① $-\frac{4}{3}$ ② $-\frac{2}{3}$ ③ 0
④ $\frac{2}{3}$ ⑤ $\frac{4}{3}$

1045 상중하 서술형

함수 $f(x)=3\sqrt{x}$에 대하여 $\sum_{n=0}^{a}\int_n^{n+1} f(x)dx = 54$를 만족시키는 자연수 a의 값을 구하시오.

9 정적분

개념 해결의 법칙 211쪽 유형 01

유형 03 지수함수의 정적분

개념 01, 02

(1) $\int_{\alpha}^{\beta} e^{kx}dx=\left[\frac{1}{k}e^{kx}\right]_{\alpha}^{\beta}=\frac{1}{k}(e^{k\beta}-e^{k\alpha})$ (단, $k\neq0$)

(2) $\int_{\alpha}^{\beta} a^{kx}dx=\left[\frac{1}{k\ln a}a^{kx}\right]_{\alpha}^{\beta}=\frac{1}{k\ln a}(a^{k\beta}-a^{k\alpha})$ (단, $k\neq0$)

1046 • 대표문제 •

정적분 $\int_{0}^{\ln 2}\frac{e^{3x}}{e^x+1}dx-\int_{\ln 2}^{0}\frac{1}{e^t+1}dt$의 값은?

① $\ln 2-\frac{1}{2}$ ② $\ln 2-\frac{1}{4}$ ③ $\ln 2$
④ $\ln 2+\frac{1}{4}$ ⑤ $\ln 2+\frac{1}{2}$

1047 상중하

정적분 $\int_{-1}^{0}\sqrt{e^{2x}+4e^x+4}\,dx$의 값을 구하시오.

1048 상중하

$\int_{0}^{1}(3^x+1)(9^x-3^x+1)dx=\frac{a}{\ln 27}+b$일 때, 정수 a, b에 대하여 $a+b$의 값은?

① 24 ② 25 ③ 26
④ 27 ⑤ 28

중요

개념 해결의 법칙 211쪽 유형 01

유형 04 삼각함수의 정적분

개념 01, 02

(1) $\int_{\alpha}^{\beta}\sin ax\,dx=\left[-\frac{1}{a}\cos ax\right]_{\alpha}^{\beta}=-\frac{1}{a}\cos a\beta+\frac{1}{a}\cos a\alpha$

(2) $\int_{\alpha}^{\beta}\cos ax\,dx=\left[\frac{1}{a}\sin ax\right]_{\alpha}^{\beta}=\frac{1}{a}\sin a\beta-\frac{1}{a}\sin a\alpha$

1049 • 대표문제 •

정적분 $\int_{0}^{a}(\sin x+\cos x)^2dx-\int_{0}^{a}(\sin x-\cos x)^2dx$의 값이 $\frac{1}{2}$일 때, 상수 a의 값은? $\left(\text{단, } 0<a<\frac{\pi}{2}\right)$

① $\frac{\pi}{12}$ ② $\frac{\pi}{8}$ ③ $\frac{\pi}{6}$
④ $\frac{\pi}{4}$ ⑤ $\frac{\pi}{3}$

1050 상중하

정적분 $\int_{0}^{\frac{\pi}{6}}\tan^2 x\,dx$의 값은?

① $\sqrt{3}-\frac{\pi}{3}$ ② $2\sqrt{3}-\frac{\pi}{3}$ ③ $\frac{\sqrt{3}}{3}-\frac{\pi}{6}$
④ $\frac{\sqrt{3}}{2}-\frac{\pi}{6}$ ⑤ $\sqrt{3}-\frac{\pi}{6}$

1051 상중하

정적분 $\int_{\pi}^{2\pi}(\cos^2 x-\sin x+2)dx-\int_{2\pi}^{\pi}(\sin^2 t-3)dt$의 값을 구하시오.

개념 해결의 법칙 212쪽 유형 02

유형 05 구간에 따라 다르게 정의된 함수의 정적분

개념 01, 02

함수 $f(x)=\begin{cases} g(x) & (x\le c) \\ h(x) & (x\ge c) \end{cases}$가 닫힌구간 $[a, b]$에서 연속이고 $a<c<b$ 일 때

⇨ $\int_a^b f(x)dx=\int_a^c g(x)dx+\int_c^b h(x)dx$

1052 대표문제

함수 $f(x)=\begin{cases} e^x-1 & (x\le 0) \\ \cos x-1 & (x\ge 0) \end{cases}$에 대하여 정적분

$\int_{-2}^{\frac{\pi}{2}} f(x)dx$의 값을 구하시오.

1053 상중하

함수 $f(x)=\begin{cases} -\dfrac{2}{(x+2)^3} & (x\le -3) \\ e^{-x}-e^3+2 & (x\ge -3) \end{cases}$에 대하여 정적분

$\int_{-3}^{2} f(x-2)dx$의 값을 구하시오.

1054 상중하

함수 $f(x)=\begin{cases} \sin x & \left(x<\dfrac{\pi}{2}\right) \\ \cos x+k & \left(x\ge\dfrac{\pi}{2}\right) \end{cases}$가 모든 실수 x에 대하여 연속일 때, 정적분 $\int_0^{\pi} f(x)dx$의 값은? (단, k는 상수)

① $\frac{\pi}{4}$ ② $\frac{\pi}{2}$ ③ $\frac{3}{4}\pi$
④ π ⑤ $\frac{5}{4}\pi$

개념 해결의 법칙 213쪽 유형 03

유형 06 절댓값 기호를 포함한 함수의 정적분

개념 01, 02

(i) 절댓값 기호 안의 식의 값이 0이 되게 하는 x의 값을 경계로 적분 구간을 나눈다.

(ii) $\int_a^b f(x)dx=\int_a^c f(x)dx+\int_c^b f(x)dx$임을 이용하여 정적분의 값을 구한다.

1055 대표문제

정적분 $\int_0^2 \left|\dfrac{x-1}{x+1}\right|dx$의 값은?

① $\ln\frac{2}{3}$ ② $\ln\frac{4}{3}$ ③ $\ln\frac{8}{3}$
④ $\ln\frac{9}{8}$ ⑤ $\ln\frac{16}{9}$

1056 상중하

정적분 $\int_{-2}^{6} |\sqrt{x+3}-2|dx$의 값은?

① 1 ② 2 ③ 3
④ 4 ⑤ 5

1057 상중하 서술형

함수 $f(x)$의 도함수가 $f'(x)=|e^x-1|$이고 $f(-1)=2$일 때, $f(1)$의 값을 구하시오.

개념 해결의 법칙 214쪽 유형 04

유형 07 우함수·기함수의 정적분

개념 03

함수 $f(x)$가 닫힌구간 $[-a, a]$에서 연속일 때

(1) $f(x)$가 우함수이면 ⇨ $\int_{-a}^{a} f(x)dx=2\int_{0}^{a} f(x)dx$

(2) $f(x)$가 기함수이면 ⇨ $\int_{-a}^{a} f(x)dx=0$

1058 대표문제

정적분 $\int_{-1}^{1} x(e^x+e^{-x})dx$의 값은?

① 0　② $e-e^{-1}$　③ $2(e-e^{-1})$
④ $e+e^{-1}$　⑤ $2(e+e^{-1})$

1059 상중하

함수 $f(x)=\tan(\cos x)$에 대하여 $\int_{0}^{2} f(x)dx=a$, $\int_{0}^{3} f(x)dx=b$라 할 때, 정적분 $\int_{-2}^{3} f(x)dx$의 값을 a, b를 사용하여 나타내시오.

1060 상중하

연속함수 $f(x)$가 모든 실수 x에 대하여 $f(-x)=-f(x)$를 만족시킬 때, 다음 보기 중 정적분의 값이 항상 0인 것을 있는 대로 고르시오.

보기

ㄱ. $\int_{-\frac{\pi}{2}}^{\frac{\pi}{2}} \sin f(x)dx$

ㄴ. $\int_{-\pi}^{\pi} \cos f(x)dx$

ㄷ. $\int_{-\frac{\pi}{2}}^{\frac{\pi}{2}} f(x)\cos x dx$

유형 08 주기함수의 정적분

개념 04

주기가 p인 연속함수 $f(x)$에 대하여

(1) $\int_{a}^{b} f(x)dx=\int_{a+np}^{b+np} f(x)dx$ (단, n은 정수)

(2) $\int_{a}^{a+p} f(x)dx=\int_{b}^{b+p} f(x)dx$

1061 대표문제

정적분 $\int_{0}^{3\pi} |\cos x|dx$의 값은?

① 2　② 4　③ 6
④ 8　⑤ 10

1062 상중하

연속함수 $f(x)$가 모든 실수 x에 대하여 $f(x)=f(x+2)$를 만족시키고 $-1\le x\le 1$에서 $f(x)=\frac{e^x+e^{-x}}{2}$이다.

$\int_{-1}^{5} f(x)dx=k\left(e-\frac{1}{e}\right)$일 때, 상수 k의 값을 구하시오.

1063 상중하

수열 $\{a_n\}$에 대하여

$a_1=1$,

$a_{n+1}=a_n+\int_{0}^{n\pi} |\sin x|dx$ $(n=1, 2, 3, \cdots)$

일 때, $a_n\ge 101$을 만족시키는 자연수 n의 최솟값은?

① 9　② 10　③ 11
④ 12　⑤ 13

개념 해결의 법칙 219쪽 유형 01

유형 09 정적분의 치환적분법 - 유리함수·무리함수 개념 05

(1) 피적분함수가 $\frac{f'(x)}{f(x)}$ 꼴인 경우

⇨ $f(x)=t$로 치환한다.

(2) 피적분함수가 $\sqrt{f(x)}$ 꼴인 경우

⇨ $\sqrt{f(x)}=t$ 또는 $f(x)=t$로 치환한다.

1064 • 대표문제 •

$\int_{1}^{2} x\sqrt{x-1}\,dx=\frac{q}{p}$일 때, $p+q$의 값을 구하시오.

(단, p와 q는 서로소인 자연수이다.)

1065 상중하

정적분 $\int_{0}^{\sqrt{3}} \frac{4x}{\sqrt{x^2+1}}\,dx$의 값은?

① 1 ② 2 ③ 3
④ 4 ⑤ 5

1066 상중하 서술형

$\int_{0}^{a} \frac{6x^2}{x^3+2}\,dx=\ln 25$일 때, 양수 a의 값을 구하시오.

개념 해결의 법칙 220쪽 유형 02

유형 10 정적분의 치환적분법 - 지수함수 개념 05

피적분함수가 지수함수일 때

(1) $a^{f(x)}$과 $f'(x)$의 곱의 꼴로 되어 있으면 $f(x)=t$로 치환한다.

(2) $f(a^x)$과 a^x의 곱의 꼴로 되어 있으면 a^x에 대한 식을 t로 치환한다.

1067 • 대표문제 •

정적분 $\int_{0}^{2} \frac{2^x \ln 2}{2^x+1}\,dx$의 값은?

① $\ln 2$ ② $\ln \frac{5}{2}$ ③ $\ln 3$
④ $\ln \frac{7}{2}$ ⑤ $\ln 4$

1068 상중하

정적분 $\int_{0}^{\sqrt{2}} (x+1)^2 e^{x^2}\,dx-\int_{0}^{\sqrt{2}} (x-1)^2 e^{x^2}\,dx$의 값은?

① e^2 ② $\sqrt{2}(e^2-1)$ ③ $\sqrt{2}(e^2+1)$
④ $2(e^2-1)$ ⑤ $2(e^2+1)$

1069 상중하

정적분 $\int_{0}^{\ln 2} \frac{(e^x+1)(2e^{2x}-e^x)}{e^{3x}+1}\,dx$의 값은?

① $\ln 2$ ② $\ln 3$ ③ $2\ln 2$
④ $3\ln 2$ ⑤ $2\ln 3$

9 정적분

개념 해결의 법칙 220쪽 유형 02

유형 11 정적분의 치환적분법 – 로그함수

개념 05

피적분함수가 로그함수일 때

⇨ $f(\ln x)$와 $\frac{1}{x}$의 곱의 꼴로 되어 있으면 $\ln x=t$로 치환한다.

1070 • 대표문제 •

정적분 $\int_{e}^{e^4}\frac{1}{x\sqrt{\ln x}}dx$의 값은?

① 1 ② 2 ③ 3
④ 4 ⑤ 5

1071 상중하

정적분 $\int_{1}^{e^2}\frac{1}{x(\ln x-1)^2}dx$의 값은?

① -2 ② -1 ③ 0
④ 1 ⑤ 2

1072 상중하 서술형

$a_n=\int_{1}^{e}\frac{(\ln x)^n}{x}dx$일 때, $\sum_{n=1}^{\infty}a_n a_{n+1}$의 값을 구하시오.

개념 해결의 법칙 221쪽 유형 03

유형 12 정적분의 치환적분법 – 삼각함수

개념 05

(1) 피적분함수가 $f(\cos x)\sin x$ 꼴인 경우
⇨ $\cos x=t$로 치환한다.
(2) 피적분함수가 $f(\sin x)\cos x$ 꼴인 경우
⇨ $\sin x=t$로 치환한다.

1073 • 대표문제 •

정적분 $\int_{0}^{\frac{\pi}{2}}\cos^3 x\,dx$의 값은?

① $\frac{1}{3}$ ② $\frac{2}{3}$ ③ 1
④ $\frac{4}{3}$ ⑤ $\frac{5}{3}$

1074 상중하

함수 $f(x)=\sin x+1$에 대하여 정적분 $\int_{0}^{\frac{\pi}{2}}f(x)\sin 2x\,dx$의 값은?

① $\frac{1}{3}$ ② $\frac{2}{3}$ ③ 1
④ $\frac{4}{3}$ ⑤ $\frac{5}{3}$

1075 상중하

정적분 $\int_{-\frac{\pi}{4}}^{0}x^2\tan x\,dx+\int_{0}^{\frac{\pi}{4}}(x^2+1)\tan x\,dx$의 값은?

① $-\ln 2$ ② $-\ln\sqrt{2}$ ③ 0
④ $\ln\sqrt{2}$ ⑤ $\ln 2$

유형 13 삼각치환법 - $\sqrt{a^2-x^2}$ 꼴 개념 05

피적분함수가 $\sqrt{a^2-x^2}\,(a>0)$ 꼴인 경우

⇨ $x=a\sin\theta\left(-\frac{\pi}{2}\le\theta\le\frac{\pi}{2}\right)$로 치환한 후 $\sin^2\theta+\cos^2\theta=1$임을 이용한다.

1076 • 대표문제 •

정적분 $\int_0^2\sqrt{4-x^2}\,dx$의 값을 구하시오.

1077 상중하

정적분 $\int_0^3\sqrt{9x-x^2}\,dx$의 값을 구하시오.

유형 14 삼각치환법 - $\frac{1}{a^2+x^2}$ 꼴 개념 05

피적분함수가 $\frac{1}{a^2+x^2}\,(a>0)$ 꼴인 경우

⇨ $x=a\tan\theta\left(-\frac{\pi}{2}<\theta<\frac{\pi}{2}\right)$로 치환한 후 $1+\tan^2\theta=\sec^2\theta$임을 이용한다.

1078 • 대표문제 •

정적분 $\int_{-3}^3\frac{1}{9+x^2}\,dx$의 값을 구하시오.

1079 상중하

정적분 $\int_1^2\frac{1}{x^2-2x+2}\,dx$의 값을 구하시오.

발전 유형 15 정적분의 치환적분법 - $f(px+q)$ 꼴 개념 05

피적분함수가 $f(px+q)$ 꼴인 경우

⇨ $px+q=t$로 치환한다.

1080 • 대표문제 •

함수 $f(x)=2^x$에 대하여 정적분 $\int_0^1\{f(x)+f(x+1)\}\,dx$의 값은?

① $\ln 2$ ② $2\ln 2$ ③ $\frac{1}{\ln 2}$

④ $\frac{2}{\ln 2}$ ⑤ $\frac{3}{\ln 2}$

1081 상중하

연속함수 $f(x)$에 대하여 $\int_{-2}^3 f(x)\,dx=k$일 때, $\int_{-1}^0 f(5x+3)\,dx$의 값을 k를 사용하여 나타내면?

① $\frac{k}{5}$ ② $\frac{k}{4}$ ③ $\frac{k}{3}$

④ $2k$ ⑤ $3k$

9 정적분

개념 해결의 법칙 222쪽 유형 04

중요 유형 16 정적분의 부분적분법

개념 06

곱의 꼴이면서 치환적분법을 이용할 수 없는 경우, 쉽게 적분이 되지 않는 함수가 주어진 경우에는 미분한 결과가 간단한 함수를 $f(x)$, 적분하기 쉬운 함수를 $g'(x)$로 놓고 부분적분법을 이용한다.

$\Rightarrow \int_a^b f(x)g'(x)\,dx = \Big[f(x)g(x)\Big]_a^b - \int_a^b f'(x)g(x)\,dx$

1082 대표문제

정적분 $\int_1^e \frac{\ln x}{x^2}\,dx$의 값을 구하시오.

1083 상중하

정적분 $\int_0^{\pi}\left(|x| - \left|x - \frac{\pi}{2}\right|\right)\cos x\,dx$의 값은?

① -2　② -1　③ 0　④ $\frac{\pi}{2}-1$　⑤ $\pi-1$

1084 상중하 서술형

$y=\ln x$일 때, 정적분 $\int_1^2 xy\,dx + \int_0^{\ln 2} xy\,dy$의 값을 구하시오.

1085 상중하

정적분 $\int_0^1 (e^x - 3ax)^2\,dx$의 값이 최소가 되도록 하는 실수 a의 값은?

① -2　② -1　③ 0　④ 1　⑤ 2

개념 해결의 법칙 222쪽 유형 04

유형 17 정적분의 부분적분법 - 부분적분법을 2번 적용하는 경우

개념 06

부분적분법을 한 번 적용해서 적분이 안되는 경우에는 부분적분법을 한 번 더 적용한다.

1086 대표문제

정적분 $\int_0^{\frac{\pi}{2}} e^x \sin x\,dx$의 값은?

① $\frac{1}{4}e^{\frac{\pi}{4}}$　② $\frac{1}{2}e^{\frac{\pi}{2}}+\frac{1}{2}$　③ e^{π}　④ $e^{\pi}+1$　⑤ $2e^{2\pi}+2$

1087 상중하

$\int_0^2 x^2e^x\,dx = ae^2+b$일 때, 유리수 a, b에 대하여 $a+b$의 값은?

① -2　② -1　③ 0　④ 1　⑤ 2

중요 개념 해결의 법칙 225쪽 유형 01

유형 18 적분 구간이 상수인 정적분을 포함한 등식 개념 07

$f(x)=g(x)+\int_a^b f(t)dt$ 꼴일 때

(i) $\int_a^b f(t)dt=k$ (k는 상수)로 놓는다.

(ii) $f(x)=g(x)+k$를 (i)의 식에 대입하여 k의 값을 구한다.

(iii) k의 값을 $f(x)=g(x)+k$에 대입하여 $f(x)$를 구한다.

1088 대표문제

함수 $f(x)$가 $f(x)=\frac{1}{x}+\int_1^e f(t)dt$를 만족시킬 때, 정적분 $\int_2^e f(x)dx$의 값을 구하시오.

1089 상중하

$f(x)=\cos x+\int_0^{\frac{\pi}{3}} f(t)\sin t\,dt$를 만족시키는 함수 $f(x)$에 대하여 $f(0)=\frac{q}{p}$라 할 때, p^2+q^2의 값은?

(단, p와 q는 서로소인 자연수이다.)

① 53 ② 58 ③ 61 ④ 65 ⑤ 73

1090 상중하

함수 $f(x)$가 $f(x)=\ln x+\int_1^e tf(t)dt$를 만족시킬 때, 정적분 $\int_1^e xf(x)\,dx$의 값은?

① $-\frac{e^2}{2(e^2-4)}$ ② $-\frac{e^2+1}{2(e^2-3)}$ ③ $-\frac{e^2}{2(e^2-2)}$ ④ $-\frac{e^2+1}{2(e^2-1)}$ ⑤ $-\frac{e^2+1}{2e^2}$

중요 개념 해결의 법칙 226쪽 유형 02

유형 19 적분 구간에 변수가 있는 정적분을 포함한 등식 개념 07

$\int_a^x f(t)dt=g(x)$(a는 상수) 꼴일 때

(i) 양변을 x에 대하여 미분한다. ⇨ $f(x)=g'(x)$

(ii) 양변에 $x=a$를 대입한다. ⇨ $\int_a^a f(t)dt=g(a)=0$

1091 대표문제

$x>0$에서 정의된 미분가능한 함수 $f(x)$가

$$2xf(x)-x=\int_1^x \{f(t)-1\}dt$$

를 만족시킬 때, $f(9)$의 값은? (단, $f(x)>0$)

① $\frac{1}{6}$ ② $\frac{1}{3}$ ③ 1 ④ 3 ⑤ 6

1092 상중하

모든 실수 x에서 미분가능한 함수 $f(x)=\int_0^x \frac{2}{1+t^4}dt$에 대하여 상수 a가 $f(a)=1$을 만족시킬 때, $\int_0^a \frac{2e^{f(x)}}{1+x^4}dx$의 값은?

① $e-1$ ② $\frac{e-1}{2}$ ③ e ④ $\frac{e+1}{2}$ ⑤ $e+1$

1093 상중하

모든 실수 x에 대하여 미분가능한 함수 $f(x)$가 $xf(x)=x^2e^x+\int_1^x f(t)dt$를 만족시킬 때, $f(-1)$의 값을 구하시오.

9 정적분

개념 해결의 법칙 226쪽 유형 02

유형 20 적분 구간과 피적분함수에 변수가 있는 정적분을 포함한 등식

개념 07

$\int_a^x (x\pm t)f(t)dt=g(x)$($a$는 상수) 꼴일 때

(i) 좌변을

$\int_a^x (x\pm t)f(t)dt=x\int_a^x f(t)dt\pm\int_a^x tf(t)dt$ (복호동순)

와 같이 변형한 후 양변을 x에 대하여 미분한다.

(ii) 양변에 $x=a$를 대입한다. ⇨ $\int_a^a (x\pm t)f(t)dt=g(a)=0$

1094 • 대표문제 •

$x>0$에서 미분가능한 함수 $f(x)$가 임의의 실수 x에 대하여

$$\int_1^x (t+x)f(t)dt=e^x+x-e-1$$

을 만족시킬 때, $f(1)$의 값을 구하시오.

1095 상중하

연속함수 $f(x)$가 $\int_0^x (x-t)f(t)dt=\sin x-x$를 만족시킬 때, $f(\pi)$의 값은?

① -1 ② $-\frac{1}{2}$ ③ 0
④ $\frac{1}{2}$ ⑤ 1

1096 상중하

모든 실수 x에 대하여 미분가능한 함수 $f(x)$가

$$\int_0^x 2f(t)dt=\int_0^x (x-t)f'(t)dt-\cos 2x+1$$

을 만족시킬 때, 함수 $f(x)$는?

① $f(x)=-\sin x+1$ ② $f(x)=-\cos x$
③ $f(x)=2\sin 2x$ ④ $f(x)=2\cos 2x+1$
⑤ $f(x)=\sin x+\cos x$

개념 해결의 법칙 227쪽 유형 03

유형 21 정적분으로 정의된 함수의 극대·극소

개념 07

$f(x)=\int_a^x g(t)dt$(a는 상수) 꼴일 때, 함수 $f(x)$의 극값은

(i) 양변을 x에 대하여 미분한다. ⇨ $f'(x)=g(x)$

(ii) $f'(x)=0$을 만족시키는 x의 값을 구한다.

(iii) (ii)에서 구한 x의 값의 좌우에서 $f'(x)$의 부호를 조사한다.

1097 • 대표문제 •

함수 $f(x)=\int_0^x (t+1)e^{-t}dt$의 극솟값을 구하시오.

1098 상중하

$x>0$일 때, 함수 $f(x)=\int_0^x (t\sqrt{t}-2t)dt$의 극값은?

① -4 ② $-\frac{16}{5}$ ③ $-\frac{12}{5}$
④ -2 ⑤ $-\frac{8}{5}$

1099 상중하

$0<x<2\pi$에서 함수 $f(x)=\int_0^x (1+\cos t)\sin t\,dt$의 극댓값은?

① -2 ② -1 ③ 0
④ 1 ⑤ 2

개념 해결의 법칙 227쪽 유형 03

유형 22 정적분으로 정의된 함수의 최대·최소

개념 07

$f(x)=\int_a^x g(t)dt$ (a는 상수) 꼴일 때, 함수 $f(x)$의 최댓값·최솟값은

(i) 양변을 x에 대하여 미분하여 극값을 구한다.

(ii) 주어진 구간의 양 끝에서의 함숫값과 극댓값, 극솟값을 비교한다.

1100 대표문제

$x>0$일 때, 함수 $f(x)=\int_x^{x+1}\left(t+\frac{6}{t}\right)dt$의 최솟값을 구하시오.

1101 상중하 서술형

함수 $f(x)=\int_{-2}^x te^{t^2-1}dt-\frac{1}{2e}$은 $x=a$에서 최솟값 b를 갖는다. 이때, $a+b$의 값을 구하시오.

1102 상중하

$x>0$일 때, 함수 $f(x)=4\int_1^x (t-t\ln t)dt$의 최댓값은?

① e^2 ② e^2-1 ③ e^2-2
④ e^2-3 ⑤ e^2-4

중요

개념 해결의 법칙 228쪽 유형 04

유형 23 정적분으로 정의된 함수의 극한

개념 07

(1) $\lim_{x\to a}\frac{1}{x-a}\int_a^x f(t)dt=f(a)$

(2) $\lim_{x\to 0}\frac{1}{x}\int_a^{x+a} f(t)dt=f(a)$

1103 대표문제

$\lim_{h\to 0}\frac{1}{h}\int_{\frac{\pi}{2}-h}^{\frac{\pi}{2}+3h} x\sin x\,dx$의 값은?

① 0 ② π ③ 2π
④ 3π ⑤ 4π

1104 상중하

$\lim_{x\to\frac{\pi}{2}}\frac{1}{x-\frac{\pi}{2}}\int_{\frac{\pi}{2}}^x \frac{\cos 2t}{\sin t+1}dt$의 값을 구하시오.

1105 상중하

함수 $f(t)=te^t$에 대하여 $\lim_{x\to 1}\frac{1}{x-1}\int_1^{x^3} f(t)dt$의 값은?

① 1 ② e ③ $2e$
④ $3e$ ⑤ $4e$

• 실제 학교 시험지처럼 풀어 보세요.

1106 | 유형 01 |

함수 $f(x)=\frac{1}{x}-2$에 대하여 정적분 $\int_1^e f(x)dx$의 값은? [3.8점]

① $2-3e$ ② $1-2e$ ③ $3-2e$
④ $1-e$ ⑤ $2-e$

1107 | 유형 03 |

함수 $f(x)=e^{-x}$에 대하여

$$a_n=\int_n^{n+1} f(x)dx\ (n=1, 2, 3, \cdots)$$

라 할 때, 급수 $\sum_{n=1}^{\infty} a_n$의 합은? [4.1점]

① 0 ② $\frac{1}{e}$ ③ $\frac{2}{e}$
④ e ⑤ $2e$

1108 | 유형 04 |

정적분 $\int_0^{\frac{\pi}{4}} \frac{\sin^2 x}{\sin x+\cos x}dx+\int_{\frac{\pi}{4}}^0 \frac{\cos^2 x}{\sin x+\cos x}dx$의 값은? [3.9점]

① $1-\sqrt{2}$ ② 0 ③ $\sqrt{2}-1$
④ $1+\sqrt{2}$ ⑤ $2+\sqrt{2}$

1109 | 유형 05 |

함수 $f(x)=\begin{cases} \frac{1}{x+1}-1 & (x\ge 0) \\ \sin x & (x\le 0) \end{cases}$에 대하여

$\int_{-\frac{\pi}{3}}^{3} f(x)dx=\ln a+b$일 때, $a+b$의 값은?

(단, a, b는 유리수) [4.1점]

① 0 ② $\frac{1}{2}$ ③ 1
④ $\frac{5}{2}$ ⑤ 4

1110 | 유형 06 |

정적분 $\int_0^{\ln 4} |e^x-2|dx$의 값은? [4.2점]

① $\ln 2$ ② 1 ③ $2\ln 2$
④ $\ln 2+1$ ⑤ 2

1111 | 유형 08 |

정적분 $\int_{-\pi}^{\pi} |\sin 2x|dx$의 값은? [4.2점]

① 1 ② 2 ③ 3
④ 4 ⑤ 5

1112 | 유형 10 |

$\int_{-a}^{a} \frac{e^x}{e^x+1}dx=9$일 때, 상수 a의 값은? [4.1점]

① 3 ② 5 ③ 6
④ 7 ⑤ 9

1113 | 유형 11 |

함수 $f(n)=\int_{e}^{e^n}\frac{\ln x}{x}dx$에 대하여 $\lim_{n\to\infty}\frac{f(n)}{n^2}$의 값은? [4.2점]

① $\frac{1}{8}$ ② $\frac{1}{4}$ ③ $\frac{1}{2}$
④ 1 ⑤ 2

1114 | 유형 11 + 유형 12 |

$\int_{0}^{e^2-1}\frac{a+\ln(x+1)}{x+1}dx=\int_{0}^{\frac{\pi}{2}}\sin 2x\cos x\,dx$일 때, 상수 a의 값은? [4.3점]

① -1 ② $-\frac{2}{3}$ ③ $-\frac{1}{3}$
④ 0 ⑤ $\frac{1}{3}$

1115 | 유형 13 + 유형 14 |

정적분 $\int_{0}^{\frac{1}{2}}\frac{4}{1+4x^2}dx+\int_{0}^{\frac{\sqrt{2}}{2}}\frac{2}{\sqrt{1-x^2}}dx$의 값은? [4.3점]

① $\frac{\pi}{2}$ ② π ③ $\frac{3}{2}\pi$
④ 2π ⑤ $\frac{5}{2}\pi$

1116 | 유형 15 |

연속함수 $f(x)$가 모든 실수 x에 대하여 $f(x)=f(-x)$를 만족시키고 $\int_{0}^{2}f(x)dx=3$일 때, $\int_{-2}^{2}\frac{f(x)}{e^{-x}+1}dx$의 값은? [4.4점]

① 1 ② $\frac{3}{2}$ ③ 3
④ $\frac{5}{2}$ ⑤ 6

1117 | 유형 07 + 유형 16 |

정적분 $\int_{-\frac{\pi}{2}}^{\frac{\pi}{2}}(x^3\cos x-x^2\sin 2x+x\sin x)dx$의 값은? [4.6점]

① 1 ② 2 ③ 3
④ 4 ⑤ 5

1118 | 유형 19 |

모든 실수 x에 대하여 미분가능한 함수 $f(x)$가

$$\int_{0}^{x}f(t)dt=x\int_{0}^{x}f(t)dt-\int_{0}^{x}tf(t)dt+x$$

를 만족시킬 때, $f(4)$의 값은? (단, $f(x)>0$) [4.5점]

① e ② e^2 ③ e^3
④ e^4 ⑤ e^5

1119 | 유형 22 |

함수 $f(x)=\int_{0}^{x}(2-e^t)dt$의 최댓값은? [4.3점]

① $2\ln 2-2$ ② $2\ln 2-1$ ③ $2\ln 2$
④ $2\ln 2+1$ ⑤ $2\ln 2+2$

서술형 문제

• 풀이 과정에 점수가 부여되니 풀이 과정 및 정답을 상세하게 서술하세요.

단답형

1120 | 유형 02 |

$\lim_{n\to\infty}\left\{(n+1)\int_0^{\frac{1}{n}}\frac{1}{\sqrt{x+1}}dx\right\}$의 값을 구하시오. [6점]

1121 | 유형 09 |

$\int_{-1}^{1}\frac{x^2+1}{x^3+3x+3}dx=a\ln 7$일 때, 상수 a의 값을 구하시오.

[6점]

1122 | 유형 18 |

함수 $f(x)$가 $f(x)=\ln x+\int_1^3 f(t)dt$를 만족시킬 때, $f(27)$의 값을 구하시오. [7점]

단계형

1123 | 유형 07 |

정적분 $\int_{-1}^{1}(2^x+7^x+2^{-x}-7^{-x})dx$의 값을 구하려고 한다. 다음 물음에 답하시오. [10점]

(1) $f(x)=2^x+2^{-x}$, $g(x)=7^x-7^{-x}$으로 놓고 두 함수가 우함수인지 기함수인지 각각 구하시오. [4점]

(2) 정적분 $\int_{-1}^{1}(2^x+7^x+2^{-x}-7^{-x})dx$의 값을 구하시오.

[6점]

1124 | 유형 23 |

함수 $f(x)=\int_{-\frac{\pi}{2}}^{x}\frac{1}{2}\sin 2t(\sin t+1)dt$에 대하여 $\lim_{h\to 0}\frac{1}{h}\int_{\frac{\pi}{2}-h}^{\frac{\pi}{2}+h}f(t)dt$의 값을 구하려고 한다. 다음 물음에 답하시오. [12점]

(1) $\lim_{h\to 0}\frac{1}{h}\int_{\frac{\pi}{2}-h}^{\frac{\pi}{2}+h}f(t)dt$를 $af(b)+c$ 꼴로 간단히 나타내시오. (단, a, b, c는 상수) [6점]

(2) 치환적분법을 이용하여 (1)의 함숫값을 구하시오. [6점]

성/취/도 Check

점수 / 100점

50점 STEP 1 개념+기본 문제 학습

60점 STEP 2 유형 대표 문제 학습

70점 STEP 3의 틀린 문제에 해당하는 STEP 2 유형 학습

80점 STEP 3의 틀린 문제 복습

90점 교과서 속 심화문제 시작

» 정답과 해설 165쪽

1125

함수 $f(x)=\begin{cases} \lim_{n\to\infty}\dfrac{2x^{n+1}+3x^2}{2x^n+2x+1} & (x\neq 1) \\ \dfrac{k}{3} & (x=1) \end{cases}$ 가 실수 전체의 집합에서 연속일 때, 정적분 $\int_0^k f(x)dx$의 값을 구하시오.

(단, k는 상수)

1126

함수 $f(x)=\int_0^{\frac{\pi}{2}}\sin|x-t|dt$에 대하여 정적분 $\int_0^{\pi}f(x)dx$의 값을 구하시오.

1127

닫힌구간 $\left[0, \frac{\pi}{2}\right]$에서 정의된 연속함수 $f(x)$는 $f(x)=f\left(\frac{\pi}{2}-x\right)$를 만족시킨다. $\int_0^{\frac{\pi}{2}}f(x)\cos^2 x\,dx=10$일 때, $\int_0^{\frac{\pi}{2}}f(x)dx$의 값을 구하시오.

1128

$x\geq 1$에서 정의된 두 번 미분가능한 함수 $f(x)$가 $\{f(x)\}^2-4=\int_1^x \frac{tf(t)}{t^2+1}dt$를 만족시킬 때, $\int_1^3 xf''(x)dx$의 값은? (단, $f(x)>0$)

① $\frac{1}{5}-\frac{1}{4}\ln 5$ ② $\frac{1}{5}-4\ln 5$ ③ $5-4\ln 5$
④ $\frac{1}{5}-\frac{1}{4}\ln 4$ ⑤ $\frac{1}{5}-4\ln 4$

1129 융합형

모든 실수 x에 대하여 미분가능한 함수 $f(x)$가 다음 조건을 모두 만족시킬 때, $f(3)$의 값을 구하시오. (단, a, b는 상수)

(가) $f(x)=\int_0^x (t-a)e^{t-b}dt$
(나) 함수 $f(x)$는 $x=1$에서 극값을 갖는다.
(다) $f(2)-2f(0)=\frac{2}{e^3}$

10

정적분의 활용

사람이 얼마나 **행복**한가는
그의 **감사함의 깊이**에 달려있다.
-존 밀러

기출 문제 분석
빅 데이터

* 전국 300여 개 고등학교 기출 문제를 분석하였습니다.

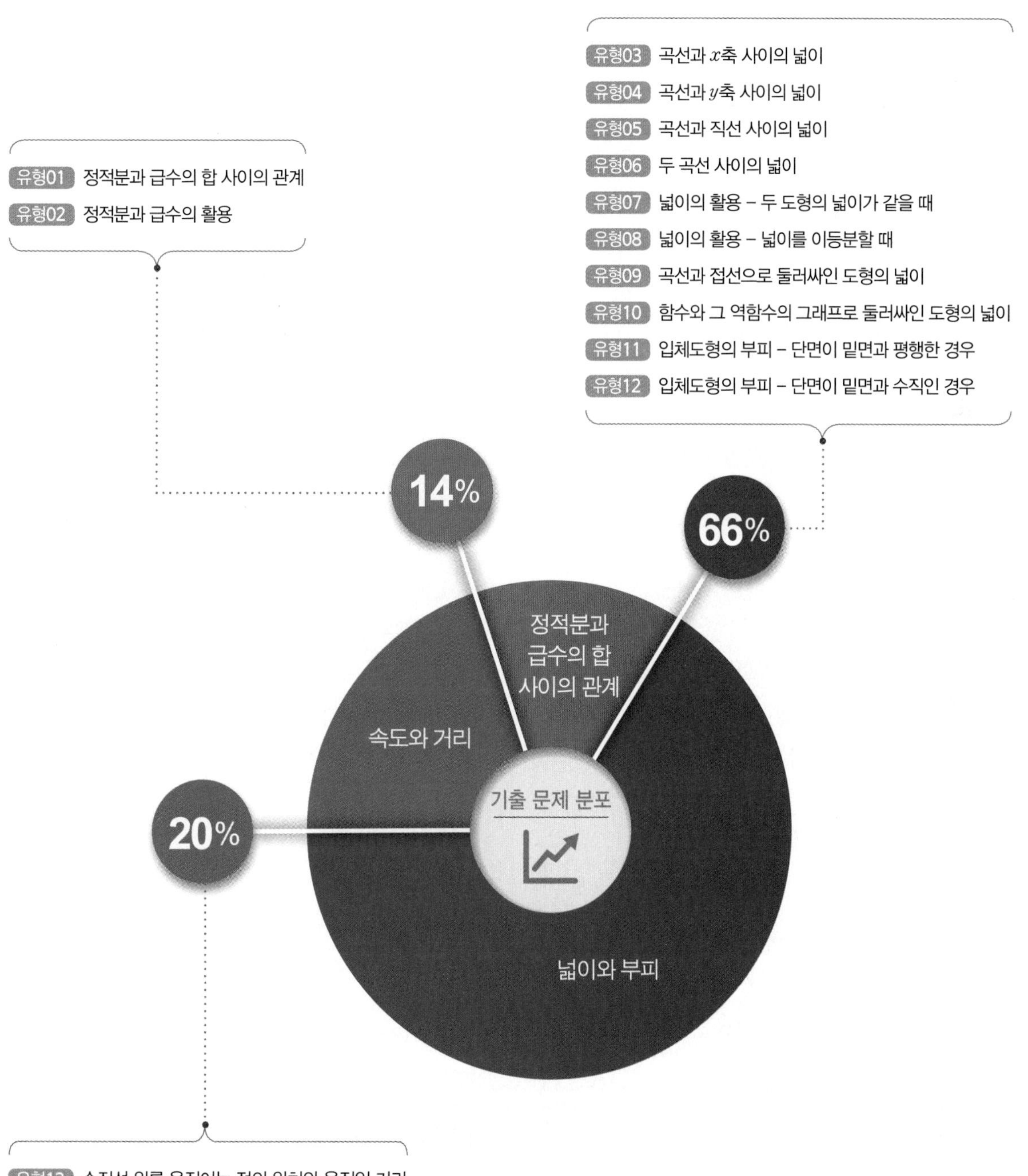

STEP 1 개념 마스터

01 정적분과 급수의 합 사이의 관계 (유형 01, 02)

(1) 함수 $f(x)$가 닫힌구간 $[a, b]$에서 연속일 때

$$\lim_{n\to\infty}\sum_{k=1}^{n} f(x_k)\Delta x=\int_a^b f(x)dx$$

$$\left(\text{단, } \Delta x=\frac{b-a}{n},\ x_k=a+k\Delta x\right)$$

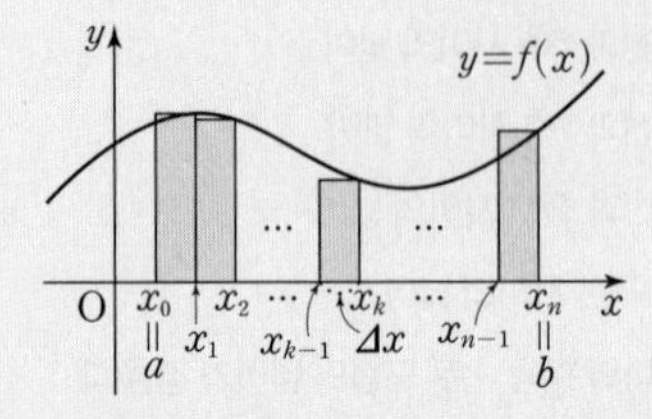

(2) 다음과 같이 여러 가지 급수의 합을 정적분으로 나타낼 수 있다.

① $\lim_{n\to\infty}\sum_{k=1}^{n} f\left(\frac{k}{n}\right)\times\frac{1}{n}=\int_0^1 f(x)dx$

② $\lim_{n\to\infty}\sum_{k=1}^{n} f\left(\frac{p}{n}k\right)\times\frac{p}{n}=\int_0^p f(x)dx$

③ $\lim_{n\to\infty}\sum_{k=1}^{n} f\left(a+\frac{b-a}{n}k\right)\times\frac{b-a}{n}=\int_a^b f(x)dx$

④ $\lim_{n\to\infty}\sum_{k=1}^{n} f\left(a+\frac{p}{n}k\right)\times\frac{p}{n}=\int_a^{a+p} f(x)dx$
$=\int_0^p f(a+x)dx$

1130 다음은 정적분을 이용하여 극한값 $\lim_{n\to\infty}\frac{1}{n^5}(1^4+2^4+3^4+\cdots+n^4)$을 구하는 과정이다. (가) ~ (라)에 알맞은 것을 써넣으시오.

> $\lim_{n\to\infty}\frac{1}{n^5}(1^4+2^4+3^4+\cdots+n^4)=\lim_{n\to\infty}\frac{1}{n^5}\sum_{k=1}^{n}k^4$
> $=\lim_{n\to\infty}\sum_{k=1}^{n}\left(\frac{k}{n}\right)^4\frac{1}{n}$
> 이때, $f(x)=x^4$, $a=0$, $b=1$로 놓으면
> $\Delta x=$ (가), $x_k=$ (나)
> $\therefore \lim_{n\to\infty}\sum_{k=1}^{n}\left(\frac{k}{n}\right)^4\frac{1}{n}=\lim_{n\to\infty}\sum_{k=1}^{n}f(x_k)\Delta x$
> $=\int_0^1$ (다) $dx=$ (라)

[1131~1132] 정적분을 이용하여 다음 극한값을 구하시오.

1131 $\lim_{n\to\infty}\frac{1}{n}\left\{\left(1+\frac{1}{n}\right)^2+\left(1+\frac{2}{n}\right)^2+\cdots+\left(1+\frac{n}{n}\right)^2\right\}$

1132 $\lim_{n\to\infty}\frac{\pi}{n}\left(\sin\frac{\pi}{n}+\sin\frac{2\pi}{n}+\cdots+\sin\frac{n\pi}{n}\right)$

02 곡선과 좌표축 사이의 넓이 (유형 03, 04, 07)

(1) 함수 $f(x)$가 닫힌구간 $[a, b]$에서 연속일 때, 곡선 $y=f(x)$와 x축 및 두 직선 $x=a$, $x=b$로 둘러싸인 도형의 넓이 S는

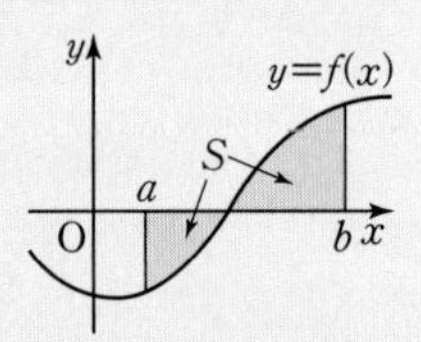

⇨ $S=\int_a^b|f(x)|dx$

(2) 함수 $g(y)$가 닫힌구간 $[c, d]$에서 연속일 때, 곡선 $x=g(y)$와 y축 및 두 직선 $y=c$, $y=d$로 둘러싸인 도형의 넓이 S는

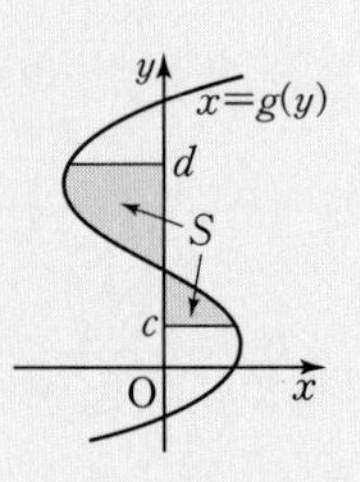

⇨ $S=\int_c^d|g(y)|dy$

[1133~1136] 다음 곡선과 직선으로 둘러싸인 도형의 넓이를 구하시오.

1133 $y=\frac{1}{x}$, x축, $x=1$, $x=e$

1134 $y=\sin x\ (0\le x\le\pi)$, x축

1135 $y=-2e^x$, x축, $x=-1$, $x=1$

1136 $y=\ln x$, x축, $x=e$

• $\lim_{n\to\infty}\sum_{k=1}^{n} f\left(a+\frac{b-a}{n}k\right)\times\frac{b-a}{n}=\int_a^b f(x)dx$ (세로의 길이, 가로의 길이)

• 곡선과 좌표축 사이의 넓이 — x축 → $S=\int_a^b|f(x)|dx$, y축 → $S=\int_c^d|g(y)|dy$

[1137~1140] 다음 곡선과 직선으로 둘러싸인 도형의 넓이를 구하시오.

1137 $y=\frac{1}{2}x^2(x\geq 0)$, y축, $y=4$

1138 $y=\sqrt{x}$, y축, $y=1$, $y=4$

1139 $y=e^x$, y축, $y=e^2$

1140 $y=\ln x$, y축, $y=-1$, $y=1$

03 두 곡선 사이의 넓이

유형 05~10

(1) 두 함수 $f(x)$, $g(x)$가 닫힌구간 $[a, b]$에서 연속일 때, 두 곡선 $y=f(x)$, $y=g(x)$ 및 두 직선 $x=a$, $x=b$로 둘러싸인 도형의 넓이 S는

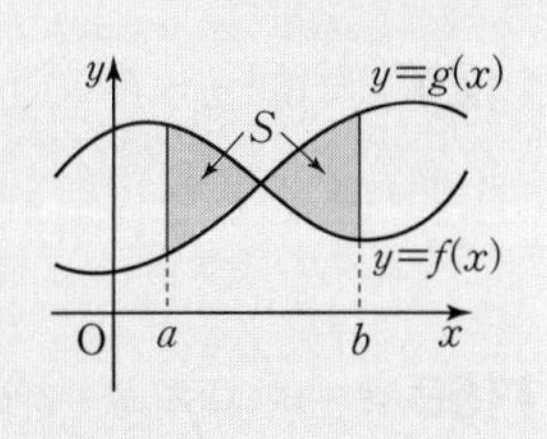

$$S=\int_a^b |f(x)-g(x)|dx$$

└ $\int_a^b\{(\text{위쪽 그래프의 식})-(\text{아래쪽 그래프의 식})\}dx$

(2) 두 함수 $f(y)$, $g(y)$가 닫힌구간 $[c, d]$에서 연속일 때, 두 곡선 $x=f(y)$, $x=g(y)$ 및 두 직선 $y=c$, $y=d$로 둘러싸인 도형의 넓이 S는

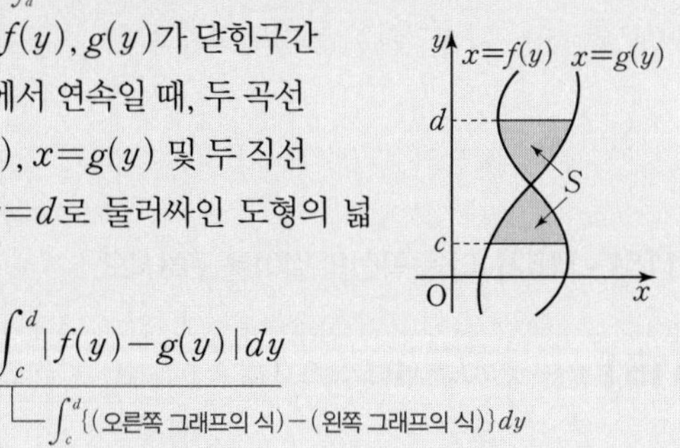

⇨ $S=\int_c^d |f(y)-g(y)|dy$

└ $\int_c^d\{(\text{오른쪽 그래프의 식})-(\text{왼쪽 그래프의 식})\}dy$

1141 곡선 $y=\frac{3}{x}$과 직선 $y=-x+4$로 둘러싸인 도형의 넓이를 구하시오.

1142 두 곡선 $y=e^x$, $y=e^{-x}$과 직선 $x=1$로 둘러싸인 도형의 넓이를 구하시오.

1143 $0\leq x\leq\frac{\pi}{2}$에서 두 곡선 $y=\sin x$, $y=\cos x$ 및 y축으로 둘러싸인 도형의 넓이를 구하시오.

04 입체도형의 부피

유형 11, 12

닫힌구간 $[a, b]$에서 x좌표가 x인 점을 지나고 x축에 수직인 평면으로 잘랐을 때의 단면의 넓이가 $S(x)$인 입체도형의 부피 V는

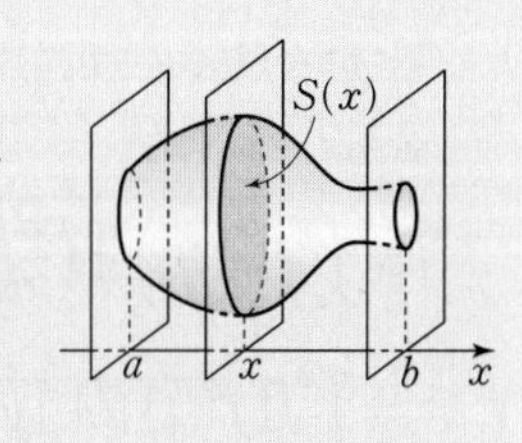

⇨ $V=\int_a^b S(x)dx$

(단, $S(x)$는 닫힌구간 $[a, b]$에서 연속이다.)

참고 x축 위의 닫힌구간 $[a, b]$를 n등분하여 양 끝점과 각 분점의 x좌표를 차례로 $a=x_0, x_1, x_2, \cdots, x_{n-1}, x_n=b$라 할 때, x좌표가 $x_k(k=0, 1, 2, \cdots, n)$인 점을 지나고 x축에 수직인 평면으로 자른 단면의 넓이를 $S(x_k)$라 하면

$$V=\lim_{n\to\infty}\sum_{k=1}^{n}S(x_k)\Delta x=\int_a^b S(x)dx$$

$\left(\text{단, } \Delta x=\frac{b-a}{n},\ x_k=a+k\Delta x\right)$

1144 높이가 6인 입체도형을 밑면으로부터 x인 지점에서 밑면에 평행한 평면으로 자른 단면의 넓이가 $\sqrt{6-x}$일 때, 이 입체도형의 부피를 구하시오.

1145 높이가 10 cm인 입체도형을 밑면으로부터 x cm인 지점에서 밑면에 평행한 평면으로 자른 단면이 한 변의 길이가 e^x cm인 정사각형일 때, 이 입체도형의 부피를 구하시오.

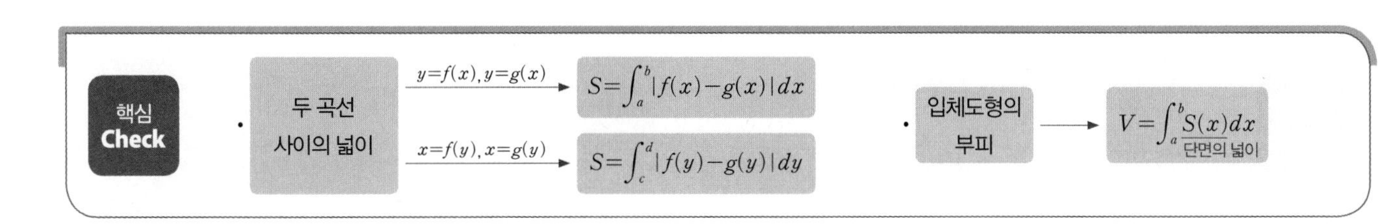

05 속도와 거리

유형 13, 14

(1) 수직선 위를 움직이는 점의 위치와 움직인 거리

수직선 위를 움직이는 점 P의 시각 t에서의 속도가 $v(t)$이고, 시각 $t=a$에서의 위치가 x_0일 때

① 시각 t에서 점 P의 위치 x는

$$x=x_0+\int_a^t v(t)dt$$

② 시각 $t=a$에서 $t=b$까지 점 P의 위치의 변화량은

$$\int_a^b v(t)dt$$

③ 시각 $t=a$에서 $t=b$까지 점 P가 움직인 거리 s는

$$s=\int_a^b |v(t)|dt$$

(2) 평면 위를 움직이는 점이 움직인 거리

좌표평면 위를 움직이는 점 P의 시각 t에서의 위치 (x, y)가 $x=f(t)$, $y=g(t)$일 때, $t=a$에서 $t=b$까지 점 P가 움직인 거리 s는

$$s=\int_a^b\sqrt{\left(\frac{dx}{dt}\right)^2+\left(\frac{dy}{dt}\right)^2}dt$$

$$=\int_a^b\sqrt{\{f'(t)\}^2+\{g'(t)\}^2}dt$$

1146 원점을 출발하여 수직선 위를 움직이는 점 P의 시각 t에서의 속도가 $v(t)=e^{2t}$일 때, 다음을 구하시오.

(1) 시각 $t=3$에서 점 P의 위치

(2) 시각 $t=0$에서 $t=5$까지 점 P의 위치의 변화량

(3) 시각 $t=0$에서 $t=4$까지 점 P가 움직인 거리

[1147~1148] 좌표평면 위를 움직이는 점 P의 시각 t에서의 위치 (x, y)가 다음과 같을 때, 시각 $t=0$에서 $t=1$까지 점 P가 움직인 거리를 구하시오.

1147 $x=\frac{1}{3}t^3-t$, $y=t^2$

1148 $x=3\cos t$, $y=3\sin t$

06 곡선의 길이

유형 15

(1) 곡선 $x=f(t)$, $y=g(t)$ $(a\le t\le b)$의 길이 l은

$$l=\int_a^b\sqrt{\left(\frac{dx}{dt}\right)^2+\left(\frac{dy}{dt}\right)^2}dt$$

$$=\int_a^b\sqrt{\{f'(t)\}^2+\{g'(t)\}^2}dt$$

(2) 곡선 $y=f(x)$ $(a\le x\le b)$의 길이 l은

$$l=\int_a^b\sqrt{1+\{f'(x)\}^2}dx$$

참고 • 곡선 $y=f(x)$ $(a\le x\le b)$는 점 P의 시각 t에서의 위치 (x, y)가 $x=t$, $y=f(t)$ $(a\le t\le b)$로 주어지는 곡선으로 생각할 수 있으므로 곡선의 길이 l은

$$l=\int_a^b\sqrt{\left(\frac{dx}{dt}\right)^2+\left(\frac{dy}{dt}\right)^2}dt=\int_a^b\sqrt{1+\{f'(t)\}^2}dt$$

$$=\int_a^b\sqrt{1+\{f'(x)\}^2}dx$$

• 곡선의 길이는 평면 위에서 점이 움직인 경로가 겹치지 않으면 점이 움직인 거리와 같다.

[1149~1150] 다음 곡선의 길이를 구하시오.

1149 $x=6t^2$, $y=t^3-12t$ $(0\le t\le 1)$

1150 $x=e^t\cos t$, $y=e^t\sin t$ $(1\le t\le 3)$

[1151~1152] 다음 곡선의 길이를 구하시오.

1151 $y=\frac{2}{3}x\sqrt{x}$ $(0\le x\le 3)$

1152 $y=\frac{e^x+e^{-x}}{2}$ $(-1\le x\le 1)$

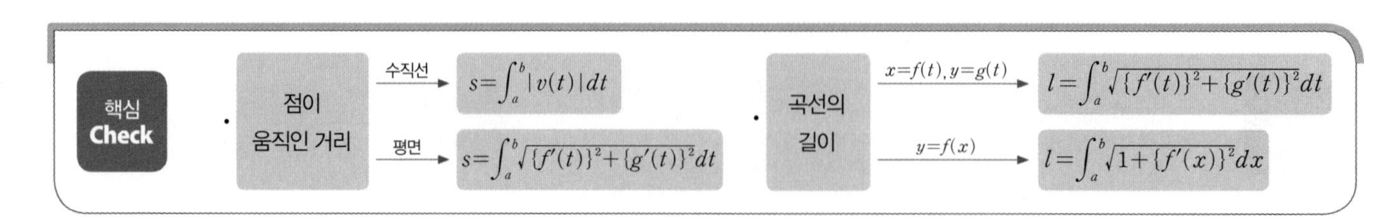

핵심 Check
• 점이 움직인 거리
수직선 → $s=\int_a^b|v(t)|dt$
평면 → $s=\int_a^b\sqrt{\{f'(t)\}^2+\{g'(t)\}^2}dt$
• 곡선의 길이
$x=f(t)$, $y=g(t)$ → $l=\int_a^b\sqrt{\{f'(t)\}^2+\{g'(t)\}^2}dt$
$y=f(x)$ → $l=\int_a^b\sqrt{1+\{f'(x)\}^2}dx$

STEP 2 유형 마스터

개념 해결의 법칙 240쪽 유형 01

유형 01 정적분과 급수의 합 사이의 관계

개념 01

급수 $\lim_{n\to\infty}\sum_{k=1}^{n} f\left(a+\frac{p}{n}k\right)\times\frac{p}{n}$를 정적분으로 나타낼 때는

(i) $a+\frac{p}{n}k=x_k$, $\frac{p}{n}=\Delta x$로 놓는다.

(ii) $x_k\to x$, $\Delta x\to dx$, $\lim_{n\to\infty}\sum_{k=1}^{n}\to\int_{x_0}^{x_n}$으로 변형시킨다.

1153 • 대표문제 •

함수 $f(x)=\frac{1}{x}$에 대하여 $\lim_{n\to\infty}\sum_{k=1}^{n} f\left(1+\frac{2k}{n}\right)\times\frac{2}{n}$의 값은?

① $\ln 2$ ② $\ln 3$ ③ $2\ln 2$
④ $\ln 5$ ⑤ $\ln 6$

1154 상중하

다음 중 $\lim_{n\to\infty}\sum_{k=1}^{n} f\left(a+\frac{(1-a)k}{n}\right)\times\frac{1-a}{n}$를 정적분으로 바르게 나타낸 것을 모두 고르면? (정답 2개)

① $\int_a^1 f(a+x)dx$ ② $\int_a^1 f(x)dx$
③ $\int_0^{1-a} f(a+x)dx$ ④ $\int_a^{1+a} f(a+x)dx$
⑤ $\int_{1-a}^{a} f(x)dx$

1155 상중하

$\lim_{n\to\infty}\frac{1}{n^3}\{(3n+2)^2+(3n+4)^2+\cdots+(3n+2n)^2\}$의 값을 구하시오.

1156 상중하

$\lim_{n\to\infty}\frac{\pi}{n}\sum_{k=1}^{n}\tan\frac{k\pi}{4n}=\ln a$라 할 때, 상수 a의 값은?

① 1 ② 2 ③ 4
④ 8 ⑤ 16

1157 상중하 서술형

$\lim_{n\to\infty}\frac{1}{n}\ln\left(\frac{n+1}{n}\times\frac{n+2}{n}\times\frac{n+3}{n}\times\cdots\times\frac{2n}{n}\right)$의 값을 구하시오.

1158 상중하

다음 보기 중 $\lim_{n\to\infty}\sum_{k=1}^{n}\left(2+\frac{3k}{n}\right)^2\frac{1}{n}$과 같은 값을 갖는 것을 있는 대로 고른 것은?

보기

ㄱ. $\int_0^1(2+3x)^2dx$ ㄴ. $\int_0^3(2+x)^2dx$
ㄷ. $\int_2^5 x^2dx$

① ㄱ ② ㄱ, ㄴ ③ ㄱ, ㄷ
④ ㄴ, ㄷ ⑤ ㄱ, ㄴ, ㄷ

1159 상중하

$0<a<1$일 때,

$$\lim_{n\to\infty}\frac{|a|+\left|a-\frac{1}{n}\right|+\left|a-\frac{2}{n}\right|+\cdots+\left|a-\frac{n-1}{n}\right|}{n}$$

을 간단히 하시오.

발전 유형 02 정적분과 급수의 활용

개념 01

삼각형의 닮음 또는 여러 가지 도형의 성질을 이용하여 주어진 급수를 $\frac{k}{n}$를 포함한 식으로 나타낸 다음 정적분으로 변형하여 그 값을 구한다.

1160 • 대표문제 •

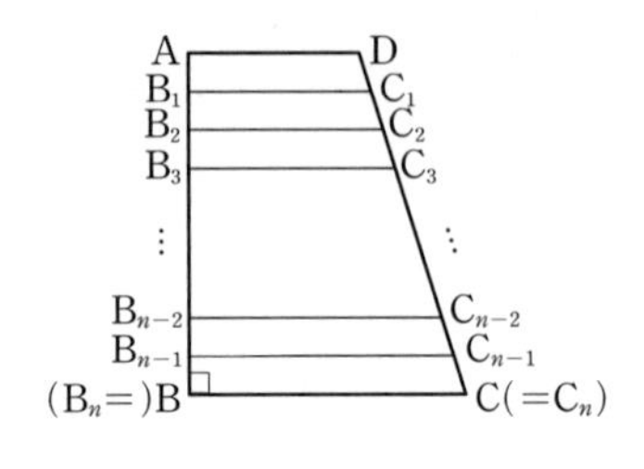

오른쪽 그림과 같이 $\overline{AB}=6$, $\overline{BC}=5$, $\overline{AD}=3$, $\angle B=90°$인 사다리꼴 ABCD가 있다. 변 AB를 n등분한 점을 각각 $B_1, B_2, B_3, \cdots, B_{n-1}$이라 하고, 각 점에서 변 BC에 평행하게 직선을 그어 변 CD와 만나는 점을 각각 $C_1, C_2, C_3, \cdots, C_{n-1}$이라 할 때, $\lim_{n\to\infty}\frac{3}{n}\sum_{k=1}^{n}\overline{B_kC_k}^2$의 값을 구하시오.

1161 상중하

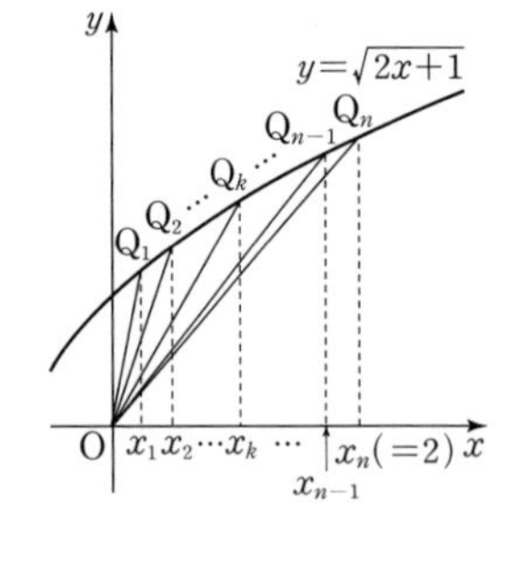

오른쪽 그림과 같이 닫힌구간 $[0, 2]$를 n등분한 점의 x좌표를 차례로 $x_1, x_2, x_3, \cdots, x_{n-1}$이라 하고, 직선 $x=x_k$와 곡선 $y=\sqrt{2x+1}$이 만나는 점을 Q_k라 하자. 이때, $\lim_{n\to\infty}\frac{1}{n}\sum_{k=1}^{n}\overline{OQ_k}$의 값은? (단, O는 원점이다.)

① 1 ② 2 ③ 3
④ 4 ⑤ 5

개념 해결의 법칙 241쪽 유형 02

중요 유형 03 곡선과 x축 사이의 넓이

개념 02

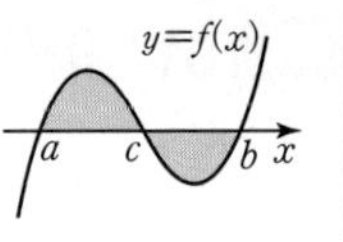

오른쪽 그림과 같이 곡선 $y=f(x)$와 x축으로 둘러싸인 도형의 넓이는

⇨ $\int_a^c f(x)dx+\int_c^b\{-f(x)\}dx$

1162 • 대표문제 •

닫힌구간 $[0, 2\pi]$에서 곡선 $y=x\sin x$와 x축으로 둘러싸인 도형의 넓이는?

① π ② 2π ③ 3π
④ 4π ⑤ 5π

1163 상중하

곡선 $y=e^{-x}-1$과 x축 및 두 직선 $x=-1$, $x=1$로 둘러싸인 도형의 넓이를 구하시오.

1164 상중하

자연수 n에 대하여 닫힌구간 $\left[\frac{n-1}{2}\pi, \frac{n}{2}\pi\right]$에서 곡선 $y=\left(\frac{1}{2}\right)^n\cos x$와 x축으로 둘러싸인 도형의 넓이를 S_n이라 하자. $\sum_{n=1}^{\infty}S_n=\alpha$일 때, 100α의 값은?

① 50 ② 100 ③ 150
④ 200 ⑤ 250

개념 해결의 법칙 242쪽 유형 03

유형 04 곡선과 y축 사이의 넓이

개념 02

오른쪽 그림과 같이 곡선 $x=g(y)$와 y축으로 둘러싸인 도형의 넓이는

⇨ $\int_{c}^{e} g(y)dy+\int_{e}^{d}\{-g(y)\}dy$

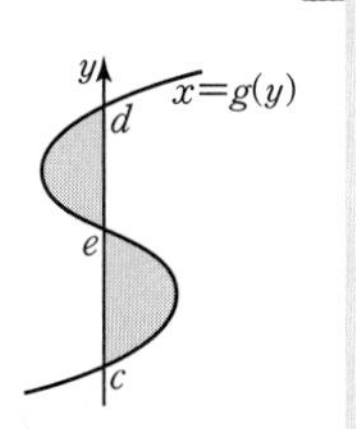

1165 • 대표문제 •

곡선 $y=\sqrt{1-x}+1$과 y축 및 두 직선 $y=1$, $y=3$으로 둘러싸인 도형의 넓이는?

① $\frac{5}{3}$　② 2　③ $\frac{7}{3}$
④ $\frac{8}{3}$　⑤ 3

1166 상중하

곡선 $y=\frac{1}{2-x}$과 y축 및 직선 $y=e$로 둘러싸인 도형의 넓이는?

① $2e-2-\ln 2$　② $2e-2$　③ $2e-1$
④ $3e-3-\ln 3$　⑤ $3e-3$

1167 상중하 서술형

곡선 $y=\ln(2x+a)$와 x축 및 y축으로 둘러싸인 도형의 넓이가 $\frac{1}{2}$일 때, 상수 a의 값을 구하시오. (단, $a>1$)

유형 05 곡선과 직선 사이의 넓이

개념 03

오른쪽 그림과 같이 곡선 $y=f(x)$와 직선 $y=g(x)$로 둘러싸인 도형의 넓이는

⇨ $\int_{a}^{c}\{f(x)-g(x)\}dx$

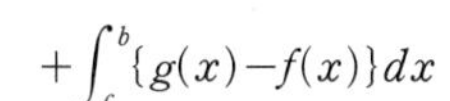
$+\int_{c}^{b}\{g(x)-f(x)\}dx$

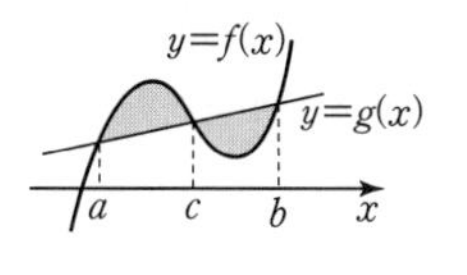

1168 • 대표문제 •

오른쪽 그림과 같이 곡선 $y=\frac{2x}{x^2+1}$와 직선 $y=x$로 둘러싸인 도형의 넓이는?

① $\ln 2$　② $\ln 2+1$
③ $2\ln 2-1$　④ $2\ln 2+1$
⑤ $4\ln 2-1$

1169 상중하

곡선 $y=\frac{1}{x}(x>0)$과 두 직선 $y=2x$, $y=\frac{1}{2}x$로 둘러싸인 도형의 넓이는?

① $\frac{1}{2}\ln 2$　② $\ln 2$　③ $\ln 3$
④ 1　⑤ $2\ln 3$

1170 상중하

$0\le x\le\frac{\pi}{2}$에서 곡선 $y=x+x\cos x$와 직선 $y=x$로 둘러싸인 도형의 넓이를 구하시오.

중요

개념 해결의 법칙 243쪽 유형 04

유형 06 두 곡선 사이의 넓이

개념 03

오른쪽 그림과 같이 두 곡선 $y=f(x)$, $y=g(x)$로 둘러싸인 도형의 넓이는

$\Rightarrow \int_a^c \{f(x)-g(x)\}dx$

$+\int_c^b \{g(x)-f(x)\}dx$

1171 • 대표문제 •

$0\le x\le\frac{\pi}{2}$에서 두 곡선 $y=\sqrt{2}\cos x$, $y=\sin 2x$로 둘러싸인 도형의 넓이는?

① 1 ② $\frac{3}{2}-\sqrt{2}$ ③ $3-\sqrt{2}$

④ $\frac{3}{2}+\sqrt{2}$ ⑤ $3+\sqrt{2}$

1172 상중하 서술형

$0\le x\le\pi$에서 두 곡선 $y=\sin x$, $y=\sin 2x$로 둘러싸인 도형의 넓이를 구하시오.

1173 상중하

두 곡선 $y=\frac{1}{x}$, $y=-\frac{1}{x}$과 두 직선 $y=1$, $y=k$로 둘러싸인 도형의 넓이가 2일 때, 상수 k의 값은? (단, $k>1$)

① 1 ② $\frac{1}{2}e$ ③ $\frac{3}{2}$

④ 2 ⑤ e

개념 해결의 법칙 244쪽 유형 05

유형 07 넓이의 활용 – 두 도형의 넓이가 같을 때

개념 02, 03

(1) 오른쪽 그림과 같이 곡선 $y=f(x)$와 x축으로 둘러싸인 두 도형의 넓이를 각각 S_1, S_2라 하면

$S_1=S_2 \Longleftrightarrow \int_a^c f(x)dx=0$

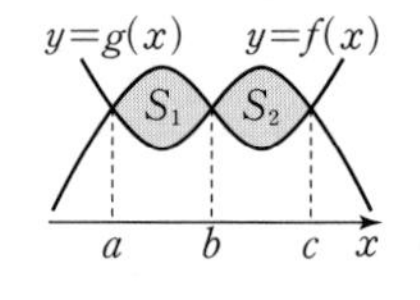

(2) 오른쪽 그림과 같이 두 곡선 $y=f(x)$, $y=g(x)$로 둘러싸인 두 도형의 넓이를 각각 S_1, S_2라 하면

$S_1=S_2 \Longleftrightarrow \int_a^c \{f(x)-g(x)\}dx=0$

1174 • 대표문제 •

오른쪽 그림과 같이 곡선 $y=x\sin x\left(0\le x\le\frac{\pi}{2}\right)$와 y축 및 두 직선 $x=\frac{\pi}{2}$, $y=k$로 둘러싸인 두 도형의 넓이가 서로 같을 때, 상수 k의 값을 구하시오. $\left(\text{단, } 0\le k\le\frac{\pi}{2}\right)$

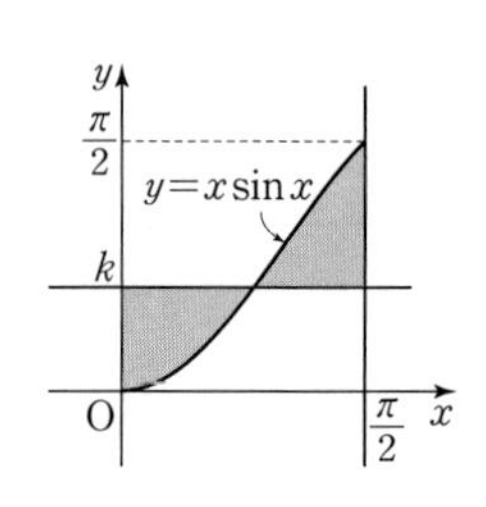

1175 상중하

오른쪽 그림과 같이 곡선 $y=\sqrt{x}$와 y축 및 두 직선 $x=k(k>4)$, $y=2$로 둘러싸인 두 도형의 넓이가 서로 같을 때, 상수 k의 값은?

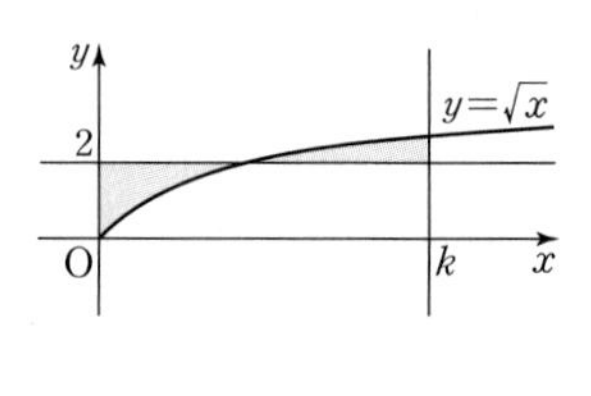

① $\frac{1}{4}$ ② 1 ③ 4

④ 9 ⑤ 16

1176 상중하

오른쪽 그림과 같이 곡선 $y=\frac{\ln x}{x}$와 두 직선 $x=k(0<k<1)$, $x=e$로 둘러싸인 두 도형의 넓이가 서로 같을 때, 상수 k의 값을 구하시오.

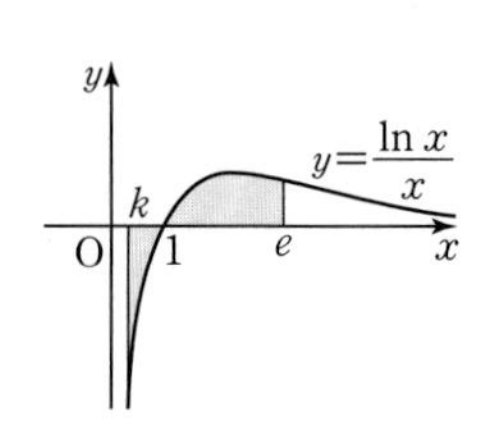

개념 해결의 법칙 245쪽 유형 06

유형 08 넓이의 활용 – 넓이를 이등분할 때 개념 03

오른쪽 그림과 같이 곡선 $y=f(x)$와 x축으로 둘러싸인 도형의 넓이 S를 곡선 $y=g(x)$가 이등분하면

⇨ $\int_{0}^{a}\{f(x)-g(x)\}dx=\frac{1}{2}S$

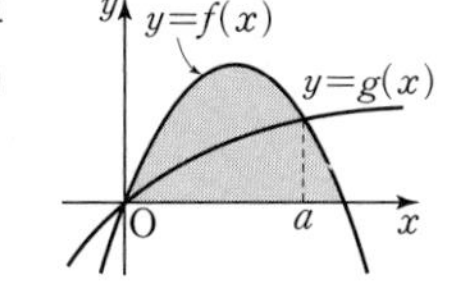

1177 대표문제

곡선 $y=e^x$과 x축, y축 및 직선 $x=1$로 둘러싸인 도형의 넓이가 직선 $y=ax(0<a<e)$에 의하여 이등분될 때, 상수 a의 값은?

① $e-\frac{1}{3}$ ② $e-\frac{1}{2}$ ③ $e-1$
④ $e-\frac{4}{3}$ ⑤ $e-\frac{3}{2}$

1178 상중하

곡선 $y=\frac{1}{x}$과 y축 및 두 직선 $y=1$, $y=4$로 둘러싸인 도형의 넓이가 직선 $y=a(1<a<4)$에 의하여 이등분될 때, 상수 a의 값은?

① $\frac{3}{2}$ ② 2 ③ $\frac{5}{2}$
④ 3 ⑤ $\frac{7}{2}$

1179 상중하

오른쪽 그림과 같이 $0\le x\le\pi$에서 곡선 $y=\sin x$와 x축으로 둘러싸인 도형의 넓이를 곡선 $y=\cos(x-\theta)$가 이등분할 때, 상수 θ의 값을 구하시오. $\left(\text{단, } 0<\theta<\frac{\pi}{2}\right)$

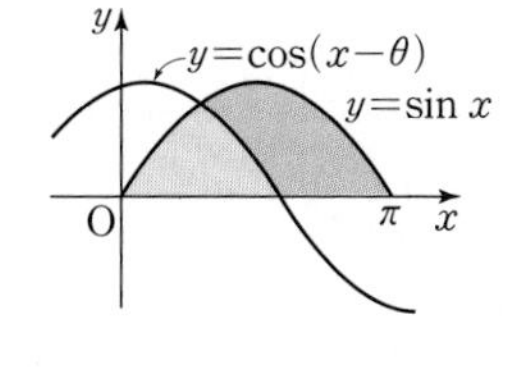

유형 09 곡선과 접선으로 둘러싸인 도형의 넓이 개념 03

(i) 곡선 $y=f(x)$ 위의 점 $(a, f(a))$에서의 접선의 방정식을 구한다.
⇨ $y-f(a)=f'(a)(x-a)$
(ii) 곡선과 접선을 그린 후 정적분을 이용하여 도형의 넓이를 구한다.

1180 대표문제

원점에서 곡선 $y=\ln x$에 그은 접선과 x축 및 이 곡선으로 둘러싸인 도형의 넓이는?

① $\frac{e}{3}$ ② $\frac{e}{2}-1$ ③ $\frac{e}{2}$
④ $e-1$ ⑤ e

1181 상중하 서술형

곡선 $y=\sqrt{4-x}$와 이 곡선 위의 점 $(3, 1)$에서의 접선 및 x축, y축으로 둘러싸인 도형의 넓이를 구하시오.

1182 상중하

곡선 $y=e^x-1$과 이 곡선 위의 점 $(1, e-1)$에서의 접선 및 y축으로 둘러싸인 도형의 넓이는?

① $\frac{e}{2}-1$ ② $e-\frac{3}{2}$ ③ $\frac{e}{2}$
④ $e-1$ ⑤ $\frac{e}{2}+1$

유형 10 함수와 그 역함수의 그래프로 둘러싸인 도형의 넓이 개념 03

함수 $y=f(x)$의 그래프와 그 역함수 $y=f^{-1}(x)$의 그래프로 둘러싸인 도형의 넓이는 함수 $y=f(x)$의 그래프와 직선 $y=x$로 둘러싸인 도형의 넓이의 2배이다.

1183 • 대표문제 •

함수 $f(x)=\sqrt{4x-3}$의 역함수를 $g(x)$라 할 때, 두 곡선 $y=f(x)$, $y=g(x)$로 둘러싸인 도형의 넓이를 구하시오.

1184 상중하

함수 $f(x)=e^x+1$의 역함수를 $g(x)$라 할 때, 정적분 $\int_0^1 f(x)dx+\int_2^{e+1} g(x)dx$의 값을 구하시오.

1185 상중하

오른쪽 그림과 같이 꼭짓점의 좌표가 O(0, 0), A(8, 0), B(8, 8), C(0, 8)인 정사각형 OABC의 내부는 두 곡선 $y=2^x$, $y=\log_2 x$에 의하여 세 부분으로 나누어진다. 이때, 색칠한 부분의 넓이를 구하시오.

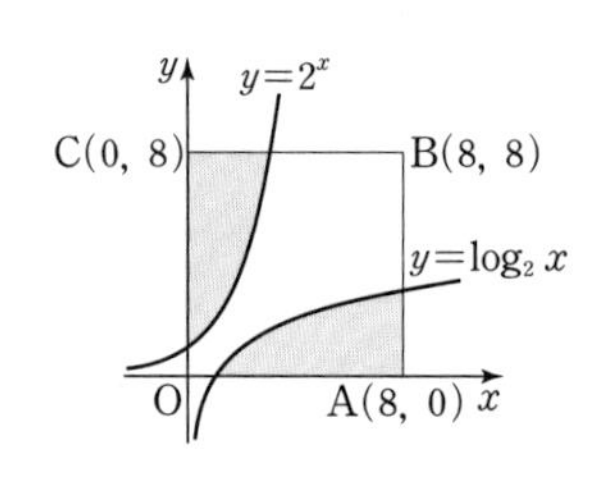

1186 상중하

함수 $f(x)=e^{ax}$의 그래프와 그 역함수 $y=g(x)$의 그래프가 $x=e$에서 서로 접할 때, 두 곡선 $y=f(x)$, $y=g(x)$와 x축 및 y축으로 둘러싸인 도형의 넓이를 구하시오. (단, a는 상수)

개념 해결의 법칙 248쪽 유형 01

유형 11 입체도형의 부피 - 단면이 밑면과 평행한 경우 개념 04

밑면으로부터의 높이가 x인 지점에서 밑면과 평행한 평면으로 자른 단면의 넓이가 $S(x)$인 입체도형의 높이가 a일 때의 부피는

⇨ $\int_0^a S(x)dx$

1187 • 대표문제 •

어떤 입체도형을 밑면으로부터의 높이가 x인 지점에서 밑면과 평행한 평면으로 자른 단면은 한 변의 길이가 $\sqrt{e^{5x}}$인 정삼각형이다. 이 입체도형의 높이가 a이고 부피가 $\frac{\sqrt{3}}{20}(e^{30}-1)$일 때, 유리수 a의 값은?

① 4　② 5　③ 6　④ 7　⑤ 8

1188 상중하 서술형

흙이 가득 담겨 있는 높이가 5인 화분이 있다. 화분에 쌓인 흙의 높이가 x인 지점에서 밑면과 평행한 평면으로 자른 단면이 반지름의 길이가 $\sqrt{25+x^2}$인 원일 때, 화분의 부피를 구하시오.

1189 상중하

어떤 그릇에 물을 채우는데 그릇에 채워진 물의 높이가 x일 때 수면의 넓이는 $x\ln(x^2+1)$이라 한다. 물의 높이가 2일 때, 그릇에 담긴 물의 부피는?

① $\frac{1}{2}\ln 2$　② $\ln 2+1$　③ $\frac{3}{2}\ln 3-\frac{3}{2}$　④ $2\ln 4-2$　⑤ $\frac{5}{2}\ln 5-2$

개념 해결의 법칙 249쪽 유형 02

발전 유형 12 입체도형의 부피 - 단면이 밑면과 수직인 경우 (중요) 개념 04

닫힌구간 $[a, b]$에서 x좌표가 x인 점을 지나고 x축에 수직인 평면으로 잘랐을 때의 단면의 넓이가 $S(x)$인 입체도형의 부피는

⇨ $\int_a^b S(x)dx$

1190 대표문제

곡선 $y=\sqrt{\sin x}\,(0\le x\le \pi)$와 x축으로 둘러싸인 도형을 밑면으로 하는 입체도형을 x축에 수직인 평면으로 자른 단면이 모두 정삼각형이다. 이 입체도형의 부피는?

① $\frac{1}{2}$ ② $\frac{\sqrt{2}}{2}$ ③ $\frac{\sqrt{3}}{2}$
④ $\sqrt{3}$ ⑤ $2\sqrt{2}$

1191 상중하

곡선 $y=-x^2+1$과 x축으로 둘러싸인 도형을 밑면으로 하는 입체도형을 x축에 수직인 평면으로 자른 단면이 모두 반원일 때, 이 입체도형의 부피는?

① $\frac{2}{15}\pi$ ② $\frac{\pi}{5}$ ③ $\frac{4}{15}\pi$
④ $\frac{\pi}{3}$ ⑤ $\frac{2}{5}\pi$

1192 상중하

오른쪽 그림과 같이 밑면의 반지름의 길이가 1, 높이가 2인 원기둥이 있다. 이 원기둥을 밑면의 중심을 지나고 밑면과 60°의 각을 이루는 평면으로 자를 때 생기는 입체도형 중 작은 쪽의 입체도형의 부피를 구하시오.

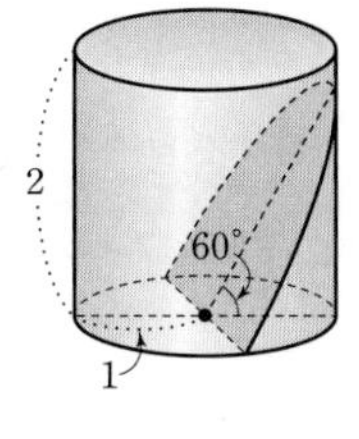

개념 해결의 법칙 254쪽 유형 01

유형 13 수직선 위를 움직이는 점의 위치와 움직인 거리 개념 05

수직선 위를 움직이는 점 P의 시각 t에서의 속도가 $v(t)$이고 시각 $t=a$에서의 위치가 x_0일 때

(1) 시각 t에서 점 P의 위치 x는 $x=x_0+\int_a^t v(t)dt$

(2) 시각 $t=a$에서 $t=b$까지 점 P의 위치의 변화량은 $\int_a^b v(t)dt$

(3) 시각 $t=a$에서 $t=b$까지 점 P가 움직인 거리 s는 $s=\int_a^b |v(t)|dt$

1193 대표문제

원점을 출발하여 수직선 위를 움직이는 점 P의 시각 t에서의 속도가 $v(t)=\cos\frac{\pi}{2}t$일 때, $0<t\le 3\pi$에서 점 P가 원점을 지나는 횟수를 구하시오.

1194 상중하

원점을 출발하여 수직선 위를 움직이는 점 P의 시각 t에서의 속도가 $v(t)=\sin \pi t$일 때, 점 P가 출발 후 두 번째로 운동 방향을 바꾸는 순간까지 움직인 거리를 구하시오.

1195 상중하

원점을 동시에 출발하여 수직선 위를 움직이는 두 점 A, B의 시각 t에서의 속도를 각각 $v_A(t)$, $v_B(t)$라 하면

$$v_A(t)=1,\ v_B(t)=\frac{1}{2\sqrt{t}}+\frac{1}{2}$$

이다. 두 점 A, B가 원점을 출발한 후 처음으로 다시 만날 때의 위치를 구하시오.

개념 해결의 법칙 255쪽 유형 02

유형 14 평면 위를 움직이는 점이 움직인 거리 (중요) 개념 05

좌표평면 위를 움직이는 점 P의 시각 t에서의 위치 (x, y)가 $x=f(t)$, $y=g(t)$일 때, 시각 $t=a$에서 $t=b$까지 점 P가 움직인 거리 s는

$s=\int_a^b \sqrt{\{f'(t)\}^2+\{g'(t)\}^2}dt$

1196 • 대표문제 •

좌표평면 위를 움직이는 점 P의 시각 t에서의 위치 (x, y)가 $x=\frac{2}{3}t-1$, $y=\frac{e^t+e^{-t}}{3}$이다. 시각 $t=0$에서 $t=1$까지 점 P가 움직인 거리가 $a\left(e-\frac{1}{e}\right)$일 때, 유리수 a의 값은?

① $\frac{1}{2}$　② $\frac{1}{3}$　③ $\frac{1}{4}$
④ $\frac{1}{5}$　⑤ $\frac{1}{6}$

1197 상중하

좌표평면 위를 움직이는 점 P의 시각 t에서의 위치 (x, y)가 $x=e^t\cos t$, $y=e^t\sin t$이다. 시각 $t=0$에서 $t=a$까지 점 P가 움직인 거리가 $\sqrt{2}(e^2-1)$일 때, 상수 a의 값을 구하시오.

1198 상중하

좌표평면 위를 움직이는 점 P의 시각 t에서의 위치 (x, y)가 $x=1-\frac{1}{2}\cos 2t$, $y=t-\frac{1}{2}\sin 2t$일 때, 점 P가 출발 후 처음으로 속력이 0이 될 때까지 움직인 거리는?

① 2　② 4　③ 6
④ 8　⑤ 10

개념 해결의 법칙 256쪽 유형 03

유형 15 곡선의 길이 개념 06

(1) 곡선 $x=f(t)$, $y=g(t)$ $(a\le t\le b)$의 길이 l은

$l=\int_a^b \sqrt{\{f'(t)\}^2+\{g'(t)\}^2}dt$

(2) 곡선 $y=f(x)$ $(a\le x\le b)$의 길이 l은

$l=\int_a^b \sqrt{1+\{f'(x)\}^2}dx$

1199 • 대표문제 •

$1\le x\le e$에서 곡선 $y=\frac{1}{2}x^2-\frac{\ln x}{4}$의 길이는?

① e^2-1　② $e^2-\frac{1}{2}$　③ $\frac{1}{2}e^2-\frac{1}{2}$
④ $\frac{1}{2}e^2-\frac{1}{4}$　⑤ $\frac{1}{4}e^2-\frac{1}{4}$

1200 상중하

$0\le t\le\sqrt{5}$에서 곡선 $x=2t^3+1$, $y=6t^2+1$의 길이는?

① 38　② 45　③ 54
④ 63　⑤ 72

1201 상중하

$0\le x\le a$에서 곡선 $y=\frac{1}{3}(x^2+2)^{\frac{3}{2}}$의 길이가 12일 때, 양수 a의 값을 구하시오.

• 실제 학교 시험지처럼 풀어 보세요.

1202 | 유형 01 |

함수 $f(x)=e^x$에 대하여 $\lim_{n\to\infty}\sum_{k=1}^{n} f\left(1+\frac{k}{n}\right)\times\frac{2}{n}$의 값은? [4.2점]

① $2e$　② e^2-1　③ $2(e^2-e)$
④ $2(e^2-1)$　⑤ e^3-e

1203 | 유형 03 |

오른쪽 그림에서 색칠한 두 부분의 넓이 A, B가 서로 같을 때, 상수 k의 값은? [4.5점]

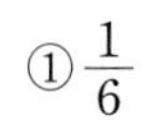

① $\frac{1}{6}$　② $\frac{1}{5}$
③ $\frac{1}{4}$　④ $\frac{1}{3}$
⑤ $\frac{1}{2}$

1204 | 유형 04 |

곡선 $y=\ln(x+1)$과 y축 및 두 직선 $y=-1$, $y=1$로 둘러싸인 도형의 넓이는? [4.3점]

① $e-2$　② $e-\frac{1}{e}+2$　③ $e+\frac{1}{e}-2$
④ $e+\frac{1}{e}$　⑤ $2e$

1205 | 유형 06 |

두 곡선 $y=\ln x$, $y=2\ln(x-2)$ 및 x축으로 둘러싸인 도형의 넓이는? [4.5점]

① $2\ln 2-1$　② $3\ln 2-1$　③ $4\ln 2-1$
④ $5\ln 2-1$　⑤ $6\ln 2-1$

1206 | 유형 07 |

오른쪽 그림과 같이 곡선 $y=(x^2-a)\sin x\,(0\le x\le\pi)$와 x축으로 둘러싸인 두 도형의 넓이가 서로 같을 때, 상수 a의 값은?

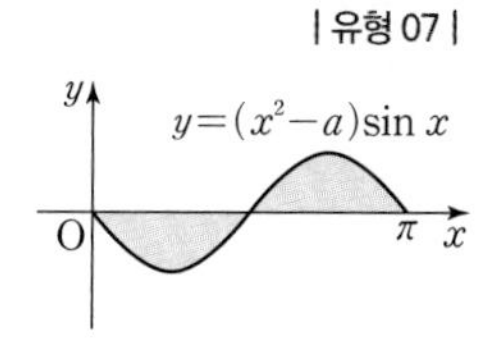

(단, $0<a<\pi^2$) [4.8점]

① $\frac{\pi^2}{2}-2$　② $\frac{\pi^2}{2}$　③ $\frac{\pi^2}{2}+1$
④ π^2-1　⑤ $\pi^2-\frac{1}{2}$

1207 | 유형 08 |

곡선 $y=a\sin x\left(0\le x\le\frac{\pi}{2}\right)$와 x축 및 직선 $x=\frac{\pi}{2}$로 둘러싸인 도형의 넓이를 곡선 $y=\cos x$가 이등분할 때, 양수 a의 값은? [5점]

① $\frac{2}{3}$　② $\frac{4}{3}$　③ 2
④ $\frac{8}{3}$　⑤ $\frac{10}{3}$

1208 | 유형 09 |

원점에서 곡선 $y=\sqrt{x-4}$에 그은 접선과 x축 및 이 곡선으로 둘러싸인 도형의 넓이는? [4.4점]

① $\frac{2}{3}$　② $\frac{5}{3}$　③ $\frac{8}{3}$
④ $\frac{11}{3}$　⑤ $\frac{14}{3}$

1209 | 유형 10 |

오른쪽 그림은 함수 $f(x)=2xe^{2x}(x\geq 0)$의 그래프이다. 함수 $f(x)$의 역함수를 $g(x)$라 할 때, 정적분 $\int_0^e g(x)dx$의 값은? [4.5점]

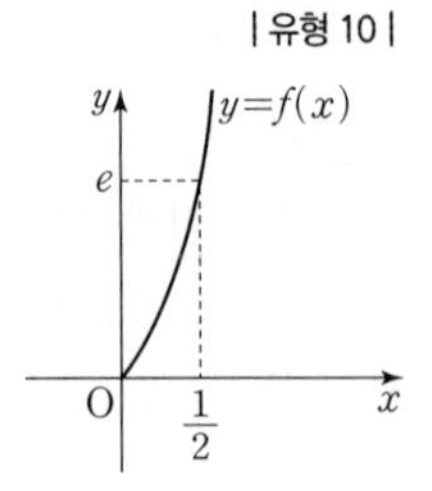

① $\frac{1}{2}$ ② $\frac{1}{2}(e-1)$ ③ $\frac{1}{2}e$
④ e ⑤ $e+1$

1210 | 유형 12 |

반지름의 길이가 2인 원을 밑면으로 하는 입체도형이 있다. 이 입체도형의 밑면의 지름에 수직인 평면으로 자른 단면이 모두 정삼각형일 때, 입체도형의 부피는? [4.5점]

① $\frac{\sqrt{3}}{3}$ ② $\frac{2\sqrt{3}}{3}$ ③ $\frac{16\sqrt{3}}{3}$
④ $\frac{32}{3}$ ⑤ $\frac{32\sqrt{3}}{3}$

1211 | 유형 15 |

$-a\leq x\leq a$에서 곡선 $y=\frac{1}{4}(e^{2x}+e^{-2x})$의 길이가 $\frac{1}{2}(e^6-e^{-6})$일 때, 상수 a의 값은? [4.3점]

① 1 ② $\frac{3}{2}$ ③ 2
④ $\frac{5}{2}$ ⑤ 3

서술형 문제

• 풀이 과정에 점수가 부여되니 풀이 과정 및 정답을 상세하게 서술하세요.

단답형

1212 | 유형 05 |

곡선 $y=\frac{2n}{x}+2$와 직선 $y=-\frac{x}{n}+5$로 둘러싸인 부분의 넓이를 S_n이라 할 때, $\lim_{n\to\infty}\frac{S_n}{n+1}$의 값을 구하시오. (단, $n>0$)

[6점]

1213 | 유형 14 |

좌표평면 위를 움직이는 점 P의 시각 t초에서의 위치 (x, y)가 $x=t^2-2\ln t$, $y=4t$이다. 점 P의 속력이 최소일 때부터 3초 동안 움직인 거리를 구하시오. [7점]

단계형

1214 | 유형 02 |

오른쪽 그림과 같이 지름의 길이가 4인 반원의 호 AB를 n등분한 점을 점 A에 가까운 점부터 차례로 C_1, C_2, $\cdots$, C_{n-1}이라 하자.

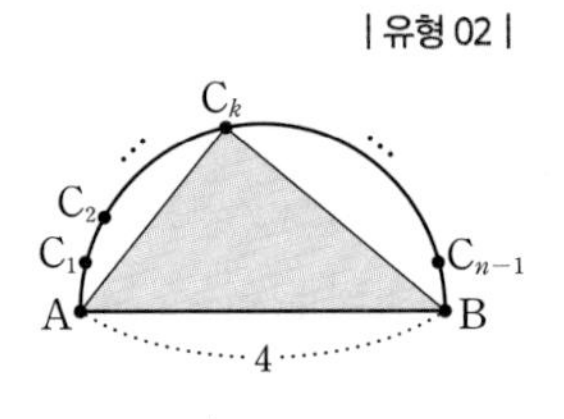

삼각형 ABC_k의 넓이를 S_k라 할 때, $\lim_{n\to\infty}\frac{1}{n}\sum_{k=1}^{n-1}S_k$의 값을 구하려고 한다. 다음 물음에 답하시오. [12점]

(1) 삼각형 ABC_k의 넓이 S_k를 사인함수로 나타내시오. [6점]

(2) $\lim_{n\to\infty}\frac{1}{n}\sum_{k=1}^{n-1}S_k$의 값을 구하시오. [6점]

성/취/도 Check

• 이 단원은 70점 만점입니다.

점수 / 70점

STEP 1 개념+기본 문제 학습

STEP 2 유형 대표 문제 학습

STEP 3의 틀린 문제에 해당하는 STEP 2 유형 학습

STEP 3의 틀린 문제 복습

교과서 속 심화문제 시작

1215

두 연속함수 $f(x)$, $g(x)$가 모든 실수 x에 대하여 다음 조건을 모두 만족시킬 때, 정적분 $\int_{-1}^{3}\{f(x)-g(x)\}dx$의 값을 구하시오.

(가) $f(x)-f(-x)=0$, $g(x)+g(-x)=0$

(나) $\lim_{n\to\infty}\sum_{k=1}^{n}f\left(\frac{k}{n}\right)\times\frac{1}{n}=3$, $\lim_{n\to\infty}\sum_{k=1}^{n}f\left(1+\frac{2k}{n}\right)\times\frac{2}{n}=7$,

$\lim_{n\to\infty}\sum_{k=1}^{n}g\left(1+\frac{2k}{n}\right)\times\frac{1}{n}=8$

1216

$0\le x\le 2\pi$에서 정의된 함수 $f(x)=x+2\sin x$의 그래프와 직선 $y=kx$가 서로 다른 세 점에서 만나고 이 세 점의 x좌표들이 등차수열을 이룬다. 함수 $y=f(x)$의 그래프와 직선 $y=kx$로 둘러싸인 도형의 넓이를 A라 할 때, $k+A$의 값을 구하시오. (단, k는 상수)

1217

곡선 $y=\sqrt{4x-4}$와 두 직선 $y=x-1$, $y=2x-2$로 둘러싸인 도형을 밑면으로 하는 입체도형이 있다. 이 입체도형을 x축에 수직인 평면으로 자른 단면이 모두 정삼각형이다. 입체도형의 부피가 $\frac{q}{p}\sqrt{3}$일 때, $p+q$의 값을 구하시오.

(단, p, q는 서로소인 자연수이다.)

1218

좌표평면 위를 움직이는 점 P의 시각 t에서의 위치 (x, y)가 $x=(1-t^2)\cos t$, $y=(1-t^2)\sin t$이다. 점 P가 시각 $t=0$에서 $t=k$까지 움직인 거리가 자연수가 되도록 하는 자연수 k의 최솟값을 a라 하고 그때의 움직인 거리를 b라 할 때, $a+b$의 값을 구하시오.

1219 창의력

미분가능한 함수 $f(x)$가 $f(0)=0$, $f(3)=k$,

$\int_{0}^{3}\sqrt{\{1+f'(x)\}^2-2f'(x)}\,dx=5$를 만족시킨다. k의 값이 최대가 될 때의 함수 $f(x)$를 $g(x)$라 할 때, 정적분 $\int_{0}^{k}e^{g(x)}dx$의 값은? (단, k는 상수)

① $\frac{3}{4}(e^{\frac{16}{3}}-1)$ ② $\frac{1}{4}(e^{\frac{16}{3}}-1)$ ③ $\frac{1}{4}(e^{\frac{16}{3}}-3)$
④ $\frac{3}{4}(e^{\frac{8}{3}}-1)$ ⑤ $\frac{1}{4}(e^{\frac{8}{3}}-1)$

Memo

정답과 해설

고등

미적분

천재교육

자세하고 친절한 해설

전 략
문제를 접근할 수 있는 실마리를 제공

다른 풀이
다른 여러 가지 풀이 방법으로
수학적 사고력을 강화

Lecture
문제 풀이에 대한 보충 설명, 문제 해결의
노하우 소개

서술형 답안
서술형 문제의 모범 답안과 단계별 채점
비율 제시

이책의

정답과 해설

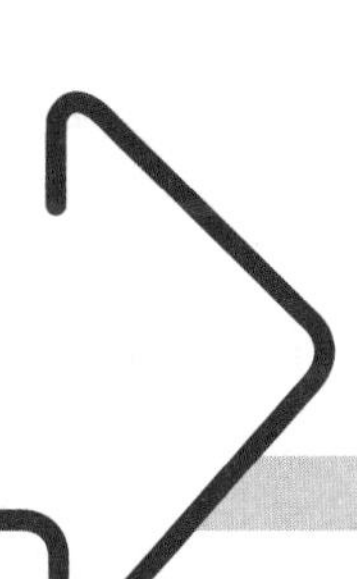

미적분

본책 8~25쪽

1 | 수열의 극한

STEP 1 개념 마스터

0001

n이 증가하면서 변화하는 a_n의 값을 좌표평면 위에 나타내면 오른쪽 그림과 같으므로 n이 한없이 커질 때, $\frac{1}{n}$의 값은 0에 한없이 가까워짐을 알 수 있다.

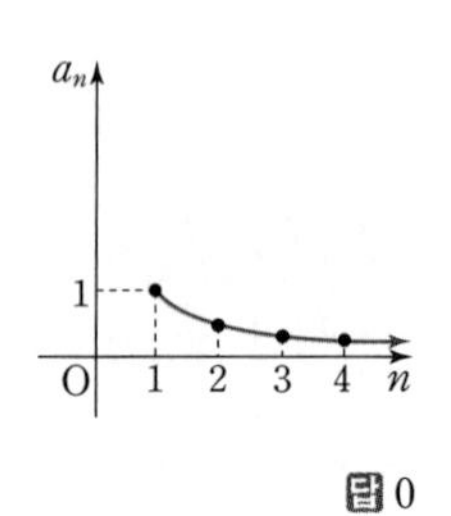

따라서 $\lim_{n\to\infty}\frac{1}{n}=0$이다.

답 0

0002

n이 증가하면서 변화하는 a_n의 값을 좌표평면 위에 나타내면 오른쪽 그림과 같으므로 n이 한없이 커질 때, $\left(\frac{1}{2}\right)^{n-1}$의 값은 0에 한없이 가까워짐을 알 수 있다.

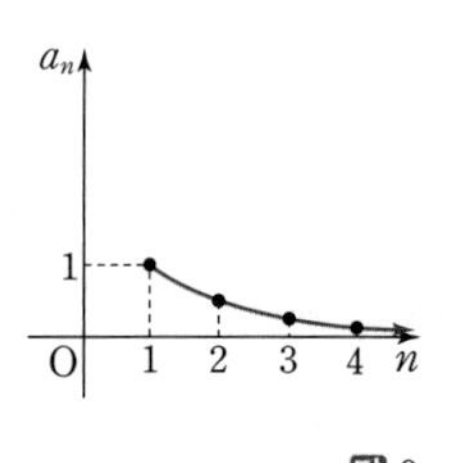

따라서 $\lim_{n\to\infty}\left(\frac{1}{2}\right)^{n-1}=0$이다.

답 0

0003

n이 증가하면서 변화하는 a_n의 값을 좌표평면 위에 나타내면 오른쪽 그림과 같으므로 n이 한없이 커질 때, $\frac{n}{n+1}$의 값은 1에 한없이 가까워짐을 알 수 있다.

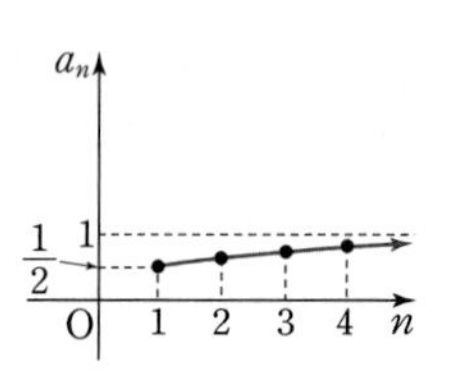

따라서 $\lim_{n\to\infty}\frac{n}{n+1}=1$이다.

답 1

0004

n이 증가하면서 변화하는 a_n의 값을 좌표평면 위에 나타내면 오른쪽 그림과 같다.
따라서 주어진 수열은 3에 수렴하므로
$\lim_{n\to\infty}3=3$이다.

답 3

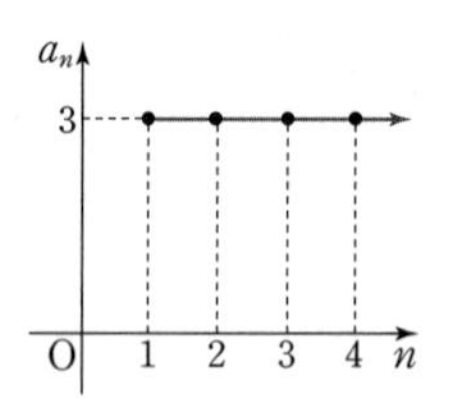

0005

수열 $\frac{1}{3}, \frac{1}{6}, \frac{1}{9}, \frac{1}{12}, \cdots, \frac{1}{3n}, \cdots$에서 n이 한없이 커지면 $\frac{1}{3n}$의 값은 0에 한없이 가까워진다.
따라서 주어진 수열은 수렴하고, 그 극한값은 0이다.

답 수렴, 0

0006

수열 $1, 4, 7, 10, \cdots, 3n-2, \cdots$에서 n이 한없이 커지면 $3n-2$의 값도 한없이 커진다.
따라서 주어진 수열은 양의 무한대로 발산한다.

답 양의 무한대로 발산

0007

수열 $9, 6, 1, -6, \cdots, 10-n^2, \cdots$에서 n이 한없이 커지면 $10-n^2$의 값은 음수이면서 그 절댓값이 한없이 커진다.
따라서 주어진 수열은 음의 무한대로 발산한다.

답 음의 무한대로 발산

0008

수열 $\left\{\frac{2}{n^2}\right\}$에서 분자는 항상 2이고 n이 한없이 커지면 분모 n^2의 값은 한없이 커지므로 $\frac{2}{n^2}$의 값은 0에 한없이 가까워진다.
따라서 주어진 수열은 수렴하고, 그 극한값은 0이다.

답 수렴, 0

0009

수열 $\left\{10-\frac{1}{n}\right\}$에서 n이 한없이 커지면 $\frac{1}{n}$의 값은 0에 한없이 가까워지므로 $10-\frac{1}{n}$의 값은 10에 한없이 가까워진다.
따라서 주어진 수열은 수렴하고, 그 극한값은 10이다.

답 수렴, 10

0010

수열 $\left\{\frac{1}{2}n+1\right\}$에서 n이 한없이 커지면 $\frac{1}{2}n$의 값은 한없이 커지므로 $\frac{1}{2}n+1$의 값도 한없이 커진다.
따라서 주어진 수열은 양의 무한대로 발산한다.

답 양의 무한대로 발산

0011

수열 $\{4-(-1)^n\}$의 각 항을 첫째항부터 나열하면
$5, 3, 5, 3, 5, \cdots$
이므로 n이 한없이 커지면 $4-(-1)^n$의 값은 수렴하지도 않고, 양의 무한대나 음의 무한대로 발산하지도 않는다.
따라서 주어진 수열은 발산(진동)한다.

답 발산(진동)

0012

(1) $\lim_{n\to\infty}(-a_n+3b_n)=-\lim_{n\to\infty}a_n+3\lim_{n\to\infty}b_n=-2+3\times(-5)=-17$

(2) $\lim_{n\to\infty}(2a_n-b_n)=2\lim_{n\to\infty}a_n-\lim_{n\to\infty}b_n=2\times2-(-5)=9$

(3) $\lim_{n\to\infty}3a_nb_n=3\lim_{n\to\infty}a_n\times\lim_{n\to\infty}b_n=3\times2\times(-5)=-30$

(4) $\lim_{n\to\infty}\frac{2a_n}{3b_n}=\frac{2\lim_{n\to\infty}a_n}{3\lim_{n\to\infty}b_n}=\frac{2\times2}{3\times(-5)}=-\frac{4}{15}$

답 (1) -17 (2) 9 (3) -30 (4) $-\frac{4}{15}$

0013

$$\lim_{n\to\infty}\left(3+\frac{2}{n}\right)=\lim_{n\to\infty}3+2\lim_{n\to\infty}\frac{1}{n}$$
$$=3+2\times0=3$$

답 3

0014

$$\lim_{n\to\infty}\frac{n-2}{n^2}=\lim_{n\to\infty}\left(\frac{1}{n}-\frac{2}{n^2}\right)=\lim_{n\to\infty}\frac{1}{n}-2\lim_{n\to\infty}\frac{1}{n^2}$$
$$=0-2\times0=0$$

답 0

참고 두 수열 $\{n-2\}$, $\{n^2\}$은 수렴하지 않으므로

$$\lim_{n\to\infty}\frac{n-2}{n^2}\neq\frac{\lim_{n\to\infty}(n-2)}{\lim_{n\to\infty}n^2}$$

0015

$$\lim_{n\to\infty}\left(2+\frac{1}{n}\right)\left(\frac{1}{n}-3\right)=\lim_{n\to\infty}\left(2+\frac{1}{n}\right)\times\lim_{n\to\infty}\left(\frac{1}{n}-3\right)$$
$$=2\times(-3)=-6$$

답 -6

0016

$$\lim_{n\to\infty}\frac{\frac{2}{n^2}+4}{2-\frac{1}{n}}=\frac{\lim_{n\to\infty}\left(\frac{2}{n^2}+4\right)}{\lim_{n\to\infty}\left(2-\frac{1}{n}\right)}=\frac{4}{2}=2$$

답 2

0017

$$\lim_{n\to\infty}\frac{3n^2-n+2}{2n^2+3n-1}=\lim_{n\to\infty}\frac{3-\frac{1}{n}+\frac{2}{n^2}}{2+\frac{3}{n}-\frac{1}{n^2}}=\frac{3}{2}$$

답 수렴, $\frac{3}{2}$

0018

$$\lim_{n\to\infty}\frac{(n+3)(n-1)}{(2n+1)(n-2)}=\lim_{n\to\infty}\frac{n^2+2n-3}{2n^2-3n-2}$$
$$=\lim_{n\to\infty}\frac{1+\frac{2}{n}-\frac{3}{n^2}}{2-\frac{3}{n}-\frac{2}{n^2}}=\frac{1}{2}$$

답 수렴, $\frac{1}{2}$

0019

$$\lim_{n\to\infty}\frac{2+n}{1+n^3}=\lim_{n\to\infty}\frac{\frac{2}{n^3}+\frac{1}{n^2}}{\frac{1}{n^3}+1}=0$$

답 수렴, 0

0020

$$\lim_{n\to\infty}\frac{2n^2+n-3}{n+1}=\lim_{n\to\infty}\frac{2n+1-\frac{3}{n}}{1+\frac{1}{n}}=\infty$$

답 발산

0021

$$\lim_{n\to\infty}(\sqrt{n^2+n}-n)=\lim_{n\to\infty}\frac{(\sqrt{n^2+n}-n)(\sqrt{n^2+n}+n)}{\sqrt{n^2+n}+n}$$
$$=\lim_{n\to\infty}\frac{n}{\sqrt{n^2+n}+n}$$
$$=\lim_{n\to\infty}\frac{1}{\sqrt{1+\frac{1}{n}}+1}=\frac{1}{2}$$

답 $\frac{1}{2}$

0022

$$\lim_{n\to\infty}\frac{1}{\sqrt{n^2+2n}-n}=\lim_{n\to\infty}\frac{\sqrt{n^2+2n}+n}{(\sqrt{n^2+2n}-n)(\sqrt{n^2+2n}+n)}$$
$$=\lim_{n\to\infty}\frac{\sqrt{n^2+2n}+n}{2n}=\lim_{n\to\infty}\frac{\sqrt{1+\frac{2}{n}}+1}{2}$$
$$=\frac{2}{2}=1$$

답 1

0023

$$\lim_{n\to\infty}(2n^2-5n)=\lim_{n\to\infty}n^2\left(2-\frac{5}{n}\right)=\infty$$

답 발산

0024

$$\lim_{n\to\infty}(n+n^2-n^3)=\lim_{n\to\infty}n^3\left(\frac{1}{n^2}+\frac{1}{n}-1\right)=-\infty$$

답 발산

0025

$\frac{n^2+1}{2n^2+3}<a_n<\frac{n^2+4}{2n^2+1}$에서

$$\lim_{n\to\infty}\frac{n^2+1}{2n^2+3}=\lim_{n\to\infty}\frac{n^2+4}{2n^2+1}=\frac{1}{2}$$

$\therefore \lim_{n\to\infty}a_n=\frac{1}{2}$

답 $\frac{1}{2}$

0026

주어진 수열의 공비는 $-\frac{1}{2}$이고, $-1<-\frac{1}{2}<1$이므로 주어진 수열은 0에 수렴한다.

답 수렴

0027

주어진 수열의 공비는 $\sqrt{3}$이고, $\sqrt{3}>1$이므로 주어진 수열은 발산한다.

답 발산

0028

주어진 수열의 공비는 2.1이고, $2.1>1$이므로 주어진 수열은 발산한다.

답 발산

0029

주어진 수열의 공비는 -0.8이고, $-1<-0.8<1$이므로 주어진 수열은 0에 수렴한다.

답 수렴

0030

주어진 수열의 공비는 $\frac{2}{3}$이고, $-1<\frac{2}{3}<1$이므로 주어진 수열은 0에 수렴한다.

답 수렴

0031

주어진 수열의 공비는 -2이고, $-2<-1$이므로 주어진 수열은 발산(진동)한다.

답 발산

0032

$$\lim_{n\to\infty}\frac{3^n}{2^{2n}-3^n}=\lim_{n\to\infty}\frac{\left(\frac{3}{4}\right)^n}{1-\left(\frac{3}{4}\right)^n}=\frac{0}{1-0}=0$$

답 수렴, 0

0033

$$\lim_{n\to\infty}\frac{(-3)^{n+1}+2^{n+1}}{2^n-(-3)^n}=\lim_{n\to\infty}\frac{-3\times(-3)^n+2\times2^n}{2^n-(-3)^n}$$

$$=\lim_{n\to\infty}\frac{-3+2\times\left(-\frac{2}{3}\right)^n}{\left(-\frac{2}{3}\right)^n-1}$$

$$=\frac{-3+0}{0-1}=3$$

답 수렴, 3

0034

$$\lim_{n\to\infty}\frac{2\times3^n+5^{n+1}}{3^n-4\times5^n}=\lim_{n\to\infty}\frac{2\times\left(\frac{3}{5}\right)^n+5}{\left(\frac{3}{5}\right)^n-4}$$

$$=\frac{0+5}{0-4}=-\frac{5}{4}$$

답 수렴, $-\frac{5}{4}$

0035

$$\lim_{n\to\infty}(3^n-2^n)=\lim_{n\to\infty}3^n\left\{1-\left(\frac{2}{3}\right)^n\right\}=\infty$$

답 발산

0036

공비가 $2r$이므로 주어진 등비수열이 수렴하려면

$-1<2r\le1 \qquad \therefore -\frac{1}{2}<r\le\frac{1}{2}$

답 $-\frac{1}{2}<r\le\frac{1}{2}$

0037

공비가 $2r-1$이므로 주어진 등비수열이 수렴하려면

$-1<2r-1\le1,\ 0<2r\le2 \qquad \therefore 0<r\le1$

답 $0<r\le1$

STEP 2 유형 마스터

0038

|전략| 수열의 항들이 어떤 일정한 값에 가까워지면 수렴, 그렇지 않으면 발산한다.

ㄱ. 주어진 수열은 음의 무한대로 발산한다.

ㄴ. 홀수 번째 항은 $-2,\ -\frac{2}{3},\ -\frac{2}{5},\ \cdots$에서 0에 수렴하고, 짝수 번째 항은 $1,\ \frac{1}{2},\ \frac{1}{3},\ \cdots$에서 0에 수렴하므로 주어진 수열은 0에 수렴한다.

ㄷ. 주어진 수열은 1에 수렴한다.

ㄹ. $n=1, 2, 3, 4, \cdots$를 $(-1)^n$에 차례로 대입하면

$-1, 1, -1, 1, \cdots$

이므로 수열 $\{(-1)^n\}$은 발산(진동)한다.

ㅁ. $n=1, 2, 3, 4, \cdots$를 $\frac{(-1)^n}{n}$에 차례로 대입하면

$-1,\ \frac{1}{2},\ -\frac{1}{3},\ \frac{1}{4},\ \cdots$

이므로 n이 한없이 커지면 $\frac{(-1)^n}{n}$의 값은 0에 한없이 가까워진다.

그러므로 수열 $\left\{3-\frac{(-1)^n}{n}\right\}$은 3에 수렴한다.

따라서 수렴하는 수열은 ㄴ, ㄷ, ㅁ이다.

답 ㄴ, ㄷ, ㅁ

0039

① $n=1, 2, 3, 4, \cdots$를 $\frac{-n^2+2}{n+1}$에 차례로 대입하면

$\frac{1}{2},\ -\frac{2}{3},\ -\frac{7}{4},\ -\frac{14}{5},\ \cdots$

이므로 n이 한없이 커지면 $\frac{-n^2+2}{n+1}$의 값은 음수이면서 그 절댓값이 한없이 커진다.

따라서 수열 $\left\{\frac{-n^2+2}{n+1}\right\}$는 음의 무한대로 발산한다.

② $n=1, 2, 3, 4, \cdots$를 $\frac{1}{\sqrt{n+1}}$에 차례로 대입하면

$\frac{1}{\sqrt{1+1}},\ \frac{1}{\sqrt{2+1}},\ \frac{1}{\sqrt{3+1}},\ \frac{1}{\sqrt{4+1}},\ \cdots$

이므로 수열 $\left\{\frac{1}{\sqrt{n+1}}\right\}$은 0에 수렴한다.

③ $n=1, 2, 3, 4, \cdots$를 $\left(\frac{1}{2}\right)^{n-1}$에 차례로 대입하면

$1,\ \frac{1}{2},\ \frac{1}{4},\ \frac{1}{8},\ \cdots$

이므로 n이 한없이 커지면 $\left(\frac{1}{2}\right)^{n-1}$의 값은 0에 한없이 가까워진다.

따라서 수열 $\left\{1+\left(\frac{1}{2}\right)^{n-1}\right\}$은 1에 수렴한다.

④ $n=1, 2, 3, 4, \cdots$를 $\frac{(-1)^n}{n+1}$에 차례로 대입하면

$-\frac{1}{2}, \frac{1}{3}, -\frac{1}{4}, \frac{1}{5}, \cdots$

이므로 수열 $\left\{\frac{(-1)^n}{n+1}\right\}$은 0에 수렴한다.

⑤ $n=1, 2, 3, 4, \cdots$를 $-1+(-1)^{n+1}$에 차례로 대입하면

$0, -2, 0, -2, \cdots$

이므로 수열 $\{-1+(-1)^{n+1}\}$은 발산(진동)한다.

따라서 발산하는 수열은 ①, ⑤이다. 답 ①, ⑤

0040

주어진 수열의 일반항을 a_n으로 놓고 $n=1, 2, 3, 4, \cdots$를

$a_n=\cos\frac{n\pi}{2}$에 차례로 대입하면

$0, -1, 0, 1, 0, -1, 0, 1, \cdots$

이므로 n이 증가하면서 변화하는 a_n의 값을 좌표평면 위에 나타내면 다음 그림과 같다.

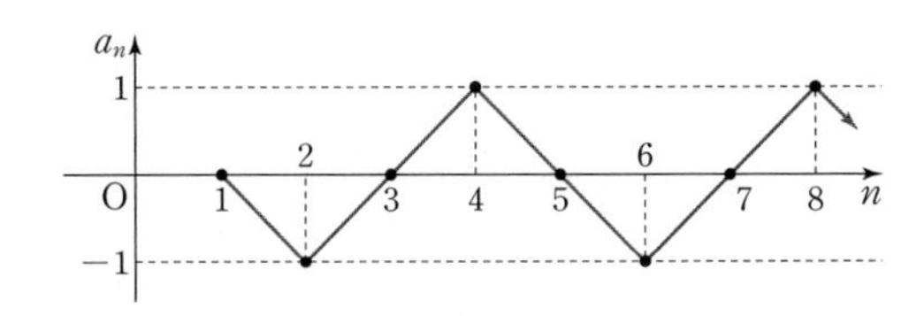

따라서 수열 $\left\{\cos\frac{n\pi}{2}\right\}$는 발산(진동)한다. 답 발산

0041

|전략| $\lim_{n\to\infty} a_n=\alpha$, $\lim_{n\to\infty} b_n=\beta$($\alpha$, β는 실수)로 놓고 극한에 대한 기본 성질을 이용한다.

두 수열 $\{a_n\}$, $\{b_n\}$이 각각 수렴하므로

$\lim_{n\to\infty} a_n=\alpha$, $\lim_{n\to\infty} b_n=\beta$($\alpha$, β는 실수)라 하면

$\lim_{n\to\infty}(a_n+b_n)=6$에서 $\alpha+\beta=6$

$\lim_{n\to\infty} a_nb_n=8$에서 $\alpha\beta=8$

$\therefore \lim_{n\to\infty}(a_n{}^2+b_n{}^2)=\lim_{n\to\infty} a_n{}^2+\lim_{n\to\infty} b_n{}^2$

$=\alpha^2+\beta^2$ ← $\lim_{n\to\infty} a_n\times\lim_{n\to\infty} a_n+\lim_{n\to\infty} b_n\times\lim_{n\to\infty} b_n=\alpha\times\alpha+\beta\times\beta=\alpha^2+\beta^2$

$=(\alpha+\beta)^2-2\alpha\beta$

$=6^2-2\times8=20$ 답 20

0042

$$\lim_{n\to\infty}\frac{2a_n-b_n}{a_nb_n+1}=\frac{\lim_{n\to\infty}(2a_n-b_n)}{\lim_{n\to\infty}(a_nb_n+1)}=\frac{2\lim_{n\to\infty} a_n-\lim_{n\to\infty} b_n}{\lim_{n\to\infty} a_n\times\lim_{n\to\infty} b_n+1}$$

$$=\frac{2\times(-2)-2}{(-2)\times2+1}=2$$ 답 ④

0043

두 수열 $\{a_n\}$, $\{b_n\}$이 각각 수렴하므로

$\lim_{n\to\infty} a_n=\alpha$, $\lim_{n\to\infty} b_n=\beta$($\alpha$, β는 실수)라 하면

$\lim_{n\to\infty}(3a_n+b_n)=26$에서 $3\alpha+\beta=26$ ······㉠

$\lim_{n\to\infty}(2a_n-3b_n)=10$에서 $2\alpha-3\beta=10$ ······㉡

㉠, ㉡을 연립하여 풀면 $\alpha=8$, $\beta=2$

$$\therefore \lim_{n\to\infty}\frac{a_n}{b_n}=\frac{\lim_{n\to\infty} a_n}{\lim_{n\to\infty} b_n}=\frac{\alpha}{\beta}=\frac{8}{2}=4$$ 답 4

0044

두 수열 $\{a_n\}$, $\{b_n\}$이 각각 수렴하므로

$\lim_{n\to\infty} a_n=\alpha$, $\lim_{n\to\infty} b_n=\beta$($\alpha$, β는 실수)라 하면

$\lim_{n\to\infty}(a_n+b_n)=3$에서 $\alpha+\beta=3$ ······㉠

$\lim_{n\to\infty}(2a_n-3b_n)=-4$에서 $2\alpha-3\beta=-4$ ······㉡

㉠, ㉡을 연립하여 풀면 $\alpha=1$, $\beta=2$

$$\therefore \lim_{n\to\infty}\left(\frac{2a_n}{b_n}+a_nb_n\right)=\lim_{n\to\infty}\frac{2a_n}{b_n}+\lim_{n\to\infty} a_nb_n$$

$$=\frac{2\lim_{n\to\infty} a_n}{\lim_{n\to\infty} b_n}+\lim_{n\to\infty} a_n\times\lim_{n\to\infty} b_n$$

$$=\frac{2\alpha}{\beta}+\alpha\beta$$

$$=\frac{2\times1}{2}+1\times2=3$$ 답 ③

0045

|전략| $\lim_{n\to\infty} a_n=\alpha$이면 $\lim_{n\to\infty} a_{n+2}=\alpha$임을 이용한다.

수열 $\{a_n\}$이 수렴하므로 $\lim_{n\to\infty} a_n=\alpha$($\alpha$는 실수)라 하면

$\lim_{n\to\infty} a_{n+2}=\alpha$

$\lim_{n\to\infty}\frac{a_{n+2}+3}{2a_n+1}=2$에서 $\frac{\alpha+3}{2\alpha+1}=2$

$4\alpha+2=\alpha+3$, $3\alpha=1$

$\therefore \alpha=\frac{1}{3}$ $\quad\therefore \lim_{n\to\infty} a_n=\frac{1}{3}$ 답 ③

0046

$\lim_{n\to\infty} a_{n-1}=\lim_{n\to\infty} a_n=\lim_{n\to\infty} a_{n+1}=\alpha$이므로

$\alpha=\beta$

또, $\lim_{n\to\infty}(3a_{n+1}-a_{n-1})=4$에서

$3\alpha-\alpha=4$ $\quad\therefore \alpha=2$

$\therefore \alpha^2+\beta^2=2^2+2^2=8$ 답 ②

0047

수열 $\{a_n\}$이 0이 아닌 실수에 수렴하므로 $\lim_{n\to\infty} a_n=\alpha(\alpha\neq0)$라 하면

$\lim_{n\to\infty} a_{n+1}=\alpha$ ··· ❶

$\frac{9}{a_{n+1}}=6-a_n$에서 $\lim_{n\to\infty}\frac{9}{a_{n+1}}=\lim_{n\to\infty}(6-a_n)$이므로

$\frac{9}{\alpha}=6-\alpha$ ··· ❷

$\alpha^2-6\alpha+9=0$, $(\alpha-3)^2=0$

$\therefore \alpha=3$ $\quad\therefore \lim_{n\to\infty} a_n=3$ ··· ❸

답 3

채점 기준	비율
❶ $\lim_{n\to\infty} a_n=\alpha$라 할 때, $\lim_{n\to\infty} a_{n+1}=\alpha$임을 알 수 있다.	30 %
❷ 주어진 식을 α를 사용하여 나타낼 수 있다.	40 %
❸ $\lim_{n\to\infty} a_n$의 값을 구할 수 있다.	30 %

0048

|전략| 분모의 최고차항으로 분모, 분자를 각각 나눈다.

① $\lim_{n\to\infty}\frac{2n^2+3n+1}{3n^2+1}=\lim_{n\to\infty}\frac{2+\frac{3}{n}+\frac{1}{n^2}}{3+\frac{1}{n^2}}=\frac{2}{3}$

② $\lim_{n\to\infty}\frac{\sqrt{n^2+3n}}{3n}=\lim_{n\to\infty}\frac{\sqrt{1+\frac{3}{n}}}{3}=\frac{1}{3}$

③ $\lim_{n\to\infty}\frac{1-n}{2n+1}=\lim_{n\to\infty}\frac{\frac{1}{n}-1}{2+\frac{1}{n}}=-\frac{1}{2}$

④ $\lim_{n\to\infty}\frac{2n^2+3}{n^3+1}=\lim_{n\to\infty}\frac{\frac{2}{n}+\frac{3}{n^3}}{1+\frac{1}{n^3}}=0$

⑤ $\lim_{n\to\infty}\frac{\sqrt{n}}{\sqrt{16n+4}}=\lim_{n\to\infty}\frac{\sqrt{1}}{\sqrt{16+\frac{4}{n}}}=\frac{1}{4}$

따라서 극한값이 가장 작은 것은 ③이다. 답 ③

0049

$$\lim_{n\to\infty}\frac{(2n+1)^2}{3-2n^2}=\lim_{n\to\infty}\frac{4n^2+4n+1}{3-2n^2}=\lim_{n\to\infty}\frac{4+\frac{4}{n}+\frac{1}{n^2}}{\frac{3}{n^2}-2}=-2$$

$$\lim_{n\to\infty}\frac{2n}{\sqrt{n^2+1}+n}=\lim_{n\to\infty}\frac{2}{\sqrt{1+\frac{1}{n^2}}+1}=1$$

$$\therefore \lim_{n\to\infty}\frac{(2n+1)^2}{3-2n^2}+\lim_{n\to\infty}\frac{2n}{\sqrt{n^2+1}+n}=-2+1=-1$$

답 -1

0050

$n\ge 2$일 때,

$$a_n=S_n-S_{n-1}$$
$$=(2n^2-n)-\{2(n-1)^2-(n-1)\}$$
$$=4n-3$$

$$\therefore \lim_{n\to\infty}\frac{a_n^2}{S_n}=\lim_{n\to\infty}\frac{(4n-3)^2}{2n^2-n}=\lim_{n\to\infty}\frac{16n^2-24n+9}{2n^2-n}$$
$$=\lim_{n\to\infty}\frac{16-\frac{24}{n}+\frac{9}{n^2}}{2-\frac{1}{n}}=8$$

답 8

Lecture

수열 $\{a_n\}$과 $\{a_n\}$의 첫째항부터 제n항까지의 합 S_n에 대한 극한값을 구할 때는 수열의 합과 일반항의 관계 $a_n=S_n-S_{n-1}(n\ge 2)$을 이용하여 a_n을 구한다. 이때, $n\to\infty$이므로 $a_1=S_1$을 굳이 확인할 필요는 없다.

0051

|전략| 자연수의 거듭제곱의 합을 이용하여 분모, 분자를 n에 대한 식으로 나타낸 후 극한값을 구한다.

$$1^2+2^2+3^2+\cdots+n^2=\sum_{k=1}^{n}k^2=\frac{n(n+1)(2n+1)}{6},$$

$$1+2+3+\cdots+n=\sum_{k=1}^{n}k=\frac{n(n+1)}{2}$$이므로

$$\lim_{n\to\infty}\frac{1^2+2^2+3^2+\cdots+n^2}{n(1+2+3+\cdots+n)}$$
$$=\lim_{n\to\infty}\frac{\frac{n(n+1)(2n+1)}{6}}{n\times\frac{n(n+1)}{2}}=\lim_{n\to\infty}\frac{2n(n+1)(2n+1)}{6n^2(n+1)}$$
$$=\lim_{n\to\infty}\frac{2n+1}{3n}=\lim_{n\to\infty}\frac{2+\frac{1}{n}}{3}=\frac{2}{3}$$

답 ③

0052

$$1^2+2^2+3^2+\cdots+n^2=\sum_{k=1}^{n}k^2=\frac{n(n+1)(2n+1)}{6}$$이므로

$$\lim_{n\to\infty}\frac{2n(2n+1)(4n+1)}{1^2+2^2+3^2+\cdots+n^2}=\lim_{n\to\infty}\frac{2n(2n+1)(4n+1)}{\frac{n(n+1)(2n+1)}{6}}$$
$$=\lim_{n\to\infty}\frac{12(4n+1)}{n+1}$$
$$=\lim_{n\to\infty}\frac{12\left(4+\frac{1}{n}\right)}{1+\frac{1}{n}}=48$$

답 ④

0053

$$a_n=\left(1-\frac{1}{2}\right)\left(1-\frac{1}{3}\right)\left(1-\frac{1}{4}\right)\times\cdots\times\left(1-\frac{1}{n}\right)$$
$$=\frac{1}{2}\times\frac{2}{3}\times\frac{3}{4}\times\cdots\times\frac{n-1}{n}=\frac{1}{n}$$ ··· ❶

$$b_n=1\times2+2\times3+3\times4+\cdots+n(n+1)$$
$$=\sum_{k=1}^{n}k(k+1)=\sum_{k=1}^{n}(k^2+k)$$
$$=\frac{n(n+1)(2n+1)}{6}+\frac{n(n+1)}{2}$$
$$=\frac{n(n+1)(n+2)}{3}$$ ··· ❷

$$c_n=1+2+3+\cdots+n=\frac{n(n+1)}{2}$$ ··· ❸

$$\therefore \lim_{n\to\infty}\frac{a_nb_n}{c_n}=\lim_{n\to\infty}\frac{\frac{1}{n}\times\frac{n(n+1)(n+2)}{3}}{\frac{n(n+1)}{2}}$$
$$=\lim_{n\to\infty}\frac{2(n+2)}{3n}=\lim_{n\to\infty}\frac{2\left(1+\frac{2}{n}\right)}{3}=\frac{2}{3}$$ ··· ❹

답 $\frac{2}{3}$

채점 기준	비율
❶ a_n을 간단하게 나타낼 수 있다.	20 %
❷ b_n을 간단하게 나타낼 수 있다.	20 %
❸ c_n을 간단하게 나타낼 수 있다.	20 %
❹ $\lim_{n\to\infty}\frac{a_nb_n}{c_n}$의 값을 구할 수 있다.	40 %

0054

|전략| 로그의 성질을 이용하여 주어진 식을 변형한 후 $\lim_{n\to\infty}\log a_n=\log\lim_{n\to\infty}a_n\,(a_n>0)$임을 이용한다.

$$\lim_{n\to\infty}\{\log_2(2n^2-n+3)-2\log_2(n+1)\}$$
$$=\lim_{n\to\infty}\log_2\frac{2n^2-n+3}{(n+1)^2}=\lim_{n\to\infty}\log_2\frac{2n^2-n+3}{n^2+2n+1}$$
$$=\log_2\left(\lim_{n\to\infty}\frac{2-\frac{1}{n}+\frac{3}{n^2}}{1+\frac{2}{n}+\frac{1}{n^2}}\right)=\log_2 2=1$$

답 ②

0055

$$\lim_{n\to\infty}(\log_9\sqrt{n^2+2n+5}-\log_9\sqrt{9n^2-n+2})$$
$$=\lim_{n\to\infty}\log_9\frac{\sqrt{n^2+2n+5}}{\sqrt{9n^2-n+2}}=\log_9\left(\lim_{n\to\infty}\frac{\sqrt{1+\frac{2}{n}+\frac{5}{n^2}}}{\sqrt{9-\frac{1}{n}+\frac{2}{n^2}}}\right)$$
$$=\log_9\frac{1}{3}=\log_{3^2}3^{-1}=-\frac{1}{2}$$

답 ②

0056

$a_n=\log\frac{n+1}{n}$이므로

$$a_1+a_2+\cdots+a_n=\log\frac{2}{1}+\log\frac{3}{2}+\cdots+\log\frac{n+1}{n}$$
$$=\log\left(\frac{2}{1}\times\frac{3}{2}\times\cdots\times\frac{n+1}{n}\right)$$
$$=\log(n+1)$$

$\therefore 10^{a_1+a_2+\cdots+a_n}=10^{\log(n+1)}=n+1$

$$\therefore \lim_{n\to\infty}\frac{3n-5}{10^{a_1+a_2+\cdots+a_n}}=\lim_{n\to\infty}\frac{3n-5}{n+1}=\lim_{n\to\infty}\frac{3-\frac{5}{n}}{1+\frac{1}{n}}=3$$

답 ③

0057

|전략| 극한값이 0이 아닌 실수이므로 분모와 분자의 차수가 같다.

$a\neq0$이면 $\lim_{n\to\infty}\frac{an^2+bn+1}{3n+5}=\infty$(또는 $-\infty$)이므로 $a=0$

$$\therefore \lim_{n\to\infty}\frac{an^2+bn+1}{3n+5}=\lim_{n\to\infty}\frac{bn+1}{3n+5}=\lim_{n\to\infty}\frac{b+\frac{1}{n}}{3+\frac{5}{n}}=\frac{b}{3}$$

따라서 $\frac{b}{3}=\frac{1}{3}$이므로 $b=1$

$\therefore a-b=0-1=-1$

답 ②

0058

(i) $a\neq0$이면

$$\lim_{n\to\infty}\frac{an^3+bn+3}{cn^2-2n-4}=\infty\ (\text{또는 }-\infty)$$

(ii) $a=0,\ c\neq0$이면

$$\lim_{n\to\infty}\frac{an^3+bn+3}{cn^2-2n-4}=\lim_{n\to\infty}\frac{bn+3}{cn^2-2n-4}=0$$

(iii) $a=0,\ b=0,\ c=0$이면

$$\lim_{n\to\infty}\frac{an^3+bn+3}{cn^2-2n-4}=\lim_{n\to\infty}\frac{3}{-2n-4}=0$$

(i)~(iii)에서 $a=c=0,\ b\neq0$이므로

$$\lim_{n\to\infty}\frac{an^3+bn+3}{cn^2-2n-4}=\lim_{n\to\infty}\frac{bn+3}{-2n-4}$$
$$=\lim_{n\to\infty}\frac{b+\frac{3}{n}}{-2-\frac{4}{n}}=-\frac{b}{2}$$

따라서 $-\frac{b}{2}=-2$이므로 $b=4$

$\therefore a+b+c=0+4+0=4$

답 ⑤

0059

$b\neq0$이면 $\lim_{n\to\infty}\frac{an^2-2n-1}{bn^3+n^2+3}=0$이므로 $b=0$

$$\therefore \lim_{n\to\infty}\frac{an^2-2n-1}{bn^3+n^2+3}=\lim_{n\to\infty}\frac{an^2-2n-1}{n^2+3}$$
$$=\lim_{n\to\infty}\frac{a-\frac{2}{n}-\frac{1}{n^2}}{1+\frac{3}{n^2}}=a$$

$\therefore a=\frac{1}{2}$

$$\therefore \lim_{n\to\infty}\frac{n^2+3n-4}{(an+b)^2}=\lim_{n\to\infty}\frac{n^2+3n-4}{\frac{1}{4}n^2}$$
$$=\lim_{n\to\infty}\frac{1+\frac{3}{n}-\frac{4}{n^2}}{\frac{1}{4}}=4$$

답 4

0060

$a>1$이면 $\lim_{n\to\infty}\frac{\sqrt{n^2+n}+n}{n^a}=0$이고, $a<1$이면

$\lim_{n\to\infty}\frac{\sqrt{n^2+n}+n}{n^a}=\infty$이다.

즉, 0이 아닌 상수 b로 수렴하기 위해서는 $a=1$이어야 한다.

$$\therefore \lim_{n\to\infty}\frac{\sqrt{n^2+n}+n}{n^a}=\lim_{n\to\infty}\frac{\sqrt{n^2+n}+n}{n}$$

$$=\lim_{n\to\infty}\frac{\sqrt{1+\frac{1}{n}}+1}{1}=2=b$$

$\therefore a+b=1+2=3$ 답 3

0061

| 전략 | 분모를 1로 보고 분자를 유리화한다.

$$\lim_{n\to\infty}(\sqrt{4n^2+3n}-2n)$$

$$=\lim_{n\to\infty}\frac{(\sqrt{4n^2+3n}-2n)(\sqrt{4n^2+3n}+2n)}{\sqrt{4n^2+3n}+2n}$$

$$=\lim_{n\to\infty}\frac{3n}{\sqrt{4n^2+3n}+2n}=\lim_{n\to\infty}\frac{3}{\sqrt{4+\frac{3}{n}}+2}$$

$$=\frac{3}{2+2}=\frac{3}{4}$$

답 ④

0062

$$\lim_{n\to\infty}\sqrt{n}(\sqrt{n+1}-\sqrt{n})$$

$$=\lim_{n\to\infty}\frac{\sqrt{n}(\sqrt{n+1}-\sqrt{n})(\sqrt{n+1}+\sqrt{n})}{\sqrt{n+1}+\sqrt{n}}$$

$$=\lim_{n\to\infty}\frac{\sqrt{n}}{\sqrt{n+1}+\sqrt{n}}=\lim_{n\to\infty}\frac{\sqrt{1}}{\sqrt{1+\frac{1}{n}}+\sqrt{1}}$$

$$=\frac{1}{1+1}=\frac{1}{2}$$

답 ③

0063

이차방정식의 근과 계수의 관계에 의하여

$\alpha_n+\beta_n=4(n-\sqrt{n^2+2n}),\ \alpha_n\beta_n=2$

$$\therefore \lim_{n\to\infty}\left(\frac{1}{\alpha_n}+\frac{1}{\beta_n}\right)=\lim_{n\to\infty}\frac{\alpha_n+\beta_n}{\alpha_n\beta_n}$$

$$=\lim_{n\to\infty}\frac{4(n-\sqrt{n^2+2n})}{2}$$

$$=2\lim_{n\to\infty}\frac{(n-\sqrt{n^2+2n})(n+\sqrt{n^2+2n})}{n+\sqrt{n^2+2n}}$$

$$=2\lim_{n\to\infty}\frac{-2n}{n+\sqrt{n^2+2n}}=2\lim_{n\to\infty}\frac{-2}{1+\sqrt{1+\frac{2}{n}}}$$

$$=2\times\frac{-2}{1+1}=-2$$

답 ①

0064

자연수 n에 대하여

$n^2+4n+4<n^2+5n+4<n^2+6n+9$이므로

$(n+2)^2<n^2+5n+4<(n+3)^2$

$n+2<\sqrt{n^2+5n+4}<n+3$

즉, $\sqrt{n^2+5n+4}$의 정수 부분은 $n+2$이므로 소수 부분은

$a_n=\sqrt{n^2+5n+4}-(n+2)$ … ❶

$$\therefore \lim_{n\to\infty}a_n=\lim_{n\to\infty}\{\sqrt{n^2+5n+4}-(n+2)\}$$

$$=\lim_{n\to\infty}\frac{\{\sqrt{n^2+5n+4}-(n+2)\}\{\sqrt{n^2+5n+4}+(n+2)\}}{\sqrt{n^2+5n+4}+(n+2)}$$

$$=\lim_{n\to\infty}\frac{n}{\sqrt{n^2+5n+4}+n+2}$$

$$=\lim_{n\to\infty}\frac{1}{\sqrt{1+\frac{5}{n}+\frac{4}{n^2}}+1+\frac{2}{n}}$$

$$=\frac{1}{1+1}=\frac{1}{2}$$ … ❷

답 $\frac{1}{2}$

채점 기준	비율
❶ a_n을 n에 대한 식으로 간단히 나타낼 수 있다.	50 %
❷ $\lim_{n\to\infty}a_n$의 값을 구할 수 있다.	50 %

0065

| 전략 | 분모를 유리화한 후 극한값을 구한다.

$$\lim_{n\to\infty}\frac{2}{\sqrt{n^2+n}-\sqrt{n^2-3n}}$$

$$=\lim_{n\to\infty}\frac{2(\sqrt{n^2+n}+\sqrt{n^2-3n})}{(\sqrt{n^2+n}-\sqrt{n^2-3n})(\sqrt{n^2+n}+\sqrt{n^2-3n})}$$

$$=\lim_{n\to\infty}\frac{2(\sqrt{n^2+n}+\sqrt{n^2-3n})}{4n}=\lim_{n\to\infty}\frac{\sqrt{n^2+n}+\sqrt{n^2-3n}}{2n}$$

$$=\lim_{n\to\infty}\frac{\sqrt{1+\frac{1}{n}}+\sqrt{1-\frac{3}{n}}}{2}=\frac{1+1}{2}=1$$

답 1

0066

$$\lim_{n\to\infty}\frac{\sqrt{n+2}-\sqrt{n}}{\sqrt{n+3}-\sqrt{n+1}}$$

$$=\lim_{n\to\infty}\frac{(\sqrt{n+2}-\sqrt{n})(\sqrt{n+2}+\sqrt{n})(\sqrt{n+3}+\sqrt{n+1})}{(\sqrt{n+3}-\sqrt{n+1})(\sqrt{n+3}+\sqrt{n+1})(\sqrt{n+2}+\sqrt{n})}$$

$$=\lim_{n\to\infty}\frac{2(\sqrt{n+3}+\sqrt{n+1})}{2(\sqrt{n+2}+\sqrt{n})}=\lim_{n\to\infty}\frac{\sqrt{1+\frac{3}{n}}+\sqrt{1+\frac{1}{n}}}{\sqrt{1+\frac{2}{n}}+\sqrt{1}}$$

$$=\frac{1+1}{1+1}=1$$

$$\lim_{n\to\infty}\frac{1}{n-\sqrt{n(n-1)}}$$

$$=\lim_{n\to\infty}\frac{1}{n-\sqrt{n^2-n}}=\lim_{n\to\infty}\frac{n+\sqrt{n^2-n}}{(n-\sqrt{n^2-n})(n+\sqrt{n^2-n})}$$

$$=\lim_{n\to\infty}\frac{n+\sqrt{n^2-n}}{n}=\lim_{n\to\infty}\frac{1+\sqrt{1-\frac{1}{n}}}{1}=\frac{1+1}{1}=2$$

$$\therefore \lim_{n\to\infty}\frac{\sqrt{n+2}-\sqrt{n}}{\sqrt{n+3}-\sqrt{n+1}}+\lim_{n\to\infty}\frac{1}{n-\sqrt{n(n-1)}}$$

$$=1+2=3$$

답 ②

0067

$$\lim_{n\to\infty}\frac{n-\sqrt{n^2+1003}}{\sqrt{n^2+1004}-n}$$
$$=\lim_{n\to\infty}\frac{(n-\sqrt{n^2+1003})(n+\sqrt{n^2+1003})(\sqrt{n^2+1004}+n)}{(\sqrt{n^2+1004}-n)(\sqrt{n^2+1004}+n)(n+\sqrt{n^2+1003})}$$
$$=\lim_{n\to\infty}\frac{-1003(\sqrt{n^2+1004}+n)}{1004(n+\sqrt{n^2+1003})}$$
$$=\lim_{n\to\infty}\frac{-1003\left(\sqrt{1+\frac{1004}{n^2}}+1\right)}{1004\left(1+\sqrt{1+\frac{1003}{n^2}}\right)}$$
$$=\frac{-1003\times2}{1004\times2}=-\frac{1003}{1004}$$

답 ②

0068

| 전략 | $\frac{\infty}{\infty}$ 꼴로 변형한 다음 극한값이 0이 아닌 실수이면 분모와 분자의 차수가 같음을 이용한다.

$a\le0$이면 $\lim_{n\to\infty}\{\sqrt{4n^2+4n}-(an+b)\}=\infty$이므로 $a>0$

$$\therefore \lim_{n\to\infty}\{\sqrt{4n^2+4n}-(an+b)\}$$
$$=\lim_{n\to\infty}\frac{\{\sqrt{4n^2+4n}-(an+b)\}\{\sqrt{4n^2+4n}+(an+b)\}}{\sqrt{4n^2+4n}+(an+b)}$$
$$=\lim_{n\to\infty}\frac{(4-a^2)n^2+(4-2ab)n-b^2}{\sqrt{4n^2+4n}+an+b}$$
$$=\lim_{n\to\infty}\frac{(4-a^2)n+(4-2ab)-\frac{b^2}{n}}{\sqrt{4+\frac{4}{n}}+a+\frac{b}{n}}$$

이 식의 극한값이 3이므로

$$4-a^2=0,\ \frac{4-2ab}{2+a}=3$$

위의 두 식을 연립하여 풀면 $a=2,\ b=-2\ (\because a>0)$

$\therefore a+b=2+(-2)=0$

답 0

0069

$$\lim_{n\to\infty}(\sqrt{pn^2+2n}-4n+q)$$
$$=\lim_{n\to\infty}\frac{\{\sqrt{pn^2+2n}-(4n-q)\}\{\sqrt{pn^2+2n}+(4n-q)\}}{\sqrt{pn^2+2n}+(4n-q)}$$
$$=\lim_{n\to\infty}\frac{(p-16)n^2+(2+8q)n-q^2}{\sqrt{pn^2+2n}+4n-q}$$
$$=\lim_{n\to\infty}\frac{(p-16)n+(2+8q)-\frac{q^2}{n}}{\sqrt{p+\frac{2}{n}}+4-\frac{q}{n}}$$

이 식의 극한값이 2이므로

$$p-16=0,\ \frac{2+8q}{\sqrt{p}+4}=2$$

위의 두 식을 연립하여 풀면 $p=16,\ q=\frac{7}{4}$

$\therefore pq=16\times\frac{7}{4}=28$

답 ④

0070

$$\lim_{n\to\infty}\frac{1}{\sqrt{an^2+2n+1}-\sqrt{n^2+bn}}$$
$$=\lim_{n\to\infty}\frac{\sqrt{an^2+2n+1}+\sqrt{n^2+bn}}{(\sqrt{an^2+2n+1}-\sqrt{n^2+bn})(\sqrt{an^2+2n+1}+\sqrt{n^2+bn})}$$
$$=\lim_{n\to\infty}\frac{\sqrt{an^2+2n+1}+\sqrt{n^2+bn}}{(a-1)n^2+(2-b)n+1}$$
$$=\lim_{n\to\infty}\frac{\sqrt{a+\frac{2}{n}+\frac{1}{n^2}}+\sqrt{1+\frac{b}{n}}}{(a-1)n+(2-b)+\frac{1}{n}}$$

이 식의 극한값이 $\frac{1}{5}$이므로

$$a-1=0,\ \frac{\sqrt{a}+1}{2-b}=\frac{1}{5}$$

위의 두 식을 연립하여 풀면 $a=1,\ b=-8$

$\therefore a+b=1+(-8)=-7$

답 ①

0071

| 전략 | $\frac{3a_n-1}{a_n+1}=b_n$으로 놓고 a_n을 b_n에 대한 식으로 나타낸 다음 $\lim_{n\to\infty}a_n$에 대입한다.

$\frac{3a_n-1}{a_n+1}=b_n$으로 놓으면 $3a_n-1=b_n(a_n+1)$에서

$(3-b_n)a_n=b_n+1 \qquad \therefore a_n=\frac{b_n+1}{3-b_n}$

이때, $\lim_{n\to\infty}b_n=2$이므로

$$\lim_{n\to\infty}a_n=\lim_{n\to\infty}\frac{b_n+1}{3-b_n}=\frac{2+1}{3-2}=3$$

답 3

다른 풀이 수열 $\{a_n\}$이 수렴하므로 $\lim_{n\to\infty}a_n=\alpha$($\alpha$는 실수)라 하면

$\lim_{n\to\infty}\frac{3a_n-1}{a_n+1}=\frac{3\alpha-1}{\alpha+1}=2$에서

$3\alpha-1=2\alpha+2 \qquad \therefore \alpha=3$

$\therefore \lim_{n\to\infty}a_n=3$

0072

$(n+1)a_n=b_n$으로 놓으면 $a_n=\frac{b_n}{n+1}$

이때, $\lim_{n\to\infty}b_n=3$이므로

$$\lim_{n\to\infty}(4n+3)a_n=\lim_{n\to\infty}(4n+3)\times\frac{b_n}{n+1}$$
$$=\lim_{n\to\infty}\frac{4n+3}{n+1}\times\lim_{n\to\infty}b_n$$
$$=4\times3=12$$

답 ⑤

0073

$(2n^2-n)a_n=c_n$으로 놓으면 $a_n=\frac{c_n}{2n^2-n}$

$\frac{n^3+n^2+1}{b_n}=d_n$으로 놓으면 $b_n=\frac{n^3+n^2+1}{d_n}$

이때, $\lim_{n\to\infty} c_n=2$, $\lim_{n\to\infty} d_n=3$이므로

$$\lim_{n\to\infty}\frac{a_nb_n}{n}=\lim_{n\to\infty}\frac{c_n}{2n^2-n}\times\frac{n^3+n^2+1}{d_n}\times\frac{1}{n}$$
$$=\lim_{n\to\infty}\frac{c_n}{d_n}\times\frac{n^3+n^2+1}{2n^3-n^2}$$
$$=\frac{\lim_{n\to\infty}c_n}{\lim_{n\to\infty}d_n}\times\lim_{n\to\infty}\frac{n^3+n^2+1}{2n^3-n^2}$$
$$=\frac{2}{3}\times\frac{1}{2}=\frac{1}{3}$$

답 ③

다른 풀이 $\lim_{n\to\infty}(2n^2-n)a_n=2$에서 $a_n=\frac{1}{n^2+pn+q}$ (p, q는 상수),

$\lim_{n\to\infty}\frac{n^3+n^2+1}{b_n}=3$에서 $b_n=\frac{1}{3}n^3+rn^2+sn+t$ (r, s, t는 상수)라 하면

$$\lim_{n\to\infty}\frac{a_nb_n}{n}=\lim_{n\to\infty}\frac{\frac{1}{3}n^3+rn^2+sn+t}{n(n^2+pn+q)}$$
$$=\lim_{n\to\infty}\frac{\frac{1}{3}n^3+rn^2+sn+t}{n^3+pn^2+qn}=\frac{1}{3}$$

0074

$a_n-2b_n=c_n$으로 놓으면 $a_n=2b_n+c_n$

이때, $\lim_{n\to\infty}c_n=3$

$\lim_{n\to\infty}b_n=\infty$이므로 $\lim_{n\to\infty}\frac{1}{b_n}=0$

$$\therefore \lim_{n\to\infty}\frac{b_n-3}{a_n+3}=\lim_{n\to\infty}\frac{b_n-3}{2b_n+c_n+3}$$
$$=\lim_{n\to\infty}\frac{1-\frac{3}{b_n}}{2+\frac{c_n}{b_n}+\frac{3}{b_n}}$$
$$=\frac{1-3\times0}{2+3\times0+3\times0}=\frac{1}{2}$$

답 $\frac{1}{2}$

0075

|전략| 명제가 거짓임을 보일 때는 반례를 생각해 본다.

ㄱ. [반례] $a_n=\frac{1}{n}$, $b_n=\frac{2}{n}$이면 $\lim_{n\to\infty}(a_n-b_n)=\lim_{n\to\infty}\left(-\frac{1}{n}\right)=0$이지만 $\lim_{n\to\infty}\frac{b_n}{a_n}=2\neq1$이다.

ㄴ. $\frac{b_n}{a_n}=c_n$이라 하면 $b_n=a_nc_n$이고 $\lim_{n\to\infty}c_n=1$이므로

$$\lim_{n\to\infty}(a_n-b_n)=\lim_{n\to\infty}(a_n-a_nc_n)=\lim_{n\to\infty}a_n-\lim_{n\to\infty}a_n\times\lim_{n\to\infty}c_n$$
$$=0-0\times1=0 \text{ (참)}$$

ㄷ. $\lim_{n\to\infty}\frac{b_n}{a_n}=1\neq0$이므로

$$\lim_{n\to\infty}\frac{a_n}{b_n}=\lim_{n\to\infty}\frac{1}{\frac{b_n}{a_n}}=\frac{\lim_{n\to\infty}1}{\lim_{n\to\infty}\frac{b_n}{a_n}}=\frac{1}{1}=1 \text{ (참)}$$

따라서 옳은 것은 ㄴ, ㄷ이다.

답 ⑤

0076

ㄱ. $\lim_{n\to\infty}(a_n-b_n)=0$이고 수열 $\{a_n\}$이 수렴하므로

$$\lim_{n\to\infty}b_n=\lim_{n\to\infty}\{a_n-(a_n-b_n)\}$$
$$=\lim_{n\to\infty}a_n-\lim_{n\to\infty}(a_n-b_n)=\lim_{n\to\infty}a_n \text{ (참)}$$

ㄴ. [반례] $a_n=(-1)^n$이면 $\lim_{n\to\infty}a_n^2=1$이지만 수열 $\{a_n\}$은 발산(진동)한다.

ㄷ. [반례] $a_n=1+(-1)^n$, $b_n=1-(-1)^n$이면

$\{a_n\}$: 0, 2, 0, 2, 0, 2, ⋯

$\{b_n\}$: 2, 0, 2, 0, 2, 0, ⋯

$\{a_nb_n\}$: 0, 0, 0, 0, 0, 0, ⋯

$\lim_{n\to\infty}a_nb_n=0$이지만 수열 $\{a_n\}$과 $\{b_n\}$은 모두 발산(진동)한다.

즉, $\lim_{n\to\infty}a_n\neq0$, $\lim_{n\to\infty}b_n\neq0$이다.

따라서 옳은 것은 ㄱ이다.

답 ①

0077

|전략| 각 변을 $n(n+1)$로 나눈 후 극한값을 구한다.

$2n^2+n+1<n(n+1)a_n<2n^2+3n+5$에서

$$\frac{2n^2+n+1}{n(n+1)}<a_n<\frac{2n^2+3n+5}{n(n+1)}$$

이때, $\lim_{n\to\infty}\frac{2n^2+n+1}{n(n+1)}=\lim_{n\to\infty}\frac{2n^2+3n+5}{n(n+1)}=2$이므로

$\lim_{n\to\infty}a_n=2$

답 2

0078

$2n^2+3n-3<a_n<2n^2+3n+4$에서

$3n-3<a_n-2n^2<3n+4$

$$\frac{3n-3}{n}<\frac{a_n-2n^2}{n}<\frac{3n+4}{n}$$

이때, $\lim_{n\to\infty}\frac{3n-3}{n}=\lim_{n\to\infty}\frac{3n+4}{n}=3$이므로

$\lim_{n\to\infty}\frac{a_n-2n^2}{n}=3$

답 3

0079

$\lim_{n\to\infty}\frac{1}{\sqrt{n}}\cos\frac{n\pi}{2}$에서 $-1\le\cos\frac{n\pi}{2}\le1$이므로

$$-\frac{1}{\sqrt{n}}\le\frac{1}{\sqrt{n}}\cos\frac{n\pi}{2}\le\frac{1}{\sqrt{n}}$$

이때, $\lim_{n\to\infty}\left(-\frac{1}{\sqrt{n}}\right)=\lim_{n\to\infty}\frac{1}{\sqrt{n}}=0$이므로

$\lim_{n\to\infty}\frac{1}{\sqrt{n}}\cos\frac{n\pi}{2}=0$

$\lim_{n\to\infty}\frac{1}{n}\tan\frac{\pi}{3n}$에서 $0<\tan\frac{\pi}{3n}\le\sqrt{3}$이므로

$$0<\frac{1}{n}\tan\frac{\pi}{3n}\le\frac{\sqrt{3}}{n}$$

이때, $\lim\limits_{n\to\infty}\frac{\sqrt{3}}{n}=0$이므로 $\lim\limits_{n\to\infty}\frac{1}{n}\tan\frac{\pi}{3n}=0$

$\therefore \lim\limits_{n\to\infty}\frac{1}{\sqrt{n}}\cos\frac{n\pi}{2}+\lim\limits_{n\to\infty}\frac{1}{n}\tan\frac{\pi}{3n}=0+0=0$ 답 0

0080

$-1\le\sin(n^2+n)\theta\le1$이므로 $n>0$일 때

$-\frac{1}{n^3}\le\frac{\sin(n^2+n)\theta}{n^3}\le\frac{1}{n^3}$ ··· ❶

이때, $\lim\limits_{n\to\infty}\left(-\frac{1}{n^3}\right)=\lim\limits_{n\to\infty}\frac{1}{n^3}=0$이므로

$\lim\limits_{n\to\infty}\frac{\sin(n^2+n)\theta}{n^3}=0$ ··· ❷

답 0

채점 기준	비율
❶ $\frac{\sin(n^2+n)\theta}{n^3}$의 값의 범위를 구할 수 있다.	50 %
❸ $\lim\limits_{n\to\infty}\frac{\sin(n^2+n)\theta}{n^3}$의 값을 구할 수 있다.	50 %

0081

| 전략 | $\frac{4^n+3^{n+1}}{3^n-2^{2n}}$의 분모, 분자를 4^n으로 나눈다.

$a=\lim\limits_{n\to\infty}\frac{4^n+3^{n+1}}{3^n-2^{2n}}=\lim\limits_{n\to\infty}\frac{4^n+3\times3^n}{3^n-4^n}$

$=\lim\limits_{n\to\infty}\frac{1+3\times\left(\frac{3}{4}\right)^n}{\left(\frac{3}{4}\right)^n-1}=-1$

$b=\lim\limits_{n\to\infty}(a^{2n}-a^{2n+1})=\lim\limits_{n\to\infty}\{(-1)^{2n}-(-1)^{2n+1}\}$

$=\lim\limits_{n\to\infty}(-1)^{2n}-\lim\limits_{n\to\infty}(-1)^{2n+1}$

$=1-(-1)=2$

$\therefore a+b=-1+2=1$ 답 ④

0082

$\lim\limits_{n\to\infty}a_n=\alpha$($\alpha$는 실수)라 하면

$\lim\limits_{n\to\infty}\frac{2^n\times a_n+3^{n+1}}{3^n\times a_n-2^n}=\lim\limits_{n\to\infty}\frac{\left(\frac{2}{3}\right)^n\times a_n+3}{a_n-\left(\frac{2}{3}\right)^n}=\frac{3}{\alpha}$

따라서 $\frac{3}{\alpha}=\frac{1}{2}$이므로 $\alpha=6$ 답 6

0083

$x^2-x-1=0$에서 $x=\frac{1\pm\sqrt{5}}{2}$

$\alpha=\frac{1+\sqrt{5}}{2}$, $\beta=\frac{1-\sqrt{5}}{2}$라 하면 $|\alpha|>|\beta|$이므로

$\lim\limits_{n\to\infty}\left(\frac{\beta}{\alpha}\right)^n=0$

$\therefore \lim\limits_{n\to\infty}\frac{\alpha^n+\beta^n}{\alpha^{n+1}+\beta^{n+1}}=\lim\limits_{n\to\infty}\frac{1+\left(\frac{\beta}{\alpha}\right)^n}{\alpha+\beta\left(\frac{\beta}{\alpha}\right)^n}=\frac{1}{\alpha}$

$=\frac{2}{1+\sqrt{5}}=\frac{\sqrt{5}-1}{2}$ 답 ③

0084

$0<a<b$에서 $\lim\limits_{n\to\infty}\left(\frac{a}{b}\right)^n=0$이므로

$\lim\limits_{n\to\infty}(b^n-a^n)^{\frac{1}{n}}=\lim\limits_{n\to\infty}\left[b^n\left\{1-\left(\frac{a}{b}\right)^n\right\}\right]^{\frac{1}{n}}$

$=\lim\limits_{n\to\infty}(b^n)^{\frac{1}{n}}\left\{1-\left(\frac{a}{b}\right)^n\right\}^{\frac{1}{n}}$

$=\lim\limits_{n\to\infty}b\left\{1-\left(\frac{a}{b}\right)^n\right\}^{\frac{1}{n}}$

이때, $\lim\limits_{n\to\infty}\left\{1-\left(\frac{a}{b}\right)^n\right\}^{\frac{1}{n}}=(1-0)^0=1$이므로

$\lim\limits_{n\to\infty}(b^n-a^n)^{\frac{1}{n}}=b\times1=b$ 답 ⑤

0085

$n\ge2$일 때,

$a_n=S_n-S_{n-1}=(3\times5^n-3)-(3\times5^{n-1}-3)$

$=3\times5^{n-1}(5-1)=12\times5^{n-1}$

$\therefore \lim\limits_{n\to\infty}\frac{S_n}{a_n}=\lim\limits_{n\to\infty}\frac{3\times5^n-3}{12\times5^{n-1}}$

$=\lim\limits_{n\to\infty}\frac{15-3\times\left(\frac{1}{5}\right)^{n-1}}{12}=\frac{5}{4}$ 답 ⑤

0086

$a_n=3\times r^{n-1}$, $S_n=\frac{3(r^n-1)}{r-1}$이므로

$\lim\limits_{n\to\infty}\frac{a_n}{S_n}=\lim\limits_{n\to\infty}\frac{3\times r^{n-1}}{\frac{3(r^n-1)}{r-1}}=\lim\limits_{n\to\infty}\frac{r^{n-1}(r-1)}{r^n-1}$

$=\lim\limits_{n\to\infty}\frac{1-\frac{1}{r}}{1-\frac{1}{r^n}}=1-\frac{1}{r}$

따라서 $1-\frac{1}{r}=\frac{4}{5}$이므로

$\frac{1}{r}=\frac{1}{5}$ $\therefore r=5$ 답 5

0087

나머지정리에 의하여 다항식 $f(x)$를 $x-\frac{4}{3}$, $x-2$로 나누었을 때의 나머지는 각각 $f\left(\frac{4}{3}\right)$, $f(2)$이므로

$$a_n=f\left(\frac{4}{3}\right)=\left(\frac{4}{3}\right)^{n+1}+\left(\frac{4}{3}\right)^n+2=\frac{7}{3}\left(\frac{4}{3}\right)^n+2$$

$$b_n=f(2)=2^{n+1}+2^n+2=3\times2^n+2$$

$$\therefore \lim_{n\to\infty}\frac{a_n-b_n}{a_n+2^{n-1}}=\lim_{n\to\infty}\frac{\frac{7}{3}\left(\frac{4}{3}\right)^n-3\times2^n}{\frac{7}{3}\left(\frac{4}{3}\right)^n+2+2^{n-1}}$$

$$=\lim_{n\to\infty}\frac{\frac{7}{3}\left(\frac{2}{3}\right)^n-3}{\frac{7}{3}\left(\frac{2}{3}\right)^n+\frac{1}{2^{n-1}}+\frac{1}{2}}$$

$$=-\frac{3}{\frac{1}{2}}=-6$$

답 ②

0088

|전략| $-1<\frac{x^2-x}{2}\le1$을 만족시키는 정수 x의 값을 구한다.

공비가 $\frac{x^2-x}{2}$이므로 주어진 등비수열이 수렴하려면

$-1<\frac{x^2-x}{2}\le1$, $-2<x^2-x\le2$이어야 한다.

(i) $-2<x^2-x$, 즉 $x^2-x+2>0$에서

$x^2-x+2=\left(x-\frac{1}{2}\right)^2+\frac{7}{4}>0$이므로 항상 성립한다.

(ii) $x^2-x\le2$, 즉 $x^2-x-2\le0$에서

$(x+1)(x-2)\le0$　　$\therefore -1\le x\le2$

(i), (ii)에서 $-1\le x\le2$

따라서 주어진 등비수열이 수렴하도록 하는 정수 x는 $-1, 0, 1, 2$이므로 구하는 합은 2이다.

답 2

0089

공비가 $\sqrt{2}\sin x$이므로 주어진 등비수열이 수렴하려면

$-1<\sqrt{2}\sin x\le1$, $-\frac{1}{\sqrt{2}}<\sin x\le\frac{1}{\sqrt{2}}$

$\therefore -\frac{\pi}{4}<x\le\frac{\pi}{4}$ $\left(\because -\frac{\pi}{2}<x<\frac{\pi}{2}\right)$

답 $-\frac{\pi}{4}<x\le\frac{\pi}{4}$

0090

등비수열 $\{(\log_3 x)^n\}$의 공비가 $\log_3 x$이므로 수렴하려면

$-1<\log_3 x\le1$, $\log_3\frac{1}{3}<\log_3 x\le\log_3 3$

$\therefore \frac{1}{3}<x\le3$　　……㉠

등비수열 $\left\{\left(\frac{x}{2}\right)^n\right\}$의 공비가 $\frac{x}{2}$이므로 수렴하려면

$-1<\frac{x}{2}\le1$　　$\therefore -2<x\le2$　　……㉡

㉠, ㉡의 공통 범위를 구하면 $\frac{1}{3}<x\le2$

따라서 $\alpha=\frac{1}{3}$, $\beta=2$이므로 $\alpha+\beta=\frac{7}{3}$

답 ⑤

0091

주어진 수열 $\{(x+1)(2-x)^{n-1}\}$은 첫째항이 $x+1$, 공비가 $2-x$인 등비수열이므로 이 수열이 수렴하려면

(첫째항)$=0$ 또는 $-1<$(공비)≤1이어야 한다.

(i) (첫째항)$=0$인 경우

$x+1=0$에서 $x=-1$　　… ❶

(ii) $-1<$(공비)≤1인 경우

$-1<2-x\le1$에서 $-3<-x\le-1$

$\therefore 1\le x<3$　　… ❷

(i), (ii)에서 $x=-1$ 또는 $1\le x<3$　　… ❸

따라서 주어진 등비수열이 수렴하도록 하는 정수 x는 $-1, 1, 2$이므로 구하는 합은 2이다.　　… ❹

답 2

채점 기준	비율
❶ (첫째항)$=0$을 만족시키는 x의 값을 구할 수 있다.	30 %
❷ $-1<$(공비)≤1을 만족시키는 x의 값의 범위를 구할 수 있다.	30 %
❸ 주어진 수열이 수렴하도록 하는 x의 값의 범위를 구할 수 있다.	30 %
❹ 모든 정수 x의 값의 합을 구할 수 있다.	10 %

0092

수열 $\left\{\frac{5^{n+2}}{(\log_2 x-2)^n}\right\}$은 첫째항이 $\frac{5^3}{\log_2 x-2}$, 공비가 $\frac{5}{\log_2 x-2}$인 등비수열이므로 0이 아닌 극한값을 가지려면 공비가 1이어야 한다.

따라서 $\frac{5}{\log_2 x-2}=1$에서

$\log_2 x=7$, $x=2^7$　　$\therefore 8x=2^3\times2^7=2^{10}$

답 ③

참고 $-1<\frac{5}{\log_2 x-2}<1$이면

$$\lim_{n\to\infty}\frac{5^{n+2}}{(\log_2 x-2)^n}=\lim_{n\to\infty}25\left(\frac{5}{\log_2 x-2}\right)^n=25\times0=0$$

$\frac{5}{\log_2 x-2}=1$이면

$$\lim_{n\to\infty}\frac{5^{n+2}}{(\log_2 x-2)^n}=\lim_{n\to\infty}25\left(\frac{5}{\log_2 x-2}\right)^n=25\times1=25$$

0093

등비수열 $\{r^n\}$이 수렴하므로 $-1<r\le1$　　……㉠

ㄱ. 공비가 $-r$이고 ㉠에서 $-1\le-r<1$

이때, $-r=-1$, 즉 $r=1$이면 수열 $\{(-r)^n\}$은 발산(진동)한다.

ㄴ. 공비가 $\frac{r-1}{3}$이고 ㉠에서 $-2<r-1\le0$

$\therefore -\frac{2}{3}<\frac{r-1}{3}\le0$

따라서 수열 $\left\{\left(\frac{r-1}{3}\right)^n\right\}$은 수렴한다.

ㄷ. 공비가 $\frac{r}{2}-1$이고 ㉠에서 $-\frac{1}{2}<\frac{r}{2}\le\frac{1}{2}$

$\therefore -\frac{3}{2}<\frac{r}{2}-1\le-\frac{1}{2}$

이때, $-\frac{3}{2}<\frac{r}{2}-1\le-1$, 즉 $-1<r\le0$이면 수열 $\left\{\left(\frac{r}{2}-1\right)^n\right\}$은 발산(진동)한다.

ㄹ. 공비가 $\frac{1}{r}$이고 ㉠에서 $\frac{1}{r}<-1$ 또는 $\frac{1}{r}\ge1$

이때, $r\ne1$이면 수열 $\left\{\left(\frac{1}{r}\right)^n\right\}$은 발산한다.

따라서 반드시 수렴하는 수열은 ㄴ이다. 답 ①

0094

|전략| $|r|>1$일 때, $-1<\frac{1}{r}<1$이므로 $\lim_{n\to\infty}\frac{1}{r^n}=0$임을 이용한다.

(i) $|r|<1$일 때, $\lim_{n\to\infty}r^n=0$이므로

$a=\lim_{n\to\infty}\frac{r^n-1}{r^n+1}=-1$

(ii) $r=1$일 때, $\lim_{n\to\infty}r^n=1$이므로

$b=\lim_{n\to\infty}\frac{r^n-1}{r^n+1}=0$

(iii) $|r|>1$일 때, $\lim_{n\to\infty}|r^n|=\infty$이므로

$c=\lim_{n\to\infty}\frac{r^n-1}{r^n+1}=\lim_{n\to\infty}\frac{1-\frac{1}{r^n}}{1+\frac{1}{r^n}}=1$

$\therefore a+b+c=-1+0+1=0$ 답 0

0095

(i) $0<r<1$일 때, $\lim_{n\to\infty}r^n=\lim_{n\to\infty}r^{n+1}=0$이므로

$\lim_{n\to\infty}\frac{r^n-5}{r^{n+1}+1}=-5$

(ii) $r=1$일 때, $\lim_{n\to\infty}r^n=\lim_{n\to\infty}r^{n+1}=1$이므로

$\lim_{n\to\infty}\frac{r^n-5}{r^{n+1}+1}=-2$

(iii) $r>1$일 때, $\lim_{n\to\infty}r^{n+1}=\infty$이므로

$\lim_{n\to\infty}\frac{r^n-5}{r^{n+1}+1}=\lim_{n\to\infty}\frac{\frac{1}{r}-\frac{5}{r^{n+1}}}{1+\frac{1}{r^{n+1}}}=\frac{1}{r}$

(i)~(iii)에서 극한값 중 정수는 -5, -2의 2개이다. 답 ②

0096

(i) $0<\frac{5}{k}<1$, 즉 $k>5$일 때 $\lim_{n\to\infty}\left(\frac{5}{k}\right)^n=\lim_{n\to\infty}\left(\frac{5}{k}\right)^{n+1}=0$이므로

$a_k=\lim_{n\to\infty}\frac{\left(\frac{5}{k}\right)^{n+1}}{\left(\frac{5}{k}\right)^n+4}=0$

(ii) $\frac{5}{k}=1$, 즉 $k=5$일 때 $\lim_{n\to\infty}\left(\frac{5}{k}\right)^n=\lim_{n\to\infty}\left(\frac{5}{k}\right)^{n+1}=1$이므로

$a_k=\lim_{n\to\infty}\frac{\left(\frac{5}{k}\right)^{n+1}}{\left(\frac{5}{k}\right)^n+4}=\frac{1}{5}$

(iii) $\frac{5}{k}>1$, 즉 $1\le k<5$일 때 $\lim_{n\to\infty}\left(\frac{5}{k}\right)^n=\infty$이므로

$a_k=\lim_{n\to\infty}\frac{\left(\frac{5}{k}\right)^{n+1}}{\left(\frac{5}{k}\right)^n+4}=\lim_{n\to\infty}\frac{\frac{5}{k}}{1+\frac{4}{\left(\frac{5}{k}\right)^n}}=\frac{5}{k}$

$\therefore \sum_{k=1}^{15}ka_k=1\times a_1+2\times a_2+\cdots+15\times a_{15}$

$=1\times\frac{5}{1}+2\times\frac{5}{2}+3\times\frac{5}{3}+4\times\frac{5}{4}+5\times\frac{1}{5}$

$+6\times0+7\times0+8\times0+\cdots+15\times0$

$=5+5+5+5+1=21$ 답 21

0097

|전략| $|x|<1$일 때는 $\lim_{n\to\infty}x^n=0$, $|x|>1$일 때는 $\lim_{n\to\infty}\frac{1}{x^n}=0$임을 이용한다.

$f\left(-\frac{1}{3}\right)=\lim_{n\to\infty}\frac{\left(-\frac{1}{3}\right)^{n+1}+\left(-\frac{1}{3}\right)^2-1}{\left(-\frac{1}{3}\right)^n+\left(-\frac{1}{3}\right)+1}=\frac{-\frac{8}{9}}{\frac{2}{3}}=-\frac{4}{3}$

$f(1)=\lim_{n\to\infty}\frac{1^{n+1}+1^2-1}{1^n+1+1}=\frac{1}{3}$

$f(2)=\lim_{n\to\infty}\frac{2^{n+1}+2^2-1}{2^n+2+1}=\lim_{n\to\infty}\frac{2+2^2\times\left(\frac{1}{2}\right)^n-\left(\frac{1}{2}\right)^n}{1+2\times\left(\frac{1}{2}\right)^n+\left(\frac{1}{2}\right)^n}=2$

$\therefore f\left(-\frac{1}{3}\right)+f(1)+f(2)=-\frac{4}{3}+\frac{1}{3}+2=1$ 답 1

다른 풀이 (i) $|x|<1$일 때, $\lim_{n\to\infty}x^n=\lim_{n\to\infty}x^{n+1}=0$이므로

$f(x)=\lim_{n\to\infty}\frac{x^{n+1}+x^2-1}{x^n+x+1}=\frac{x^2-1}{x+1}=x-1$

(ii) $x=1$일 때, $\lim_{n\to\infty}x^n=\lim_{n\to\infty}x^{n+1}=1$이므로

$f(x)=\lim_{n\to\infty}\frac{x^{n+1}+x^2-1}{x^n+x+1}=\frac{1+1^2-1}{1+1+1}=\frac{1}{3}$

(iii) $|x|>1$일 때, $\lim_{n\to\infty}|x^n|=\infty$이므로

$f(x)=\lim_{n\to\infty}\frac{x^{n+1}+x^2-1}{x^n+x+1}=\lim_{n\to\infty}\frac{x+\frac{1}{x^{n-2}}-\frac{1}{x^n}}{1+\frac{1}{x^{n-1}}+\frac{1}{x^n}}=x$

$\therefore f\left(-\frac{1}{3}\right)+f(1)+f(2)=\left(-\frac{1}{3}-1\right)+\frac{1}{3}+2=1$

0098

$$f(-3)=\lim_{n\to\infty}\frac{(-3)^{n+1}-2}{(-3)^n+1}=\lim_{n\to\infty}\frac{-3-2\times\left(-\frac{1}{3}\right)^n}{1+\left(-\frac{1}{3}\right)^n}=-3$$

$$f\left(\frac{1}{5}\right)=\lim_{n\to\infty}\frac{\left(\frac{1}{5}\right)^{n+1}-2}{\left(\frac{1}{5}\right)^n+1}=-2$$

$$f(1)=\lim_{n\to\infty}\frac{1^{n+1}-2}{1^n+1}=-\frac{1}{2}$$

$$\therefore f(-3)+f\left(\frac{1}{5}\right)+f(1)=-3+(-2)+\left(-\frac{1}{2}\right)=-\frac{11}{2}$$ 답 ①

0099

ㄱ. $f(1)=\lim_{n\to\infty}\frac{1^{2n-1}-2}{1+1^{2n}}=-\frac{1}{2}$

$f(-1)=\lim_{n\to\infty}\frac{(-1)^{2n-1}-2}{1+(-1)^{2n}}=-\frac{3}{2}$

$\therefore f(1)\neq f(-1)$ (거짓)

ㄴ. $|x|<1$일 때, $\lim_{n\to\infty}x^{2n-1}=\lim_{n\to\infty}x^{2n}=0$이므로

$f(x)=\lim_{n\to\infty}\frac{x^{2n-1}-2}{1+x^{2n}}=-2$ (참)

ㄷ. $|x|>1$일 때, $\lim_{n\to\infty}x^{2n}=\infty$이므로

$$f(x)=\lim_{n\to\infty}\frac{x^{2n-1}-2}{1+x^{2n}}=\lim_{n\to\infty}\frac{\frac{1}{x}-\frac{2}{x^{2n}}}{\frac{1}{x^{2n}}+1}=\frac{1}{x}$$ (참)

따라서 옳은 것은 ㄴ, ㄷ이다. 답 ㄴ, ㄷ

0100

|전략| $a_{n+1}=\frac{1}{2}a_n+10$을 $a_{n+1}-20=\frac{1}{2}(a_n-20)$으로 변형한다.

$a_{n+1}=\frac{1}{2}a_n+10$에서 $a_{n+1}-20=\frac{1}{2}(a_n-20)$

수열 $\{a_n-20\}$은 첫째항이 $a_1-20=1-20=-19$, 공비가 $\frac{1}{2}$인 등비수열이므로

$a_n-20=-19\times\left(\frac{1}{2}\right)^{n-1}$

$\therefore a_n=-19\times\left(\frac{1}{2}\right)^{n-1}+20$

$\therefore \lim_{n\to\infty}a_n=\lim_{n\to\infty}\left\{-19\times\left(\frac{1}{2}\right)^{n-1}+20\right\}=20$ 답 ⑤

다른 풀이 수열 $\{a_n\}$이 수렴하므로 $\lim_{n\to\infty}a_n=\alpha$($\alpha$는 실수)라 하면

$\lim_{n\to\infty}a_{n+1}=\alpha$

$\lim_{n\to\infty}a_{n+1}=\lim_{n\to\infty}\left(\frac{1}{2}a_n+10\right)$에서

$\alpha=\frac{1}{2}\alpha+10,\ \frac{1}{2}\alpha=10\qquad\therefore \alpha=20$

Lecture

여러 가지 수열의 귀납적 정의

(1) $a_{n+1}=a_n+f(n)$ 꼴
⇨ n에 $1, 2, 3, \cdots, n-1$을 차례로 대입하여 변끼리 더한다.

(2) $a_{n+1}=a_nf(n)$ 꼴
⇨ n에 $1, 2, 3, \cdots, n-1$을 차례로 대입하여 변끼리 곱한다.

(3) $a_{n+1}=pa_n+q(p\neq1, pq\neq0)$ 꼴
⇨ $a_{n+1}-\alpha=p(a_n-\alpha)$ 꼴로 변형하여 수열 $\{a_n-\alpha\}$는 첫째항이 $a_1-\alpha$, 공비가 p인 등비수열임을 이용한다.

(4) $pa_{n+2}+qa_{n+1}+ra_n=0(p+q+r=0, pqr\neq0)$ 꼴
⇨ $a_{n+2}-a_{n+1}=\frac{r}{p}(a_{n+1}-a_n)$ 꼴로 변형하여 수열 $\{a_{n+1}-a_n\}$은 첫째항이 a_2-a_1, 공비가 $\frac{r}{p}$인 등비수열임을 이용한다.

0101

$a_{n+1}=a_n+2^n$의 n에 $1, 2, 3, \cdots, n-1$을 차례로 대입하여 변끼리 더하면

$$\begin{aligned}a_2&=a_1+2^1\\a_3&=a_2+2^2\\a_4&=a_3+2^3\\&\vdots\\+)\ a_n&=a_{n-1}+2^{n-1}\\\hline a_n&=a_1+2^1+2^2+2^3+\cdots+2^{n-1}\end{aligned}$$

$$\therefore a_n=a_1+\sum_{k=1}^{n-1}2^k=1+\frac{2(2^{n-1}-1)}{2-1}=2^n-1$$

$$\therefore \lim_{n\to\infty}\frac{4a_n}{2^n+1}=\lim_{n\to\infty}\frac{4(2^n-1)}{2^n+1}=\lim_{n\to\infty}\frac{4\left(1-\frac{1}{2^n}\right)}{1+\frac{1}{2^n}}=4$$ 답 4

0102

이차방정식 $x^2-\sqrt{a_n}x+(a_{n+1}-1)=0$이 중근을 가지므로 이 이차방정식의 판별식을 D라 하면

$D=(\sqrt{a_n})^2-4(a_{n+1}-1)=0,\ a_n-4a_{n+1}+4=0$

$\therefore a_{n+1}=\frac{1}{4}a_n+1$ … ❶

이때, $a_{n+1}-\frac{4}{3}=\frac{1}{4}\left(a_n-\frac{4}{3}\right)$이므로 수열 $\left\{a_n-\frac{4}{3}\right\}$는 첫째항이

$a_1-\frac{4}{3}=2-\frac{4}{3}=\frac{2}{3}$, 공비가 $\frac{1}{4}$인 등비수열이다.

즉, $a_n-\frac{4}{3}=\frac{2}{3}\times\left(\frac{1}{4}\right)^{n-1}$에서

$a_n=\frac{2}{3}\times\left(\frac{1}{4}\right)^{n-1}+\frac{4}{3}$ … ❷

$\therefore \lim_{n\to\infty}a_n=\lim_{n\to\infty}\left\{\frac{2}{3}\times\left(\frac{1}{4}\right)^{n-1}+\frac{4}{3}\right\}=\frac{4}{3}$ … ❸

답 $\frac{4}{3}$

채점 기준	비율
❶ a_n과 a_{n+1} 사이의 관계식을 구할 수 있다.	30 %
❷ 일반항 a_n을 구할 수 있다.	40 %
❸ $\lim_{n\to\infty} a_n$의 값을 구할 수 있다.	30 %

0103

|전략| $\overline{OP_n}=\sqrt{n^2+n+1}$, $\overline{OQ_n}=n$임을 이용한다.

$\overline{OP_n}=\sqrt{n^2+n+1}$, $\overline{OQ_n}=n$이므로

$$\lim_{n\to\infty}(\overline{OP_n}-\overline{OQ_n})=\lim_{n\to\infty}(\sqrt{n^2+n+1}-n)$$
$$=\lim_{n\to\infty}\frac{(\sqrt{n^2+n+1}-n)(\sqrt{n^2+n+1}+n)}{\sqrt{n^2+n+1}+n}$$
$$=\lim_{n\to\infty}\frac{n+1}{\sqrt{n^2+n+1}+n}$$
$$=\lim_{n\to\infty}\frac{1+\frac{1}{n}}{\sqrt{1+\frac{1}{n}+\frac{1}{n^2}}+1}=\frac{1}{2}$$

답 ②

0104

$$x_n=\overline{OA_1}+\overline{A_1A_2}+\overline{A_2A_3}+\cdots+\overline{A_{n-1}A_n}$$
$$=1+\frac{1}{2}+\left(\frac{1}{2}\right)^2+\cdots+\left(\frac{1}{2}\right)^{n-1}=\frac{1-\left(\frac{1}{2}\right)^n}{1-\frac{1}{2}}=2-\left(\frac{1}{2}\right)^{n-1}$$

$y_1=1$, $y_n=\overline{A_nB_n}=\overline{A_{n-1}A_n}=\left(\frac{1}{2}\right)^{n-1}$ $(n\ge 2)$

이때, $a_n=$(직선 OB_n의 기울기)$=\frac{y_n}{x_n}$이므로

$$\lim_{n\to\infty}2^n a_n=\lim_{n\to\infty}\left(2^n\times\frac{y_n}{x_n}\right)=\lim_{n\to\infty}\left\{2^n\times\frac{\left(\frac{1}{2}\right)^{n-1}}{2-\left(\frac{1}{2}\right)^{n-1}}\right\}$$
$$=\lim_{n\to\infty}\frac{2}{2-\left(\frac{1}{2}\right)^{n-1}}=1$$

답 ①

0105

$\overline{OC_n}=\overline{AB_n}=n$, $\overline{B_nC_n}=\overline{OA}=20$이므로

$\overline{AC_n}=\sqrt{\overline{OA}^2+\overline{OC_n}^2}=\sqrt{20^2+n^2}=\sqrt{400+n^2}$

또, $\triangle AB_1D_n \backsim \triangle AB_nC_n$이므로

$\overline{AB_1}:\overline{AB_n}=\overline{B_1D_n}:\overline{B_nC_n}$

$1:n=\overline{B_1D_n}:20$ $\quad\therefore \overline{B_1D_n}=\frac{20}{n}$

$$\therefore \lim_{n\to\infty}\frac{\overline{AC_n}-\overline{OC_n}}{\overline{B_1D_n}}=\lim_{n\to\infty}\frac{\sqrt{400+n^2}-n}{\frac{20}{n}}$$
$$=\lim_{n\to\infty}\frac{n(\sqrt{400+n^2}-n)(\sqrt{400+n^2}+n)}{20(\sqrt{400+n^2}+n)}$$
$$=\lim_{n\to\infty}\frac{20n}{\sqrt{400+n^2}+n}$$
$$=\lim_{n\to\infty}\frac{20}{\sqrt{\frac{400}{n^2}+1}+1}=10$$

답 10

0106

|전략| n번째 시행 후 A그릇에 들어 있는 물의 양을 a_n L라 하고 a_n과 a_{n+1} 사이의 관계식을 구한 후 일반항 a_n을 구한다.

n번째 시행 후 A그릇에 들어 있는 물의 양을 a_n L라 하면 물의 총량은 1 L이므로 B그릇에 들어 있는 물의 양은 $(1-a_n)$ L이다.

이때, A그릇에 담긴 물의 $\frac{1}{4}$을 퍼내어 B그릇에 부으면 A그릇에 들어 있는 물의 양은 $\frac{3}{4}a_n$ L, B그릇에 들어 있는 물의 양은 $\left(1-\frac{3}{4}a_n\right)$ L이다.

다시 B그릇에 담긴 물의 $\frac{1}{4}$을 퍼내어 A그릇에 부으면

$$a_{n+1}=\frac{3}{4}a_n+\frac{1}{4}\left(1-\frac{3}{4}a_n\right) \qquad \therefore a_{n+1}=\frac{9}{16}a_n+\frac{1}{4}$$
$$\therefore a_{n+1}-\frac{4}{7}=\frac{9}{16}\left(a_n-\frac{4}{7}\right)$$

즉, 수열 $\left\{a_n-\frac{4}{7}\right\}$는 첫째항이 $a_1-\frac{4}{7}$이고 공비가 $\frac{9}{16}$인 등비수열이므로

$$a_n-\frac{4}{7}=\left(a_1-\frac{4}{7}\right)\times\left(\frac{9}{16}\right)^{n-1}$$
$$\therefore a_n=\left(a_1-\frac{4}{7}\right)\times\left(\frac{9}{16}\right)^{n-1}+\frac{4}{7}$$
$$\therefore \lim_{n\to\infty}a_n=\lim_{n\to\infty}\left\{\left(a_1-\frac{4}{7}\right)\times\left(\frac{9}{16}\right)^{n-1}+\frac{4}{7}\right\}=\frac{4}{7}$$

따라서 A그릇에 들어 있는 물의 양은 $\frac{4}{7}$ L에 가까워진다. 답 $\frac{4}{7}$ L

0107

두 점 $A_n(x_n)$, $A_{n+1}(x_{n+1})$에 대하여 $\overline{A_nA_{n+1}}$을 $2:1$로 내분하는 점이 $A_{n+2}(x_{n+2})$이므로

$$x_{n+2}=\frac{2\times x_{n+1}+1\times x_n}{2+1}=\frac{2}{3}x_{n+1}+\frac{1}{3}x_n\ (n=1, 2, 3, \cdots)$$
$$\therefore x_{n+2}-x_{n+1}=-\frac{1}{3}(x_{n+1}-x_n)$$

즉, 수열 $\{x_{n+1}-x_n\}$은 첫째항이 $x_2-x_1=4-1=3$, 공비가 $-\frac{1}{3}$인 등비수열이므로

$$x_{n+1}-x_n=3\times\left(-\frac{1}{3}\right)^{n-1}$$

위의 식의 n에 1, 2, 3, ⋯, $n-1$을 차례로 대입하여 변끼리 더하면

$$x_2-x_1=3$$
$$x_3-x_2=3\times\left(-\frac{1}{3}\right)$$
$$x_4-x_3=3\times\left(-\frac{1}{3}\right)^2$$
$$\vdots$$
$$+)\ x_n-x_{n-1}=3\times\left(-\frac{1}{3}\right)^{n-2}$$
$$x_n-x_1=3\left\{1+\left(-\frac{1}{3}\right)+\left(-\frac{1}{3}\right)^2+\cdots+\left(-\frac{1}{3}\right)^{n-2}\right\}$$

$$\therefore x_n = x_1 + \sum_{k=1}^{n-1} 3\times\left(-\frac{1}{3}\right)^{k-1} = 1 + \frac{3\left\{1-\left(-\frac{1}{3}\right)^{n-1}\right\}}{1-\left(-\frac{1}{3}\right)}$$

$$= \frac{13}{4} - \frac{9}{4}\times\left(-\frac{1}{3}\right)^{n-1}$$

$$\therefore \lim_{n\to\infty} x_n = \lim_{n\to\infty}\left\{\frac{13}{4} - \frac{9}{4}\times\left(-\frac{1}{3}\right)^{n-1}\right\} = \frac{13}{4}$$

답 ⑤

STEP 3 내신 마스터

0108

유형 02 수열의 극한에 대한 기본 성질

|전략| $\lim_{n\to\infty} a_n = \alpha$, $\lim_{n\to\infty} b_n = \beta$ (α, β는 실수)로 놓고 극한에 대한 기본 성질을 이용한다.

두 수열 $\{a_n\}$, $\{b_n\}$이 각각 수렴하므로

$\lim_{n\to\infty} a_n = \alpha$, $\lim_{n\to\infty} b_n = \beta$ (α, β는 실수)라 하면

$\lim_{n\to\infty} (2a_n - 1) = 2\alpha - 1 = 2 \quad \therefore \alpha = \frac{3}{2}$

$\lim_{n\to\infty} (3b_n - 2) = 3\beta - 2 = 1 \quad \therefore \beta = 1$

$$\therefore \lim_{n\to\infty} \frac{2a_n + 3b_n}{b_n + 1} = \frac{2\lim_{n\to\infty} a_n + 3\lim_{n\to\infty} b_n}{\lim_{n\to\infty} b_n + 1} = \frac{2\alpha + 3\beta}{\beta + 1}$$

$$= \frac{2\times\frac{3}{2} + 3\times 1}{1+1} = 3$$

답 ⑤

0109

유형 02 수열의 극한에 대한 기본 성질

|전략| $\alpha^3 + \beta^3 = (\alpha+\beta)^3 - 3\alpha\beta(\alpha+\beta)$임을 이용한다.

두 수열 $\{a_n + b_n\}$, $\{a_n b_n\}$이 각각 수렴하므로

$$\lim_{n\to\infty} (a_n^3 + b_n^3) = \lim_{n\to\infty} \{(a_n+b_n)^3 - 3a_n b_n (a_n + b_n)\}$$

$$= \lim_{n\to\infty} (a_n + b_n)^3 - 3\lim_{n\to\infty} a_n b_n \times \lim_{n\to\infty} (a_n + b_n)$$

$$= 3^3 - 3\times 1 \times 3 = 18$$

답 ③

($\lim_{n\to\infty} (a_n+b_n)^3$: $\lim_{n\to\infty}(a_n+b_n)\times\lim_{n\to\infty}(a_n+b_n)\times\lim_{n\to\infty}(a_n+b_n) = 3\times3\times3 = 3^3$)

참고 두 수열 $\{a_n\}$, $\{b_n\}$이 수렴한다는 조건이 주어지지 않았으므로 $\lim_{n\to\infty} a_n = \alpha$, $\lim_{n\to\infty} b_n = \beta$로 놓을 수 없다.

0110

유형 04 $\frac{\infty}{\infty}$ 꼴의 극한

|전략| $\frac{\infty}{\infty}$ 꼴에서 (분모의 차수)=(분자의 차수)이면 극한값은 최고차항의 계수의 비이다.

등차수열 $\{a_n\}$의 첫째항을 a, 공차를 d라 하면 첫째항부터 제n항까지의 합 S_n은

$$S_n = \frac{n\{2a+(n-1)d\}}{2} = \frac{n(dn+2a-d)}{2} = \frac{d}{2}n^2 + \frac{2a-d}{2}n$$

$\lim_{n\to\infty} \frac{S_n}{2n^2+2n-1} = 3$에서

$$\lim_{n\to\infty} \frac{\frac{d}{2}n^2 + \frac{2a-d}{2}n}{2n^2+2n-1} = \lim_{n\to\infty} \frac{\frac{d}{2} + \frac{2a-d}{2n}}{2 + \frac{2}{n} - \frac{1}{n^2}} = \frac{d}{4} = 3$$

$\therefore d = 12$

답 ③

0111

유형 06 $\frac{\infty}{\infty}$ 꼴의 극한 - 로그를 포함한 식

|전략| 공차를 d로 놓고 $a_4 = \log_3 a + 3d$, $a_{10} = \log_3 a + 9d$와 주어진 극한값을 이용하여 $\log_3 a$, d의 값을 각각 구한다.

등차수열 $\{a_n\}$의 공차를 d라 하면

$a_4 + a_{10} = (\log_3 a + 3d) + (\log_3 a + 9d) = 2\log_3 a + 12d$

이때, $a_4 + a_{10} = 14$이므로

$2\log_3 a + 12d = 14 \quad \therefore \log_3 a + 6d = 7$ ······ ㉠

$a_n = \log_3 a + (n-1)d$이므로

$$\lim_{n\to\infty} \frac{a_n}{2n+1} = \lim_{n\to\infty} \frac{\log_3 a + (n-1)d}{2n+1}$$

$$= \lim_{n\to\infty} \frac{d + \frac{\log_3 a - d}{n}}{2 + \frac{1}{n}} = \frac{d}{2}$$

$\frac{d}{2} = \frac{1}{3}$에서 $d = \frac{2}{3}$ ······ ㉡

㉡을 ㉠에 대입하면

$\log_3 a + 6\times\frac{2}{3} = 7 \quad \therefore \log_3 a = 3$

$\therefore a_{19} = 3 + 18\times\frac{2}{3} = 15$

답 ②

0112

유형 08 $\infty - \infty$ 꼴의 극한

|전략| $n+1 < \sqrt{n^2+4n+2} < n+2$임을 이용하여 소수 부분을 구한다.

자연수 n에 대하여

$n^2+2n+1 < n^2+4n+2 < n^2+4n+4$이므로

($(n+1)^2 < n^2+4n+2 < (n+2)^2$)

$n+1 < \sqrt{n^2+4n+2} < n+2$

즉, $\sqrt{n^2+4n+2}$의 정수 부분은 $n+1$이므로

$a_n = \sqrt{n^2+4n+2} - (n+1)$

$$\therefore \lim_{n\to\infty} a_n = \lim_{n\to\infty} \{\sqrt{n^2+4n+2} - (n+1)\}$$

$$= \lim_{n\to\infty} \frac{\{\sqrt{n^2+4n+2} - (n+1)\}\{\sqrt{n^2+4n+2} + (n+1)\}}{\sqrt{n^2+4n+2} + (n+1)}$$

$$= \lim_{n\to\infty} \frac{2n+1}{\sqrt{n^2+4n+2} + n + 1}$$

$$= \lim_{n\to\infty} \frac{2 + \frac{1}{n}}{\sqrt{1 + \frac{4}{n} + \frac{2}{n^2}} + 1 + \frac{1}{n}} = \frac{2}{1+1} = 1$$

$\therefore \lim_{n\to\infty} 50a_n = 50\lim_{n\to\infty} a_n = 50\times 1 = 50$

답 ①

0113

유형 10 $\infty-\infty$ 꼴의 극한 - 미정계수의 결정

|전략| $\frac{n}{a}-1<\left[\frac{n}{a}\right]\le\frac{n}{a}$이므로 $\left[\frac{n}{a}\right]=\frac{n}{a}-\alpha\,(0\le\alpha<1)$로 놓고 극한값을 구한다.

$\left[\frac{n}{a}\right]=\frac{n}{a}-\alpha\,(0\le\alpha<1)$라 하면

$$\lim_{n\to\infty}\left(\sqrt{n^2+\left[\frac{n}{a}\right]}-n\right)$$

$$=\lim_{n\to\infty}\left(\sqrt{n^2+\frac{n}{a}-\alpha}-n\right)$$

$$=\lim_{n\to\infty}\frac{\left(\sqrt{n^2+\frac{n}{a}-\alpha}-n\right)\left(\sqrt{n^2+\frac{n}{a}-\alpha}+n\right)}{\sqrt{n^2+\frac{n}{a}-\alpha}+n}$$

$$=\lim_{n\to\infty}\frac{\frac{n}{a}-\alpha}{\sqrt{n^2+\frac{n}{a}-\alpha}+n}=\lim_{n\to\infty}\frac{\frac{1}{a}-\frac{\alpha}{n}}{\sqrt{1+\frac{1}{an}-\frac{\alpha}{n^2}}+1}$$

$$=\frac{\frac{1}{a}}{1+1}=\frac{1}{2a}$$

이때, $\frac{1}{2a}=\frac{1}{6}$이므로 $2a=6$ $\quad\therefore a=3$

답 ②

0114

유형 11 일반항 a_n을 포함한 식의 극한값

|전략| $\frac{3a_n-5}{2a_n+3}=b_n$으로 놓고 a_n을 b_n에 대한 식으로 나타낸 다음 $\lim_{n\to\infty}6a_n$에 대입한다.

$\frac{3a_n-5}{2a_n+3}=b_n$으로 놓으면 $(2a_n+3)b_n=3a_n-5$에서

$$a_n=\frac{-3b_n-5}{2b_n-3}$$

이때, $\lim_{n\to\infty}b_n=\frac{3}{4}$이므로

$$\lim_{n\to\infty}6a_n=\lim_{n\to\infty}6\times\frac{-3b_n-5}{2b_n-3}=6\times\frac{-3\times\frac{3}{4}-5}{2\times\frac{3}{4}-3}$$

$$=6\times\frac{29}{6}=29$$

답 ⑤

0115

유형 12 수열의 극한에 대한 진위 판정 문제 + 13 수열의 극한의 대소 관계

|전략| 명제가 거짓임을 보일 때는 반례를 생각해 본다.

ㄱ. [반례] $a_n=1-\frac{1}{n}$, $b_n=1+\frac{2}{n}$라 하면 $a_n<b_n$이지만

$\lim_{n\to\infty}a_n=\lim_{n\to\infty}b_n=1$

ㄴ. $a_n<b_n$이고 $\lim_{n\to\infty}a_n=\infty$이므로 $\lim_{n\to\infty}b_n=\infty$ (참)

ㄷ. $a_n=n-\frac{1}{n}$, $b_n=n$, $c_n=n+\frac{1}{n}$이라 하면 $a_n<b_n<c_n$

이때, $\lim_{n\to\infty}(c_n-a_n)=\lim_{n\to\infty}\frac{2}{n}=0$이지만 $\lim_{n\to\infty}b_n=\infty$ (참)

따라서 옳은 것은 ㄴ, ㄷ이다.

답 ④

0116

유형 16 r^n을 포함한 수열의 극한

|전략| x의 값의 범위를 $|x|>4$, $|x|<4$일 때로 나누어 극한값을 구한다.

(i) $|x|>4$일 때, $\lim_{n\to\infty}\left(\frac{4}{x}\right)^n=0$이므로

$$\lim_{n\to\infty}\frac{x^n+4^n}{x^n-4^n}=\lim_{n\to\infty}\frac{1+\left(\frac{4}{x}\right)^n}{1-\left(\frac{4}{x}\right)^n}=1$$

(ii) $|x|<4$일 때, $\lim_{n\to\infty}\left(\frac{x}{4}\right)^n=0$이므로

$$\lim_{n\to\infty}\frac{x^n+4^n}{x^n-4^n}=\lim_{n\to\infty}\frac{\left(\frac{x}{4}\right)^n+1}{\left(\frac{x}{4}\right)^n-1}=-1$$

(i), (ii)에서 극한값이 -1이 되는 x의 값의 범위는 $|x|<4$, 즉 $-4<x<4$이므로 정수 x는 $-3, -2, -1, 0, 1, 2, 3$의 7개이다.

답 ③

0117

유형 13 수열의 극한의 대소 관계 + 18 귀납적으로 정의된 수열의 극한

|전략| $a_{n+1}<\frac{1}{2}a_n+1$을 $a_{n+1}-2<\frac{1}{2}(a_n-2)$로 변형한다.

$a_{n+1}<\frac{1}{2}a_n+1$에서 $a_{n+1}-2<\frac{1}{2}(a_n-2)$

위의 식의 n에 $1, 2, 3, \cdots, n-1$을 차례로 대입하여 변끼리 곱하면

$$a_2-2<\frac{1}{2}(a_1-2)$$
$$a_3-2<\frac{1}{2}(a_2-2)$$
$$a_4-2<\frac{1}{2}(a_3-2)$$
$$\vdots$$
$$\times)\ a_n-2<\frac{1}{2}(a_{n-1}-2)$$

$$a_n-2<\left(\frac{1}{2}\right)^{n-1}\times(a_1-2)$$

이때, $a_n>2$이므로 $0<a_n-2<\left(\frac{1}{2}\right)^{n-1}\times(a_1-2)$

그런데 $\lim_{n\to\infty}0=\lim_{n\to\infty}\left(\frac{1}{2}\right)^{n-1}\times(a_1-2)=0$이므로

$\lim_{n\to\infty}(a_n-2)=0$ $\quad\therefore \lim_{n\to\infty}a_n=2$

답 ①

0118

유형 18 귀납적으로 정의된 수열의 극한

| 전략 | $\lim_{n\to\infty} a_n=\alpha$($\alpha$는 실수)이면 $\lim_{n\to\infty} a_{n+1}=\alpha$임을 이용한다.

$\frac{1}{2}, \frac{1}{2+\frac{1}{2}}, \frac{1}{2+\frac{1}{2+\frac{1}{2}}}, \cdots$을 수열 $\{a_n\}$이라 하면

$a_{n+1}=\frac{1}{2+a_n}$ ……㉠

이때, $\lim_{n\to\infty} a_n=\alpha\ (\alpha>0)$라 하면 $\lim_{n\to\infty} a_{n+1}=\alpha$이다.

㉠에서 $\lim_{n\to\infty} a_{n+1}=\lim_{n\to\infty} \frac{1}{2+a_n}$

$\alpha=\frac{1}{2+\alpha}, \alpha^2+2\alpha-1=0 \qquad \therefore \alpha=-1+\sqrt{2}\ (\because \alpha>0)$

이때, 주어진 수열은 $\{1+a_n\}$이므로

$\lim_{n\to\infty} (1+a_n)=1+\alpha=1+(-1+\sqrt{2})=\sqrt{2}$

따라서 $m=\sqrt{2}$이므로 $m^2=(\sqrt{2})^2=2$

답 ④

0119

유형 19 수열의 극한의 활용 (1)

| 전략 | 방정식 $f(x)=k$의 실근은 함수 $y=f(x)$의 그래프와 직선 $y=k$의 교점의 x좌표와 같음을 이용한다. (단, k는 실수)

(i) $2nf(a)-1\geq 0$일 때

$$\lim_{n\to\infty} \frac{|2nf(a)-1|-nf(a)}{3n-2}=\lim_{n\to\infty} \frac{2nf(a)-1-nf(a)}{3n-2}$$

$$=\lim_{n\to\infty} \frac{nf(a)-1}{3n-2}=\frac{1}{3}f(a)$$

$\frac{1}{3}f(a)=2$에서 $f(a)=6$

그런데 $f(a)=6$은 정의되어 있지 않으므로 $f(a)=6$은 모순이다.

(ii) $2nf(a)-1<0$일 때

$$\lim_{n\to\infty} \frac{|2nf(a)-1|-nf(a)}{3n-2}$$

$$=\lim_{n\to\infty} \frac{-2nf(a)+1-nf(a)}{3n-2}$$

$$=\lim_{n\to\infty} \frac{-3nf(a)+1}{3n-2}=-f(a)$$

$-f(a)=2$에서 $f(a)=-2$

따라서 방정식 $f(a)=-2$의 실근의 개수는 2이므로 (i), (ii)에서 구하는 실수 a의 개수는 2이다.

답 ②

0120

유형 19 수열의 극한의 활용 (1)

| 전략 | 반지름의 길이가 r인 원의 중심과 점 $(-1, 0)$ 사이의 거리가 d일 때, 원 위의 점과 점 $(-1, 0)$ 사이의 최대, 최소 거리는 각각 $d+r, d-r$이다.

자연수 n에 대하여 점 $(3n, 4n)$을 중심으로 하고 x축에 접하는 원 O_n의 반지름의 길이는 $4n$이다.

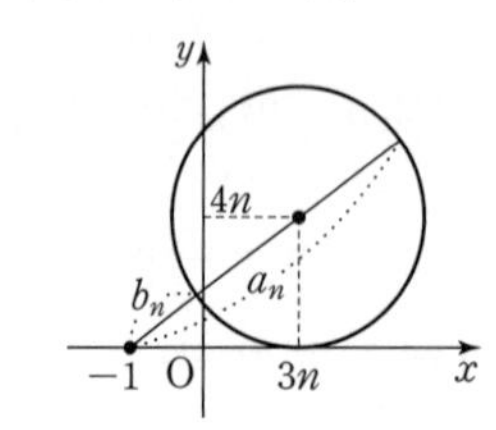

이때, 점 $(3n, 4n)$과 점 $(-1, 0)$ 사이의 거리는

$\sqrt{(3n+1)^2+(4n)^2}=\sqrt{25n^2+6n+1}$

이므로

$a_n=\sqrt{25n^2+6n+1}+4n$

$b_n=\sqrt{25n^2+6n+1}-4n$

$$\therefore \lim_{n\to\infty} \frac{a_n}{b_n}=\lim_{n\to\infty} \frac{\sqrt{25n^2+6n+1}+4n}{\sqrt{25n^2+6n+1}-4n}$$

$$=\lim_{n\to\infty} \frac{\sqrt{25+\frac{6}{n}+\frac{1}{n^2}}+4}{\sqrt{25+\frac{6}{n}+\frac{1}{n^2}}-4}$$

$$=\frac{5+4}{5-4}=9$$

답 ①

Lecture

(1) 좌표축에 접하는 원의 방정식

① 중심의 좌표가 (a, b)이고 x축에 접하는 원의 방정식
⇨ $(x-a)^2+(y-b)^2=b^2$

② 중심의 좌표가 (a, b)이고 y축에 접하는 원의 방정식
⇨ $(x-a)^2+(y-b)^2=a^2$

③ 중심의 좌표가 (a, a)이고 제1사분면에서 x축과 y축에 동시에 접하는 원의 방정식 ⇨ $(x-a)^2+(y-a)^2=a^2$

(2) 원 밖의 한 점과 원 위의 점 사이의 거리

① 최댓값 ⇨ $\overline{PO}+\overline{OB}=d+r$

② 최솟값 ⇨ $\overline{PO}-\overline{AO}=d-r$

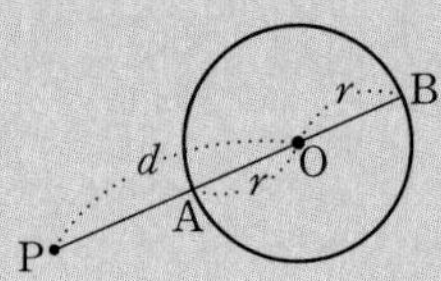

0121

유형 11 일반항 a_n을 포함한 식의 극한값

| 전략 | $a_n-b_n=c_n$으로 놓고 $\lim_{n\to\infty} \frac{c_n}{a_n}=0$임을 이용하여 $\lim_{n\to\infty} \frac{b_n}{a_n}$의 값을 구한다.

$a_n-b_n=c_n$으로 놓으면 $\lim_{n\to\infty} c_n=2$, $\lim_{n\to\infty} a_n=\infty$이므로

$\lim_{n\to\infty} \frac{c_n}{a_n}=0$ … ❶

$\lim_{n\to\infty} \frac{c_n}{a_n}=\lim_{n\to\infty} \frac{a_n-b_n}{a_n}=\lim_{n\to\infty} \left(1-\frac{b_n}{a_n}\right)=0$에서

$\lim_{n\to\infty} \frac{b_n}{a_n}=1$ … ❷

따라서 $\lim_{n\to\infty} \frac{a_n}{b_n}=\lim_{n\to\infty} \frac{1}{\frac{b_n}{a_n}}=1$이므로

$$\lim_{n\to\infty} \left(\frac{a_n^2}{b_n}-\frac{b_n^2}{a_n}\right)=\lim_{n\to\infty} \frac{a_n^3-b_n^3}{a_nb_n}$$

$$=\lim_{n\to\infty} \frac{(a_n-b_n)(a_n^2+a_nb_n+b_n^2)}{a_nb_n}$$

$$=\lim_{n\to\infty} (a_n-b_n)\left(\frac{a_n^2}{a_nb_n}+\frac{a_nb_n}{a_nb_n}+\frac{b_n^2}{a_nb_n}\right)$$

$$=\lim_{n\to\infty} (a_n-b_n)\left(\frac{a_n}{b_n}+1+\frac{b_n}{a_n}\right)$$

$=2\times(1+1+1)=6$ … ❸

답 6

채점 기준	배점
❶ $\lim_{n\to\infty}\frac{c_n}{a_n}$의 값을 구할 수 있다.	1점
❷ $\lim_{n\to\infty}\frac{b_n}{a_n}$의 값을 구할 수 있다.	3점
❸ $\lim_{n\to\infty}\left(\frac{a_n^2}{b_n}-\frac{b_n^2}{a_n}\right)$의 값을 구할 수 있다.	3점

0122

유형 14 등비수열의 극한

|전략| 다항식 $f(x)$를 이차식으로 나누었을 때의 나머지는 일차 이하의 다항식이므로 $R_n(x)=ax+b(a, b$는 상수)로 놓는다.

다항식 $(x+1)^n$을 x^2-x로 나누었을 때의 몫을 $Q(x)$, 나머지를 $R_n(x)=ax+b\,(a, b$는 상수)라 하면

$(x+1)^n=(x^2-x)Q(x)+ax+b$

$=x(x-1)Q(x)+ax+b$ ……㉠ …❶

㉠의 양변에 $x=0$을 대입하면 $1=b$

㉠의 양변에 $x=1$을 대입하면 $2^n=a+b$

$\therefore a=2^n-1$

따라서 $R_n(x)=(2^n-1)x+1$이므로 …❷

$R_n(2)=(2^n-1)\times 2+1=2^{n+1}-1$

$\therefore \lim_{n\to\infty}\frac{2^{n+2}+1}{2^n+R_n(2)}=\lim_{n\to\infty}\frac{2^{n+2}+1}{2^n+2^{n+1}-1}$

$=\lim_{n\to\infty}\frac{4+\frac{1}{2^n}}{1+2-\frac{1}{2^n}}=\frac{4}{3}$ …❸

답 $\frac{4}{3}$

채점 기준	배점
❶ 몫과 나머지를 이용하여 항등식을 세울 수 있다.	2점
❷ $R_n(x)$를 구할 수 있다.	2점
❸ $\lim_{n\to\infty}\frac{2^{n+2}+1}{2^n+R_n(2)}$의 값을 구할 수 있다.	2점

0123

유형 19 수열의 극한의 활용 (1)

|전략| 피타고라스 정리를 이용하여 일반항 a_n을 구한다.

오른쪽 그림과 같이 직원기둥의 옆면의 전개도에서 직사각형의 가로의 길이는 직원기둥의 밑면의 둘레의 길이와 같으므로

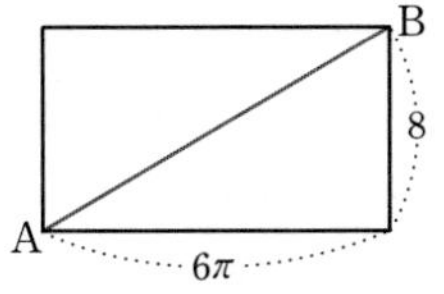

$2\pi\times 3=6\pi$

이때, 옆면을 한 바퀴 돌아 점 B까지 가는 최단 거리는 직사각형의 대각선의 길이와 같으므로

$a_1=\sqrt{(6\pi)^2+8^2}$ …❶

또, 오른쪽 그림과 같이 두 바퀴 돌아 점 B까지 가는 최단 거리는

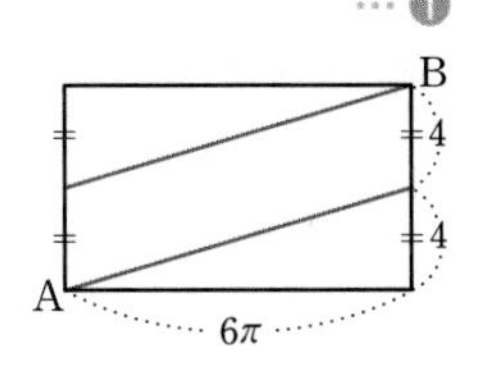

$a_2=2\sqrt{(6\pi)^2+\left(\frac{8}{2}\right)^2}$

이와 같은 방법으로 계속하면

$a_n=n\sqrt{(6\pi)^2+\left(\frac{8}{n}\right)^2}$ …❷

$\therefore \lim_{n\to\infty}\frac{a_n}{n}=\lim_{n\to\infty}\sqrt{(6\pi)^2+\left(\frac{8}{n}\right)^2}=6\pi$ …❸

답 6π

채점 기준	배점
❶ a_1의 값을 구할 수 있다.	2점
❷ 일반항 a_n을 구할 수 있다.	3점
❸ $\lim_{n\to\infty}\frac{a_n}{n}$의 값을 구할 수 있다.	2점

0124

유형 13 수열의 극한의 대소 관계 + 18 귀납적으로 정의된 수열의 극한

|전략| 모든 실수 x에 대하여 이차부등식 $ax^2+bx+c>0$이 항상 성립하려면 $a>0$이고 $b^2-4ac<0$이어야 한다.

(1) 이차부등식 $a_nx^2-2a_{n+1}x+\frac{4}{9}a_n>0\,(a_n>0)$이 항상 성립하려면

이차방정식 $a_nx^2-2a_{n+1}x+\frac{4}{9}a_n=0$이 실근을 갖지 않아야 한다.

이 이차방정식의 판별식을 D라 하면

$\frac{D}{4}=a_{n+1}^2-\frac{4}{9}a_n^2<0$

$\left(a_{n+1}+\frac{2}{3}a_n\right)\left(a_{n+1}-\frac{2}{3}a_n\right)<0$

그런데 $a_{n+1}+\frac{2}{3}a_n>0\,(\because a_n>0)$이므로

$a_{n+1}-\frac{2}{3}a_n<0 \qquad \therefore a_{n+1}<\frac{2}{3}a_n$

(2) (1)의 식의 n에 $1, 2, 3, \cdots, n-1$을 차례로 대입하여 변끼리 곱하면

$a_2<\frac{2}{3}a_1$

$a_3<\frac{2}{3}a_2$

$\vdots$

$\times)\ a_n<\frac{2}{3}a_{n-1}$

$a_n<\left(\frac{2}{3}\right)^{n-1}\times a_1$

$\therefore 0<a_n<\left(\frac{2}{3}\right)^{n-1}\times a_1$

이때, $\lim_{n\to\infty}0=\lim_{n\to\infty}\left(\frac{2}{3}\right)^{n-1}\times a_1=0$이므로

$\lim_{n\to\infty}a_n=0$

(3) $\lim_{n\to\infty}\frac{a_n+3n^2-2}{2a_n+n^2+n}=\lim_{n\to\infty}\frac{\frac{a_n}{n^2}+3-\frac{2}{n^2}}{\frac{2a_n}{n^2}+1+\frac{1}{n}}=3$

답 (1) $a_{n+1}<\frac{2}{3}a_n$ (2) 0 (3) 3

채점 기준	배점
(1) a_n과 a_{n+1} 사이의 관계식을 구할 수 있다.	5점
(2) $\lim_{n\to\infty} a_n$의 값을 구할 수 있다.	5점
(3) $\lim_{n\to\infty} \frac{a_n+3n^2-2}{2a_n+n^2+n}$의 값을 구할 수 있다.	2점

0125

유형 **18 귀납적으로 정의된 수열의 극한**

|전략| $a_{n+1}=pa_n+q$ 꼴은 $a_{n+1}-\alpha=p(a_n-\alpha)$ 꼴로 변형하여 일반항 a_n을 구한다.

(1) $a_n+S_n=2n$ ······㉠

$a_{n+1}+S_{n+1}=2(n+1)$ ······㉡

㉡−㉠을 하면 $a_{n+1}-a_n+a_{n+1}=2$

즉, $a_{n+1}=\frac{1}{2}a_n+1$이므로 $a_{n+1}-2=\frac{1}{2}(a_n-2)$

(2) 수열 $\{a_n-2\}$는 첫째항이 a_1-2, 공비가 $\frac{1}{2}$인 등비수열이므로

$$a_n-2=(a_1-2)\times\left(\frac{1}{2}\right)^{n-1}$$

㉠에 $n=1$을 대입하면 $a_1+S_1=2$

이때, $a_1=S_1$이므로

$2a_1=2$ $\quad\therefore a_1=1$

따라서 $a_n-2=-\left(\frac{1}{2}\right)^{n-1}$에서 $a_n=-\left(\frac{1}{2}\right)^{n-1}+2$

(3) $\lim_{n\to\infty}(2^n-1)(a_n-2)=\lim_{n\to\infty}(2^n-1)\left\{-\left(\frac{1}{2}\right)^{n-1}\right\}$

$$=-\lim_{n\to\infty}\frac{2^n-1}{2^{n-1}}=-\lim_{n\to\infty}\left(2-\frac{1}{2^{n-1}}\right)$$

$$=-2$$

답 (1) $a_{n+1}-2=\frac{1}{2}(a_n-2)$ (2) $a_n=-\left(\frac{1}{2}\right)^{n-1}+2$ (3) -2

채점 기준	배점
(1) 수열 $\{a_n\}$을 $a_{n+1}-\alpha=p(a_n-\alpha)$ 꼴로 변형할 수 있다.	4점
(2) 일반항 a_n을 구할 수 있다.	4점
(3) $\lim_{n\to\infty}(2^n-1)(a_n-2)$의 값을 구할 수 있다.	2점

창의·융합 교과서 속 심화문제

0126

|전략| $\lim_{n\to\infty} a_n=\alpha$($\alpha$는 실수)로 놓고 n이 짝수인 경우와 홀수인 경우 모두 $\lim_{n\to\infty} a_{n+1}=\alpha$임을 이용한다.

수열 $\{a_n\}$이 수렴하므로 $\lim_{n\to\infty} a_n=\alpha$($\alpha$는 실수)라 하면 $\lim_{n\to\infty} a_{n+1}=\alpha$

(i) n이 짝수일 때

$a_{n+1}=\frac{1}{3}a_n+6$에서 $\lim_{n\to\infty} a_{n+1}=\lim_{n\to\infty}\left(\frac{1}{3}a_n+6\right)$

즉, $\alpha=\frac{1}{3}\alpha+6$이므로 $\alpha=9$

(ii) n이 홀수일 때

$a_{n+1}=\frac{p}{a_n+2}-2$에서 $\lim_{n\to\infty} a_{n+1}=\lim_{n\to\infty}\left(\frac{p}{a_n+2}-2\right)$

즉, $\alpha=\frac{p}{\alpha+2}-2$이다.

(ii)의 식에 $\alpha=9$를 대입하면 $9=\frac{p}{9+2}-2$이므로

$p=11^2$ $\quad\therefore p=121$

답 121

0127

|전략| 로그함수는 연속함수이므로 $\lim_{n\to\infty}\log a_n=2$이면 $\lim_{n\to\infty} a_n=100$임을 이용한다.

$\lim_{n\to\infty}\log\frac{an^3+bn^2+5}{2n^2+\sqrt{n^3+3}}=2$에서

$\log\left(\lim_{n\to\infty}\frac{an^3+bn^2+5}{2n^2+\sqrt{n^3+3}}\right)=2$ $\quad\therefore \lim_{n\to\infty}\frac{an^3+bn^2+5}{2n^2+\sqrt{n^3+3}}=100$

이때, $a\neq0$이면 $\lim_{n\to\infty}\frac{an^3+bn^2+5}{2n^2+\sqrt{n^3+3}}=\infty$ (또는 $-\infty$)이므로 $a=0$

따라서

$$\lim_{n\to\infty}\frac{an^3+bn^2+5}{2n^2+\sqrt{n^3+3}}=\lim_{n\to\infty}\frac{b+\frac{5}{n^2}}{2+\sqrt{\frac{1}{n}+\frac{3}{n^4}}}=\frac{b}{2}=100$$

이므로 $b=200$

$\therefore a+b=0+200=200$

답 200

0128

|전략| 이차방정식의 근과 계수의 관계를 이용한다.

곡선 $y=x^2$과 직선 $y=ax+n$의 교점의 x좌표를 α_n, β_n($\alpha_n<\beta_n$)이라 하면 교점의 좌표는

$(\alpha_n, a\times\alpha_n+n)$, $(\beta_n, a\times\beta_n+n)$

$\therefore l_n^2=(\beta_n-\alpha_n)^2+\{(a\times\beta_n+n)-(a\times\alpha_n+n)\}^2$

$=(\beta_n-\alpha_n)^2+a^2(\beta_n-\alpha_n)^2$

$=(a^2+1)(\beta_n-\alpha_n)^2$ ······㉠

α_n, β_n은 이차방정식 $x^2-ax-n=0$의 두 근이므로

$\alpha_n+\beta_n=a$, $\alpha_n\beta_n=-n$ ······㉡

㉠에 ㉡을 대입하면

$l_n^2=(a^2+1)(\beta_n-\alpha_n)^2$

$=(a^2+1)\{(\alpha_n+\beta_n)^2-4\alpha_n\beta_n\}$

$=(a^2+1)(a^2+4n)$

$\therefore \lim_{n\to\infty}\frac{l_n^2}{n}=\lim_{n\to\infty}\frac{a^2(a^2+1)+4(a^2+1)n}{n}$

$=4(a^2+1)$

이때, $\lim_{n\to\infty}\frac{l_n^2}{n}=20$이므로

$4(a^2+1)=20 \qquad \therefore a=2\ (\because a>0)$ 답 ④

0129

|전략| n년 차 연말에 남아 있는 와인의 양 a_n과 $(n+1)$년 차 연말에 남아 있는 와인의 양 a_{n+1} 사이의 관계식을 구한다.

$a_{n+1}=(1-0.4)a_n+200=\frac{3}{5}a_n+200$에서

$a_{n+1}-500=\frac{3}{5}(a_n-500)$

수열 $\{a_n-500\}$은 첫째항이 $a_1-500=800-500=300$, 공비가 $\frac{3}{5}$인 등비수열이므로

$a_n-500=300\times\left(\frac{3}{5}\right)^{n-1}$

$\therefore a_n=500+300\times\left(\frac{3}{5}\right)^{n-1}$

$\therefore \lim_{n\to\infty}a_n=\lim_{n\to\infty}\left\{500+300\times\left(\frac{3}{5}\right)^{n-1}\right\}=500$ 답 500

0130

|전략| 내분점의 공식을 이용하여 주어진 규칙을 수식으로 변형한 후 x_{n-1}과 x_n 사이의 규칙을 찾는다.

(가)에서 $x_1=2$이고 (나)에서 주어진 규칙에 따라 x_n은 점 $\mathrm{P}_{n-1}(x_{n-1})$과 점 $\mathrm{P}(4)$를 $1:n$으로 내분하는 점 P_n의 좌표이므로

$x_n=\frac{n\times x_{n-1}+4}{n+1}$

$=\frac{n}{n+1}x_{n-1}+\frac{4}{n+1}\ (n=2, 3, 4, \cdots)$

$\therefore x_n-4=\frac{n}{n+1}(x_{n-1}-4)\ (n=2, 3, 4, \cdots)$

이때, $x_n-4=y_n(n=2, 3, 4, \cdots)$이라 하면

$y_n=\frac{n}{n+1}y_{n-1}$이고 $y_{n-1}=\frac{n-1}{n}y_{n-2}$이므로

$y_n=\frac{n}{n+1}\times\frac{n-1}{n}\times\frac{n-2}{n-1}\times\cdots\times\frac{2}{3}\times y_1$

$=\frac{2}{n+1}(x_1-4)=-\frac{4}{n+1}\ (\because x_1=2)$

$y_n=x_n-4=-\frac{4}{n+1}$이므로 $x_n=4-\frac{4}{n+1}$

$\therefore \lim_{n\to\infty}x_n=\lim_{n\to\infty}\left(4-\frac{4}{n+1}\right)=4$ 답 ④

본책 28~41쪽

2 | 급수

STEP 1 개념 마스터

0131

$\sum_{n=1}^{\infty}a_n=\lim_{n\to\infty}S_n=\lim_{n\to\infty}\frac{n+2}{2n+1}=\frac{1}{2}$ 답 $\frac{1}{2}$

0132

$\sum_{n=1}^{\infty}a_n=\lim_{n\to\infty}S_n=\lim_{n\to\infty}\left\{1-\left(\frac{1}{2}\right)^n\right\}=1$ 답 1

0133

$\sum_{n=1}^{\infty}a_n=\lim_{n\to\infty}S_n=\lim_{n\to\infty}\frac{10-n^2}{n(n-3)}=\lim_{n\to\infty}\frac{-n^2+10}{n^2-3n}=-1$

답 -1

0134

$\sum_{n=1}^{\infty}a_n=\lim_{n\to\infty}S_n=\lim_{n\to\infty}(-3)^n\left(\frac{1}{5}\right)^n=\lim_{n\to\infty}\left(-\frac{3}{5}\right)^n=0$ 답 0

0135

주어진 급수는 첫째항이 2, 공차가 3인 등차수열의 합이므로 제n항까지의 부분합을 S_n이라 하면

$S_n=\frac{n\{2\times2+(n-1)\times3\}}{2}=\frac{3n^2+n}{2}$

$\therefore \lim_{n\to\infty}S_n=\lim_{n\to\infty}\frac{3n^2+n}{2}=\infty$

따라서 주어진 급수는 발산한다. 답 발산

0136

주어진 급수는 첫째항이 1, 공비가 $\frac{1}{3}$인 등비수열의 합이므로 제n항까지의 부분합을 S_n이라 하면

$S_n=\frac{1\times\left\{1-\left(\frac{1}{3}\right)^n\right\}}{1-\frac{1}{3}}=\frac{3}{2}\left\{1-\left(\frac{1}{3}\right)^n\right\}$

$\therefore \lim_{n\to\infty}S_n=\lim_{n\to\infty}\frac{3}{2}\left\{1-\left(\frac{1}{3}\right)^n\right\}=\frac{3}{2}$

따라서 주어진 급수는 수렴하고, 그 합은 $\frac{3}{2}$이다. 답 수렴, $\frac{3}{2}$

0137

주어진 급수의 제n항까지의 부분합을 S_n이라 하면

$S_1=2, S_2=0, S_3=2, S_4=0, \cdots$

따라서 수열 $\{S_n\}$이 진동하므로 주어진 급수는 발산한다. 답 발산

0138

제n항까지의 부분합을 S_n이라 하면

$$S_n=\sum_{k=1}^{n}\frac{1}{k(k+1)}=\sum_{k=1}^{n}\left(\frac{1}{k}-\frac{1}{k+1}\right)$$
$$=\left(1-\frac{1}{2}\right)+\left(\frac{1}{2}-\frac{1}{3}\right)+\left(\frac{1}{3}-\frac{1}{4}\right)+\cdots+\left(\frac{1}{n}-\frac{1}{n+1}\right)$$
$$=1-\frac{1}{n+1}$$

$\therefore \lim_{n\to\infty}S_n=\lim_{n\to\infty}\left(1-\frac{1}{n+1}\right)=1$

따라서 주어진 급수는 수렴하고, 그 합은 1이다. 답 수렴, 1

0139

제n항까지의 부분합을 S_n이라 하면

$$S_n=\sum_{k=1}^{n}\left(\frac{k}{k+1}-\frac{k+1}{k+2}\right)$$
$$=\left(\frac{1}{2}-\frac{2}{3}\right)+\left(\frac{2}{3}-\frac{3}{4}\right)+\left(\frac{3}{4}-\frac{4}{5}\right)+\cdots+\left(\frac{n}{n+1}-\frac{n+1}{n+2}\right)$$
$$=\frac{1}{2}-\frac{n+1}{n+2}$$

$\therefore \lim_{n\to\infty}S_n=\lim_{n\to\infty}\left(\frac{1}{2}-\frac{n+1}{n+2}\right)=\frac{1}{2}-1=-\frac{1}{2}$

따라서 주어진 급수는 수렴하고, 그 합은 $-\frac{1}{2}$이다. 답 수렴, $-\frac{1}{2}$

0140

제n항까지의 부분합을 S_n이라 하면

$$S_n=\sum_{k=1}^{n}\log\frac{k+1}{k}$$
$$=\log 2+\log\frac{3}{2}+\log\frac{4}{3}+\cdots+\log\frac{n+1}{n}$$
$$=\log\left(2\times\frac{3}{2}\times\frac{4}{3}\times\cdots\times\frac{n+1}{n}\right)=\log(n+1)$$

$\therefore \lim_{n\to\infty}S_n=\lim_{n\to\infty}\log(n+1)=\infty$

따라서 주어진 급수는 발산한다. 답 발산

0141

제n항까지의 부분합을 S_n이라 하면

$$S_n=\sum_{k=1}^{n}(\sqrt{k+1}-\sqrt{k})$$
$$=(\sqrt{2}-\sqrt{1})+(\sqrt{3}-\sqrt{2})+(\sqrt{4}-\sqrt{3})+\cdots+(\sqrt{n+1}-\sqrt{n})$$
$$=\sqrt{n+1}-1$$

$\therefore \lim_{n\to\infty}S_n=\lim_{n\to\infty}(\sqrt{n+1}-1)=\infty$

따라서 주어진 급수는 발산한다. 답 발산

0142

제n항까지의 부분합을 S_n이라 하면

$$S_n=\sum_{k=1}^{n}\left(\frac{1}{\sqrt{k}}-\frac{1}{\sqrt{k+1}}\right)$$
$$=\left(\frac{1}{\sqrt{1}}-\frac{1}{\sqrt{2}}\right)+\left(\frac{1}{\sqrt{2}}-\frac{1}{\sqrt{3}}\right)+\left(\frac{1}{\sqrt{3}}-\frac{1}{\sqrt{4}}\right)+\cdots+\left(\frac{1}{\sqrt{n}}-\frac{1}{\sqrt{n+1}}\right)$$
$$=1-\frac{1}{\sqrt{n+1}}$$

$\therefore \lim_{n\to\infty}S_n=\lim_{n\to\infty}\left(1-\frac{1}{\sqrt{n+1}}\right)=1$

따라서 주어진 급수는 수렴하고, 그 합은 1이다. 답 수렴, 1

0143

주어진 급수는 첫째항이 2, 공차가 2인 등차수열의 합이므로 제n항을 a_n이라 하면

$a_n=2+(n-1)\times2=2n$

$\therefore \lim_{n\to\infty}a_n=\lim_{n\to\infty}2n=\infty\neq0$

따라서 주어진 급수는 발산한다. 답 풀이 참조

0144

주어진 급수는 첫째항이 -2, 공차가 3인 등차수열의 합이므로 제n항을 a_n이라 하면

$a_n=-2+(n-1)\times3=3n-5$

$\therefore \lim_{n\to\infty}a_n=\lim_{n\to\infty}(3n-5)=\infty\neq0$

따라서 주어진 급수는 발산한다. 답 풀이 참조

0145

주어진 급수는 첫째항이 5, 공비가 1인 등비수열의 합이므로 제n항을 a_n이라 하면 $a_n=5$

$\therefore \lim_{n\to\infty}a_n=5\neq0$

따라서 주어진 급수는 발산한다. 답 풀이 참조

0146

주어진 급수는 첫째항이 $\frac{7}{\sqrt{3}}$, 공차가 $-\frac{2}{\sqrt{3}}$인 등차수열의 합이므로 제n항을 a_n이라 하면

$a_n=\frac{7}{\sqrt{3}}+(n-1)\times\left(-\frac{2}{\sqrt{3}}\right)=-\frac{2}{\sqrt{3}}n+3\sqrt{3}$

$\therefore \lim_{n\to\infty}a_n=\lim_{n\to\infty}\left(-\frac{2}{\sqrt{3}}n+3\sqrt{3}\right)=-\infty\neq0$

따라서 주어진 급수는 발산한다. 답 풀이 참조

0147

제n항을 a_n이라 하면 $a_n=\frac{n^2}{n(n+2)}$

$\lim_{n\to\infty}a_n=\lim_{n\to\infty}\frac{n^2}{n(n+2)}=\lim_{n\to\infty}\frac{n^2}{n^2+2n}=1\neq0$

따라서 주어진 급수는 발산한다. 답 풀이 참조

0148

제n항을 a_n이라 하면 $a_n=\sqrt{n^2+2n}-n$

$$\lim_{n\to\infty} a_n=\lim_{n\to\infty}(\sqrt{n^2+2n}-n)$$
$$=\lim_{n\to\infty}\frac{(\sqrt{n^2+2n}-n)(\sqrt{n^2+2n}+n)}{\sqrt{n^2+2n}+n}$$
$$=\lim_{n\to\infty}\frac{2n}{\sqrt{n^2+2n}+n}=\lim_{n\to\infty}\frac{2}{\sqrt{1+\frac{2}{n}}+1}$$
$$=\frac{2}{1+1}=1\neq0$$

따라서 주어진 급수는 발산한다.

답 풀이 참조

0149

제n항을 a_n이라 하면 $a_n=\log_2\frac{n}{2n-1}$

$$\lim_{n\to\infty} a_n=\lim_{n\to\infty}\log_2\frac{n}{2n-1}=\log_2\left(\lim_{n\to\infty}\frac{n}{2n-1}\right)$$
$$=\log_2\frac{1}{2}=-1\neq0$$

따라서 주어진 급수는 발산한다.

답 풀이 참조

0150

제n항을 a_n이라 하면 $a_n=\frac{3^{n+1}+1}{3^n+2^n}$

$$\lim_{n\to\infty} a_n=\lim_{n\to\infty}\frac{3^{n+1}+1}{3^n+2^n}=\lim_{n\to\infty}\frac{3+\left(\frac{1}{3}\right)^n}{1+\left(\frac{2}{3}\right)^n}=3\neq0$$

따라서 주어진 급수는 발산한다.

답 풀이 참조

0151

(1) $\sum_{n=1}^{\infty}(a_n+2b_n)=\sum_{n=1}^{\infty}a_n+2\sum_{n=1}^{\infty}b_n=2+2\times3=8$

(2) $\sum_{n=1}^{\infty}\left(\frac{a_n}{2}-4b_n\right)=\frac{1}{2}\sum_{n=1}^{\infty}a_n-4\sum_{n=1}^{\infty}b_n=\frac{1}{2}\times2-4\times3=-11$

답 (1) 8 (2) -11

0152

첫째항이 1, 공비가 $\frac{1}{4}$이고, $-1<\frac{1}{4}<1$이므로 주어진 등비급수는 수렴한다.

따라서 그 합은 $\frac{1}{1-\frac{1}{4}}=\frac{1}{\frac{3}{4}}=\frac{4}{3}$

답 수렴, $\frac{4}{3}$

0153

공비가 $-\sqrt{2}$이고, $-\sqrt{2}<-1$이므로 주어진 등비급수는 발산한다.

답 발산

0154

공비가 $-\frac{3}{2}$이고, $-\frac{3}{2}<-1$이므로 주어진 등비급수는 발산한다.

답 발산

0155

$\sum_{n=1}^{\infty}\left(-\frac{2}{3}\right)^{n-1}$에서 첫째항이 1, 공비가 $-\frac{2}{3}$이고, $-1<-\frac{2}{3}<1$이므로 주어진 등비급수는 수렴한다.

따라서 그 합은 $\frac{1}{1-\left(-\frac{2}{3}\right)}=\frac{1}{\frac{5}{3}}=\frac{3}{5}$

답 수렴, $\frac{3}{5}$

0156

$\sum_{n=1}^{\infty}3\times\left(\frac{1}{2}\right)^{n-1}$에서 첫째항이 3, 공비가 $\frac{1}{2}$이고, $-1<\frac{1}{2}<1$이므로 주어진 등비급수는 수렴한다.

따라서 그 합은 $\frac{3}{1-\frac{1}{2}}=\frac{3}{\frac{1}{2}}=6$

답 수렴, 6

0157

$$\sum_{n=1}^{\infty}\left\{\left(\frac{1}{3}\right)^n+\left(\frac{1}{5}\right)^n\right\}=\sum_{n=1}^{\infty}\left(\frac{1}{3}\right)^n+\sum_{n=1}^{\infty}\left(\frac{1}{5}\right)^n$$
$$=\frac{\frac{1}{3}}{1-\frac{1}{3}}+\frac{\frac{1}{5}}{1-\frac{1}{5}}$$
$$=\frac{1}{2}+\frac{1}{4}=\frac{3}{4}$$

답 $\frac{3}{4}$

0158

$$\sum_{n=1}^{\infty}\left(\frac{3}{2^n}-\frac{5}{4^n}\right)=3\sum_{n=1}^{\infty}\left(\frac{1}{2}\right)^n-5\sum_{n=1}^{\infty}\left(\frac{1}{4}\right)^n$$
$$=3\times\frac{\frac{1}{2}}{1-\frac{1}{2}}-5\times\frac{\frac{1}{4}}{1-\frac{1}{4}}$$
$$=3\times1-5\times\frac{1}{3}=\frac{4}{3}$$

답 $\frac{4}{3}$

0159

$$\sum_{n=1}^{\infty}\frac{2^n-3^n}{4^n}=\sum_{n=1}^{\infty}\left(\frac{1}{2}\right)^n-\sum_{n=1}^{\infty}\left(\frac{3}{4}\right)^n$$
$$=\frac{\frac{1}{2}}{1-\frac{1}{2}}-\frac{\frac{3}{4}}{1-\frac{3}{4}}$$
$$=1-3=-2$$

답 -2

0160

$$\sum_{n=1}^{\infty}\left(\frac{3}{2^n}+\frac{4^n}{5^{n-1}}\right)=3\sum_{n=1}^{\infty}\left(\frac{1}{2}\right)^n+4\sum_{n=1}^{\infty}\left(\frac{4}{5}\right)^{n-1}$$
$$=3\times\frac{\frac{1}{2}}{1-\frac{1}{2}}+4\times\frac{1}{1-\frac{4}{5}}$$
$$=3\times1+4\times5=23$$

답 23

0161

$\sum_{n=1}^{\infty}(1-\sqrt{2})^{n-1}=\frac{1}{1-(1-\sqrt{2})}=\frac{1}{\sqrt{2}}=\frac{\sqrt{2}}{2}$ 답 $\frac{\sqrt{2}}{2}$

0162

$$\sum_{n=1}^{\infty}\frac{2^{n+1}}{3^n}\sin\frac{(2n-1)\pi}{2}$$
$$=2\sum_{n=1}^{\infty}\left(\frac{2}{3}\right)^n\sin\frac{(2n-1)\pi}{2}$$
$$=2\left\{\frac{2}{3}\sin\frac{\pi}{2}+\left(\frac{2}{3}\right)^2\sin\frac{3\pi}{2}+\left(\frac{2}{3}\right)^3\sin\frac{5\pi}{2}+\cdots\right\}$$
$$=2\left\{\frac{2}{3}-\left(\frac{2}{3}\right)^2+\left(\frac{2}{3}\right)^3-\left(\frac{2}{3}\right)^4+\cdots\right\}$$
$$=2\left\{\frac{2}{3}+\frac{2}{3}\times\left(-\frac{2}{3}\right)+\frac{2}{3}\times\left(-\frac{2}{3}\right)^2+\cdots\right\}$$
$$=2\times\frac{\frac{2}{3}}{1-\left(-\frac{2}{3}\right)}=2\times\frac{2}{5}=\frac{4}{5}$$
답 $\frac{4}{5}$

0163

공비가 $2x$이므로 주어진 등비급수가 수렴하려면

$-1<2x<1$ $\quad\therefore -\frac{1}{2}<x<\frac{1}{2}$ 답 $-\frac{1}{2}<x<\frac{1}{2}$

0164

공비가 $4x-1$이므로 주어진 등비급수가 수렴하려면

$-1<4x-1<1$, $0<4x<2$ $\quad\therefore 0<x<\frac{1}{2}$ 답 $0<x<\frac{1}{2}$

0165

공비가 $-\frac{x}{2}$이므로 주어진 등비급수가 수렴하려면

$-1<-\frac{x}{2}<1$ $\quad\therefore -2<x<2$ 답 $-2<x<2$

0166

$0.\dot{1}0\dot{2}=\underline{0.102+0.000102+0.000000102+\cdots}$ ← 첫째항이 0.102, 공비가 0.001인 등비급수

$=\frac{0.102}{1-0.001}=\frac{0.102}{0.999}$

$=\frac{102}{999}=\frac{34}{333}$ 답 $\frac{34}{333}$

Lecture

순환소수를 분수로 나타내는 방법

(1) $0.\dot{a}b\dot{c}=\frac{abc}{999}$ (2) $0.a\dot{b}\dot{c}=\frac{abc-a}{990}$ (3) $0.ab\dot{c}=\frac{abc-ab}{900}$

0167

$0.2\dot{8}=0.2+\underline{0.08+0.008+0.0008+\cdots}$ ← 첫째항이 0.08, 공비가 0.1인 등비급수

$=0.2+\frac{0.08}{1-0.1}=0.2+\frac{0.08}{0.9}$

$=\frac{2}{10}+\frac{8}{90}=\frac{26}{90}=\frac{13}{45}$ 답 $\frac{13}{45}$

0168

$1.\dot{2}\dot{5}=1+\underline{0.25+0.0025+0.000025+\cdots}$ ← 첫째항이 0.25, 공비가 0.01인 등비급수

$=1+\frac{0.25}{1-0.01}=1+\frac{0.25}{0.99}$

$=1+\frac{25}{99}=\frac{124}{99}$ 답 $\frac{124}{99}$

STEP 2 유형 마스터

0169

|전략| 주어진 급수의 제n항을 찾은 후 $\frac{1}{AB}=\frac{1}{B-A}\left(\frac{1}{A}-\frac{1}{B}\right)$임을 이용하여 부분합을 구한다.

주어진 급수의 제n항을 a_n이라 하면

$a_n=\frac{1}{1+2+3+\cdots+n}=\frac{2}{n(n+1)}$

이때, 제n항까지의 부분합을 S_n이라 하면

$$S_n=\sum_{k=1}^{n}\frac{2}{k(k+1)}$$
$$=\sum_{k=1}^{n}2\left(\frac{1}{k}-\frac{1}{k+1}\right)$$
$$=2\left\{\left(1-\frac{1}{2}\right)+\left(\frac{1}{2}-\frac{1}{3}\right)+\cdots+\left(\frac{1}{n}-\frac{1}{n+1}\right)\right\}$$
$$=2\left(1-\frac{1}{n+1}\right)$$

$\therefore \lim_{n\to\infty}S_n=\lim_{n\to\infty}2\left(1-\frac{1}{n+1}\right)=2$ 답 ④

0170

주어진 급수의 제n항을 a_n이라 하면

$a_n=\frac{1}{(2n)^2-1}=\frac{1}{(2n-1)(2n+1)}$

이때, 제n항까지의 부분합을 S_n이라 하면

$$S_n=\sum_{k=1}^{n}\frac{1}{(2k-1)(2k+1)}$$
$$=\frac{1}{2}\sum_{k=1}^{n}\left(\frac{1}{2k-1}-\frac{1}{2k+1}\right)$$
$$=\frac{1}{2}\left\{\left(1-\frac{1}{3}\right)+\left(\frac{1}{3}-\frac{1}{5}\right)+\cdots+\left(\frac{1}{2n-1}-\frac{1}{2n+1}\right)\right\}$$
$$=\frac{1}{2}\left(1-\frac{1}{2n+1}\right)$$

$\therefore \lim_{n\to\infty}S_n=\lim_{n\to\infty}\frac{1}{2}\left(1-\frac{1}{2n+1}\right)=\frac{1}{2}$ 답 ①

0171

이차방정식의 근과 계수의 관계에 의하여

$\alpha_n+\beta_n=2n-1$, $\alpha_n\beta_n=n^2$이므로

$$(\alpha_n+1)(\beta_n+1)=\alpha_n\beta_n+(\alpha_n+\beta_n)+1$$
$$=n^2+(2n-1)+1$$
$$=n^2+2n=n(n+2)$$

$$\therefore \sum_{n=1}^{\infty} \frac{1}{(\alpha_n+1)(\beta_n+1)}$$
$$= \lim_{n\to\infty} \sum_{k=1}^{n} \frac{1}{k(k+2)}$$
$$= \lim_{n\to\infty} \sum_{k=1}^{n} \frac{1}{2}\left(\frac{1}{k}-\frac{1}{k+2}\right)$$
$$= \lim_{n\to\infty} \frac{1}{2}\left\{\left(1-\frac{1}{3}\right)+\left(\frac{1}{2}-\frac{1}{4}\right)+\left(\frac{1}{3}-\frac{1}{5}\right) + \cdots + \left(\frac{1}{n-1}-\frac{1}{n+1}\right)+\left(\frac{1}{n}-\frac{1}{n+2}\right)\right\}$$
$$= \lim_{n\to\infty} \frac{1}{2}\left(1+\frac{1}{2}-\frac{1}{n+1}-\frac{1}{n+2}\right)$$
$$=\frac{1}{2}\times\frac{3}{2}=\frac{3}{4}$$

답 $\frac{3}{4}$

0172

|전략| 로그의 진수 부분을 인수분해한 후 $\log a+\log b=\log ab$임을 이용한다.

$$\sum_{n=2}^{\infty} \log \frac{n^2}{n^2-1}$$
$$= \lim_{n\to\infty} \sum_{k=2}^{n} \log \frac{k\times k}{(k-1)(k+1)}$$
$$= \lim_{n\to\infty} \left\{\log \frac{2\times2}{1\times3}+\log \frac{3\times3}{2\times4}+\log \frac{4\times4}{3\times5} + \cdots +\log \frac{n\times n}{(n-1)(n+1)}\right\}$$
$$= \lim_{n\to\infty} \log \left\{\frac{2\times2}{1\times3}\times\frac{3\times3}{2\times4}\times\frac{4\times4}{3\times5}\times\cdots\times\frac{n\times n}{(n-1)(n+1)}\right\}$$
$$= \lim_{n\to\infty} \log \frac{2n}{n+1}=\log 2$$

답 ②

0173

$$\sum_{k=1}^{n} \log_3 a_k=\log_3 a_1+\log_3 a_2+\log_3 a_3+ \cdots +\log_3 a_n$$
$$=\log_3 (a_1a_2a_3\cdots a_n)$$
$$=\log_3 \frac{6n-1}{2n+1}$$
$$\therefore \sum_{n=1}^{\infty} \log_3 a_n= \lim_{n\to\infty} \sum_{k=1}^{n} \log_3 a_k$$
$$= \lim_{n\to\infty} \log_3 \frac{6n-1}{2n+1}$$
$$=\log_3 3=1$$

답 1

0174

주어진 급수의 제n항을 a_n이라 하면

$$a_n=\log_2 \left\{1-\frac{1}{(n+1)^2}\right\}$$
$$=\log_2 \left\{\left(1-\frac{1}{n+1}\right)\left(1+\frac{1}{n+1}\right)\right\}$$
$$=\log_2 \left(\frac{n}{n+1}\times\frac{n+2}{n+1}\right) \quad \cdots ❶$$

이때, 제n항까지의 부분합을 S_n이라 하면

$$S_n=\sum_{k=1}^{n} \log_2 \left(\frac{k}{k+1}\times\frac{k+2}{k+1}\right)$$
$$=\log_2 \left(\frac{1}{2}\times\frac{3}{2}\right)+\log_2 \left(\frac{2}{3}\times\frac{4}{3}\right)+\log_2 \left(\frac{3}{4}\times\frac{5}{4}\right) + \cdots +\log_2 \left(\frac{n}{n+1}\times\frac{n+2}{n+1}\right)$$
$$=\log_2 \left(\frac{1}{2}\times\frac{3}{2}\times\frac{2}{3}\times\frac{4}{3}\times\frac{3}{4}\times\frac{5}{4}\times\cdots\times\frac{n}{n+1}\times\frac{n+2}{n+1}\right)$$
$$=\log_2 \frac{n+2}{2(n+1)} \quad \cdots ❷$$
$$\therefore \lim_{n\to\infty} S_n= \lim_{n\to\infty} \log_2 \frac{n+2}{2(n+1)}=\log_2 \frac{1}{2}=-1 \quad \cdots ❸$$

답 -1

채점 기준	비율
❶ 주어진 급수의 제n항을 찾을 수 있다.	30 %
❷ 부분합 S_n을 구할 수 있다.	50 %
❸ $\lim_{n\to\infty} S_n$의 값을 구할 수 있다.	20 %

0175

|전략| S_{2n-1}의 마지막 항은 $\frac{n-1}{2n-1}$, S_{2n}의 마지막 항은 $-\frac{n}{2n+1}$임을 이용한다.

$$S_{2n-1}=1-\frac{1}{3}+\frac{1}{3}-\frac{2}{5}+\frac{2}{5}- \cdots -\frac{n-1}{2n-1}+\frac{n-1}{2n-1}=1$$
$$S_{2n}=1-\frac{1}{3}+\frac{1}{3}-\frac{2}{5}+\frac{2}{5}- \cdots +\frac{n-1}{2n-1}-\frac{n}{2n+1}$$
$$=1-\frac{n}{2n+1}$$
$$\therefore \lim_{n\to\infty} S_{2n-1}=1,\ \lim_{n\to\infty} S_{2n}= \lim_{n\to\infty} \left(1-\frac{n}{2n+1}\right)=1-\frac{1}{2}=\frac{1}{2}$$
$$\therefore \lim_{n\to\infty} S_{2n-1}+ \lim_{n\to\infty} S_{2n}=1+\frac{1}{2}=\frac{3}{2}$$

답 ③

참고 $\lim_{n\to\infty} S_{2n-1}\neq \lim_{n\to\infty} S_{2n}$이므로 주어진 급수는 발산한다.

0176

주어진 급수의 제n항까지의 부분합을 S_n이라 하면

$$S_{2n-1}=2-\frac{3}{2}+\frac{3}{2}-\frac{4}{3}+\frac{4}{3}- \cdots -\frac{n+1}{n}+\frac{n+1}{n}=2$$
$$S_{2n}=2-\frac{3}{2}+\frac{3}{2}-\frac{4}{3}+\frac{4}{3}- \cdots +\frac{n+1}{n}-\frac{n+2}{n+1}$$
$$=2-\frac{n+2}{n+1}$$
$$\therefore \lim_{n\to\infty} S_{2n-1}=2,\ \lim_{n\to\infty} S_{2n}= \lim_{n\to\infty} \left(2-\frac{n+2}{n+1}\right)=2-1=1$$

따라서 $\lim_{n\to\infty} S_{2n-1}\neq \lim_{n\to\infty} S_{2n}$이므로 주어진 급수는 발산한다.

답 발산

0177

주어진 급수의 제n항까지의 부분합을 S_n이라 하면

ㄱ. $S_{2n-1}=1+(-1+1)+(-1+1)+\cdots+(-1+1)=1$

$S_{2n}=(1-1)+(1-1)+\cdots+(1-1)=0$

$\therefore \lim_{n\to\infty} S_{2n-1}=1,\ \lim_{n\to\infty} S_{2n}=0$

따라서 $\lim_{n\to\infty} S_{2n-1}\neq \lim_{n\to\infty} S_{2n}$이므로 주어진 급수는 발산한다.

ㄴ. $S_n=1-0-0-0-\cdots-0=1$이므로 $\lim_{n\to\infty} S_n=1$

따라서 주어진 급수는 1에 수렴한다.

ㄷ. $S_{2n-1}=1-\frac{1}{3}+\frac{1}{3}-\frac{1}{5}+\frac{1}{5}-\cdots-\frac{1}{2n-1}+\frac{1}{2n-1}=1$

$S_{2n}=1-\frac{1}{3}+\frac{1}{3}-\frac{1}{5}+\frac{1}{5}-\cdots+\frac{1}{2n-1}-\frac{1}{2n+1}$

$=1-\frac{1}{2n+1}$

$\therefore \lim_{n\to\infty} S_{2n-1}=1,\ \lim_{n\to\infty} S_{2n}=\lim_{n\to\infty}\left(1-\frac{1}{2n+1}\right)=1$

따라서 주어진 급수는 1에 수렴한다.

따라서 수렴하는 것은 ㄴ, ㄷ 이다. 답 ⑤

0178

|전략| $\sum_{n=1}^{\infty} a_n$이 수렴하면 $\lim_{n\to\infty} a_n=0$임을 이용한다.

$(a_1-1)+\left(\frac{a_2}{2}-1\right)+\left(\frac{a_3}{3}-1\right)+\cdots+\left(\frac{a_n}{n}-1\right)+\cdots$

$=\sum_{n=1}^{\infty}\left(\frac{a_n}{n}-1\right)$

이때, 이 급수가 수렴하므로

$\lim_{n\to\infty}\left(\frac{a_n}{n}-1\right)=0 \qquad \therefore \lim_{n\to\infty}\frac{a_n}{n}=1$

$\therefore \lim_{n\to\infty}\frac{3n-4a_n}{2n-a_n}=\lim_{n\to\infty}\frac{3-4\times\frac{a_n}{n}}{2-\frac{a_n}{n}}$

$=\frac{3-4\times 1}{2-1}=-1$ 답 -1

0179

급수 $\sum_{n=1}^{\infty}\frac{a_n}{n}$이 수렴하므로 $\lim_{n\to\infty}\frac{a_n}{n}=0$

$\therefore \lim_{n\to\infty}\frac{{a_n}^2-n^2}{na_n+n^2-n}=\lim_{n\to\infty}\frac{\frac{{a_n}^2}{n^2}-1}{\frac{a_n}{n}+1-\frac{1}{n}}$

$=\frac{0-1}{0+1-0}=-1$ 답 ②

0180

급수 $\sum_{n=1}^{\infty} a_n$이 수렴하므로 $\lim_{n\to\infty} a_n=0$

또, $\lim_{n\to\infty} S_n=\sum_{n=1}^{\infty} a_n=\frac{4}{3}$이므로

$\lim_{n\to\infty}\frac{5a_n+6S_n+4}{2a_n+3S_n-5}=\frac{5\times 0+6\times\frac{4}{3}+4}{2\times 0+3\times\frac{4}{3}-5}=-12$ 답 ④

0181

급수 $\sum_{n=1}^{\infty}\frac{n^2a_n-2n}{2n+1}$이 수렴하므로 $\lim_{n\to\infty}\frac{n^2a_n-2n}{2n+1}=0$ … ❶

$\frac{n^2a_n-2n}{2n+1}=b_n$으로 놓으면

$n^2a_n-2n=(2n+1)b_n,\ n^2a_n=(2n+1)b_n+2n$

$\therefore a_n=\frac{(2n+1)b_n+2n}{n^2}$

$\therefore 2na_n=2n\times\frac{(2n+1)b_n+2n}{n^2}$

$=\frac{2(2n+1)b_n+4n}{n}$ … ❷

이때, $\lim_{n\to\infty} b_n=0$이므로

$\lim_{n\to\infty} 2na_n=\lim_{n\to\infty}\frac{2(2n+1)b_n+4n}{n}$

$=\lim_{n\to\infty}\left\{\frac{2(2n+1)}{n}\times b_n+4\right\}$

$=4\times 0+4=4$ … ❸

답 4

채점 기준	비율
❶ $\lim_{n\to\infty}\frac{n^2a_n-2n}{2n+1}=0$임을 알 수 있다.	30 %
❷ $\frac{n^2a_n-2n}{2n+1}=b_n$으로 놓고 $2na_n$을 b_n과 n을 사용하여 나타낼 수 있다.	50 %
❸ $\lim_{n\to\infty} 2na_n$의 값을 구할 수 있다.	20 %

0182

ㄱ. $\sum_{n=1}^{\infty}\frac{3}{2^{n+1}}=\lim_{n\to\infty}\sum_{k=1}^{n}\frac{3}{2^{k+1}}$

$=\lim_{n\to\infty}\frac{\frac{3}{4}\left\{1-\left(\frac{1}{2}\right)^n\right\}}{1-\frac{1}{2}}=\frac{3}{2}$ (수렴)

ㄴ. $\lim_{n\to\infty}\frac{n}{2n+1}=\frac{1}{2}\neq 0$이므로 $\sum_{n=1}^{\infty}\frac{n}{2n+1}$은 발산한다.

ㄷ. $\sum_{n=1}^{\infty}\frac{1}{\sqrt{n}+\sqrt{n+1}}$

$=\lim_{n\to\infty}\sum_{k=1}^{n}\frac{1}{\sqrt{k}+\sqrt{k+1}}$

$=\lim_{n\to\infty}\sum_{k=1}^{n}\frac{\sqrt{k+1}-\sqrt{k}}{(\sqrt{k+1}+\sqrt{k})(\sqrt{k+1}-\sqrt{k})}$

$=\lim_{n\to\infty}\sum_{k=1}^{n}(\sqrt{k+1}-\sqrt{k})$

$=\lim_{n\to\infty}\{(\sqrt{2}-\sqrt{1})+(\sqrt{3}-\sqrt{2})+\cdots+(\sqrt{n+1}-\sqrt{n})\}$

$=\lim_{n\to\infty}(\sqrt{n+1}-1)=\infty$

이므로 주어진 급수는 발산한다.

따라서 수렴하는 것은 ㄱ이다. 답 ①

Lecture

급수의 수렴, 발산을 조사할 때, 제n항 a_n에 대하여 $\lim_{n\to\infty} a_n \neq 0$이면 급수 $\sum_{n=1}^{\infty} a_n$이 발산하는 것을 알 수 있다. 하지만 $\lim_{n\to\infty} a_n = 0$이라고 해서 급수 $\sum_{n=1}^{\infty} a_n$이 반드시 수렴하는 것은 아니다.
ㄷ은 $a_n = \frac{1}{\sqrt{n}+\sqrt{n+1}}$에 대하여 $\lim_{n\to\infty} a_n = 0$이지만 $\sum_{n=1}^{\infty} a_n$은 발산한다.
즉, $\lim_{n\to\infty} a_n = 0$일 때는 제$n$항까지의 부분합 S_n에 대하여 $\lim_{n\to\infty} S_n$의 값을 구하여 수렴, 발산 여부를 조사해야 한다.

0183

① $2+1+\frac{2}{3}+\frac{1}{2}+\cdots$
$=\frac{2}{1}+\frac{2}{2}+\frac{2}{3}+\frac{2}{4}+\frac{2}{5}+\frac{2}{6}+\frac{2}{7}+\frac{2}{8}+\cdots$
$>2+1+\left(\frac{2}{4}+\frac{2}{4}\right)+\left(\frac{2}{8}+\frac{2}{8}+\frac{2}{8}+\frac{2}{8}\right)+\cdots$
$=2+1+1+1+\cdots=\infty$
이므로 주어진 급수는 발산한다.

② 주어진 급수의 제n항을 a_n이라 하면 $a_n = \frac{2n}{2n+1}$
이때, $\lim_{n\to\infty} \frac{2n}{2n+1} = 1 \neq 0$이므로 $\sum_{n=1}^{\infty} \frac{2n}{2n+1}$은 발산한다.

③ $\lim_{n\to\infty} \frac{n^2}{n(n+5)} = 1 \neq 0$이므로 $\sum_{n=1}^{\infty} \frac{n^2}{n(n+5)}$은 발산한다.

④ $\sum_{n=1}^{\infty} \frac{1}{2n(2n+2)}$
$=\lim_{n\to\infty} \sum_{k=1}^{n} \frac{1}{2}\left(\frac{1}{2k}-\frac{1}{2k+2}\right)$
$=\lim_{n\to\infty} \frac{1}{2}\left\{\left(\frac{1}{2}-\frac{1}{4}\right)+\left(\frac{1}{4}-\frac{1}{6}\right)+\cdots+\left(\frac{1}{2n}-\frac{1}{2n+2}\right)\right\}$
$=\lim_{n\to\infty} \frac{1}{2}\left(\frac{1}{2}-\frac{1}{2n+2}\right)=\frac{1}{4}$ (수렴)

⑤ $\lim_{n\to\infty} \frac{2n^2}{1+2+3+\cdots+n} = \lim_{n\to\infty} \frac{2n^2}{\frac{n(n+1)}{2}}$
$= \lim_{n\to\infty} \frac{4n^2}{n(n+1)} = 4 \neq 0$
이므로 $\sum_{n=1}^{\infty} \frac{2n^2}{1+2+3+\cdots+n}$은 발산한다.
따라서 주어진 급수 중 수렴하는 것은 ④이다. 답 ④

0184

| 전략 | $\sum_{n=1}^{\infty} a_n = \alpha$, $\sum_{n=1}^{\infty} b_n = \beta$로 놓고 α, β의 값을 구한 후 주어진 급수의 합을 구한다.

$\sum_{n=1}^{\infty} a_n = \alpha$, $\sum_{n=1}^{\infty} b_n = \beta$로 놓으면
$\sum_{n=1}^{\infty} (3a_n+2b_n) = 3\sum_{n=1}^{\infty} a_n + 2\sum_{n=1}^{\infty} b_n = 12$에서
$3\alpha+2\beta=12$ ……㉠
또, $\sum_{n=1}^{\infty} (-5a_n+7b_n) = -5\sum_{n=1}^{\infty} a_n + 7\sum_{n=1}^{\infty} b_n = 11$에서
$-5\alpha+7\beta=11$ ……㉡
㉠, ㉡을 연립하여 풀면 $\alpha=2$, $\beta=3$
$\therefore \sum_{n=1}^{\infty} (a_n-b_n) = \sum_{n=1}^{\infty} a_n - \sum_{n=1}^{\infty} b_n = \alpha-\beta = 2-3 = -1$ 답 -1

0185

$3a_n-5b_n=c_n$으로 놓으면 $3a_n=5b_n+c_n$
$\therefore a_n = \frac{5}{3}b_n+\frac{1}{3}c_n$ … ❶
이때, $\sum_{n=1}^{\infty} b_n = 3$, $\sum_{n=1}^{\infty} c_n = 12$이므로
$\sum_{n=1}^{\infty} a_n = \sum_{n=1}^{\infty}\left(\frac{5}{3}b_n+\frac{1}{3}c_n\right) = \frac{5}{3}\sum_{n=1}^{\infty} b_n + \frac{1}{3}\sum_{n=1}^{\infty} c_n$
$=\frac{5}{3}\times 3+\frac{1}{3}\times 12 = 9$ … ❷
답 9

채점 기준	비율
❶ $3a_n-5b_n=c_n$으로 놓고 a_n을 b_n과 c_n을 사용하여 나타낼 수 있다.	40 %
❷ $\sum_{n=1}^{\infty} a_n$의 합을 구할 수 있다.	60 %

0186

ㄱ. $\sum_{n=1}^{\infty} a_n = \alpha$, $\sum_{n=1}^{\infty} b_n = \beta$로 놓으면
$\sum_{n=1}^{\infty} \frac{a_n+b_n}{2} = \frac{1}{2}\left(\sum_{n=1}^{\infty} a_n + \sum_{n=1}^{\infty} b_n\right) = \frac{1}{2}(\alpha+\beta)$ (수렴)
ㄴ. $\sum_{n=1}^{\infty} a_n$이 수렴하므로 $\lim_{n\to\infty} a_n = \lim_{n\to\infty} a_{n+1} = 0$
$\therefore \sum_{n=1}^{\infty} (a_n-a_{n+1}) = \lim_{n\to\infty} \sum_{k=1}^{n} (a_k-a_{k+1})$
$= \lim_{n\to\infty} \{(a_1-a_2)+(a_2-a_3)+\cdots+(a_n-a_{n+1})\}$
$= \lim_{n\to\infty} (a_1-a_{n+1})$
$= a_1-0 = a_1$ (수렴)
ㄷ. [반례] $b_n = \frac{1}{n(n+1)}$이면 $\sum_{n=1}^{\infty} b_n = 1$로 수렴하지만
$\lim_{n\to\infty} \frac{1}{b_n} = \lim_{n\to\infty} n(n+1) = \infty \neq 0$이므로 $\sum_{n=1}^{\infty} \frac{1}{b_n}$은 발산한다.
따라서 수렴하는 것은 ㄱ, ㄴ이다. 답 ㄱ, ㄴ

0187

ㄱ. $\sum_{n=1}^{\infty} a_n = \alpha$, $\sum_{n=1}^{\infty} (a_n+b_n) = \beta$로 놓으면
$\sum_{n=1}^{\infty} b_n = \sum_{n=1}^{\infty} \{(a_n+b_n)-a_n\} = \sum_{n=1}^{\infty} (a_n+b_n) - \sum_{n=1}^{\infty} a_n$
$=\beta-\alpha$ (수렴) (참)
ㄴ. $\sum_{n=1}^{\infty} a_n$과 $\sum_{n=1}^{\infty} b_n$이 수렴하므로 $\lim_{n\to\infty} a_n = \lim_{n\to\infty} b_n = 0$
$\therefore \lim_{n\to\infty} a_nb_n = \lim_{n\to\infty} a_n \times \lim_{n\to\infty} b_n = 0$ (참)
ㄷ. [반례] $\{a_n\}$: 1, 0, 1, 0, ⋯, $\{b_n\}$: 0, 1, 0, 1, ⋯이면
$\sum_{n=1}^{\infty} a_nb_n = 0$으로 수렴하고 $\lim_{n\to\infty} a_n \neq 0$이지만
$\lim_{n\to\infty} b_n \neq 0$이다.
따라서 옳은 것은 ㄱ, ㄴ이다. 답 ㄱ, ㄴ

0188

|전략| 주어진 급수를 $\sum_{n=1}^{\infty} ar^{n-1}(a\neq0)$의 꼴로 나타낸 다음 $-1<r<1$이면 그 합은 $\frac{a}{1-r}$임을 이용한다.

$$\sum_{n=1}^{\infty}\frac{1}{2^{2n+1}}+\sum_{n=1}^{\infty}\frac{3^n+(-2)^n}{4^n}$$
$$=\sum_{n=1}^{\infty}\frac{1}{2\times4^n}+\sum_{n=1}^{\infty}\left\{\left(\frac{3}{4}\right)^n+\left(-\frac{1}{2}\right)^n\right\}$$
$$=\frac{1}{2}\sum_{n=1}^{\infty}\left(\frac{1}{4}\right)^n+\sum_{n=1}^{\infty}\left(\frac{3}{4}\right)^n+\sum_{n=1}^{\infty}\left(-\frac{1}{2}\right)^n$$
$$=\frac{1}{2}\times\frac{\frac{1}{4}}{1-\frac{1}{4}}+\frac{\frac{3}{4}}{1-\frac{3}{4}}+\frac{-\frac{1}{2}}{1-\left(-\frac{1}{2}\right)}$$
$$=\frac{1}{6}+3+\left(-\frac{1}{3}\right)=\frac{17}{6}$$

답 $\frac{17}{6}$

0189

$1+3+3^2+\cdots+3^n=\frac{1\times(3^{n+1}-1)}{3-1}=\frac{1}{2}(3^{n+1}-1)$이므로

$$\sum_{n=1}^{\infty}\frac{1+3+3^2+\cdots+3^n}{9^n}=\sum_{n=1}^{\infty}\frac{3^{n+1}-1}{2\times9^n}$$
$$=\sum_{n=1}^{\infty}\left\{\frac{3}{2}\times\left(\frac{1}{3}\right)^n-\frac{1}{2}\times\left(\frac{1}{9}\right)^n\right\}$$
$$=\frac{3}{2}\sum_{n=1}^{\infty}\left(\frac{1}{3}\right)^n-\frac{1}{2}\sum_{n=1}^{\infty}\left(\frac{1}{9}\right)^n$$
$$=\frac{3}{2}\times\frac{\frac{1}{3}}{1-\frac{1}{3}}-\frac{1}{2}\times\frac{\frac{1}{9}}{1-\frac{1}{9}}$$
$$=\frac{3}{4}-\frac{1}{16}=\frac{11}{16}$$

답 $\frac{11}{16}$

0190

$$\sum_{n=1}^{\infty}\left(\frac{1}{2}\right)^n\sin\frac{n\pi}{2}$$
$$=\frac{1}{2}\sin\frac{\pi}{2}+\left(\frac{1}{2}\right)^2\sin\frac{2\pi}{2}+\left(\frac{1}{2}\right)^3\sin\frac{3\pi}{2}+\left(\frac{1}{2}\right)^4\sin\frac{4\pi}{2}+\left(\frac{1}{2}\right)^5\sin\frac{5\pi}{2}+\left(\frac{1}{2}\right)^6\sin\frac{6\pi}{2}+\cdots$$
$$=\frac{1}{2}-\left(\frac{1}{2}\right)^3+\left(\frac{1}{2}\right)^5-\left(\frac{1}{2}\right)^7+\cdots$$
$$=\frac{\frac{1}{2}}{1-\left(-\frac{1}{4}\right)}=\frac{2}{5}$$

$$\sum_{n=1}^{\infty}\left(\frac{1+\cos n\pi}{5}\right)^n$$
$$=\frac{1+\cos\pi}{5}+\left(\frac{1+\cos2\pi}{5}\right)^2+\left(\frac{1+\cos3\pi}{5}\right)^3+\left(\frac{1+\cos4\pi}{5}\right)^4+\cdots$$
$$=\left(\frac{2}{5}\right)^2+\left(\frac{2}{5}\right)^4+\left(\frac{2}{5}\right)^6+\cdots$$
$$=\frac{\frac{4}{25}}{1-\frac{4}{25}}=\frac{4}{21}$$

$$\therefore \sum_{n=1}^{\infty}\left(\frac{1}{2}\right)^n\sin\frac{n\pi}{2}+\sum_{n=1}^{\infty}\left(\frac{1+\cos n\pi}{5}\right)^n$$
$$=\frac{2}{5}+\frac{4}{21}=\frac{62}{105}$$

답 $\frac{62}{105}$

0191

$x^n=(-3)^{n-1}$에서

(i) $n=2k(k=1, 2, 3, \cdots)$일 때

$x^n=(-3)^{2k-1}=-3^{2k-1}<0$

이때, n은 짝수이므로 실근의 개수는 0이다.

$\therefore a_{2k}=0$

(ii) $n=2k+1(k=1, 2, 3, \cdots)$일 때

$x^n=(-3)^{2k}=3^{2k}>0$

이때, n은 홀수이므로 실근의 개수는 1이다.

$\therefore a_{2k+1}=1$

(i), (ii)에서 $a_n=\begin{cases}0 & (n=2k)\\ 1 & (n=2k+1)\end{cases}$ $(k=1, 2, 3, \cdots)$

$$\therefore \sum_{n=2}^{\infty}\frac{2a_n}{5^n}=\frac{2a_2}{5^2}+\frac{2a_3}{5^3}+\frac{2a_4}{5^4}+\frac{2a_5}{5^5}+\cdots$$
$$=\frac{2}{5^3}+\frac{2}{5^5}+\frac{2}{5^7}+\cdots$$
$$=\frac{\frac{2}{125}}{1-\frac{1}{25}}=\frac{1}{60}$$

답 $\frac{1}{60}$

0192

|전략| 등비수열 $\{a_n\}$의 첫째항이 a, 공비가 $r(-1<r<1)$이면 $\sum_{n=1}^{\infty}a_n{}^3=\frac{a^3}{1-r^3}$임을 이용한다.

등비수열 $\{a_n\}$의 첫째항을 a, 공비를 r라 하면

$\sum_{n=1}^{\infty}a_n=1$에서 $\frac{a}{1-r}=1$ ……㉠

수열 $\{a_n{}^2\}$의 첫째항은 a^2, 공비는 r^2이므로

$\sum_{n=1}^{\infty}a_n{}^2=\frac{1}{2}$에서 $\frac{a^2}{1-r^2}=\frac{a^2}{(1-r)(1+r)}=\frac{1}{2}$ ……㉡

㉠을 ㉡에 대입하면 $1\times\frac{a}{1+r}=\frac{1}{2}$

$\therefore \frac{a}{1+r}=\frac{1}{2}$ ……㉢

㉠÷㉢을 하면 $\frac{1+r}{1-r}=2$

$1+r=2(1-r), 3r=1 \qquad \therefore r=\frac{1}{3}$

$r=\frac{1}{3}$을 ㉠에 대입하면 $\frac{a}{1-\frac{1}{3}}=1 \qquad \therefore a=\frac{2}{3}$

따라서 수열 $\{a_n{}^3\}$은 첫째항이 $a^3=\frac{8}{27}$, 공비가 $r^3=\frac{1}{27}$인 등비수열이므로

$$\sum_{n=1}^{\infty}a_n{}^3=\frac{\frac{8}{27}}{1-\frac{1}{27}}=\frac{4}{13}$$

답 $\frac{4}{13}$

0193

주어진 급수는 첫째항이 1, 공비가 $\frac{1-x}{2}$인 등비급수이므로

$\frac{1}{1-\frac{1-x}{2}}=6$, $\frac{2}{1+x}=6$

$6(1+x)=2$, $6x=-4$ $\quad\therefore x=-\frac{2}{3}$ 답 $-\frac{2}{3}$

0194

$0<x<\frac{\pi}{2}$에서 $0<\cos^2 x<1$이므로

$1+\cos^2 x+\cos^4 x+\cos^6 x+\cdots=\frac{1}{1-\cos^2 x}=\frac{1}{\sin^2 x}$

이때, $\frac{1}{\sin^2 x}=2$에서 $\sin^2 x=\frac{1}{2}$

$\sin x=\frac{\sqrt{2}}{2}\left(\because 0<x<\frac{\pi}{2}\right)$ $\quad\therefore x=\frac{\pi}{4}$

$\therefore \tan x=\tan\frac{\pi}{4}=1$ 답 1

0195

$\sum_{n=1}^{\infty}\frac{x^n+(-x)^n}{2^n}=0+2\times\left(\frac{x}{2}\right)^2+0+2\times\left(\frac{x}{2}\right)^4+\cdots$

즉, 주어진 급수는 첫째항이 $2\times\left(\frac{x}{2}\right)^2=\frac{x^2}{2}$, 공비가 $\left(\frac{x}{2}\right)^2=\frac{x^2}{4}$인 등비급수이므로

$\frac{\frac{x^2}{2}}{1-\frac{x^2}{4}}=6$, $\frac{x^2}{2}=6-\frac{3}{2}x^2$, $2x^2=6$

$x^2=3$ $\quad\therefore x=\sqrt{3}\ (\because x>0)$ 답 $\sqrt{3}$

0196

|전략| 등비수열 $\{r^n\}$의 수렴 조건은 $-1<r\le 1$, 등비급수 $\sum_{n=1}^{\infty}r^n$의 수렴 조건은 $-1<r<1$임을 이용한다.

(i) 등비수열 $\left\{\left(\frac{x-8}{3}\right)^n\right\}$의 공비가 $\frac{x-8}{3}$이므로 수렴하려면

$-1<\frac{x-8}{3}\le 1$, $-3<x-8\le 3$

$\therefore 5<x\le 11$

(ii) 등비급수 $\sum_{n=1}^{\infty}\left(\frac{5-x}{3}\right)^n$의 공비가 $\frac{5-x}{3}$이므로 수렴하려면

$-1<\frac{5-x}{3}<1$, $-3<5-x<3$, $-8<-x<-2$

$\therefore 2<x<8$

(i), (ii)에서 $5<x<8$

따라서 조건을 만족시키는 정수 x는 6, 7이므로 구하는 합은

$6+7=13$ 답 13

Lecture

등비수열 $\{ar^{n-1}\}$의 수렴 조건은 ⇨ $a=0$ 또는 $-1<r\le 1$

등비급수 $\sum_{n=1}^{\infty}ar^{n-1}$의 수렴 조건은 ⇨ $a=0$ 또는 $-1<r<1$

이때, $r=1$은 등비수열의 수렴 조건이지만 등비급수의 수렴 조건이 아니다.

0197

(i) $x=0$일 때

$0+0+0+\cdots=0$이므로 수렴한다.

(ii) $x\ne 0$일 때

공비가 $1-\log(x+1)$이므로 주어진 등비급수가 수렴하려면

$-1<1-\log(x+1)<1$, $-2<-\log(x+1)<0$

$0<\log(x+1)<2$, $1<x+1<100$ $\quad\therefore 0<x<99$

(i), (ii)에서 구하는 실수 x의 값의 범위는 $0\le x<99$ 답 $0\le x<99$

0198

등비급수 $\sum_{n=1}^{\infty}r^n$이 수렴하므로 $-1<r<1$

ㄱ. $\sum_{n=1}^{\infty}r^{2n-1}$의 공비는 r^2이고 $0\le r^2<1$이므로 수렴한다.

ㄴ. $\sum_{n=1}^{\infty}\left(\frac{1}{r}\right)^n(r\ne 0)$의 공비는 $\frac{1}{r}$이고 $\frac{1}{r}<-1$ 또는 $\frac{1}{r}>1$이므로 발산한다.

ㄷ. $\sum_{n=1}^{\infty}\left(\frac{r-1}{2}\right)^n$의 공비는 $\frac{r-1}{2}$이고 $-1<\frac{r-1}{2}<0$이므로 수렴한다.

ㄹ. $\sum_{n=1}^{\infty}\left(\frac{r}{2}-1\right)^n$의 공비는 $\frac{r}{2}-1$이고 $-\frac{3}{2}<\frac{r}{2}-1<-\frac{1}{2}$이므로 반드시 수렴하는 것은 아니다.

따라서 반드시 수렴하는 것은 ㄱ, ㄷ이다. 답 ㄱ, ㄷ

0199

등비급수 $\sum_{n=1}^{\infty}r^n$이 수렴하므로 $-1<r<1$이고

$\sum_{n=1}^{\infty}r^n=\frac{r}{1-r}=\frac{-(1-r)+1}{1-r}=-1+\frac{1}{1-r}$

이때, $-1<r<1$에서 $0<1-r<2$, $\frac{1}{1-r}>\frac{1}{2}$

$\therefore -1+\frac{1}{1-r}>-\frac{1}{2}$

따라서 그 합이 될 수 없는 것은 ① -1이다. 답 ①

Lecture

$\sum_{n=1}^{\infty}r^n=-1+\frac{1}{1-r}=\alpha$라 하면

$-1<r<1$에서 $\alpha=-1+\frac{1}{1-r}$의 그래프는 오른쪽 그림과 같으므로

$\alpha>-\frac{1}{2}$

$\therefore -1+\frac{1}{1-r}>-\frac{1}{2}$

0200

|전략| $2a_{n+1}=a_n-3$을 $a_{n+1}+3=\frac{1}{2}(a_n+3)$으로 변형한다.

$2a_{n+1}=a_n-3$에서 $a_{n+1}+3=\frac{1}{2}(a_n+3)$

수열 $\{a_n+3\}$은 첫째항이 $a_1+3=-5+3=-2$, 공비가 $\frac{1}{2}$인 등비수열이므로

$a_n+3=-2\times\left(\frac{1}{2}\right)^{n-1}$

$\therefore \sum_{n=1}^{\infty}(a_n+3)=\sum_{n=1}^{\infty}(-2)\times\left(\frac{1}{2}\right)^{n-1}$

$=\frac{-2}{1-\frac{1}{2}}=-4$ 답 ①

0201

$a_{n+1}=a_n+n+1$의 n에 1, 2, 3, ⋯, $n-1$을 차례로 대입하여 변끼리 더하면

$$\begin{aligned}
a_2&=a_1+1+1\\
a_3&=a_2+2+1\\
a_4&=a_3+3+1\\
&\vdots\\
+)\ a_n&=a_{n-1}+n-1+1\\
\hline
a_n&=a_1+\sum_{k=1}^{n-1}k+(n-1)\\
&=1+\frac{n(n-1)}{2}+n-1\\
&=\frac{n^2-n}{2}+n=\frac{n(n+1)}{2}
\end{aligned}$$
⋯ ❶

$\therefore \sum_{n=1}^{\infty}\frac{1}{a_n}=\lim_{n\to\infty}\sum_{k=1}^{n}\frac{1}{a_k}=\lim_{n\to\infty}\sum_{k=1}^{n}\frac{2}{k(k+1)}$

$=\lim_{n\to\infty}\sum_{k=1}^{n}2\left(\frac{1}{k}-\frac{1}{k+1}\right)$

$=\lim_{n\to\infty}2\left\{\left(1-\frac{1}{2}\right)+\left(\frac{1}{2}-\frac{1}{3}\right)+\cdots+\left(\frac{1}{n}-\frac{1}{n+1}\right)\right\}$

$=\lim_{n\to\infty}2\left(1-\frac{1}{n+1}\right)=2$ ⋯ ❷

답 2

채점 기준	비율
❶ 일반항 a_n을 구할 수 있다.	50 %
❷ $\sum_{n=1}^{\infty}\frac{1}{a_n}$의 합을 구할 수 있다.	50 %

0202

$a_1=1$, $a_2=2$, $a_{n+2}=a_{n+1}+a_n$이므로 임의의 자연수 n에 대하여 $a_n\geq n$

이때, $\lim_{n\to\infty}a_n=\infty$이므로 $\lim_{n\to\infty}\frac{1}{a_n}=0$

$a_{n+2}=a_{n+1}+a_n$에서 $a_n=a_{n+2}-a_{n+1}$이므로

$\frac{a_n}{a_{n+1}a_{n+2}}=\frac{a_{n+2}-a_{n+1}}{a_{n+1}a_{n+2}}=\frac{1}{a_{n+1}}-\frac{1}{a_{n+2}}$

$\therefore \sum_{n=1}^{\infty}\frac{a_n}{a_{n+1}a_{n+2}}$

$=\lim_{n\to\infty}\sum_{k=1}^{n}\left(\frac{1}{a_{k+1}}-\frac{1}{a_{k+2}}\right)$

$=\lim_{n\to\infty}\left\{\left(\frac{1}{a_2}-\frac{1}{a_3}\right)+\left(\frac{1}{a_3}-\frac{1}{a_4}\right)+\cdots+\left(\frac{1}{a_{n+1}}-\frac{1}{a_{n+2}}\right)\right\}$

$=\lim_{n\to\infty}\left(\frac{1}{a_2}-\frac{1}{a_{n+2}}\right)$

$=\frac{1}{a_2}-\lim_{n\to\infty}\frac{1}{a_{n+2}}=\frac{1}{2}$ 답 ③

└ $\lim_{n\to\infty}\frac{1}{a_{n+2}}=\lim_{n\to\infty}\frac{1}{a_n}=0$

0203

|전략| $a_1=S_1$, $a_n=S_n-S_{n-1}(n\geq2)$임을 이용하여 일반항 a_n을 구한다.

(i) $n=1$일 때, $a_1=S_1=\frac{1}{3}$

(ii) $n\geq2$일 때,

$a_n=S_n-S_{n-1}$

$=1-\left(\frac{2}{3}\right)^n-\left\{1-\left(\frac{2}{3}\right)^{n-1}\right\}$

$=-\frac{2}{3}\times\left(\frac{2}{3}\right)^{n-1}+\left(\frac{2}{3}\right)^{n-1}$

$=\frac{1}{3}\times\left(\frac{2}{3}\right)^{n-1}$ ⋯⋯㉠

이때, $a_1=\frac{1}{3}$은 ㉠에 $n=1$을 대입한 것과 같으므로

$a_n=\frac{1}{3}\times\left(\frac{2}{3}\right)^{n-1}$

$\therefore a_1+a_3+a_5+\cdots=\frac{1}{3}+\frac{1}{3}\times\left(\frac{2}{3}\right)^2+\frac{1}{3}\times\left(\frac{2}{3}\right)^4+\cdots$

$=\frac{\frac{1}{3}}{1-\frac{4}{9}}=\frac{3}{5}$ 답 ①

0204

수열 $\{a_n\}$의 첫째항부터 제n항까지의 합을 S_n이라 하면 $S_n=n^2$

(i) $n=1$일 때, $a_1=S_1=1$

(ii) $n\geq2$일 때,

$a_n=S_n-S_{n-1}=n^2-(n-1)^2$

$=2n-1$ ⋯⋯㉠

이때, $a_1=1$은 ㉠에 $n=1$을 대입한 것과 같으므로

$a_n=2n-1$

$\therefore \sum_{n=1}^{\infty}\frac{1}{a_na_{n+1}}=\lim_{n\to\infty}\sum_{k=1}^{n}\frac{1}{(2k-1)(2k+1)}$

$=\lim_{n\to\infty}\sum_{k=1}^{n}\frac{1}{2}\left(\frac{1}{2k-1}-\frac{1}{2k+1}\right)$

$=\lim_{n\to\infty}\frac{1}{2}\left\{\left(1-\frac{1}{3}\right)+\left(\frac{1}{3}-\frac{1}{5}\right)+\cdots+\left(\frac{1}{2n-1}-\frac{1}{2n+1}\right)\right\}$

$=\lim_{n\to\infty}\frac{1}{2}\left(1-\frac{1}{2n+1}\right)=\frac{1}{2}$ 답 $\frac{1}{2}$

0205

$\log(S_n+1)=n$에서

$S_n+1=10^n \quad \therefore S_n=10^n-1$

(i) $n=1$일 때, $a_1=S_1=9$

(ii) $n\geq 2$일 때,

$a_n=S_n-S_{n-1}=10^n-1-(10^{n-1}-1)$

$=9\times 10^{n-1}$ ……㉠

이때, $a_1=9$는 ㉠에 $n=1$을 대입한 것과 같으므로

$a_n=9\times 10^{n-1}$

$\therefore \frac{1}{a_1}+\frac{1}{a_2}+\frac{1}{a_3}+\cdots=\sum_{n=1}^{\infty}\frac{1}{a_n}=\sum_{n=1}^{\infty}\frac{1}{9}\times\left(\frac{1}{10}\right)^{n-1}$

$=\frac{\frac{1}{9}}{1-\frac{1}{10}}=\frac{10}{81}$ 답 $\frac{10}{81}$

0206

$a_{n+1}=S_n+3$ ……㉠

$a_n=S_{n-1}+3$ ……㉡

㉠−㉡을 하면

$a_{n+1}-a_n=S_n-S_{n-1}=a_n$

$\therefore a_{n+1}=2a_n\ (n\geq 2)$

따라서 수열 $\{a_n\}$은 제2항부터 공비가 2인 등비수열이다.

한편, $a_1=S_1$이므로 ㉠에서

$a_2=S_1+3=a_1+3=6$

$\therefore a_n=3\times 2^{n-1}\ (n\geq 2)$ ……㉢

이때, $a_1=3$은 ㉢에 $n=1$을 대입한 것과 같으므로

$a_n=3\times 2^{n-1}$

$\therefore \sum_{n=1}^{\infty}\frac{1}{a_n}=\sum_{n=1}^{\infty}\frac{1}{3}\times\left(\frac{1}{2}\right)^{n-1}=\frac{\frac{1}{3}}{1-\frac{1}{2}}=\frac{2}{3}$ 답 $\frac{2}{3}$

0207

|전략| $0.\dot{4}=\frac{4}{9}$, $0.0\dot{5}=\frac{5}{90}$임을 이용한다.

$0.\dot{4}=\frac{4}{9}$, $0.0\dot{5}=\frac{5}{90}=\frac{1}{18}$이므로 공비를 r라 하면

$\frac{4}{9}r^3=\frac{1}{18}$, $r^3=\frac{1}{8} \quad \therefore r=\frac{1}{2}$

따라서 구하는 등비급수의 합은

$\frac{\frac{4}{9}}{1-\frac{1}{2}}=\frac{8}{9}=0.\dot{8}$ 답 ②

0208

공비가 $0.\dot{3}=\frac{3}{9}=\frac{1}{3}$이므로

$\sum_{n=1}^{\infty}a_n=\frac{a_1}{1-\frac{1}{3}}=0.\dot{1}\dot{8}$, $\frac{3}{2}a_1=\frac{18}{99}$

$\therefore a_1=\frac{18}{99}\times\frac{2}{3}=\frac{12}{99}=0.\dot{1}\dot{2}$ 답 ③

0209

$\frac{4}{33}=\frac{12}{99}=0.\dot{1}\dot{2}=0.121212\cdots$이므로

$a_1=1, a_2=2, a_3=1, a_4=2, \cdots$

$\therefore \sum_{n=1}^{\infty}\frac{a_n}{2^n}=\frac{1}{2}+\frac{2}{2^2}+\frac{1}{2^3}+\frac{2}{2^4}+\frac{1}{2^5}+\frac{2}{2^6}+\cdots$

$=2\times\frac{1}{2}+2\times\frac{1}{2^3}+2\times\frac{1}{2^5}+\cdots$

$=\frac{1}{1-\frac{1}{4}}=\frac{4}{3}$ 답 $\frac{4}{3}$

0210

a_n은 7^n+1을 5로 나누었을 때의 나머지이므로

$a_1=3, a_2=0, a_3=4, a_4=2,$

$a_5=3, a_6=0, a_7=4, a_8=2, \cdots$

$\therefore \sum_{n=1}^{\infty}\frac{a_n}{10^n}=\frac{3}{10}+\frac{0}{10^2}+\frac{4}{10^3}+\frac{2}{10^4}+\frac{3}{10^5}+\cdots$

$=0.3+0+0.004+0.0002+0.00003+\cdots$

$=0.\dot{3}04\dot{2}$ 답 ②

0211

|전략| α, β를 각각 선분의 길이의 합, 차로 나타낸 후 등비급수의 합을 이용한다.

$\alpha=\overline{OP_1}-\overline{P_2P_3}+\overline{P_4P_5}-\overline{P_6P_7}+\cdots$

$=1-\left(\frac{3}{4}\right)^2+\left(\frac{3}{4}\right)^4-\left(\frac{3}{4}\right)^6+\cdots$

$=\frac{1}{1-\left(-\frac{9}{16}\right)}=\frac{16}{25}$

$\beta=\overline{P_1P_2}-\overline{P_3P_4}+\overline{P_5P_6}-\overline{P_7P_8}+\cdots$

$=\frac{3}{4}-\left(\frac{3}{4}\right)^3+\left(\frac{3}{4}\right)^5-\left(\frac{3}{4}\right)^7+\cdots$

$=\frac{\frac{3}{4}}{1-\left(-\frac{9}{16}\right)}=\frac{12}{25}$

$\therefore \frac{\alpha}{\beta}=\frac{\frac{16}{25}}{\frac{12}{25}}=\frac{4}{3}$ 답 $\frac{4}{3}$

0212

점 P_n이 한없이 가까워지는 점의 좌표를 (x, y)라 하면

$x=\overline{P_1P_2}+\overline{P_3P_4}+\overline{P_5P_6}+\cdots$

$=\frac{2}{3}+\left(\frac{2}{3}\right)^3+\left(\frac{2}{3}\right)^5+\cdots=\frac{\frac{2}{3}}{1-\frac{4}{9}}=\frac{6}{5}$

$y=\overline{OP_1}+\overline{P_2P_3}+\overline{P_4P_5}+\cdots$

$=1+\left(\frac{2}{3}\right)^2+\left(\frac{2}{3}\right)^4+\cdots=\frac{1}{1-\frac{4}{9}}=\frac{9}{5}$

따라서 점 P_n은 점 $\left(\frac{6}{5}, \frac{9}{5}\right)$에 한없이 가까워진다. 답 $\left(\frac{6}{5}, \frac{9}{5}\right)$

0213

점 P_n이 한없이 가까워지는 점의 좌표를 (x, y)라 하면

$x=\overline{OP_1}\cos 30^\circ-\overline{P_1P_2}\cos 30^\circ+\overline{P_2P_3}\cos 30^\circ-\cdots$

$=1\times\frac{\sqrt{3}}{2}-\frac{1}{2}\times\frac{\sqrt{3}}{2}+\left(\frac{1}{2}\right)^2\times\frac{\sqrt{3}}{2}-\cdots$

$=\frac{\frac{\sqrt{3}}{2}}{1-\left(-\frac{1}{2}\right)}=\frac{\sqrt{3}}{3}$

$y=\overline{OP_1}\sin 30^\circ+\overline{P_1P_2}\sin 30^\circ+\overline{P_2P_3}\sin 30^\circ+\cdots$

$=1\times\frac{1}{2}+\frac{1}{2}\times\frac{1}{2}+\left(\frac{1}{2}\right)^2\times\frac{1}{2}+\cdots$

$=\frac{\frac{1}{2}}{1-\frac{1}{2}}=1$

따라서 점 P_n은 점 $\left(\frac{\sqrt{3}}{3}, 1\right)$에 한없이 가까워진다. 답 $\left(\frac{\sqrt{3}}{3}, 1\right)$

0214

|전략| 두 번째부터는 공이 튀어 올랐다가 떨어지므로 공이 움직인 거리는 공의 높이의 두 배를 해야 한다.

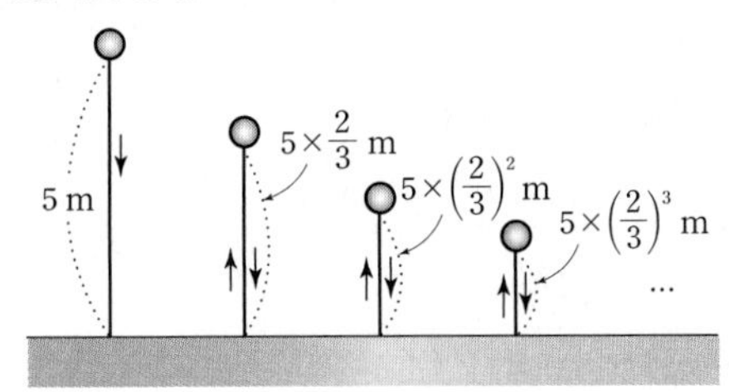

위의 그림과 같이 높이가 5 m인 곳에서 수직으로 떨어뜨린 공이 정지할 때까지 움직인 거리는

$5+2\left\{5\times\frac{2}{3}+5\times\left(\frac{2}{3}\right)^2+5\times\left(\frac{2}{3}\right)^3+\cdots\right\}$

$=5+2\times\frac{\frac{10}{3}}{1-\frac{2}{3}}=5+20=25\ (\text{m})$ 답 ②

0215

$l_1=30\times\frac{2}{3}+1=21$이고

$l_{n+1}=\frac{2}{3}l_n+1(n=1, 2, 3, \cdots)$이므로

$l_{n+1}-3=\frac{2}{3}(l_n-3)$

따라서 수열 $\{l_n-3\}$은 첫째항이 $l_1-3=21-3=18$, 공비가 $\frac{2}{3}$인 등비수열이므로

$l_n-3=18\times\left(\frac{2}{3}\right)^{n-1}$ $\therefore \sum_{n=1}^{\infty}(l_n-3)=\frac{18}{1-\frac{2}{3}}=54$ 답 54

0216

추가 n번째 움직인 거리를 l_n cm라 하면

$l_1=60$이고 $l_{n+1}=\frac{9}{10}l_n\ (n=1, 2, 3, \cdots)$

즉, 수열 $\{l_n\}$은 첫째항이 60, 공비가 $\frac{9}{10}$인 등비수열이므로

$\sum_{n=1}^{\infty}l_n=\frac{60}{1-\frac{9}{10}}=600$

따라서 추가 정지할 때까지 움직인 거리는 600 cm이다. 답 600 cm

0217

|전략| 첫째항이 1, 공비가 $\frac{\sqrt{3}}{2}$임을 구한 후 등비급수의 합을 이용한다.

$\angle POP_1=\angle PP_1P_2=\angle P_1P_2P_3=\cdots=30^\circ$이므로

$\overline{PP_1}=\overline{OP}\sin 30^\circ=2\times\frac{1}{2}=1$

$\overline{P_1P_2}=\overline{PP_1}\cos 30^\circ=1\times\frac{\sqrt{3}}{2}=\frac{\sqrt{3}}{2}$

$\overline{P_2P_3}=\overline{P_1P_2}\cos 30^\circ=\frac{\sqrt{3}}{2}\times\frac{\sqrt{3}}{2}=\left(\frac{\sqrt{3}}{2}\right)^2$

$\vdots$

$\therefore \overline{PP_1}+\overline{P_1P_2}+\overline{P_2P_3}+\cdots=1+\frac{\sqrt{3}}{2}+\left(\frac{\sqrt{3}}{2}\right)^2+\cdots$

$=\frac{1}{1-\frac{\sqrt{3}}{2}}=\frac{2}{2-\sqrt{3}}$

$=4+2\sqrt{3}$ 답 $4+2\sqrt{3}$

0218

$\triangle A_nB_nC_n$과 $\triangle A_{n+1}B_{n+1}C_{n+1}$은 닮음비가 $2:1$이므로

$a_1=2\times\frac{1}{2}=1$이고 $a_{n+1}=\frac{1}{2}a_n\ (n=1, 2, 3, \cdots)$

따라서 수열 $\{a_n\}$은 첫째항이 1, 공비가 $\frac{1}{2}$인 등비수열이므로

$\sum_{n=1}^{\infty}a_n=\frac{1}{1-\frac{1}{2}}=2$ 답 2

0219

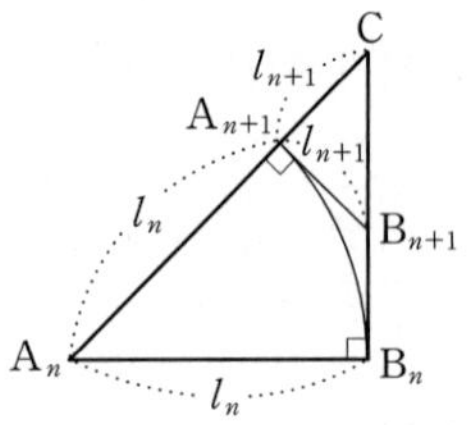

오른쪽 그림에서

$\overline{A_nB_n}=l_n$, $\overline{A_{n+1}B_{n+1}}=l_{n+1}$이라 하면

$\triangle A_nB_nC$, $\triangle A_{n+1}B_{n+1}C$가 직각이등변삼각형이므로 $\overline{A_{n+1}C}=l_{n+1}$이고

$\overline{A_nC}:\overline{A_nB_n}=\sqrt{2}:1$

$(l_n+l_{n+1}):l_n=\sqrt{2}:1$

$\therefore l_{n+1}=(\sqrt{2}-1)l_n$, $l_0=\overline{AB}=2$

따라서 $l_n=2\times(\sqrt{2}-1)^n(n=0, 1, 2, \cdots)$이므로

$\overline{AB}+\overline{A_1B_1}+\overline{A_2B_2}+\cdots=\sum_{n=0}^{\infty}l_n=\sum_{n=0}^{\infty}2\times(\sqrt{2}-1)^n$

$=\frac{2}{1-(\sqrt{2}-1)}=2+\sqrt{2}$ 답 $2+\sqrt{2}$

0220

| 전략 | $S=S_1+2S_2+2S_3+\cdots$임을 이용한다.

$S_1=1\times1=1$

$S_2=\frac{1}{2}\times\frac{1}{2}=\left(\frac{1}{2}\right)^2$

$S_3=\left(\frac{1}{2}\right)^2\times\left(\frac{1}{2}\right)^2=\left(\frac{1}{2}\right)^4$

$\vdots$

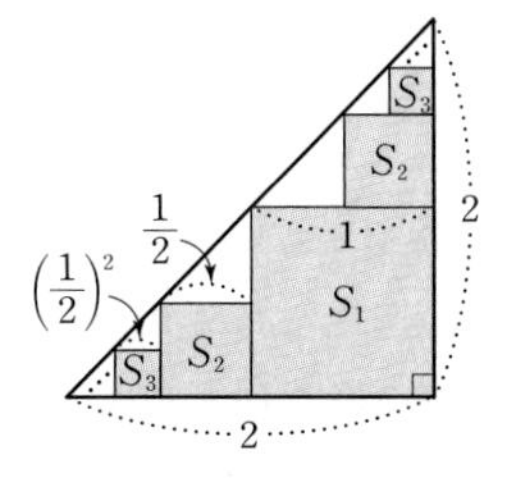

따라서 모든 정사각형의 넓이의 합 S는

$$S=S_1+2S_2+2S_3+\cdots$$
$$=1^2+2\left\{\left(\frac{1}{2}\right)^2+\left(\frac{1}{2}\right)^4+\cdots\right\}$$
$$=1+2\times\frac{\frac{1}{4}}{1-\frac{1}{4}}=\frac{5}{3}$$

$\therefore 6S=10$

답 10

0221

오른쪽 그림과 같이 n번째 정사각형의 한 변의 길이를 a_n이라 하면

$a_1=1$이고 $\sqrt{2}a_{n+1}=a_n$, 즉 $a_{n+1}=\frac{1}{\sqrt{2}}a_n$이므로

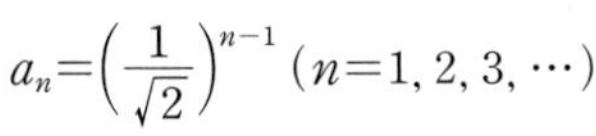

$a_n=\left(\frac{1}{\sqrt{2}}\right)^{n-1}$ $(n=1, 2, 3, \cdots)$

이때, 색칠한 부분의 넓이는

$$\frac{\pi}{4}a_n^2-\frac{1}{2}a_n^2=\left(\frac{\pi}{4}-\frac{1}{2}\right)a_n^2$$

따라서 구하는 넓이의 합은

$$\sum_{n=1}^{\infty}\left(\frac{\pi}{4}-\frac{1}{2}\right)a_n^2=\sum_{n=1}^{\infty}\left(\frac{\pi}{4}-\frac{1}{2}\right)\times\left(\frac{1}{2}\right)^{n-1}$$
$$=\left(\frac{\pi}{4}-\frac{1}{2}\right)\times\frac{1}{1-\frac{1}{2}}=\frac{\pi}{2}-1$$

답 $\frac{\pi}{2}-1$

0222

선분 A_nB_n 위에 빗변이 놓여 있는 직각이등변삼각형의 넓이의 합을 S_n이라 하면

$S_1=\frac{1}{2}\times2\times1=1$

$S_2=\frac{1}{2}\times1\times\frac{1}{2}\times2=\frac{1}{2}$

$S_3=\frac{1}{2}\times\frac{1}{2}\times\frac{1}{4}\times4=\frac{1}{4}$

$\vdots$

따라서 구하는 넓이의 합은

$$\sum_{n=1}^{\infty}S_n=1+\frac{1}{2}+\frac{1}{4}+\cdots=\frac{1}{1-\frac{1}{2}}=2$$

답 2

STEP 3 내신 마스터

0223

유형 01 부분분수를 이용하는 급수

| 전략 | $f(x)=a_nx^2+a_nx+5$로 놓고 $f(x)$를 $x-n$으로 나누었을 때의 나머지가 $f(n)$임을 이용한다.

$f(x)=a_nx^2+a_nx+5$로 놓으면 $f(x)$를 $x-n$으로 나누었을 때의 나머지가 15이므로

$f(n)=a_nn^2+a_nn+5=15$, $(n^2+n)a_n=10$

$\therefore a_n=\frac{10}{n(n+1)}$

이때, 제n항까지의 부분합을 S_n이라 하면

$$S_n=\sum_{k=1}^{n}\frac{10}{k(k+1)}=10\sum_{k=1}^{n}\left(\frac{1}{k}-\frac{1}{k+1}\right)$$
$$=10\left\{\left(1-\frac{1}{2}\right)+\left(\frac{1}{2}-\frac{1}{3}\right)+\left(\frac{1}{3}-\frac{1}{4}\right)+\cdots+\left(\frac{1}{n}-\frac{1}{n+1}\right)\right\}$$
$$=10\left(1-\frac{1}{n+1}\right)$$

$$\therefore \sum_{n=1}^{\infty}a_n=\lim_{n\to\infty}S_n=\lim_{n\to\infty}10\left(1-\frac{1}{n+1}\right)=10$$

답 ①

0224

유형 02 로그를 포함한 급수

| 전략 | 로그의 성질을 이용하여 a_n을 변형하면 $a_n=\log_3\frac{(n+1)(n+3)}{(n+2)(n+2)}$이다.

$$a_n=\log_3\frac{n+3}{n+2}-\log_3\frac{n+2}{n+1}=\log_3\frac{(n+1)(n+3)}{(n+2)(n+2)}$$

이때, 제n항까지의 부분합을 S_n이라 하면

$$S_n=\sum_{k=1}^{n}\log_3\frac{(k+1)(k+3)}{(k+2)(k+2)}$$
$$=\log_3\frac{2\times4}{3\times3}+\log_3\frac{3\times5}{4\times4}+\log_3\frac{4\times6}{5\times5}+\cdots+\log_3\frac{(n+1)(n+3)}{(n+2)(n+2)}$$
$$=\log_3\left\{\frac{2\times4}{3\times3}\times\frac{3\times5}{4\times4}\times\frac{4\times6}{5\times5}\times\cdots\times\frac{(n+1)(n+3)}{(n+2)(n+2)}\right\}$$
$$=\log_3\frac{2(n+3)}{3(n+2)}$$

$$\therefore \sum_{n=1}^{\infty}a_n=\lim_{n\to\infty}S_n=\lim_{n\to\infty}\log_3\frac{2(n+3)}{3(n+2)}$$
$$=\log_3\frac{2}{3}=\log_3 2-1$$

답 ①

다른 풀이 $a_n=\log_3\frac{n+3}{n+2}-\log_3\frac{n+2}{n+1}$에서 제$n$항까지의 부분합을 S_n이라 하면

$$S_n=\sum_{k=1}^{n}\left(\log_3\frac{k+3}{k+2}-\log_3\frac{k+2}{k+1}\right)$$
$$=\left(\log_3\frac{4}{3}-\log_3\frac{3}{2}\right)+\left(\log_3\frac{5}{4}-\log_3\frac{4}{3}\right)+\cdots+\left(\log_3\frac{n+3}{n+2}-\log_3\frac{n+2}{n+1}\right)$$
$$=-\log_3\frac{3}{2}+\log_3\frac{n+3}{n+2}$$

$$\therefore \sum_{n=1}^{\infty}a_n=\lim_{n\to\infty}S_n=\lim_{n\to\infty}\left(-\log_3\frac{3}{2}+\log_3\frac{n+3}{n+2}\right)$$
$$=-\log_3\frac{3}{2}+\log_3 1=\log_3 2-1$$

0225

유형 04 급수와 수열의 극한값 사이의 관계

| 전략 | $a_n-\frac{2n}{n+1}=c_n$, $a_n+2b_n=d_n$으로 놓고 $\lim_{n\to\infty}c_n=0$, $\lim_{n\to\infty}d_n=0$임을 이용한다.

급수 $\sum_{n=1}^{\infty}\left(a_n-\frac{2n}{n+1}\right)$이 수렴하므로 $\lim_{n\to\infty}\left(a_n-\frac{2n}{n+1}\right)=0$

이때, $a_n-\frac{2n}{n+1}=c_n$으로 놓으면

$a_n=c_n+\frac{2n}{n+1}$, $\lim_{n\to\infty}c_n=0$이므로

$\lim_{n\to\infty}a_n=\lim_{n\to\infty}\left(c_n+\frac{2n}{n+1}\right)=0+2=2$

또, 급수 $\sum_{n=1}^{\infty}(a_n+2b_n)$이 수렴하므로 $\lim_{n\to\infty}(a_n+2b_n)=0$

이때, $a_n+2b_n=d_n$으로 놓으면

$b_n=-\frac{1}{2}a_n+\frac{1}{2}d_n$, $\lim_{n\to\infty}d_n=0$이므로

$\lim_{n\to\infty}b_n=\lim_{n\to\infty}\left(-\frac{1}{2}a_n+\frac{1}{2}d_n\right)=-\frac{1}{2}\times2+0=-1$

$\therefore \lim_{n\to\infty}\frac{a_n+3}{b_n+2}=\frac{2+3}{-1+2}=5$ 답 ⑤

0226

유형 05 급수의 성질

| 전략 | $2a_n-5$와 $2b_n+5$의 합에서 상수항이 소거됨을 이용한다.

두 급수 $\sum_{n=1}^{\infty}(2a_n-5)$, $\sum_{n=1}^{\infty}(2b_n+5)$가 모두 수렴하므로

$$\sum_{n=1}^{\infty}(2a_n-5)+\sum_{n=1}^{\infty}(2b_n+5)=\sum_{n=1}^{\infty}\{(2a_n-5)+(2b_n+5)\}$$
$$=\sum_{n=1}^{\infty}(2a_n+2b_n)=2\sum_{n=1}^{\infty}(a_n+b_n)$$
$$=380$$

$\therefore \sum_{n=1}^{\infty}(a_n+b_n)=190$ 답 ④

0227

유형 07 합이 주어진 등비급수

| 전략 | 등비수열 $\{a_n\}$의 공비가 r이면 수열 $\{a_{3n-1}\}$, $\{a_{3n}\}$의 공비는 r^3이다.

첫째항이 2인 등비수열 $\{a_n\}$의 공비를 r라 하면

$\sum_{n=1}^{\infty}a_n=6$에서 $\frac{2}{1-r}=6$ $\therefore r=\frac{2}{3}$

수열 $\{a_{3n-1}\}$은 첫째항이 $a_2=2r=\frac{4}{3}$, 공비가 $r^3=\frac{8}{27}$인 등비수열이고, 수열 $\{a_{3n}\}$은 첫째항이 $a_3=2r^2=\frac{8}{9}$, 공비가 $r^3=\frac{8}{27}$인 등비수열이다.

$$\therefore \sum_{n=1}^{\infty}(a_{3n-1}-a_{3n})=\sum_{n=1}^{\infty}a_{3n-1}-\sum_{n=1}^{\infty}a_{3n}$$
$$=\frac{\frac{4}{3}}{1-\frac{8}{27}}-\frac{\frac{8}{9}}{1-\frac{8}{27}}=\frac{12}{19}$$ 답 ②

0228

유형 09 귀납적으로 정의된 수열의 급수

| 전략 | 수열 $\{a_n\}$의 일반항을 구하여 $b_1, b_2, b_3, b_4, \cdots$를 차례로 구한다.

수열 $\{a_n\}$은 첫째항이 1, 공비가 2인 등비수열이므로

$a_n=1\times2^{n-1}=2^{n-1}$

a_n을 3으로 나누었을 때의 나머지가 b_n이므로

$\{a_n\}$: 1, 2, 4, 8, 16, 32, $\cdots$

$\{b_n\}$: 1, 2, 1, 2, 1, 2, $\cdots$

즉, 수열 $\{b_n\}$은 1, 2가 이 순서대로 반복되는 수열이다.

$$\therefore \sum_{n=1}^{\infty}\left(\frac{b_n}{5}\right)^n=\frac{1}{5}+\left(\frac{2}{5}\right)^2+\left(\frac{1}{5}\right)^3+\left(\frac{2}{5}\right)^4+\cdots$$
$$=\left\{\frac{1}{5}+\left(\frac{1}{5}\right)^3+\left(\frac{1}{5}\right)^5+\cdots\right\}+\left\{\left(\frac{2}{5}\right)^2+\left(\frac{2}{5}\right)^4+\left(\frac{2}{5}\right)^6+\cdots\right\}$$
$$=\frac{\frac{1}{5}}{1-\frac{1}{25}}+\frac{\frac{4}{25}}{1-\frac{4}{25}}=\frac{5}{24}+\frac{4}{21}=\frac{67}{168}$$

따라서 $S=\frac{67}{168}$이므로 $168S=168\times\frac{67}{168}=67$ 답 ③

0229

유형 09 귀납적으로 정의된 수열의 급수
+ 10 S_n과 a_n 사이의 관계를 이용하는 급수

| 전략 | $S_{n+1}=\frac{1}{2}S_n+1$을 $S_{n+1}-2=\frac{1}{2}(S_n-2)$로 변형한다.

$S_{n+1}=\frac{1}{2}S_n+1$에서 $S_{n+1}-2=\frac{1}{2}(S_n-2)$

수열 $\{S_n-2\}$는 첫째항이 $S_1-2=10-2=8$, 공비가 $\frac{1}{2}$인 등비수열이므로

$S_n-2=8\times\left(\frac{1}{2}\right)^{n-1}$ $\therefore S_n=8\times\left(\frac{1}{2}\right)^{n-1}+2$

$$a_n=S_n-S_{n-1}$$
$$=8\times\left(\frac{1}{2}\right)^{n-1}+2-\left\{8\times\left(\frac{1}{2}\right)^{n-2}+2\right\}$$
$$=8\times\left(\frac{1}{2}\right)^{n-1}-8\times\left(\frac{1}{2}\right)^{n-2}$$
$$=-4\times\left(\frac{1}{2}\right)^{n-2}\ (n\ge2)$$

$$\therefore a_2+a_4+a_6+\cdots=-4+\left\{-4\times\left(\frac{1}{2}\right)^2\right\}+\left\{-4\times\left(\frac{1}{2}\right)^4\right\}+\cdots$$
$$=\frac{-4}{1-\frac{1}{4}}=-\frac{16}{3}$$ 답 ①

0230

유형 11 순환소수와 등비급수

| 전략 | $\frac{123}{999}=0.\dot{1}2\dot{3}$임을 이용한다.

$\frac{123}{999}=0.\dot{1}2\dot{3}=0.123123123\cdots$이므로

$a_1=1$, $a_2=2$, $a_3=3$, $a_4=1$, $a_5=2$, $a_6=3$, $\cdots$

$$\therefore \sum_{n=1}^{\infty}\frac{a_n}{3^n}=\frac{1}{3}+\frac{2}{3^2}+\frac{3}{3^3}+\frac{1}{3^4}+\frac{2}{3^5}+\frac{3}{3^6}+\cdots$$
$$=\left(\frac{1}{3}+\frac{1}{3^4}+\cdots\right)+2\left(\frac{1}{3^2}+\frac{1}{3^5}+\cdots\right)+3\left(\frac{1}{3^3}+\frac{1}{3^6}+\cdots\right)$$
$$=\frac{\frac{1}{3}}{1-\frac{1}{27}}+2\times\frac{\frac{1}{9}}{1-\frac{1}{27}}+3\times\frac{\frac{1}{27}}{1-\frac{1}{27}}$$
$$=\frac{9}{26}+\frac{6}{26}+\frac{3}{26}=\frac{9}{13}$$

답 ⑤

0231

유형 14 도형과 등비급수 – 길이

|전략| $\triangle OB_nA_n$은 직각삼각형임을 이용한다.

$\overline{OA_n}=\frac{1}{4^{n-1}}$이고 $\overline{A_nB_n}$은 점 $A_n\left(\frac{1}{4^{n-1}}, 0\right)$과 직선 $3x+4y=0$ 사이의 거리이므로

$$\overline{A_nB_n}=\frac{\left|3\times\frac{1}{4^{n-1}}\right|}{\sqrt{3^2+4^2}}=\frac{3}{5}\times\frac{1}{4^{n-1}}$$

$\triangle OB_nA_n$은 직각삼각형이므로

$$L_n=\overline{OB_n}=\sqrt{\overline{OA_n}^2-\overline{A_nB_n}^2}$$
$$=\sqrt{\left(\frac{1}{4^{n-1}}\right)^2-\left(\frac{3}{5}\times\frac{1}{4^{n-1}}\right)^2}=\sqrt{\frac{16}{25}\times\left(\frac{1}{4^{n-1}}\right)^2}$$
$$=\frac{4}{5}\times\frac{1}{4^{n-1}}$$

$$\therefore \sum_{n=1}^{\infty}L_n=\sum_{n=1}^{\infty}\frac{4}{5}\times\left(\frac{1}{4}\right)^{n-1}=\frac{\frac{4}{5}}{1-\frac{1}{4}}=\frac{16}{15}$$

답 ④

0232

유형 14 도형과 등비급수 – 길이

|전략| 삼각형의 닮음을 이용하여 l_n과 l_{n+1} 사이의 관계식을 구한다.

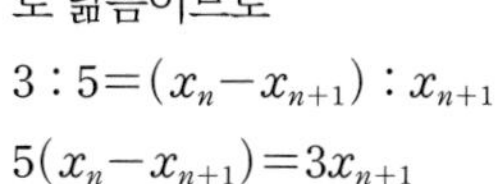

오른쪽 그림에서 $\overline{P_nQ_n}=x_n(n=1, 2, 3, \cdots)$이라 하면 $\triangle P_nR_{n+1}P_{n+1}$과 $\triangle ABC$가 서로 닮음이므로

$3:5=(x_n-x_{n+1}):x_{n+1}$

$5(x_n-x_{n+1})=3x_{n+1}$

$\therefore x_{n+1}=\frac{5}{8}x_n \qquad \therefore l_{n+1}=\frac{5}{8}l_n$

또, $\triangle AR_1P_1$과 $\triangle ABC$는 서로 닮음이므로

$(3-x_1):x_1=3:5$, $x_1=\frac{15}{8} \qquad \therefore l_1=4x_1=\frac{15}{2}$

따라서 수열 $\{l_n\}$은 첫째항이 $\frac{15}{2}$, 공비가 $\frac{5}{8}$인 등비수열이므로

$$\sum_{n=1}^{\infty}l_n=\frac{\frac{15}{2}}{1-\frac{5}{8}}=20$$

답 ②

Lecture

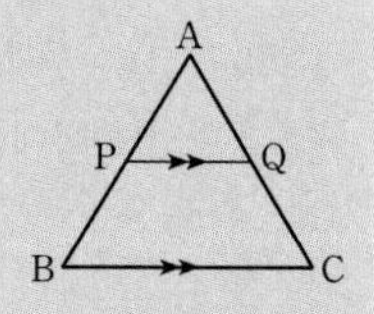

오른쪽 그림에서 $\overline{PQ}\,/\!/\,\overline{BC}$이면 $\triangle APQ$와 $\triangle ABC$는 서로 닮음이다.

(1) $\overline{AP}:\overline{AB}=\overline{AQ}:\overline{AC}=\overline{PQ}:\overline{BC}$

(2) $\overline{AP}:\overline{PB}=\overline{AQ}:\overline{QC}$

(3) $\overline{AB}:\overline{BP}=\overline{AC}:\overline{CQ}$

0233

유형 08 등비급수의 수렴 조건

|전략| 등비수열 $\{ar^{n-1}\}$의 수렴 조건은 $a=0$ 또는 $-1<r\le 1$이고, 등비급수 $\sum_{n=1}^{\infty}r^n$의 수렴 조건은 $-1<r<1$임을 이용한다.

(i) 등비수열 $\{(x-2)(3x-2)^{n-1}\}$의 첫째항은 $x-2$, 공비는 $3x-2$이므로 수렴하려면 $x-2=0$ 또는 $-1<3x-2\le 1$

$x-2=0$에서 $x=2$ …… ㉠

$-1<3x-2\le 1$에서 $1<3x\le 3$

$\therefore \frac{1}{3}<x\le 1$ …… ㉡

㉠, ㉡에서 $x=2$ 또는 $\frac{1}{3}<x\le 1$ … ❶

(ii) 등비급수 $\sum_{n=1}^{\infty}(x^2-x+1)^n$의 공비가 x^2-x+1이므로 수렴하려면 $-1<x^2-x+1<1$

$x^2-x+1>-1$에서 $x^2-x+2>0$

이때, $x^2-x+2=\left(x-\frac{1}{2}\right)^2+\frac{7}{4}>0$

따라서 모든 실수 x에 대하여 성립한다. …… ㉢

$x^2-x+1<1$에서 $x^2-x<0$, $x(x-1)<0$

$\therefore 0<x<1$ …… ㉣

㉢, ㉣에서 $0<x<1$ … ❷

(i), (ii)에서 $\frac{1}{3}<x<1$ … ❸

답 $\frac{1}{3}<x<1$

채점 기준	배점
❶ 등비수열이 수렴하도록 하는 실수 x의 값의 범위를 구할 수 있다.	2점
❷ 등비급수가 수렴하도록 하는 실수 x의 값의 범위를 구할 수 있다.	4점
❸ ❶, ❷의 공통 범위를 구할 수 있다.	1점

0234

유형 15 도형과 등비급수 – 넓이

|전략| r_n과 r_{n+1} 사이의 관계식을 구한 후 수열 $\{S_n\}$의 첫째항과 공비를 구한다.

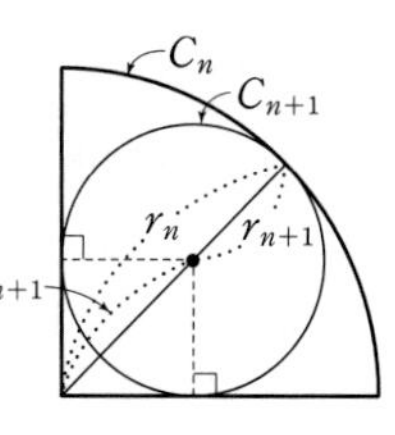

(1) 원 C의 반지름의 길이가 $2(\sqrt{2}+1)$이므로

$\sqrt{2}r_1+r_1=2(\sqrt{2}+1)$에서

$(\sqrt{2}+1)r_1=2(\sqrt{2}+1) \qquad \therefore r_1=2$

오른쪽 그림에서

$\sqrt{2}r_{n+1}+r_{n+1}=r_n$, $(\sqrt{2}+1)r_{n+1}=r_n$

$\therefore r_{n+1}=\frac{1}{\sqrt{2}+1}r_n=(\sqrt{2}-1)r_n$

(2) 수열 $\{r_n\}$은 첫째항이 2, 공비가 $\sqrt{2}-1$인 등비수열이므로 수열 $\{S_n\}$은 첫째항이 4π, 공비가 $(\sqrt{2}-1)^2=3-2\sqrt{2}$인 등비수열이다.

$S_{n+1}=\pi r_{n+1}{}^2=\pi\{(\sqrt{2}-1)r_n\}^2$
$=\pi r_n{}^2(\sqrt{2}-1)^2=(\sqrt{2}-1)^2 S_n$

$\therefore \sum_{n=1}^{\infty} S_n=\frac{4\pi}{1-(3-2\sqrt{2})}=(2+2\sqrt{2})\pi$

(3) $(2+2\sqrt{2})\pi=(p+q\sqrt{2})\pi$에서

$p=2, q=2 \qquad \therefore p^2+q^2=8$

답 (1) $r_{n+1}=(\sqrt{2}-1)r_n$ (2) $(2+2\sqrt{2})\pi$ (3) 8

채점 기준	배점
(1) r_n과 r_{n+1} 사이의 관계식을 구할 수 있다.	5점
(2) $\sum_{n=1}^{\infty} S_n$의 합을 구할 수 있다.	5점
(3) p^2+q^2의 값을 구할 수 있다.	2점

Lecture

(1) 처음의 길이 또는 넓이 a가 일정한 비 r로 축소되는 등비급수는 a와 r를 구하여 $S=\frac{a}{1-r}$에 대입한다.

(2) 처음의 길이 또는 넓이 a가 일정한 비 r_1로 축소되고 동시에 그 개수가 일정한 비 r_2로 확대되는 등비급수는 a와 r_1, r_2를 구하여 $S=\frac{a}{1-r_1r_2}$에 대입한다.

창의·융합 교과서 속 심화문제

0235

| 전략 | $\sum_{n=1}^{\infty} a_n$이 수렴하면 $\lim_{n\to\infty} a_n=0$임을 이용한다.

급수 $\sum_{n=1}^{\infty}\left(a_n-\frac{2n}{3n-1}\right)$이 수렴하므로

$\lim_{n\to\infty}\left(a_n-\frac{2n}{3n-1}\right)=0 \qquad \therefore \lim_{n\to\infty} a_n=\frac{2}{3}$

$\lim_{n\to\infty}\sin\left\{\left(30a_n+\frac{k}{2}\right)\pi\right\}=\sin\left\{\left(30\lim_{n\to\infty} a_n+\frac{k}{2}\right)\pi\right\}$

$=\sin\left(20+\frac{k}{2}\right)\pi=\sin\frac{k\pi}{2}$

(i) $\sin\frac{k\pi}{2}=0$을 만족시키는 두 자리 자연수 k는

10, 12, 14, $\cdots$, 98로 45개

(ii) $\sin\frac{k\pi}{2}=1$을 만족시키는 두 자리 자연수 k는

13, 17, 21, $\cdots$, 97로 22개

따라서 조건을 만족시키는 모든 두 자리 자연수 k의 값의 합은

$(10+12+14+\cdots+98)+(13+17+21+\cdots+97)$

$=\frac{108\times45}{2}+\frac{110\times22}{2}$

$=2430+1210=3640$

답 3640

0236

| 전략 | 주어진 곡선을 x축의 방향으로 b_n만큼 평행이동시켜 점 $(-n, 3)$을 지나는 곡선의 방정식을 구한다.

곡선 $y=\left(\frac{1}{2}\right)^x$을 x축의 방향으로 b_n만큼 평행이동시키면

$y=\left(\frac{1}{2}\right)^{x-b_n}$

이 곡선이 점 $(-n, 3)$을 지나므로

$2^{b_n+n}=3$, $b_n+n=\log_2 3 \qquad \therefore b_n=-n+\log_2 3$

$\therefore y=\left(\frac{1}{2}\right)^{x+n-\log_2 3}=2^{-x-n+\log_2 3}=3\times2^{-x-n}$

이때, 이 곡선의 y절편이 a_n이므로 $a_n=3\times2^{-n}$

$\therefore \frac{p}{9}\sum_{n=1}^{\infty} a_n=\frac{p}{3}\sum_{n=1}^{\infty}\left(\frac{1}{2}\right)^n=\frac{p}{3}\times\frac{\frac{1}{2}}{1-\frac{1}{2}}=\frac{p}{3}$

$\frac{p}{3}$는 자연수가 되어야 하므로 p는 3의 배수이다.

따라서 $\frac{p}{3}\le20$을 만족시키는 p의 값은 3, 6, 9, $\cdots$, 60이므로 모든 자연수 p의 값의 합은

$\sum_{k=1}^{20} 3k=3\times\frac{20\times21}{2}=630$

답 630

0237

| 전략 | S_{2n-1}과 S_{2n}을 각각 구한 후 이를 이용하여 a_{2n-1}과 a_{2n}을 구한다.

$S_1=a_1=4$

$S_nS_{n+1}=2^n$에서 $S_{n+1}=\frac{2^n}{S_n}$이므로

$S_2=\frac{2}{4}=\frac{1}{2}$, $S_3=2\times2^2=2^3$, $S_4=\frac{2^3}{2^3}=1$, $S_5=2^4$, $S_6=\frac{2^5}{2^4}=2$, $\cdots$

이상을 정리하면 다음과 같다.

S_1	S_2	S_3	S_4	S_5	S_6	$\cdots$
2^2	$\frac{1}{2}$	2^3	1	2^4	2	$\cdots$

즉, $S_{2n-1}=2^{n+1}$, $S_{2n}=2^{n-2}$이므로

$a_{2n-1}=S_{2n-1}-S_{2n-2}=2^{n+1}-2^{n-3}=15\times2^{n-3}\ (n\ge2)$

$a_{2n}=S_{2n}-S_{2n-1}=2^{n-2}-2^{n+1}=-7\times2^{n-2}$

따라서

$\lim_{n\to\infty}\frac{a_{2n}}{a_{2n-1}}=\lim_{n\to\infty}\frac{-7\times2^{n-2}}{15\times2^{n-3}}=-\frac{14}{15}$

$\lim_{n\to\infty}\frac{S_{2n}}{S_{2n-1}}=\lim_{n\to\infty}\frac{2^{n-2}}{2^{n+1}}=\frac{1}{8}$

$\therefore \lim_{n\to\infty}\left(\frac{15a_{2n}}{a_{2n-1}}+\frac{8S_{2n}}{S_{2n-1}}\right)=15\times\left(-\frac{14}{15}\right)+8\times\frac{1}{8}$

$=-14+1=-13$

답 -13

0238

|전략| 공이 처음 떨어지고 난 후부터는 공이 튀어 올랐다가 떨어지므로 공이 움직인 거리는 공의 높이의 두 배를 해야 한다.

$$a_n=10+2\left\{10\times\frac{3}{5}+10\times\left(\frac{3}{5}\right)^2+\cdots+10\times\left(\frac{3}{5}\right)^{n-1}\right\}$$

$$=10+2\times\frac{6\left\{1-\left(\frac{3}{5}\right)^{n-1}\right\}}{1-\frac{3}{5}}=10+30\left\{1-\left(\frac{3}{5}\right)^{n-1}\right\}\quad\cdots\cdots㉠$$

$$b_n=x+2\left\{\frac{2}{5}x+\left(\frac{2}{5}\right)^2x+\cdots+\left(\frac{2}{5}\right)^{n-1}x\right\}$$

$$=x+2\times\frac{\frac{2}{5}x\left\{1-\left(\frac{2}{5}\right)^{n-1}\right\}}{1-\frac{2}{5}}=x+\frac{4}{3}x\left\{1-\left(\frac{2}{5}\right)^{n-1}\right\}\quad\cdots\cdots㉡$$

㉠, ㉡에 의하여

$$\lim_{n\to\infty}\frac{a_n}{b_n}=\lim_{n\to\infty}\frac{10+30\left\{1-\left(\frac{3}{5}\right)^{n-1}\right\}}{x+\frac{4}{3}x\left\{1-\left(\frac{2}{5}\right)^{n-1}\right\}}$$

$$=\frac{40}{\frac{7}{3}x}=\frac{120}{7x}$$

이때, $\lim_{n\to\infty}\frac{a_n}{b_n}=1$이므로

$\frac{120}{7x}=1 \qquad \therefore x=\frac{120}{7}$ 답 $\frac{120}{7}$

0239

|전략| 원뿔의 전개도를 그려서 $\{l_n\}$이 어떤 수열이 되는지 파악한다.

직원뿔의 옆면의 전개도는 다음 그림과 같다.

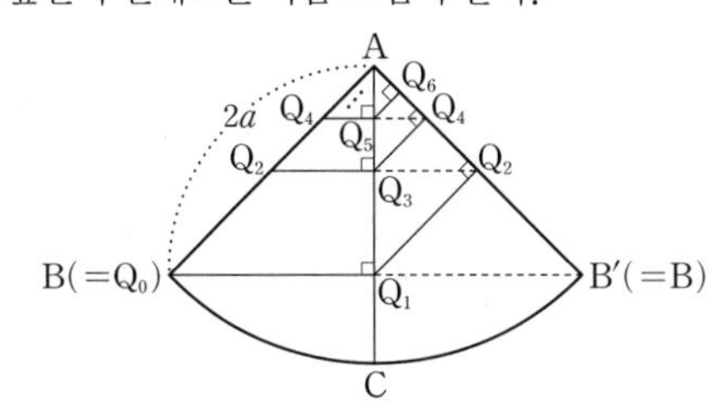

호 BCB′의 길이는 반지름의 길이가 $\frac{a}{2}$인 원의 둘레의 길이와 같으므로 $a\pi$이고, 반지름의 길이가 $\overline{AB}=2a$인 원의 둘레의 길이는 $4a\pi$이므로

$\angle BAB'=90°$

즉, $\angle BAC=45°$이므로

$l_1=\sqrt{2}a,\ l_2=a,\ l_3=\frac{\sqrt{2}}{2}a,\ l_4=\frac{1}{2}a,\ \cdots$

수열 $\{l_n\}$은 첫째항이 $\sqrt{2}a$, 공비가 $\frac{\sqrt{2}}{2}$인 등비수열이므로

$$l_n=\sqrt{2}a\times\left(\frac{\sqrt{2}}{2}\right)^{n-1}$$

$$\therefore \sum_{n=1}^{\infty}l_n=\frac{\sqrt{2}a}{1-\frac{\sqrt{2}}{2}}=2a(1+\sqrt{2})$$

$2a(1+\sqrt{2})\le100$에서 $a\le50(\sqrt{2}-1)=20.710\cdots$

따라서 조건을 만족시키는 자연수 a의 최댓값은 20이다. 답 20

본책 44~57쪽

3 | 지수함수와 로그함수의 미분

STEP 1 개념 마스터

0240

$\lim_{x\to\infty}\frac{4^x}{3^{2x}}=\lim_{x\to\infty}\left(\frac{4}{9}\right)^x=0$ 답 0

0241

$\lim_{x\to\infty}(3^x-4^x)=\lim_{x\to\infty}4^x\left\{\left(\frac{3}{4}\right)^x-1\right\}$

이때, $\lim_{x\to\infty}\left\{\left(\frac{3}{4}\right)^x-1\right\}=-1$이므로

$\lim_{x\to\infty}4^x\left\{\left(\frac{3}{4}\right)^x-1\right\}=-\infty$ 답 $-\infty$

0242

$\lim_{x\to-\infty}\frac{5^x+5^{-x}}{5^x-5^{-x}}=\lim_{x\to-\infty}\frac{5^{2x}+1}{5^{2x}-1}=\lim_{x\to-\infty}\frac{25^x+1}{25^x-1}$

이때, $\lim_{x\to-\infty}25^x=0$이므로

$\lim_{x\to-\infty}\frac{25^x+1}{25^x-1}=-1$ 답 -1

0243

$$\lim_{x\to\infty}\frac{2^x+4^x}{3^x+5^x}=\lim_{x\to\infty}\frac{\left(\frac{2}{5}\right)^x+\left(\frac{4}{5}\right)^x}{\left(\frac{3}{5}\right)^x+1}$$

이때, $\lim_{x\to\infty}\left(\frac{2}{5}\right)^x=\lim_{x\to\infty}\left(\frac{3}{5}\right)^x=\lim_{x\to\infty}\left(\frac{4}{5}\right)^x=0$이므로

$$\lim_{x\to\infty}\frac{\left(\frac{2}{5}\right)^x+\left(\frac{4}{5}\right)^x}{\left(\frac{3}{5}\right)^x+1}=0$$ 답 0

0244

$\lim_{x\to0}\left\{\left(\frac{1}{2}\right)^x+3\right\}=1+3=4$ 답 4

0245

$\lim_{x\to2}\frac{4^x}{3^{x-1}-2^x}=\frac{4^2}{3-2^2}=-16$ 답 -16

0246

$\lim_{x\to\infty}\log\frac{1}{x}=\lim_{x\to\infty}(-\log x)=-\infty$ 답 $-\infty$

0247

$\lim_{x\to0+}\log_{\frac{1}{5}}x=\infty$ 답 ∞

3 지수함수와 로그함수의 미분

0248

$x-1=t$로 놓으면 $x \to 1+$일 때 $t \to 0+$이므로

$\lim_{x\to 1+} \log_3 (x-1) = \lim_{t \to 0+} \log_3 t = -\infty$ 답 $-\infty$

0249

$\lim_{x\to 27} \log_3 x = \log_3 27 = 3$ 답 3

0250

$\lim_{x\to\infty} \{\log_2 (4x+1) - \log_2 x\}$

$=\lim_{x\to\infty} \log_2 \frac{4x+1}{x} = \lim_{x\to\infty} \log_2 \left(4+\frac{1}{x}\right)$

$=\log_2 4 = 2$ 답 2

0251

$\lim_{x\to 0} (1+3x)^{\frac{1}{x}} = \lim_{x\to 0} \{(1+3x)^{\frac{1}{3x}}\}^3 = e^3$ 답 e^3

0252

$\lim_{x\to\infty} \left(1+\frac{1}{2x}\right)^x = \lim_{x\to\infty} \left\{\left(1+\frac{1}{2x}\right)^{2x}\right\}^{\frac{1}{2}} = e^{\frac{1}{2}}$ 답 $e^{\frac{1}{2}}$

0253

$\ln x = 3$에서 $x = e^3$ 답 e^3

0254

$\ln x = -1$에서 $x = e^{-1} = \frac{1}{e}$ 답 $\frac{1}{e}$

0255

$e^x = 5$에서 $x = \ln 5$ 답 $\ln 5$

0256

$e^{2x} = \frac{1}{4}$에서 $2x = \ln \frac{1}{4}$

$2x = -2\ln 2 \qquad \therefore x = -\ln 2$ 답 $-\ln 2$

0257

$\ln e^2 = 2\ln e = 2$ 답 2

0258

$\ln \sqrt{e} = \frac{1}{2}\ln e = \frac{1}{2}$ 답 $\frac{1}{2}$

0259

$\ln e^{\sqrt{3}} = \sqrt{3}\ln e = \sqrt{3}$ 답 $\sqrt{3}$

0260

$\frac{1}{\log_5 e} + \frac{1}{\log_2 e} = \ln 5 + \ln 2 = \ln 10$ 답 $\ln 10$

0261

$\lim_{x\to 0} \frac{\ln(1+x)}{2x} = \lim_{x\to 0} \frac{\ln(1+x)}{x} \times \frac{1}{2} = 1 \times \frac{1}{2} = \frac{1}{2}$ 답 $\frac{1}{2}$

0262

$\lim_{x\to 0} \frac{\ln(1+x)^3}{x} = \lim_{x\to 0} \frac{3\ln(1+x)}{x} = 3\lim_{x\to 0} \frac{\ln(1+x)}{x}$

$=3\times 1 = 3$ 답 3

0263

$\lim_{x\to 0} \frac{\log_2(1+3x)}{x} = \lim_{x\to 0} \frac{\log_2(1+3x)}{3x} \times 3$

$=\frac{1}{\ln 2} \times 3 = \frac{3}{\ln 2}$ 답 $\frac{3}{\ln 2}$

0264

$\lim_{x\to 0} \frac{e^{2x}-1}{x} = \lim_{x\to 0} \frac{e^{2x}-1}{2x} \times 2 = 1\times 2 = 2$ 답 2

0265

$\lim_{x\to 0} \frac{e^{-x}-1}{2x} = \lim_{x\to 0} \frac{e^{-x}-1}{-x} \times \left(-\frac{1}{2}\right)$

$=1\times\left(-\frac{1}{2}\right) = -\frac{1}{2}$ 답 $-\frac{1}{2}$

0266

$\lim_{x\to 0} \frac{2^x-1}{4x} = \lim_{x\to 0} \frac{2^x-1}{x} \times \frac{1}{4}$

$=\ln 2 \times \frac{1}{4} = \frac{1}{4}\ln 2$ 답 $\frac{1}{4}\ln 2$

0267

$y = e^{x+1} = e \times e^x$이므로

$y' = e \times (e^x)' = e \times e^x = e^{x+1}$ 답 $y' = e^{x+1}$

0268

$y' = e^x + (x-1)e^x = xe^x$ 답 $y' = xe^x$

0269

$y' = 3x^2e^x + x^3e^x = x^2e^x(x+3)$ 답 $y' = x^2e^x(x+3)$

0270 답 $y' = 2\times 3^x \ln 3$

0271

$y = 5^{2x-1} = \frac{1}{5} \times 25^x$이므로

$y' = \frac{1}{5} \times (25^x)' = \frac{1}{5} \times 25^x \ln 25 = 2\times 5^{2x-1}\ln 5$

답 $y' = 2\times 5^{2x-1}\ln 5$

0272

$y' = 3^x + x\times 3^x \ln 3 = 3^x(1+x\ln 3)$ 답 $y' = 3^x(1+x\ln 3)$

0273

$y=\ln 2x=\ln 2+\ln x$이므로

$y'=\dfrac{1}{x}$ 답 $y'=\dfrac{1}{x}$

0274

$y=\ln x^3=3\ln x$이므로

$y'=\dfrac{3}{x}$ 답 $y'=\dfrac{3}{x}$

0275

$y=3x\ln 2x=3x(\ln 2+\ln x)$이므로

$y'=3(\ln 2+\ln x)+3x\times\dfrac{1}{x}=3\ln 2x+3$ 답 $y'=3\ln 2x+3$

0276

$y=(\ln x)^2=(\ln x)(\ln x)$이므로

$y'=\dfrac{1}{x}\times\ln x+\ln x\times\dfrac{1}{x}=\dfrac{2\ln x}{x}$ 답 $y'=\dfrac{2\ln x}{x}$

0277 답 $y'=2x+\dfrac{1}{x\ln 5}$

0278

$y=\log_2 3x=\log_2 3+\log_2 x$이므로

$y'=\dfrac{1}{x\ln 2}$ 답 $y'=\dfrac{1}{x\ln 2}$

0279

$y'=\log_2 x+x\times\dfrac{1}{x\ln 2}=\log_2 x+\dfrac{1}{\ln 2}$ 답 $y'=\log_2 x+\dfrac{1}{\ln 2}$

0280

$y=x\log_5 3x=x(\log_5 3+\log_5 x)$이므로

$y'=(\log_5 3+\log_5 x)+x\times\dfrac{1}{x\ln 5}=\log_5 3x+\dfrac{1}{\ln 5}$

답 $y'=\log_5 3x+\dfrac{1}{\ln 5}$

STEP 2 유형 마스터

0281

|전략| $0<a<1$이면 $\lim\limits_{x\to\infty} a^x=0$임을 이용한다.

$$\lim_{x\to\infty}(4^x+3^x)^{\frac{1}{x}}=\lim_{x\to\infty}\left[4^x\left\{1+\left(\frac{3}{4}\right)^x\right\}\right]^{\frac{1}{x}}$$
$$=\lim_{x\to\infty}(4^x)^{\frac{1}{x}}\left\{1+\left(\frac{3}{4}\right)^x\right\}^{\frac{1}{x}}$$
$$=\lim_{x\to\infty}(4^x)^{\frac{1}{x}}\times\lim_{x\to\infty}\left\{1+\left(\frac{3}{4}\right)^x\right\}^{\frac{1}{x}}$$
$$=4\times1=4$$
답 ④

0282

$-x=t$로 놓으면 $x\to-\infty$일 때 $t\to\infty$이므로

$$\lim_{x\to-\infty}\frac{3^x-x^3+1}{1-2x^3}=\lim_{t\to\infty}\frac{3^{-t}+t^3+1}{1+2t^3}$$
$$=\lim_{t\to\infty}\frac{3^{-t}}{1+2t^3}+\lim_{t\to\infty}\frac{t^3+1}{1+2t^3}$$
$$=\lim_{t\to\infty}\frac{1}{3^t(1+2t^3)}+\lim_{t\to\infty}\frac{1+\frac{1}{t^3}}{\frac{1}{t^3}+2}$$
$$=0+\frac{1}{2}=\frac{1}{2}$$

따라서 $a=1$, $b=2$이므로 $2a+b=4$ 답 ①

0283

ㄱ. $\lim\limits_{x\to-\infty}5^x=0$, $\lim\limits_{x\to-\infty}5^{-x}=\infty$이므로 $\lim\limits_{x\to-\infty}\dfrac{5^x}{5^x-5^{-x}}=0$

ㄴ. $\lim\limits_{x\to0+}\dfrac{1}{x}=\infty$이므로 $\lim\limits_{x\to0+}2^{\frac{1}{x}}=\infty$, $\lim\limits_{x\to0+}2^{-\frac{1}{x}}=0$

$\therefore \lim\limits_{x\to0+}\dfrac{2^{\frac{1}{x}}}{2^{\frac{1}{x}}-2^{-\frac{1}{x}}}=\lim\limits_{x\to0+}\dfrac{1}{1-2^{-\frac{2}{x}}}=1$

$\lim\limits_{x\to0-}\dfrac{1}{x}=-\infty$이므로 $\lim\limits_{x\to0-}2^{\frac{1}{x}}=0$, $\lim\limits_{x\to0-}2^{-\frac{1}{x}}=\infty$

$\therefore \lim\limits_{x\to0-}\dfrac{2^{\frac{1}{x}}}{2^{\frac{1}{x}}-2^{-\frac{1}{x}}}=0$

즉, $\lim\limits_{x\to0+}\dfrac{2^{\frac{1}{x}}}{2^{\frac{1}{x}}-2^{-\frac{1}{x}}}\neq\lim\limits_{x\to0-}\dfrac{2^{\frac{1}{x}}}{2^{\frac{1}{x}}-2^{-\frac{1}{x}}}$

따라서 $\lim\limits_{x\to0}\dfrac{2^{\frac{1}{x}}}{2^{\frac{1}{x}}-2^{-\frac{1}{x}}}$의 극한값은 존재하지 않는다.

ㄷ. $\lim\limits_{x\to-\infty}\dfrac{7^x}{\sqrt{5^x}}=\lim\limits_{x\to-\infty}\left(\dfrac{7}{\sqrt{5}}\right)^x=0$

ㄹ. $\dfrac{1}{x}=t$로 놓으면 $x\to-\infty$일 때 $t\to0-$이므로

$\lim\limits_{x\to-\infty}\dfrac{1}{1-3^{\frac{1}{x}}}=\lim\limits_{t\to0-}\dfrac{1}{1-3^t}=\infty$

따라서 극한값이 존재하는 것은 ㄱ, ㄷ이다. 답 ②

Lecture

함수의 극한값의 존재

함수 $f(x)$에서 좌극한 $\lim\limits_{x\to a-}f(x)$와 우극한 $\lim\limits_{x\to a+}f(x)$가 모두 존재하고 그 값이 서로 같으면 극한값 $\lim\limits_{x\to a}f(x)$가 존재한다. 또, 그 역도 성립한다.

⇨ $\lim\limits_{x\to a+}f(x)=\lim\limits_{x\to a-}f(x)=L \Longleftrightarrow \lim\limits_{x\to a}f(x)=L$

0284

|전략| 로그의 성질을 이용하여

$\log_2|x^2+4x-12|-\log_2|x-2|=\log_2\left|\dfrac{x^2+4x-12}{x-2}\right|$로 변형한 후 값을 구한다.

$$\lim_{x\to2}(\log_2|x^2+4x-12|-\log_2|x-2|)$$
$$=\lim_{x\to2}\log_2\left|\frac{x^2+4x-12}{x-2}\right|=\lim_{x\to2}\log_2\left|\frac{(x+6)(x-2)}{x-2}\right|$$
$$=\lim_{x\to2}\log_2|x+6|=\log_2 8=3$$

답 ③

0285

$$\lim_{x\to\infty}(\log_7\sqrt{7x^2+x}-\log_7 x)=\lim_{x\to\infty}\log_7\frac{\sqrt{7x^2+x}}{x}$$
$$=\lim_{x\to\infty}\log_7\sqrt{7+\frac{1}{x}}$$
$$=\log_7\sqrt{7}=\frac{1}{2}$$

답 ④

0286

$$\lim_{x\to\infty}\{\log_2(ax+1)-\log_2(x+1)\}=\lim_{x\to\infty}\log_2\frac{ax+1}{x+1}$$
$$=\lim_{x\to\infty}\log_2\frac{a+\frac{1}{x}}{1+\frac{1}{x}}=\log_2 a$$

이때, $\log_2 a=4$에서 $a=2^4=16$

답 16

0287

$$\lim_{x\to\infty}\frac{1}{x}\log_5(10^x+25^x)=\lim_{x\to\infty}\log_5\left[25^x\left\{\left(\frac{10}{25}\right)^x+1\right\}\right]^{\frac{1}{x}}$$
$$=\lim_{x\to\infty}\log_5(25^x)^{\frac{1}{x}}\left\{\left(\frac{2}{5}\right)^x+1\right\}^{\frac{1}{x}}$$
$$=\log_5\left[\lim_{x\to\infty}25\left\{\left(\frac{2}{5}\right)^x+1\right\}^{\frac{1}{x}}\right]$$
$$=\log_5(25\times1)=2$$

답 ③

0288

| 전략 | $\lim_{x\to0}(1+ax)^{\frac{1}{ax}}=e$임을 이용한다.

$$\lim_{x\to0}(1-4x)^{\frac{1}{2x}}=\lim_{x\to0}[\{1+(-4x)\}^{-\frac{1}{4x}}]^{-2}$$
$$=e^{-2}=\frac{1}{e^2}$$

답 ①

다른 풀이 $-x=t$로 놓으면 $x\to0$일 때 $t\to0$이므로

$$\lim_{x\to0}(1-4x)^{\frac{1}{2x}}=\lim_{t\to0}(1+4t)^{-\frac{1}{2t}}$$
$$=\lim_{t\to0}\{(1+4t)^{\frac{1}{4t}}\}^{-2}$$
$$=e^{-2}=\frac{1}{e^2}$$

0289

$$\lim_{x\to0}(1+2x)^{\frac{1}{x}}+\lim_{x\to0}(1-5x)^{\frac{1}{x}}$$
$$=\lim_{x\to0}\{(1+2x)^{\frac{1}{2x}}\}^2+\lim_{x\to0}\{(1-5x)^{-\frac{1}{5x}}\}^{-5}$$
$$=e^2+e^{-5}=e^2+\frac{1}{e^5}$$

답 ②

0290

$x-1=t$로 놓으면 $x\to1$일 때 $t\to0$이므로

$$\lim_{x\to1}x^{\frac{1}{1-x}}=\lim_{t\to0}(1+t)^{-\frac{1}{t}}$$
$$=\lim_{t\to0}\{(1+t)^{\frac{1}{t}}\}^{-1}$$
$$=e^{-1}=\frac{1}{e}$$

답 ④

0291

| 전략 | $\lim_{x\to\infty}\left(1+\frac{1}{ax}\right)^{ax}=e$임을 이용한다.

$$\lim_{x\to\infty}\left\{\frac{1}{2}\left(1+\frac{1}{x}\right)\left(1+\frac{1}{x+1}\right)\left(1+\frac{1}{x+2}\right)\cdots\left(1+\frac{1}{2x}\right)\right\}^{2x}$$
$$=\lim_{x\to\infty}\left(\frac{1}{2}\times\frac{x+1}{x}\times\frac{x+2}{x+1}\times\frac{x+3}{x+2}\times\cdots\times\frac{2x+1}{2x}\right)^{2x}$$
$$=\lim_{x\to\infty}\left(\frac{2x+1}{2x}\right)^{2x}=\lim_{x\to\infty}\left(1+\frac{1}{2x}\right)^{2x}$$
$$=e$$

답 ③

0292

ㄱ. $\lim_{x\to0}\left(\frac{3+x}{3}\right)^{\frac{3}{x}}=\lim_{x\to0}\left(1+\frac{x}{3}\right)^{\frac{3}{x}}=e$

ㄴ. $\lim_{x\to\infty}\left(\frac{x-1}{x}\right)^{-x}=\lim_{x\to\infty}\left(1-\frac{1}{x}\right)^{-x}=e$

ㄷ. $x-2=t$로 놓으면 $x\to2$일 때 $t\to0$이므로

$$\lim_{x\to2}\left(\frac{x}{2}\right)^{\frac{1}{x-2}}=\lim_{t\to0}\left(\frac{2+t}{2}\right)^{\frac{1}{t}}=\lim_{t\to0}\left(1+\frac{t}{2}\right)^{\frac{1}{t}}$$
$$=\lim_{t\to0}\left\{\left(1+\frac{t}{2}\right)^{\frac{2}{t}}\right\}^{\frac{1}{2}}=e^{\frac{1}{2}}=\sqrt{e}$$

ㄹ. $x+2=t$로 놓으면 $x\to-2$일 때 $t\to0$이므로

$$\lim_{x\to-2}(x+3)^{\frac{1}{x+2}}=\lim_{t\to0}(1+t)^{\frac{1}{t}}=e$$

따라서 극한값이 e인 것은 ㄱ, ㄴ, ㄹ이다.

답 ④

0293

$$\lim_{x\to\infty}\left(\frac{x-a}{x+a}\right)^x=\lim_{x\to\infty}\left(\frac{1-\frac{a}{x}}{1+\frac{a}{x}}\right)^x$$
$$=\lim_{x\to\infty}\frac{\left(1-\frac{a}{x}\right)^x}{\left(1+\frac{a}{x}\right)^x}=\frac{\lim_{x\to\infty}\left\{\left(1-\frac{a}{x}\right)^{-\frac{x}{a}}\right\}^{-a}}{\lim_{x\to\infty}\left\{\left(1+\frac{a}{x}\right)^{\frac{x}{a}}\right\}^{a}}$$
$$=\frac{e^{-a}}{e^a}=e^{-2a}$$

즉, $e^{-2a}=e^{10}$이므로

$-2a=10$ $\therefore a=-5$

$$\lim_{x\to\infty}\left(\frac{x+1}{x-1}\right)^x=\lim_{x\to\infty}\left(\frac{1+\frac{1}{x}}{1-\frac{1}{x}}\right)^x=\lim_{x\to\infty}\frac{\left(1+\frac{1}{x}\right)^x}{\left(1-\frac{1}{x}\right)^x}$$

$$=\frac{\lim_{x\to\infty}\left(1+\frac{1}{x}\right)^x}{\lim_{x\to\infty}\left(1-\frac{1}{x}\right)^x}=\frac{\lim_{x\to\infty}\left(1+\frac{1}{x}\right)^x}{\lim_{x\to\infty}\left\{\left(1-\frac{1}{x}\right)^{-x}\right\}^{-1}}$$

$$=\frac{e}{e^{-1}}=e^2$$

$\therefore b=e^2$

$\therefore ab=-5e^2$

답 ①

0294

| 전략 | $\lim_{x\to 0}\frac{\ln(1+ax)}{ax}=1$임을 이용한다.

$$\lim_{x\to 0}\frac{\ln(1-x)}{4x}=-\frac{1}{4}\lim_{x\to 0}\frac{\ln(1-x)}{-x}$$

$$=-\frac{1}{4}\times 1=-\frac{1}{4}$$

답 ②

0295

$y=e^{3x}-1$로 놓고 x를 y에 대한 식으로 나타내면

$e^{3x}=y+1,\ 3x=\ln(y+1)\qquad \therefore x=\frac{1}{3}\ln(1+y)$

x와 y를 서로 바꾸면 $y=\frac{1}{3}\ln(1+x)$

$\therefore g(x)=\frac{1}{3}\ln(1+x)$ ··· ❶

$\therefore \lim_{x\to 0}\frac{g(x)}{x}=\frac{1}{3}\lim_{x\to 0}\frac{\ln(1+x)}{x}=\frac{1}{3}\times 1=\frac{1}{3}$ ··· ❷

답 $\frac{1}{3}$

채점 기준	비율
❶ $g(x)$를 구할 수 있다.	50 %
❷ $\lim_{x\to 0}\frac{g(x)}{x}$의 값을 구할 수 있다.	50 %

0296

$$\lim_{x\to 0}\frac{1}{x}\ln(1+x)(1+2x)(1+3x)(1+4x)$$

$$=\lim_{x\to 0}\frac{1}{x}\{\ln(1+x)+\ln(1+2x)+\ln(1+3x)+\ln(1+4x)\}$$

$$=\lim_{x\to 0}\left\{\frac{\ln(1+x)}{x}+\frac{\ln(1+2x)}{2x}\times 2+\frac{\ln(1+3x)}{3x}\times 3+\frac{\ln(1+4x)}{4x}\times 4\right\}$$

$$=\lim_{x\to 0}\frac{\ln(1+x)}{x}+2\lim_{x\to 0}\frac{\ln(1+2x)}{2x}+3\lim_{x\to 0}\frac{\ln(1+3x)}{3x}+4\lim_{x\to 0}\frac{\ln(1+4x)}{4x}$$

$$=1+2\times 1+3\times 1+4\times 1=10$$

답 10

0297

$$\lim_{x\to 0}\frac{1}{x}\ln\frac{(3+2x)(3+5x)}{9+3x}$$

$$=\lim_{x\to 0}\frac{1}{x}\ln\frac{\left(1+\frac{2}{3}x\right)\left(1+\frac{5}{3}x\right)}{1+\frac{1}{3}x}$$

$$=\lim_{x\to 0}\frac{1}{x}\left\{\ln\left(1+\frac{2}{3}x\right)+\ln\left(1+\frac{5}{3}x\right)-\ln\left(1+\frac{1}{3}x\right)\right\}$$

$$=\lim_{x\to 0}\left\{\frac{\ln\left(1+\frac{2}{3}x\right)}{\frac{2}{3}x}\times\frac{2}{3}+\frac{\ln\left(1+\frac{5}{3}x\right)}{\frac{5}{3}x}\times\frac{5}{3}-\frac{\ln\left(1+\frac{1}{3}x\right)}{\frac{1}{3}x}\times\frac{1}{3}\right\}$$

$$=\frac{2}{3}\lim_{x\to 0}\frac{\ln\left(1+\frac{2}{3}x\right)}{\frac{2}{3}x}+\frac{5}{3}\lim_{x\to 0}\frac{\ln\left(1+\frac{5}{3}x\right)}{\frac{5}{3}x}-\frac{1}{3}\lim_{x\to 0}\frac{\ln\left(1+\frac{1}{3}x\right)}{\frac{1}{3}x}$$

$$=\frac{2}{3}\times 1+\frac{5}{3}\times 1-\frac{1}{3}\times 1=2$$

답 ⑤

0298

$$\lim_{x\to 0}\frac{\ln(1+ax)}{x^2+5x}=\lim_{x\to 0}\left\{\frac{\ln(1+ax)}{ax}\times\frac{a}{x+5}\right\}$$

$$=1\times\frac{a}{5}=\frac{a}{5}$$

이때, $\frac{a}{5}=10$이므로 $a=50$

$$\therefore \lim_{x\to 0}\frac{\ln(1+10x)}{ax}=\lim_{x\to 0}\frac{\ln(1+10x)}{50x}$$

$$=\frac{1}{5}\lim_{x\to 0}\frac{\ln(1+10x)}{10x}=\frac{1}{5}$$

답 $\frac{1}{5}$

0299

$$\lim_{x\to\infty}x\{\ln(5x+1)-\ln 5x\}=\lim_{x\to\infty}x\ln\frac{5x+1}{5x}$$

$$=\lim_{x\to\infty}x\ln\left(1+\frac{1}{5x}\right)$$

$$=\lim_{x\to\infty}\ln\left(1+\frac{1}{5x}\right)^x$$

$$=\lim_{x\to\infty}\ln\left\{\left(1+\frac{1}{5x}\right)^{5x}\right\}^{\frac{1}{5}}$$

$$=\ln e^{\frac{1}{5}}=\frac{1}{5}$$

답 ③

0300

$\left(1+\frac{3}{n}\right)^{f(n)}=\left(1+\frac{3}{n}\right)^{n\times\frac{f(n)}{n}}=e$의 양변에 자연로그를 취하면

$$\frac{f(n)}{n}\ln\left(1+\frac{3}{n}\right)^n=1$$

$$\therefore \frac{f(n)}{n}=\frac{1}{\ln\left(1+\frac{3}{n}\right)^n}$$

$$\therefore \lim_{n\to\infty}\frac{f(n)}{n}=\lim_{n\to\infty}\frac{1}{\ln\left(1+\frac{3}{n}\right)^{n}}$$

$$=\lim_{n\to\infty}\frac{1}{\ln\left(1+\frac{3}{n}\right)^{\frac{n}{3}\times 3}}$$

$$=\lim_{n\to\infty}\frac{1}{3\ln\left(1+\frac{3}{n}\right)^{\frac{n}{3}}}=\frac{1}{3\times 1}=\frac{1}{3}$$

답 ②

0301

| 전략 | $\lim_{x\to 0}\frac{e^{ax}-1}{ax}=1$임을 이용한다.

$$\lim_{x\to 0}\frac{e^{3x}-1}{\ln(1+2x)}=\lim_{x\to 0}\frac{e^{3x}-1}{3x}\times\frac{2x}{\ln(1+2x)}\times\frac{3}{2}$$

$$=1\times 1\times\frac{3}{2}=\frac{3}{2}$$

답 ④

0302

$$\lim_{x\to 0}\frac{e^{2x}+10x-1}{x}=\lim_{x\to 0}\left(\frac{e^{2x}-1}{x}+10\right)$$

$$=\lim_{x\to 0}\left(\frac{e^{2x}-1}{2x}\times 2+10\right)$$

$$=1\times 2+10=12$$

$$\lim_{x\to 0}\frac{x^2+2x}{e^{4x}-1}=\lim_{x\to 0}\frac{x(x+2)}{e^{4x}-1}$$

$$=\lim_{x\to 0}\frac{4x}{e^{4x}-1}\times\frac{x+2}{4}$$

$$=1\times\frac{2}{4}=\frac{1}{2}$$

$$\therefore \lim_{x\to 0}\frac{e^{2x}+10x-1}{x}\times\lim_{x\to 0}\frac{x^2+2x}{e^{4x}-1}=12\times\frac{1}{2}=6$$

답 6

0303

$$\lim_{x\to 0}\frac{\ln(1+2x)(1+3x)}{e^{5x}-1}$$

$$=\lim_{x\to 0}\frac{\ln(1+2x)+\ln(1+3x)}{e^{5x}-1}$$

$$=\lim_{x\to 0}\left\{\frac{\ln(1+2x)}{x}+\frac{\ln(1+3x)}{x}\right\}\times\frac{x}{e^{5x}-1}$$

$$=\lim_{x\to 0}\left\{\frac{\ln(1+2x)}{2x}\times 2+\frac{\ln(1+3x)}{3x}\times 3\right\}\times\frac{5x}{e^{5x}-1}\times\frac{1}{5}$$

$$=(1\times 2+1\times 3)\times 1\times\frac{1}{5}=1$$

답 1

0304

$x-1=t$로 놓으면 $x\to 1$일 때 $t\to 0$이므로

$$\lim_{x\to 1}\frac{x^3-e^{x-1}}{x-1}=\lim_{t\to 0}\frac{(1+t)^3-e^t}{t}$$

$$=\lim_{t\to 0}\frac{t^3+3t^2+3t+1-e^t}{t}$$

$$=\lim_{t\to 0}\left(t^2+3t+3-\frac{e^t-1}{t}\right)$$

$$=3-1=2$$

답 2

0305

| 전략 | $\lim_{x\to 0}\frac{\log_a(1+bx)}{bx}=\frac{1}{\ln a}$임을 이용한다.

$$\lim_{x\to 0}\frac{\log_2(x+5)-\log_2 5}{x}$$

$$=\lim_{x\to 0}\frac{\log_2\frac{x+5}{5}}{x}=\lim_{x\to 0}\frac{\log_2\left(1+\frac{1}{5}x\right)}{\frac{1}{5}x}\times\frac{1}{5}$$

$$=\frac{1}{\ln 2}\times\frac{1}{5}=\frac{1}{5\ln 2}$$

답 $\frac{1}{5\ln 2}$

0306

$x+1=t$로 놓으면 $x\to -1$일 때 $t\to 0$이므로

$$\lim_{x\to -1}\frac{\log_2(x+2)}{x+1}=\lim_{t\to 0}\frac{\log_2(1+t)}{t}=\frac{1}{\ln 2}$$

답 ①

0307

$$\lim_{x\to 0}\frac{\log_7(1-6x)}{\log_3(1+2x)}$$

$$=\lim_{x\to 0}\frac{\log_7(1-6x)}{-6x}\times\frac{2x}{\log_3(1+2x)}\times\left(-\frac{6}{2}\right)$$

$$=\frac{1}{\ln 7}\times\ln 3\times(-3)$$

$$=-\frac{3\ln 3}{\ln 7}=-3\log_7 3$$

답 $-3\log_7 3$

0308

$$\lim_{x\to 0}\frac{\log_5(1+4x)}{x}=\lim_{x\to 0}\frac{\log_5(1+4x)}{4x}\times 4$$

$$=\frac{4}{\ln 5}$$

이때, $\frac{4}{\ln 5}=\frac{4}{\ln a}$이므로 $a=5$

답 ③

0309

| 전략 | $\lim_{x\to 0}\frac{a^x-1}{x}=\ln a$임을 이용한다.

$$\lim_{x\to 0}\frac{4^x-3^x}{x}=\lim_{x\to 0}\frac{4^x-1-(3^x-1)}{x}$$
$$=\lim_{x\to 0}\left(\frac{4^x-1}{x}-\frac{3^x-1}{x}\right)$$
$$=\ln 4-\ln 3=\ln\frac{4}{3}$$

따라서 $a=3$, $b=4$이므로 $a-b=-1$ 답 ④

0310

$x+1=t$로 놓으면 $x\to -1$일 때 $t\to 0$이므로

$$\lim_{x\to -1}\frac{3^{x+1}-1}{x^2-1}=\lim_{x\to -1}\frac{3^{x+1}-1}{(x-1)(x+1)}=\lim_{t\to 0}\frac{3^t-1}{t(t-2)}$$
$$=\lim_{t\to 0}\frac{3^t-1}{t}\times\frac{1}{t-2}=\ln 3\times\left(-\frac{1}{2}\right)$$
$$=-\frac{1}{2}\ln 3=-\ln\sqrt{3}$$

답 ②

0311

$$\lim_{x\to 0}\frac{2^{x+1}-2}{e^x-1}=\lim_{x\to 0}\frac{2^{x+1}-2}{x}\times\frac{x}{e^x-1}$$
$$=\lim_{x\to 0}\frac{2^x-1}{x}\times\frac{x}{e^x-1}\times 2$$
$$=\ln 2\times 1\times 2=2\ln 2$$

따라서 $a\ln a=2\ln 2$이므로 $a=2$ 답 2

0312

| 전략 | $x\to 0$일 때 (분모) $\to 0$이고 극한값이 존재하므로 (분자) $\to 0$임을 이용한다.

$x\to 0$일 때 (분모) $\to 0$이고 극한값이 존재하므로 (분자) $\to 0$이다.

즉, $\lim_{x\to 0}(e^{x-1}-b)=0$이므로

$e^{-1}-b=0$ $\quad\therefore b=e^{-1}$

$b=e^{-1}$을 주어진 식에 대입하면

$$\lim_{x\to 0}\frac{e^{x-1}-e^{-1}}{ax}=\lim_{x\to 0}\frac{e^{-1}(e^x-1)}{ax}=\lim_{x\to 0}\frac{e^x-1}{x}\times\frac{e^{-1}}{a}$$
$$=1\times\frac{1}{ae}=\frac{1}{ae}$$

$\frac{1}{ae}=3e^2$에서 $\frac{1}{a}=3e^3$

$\therefore \frac{b}{a}=e^{-1}\times 3e^3=3e^2$ 답 ⑤

0313

$x\to 0$일 때 (분자) $\to 0$이고 0이 아닌 극한값이 존재하므로 (분모) $\to 0$이다.

즉, $\lim_{x\to 0}\{\log_5(1+x)+a\}=0$이므로 $a=0$

$a=0$을 주어진 식에 대입하면

$$b=\lim_{x\to 0}\frac{x^2+3x}{\log_5(1+x)}=\lim_{x\to 0}\frac{x(x+3)}{\log_5(1+x)}$$
$$=\lim_{x\to 0}\frac{x}{\log_5(1+x)}\times(x+3)$$
$$=\ln 5\times 3=3\ln 5$$

$\therefore b-a=3\ln 5-0=3\ln 5$ 답 $3\ln 5$

0314

$x\to 0$일 때 (분모) $\to 0$이고 극한값이 존재하므로 (분자) $\to 0$이다.

즉, $\lim_{x\to 0}(a^x+b)=0$이므로

$1+b=0$ $\quad\therefore b=-1$

$b=-1$을 주어진 식에 대입하면

$$\lim_{x\to 0}\frac{a^x-1}{\ln(x+1)}=\lim_{x\to 0}\frac{a^x-1}{x}\times\frac{x}{\ln(x+1)}$$
$$=\ln a\times 1=\ln a$$

$\ln a=\ln 3$에서 $a=3$

$\therefore a-b=3-(-1)=4$ 답 ③

0315

$x\to 0$일 때 (분모) $\to 0$이고 극한값이 존재하므로 (분자) $\to 0$이다.

즉, $\lim_{x\to 0}\ln(a-2x)=0$이므로

$\ln a=0$ $\quad\therefore a=1$ … ❶

$a=1$을 주어진 식에 대입하면

$$b=\lim_{x\to 0}\frac{\ln(1-2x)}{e^{-3x}-1}$$
$$=\lim_{x\to 0}\frac{\ln(1-2x)}{-2x}\times\frac{-3x}{e^{-3x}-1}\times\frac{2}{3}$$
$$=1\times 1\times\frac{2}{3}=\frac{2}{3}$$ … ❷

$\therefore a+b=1+\frac{2}{3}=\frac{5}{3}$ … ❸

답 $\frac{5}{3}$

채점 기준	비율
❶ a의 값을 구할 수 있다.	30 %
❷ b의 값을 구할 수 있다.	60 %
❸ $a+b$의 값을 구할 수 있다.	10 %

0316

| 전략 | $\lim_{x\to 0}\frac{\ln(1+2x)}{2x}=1$임을 이용한다.

$$\lim_{x\to 0}f(x)\ln(1+2x)=\lim_{x\to 0}2xf(x)\times\frac{\ln(1+2x)}{2x}$$
$$=2\lim_{x\to 0}xf(x)\times\lim_{x\to 0}\frac{\ln(1+2x)}{2x}$$
$$=2\times 2\times 1=4$$

답 4

0317

$xf(x)=g(x)$로 놓으면 $\lim_{x\to\infty} g(x)=5$이고 $f(x)=\frac{g(x)}{x}$이므로

$$\lim_{x\to\infty} f(x)=\lim_{x\to\infty}\frac{g(x)}{x}=0$$

$$\therefore \lim_{x\to\infty} x\ln\{1+2f(x)\}=\lim_{x\to\infty}\frac{\ln\{1+2f(x)\}}{2f(x)}\times 2xf(x)$$

$$=\lim_{x\to\infty}\frac{\ln\{1+2f(x)\}}{2f(x)}\times 2\lim_{x\to\infty} xf(x)$$

$$=1\times2\times5=10$$

답 ⑤

$f(x)=t$로 놓으면 $x\to\infty$일 때 $t\to0$이므로
$\lim_{x\to\infty}\frac{\ln\{1+2f(x)\}}{2f(x)}=\lim_{t\to0}\frac{\ln(1+2t)}{2t}=1$

0318

|전략| 점 P의 좌표를 $(t, 2^t-1)$로 놓고 S_1, S_2를 각각 t에 대한 식으로 나타낸다.

점 P의 좌표를 $(t, 2^t-1)$이라 하면

$$S_1=\frac{1}{2}\times1\times(2^t-1)=\frac{1}{2}(2^t-1)$$

$$S_2=\frac{1}{2}\times2\times t=t$$

점 P가 원점 O에 한없이 가까워질 때 $t\to0+$이므로

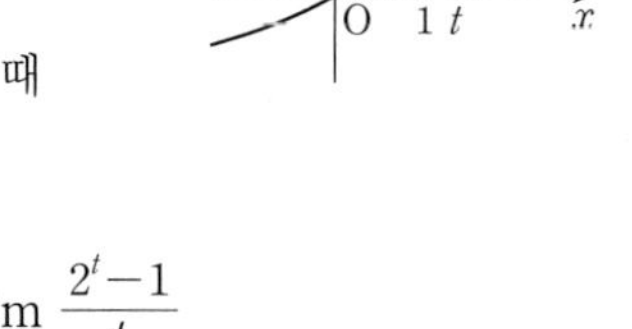

$$\lim_{P\to O}\frac{S_1}{S_2}=\lim_{t\to0+}\frac{\frac{1}{2}(2^t-1)}{t}=\frac{1}{2}\lim_{t\to0+}\frac{2^t-1}{t}$$

$$=\frac{1}{2}\ln2=\ln\sqrt{2}$$

답 $\ln\sqrt{2}$

0319

점 P의 좌표를 $(t, \ln(5t+1))$이라 하면

$$\tan\theta=\frac{\ln(5t+1)}{t}$$

점 P가 원점 O에 한없이 가까워질 때 $t\to0+$이므로

$$\lim_{P\to O}\tan\theta=\lim_{t\to0+}\frac{\ln(5t+1)}{t}=\lim_{t\to0+}\frac{\ln(5t+1)}{5t}\times5$$

$$=1\times5=5$$

답 ③

0320

점 A의 좌표를 $(t, \ln(2t+1))$이라 하면

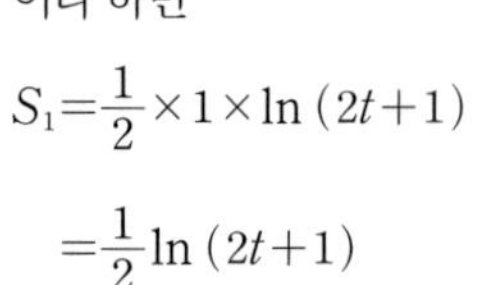

$$S_1=\frac{1}{2}\times1\times\ln(2t+1)$$

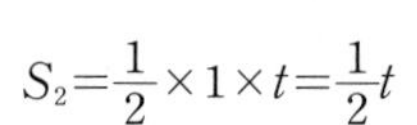

$$=\frac{1}{2}\ln(2t+1)$$

$$S_2=\frac{1}{2}\times1\times t=\frac{1}{2}t$$

이때, $a\to\infty$이면 곡선 $y=ax^2$은 y축에 한없이 가까워지므로 $t\to0+$이다.

$$\therefore \lim_{a\to\infty}\frac{S_1}{S_2}=\lim_{t\to0+}\frac{\frac{1}{2}\ln(2t+1)}{\frac{1}{2}t}=\lim_{t\to0+}\frac{\ln(2t+1)}{t}$$

$$=\lim_{t\to0+}\frac{\ln(2t+1)}{2t}\times2=1\times2=2$$

$\therefore a=2$

답 2

0321

|전략| $\lim_{x\to0}\frac{\ln(2x+a)}{x}=b$임을 이용한다.

함수 $f(x)$가 $x=0$에서 연속이므로 $\lim_{x\to0} f(x)=f(0)$

$$\therefore \lim_{x\to0}\frac{\ln(2x+a)}{x}=b \qquad \cdots\cdots ㉠$$

$x\to0$일 때 (분모) $\to0$이고 극한값이 존재하므로 (분자) $\to0$이다.

즉, $\lim_{x\to0}\ln(2x+a)=0$이므로

$\ln a=0 \qquad \therefore a=1$

$a=1$을 ㉠에 대입하면

$$b=\lim_{x\to0}\frac{\ln(2x+1)}{x}=\lim_{x\to0}\frac{\ln(2x+1)}{2x}\times2=1\times2=2$$

$\therefore ab=1\times2=2$

답 2

0322

함수 $f(x)$가 $x=0$에서 연속이려면 $\lim_{x\to0} f(x)=f(0)$

$$\therefore \lim_{x\to0}\frac{e^{2x}-a}{3x}=b \qquad \cdots\cdots ㉠$$

$x\to0$일 때 (분모) $\to0$이고 극한값이 존재하므로 (분자) $\to0$이다.

즉, $\lim_{x\to0}(e^{2x}-a)=0$이므로

$1-a=0 \qquad \therefore a=1$

$a=1$을 ㉠에 대입하면

$$b=\lim_{x\to0}\frac{e^{2x}-1}{3x}=\lim_{x\to0}\frac{e^{2x}-1}{2x}\times\frac{2}{3}=1\times\frac{2}{3}=\frac{2}{3}$$

$$\therefore a+b=1+\frac{2}{3}=\frac{5}{3}$$

답 ②

0323

함수 $f(x)$가 열린구간 $(1, \infty)$에서 연속이므로 $x=2$에서도 연속이다.

즉, $\lim_{x\to2} f(x)=f(2)$이므로

$$\lim_{x\to2}\frac{\ln(x-1)}{e^{x-2}-1}=a$$

$x-2=t$로 놓으면 $x\to2$일 때 $t\to0$이므로

$$a=\lim_{x\to2}\frac{\ln(x-1)}{e^{x-2}-1}=\lim_{t\to0}\frac{\ln(1+t)}{e^t-1}$$

$$=\lim_{t\to0}\frac{\ln(1+t)}{t}\times\frac{t}{e^t-1}=1\times1=1$$

답 1

0324

$(e^x-1)f(x)=\ln(3x+1)$에서 $e^x-1\neq0$, 즉 $x\neq0$일 때

$f(x)=\dfrac{\ln(3x+1)}{e^x-1}$

이때, 함수 $f(x)$가 $x>-\dfrac{1}{3}$에서 연속이므로 $x=0$에서도 연속이다.

즉, $\lim_{x\to0}f(x)=f(0)$이므로

$f(0)=\lim_{x\to0}\dfrac{\ln(3x+1)}{e^x-1}=\lim_{x\to0}\dfrac{\ln(3x+1)}{3x}\times\dfrac{x}{e^x-1}\times3$

$=1\times1\times3=3$

답 3

0325

$f(x)=x+a$(a는 상수)로 놓으면 $f(0)=a$이므로

$f(0)g(0)=6a$

$\therefore\ f(x)g(x)=\begin{cases}\dfrac{x(x+a)}{\ln(1+2x)} & (x\neq0)\\ 6a & (x=0)\end{cases}$

함수 $f(x)g(x)$가 열린구간 $\left(-\dfrac{1}{2}, \infty\right)$에서 연속이므로 $x=0$에서도 연속이다.

즉, $\lim_{x\to0}f(x)g(x)=f(0)g(0)$이므로

$\lim_{x\to0}\dfrac{x(x+a)}{\ln(1+2x)}=\lim_{x\to0}\dfrac{2x}{\ln(1+2x)}\times(x+a)\times\dfrac{1}{2}$

$=1\times a\times\dfrac{1}{2}=\dfrac{1}{2}a=6a$

$11a=0\qquad\therefore a=0$

따라서 $f(x)=x$이므로 $f(4)=4$

답 4

0326

| 전략 | $y=e^x$일 때, $y'=e^x$임을 이용한다.

$f(x)=(x+a)e^{x+b}=(x+a)e^b\times e^x$이므로

$f'(x)=e^b\times e^x+(x+a)e^b\times e^x$

$=e^{x+b}(x+a+1)$

$f'(0)=0$에서 $e^b(a+1)=0$

$\therefore a=-1\ (\because e^b\neq0)$

$f'(-1)=-1$에서 $-e^{b-1}=-1$

$b-1=0\qquad\therefore b=1$

$\therefore a+b=-1+1=0$

답 ①

0327

$f(x)=2^{x+1}=2\times2^x$이므로

$f'(x)=2\times2^x\ln2=2^{x+1}\ln2$

이때, $x=1$에서의 미분계수가 $a\ln2$이므로

$f'(1)=4\ln2=a\ln2$

$\therefore a=4$

답 ②

0328

$\lim_{h\to0}\dfrac{f(1-h)-f(1+h)}{h}$

$=\lim_{h\to0}\dfrac{f(1-h)-f(1)-\{f(1+h)-f(1)\}}{h}$

$=\lim_{h\to0}\dfrac{f(1-h)-f(1)}{-h}\times(-1)-\lim_{h\to0}\dfrac{f(1+h)-f(1)}{h}$

$=-f'(1)-f'(1)=-2f'(1)$

이때, $f(x)=5\times3^{x+1}=5\times3\times3^x=15\times3^x$에서

$f'(x)=15\times3^x\ln3$

$\therefore -2f'(1)=-2\times15\times3\times\ln3=-90\ln3$

답 $-90\ln3$

Lecture

미분계수의 정의

함수 $f(x)$의 $x=a$에서의 미분계수는

$f'(a)=\lim_{h\to0}\dfrac{f(a+h)-f(a)}{h}=\lim_{x\to a}\dfrac{f(x)-f(a)}{x-a}$

0329

| 전략 | $y=\ln x$일 때, $y'=\dfrac{1}{x}$임을 이용한다.

$f'(x)=3x^2\ln x+x^3\times\dfrac{1}{x}=x^2(3\ln x+1)$

$\therefore f'(e)=4e^2$

답 ⑤

0330

$y=\ln2x=\ln2+\ln x$이므로 $y'=\dfrac{1}{x}$

이때, 함수 $y=\ln2x$의 그래프 위의 점 $\left(\dfrac{e}{2}, 1\right)$에서의 접선의 기울기는 $x=\dfrac{e}{2}$에서의 미분계수와 같으므로 $\dfrac{1}{\frac{e}{2}}=\dfrac{2}{e}$

답 $\dfrac{2}{e}$

Lecture

접선의 기울기와 미분계수의 관계

함수 $f(x)$가 미분가능할 때, 곡선 $y=f(x)$ 위의 점 $(a, f(a))$에서의 접선의 기울기는 $x=a$에서의 미분계수 $f'(a)$와 같다.

0331

$f(x)=x^3\log_4 8x=x^3(\log_4 8+\log_4 x)=x^3\left(\dfrac{3}{2}+\log_4 x\right)$이므로

$f'(x)=3x^2\left(\dfrac{3}{2}+\log_4 x\right)+x^3\times\dfrac{1}{x\ln4}$

$=\dfrac{9}{2}x^2+3x^2\log_4 x+\dfrac{x^2}{\ln4}$

$f'(2)=\dfrac{9}{2}\times4+12\log_4 2+\dfrac{4}{\ln4}=18+6+\dfrac{2}{\ln2}=24+\dfrac{2}{\ln2}$

이므로 $a=24$, $b=2$

$\therefore a+b=24+2=26$

답 26

3 지수함수와 로그함수의 미분

0332

$$\lim_{h\to0}\frac{f(1+2h)-f(1-h)}{h}$$
$$=\lim_{h\to0}\frac{\{f(1+2h)-f(1)\}-\{f(1-h)-f(1)\}}{h}$$
$$=\lim_{h\to0}\frac{f(1+2h)-f(1)}{2h}\times2+\lim_{h\to0}\frac{f(1-h)-f(1)}{-h}$$
$$=2f'(1)+f'(1)=3f'(1)$$

이때, $f(x)=x^2+x\ln x$에서

$$f'(x)=2x+1\times\ln x+x\times\frac{1}{x}$$
$$=2x+\ln x+1$$

$\therefore 3f'(1)=3\times(2+\ln1+1)=9$ 답 ④

0333

|전략| 함수 $f(x)$가 $x=1$에서 미분가능하므로 $x=1$에서 연속이고 $f'(1)$이 존재한다.

함수 $f(x)$가 $x=1$에서 미분가능하므로 $x=1$에서 연속이다.

즉, $\lim_{x\to1+}\ln ax=\lim_{x\to1-}(bx^2+3)=f(1)$이므로

$\ln a=b+3$ ······㉠

또, $f'(1)$이 존재하므로

$$f'(x)=\begin{cases}\frac{1}{x} & (x>1)\\ 2bx & (x<1)\end{cases}$$

— $x>1$일 때 $f(x)=\ln ax=\ln a+\ln x$이므로 $f'(x)=\frac{1}{x}$

에서 $\lim_{x\to1+}\frac{1}{x}=\lim_{x\to1-}2bx$

$1=2b \quad \therefore b=\frac{1}{2}$

$b=\frac{1}{2}$을 ㉠에 대입하면 $\ln a=\frac{7}{2}$

$\therefore \ln a+b=\frac{7}{2}+\frac{1}{2}=4$ 답 ⑤

0334

함수 $f(x)$가 $x=2$에서 미분가능하므로 $x=2$에서 연속이다.

즉, $\lim_{x\to2+}(ax^2-3x-1)=\lim_{x\to2-}(e^{x-2}+b)=f(2)$이므로

$4a-7=1+b \quad \therefore b=4a-8$ ······㉠

또, $f'(2)$가 존재하므로

$$f'(x)=\begin{cases}2ax-3 & (x>2)\\ e^{x-2} & (x<2)\end{cases}$$

에서 $\lim_{x\to2+}(2ax-3)=\lim_{x\to2-}e^{x-2}$

$4a-3=1 \quad \therefore a=1$

$a=1$을 ㉠에 대입하면 $b=-4$

$\therefore a^2+b^2=1^2+(-4)^2=17$ 답 ⑤

0335

함수 $f(x)$가 모든 실수 x에서 미분가능하면 $x=1$에서도 미분가능하므로 $x=1$에서 연속이다.

즉, $\lim_{x\to1+}(e^x+a)=\lim_{x\to1-}(x^2+ax+b)=f(1)$이므로

$e+a=1+a+b \quad \therefore b=e-1$

또, $f'(1)$이 존재하므로

$$f'(x)=\begin{cases}e^x & (x>1)\\ 2x+a & (x<1)\end{cases}$$

에서 $\lim_{x\to1+}e^x=\lim_{x\to1-}(2x+a)$

$e=2+a \quad \therefore a=e-2$

$\therefore a-b=(e-2)-(e-1)=-1$ 답 ②

STEP 3 내신 마스터

0336

유형 02 로그함수의 극한

|전략| $\frac{1}{x}=t$로 놓고 $\lim_{t\to\infty}\log_5 t=\infty$임을 이용한다.

$\frac{1}{x}=t$로 놓으면 $x\to0+$일 때 $t\to\infty$이므로

$$\lim_{x\to0+}\frac{f(x)}{g(x)}=\lim_{x\to0+}\frac{\log_5\frac{2}{x}}{\log_5\left(\frac{3}{x}+1\right)}=\lim_{t\to\infty}\frac{\log_5 2t}{\log_5(3t+1)}$$
$$=\lim_{t\to\infty}\frac{\log_5 t+\log_5 2}{\log_5 t+\log_5\left(3+\frac{1}{t}\right)}$$
$$=\lim_{t\to\infty}\frac{1+\frac{\log_5 2}{\log_5 t}}{1+\frac{\log_5\left(3+\frac{1}{t}\right)}{\log_5 t}}=\frac{1}{1}=1$$

답 ③

0337

유형 04 $\lim_{x\to\infty}\left(1+\frac{1}{x}\right)^x=e$를 이용한 함수의 극한

|전략| $\lim_{x\to\infty}\left(1+\frac{1}{ax}\right)^{ax}=e$임을 이용한다.

ㄱ. $\lim_{x\to\infty}f(x)=\lim_{x\to\infty}\left(\frac{x-1}{x}\right)^x=\lim_{x\to\infty}\left(1-\frac{1}{x}\right)^x$

$$=\lim_{x\to\infty}\left\{\left(1-\frac{1}{x}\right)^{-x}\right\}^{-1}=e^{-1}=\frac{1}{e}\ (\text{참})$$

ㄴ. $f(x-1)=\left(\frac{x-2}{x-1}\right)^{x-1}=\left(1-\frac{1}{x-1}\right)^{x-1}$

$x-1=t$로 놓으면 $x\to\infty$일 때 $t\to\infty$이므로

$$\lim_{x\to\infty}f(x-1)=\lim_{x\to\infty}\left(1-\frac{1}{x-1}\right)^{x-1}=\lim_{t\to\infty}\left(1-\frac{1}{t}\right)^t$$
$$=\lim_{t\to\infty}\left\{\left(1-\frac{1}{t}\right)^{-t}\right\}^{-1}$$
$$=e^{-1}=\frac{1}{e}$$

$$\therefore \lim_{x\to\infty}f(x)f(x-1)=\lim_{x\to\infty}f(x)\times\lim_{x\to\infty}f(x-1)$$
$$=\frac{1}{e}\times\frac{1}{e}=\frac{1}{e^2}\ (\text{참})$$

ㄷ. $k\geq 2$에서 $x \to \infty$일 때 $kx \to \infty$이므로

$$\lim_{x\to\infty} f(kx)=\lim_{x\to\infty}\left(\frac{kx-1}{kx}\right)^{kx}$$
$$=\lim_{x\to\infty}\left\{\left(1-\frac{1}{kx}\right)^{-kx}\right\}^{-1}$$
$$=e^{-1}=\frac{1}{e}\ (\text{거짓})$$

따라서 옳은 것은 ㄱ, ㄴ이다. 답 ③

0338

유형 05 $\lim_{x\to 0}\frac{\ln(1+x)}{x}=1$을 이용한 함수의 극한

| 전략 | $\lim_{x\to 0}\frac{\ln(1+ax)}{ax}=1$임을 이용한다.

$$\lim_{x\to 0}\frac{\ln(1+5x)+7x}{2x}=\lim_{x\to 0}\left\{\frac{\ln(1+5x)}{2x}+\frac{7}{2}\right\}$$
$$=\lim_{x\to 0}\left\{\frac{\ln(1+5x)}{5x}\times\frac{5}{2}+\frac{7}{2}\right\}$$
$$=1\times\frac{5}{2}+\frac{7}{2}=6$$

답 ④

다른 풀이 $5x=t$로 놓으면 $x\to 0$일 때 $t\to 0$이므로

$$\lim_{x\to 0}\frac{\ln(1+5x)+7x}{2x}=\lim_{x\to 0}\left\{\frac{\ln(1+5x)}{2x}+\frac{7}{2}\right\}$$
$$=\lim_{t\to 0}\left\{\frac{\ln(1+t)}{\frac{2}{5}t}+\frac{7}{2}\right\}$$
$$=\lim_{t\to 0}\left\{\frac{\ln(1+t)}{t}\times\frac{5}{2}+\frac{7}{2}\right\}$$
$$=1\times\frac{5}{2}+\frac{7}{2}=6$$

0339

유형 06 $\lim_{x\to 0}\frac{e^x-1}{x}=1$을 이용한 함수의 극한

| 전략 | $\lim_{x\to 0}\frac{e^{ax}-1}{ax}=1$임을 이용한다.

$$\lim_{x\to 0}\frac{e^{3x}+9x-1}{x}=\lim_{x\to 0}\left(\frac{e^{3x}-1}{x}+9\right)$$
$$=\lim_{x\to 0}\left(\frac{e^{3x}-1}{3x}\times 3+9\right)$$
$$=1\times 3+9=12$$

답 ②

0340

유형 06 $\lim_{x\to 0}\frac{e^x-1}{x}=1$을 이용한 함수의 극한

+ 08 $\lim_{x\to 0}\frac{a^x-1}{x}=\ln a$를 이용한 함수의 극한

| 전략 | $\lim_{x\to 0}\frac{e^{ax}-1}{ax}=1$, $\lim_{x\to 0}\frac{b^x-1}{x}=\ln b$임을 이용한다.

$$\lim_{x\to 0}\frac{e^{2x}-1}{27^x-1}=\lim_{x\to 0}\frac{e^{2x}-1}{2x}\times\frac{x}{27^x-1}\times 2$$
$$=1\times\frac{1}{\ln 27}\times 2=\frac{2}{3\ln 3}$$

답 ⑤

0341

유형 09 지수함수와 로그함수의 극한 – 미정계수의 결정

| 전략 | $x\to 0$일 때 (분자) $\to 0$이고 0이 아닌 극한값이 존재하므로 (분모) $\to 0$임을 이용한다.

$x\to 0$일 때 (분자) $\to 0$이고 0이 아닌 극한값이 존재하므로 (분모) $\to 0$이다.

즉, $\lim_{x\to 0}(bx-c)=0$이므로 $c=0$

$c=0$을 주어진 식에 대입하면

$$\lim_{x\to 0}\frac{\ln(1+ax)}{bx}=\lim_{x\to 0}\frac{\ln(1+ax)}{ax}\times\frac{a}{b}=1\times\frac{a}{b}=\frac{a}{b}$$

$\therefore \frac{a}{b}=10$

$\therefore \frac{a}{b}+c=10+0=10$

답 ④

0342

유형 10 극한의 변형

| 전략 | $g(x)\leq f(x)\leq h(x)$이고 $\lim_{x\to a}g(x)=\lim_{x\to a}h(x)=\alpha$($\alpha$는 실수)이면 $\lim_{x\to a}f(x)=\alpha$이다.

(ⅰ) $-1<x<0$일 때, 주어진 부등식의 각 변을 x로 나누면

$$\frac{\ln(1+x)}{x}\geq\frac{f(x)}{x}\geq\frac{e^{2x}-1}{2x}$$

이때, $\lim_{x\to 0-}\frac{\ln(1+x)}{x}=1$, $\lim_{x\to 0-}\frac{e^{2x}-1}{2x}=1$이므로

$$\lim_{x\to 0-}\frac{f(x)}{x}=1$$

(ⅱ) $x>0$일 때, 주어진 부등식의 각 변을 x로 나누면

$$\frac{\ln(1+x)}{x}\leq\frac{f(x)}{x}\leq\frac{e^{2x}-1}{2x}$$

이때, $\lim_{x\to 0+}\frac{\ln(1+x)}{x}=1$, $\lim_{x\to 0+}\frac{e^{2x}-1}{2x}=1$이므로

$$\lim_{x\to 0+}\frac{f(x)}{x}=1$$

(ⅰ), (ⅱ)에서 $\lim_{x\to 0}\frac{f(x)}{x}=1$

$$\therefore \lim_{x\to 0}\frac{f(ex)}{x}=\lim_{x\to 0}\frac{f(ex)}{ex}\times e=e$$

답 ②

다른 풀이 $\ln(1+x)\leq f(x)\leq\frac{1}{2}(e^{2x}-1)$에서

$$\ln(1+ex)\leq f(ex)\leq\frac{1}{2}(e^{2ex}-1) \quad \cdots\cdots ㉠$$

(ⅰ) $-1<x<0$일 때, 부등식 ㉠의 각 변을 ex로 나누면

$$\frac{\ln(1+ex)}{ex}\geq\frac{f(ex)}{ex}\geq\frac{e^{2ex}-1}{2ex}$$

이때, $\lim_{x\to 0-}\frac{\ln(1+ex)}{ex}=1$, $\lim_{x\to 0-}\frac{e^{2ex}-1}{2ex}=1$이므로

$$\lim_{x\to 0-}\frac{f(ex)}{ex}=1 \qquad \therefore \lim_{x\to 0-}\frac{f(ex)}{x}=e$$

(ⅱ) $x>0$일 때, 부등식 ㉠의 각 변을 ex로 나누면

$$\frac{\ln(1+ex)}{ex}\leq\frac{f(ex)}{ex}\leq\frac{e^{2ex}-1}{2ex}$$

3 지수함수와 로그함수의 미분

이때, $\lim_{x\to0+}\frac{\ln(1+ex)}{ex}=1$, $\lim_{x\to0+}\frac{e^{2ex}-1}{2ex}=1$이므로

$\lim_{x\to0+}\frac{f(ex)}{ex}=1$ $\quad\therefore \lim_{x\to0+}\frac{f(ex)}{x}=e$

(i), (ii)에서 $\lim_{x\to0}\frac{f(ex)}{x}=e$

0343

유형 **11 지수함수와 로그함수의 극한 – 도형에의 활용**

|전략| $\overline{PQ}$를 a에 대한 식으로 나타낸 후 극한값을 구한다.

두 점 P, Q의 좌표는 $P(a, 4^a)$, $Q(a, 3^a)$이므로 $\overline{PQ}=4^a-3^a$

$$\therefore \lim_{a\to0+}\frac{\overline{PQ}}{a}=\lim_{a\to0+}\frac{4^a-3^a}{a}$$
$$=\lim_{a\to0+}\frac{(4^a-1)-(3^a-1)}{a}$$
$$=\lim_{a\to0+}\frac{4^a-1}{a}-\lim_{a\to0+}\frac{3^a-1}{a}$$
$$=\ln4-\ln3=\ln\frac{4}{3}$$

답 ①

0344

유형 **14 로그함수의 도함수**

|전략| $\lim_{h\to0}\frac{f(a+h)-f(a)}{h}=f'(a)$임을 이용한다.

$$\lim_{h\to0}\frac{f(1+3h)-f(1-h)}{h}$$
$$=\lim_{h\to0}\frac{\{f(1+3h)-f(1)\}-\{f(1-h)-f(1)\}}{h}$$
$$=\lim_{h\to0}\frac{f(1+3h)-f(1)}{3h}\times3+\lim_{h\to0}\frac{f(1-h)-f(1)}{-h}$$
$$=3f'(1)+f'(1)=4f'(1)$$

한편, $f(x)=x^3-x^2\ln x$에서

$$f'(x)=3x^2-\left(2x\times\ln x+x^2\times\frac{1}{x}\right)$$
$$=3x^2-2x\ln x-x$$

$\therefore 4f'(1)=4\times(3-2\ln1-1)=8$

답 ④

0345

유형 **15 지수함수와 로그함수의 도함수 – 미분가능성**

|전략| 함수 $f(x)$가 $x=1$에서 미분가능하므로 $x=1$에서 연속이고 $f'(1)$이 존재한다.

함수 $f(x)$가 $x=1$에서 미분가능하므로 $x=1$에서 연속이다.

즉, $\lim_{x\to1+}(\ln x+ax^3)=\lim_{x\to1-}be^{x-1}=f(1)$이므로

$\ln1+a=b$ $\quad\therefore b=a$ ……㉠

또, $f'(1)$이 존재하므로

$$f'(x)=\begin{cases}\frac{1}{x}+3ax^2 & (x>1)\\ be^{x-1} & (x<1)\end{cases}$$

에서 $\lim_{x\to1+}\left(\frac{1}{x}+3ax^2\right)=\lim_{x\to1-}be^{x-1}$

$1+3a=b$ ……㉡

㉠, ㉡을 연립하여 풀면 $a=-\frac{1}{2}$, $b=-\frac{1}{2}$

$\therefore a+b=-\frac{1}{2}+\left(-\frac{1}{2}\right)=-1$

답 ②

0346

유형 **12 지수함수와 로그함수의 연속**

|전략| $\lim_{x\to0+}f(x)=\lim_{x\to0-}f(x)=f(0)$임을 이용한다.

함수 $f(x)$가 $x=0$에서 연속이므로

$\lim_{x\to0+}f(x)=\lim_{x\to0-}f(x)=f(0)$

이때, $f(0)=6$이므로

$\lim_{x\to0+}\frac{\ln(a+x)}{e^{bx}-1}=6$ ……㉠

㉠에서 $x\to0+$일 때 (분모) $\to0$이고 극한값이 존재하므로 (분자) $\to0$이다.

즉, $\lim_{x\to0+}\ln(a+x)=0$이므로

$\ln a=0$ $\quad\therefore a=1$ … ❶

$a=1$을 ㉠에 대입하면

$$\lim_{x\to0+}\frac{\ln(1+x)}{e^{bx}-1}=\lim_{x\to0+}\frac{\ln(1+x)}{x}\times\frac{bx}{e^{bx}-1}\times\frac{1}{b}$$
$$=1\times1\times\frac{1}{b}=6$$

$\therefore b=\frac{1}{6}$ … ❷

$\therefore \frac{a}{b}=1\times6=6$ … ❸

답 6

채점 기준	배점
❶ a의 값을 구할 수 있다.	3점
❷ b의 값을 구할 수 있다.	3점
❸ $\frac{a}{b}$의 값을 구할 수 있다.	1점

0347

유형 **14 로그함수의 도함수**

|전략| $y=\log_a x\,(a>0, a\neq1)$이면 $y'=\frac{1}{x\ln a}$임을 이용한다.

삼각형 PAQ의 넓이 $S(t)$는

$S(t)=\frac{1}{2}\times\overline{OQ}\times\overline{PQ}=\frac{1}{2}\times t\times\log_2 t$ … ❶

$$S'(t)=\frac{1}{2}\left(1\times\log_2 t+t\times\frac{1}{t\ln2}\right)$$
$$=\frac{1}{2}\left(\log_2 t+\frac{1}{\ln2}\right)$$ … ❷

$$\therefore S'(16)=\frac{1}{2}\left(\log_2 16+\frac{1}{\ln2}\right)$$
$$=\frac{1}{2}\left(4+\frac{1}{\ln2}\right)=2+\frac{1}{2\ln2}$$ … ❸

답 $2+\frac{1}{2\ln2}$

채점 기준	배점
❶ $S(t)$를 t에 대한 식으로 나타낼 수 있다.	2점
❷ $S'(t)$를 구할 수 있다.	2점
❸ $S'(16)$의 값을 구할 수 있다.	2점

0348

유형 09 지수함수와 로그함수의 극한 – 미정계수의 결정

+ 13 지수함수의 도함수

|전략| $x \to 2$일 때 (분모) $\to 0$이고 극한값이 존재하므로 (분자) $\to 0$임을 이용한다.

(1) $x \to 2$일 때 (분모) $\to 0$이고 극한값이 존재하므로 (분자) $\to 0$이다.

즉, $\lim_{x\to 2}\{f(x)-2\}=0$이므로

$\lim_{x\to 2}(2^x-ax-2)=4-2a-2=0$

$\therefore a=1$

(2) $\lim_{x\to 2}\frac{f(x)-2}{x^2-4}=\lim_{x\to 2}\frac{f(x)-f(2)}{(x-2)(x+2)}$

$=\lim_{x\to 2}\frac{f(x)-f(2)}{x-2}\times\frac{1}{x+2}$

$=\frac{1}{4}f'(2)=b$

$f(x)=2^x-x$에서 $f'(x)=2^x\ln 2-1$이므로

$f'(2)=4\ln 2-1 \quad \therefore b=\frac{1}{4}\times(4\ln 2-1)=\ln 2-\frac{1}{4}$

(3) $a+b=1+\left(\ln 2-\frac{1}{4}\right)=\frac{3}{4}+\ln 2$

답 (1) 1 (2) $\ln 2-\frac{1}{4}$ (3) $\frac{3}{4}+\ln 2$

채점 기준	배점
(1) a의 값을 구할 수 있다.	4점
(2) b의 값을 구할 수 있다.	6점
(3) $a+b$의 값을 구할 수 있다.	2점

창의·융합 교과서 속 심화문제

0349

|전략| 점 P의 좌표를 $(t, \ln t^2)$이라 하고, 점 P가 제2사분면 위의 점임을 이용하여 t의 값의 범위를 구한다.

점 P의 좌표를 $(t, \ln t^2)$이라 하면 점 Q의 좌표는 $Q(t, 0)$

점 P가 제2사분면 위의 점이므로

$t<0$, $\ln t^2>0$에서 $t<0$이고 $t^2>1$

$t<0$이고 $(t-1)(t+1)>0 \quad \therefore t<-1$

$\therefore \overline{PQ}=\ln t^2$, $\overline{AQ}=-1-t$

점 P가 점 $A(-1, 0)$에 한없이 가까워질 때 $t \to -1-$이므로

$\lim_{t\to -1-}\frac{\overline{PQ}}{\overline{AQ}}=\lim_{t\to -1-}\frac{\ln t^2}{-1-t}$

$=\lim_{t\to -1-}\frac{2\ln(-t)}{-1-t}\ (\because t<-1)$

이때, $t+1=h$로 놓으면 $t \to -1-$일 때 $h \to 0-$이므로

$\lim_{t\to -1-}\frac{2\ln(-t)}{-1-t}=\lim_{h\to 0-}\frac{2\ln(1-h)}{-h}=2$

답 ③

0350

|전략| $\lim_{x\to 0}\frac{\ln(1+ax)}{ax}=1$임을 이용한다.

$A_n=\lim_{x\to 0}\frac{1}{x}\ln(1+x)(1+2x)(1+3x)\cdots(1+nx)$

$=\lim_{x\to 0}\frac{1}{x}\{\ln(1+x)+\ln(1+2x)+\ln(1+3x)+\cdots+\ln(1+nx)\}$

$=\lim_{x\to 0}\frac{\ln(1+x)}{x}+\lim_{x\to 0}\frac{\ln(1+2x)}{2x}\times 2+\lim_{x\to 0}\frac{\ln(1+3x)}{3x}\times 3+\cdots+\lim_{x\to 0}\frac{\ln(1+nx)}{nx}\times n$

$=1+2+3+\cdots+n$

$=\frac{n(n+1)}{2}$

$B_n=\lim_{x\to 0}\frac{1}{x}\ln(1+x)(1+3x)(1+5x)\cdots\{1+(2n-1)x\}$

$=\lim_{x\to 0}\frac{1}{x}[\ln(1+x)+\ln(1+3x)+\ln(1+5x)+\cdots+\ln\{1+(2n-1)x\}]$

$=\lim_{x\to 0}\frac{\ln(1+x)}{x}+\lim_{x\to 0}\frac{\ln(1+3x)}{3x}\times 3+\lim_{x\to 0}\frac{\ln(1+5x)}{5x}\times 5+\cdots+\lim_{x\to 0}\frac{\ln\{1+(2n-1)x\}}{(2n-1)x}\times(2n-1)$

$=1+3+5+\cdots+(2n-1)$

$=\frac{n\{1+(2n-1)\}}{2}=n^2$

$\therefore \lim_{n\to\infty}\frac{A_n}{B_n}=\lim_{n\to\infty}\frac{\frac{n(n+1)}{2}}{n^2}$

$=\lim_{n\to\infty}\frac{n^2+n}{2n^2}=\frac{1}{2}$

답 $\frac{1}{2}$

0351

|전략| 곡선 $y=f(x)$ 위의 점과 직선 $y=2x$ 사이의 거리를 이용하여 d_k를 구한다.

곡선 $y=g(x)$는 곡선 $y=f(x)$를 직선 $y=2x$에 대하여 대칭이동한 것이므로 d_k는 곡선 $y=f(x)$의 접선 중 기울기가 2인 접점에서 직선 $y=2x$까지의 거리의 두 배이다.

$f(x)=\ln\frac{x}{k}=\ln x-\ln k$에서

$f'(x)=\frac{1}{x}$이므로 $f'(x)=2$인 접점의

좌표는 $\left(\frac{1}{2}, \ln\frac{1}{2k}\right)$

이 접점 $\left(\frac{1}{2}, \ln\frac{1}{2k}\right)$에서 직선 $y=2x$,

즉 $-2x+y=0$까지의 거리는

$$\frac{\left|-1+\ln\frac{1}{2k}\right|}{\sqrt{2^2+1^2}}=\frac{1+\ln 2k}{\sqrt{5}}$$

$$\therefore d_k=2\times\frac{1+\ln 2k}{\sqrt{5}}=\frac{2\sqrt{5}}{5}(1+\ln 2k)$$

$d_k\ge 2\sqrt{5}$에서 $\frac{2\sqrt{5}}{5}(1+\ln 2k)\ge 2\sqrt{5}$, $\ln 2k\ge 4$ $\quad\therefore k\ge\frac{e^4}{2}$

따라서 k의 최솟값은 $\frac{e^4}{2}$이다. 답 ③

0352

|전략| 주어진 방정식의 실근이 이차함수와 로그함수의 그래프의 교점의 x좌표와 같음을 이용하여 $\lim_{n\to\infty} x_n$의 값을 구한다.

$x^2-2x+\ln x^n=0$에서 $x(x-2)=-n\ln x$ ($\because x>0$)

$$\ln x=\frac{-x(x-2)}{n}$$

오른쪽 그림에서 방정식 $f_n(x)=0$의 실근 x_n은 두 함수 $y=\ln x$, $y=\frac{-x(x-2)}{n}$의 그래프의 교점의 x좌표와 같다. 이때,

$$y=\frac{-x(x-2)}{n}=\frac{-(x-1)^2+1}{n}$$

에서 꼭짓점의 좌표가 $\left(1, \frac{1}{n}\right)$이므로 $n\to\infty$이면 함수 $y=\frac{-x(x-2)}{n}$의 그래프의 꼭짓점은 점 $(1, 0)$에 한없이 가까워진다.

따라서 두 그래프의 교점의 x좌표인 x_n도 1에 한없이 가까워진다.

즉, $\lim_{n\to\infty} x_n=1$

$f_n(x_n)=x_n^2-2x_n+n\ln x_n=0$에서 $n=\frac{-x_n(x_n-2)}{\ln x_n}$

$$\therefore \lim_{n\to\infty} n(x_n-1)=\lim_{x_n\to 1}\frac{-x_n(x_n-2)(x_n-1)}{\ln x_n}$$

$$=\lim_{x_n\to 1}\frac{x_n-1}{\ln x_n}\times\{-x_n(x_n-2)\}$$

이때, $x_n-1=y_n$이라 하면 $x_n\to 1$일 때 $y_n\to 0$이므로

$$\lim_{x_n\to 1}\frac{x_n-1}{\ln x_n}\times\{-x_n(x_n-2)\}$$

$$=\lim_{y_n\to 0}\frac{y_n}{\ln(1+y_n)}\times\{-(y_n+1)(y_n-1)\}$$

$=1\times 1=1$ 답 1

본책 60~75쪽

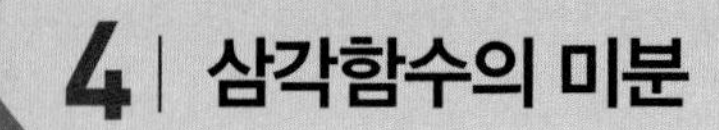

4 | 삼각함수의 미분

STEP 1 개념 마스터

0353

$\sin 15^\circ=\sin(45^\circ-30^\circ)$

$=\sin 45^\circ\cos 30^\circ-\cos 45^\circ\sin 30^\circ$

$=\frac{\sqrt{2}}{2}\times\frac{\sqrt{3}}{2}-\frac{\sqrt{2}}{2}\times\frac{1}{2}=\frac{\sqrt{6}-\sqrt{2}}{4}$ 답 $\frac{\sqrt{6}-\sqrt{2}}{4}$

0354

$\cos 105^\circ=\cos(60^\circ+45^\circ)$

$=\cos 60^\circ\cos 45^\circ-\sin 60^\circ\sin 45^\circ$

$=\frac{1}{2}\times\frac{\sqrt{2}}{2}-\frac{\sqrt{3}}{2}\times\frac{\sqrt{2}}{2}=\frac{\sqrt{2}-\sqrt{6}}{4}$ 답 $\frac{\sqrt{2}-\sqrt{6}}{4}$

0355

$$\tan 75^\circ=\tan(45^\circ+30^\circ)=\frac{\tan 45^\circ+\tan 30^\circ}{1-\tan 45^\circ\tan 30^\circ}$$

$$=\frac{1+\frac{\sqrt{3}}{3}}{1-1\times\frac{\sqrt{3}}{3}}=2+\sqrt{3}$$ 답 $2+\sqrt{3}$

0356

$$\tan\frac{\pi}{12}=\tan\left(\frac{\pi}{3}-\frac{\pi}{4}\right)=\frac{\tan\frac{\pi}{3}-\tan\frac{\pi}{4}}{1+\tan\frac{\pi}{3}\tan\frac{\pi}{4}}$$

$$=\frac{\sqrt{3}-1}{1+\sqrt{3}\times 1}=2-\sqrt{3}$$ 답 $2-\sqrt{3}$

0357

$\sin 85^\circ\cos 40^\circ-\cos 85^\circ\sin 40^\circ$

$=\sin(85^\circ-40^\circ)$

$=\sin 45^\circ=\frac{\sqrt{2}}{2}$ 답 $\frac{\sqrt{2}}{2}$

0358

$\cos 50^\circ\cos 20^\circ+\sin 50^\circ\sin 20^\circ$

$=\cos(50^\circ-20^\circ)$

$=\cos 30^\circ=\frac{\sqrt{3}}{2}$ 답 $\frac{\sqrt{3}}{2}$

0359

$$\frac{\tan 75^\circ-\tan 15^\circ}{1+\tan 75^\circ\tan 15^\circ}=\tan(75^\circ-15^\circ)$$

$=\tan 60^\circ=\sqrt{3}$ 답 $\sqrt{3}$

0360

$\sqrt{2^2+(2\sqrt{3})^2}=4$이므로

$2\sin\theta+2\sqrt{3}\cos\theta$

$=4\left(\sin\theta\times\frac{1}{2}+\cos\theta\times\frac{\sqrt{3}}{2}\right)$

$=4\left(\sin\theta\cos\frac{\pi}{3}+\cos\theta\sin\frac{\pi}{3}\right)$

$=4\sin\left(\theta+\frac{\pi}{3}\right)$ 답 $4\sin\left(\theta+\frac{\pi}{3}\right)$

0361

$\sqrt{5^2+(-5)^2}=5\sqrt{2}$이므로

$5\sin\theta-5\cos\theta$

$=5\sqrt{2}\left\{\sin\theta\times\frac{1}{\sqrt{2}}+\cos\theta\times\left(-\frac{1}{\sqrt{2}}\right)\right\}$

$=5\sqrt{2}\left(\sin\theta\cos\frac{7}{4}\pi+\cos\theta\sin\frac{7}{4}\pi\right)$

$=5\sqrt{2}\sin\left(\theta+\frac{7}{4}\pi\right)$ 답 $5\sqrt{2}\sin\left(\theta+\frac{7}{4}\pi\right)$

0362

$y=\sin x+\cos x$

$=\sqrt{2}\left(\sin x\times\frac{1}{\sqrt{2}}+\cos x\times\frac{1}{\sqrt{2}}\right)$

$=\sqrt{2}\left(\sin x\cos\frac{\pi}{4}+\cos x\sin\frac{\pi}{4}\right)$

$=\sqrt{2}\sin\left(x+\frac{\pi}{4}\right)$

따라서 주어진 함수의 최댓값은 $\sqrt{2}$, 최솟값은 $-\sqrt{2}$, 주기는 2π이다.

답 최댓값: $\sqrt{2}$, 최솟값: $-\sqrt{2}$, 주기: 2π

참고 $y=\sqrt{2}\sin\left(x+\frac{\pi}{4}\right)$의 그래프는 $y=\sqrt{2}\sin x$의 그래프를 x축의 방향으로 $-\frac{\pi}{4}$만큼 평행이동한 것이므로 함수 $y=\sqrt{2}\sin\left(x+\frac{\pi}{4}\right)$의 최댓값, 최솟값, 주기는 함수 $y=\sqrt{2}\sin x$의 최댓값, 최솟값, 주기와 같다.

0363

$y=-\sin x+\sqrt{3}\cos x$

$=2\left\{\sin x\times\left(-\frac{1}{2}\right)+\cos x\times\frac{\sqrt{3}}{2}\right\}$

$=2\left(\sin x\cos\frac{2}{3}\pi+\cos x\sin\frac{2}{3}\pi\right)$

$=2\sin\left(x+\frac{2}{3}\pi\right)$

따라서 주어진 함수의 최댓값은 2, 최솟값은 -2, 주기는 2π이다.

답 최댓값: 2, 최솟값: -2, 주기: 2π

0364

$\frac{\pi}{2}<\alpha<\pi$에서 $\sin\alpha>0$이므로

$\sin\alpha=\sqrt{1-\cos^2\alpha}=\sqrt{1-\left(-\frac{3}{5}\right)^2}=\frac{4}{5}$

$\tan\alpha=\frac{\sin\alpha}{\cos\alpha}=\frac{\frac{4}{5}}{-\frac{3}{5}}=-\frac{4}{3}$

(1) $\sin 2\alpha=2\sin\alpha\cos\alpha=2\times\frac{4}{5}\times\left(-\frac{3}{5}\right)=-\frac{24}{25}$

(2) $\cos 2\alpha=\cos^2\alpha-\sin^2\alpha=\left(-\frac{3}{5}\right)^2-\left(\frac{4}{5}\right)^2=-\frac{7}{25}$

(3) $\tan 2\alpha=\frac{2\tan\alpha}{1-\tan^2\alpha}=\frac{2\times\left(-\frac{4}{3}\right)}{1-\left(-\frac{4}{3}\right)^2}=\frac{24}{7}$

답 (1) $-\frac{24}{25}$ (2) $-\frac{7}{25}$ (3) $\frac{24}{7}$

0365

$\lim_{x\to\frac{\pi}{6}}3\sin 3x=3\sin\frac{\pi}{2}=3$ 답 3

0366

$\lim_{x\to\frac{\pi}{8}}-2\tan 2x=-2\tan\frac{\pi}{4}=-2$ 답 -2

0367

$\lim_{x\to0}\frac{\sin^2 x}{\cos x-1}=\lim_{x\to0}\frac{1-\cos^2 x}{\cos x-1}$

$=\lim_{x\to0}\frac{(1+\cos x)(1-\cos x)}{\cos x-1}$

$=\lim_{x\to0}(-1-\cos x)=-1-1=-2$ 답 -2

0368

$\lim_{x\to\frac{\pi}{4}}\frac{\sin 2x}{\cos x}=\lim_{x\to\frac{\pi}{4}}\frac{2\sin x\cos x}{\cos x}$

$=\lim_{x\to\frac{\pi}{4}}2\sin x=2\times\frac{\sqrt{2}}{2}=\sqrt{2}$ 답 $\sqrt{2}$

0369

$\lim_{x\to0}\frac{\sin 2x}{3x}=\lim_{x\to0}\frac{\sin 2x}{2x}\times\frac{2}{3}=1\times\frac{2}{3}=\frac{2}{3}$ 답 $\frac{2}{3}$

0370

$\lim_{x\to0}\frac{3x}{\tan 5x}=\lim_{x\to0}\frac{5x}{\tan 5x}\times\frac{3}{5}=1\times\frac{3}{5}=\frac{3}{5}$ 답 $\frac{3}{5}$

0371

$\lim_{x\to0}\frac{\sin x+\tan 3x}{2x}=\lim_{x\to0}\left(\frac{\sin x}{2x}+\frac{\tan 3x}{2x}\right)$

$=\lim_{x\to0}\left(\frac{\sin x}{x}\times\frac{1}{2}+\frac{\tan 3x}{3x}\times\frac{3}{2}\right)$

$=1\times\frac{1}{2}+1\times\frac{3}{2}=2$ 답 2

0372

$$\lim_{x\to 0}\frac{2x+\sin 3x}{\tan x}=\lim_{x\to 0}\left(\frac{2x}{\tan x}+\frac{\sin 3x}{\tan x}\right)$$
$$=\lim_{x\to 0}\left(\frac{x}{\tan x}\times 2+\frac{\sin 3x}{3x}\times\frac{x}{\tan x}\times 3\right)$$
$$=1\times 2+1\times 1\times 3=5$$

답 5

0373

$\frac{1}{x}=t$로 놓으면 $x\to\infty$일 때 $t\to 0$이므로

$$\lim_{x\to\infty} x\sin\frac{1}{x}=\lim_{t\to 0}\frac{\sin t}{t}=1$$

답 1

0374

$\frac{\pi}{4}-x=t$로 놓으면 $x\to\frac{\pi}{4}$일 때 $t\to 0$이므로

$$\lim_{x\to\frac{\pi}{4}}\frac{\tan\left(\frac{\pi}{4}-x\right)}{\pi-4x}=\lim_{t\to 0}\frac{\tan t}{4t}=\lim_{t\to 0}\frac{\tan t}{t}\times\frac{1}{4}$$
$$=1\times\frac{1}{4}=\frac{1}{4}$$

답 $\frac{1}{4}$

0375 답 $y'=1-2\cos x$

0376 답 $y'=-\sin x-e^x$

0377 답 $y'=\cos x+3\sin x$

0378

$$y'=(\sin x)'\cos x+\sin x(\cos x)'$$
$$=\cos^2 x-\sin^2 x$$

답 $y'=\cos^2 x-\sin^2 x$

0379

$$y'=(\cos x)'\times\ln x+\cos x\times(\ln x)'$$
$$=-\sin x\times\ln x+\frac{\cos x}{x}$$

답 $y'=-\sin x\times\ln x+\frac{\cos x}{x}$

0380

$y=\sin^2 x-\cos^2 x=\sin x\sin x-\cos x\cos x$이므로

$$y'=\cos x\sin x+\sin x\cos x-\{-\sin x\cos x+\cos x(-\sin x)\}$$
$$=\cos x\sin x+\sin x\cos x+\sin x\cos x+\cos x\sin x$$
$$=4\sin x\cos x$$

답 $y'=4\sin x\cos x$

다른 풀이 $y=\sin^2 x-\cos^2 x=\sin^2 x-(1-\sin^2 x)$
$=2\sin^2 x-1=2\sin x\sin x-1$

이므로

$y'=2\cos x\sin x+2\sin x\cos x=4\sin x\cos x$

STEP 2 유형 마스터

0381

전략 $\sin^2\theta+\cos^2\theta=1$임을 이용하여 $\cos\alpha$의 값과 $\sin\beta$의 값을 구한다.

$0<\alpha<\frac{\pi}{2}$에서 $\cos\alpha>0$이고, $\sin\alpha=\frac{3}{5}$이므로

$$\cos\alpha=\sqrt{1-\sin^2\alpha}=\sqrt{1-\left(\frac{3}{5}\right)^2}=\frac{4}{5}$$

$\frac{\pi}{2}<\beta<\pi$에서 $\sin\beta>0$이고, $\cos\beta=-\frac{5}{13}$이므로

$$\sin\beta=\sqrt{1-\cos^2\beta}=\sqrt{1-\left(-\frac{5}{13}\right)^2}=\frac{12}{13}$$

$$\therefore \sin(\alpha+\beta)=\sin\alpha\cos\beta+\cos\alpha\sin\beta$$
$$=\frac{3}{5}\times\left(-\frac{5}{13}\right)+\frac{4}{5}\times\frac{12}{13}$$
$$=-\frac{15}{65}+\frac{48}{65}=\frac{33}{65}$$

답 ③

0382

$$\sin 70^\circ\sin 140^\circ+\sin 20^\circ\sin 50^\circ$$
$$=\sin 70^\circ\sin(90^\circ+50^\circ)+\sin(90^\circ-70^\circ)\sin 50^\circ$$
$$=\sin 70^\circ\cos 50^\circ+\cos 70^\circ\sin 50^\circ$$
$$=\sin(70^\circ+50^\circ)=\sin 120^\circ=\frac{\sqrt{3}}{2}$$

답 ⑤

Lecture

$\frac{\pi}{2}\pm\theta$의 삼각함수

(1) $\sin\left(\frac{\pi}{2}\pm\theta\right)=\cos\theta$

(2) $\cos\left(\frac{\pi}{2}\pm\theta\right)=\mp\sin\theta$ (복호동순)

(3) $\tan\left(\frac{\pi}{2}\pm\theta\right)=\mp\frac{1}{\tan\theta}$ (복호동순)

0383

$\tan(\alpha+\beta)=\tan\frac{\pi}{4}=1$에서

$$\frac{\tan\alpha+\tan\beta}{1-\tan\alpha\tan\beta}=1$$

즉, $\tan\alpha+\tan\beta=1-\tan\alpha\tan\beta$

$$\therefore (1+\tan\alpha)(1+\tan\beta)$$
$$=1+\tan\alpha+\tan\beta+\tan\alpha\tan\beta$$
$$=1+(1-\tan\alpha\tan\beta)+\tan\alpha\tan\beta=2$$

답 2

0384

$\sin\alpha+\sin\beta=\frac{1}{2}$의 양변을 제곱하면

$$\sin^2\alpha+2\sin\alpha\sin\beta+\sin^2\beta=\frac{1}{4} \quad \cdots\cdots ㉠$$

$\cos\alpha+\cos\beta=\frac{\sqrt{3}}{2}$의 양변을 제곱하면

$\cos^2\alpha+2\cos\alpha\cos\beta+\cos^2\beta=\frac{3}{4}$ …… ㉡

㉠+㉡을 하면 $(\sin^2\alpha+\cos^2\alpha)+(\sin^2\beta+\cos^2\beta)=1+1=2$

$2+2(\sin\alpha\sin\beta+\cos\alpha\cos\beta)=1$

$\sin\alpha\sin\beta+\cos\alpha\cos\beta=-\frac{1}{2}$

$\therefore \cos(\alpha-\beta)=-\frac{1}{2}$ 답 ③

0385

|전략| 이차방정식의 근과 계수의 관계를 이용한다.

이차방정식의 근과 계수의 관계에 의하여

$\tan\alpha+\tan\beta=\frac{5}{2}$, $\tan\alpha\tan\beta=\frac{1}{2}$

$\therefore \tan(\alpha+\beta)=\frac{\tan\alpha+\tan\beta}{1-\tan\alpha\tan\beta}=\frac{\frac{5}{2}}{1-\frac{1}{2}}=5$ 답 ⑤

0386

이차방정식의 근과 계수의 관계에 의하여

$\tan\alpha+\tan\beta=2a$, $\tan\alpha\tan\beta=a^2-4$이므로

$(\tan\alpha-\tan\beta)^2=(\tan\alpha+\tan\beta)^2-4\tan\alpha\tan\beta$

$=(2a)^2-4(a^2-4)=16$

$\therefore \tan\alpha-\tan\beta=4$ ($\because \tan\alpha>\tan\beta$)

$\therefore \tan(\alpha-\beta)=\frac{\tan\alpha-\tan\beta}{1+\tan\alpha\tan\beta}=\frac{4}{1+a^2-4}=\frac{4}{a^2-3}$

이때, $\tan(\alpha-\beta)=\tan\frac{\pi}{4}=1$이므로

$\frac{4}{a^2-3}=1$에서 $a^2=7$ $\therefore a=\sqrt{7}$ ($\because a>0$) 답 ④

0387

이차방정식의 근과 계수의 관계에 의하여

$\tan\alpha+\tan\beta=4$, $\tan\alpha\tan\beta=-2$

$\therefore \tan(\alpha+\beta)=\frac{\tan\alpha+\tan\beta}{1-\tan\alpha\tan\beta}=\frac{4}{1+2}=\frac{4}{3}$

오른쪽 그림의 직각삼각형에서 빗변의 길이는 5이고

$0<\alpha+\beta<\frac{\pi}{2}$이므로 $\sin(\alpha+\beta)>0$

$\therefore \sin(\alpha+\beta)=\frac{4}{5}$

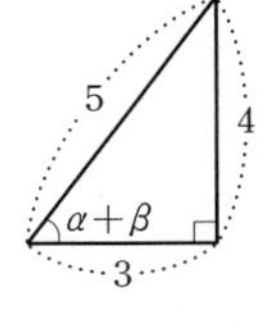

답 $\frac{4}{5}$

0388

|전략| $\tan(\alpha-\beta)=\frac{\tan\alpha-\tan\beta}{1+\tan\alpha\tan\beta}$임을 이용한다.

두 직선 $y=2x+2$, $y=-\frac{1}{3}x-\frac{1}{3}$이 x축의 양의 방향과 이루는 각의 크기를 각각 α, β라 하면

$\tan\alpha=2$, $\tan\beta=-\frac{1}{3}$

$\therefore \tan\theta=|\tan(\alpha-\beta)|=\left|\frac{\tan\alpha-\tan\beta}{1+\tan\alpha\tan\beta}\right|$

$=\left|\frac{2-\left(-\frac{1}{3}\right)}{1+2\times\left(-\frac{1}{3}\right)}\right|=\frac{\frac{7}{3}}{\frac{1}{3}}=7$

오른쪽 그림의 직각삼각형에서 빗변의 길이는 $5\sqrt{2}$이고 $0<\theta<\frac{\pi}{2}$이므로 $\sin\theta>0$

$\therefore \sin\theta=\frac{7}{5\sqrt{2}}=\frac{7\sqrt{2}}{10}$

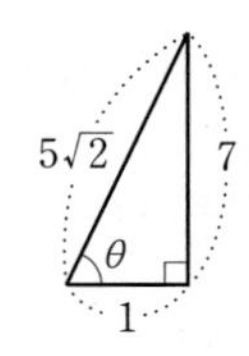

답 $\frac{7\sqrt{2}}{10}$

0389

$kx-y-1=0$에서 $y=kx-1$

$x+2y+3=0$에서 $y=-\frac{1}{2}x-\frac{3}{2}$

두 직선이 x축의 양의 방향과 이루는 각의 크기를 각각 α, β라 하면

$\tan\alpha=k$, $\tan\beta=-\frac{1}{2}$

이때, 두 직선이 이루는 예각의 크기가 $\frac{\pi}{4}$이므로

$|\tan(\alpha-\beta)|=\tan\frac{\pi}{4}=1$에서

$\left|\frac{\tan\alpha-\tan\beta}{1+\tan\alpha\tan\beta}\right|=1$, $\frac{k+\frac{1}{2}}{1-\frac{k}{2}}=\pm1$

$k+\frac{1}{2}=\pm\left(1-\frac{k}{2}\right)$ $\therefore k=\frac{1}{3}$ ($\because k>0$) 답 ①

0390

직선 $y=\frac{1}{3}x$가 x축의 양의 방향과 이루는 각의 크기를 θ라 하면

$\tan\theta=\frac{1}{3}$ … ❶

이때, 직선 $y=ax+b$가 x축의 양의 방향과 이루는 각의 크기는 $\theta+45°$이므로

$a=\tan(\theta+45°)=\frac{\tan\theta+\tan45°}{1-\tan\theta\tan45°}=\frac{\frac{1}{3}+1}{1-\frac{1}{3}\times1}=2$ … ❷

직선 $y=2x+b$가 점 $(3, 1)$을 지나므로

$1=2\times3+b$ $\therefore b=-5$ … ❸

$\therefore a+b=2+(-5)=-3$ … ❹

답 -3

채점 기준	비율
❶ $\tan\theta$의 값을 구할 수 있다.	30 %
❷ a의 값을 구할 수 있다.	40 %
❸ b의 값을 구할 수 있다.	20 %
❹ $a+b$의 값을 구할 수 있다.	10 %

0391

| 전략 | $\tan(\alpha+\beta)=\dfrac{\tan\alpha+\tan\beta}{1-\tan\alpha\tan\beta}$ 임을 이용한다.

오른쪽 그림과 같이 $\angle PAQ=\theta$라 하고 정사각형 ABCD의 한 변의 길이를 a라 하면

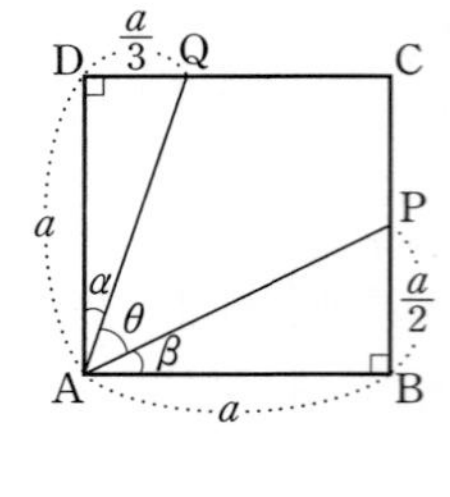

$\overline{BP}=\dfrac{a}{2}$, $\overline{DQ}=\dfrac{a}{3}$

또한, $\angle QAD=\alpha$, $\angle PAB=\beta$라 하면

$\tan\alpha=\dfrac{\frac{a}{3}}{a}=\dfrac{1}{3}$, $\tan\beta=\dfrac{\frac{a}{2}}{a}=\dfrac{1}{2}$

$\therefore \tan\theta=\tan\left(\dfrac{\pi}{2}-\alpha-\beta\right)=\dfrac{1}{\tan(\alpha+\beta)}$ └ $\tan\left\{\dfrac{\pi}{2}-(\alpha+\beta)\right\}=\dfrac{1}{\tan(\alpha+\beta)}$

$=\dfrac{1}{\dfrac{\tan\alpha+\tan\beta}{1-\tan\alpha\tan\beta}}=\dfrac{1}{\dfrac{\frac{1}{3}+\frac{1}{2}}{1-\frac{1}{3}\times\frac{1}{2}}}=1$

$\therefore \angle PAQ=\dfrac{\pi}{4}\left(\because 0<\theta<\dfrac{\pi}{2}\right)$ 답 ③

0392

$\overline{AB}=a$라 하면 $\overline{BE}=\sqrt{2}a$, $\overline{BD}=\sqrt{10}a$이므로

$\sin\alpha=\dfrac{a}{\sqrt{2}a}=\dfrac{\sqrt{2}}{2}$, $\cos\alpha=\dfrac{a}{\sqrt{2}a}=\dfrac{\sqrt{2}}{2}$

$\sin\beta=\dfrac{a}{\sqrt{10}a}=\dfrac{\sqrt{10}}{10}$, $\cos\beta=\dfrac{3a}{\sqrt{10}a}=\dfrac{3\sqrt{10}}{10}$

$\therefore \sin(\alpha+\beta)=\sin\alpha\cos\beta+\cos\alpha\sin\beta$

$=\dfrac{\sqrt{2}}{2}\times\dfrac{3\sqrt{10}}{10}+\dfrac{\sqrt{2}}{2}\times\dfrac{\sqrt{10}}{10}$

$=\dfrac{3\sqrt{5}}{10}+\dfrac{\sqrt{5}}{10}=\dfrac{2\sqrt{5}}{5}$ 답 $\dfrac{2\sqrt{5}}{5}$

0393

$\overline{BC}=\sqrt{(\sqrt{73})^2-3^2}=\sqrt{64}=8$

이때, $\angle BAR=\alpha$, $\angle BAP=\beta$라 하면

$\tan\alpha=\dfrac{\overline{BR}}{\overline{AB}}=\dfrac{6}{3}=2$, $\tan\beta=\dfrac{\overline{BP}}{\overline{AB}}=\dfrac{2}{3}$

$\therefore \tan\theta=\tan(\alpha-\beta)=\dfrac{\tan\alpha-\tan\beta}{1+\tan\alpha\tan\beta}=\dfrac{2-\frac{2}{3}}{1+2\times\frac{2}{3}}=\dfrac{4}{7}$

답 ④

0394

| 전략 | $a\sin\theta+b\cos\theta=\sqrt{a^2+b^2}\sin(\theta+\alpha)$임을 이용한다.

$y=\sqrt{3}\cos x+k\cos\left(\dfrac{\pi}{2}-x\right)-1$

$=\sqrt{3}\cos x+k\sin x-1$

$=\sqrt{3+k^2}\left(\sin x\times\dfrac{k}{\sqrt{3+k^2}}+\cos x\times\dfrac{\sqrt{3}}{\sqrt{3+k^2}}\right)-1$

$=\sqrt{3+k^2}\sin(x+\alpha)-1$ $\left(단, \sin\alpha=\dfrac{\sqrt{3}}{\sqrt{3+k^2}}, \cos\alpha=\dfrac{k}{\sqrt{3+k^2}}\right)$

이때, $-1\le\sin(x+\alpha)\le1$이므로

$-\sqrt{3+k^2}-1\le\sqrt{3+k^2}\sin(x+\alpha)-1\le\sqrt{3+k^2}-1$

이고, 최댓값이 3이므로 $\sqrt{3+k^2}-1=3$에서

$3+k^2=16$ $\quad\therefore k=\sqrt{13}\ (\because k>0)$ 답 ②

0395

$f(x)=\sin x+\sqrt{7}\cos x-a$

$=2\sqrt{2}\left(\sin x\times\dfrac{1}{2\sqrt{2}}+\cos x\times\dfrac{\sqrt{7}}{2\sqrt{2}}\right)-a$

$=2\sqrt{2}\sin(x+\alpha)-a$ $\left(단, \sin\alpha=\dfrac{\sqrt{7}}{2\sqrt{2}}, \cos\alpha=\dfrac{1}{2\sqrt{2}}\right)$

이때, $-1\le\sin(x+\alpha)\le1$이므로

$-2\sqrt{2}-a\le2\sqrt{2}\sin(x+\alpha)-a\le2\sqrt{2}-a$

이고, 최댓값이 $2\sqrt{2}-a=\sqrt{2}$이므로 $a=\sqrt{2}$

따라서 $f(x)$의 최솟값은

$-2\sqrt{2}-a=-2\sqrt{2}-\sqrt{2}=-3\sqrt{2}$ 답 ③

0396

오른쪽 그림과 같이 $\angle PAB=\theta$라 하면

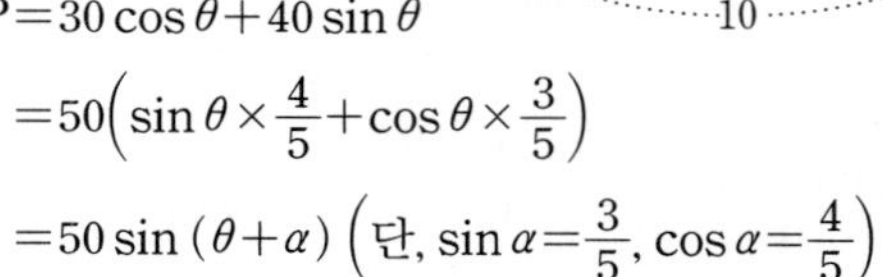

$\angle APB=90°$이므로

$\overline{AP}=10\cos\theta$, $\overline{BP}=10\sin\theta$

$\therefore 3\overline{AP}+4\overline{BP}=30\cos\theta+40\sin\theta$

$=50\left(\sin\theta\times\dfrac{4}{5}+\cos\theta\times\dfrac{3}{5}\right)$

$=50\sin(\theta+\alpha)$ $\left(단, \sin\alpha=\dfrac{3}{5}, \cos\alpha=\dfrac{4}{5}\right)$

이때, $0<\theta<\dfrac{\pi}{2}$, $2n\pi<\alpha<2n\pi+\dfrac{\pi}{2}$($n$은 정수)이므로

$2n\pi<\theta+\alpha<(2n+1)\pi$ $\quad\therefore 0<\sin(\theta+\alpha)\le1$

따라서 $0<50\sin(\theta+\alpha)\le50$이므로 구하는 최댓값은 50이다.

답 50

0397

| 전략 | 주어진 식의 양변을 제곱하여 $\sin2\theta$의 값을 구한다.

$\sin\theta-\cos\theta=\dfrac{1}{3}$의 양변을 제곱하면

$\sin^2\theta-2\sin\theta\cos\theta+\cos^2\theta=\dfrac{1}{9}$

$1-\sin2\theta=\dfrac{1}{9}$ $\quad\therefore \sin2\theta=\dfrac{8}{9}$

한편, $0<\theta<\dfrac{\pi}{2}$에서 $\sin\theta-\cos\theta>0$이려면

$\dfrac{\pi}{4}<\theta<\dfrac{\pi}{2}$ $\quad\therefore \dfrac{\pi}{2}<2\theta<\pi$

이때, $\dfrac{\pi}{2}<2\theta<\pi$에서 $\cos2\theta<0$이므로

$\cos2\theta=-\sqrt{1-\sin^2 2\theta}$

$=-\sqrt{1-\left(\dfrac{8}{9}\right)^2}=-\dfrac{\sqrt{17}}{9}$ 답 $-\dfrac{\sqrt{17}}{9}$

0398

$\cos 2\theta=1-2\sin^2\theta=1-2\times\left(\frac{2}{3}\right)^2=\frac{1}{9}$ 답 ②

0399

$f(x)=\cos 2x+4\sin x+1$

$=(1-2\sin^2 x)+4\sin x+1$

$=-2\sin^2 x+4\sin x+2$

$=-2(\sin x-1)^2+4$

이때, $-1\le\sin x\le 1$이므로 $f(x)$는 $\sin x=1$일 때 최댓값 4를 갖는다. 답 ⑤

0400

오른쪽 그림과 같이 두 직선 $y=2x$, $y=x$가 x축의 양의 방향과 이루는 각의 크기를 각각 α, β라 하면

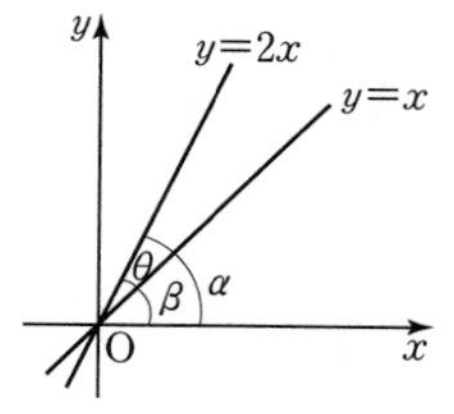

$\tan\alpha=2$, $\tan\beta=1$ … ❶

$\therefore \tan\theta=\tan(\alpha-\beta)$

$=\frac{\tan\alpha-\tan\beta}{1+\tan\alpha\tan\beta}$

$=\frac{2-1}{1+2\times1}=\frac{1}{3}$ … ❷

$\therefore \tan 2\theta=\frac{2\tan\theta}{1-\tan^2\theta}=\frac{2\times\frac{1}{3}}{1-\left(\frac{1}{3}\right)^2}=\frac{3}{4}$ … ❸

답 $\frac{3}{4}$

채점 기준	비율
❶ $\tan\alpha$, $\tan\beta$의 값을 구할 수 있다.	30 %
❷ $\tan\theta$의 값을 구할 수 있다.	30 %
❸ $\tan 2\theta$의 값을 구할 수 있다.	40 %

0401

$\sin 2x=2\cos x-2\cos^2 x$에서

$2\sin x\cos x=2\cos x-2\cos^2 x$, $\cos x(\sin x+\cos x-1)=0$

$\therefore \cos x=0$ 또는 $\sin x+\cos x=1$

(i) $\cos x=0$에서 $x=\frac{\pi}{2}$ 또는 $x=\frac{3}{2}\pi$ ($\because\ 0\le x<2\pi$)

(ii) $\sin x+\cos x=1$에서

$\sqrt{2}\left(\sin x\times\frac{1}{\sqrt{2}}+\cos x\times\frac{1}{\sqrt{2}}\right)=1$, $\sqrt{2}\sin\left(x+\frac{\pi}{4}\right)=1$

$\therefore \sin\left(x+\frac{\pi}{4}\right)=\frac{1}{\sqrt{2}}$

이때, $0\le x<2\pi$이므로 $\frac{\pi}{4}\le x+\frac{\pi}{4}<\frac{9}{4}\pi$

$\therefore x+\frac{\pi}{4}=\frac{\pi}{4}$ 또는 $x+\frac{\pi}{4}=\frac{3}{4}\pi$

$\therefore x=0$ 또는 $x=\frac{\pi}{2}$

(i), (ii)에서 서로 다른 모든 해의 합은

$\frac{\pi}{2}+\frac{3}{2}\pi+0=2\pi$ 답 ⑤

0402

|전략| $\angle\text{BAD}=\theta$로 놓고 $\cos\theta$의 값을 구한 후 $\cos 2\theta=2\cos^2\theta-1$임을 이용한다.

$\overline{\text{AB}}:\overline{\text{AC}}=3:2$이므로 $\overline{\text{AB}}=3t$, $\overline{\text{AC}}=2t\,(t>0)$라 하면

$\overline{\text{BC}}=\sqrt{\overline{\text{AB}}^2-\overline{\text{AC}}^2}=\sqrt{(3t)^2-(2t)^2}=\sqrt{5}t$

또, $\angle\text{BAD}=\angle\text{ABD}=\theta$라 하면

$\cos\theta=\frac{\overline{\text{BC}}}{\overline{\text{AB}}}=\frac{\sqrt{5}t}{3t}=\frac{\sqrt{5}}{3}$

이때, $\triangle\text{ABD}$에서

$\angle\text{ADC}=\angle\text{BAD}+\angle\text{ABD}=\theta+\theta=2\theta$

이므로

$\cos(\angle\text{ADC})=\cos 2\theta=2\cos^2\theta-1$

$=2\times\left(\frac{\sqrt{5}}{3}\right)^2-1=\frac{1}{9}$ 답 $\frac{1}{9}$

0403

□ABCD가 직사각형이고 $\angle\text{ADB}=\frac{\pi}{8}$이므로

$\overline{\text{AD}}=\overline{\text{BD}}\cos\frac{\pi}{8}=2\cos\frac{\pi}{8}$, $\overline{\text{AB}}=\overline{\text{BD}}\sin\frac{\pi}{8}=2\sin\frac{\pi}{8}$

$\therefore$ □ABCD $=\overline{\text{AD}}\times\overline{\text{AB}}$

$=2\cos\frac{\pi}{8}\times2\sin\frac{\pi}{8}$

$=4\sin\frac{\pi}{8}\cos\frac{\pi}{8}$

$=2\sin\frac{\pi}{4}=2\times\frac{\sqrt{2}}{2}=\sqrt{2}$

따라서 직사각형 ABCD의 넓이는 $\sqrt{2}$이다. 답 ②

0404

오른쪽 그림과 같이

$\angle\text{PAB}=\theta$라 하면 $\angle\text{QAB}=2\theta$

이때, $\triangle\text{APB}$에서 $\angle\text{APB}=90°$이므로

$\cos\theta=\frac{8}{10}=\frac{4}{5}$

$\therefore \cos 2\theta=2\cos^2\theta-1$

$=2\times\left(\frac{4}{5}\right)^2-1=\frac{7}{25}$

또, $\triangle\text{AQB}$에서 $\angle\text{AQB}=90°$이므로

$\overline{\text{AQ}}=\overline{\text{AB}}\cos 2\theta=10\times\frac{7}{25}=\frac{14}{5}$ 답 $\frac{14}{5}$

0405

한 원에서 호 AB에 대한 원주각 $\angle$ACB의 크기는 중심각 $\angle$AOB의 크기 θ의 $\frac{1}{2}$배이므로 $\angle \mathrm{ACB}=\frac{\theta}{2}$

이때, $\triangle$ABC의 넓이가 2이므로

$\frac{1}{2}\times 4\times 3\times \sin\frac{\theta}{2}=2 \qquad \therefore \sin\frac{\theta}{2}=\frac{1}{3}$

또, $0<\theta<\pi$에서 $0<\frac{\theta}{2}<\frac{\pi}{2}$이므로 $\cos\frac{\theta}{2}>0$

$$\therefore \cos\frac{\theta}{2}=\sqrt{1-\sin^2\frac{\theta}{2}}=\sqrt{1-\left(\frac{1}{3}\right)^2}=\frac{2\sqrt{2}}{3}$$

$$\therefore \sin\theta=2\sin\frac{\theta}{2}\cos\frac{\theta}{2}$$

$$=2\times\frac{1}{3}\times\frac{2\sqrt{2}}{3}=\frac{4\sqrt{2}}{9}$$

답 ⑤

Lecture

(1) 원주각과 중심각의 크기

한 원에서 한 호에 대한 원주각의 크기는 중심각의 크기의 $\frac{1}{2}$배이다.

즉, $\angle \mathrm{APB}=\frac{1}{2}\angle \mathrm{AOB}$

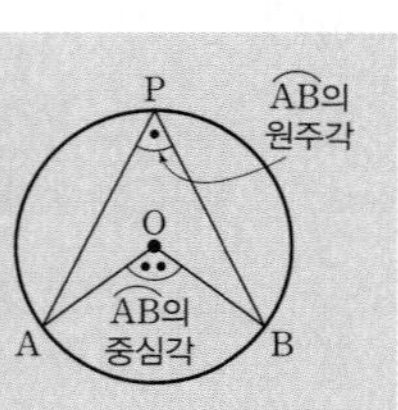

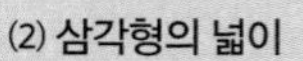

(2) 삼각형의 넓이

$\triangle$ABC의 넓이 S는

$S=\frac{1}{2}bc\sin A=\frac{1}{2}ac\sin B=\frac{1}{2}ab\sin C$

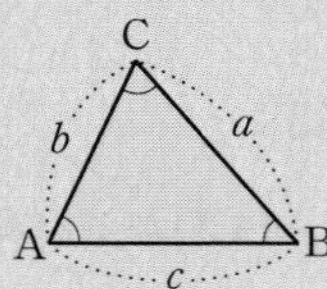

0406

| 전략 | 주어진 식을 간단히 하고, $\lim_{x\to a}\cos x=\cos a$임을 이용한다.

$$\lim_{x\to 0}\frac{\tan^2 x}{1-\cos 2x}=\lim_{x\to 0}\frac{\frac{\sin^2 x}{\cos^2 x}}{1-(2\cos^2 x-1)}$$

$$=\lim_{x\to 0}\frac{\sin^2 x}{2(1-\cos^2 x)\cos^2 x}$$

($1-\cos^2 x$ → $\sin^2 x$)

$$=\lim_{x\to 0}\frac{1}{2\cos^2 x}=\frac{1}{2}$$

답 ②

0407

$$\lim_{x\to\frac{\pi}{4}}\frac{1-\tan x}{\sin x-\cos x}=\lim_{x\to\frac{\pi}{4}}\frac{1-\frac{\sin x}{\cos x}}{\sin x-\cos x}$$

$$=\lim_{x\to\frac{\pi}{4}}\frac{\cos x-\sin x}{\cos x(\sin x-\cos x)}$$

$$=\lim_{x\to\frac{\pi}{4}}\frac{-1}{\cos x}=-\sqrt{2}$$

답 ①

0408

$$\lim_{x\to 0}\frac{\sin^2 x}{1-\cos x}=\lim_{x\to 0}\frac{1-\cos^2 x}{1-\cos x}=\lim_{x\to 0}\frac{(1+\cos x)(1-\cos x)}{1-\cos x}$$

$$=\lim_{x\to 0}(1+\cos x)=2$$

$$\lim_{x\to\frac{\pi}{2}}\frac{\cos^2 x}{1-\sin x}=\lim_{x\to\frac{\pi}{2}}\frac{1-\sin^2 x}{1-\sin x}$$

$$=\lim_{x\to\frac{\pi}{2}}\frac{(1+\sin x)(1-\sin x)}{1-\sin x}$$

$$=\lim_{x\to\frac{\pi}{2}}(1+\sin x)=2$$

$$\therefore \lim_{x\to 0}\frac{\sin^2 x}{1-\cos x}+\lim_{x\to\frac{\pi}{2}}\frac{\cos^2 x}{1-\sin x}=2+2=4$$

답 ④

0409

| 전략 | $\lim_{x\to 0}\frac{\sin ax}{ax}=1$임을 이용한다.

$$\lim_{x\to 0}\frac{\sin(3x^2-x)}{x^2+4x}=\lim_{x\to 0}\frac{\sin(3x^2-x)}{3x^2-x}\times\frac{3x^2-x}{x^2+4x}$$

$$=1\times\lim_{x\to 0}\frac{x(3x-1)}{x(x+4)}$$

$$=\lim_{x\to 0}\frac{3x-1}{x+4}=-\frac{1}{4}$$

답 $-\frac{1}{4}$

0410

$$\lim_{x\to 0}\frac{\sin 2x+1-e^{5x}}{\sin 3x}$$

$$=\lim_{x\to 0}\left(\frac{\sin 2x}{\sin 3x}-\frac{e^{5x}-1}{\sin 3x}\right)$$

$$=\lim_{x\to 0}\left(\frac{\sin 2x}{2x}\times\frac{3x}{\sin 3x}\times\frac{2}{3}-\frac{e^{5x}-1}{5x}\times\frac{3x}{\sin 3x}\times\frac{5}{3}\right)$$

$$=1\times 1\times\frac{2}{3}-1\times 1\times\frac{5}{3}=-1$$

답 -1

Lecture

지수함수, 로그함수의 극한

$a>0,\ a\neq 1$일 때

(1) $\lim_{x\to 0}\frac{\ln(1+x)}{x}=1$ (2) $\lim_{x\to 0}\frac{e^x-1}{x}=1$

(3) $\lim_{x\to 0}\frac{\log_a(1+x)}{x}=\frac{1}{\ln a}$ (4) $\lim_{x\to 0}\frac{a^x-1}{x}=\ln a$

0411

$$\lim_{x\to 0}\frac{1-\cos x}{x\sin 4x}=\lim_{x\to 0}\frac{(1-\cos x)(1+\cos x)}{x\sin 4x(1+\cos x)}$$

$$=\lim_{x\to 0}\frac{\sin^2 x}{x\sin 4x(1+\cos x)}$$

$$=\lim_{x\to 0}\left(\frac{\sin x}{x}\right)^2\times\frac{4x}{\sin 4x}\times\frac{1}{4(1+\cos x)}$$

$$=1^2\times 1\times\frac{1}{4\times 2}=\frac{1}{8}$$

답 $\frac{1}{8}$

0412

$$\lim_{x \to 0} \frac{1-\cos kx}{2x^2} = \lim_{x \to 0} \frac{(1-\cos kx)(1+\cos kx)}{2x^2(1+\cos kx)}$$

$$= \lim_{x \to 0} \frac{\sin^2 kx}{2x^2(1+\cos kx)}$$

$$= \lim_{x \to 0} \left(\frac{\sin kx}{kx}\right)^2 \times \frac{k^2}{2} \times \frac{1}{1+\cos kx}$$

$$= 1^2 \times \frac{k^2}{2} \times \frac{1}{2} = \frac{k^2}{4}$$

즉, $\frac{k^2}{4}=9$에서 $k^2=36$

$\therefore k=6$ ($\because k>0$)

답 ①

0413

|전략| $\lim_{x \to 0} \frac{\tan ax}{ax}=1$임을 이용한다.

$$\lim_{x \to 0} \frac{\tan(\tan 5x)}{\tan 4x}$$

$$= \lim_{x \to 0} \frac{\tan(\tan 5x)}{\tan 5x} \times \frac{4x}{\tan 4x} \times \frac{\tan 5x}{5x} \times \frac{5}{4}$$

$$= 1 \times 1 \times 1 \times \frac{5}{4} = \frac{5}{4}$$

답 ⑤

0414

$$\lim_{x \to 0} \frac{e^{2x^2}-1}{\tan x \sin 2x} = \lim_{x \to 0} \frac{e^{2x^2}-1}{2x^2} \times \frac{x}{\tan x} \times \frac{2x}{\sin 2x}$$

$$= 1 \times 1 \times 1 = 1$$

답 ③

0415

$$f(n) = \lim_{x \to 0} \frac{x}{\tan x + \tan 2x + \tan 3x + \cdots + \tan nx}$$

$$= \lim_{x \to 0} \frac{1}{\frac{\tan x + \tan 2x + \tan 3x + \cdots + \tan nx}{x}}$$

$$= \lim_{x \to 0} \frac{1}{\frac{\tan x}{x} + \frac{\tan 2x}{2x} \times 2 + \frac{\tan 3x}{3x} \times 3 + \cdots + \frac{\tan nx}{nx} \times n}$$

$$= \frac{1}{1+2+3+\cdots+n}$$

$$= \frac{1}{\frac{n(n+1)}{2}} = \frac{2}{n(n+1)}$$

$$\therefore f(3) = \frac{2}{3 \times 4} = \frac{1}{6}$$

답 $\frac{1}{6}$

0416

|전략| $x+1=t$로 놓은 다음 $\lim_{t \to 0} \frac{\sin t}{t}=1$임을 이용한다.

$x+1=t$로 놓으면 $x \to -1$일 때 $t \to 0$이므로

$$\lim_{x \to -1} \frac{\sin\left(\cos \frac{3}{2}\pi x\right)}{x^2-1}$$

$\cos\left(\frac{3}{2}\pi t - \frac{3}{2}\pi\right) = \cos\left(\frac{3}{2}\pi - \frac{3}{2}\pi t\right) = -\sin \frac{3}{2}\pi t$

$$= \lim_{x \to -1} \frac{\sin\left(\cos \frac{3}{2}\pi x\right)}{(x+1)(x-1)} = \lim_{t \to 0} \frac{\sin\left\{\cos \frac{3}{2}\pi(t-1)\right\}}{t(t-2)}$$

$$= \lim_{t \to 0} \frac{\sin\left\{\cos\left(\frac{3}{2}\pi t - \frac{3}{2}\pi\right)\right\}}{t(t-2)} = \lim_{t \to 0} \frac{\sin\left(-\sin \frac{3}{2}\pi t\right)}{t(t-2)}$$

$$= \lim_{t \to 0} \frac{\sin\left(-\sin \frac{3}{2}\pi t\right)}{-\sin \frac{3}{2}\pi t} \times \frac{\sin \frac{3}{2}\pi t}{\frac{3}{2}\pi t} \times \frac{-\frac{3}{2}\pi}{t-2}$$

$$= 1 \times 1 \times \frac{3}{4}\pi = \frac{3}{4}\pi$$

답 $\frac{3}{4}\pi$

0417

$x-\frac{\pi}{2}=t$로 놓으면 $x \to \frac{\pi}{2}$일 때 $t \to 0$이므로

$$\lim_{x \to \frac{\pi}{2}} \frac{2x-\pi}{\cos x} = \lim_{t \to 0} \frac{2t}{\cos\left(\frac{\pi}{2}+t\right)} = \lim_{t \to 0} \frac{2t}{-\sin t}$$

$$= -2 \lim_{t \to 0} \frac{t}{\sin t} = -2 \times 1 = -2$$

답 -2

0418

$\sin x - \sqrt{3}\cos x = 2\sin\left(x-\frac{\pi}{3}\right)$이므로

$$\lim_{x \to \frac{\pi}{3}} \frac{\sin x - \sqrt{3}\cos x}{3x-\pi} = \lim_{x \to \frac{\pi}{3}} \frac{2\sin\left(x-\frac{\pi}{3}\right)}{3\left(x-\frac{\pi}{3}\right)}$$

이때, $x-\frac{\pi}{3}=t$로 놓으면 $x \to \frac{\pi}{3}$일 때 $t \to 0$이므로

$$\lim_{x \to \frac{\pi}{3}} \frac{2\sin\left(x-\frac{\pi}{3}\right)}{3\left(x-\frac{\pi}{3}\right)} = \lim_{t \to 0} \frac{2\sin t}{3t} = \frac{2}{3} \lim_{t \to 0} \frac{\sin t}{t} = \frac{2}{3} \times 1 = \frac{2}{3}$$

따라서 $p=3$, $q=2$이므로 $p+q=5$

답 5

0419

$$f(x)f(-x) = \frac{1+\sin 3x}{1+\sin x} \times \frac{1+\sin(-3x)}{1+\sin(-x)}$$

$$= \frac{1+\sin 3x}{1+\sin x} \times \frac{1-\sin 3x}{1-\sin x}$$

$$= \frac{1-\sin^2 3x}{1-\sin^2 x} = \frac{\cos^2 3x}{\cos^2 x}$$

$$= \left(\frac{\cos 3x}{\cos x}\right)^2$$

$x-\frac{\pi}{2}=t$로 놓으면 $x \to \frac{\pi}{2}$일 때 $t \to 0$이므로

$$\lim_{x \to \frac{\pi}{2}} f(x)f(-x) = \lim_{x \to \frac{\pi}{2}} \left(\frac{\cos 3x}{\cos x}\right)^2$$
$$= \lim_{t \to 0} \left\{ \frac{\cos\left(\frac{3}{2}\pi + 3t\right)}{\cos\left(\frac{\pi}{2} + t\right)} \right\}^2$$
$$= \lim_{t \to 0} \left(\frac{\sin 3t}{-\sin t}\right)^2 = \lim_{t \to 0} \left(\frac{\sin 3t}{\sin t}\right)^2$$
$$= \lim_{t \to 0} \left(\frac{\sin 3t}{3t} \times \frac{t}{\sin t} \times 3\right)^2$$
$$= (1 \times 1 \times 3)^2 = 9$$

답 ③

0420

|전략| $\frac{1}{x} = t$로 놓은 다음 $\lim_{t \to 0} \frac{\sin t}{t} = 1$임을 이용한다.

$\frac{1}{x} = t$로 놓으면 $x \to \infty$일 때 $t \to 0$이므로

$$\lim_{x \to \infty} x \sin \frac{1}{2x} = \lim_{t \to 0} \frac{\sin \frac{t}{2}}{t} = \lim_{t \to 0} \frac{\sin \frac{t}{2}}{\frac{t}{2}} \times \frac{1}{2}$$
$$= 1 \times \frac{1}{2} = \frac{1}{2}$$

답 $\frac{1}{2}$

0421

$\frac{1}{x} = t$로 놓으면 $x \to \infty$일 때 $t \to 0$이므로

$$\lim_{x \to \infty} x^\circ \tan \frac{1}{x} = \lim_{x \to \infty} \frac{\pi}{180} x \tan \frac{1}{x} = \lim_{t \to 0} \frac{\pi}{180} \times \frac{\tan t}{t}$$
$$= \frac{\pi}{180} \times 1 = \frac{\pi}{180}$$

답 ③

0422

$\frac{3}{x-2} = t$로 놓으면 $x \to \infty$일 때 $t \to 0$이므로

$$\lim_{x \to \infty} \frac{2x-1}{3} \tan \frac{3}{x-2} = \lim_{t \to 0} \frac{t+2}{t} \tan t$$
$$= \lim_{t \to 0} (t+2) \times \frac{\tan t}{t}$$
$$= 2 \times 1 = 2$$

답 ②

0423

|전략| $x \to 0$일 때 (분자) $\to 0$이고 0이 아닌 극한값이 존재하므로 (분모) $\to 0$임을 이용한다.

$x \to 0$일 때 (분자) $\to 0$이고 0이 아닌 극한값이 존재하므로 (분모) $\to 0$이다.

즉, $\lim_{x \to 0} \ln(x+b) = 0$이므로

$\ln b = 0 \qquad \therefore b = 1$

$b=1$을 주어진 식에 대입하면

$$\lim_{x \to 0} \frac{\sin ax}{\ln(1+x)} = \lim_{x \to 0} \frac{\sin ax}{ax} \times \frac{x}{\ln(1+x)} \times a$$
$$= 1 \times 1 \times a = a$$

즉, $a = 2$

$\therefore a + b = 2 + 1 = 3$

답 ③

0424

$x \to a$일 때 (분모) $\to 0$이고 극한값이 존재하므로 (분자) $\to 0$이다.

즉, $\lim_{x \to a} (3^x - 1) = 0$이므로

$3^a - 1 = 0 \qquad \therefore a = 0$ … ❶

$a=0$을 주어진 식에 대입하면

$$\lim_{x \to 0} \frac{3^x - 1}{2 \sin x} = \lim_{x \to 0} \frac{3^x - 1}{x} \times \frac{x}{\sin x} \times \frac{1}{2}$$
$$= \ln 3 \times 1 \times \frac{1}{2} = \frac{1}{2} \ln 3$$

즉, $b \ln 3 = \frac{1}{2} \ln 3$에서 $b = \frac{1}{2}$ … ❷

$\therefore a - b = 0 - \frac{1}{2} = -\frac{1}{2}$ … ❸

답 $-\frac{1}{2}$

채점 기준	비율
❶ a의 값을 구할 수 있다.	40 %
❷ b의 값을 구할 수 있다.	50 %
❸ $a-b$의 값을 구할 수 있다.	10 %

0425

$x \to \frac{\pi}{2}$일 때 (분모) $\to 0$이고 극한값이 존재하므로 (분자) $\to 0$이다.

즉, $\lim_{x \to \frac{\pi}{2}} (ax+b) = 0$이므로

$\frac{a}{2}\pi + b = 0 \qquad \therefore b = -\frac{a}{2}\pi$ …… ㉠

$b = -\frac{a}{2}\pi$를 주어진 식에 대입하면

$$\lim_{x \to \frac{\pi}{2}} \frac{ax - \frac{a}{2}\pi}{\cos x} = \lim_{x \to \frac{\pi}{2}} \frac{a\left(x - \frac{\pi}{2}\right)}{\cos x}$$

이때, $x - \frac{\pi}{2} = t$로 놓으면 $x \to \frac{\pi}{2}$일 때 $t \to 0$이므로

$$\lim_{x \to \frac{\pi}{2}} \frac{a\left(x - \frac{\pi}{2}\right)}{\cos x} = \lim_{t \to 0} \frac{at}{\cos\left(\frac{\pi}{2} + t\right)} = -\lim_{t \to 0} \frac{at}{\sin t}$$
$$= -a \lim_{t \to 0} \frac{t}{\sin t} = -a \times 1 = -a$$

즉, $-a = 3$에서 $a = -3$

$a = -3$을 ㉠에 대입하면 $b = \frac{3}{2}\pi$

$\therefore ab = -3 \times \frac{3}{2}\pi = -\frac{9}{2}\pi$

답 $-\frac{9}{2}\pi$

0426

$$\lim_{x \to 0} \frac{\ln(x^a + 1)}{(1 - \cos x)\tan bx}$$
$$= \lim_{x \to 0} \frac{\ln(x^a + 1) \times (1 + \cos x)}{(1 - \cos x)(1 + \cos x)\tan bx}$$
$$= \lim_{x \to 0} \frac{\ln(x^a + 1) \times (1 + \cos x)}{\sin^2 x \tan bx}$$
$$= \lim_{x \to 0} \frac{\ln(x^a + 1)}{x^a} \times \left(\frac{x}{\sin x}\right)^2 \times \frac{bx}{\tan bx} \times \frac{1 + \cos x}{b} \times \frac{x^a}{x^3}$$
$$= 1 \times 1^2 \times 1 \times \frac{2}{b} \times \lim_{x \to 0} \frac{x^a}{x^3} = \frac{2}{b} \lim_{x \to 0} \frac{x^a}{x^3} \quad \cdots\cdots ㉠$$

이때, ㉠이 0이 아닌 값에 수렴하므로 분자, 분모의 차수가 같아야 한다. 즉, $a=3$

$a=3$을 ㉠에 대입하면 $\frac{2}{b}\lim_{x\to0}\frac{x^3}{x^3}=\frac{2}{b}\times1=\frac{2}{b}$

즉, $\frac{2}{b}=\frac{1}{4}$이므로 $b=8$

$\therefore a+b=3+8=11$

답 11

0427

| 전략 | $\overline{BC}=4\tan\theta$, $\overline{BH}=4\sin\theta$와 삼각함수의 극한을 이용하여 주어진 식의 값을 구한다.

오른쪽 그림의 △ABC에서

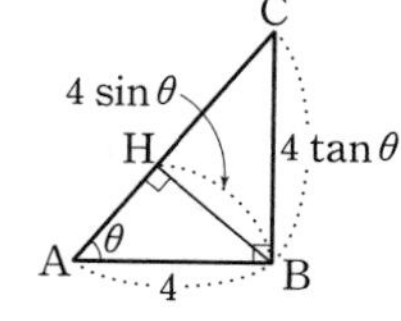

$\overline{BC}=4\tan\theta$, $\overline{BH}=4\sin\theta$

$$\therefore \lim_{\theta\to0+}\frac{\overline{BC}-\overline{BH}}{\theta^3}$$

$$=\lim_{\theta\to0+}\frac{4\tan\theta-4\sin\theta}{\theta^3}$$

$$=\lim_{\theta\to0+}\frac{4\times\frac{\sin\theta}{\cos\theta}-4\sin\theta}{\theta^3}$$

$$=\lim_{\theta\to0+}\frac{4\times\frac{\sin\theta-\sin\theta\cos\theta}{\cos\theta}}{\theta^3}$$

$$=4\lim_{\theta\to0+}\frac{\sin\theta(1-\cos\theta)}{\theta^3\cos\theta}$$

$$=4\lim_{\theta\to0+}\frac{\sin\theta(1-\cos\theta)(1+\cos\theta)}{\theta^3\cos\theta(1+\cos\theta)}$$

$$=4\lim_{\theta\to0+}\frac{\sin^3\theta}{\theta^3\cos\theta(1+\cos\theta)}$$

$$=4\lim_{\theta\to0+}\left(\frac{\sin\theta}{\theta}\right)^3\times\frac{1}{\cos\theta(1+\cos\theta)}$$

$$=4\times1^3\times\frac{1}{2}=2$$

답 2

0428

$\overline{OH}=\overline{OA}\cos\theta=\cos\theta$이므로

$\overline{BH}=1-\cos\theta$

$$\therefore \lim_{\theta\to0+}\frac{\overline{BH}}{\theta^2}=\lim_{\theta\to0+}\frac{1-\cos\theta}{\theta^2}$$

$$=\lim_{\theta\to0+}\frac{(1-\cos\theta)(1+\cos\theta)}{\theta^2(1+\cos\theta)}$$

$$=\lim_{\theta\to0+}\frac{\sin^2\theta}{\theta^2(1+\cos\theta)}$$

$$=\lim_{\theta\to0+}\left(\frac{\sin\theta}{\theta}\right)^2\times\frac{1}{1+\cos\theta}$$

$$=1^2\times\frac{1}{2}=\frac{1}{2}$$

답 $\frac{1}{2}$

0429

오른쪽 그림과 같이 꼭짓점 A에서 변 BC에 내린 수선의 발을 H라 하면

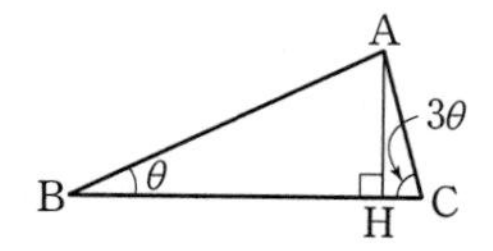

$\overline{AB}=\frac{\overline{AH}}{\sin\theta}$, $\overline{AC}=\frac{\overline{AH}}{\sin3\theta}$

$$\therefore \lim_{\theta\to0+}\frac{\overline{AC}}{\overline{AB}}=\lim_{\theta\to0+}\frac{\frac{\overline{AH}}{\sin3\theta}}{\frac{\overline{AH}}{\sin\theta}}=\lim_{\theta\to0+}\frac{\sin\theta}{\sin3\theta}$$

$$=\lim_{\theta\to0+}\frac{\sin\theta}{\theta}\times\frac{3\theta}{\sin3\theta}\times\frac{1}{3}$$

$$=1\times1\times\frac{1}{3}=\frac{1}{3}$$

답 $\frac{1}{3}$

0430

△OAQ에서 $\overline{OA}=\overline{OQ}\cos\theta=2\cos\theta$이므로

$$S(\theta)=\frac{1}{2}\times2^2\times\theta-\frac{1}{2}\times4\cos^2\theta\times\theta$$

$$=2\theta(1-\cos^2\theta)=2\theta\sin^2\theta$$

$$\therefore \lim_{\theta\to0+}\frac{S(\theta)}{\theta^3}=\lim_{\theta\to0+}\frac{2\theta\sin^2\theta}{\theta^3}$$

$$=2\lim_{\theta\to0+}\left(\frac{\sin\theta}{\theta}\right)^2=2\times1^2=2$$

답 2

0431

$\overline{OP}=a$에서 $\overline{OB}=a\cos\theta$, $\overline{PB}=a\sin\theta$이므로

$$(\triangle\text{OBP의 넓이})=\frac{1}{2}\times\overline{OB}\times\overline{PB}$$

$$=\frac{1}{2}\times a\cos\theta\times a\sin\theta$$

$$=\frac{1}{2}a^2\sin\theta\cos\theta$$

$$(\text{부채꼴 OPA의 넓이})=\frac{1}{2}a^2\theta$$

$$\therefore \lim_{\theta\to0+}\frac{(\text{부채꼴 OPA의 넓이})}{(\triangle\text{OBP의 넓이})}=\lim_{\theta\to0+}\frac{\frac{1}{2}a^2\theta}{\frac{1}{2}a^2\sin\theta\cos\theta}$$

$$=\lim_{\theta\to0+}\frac{\theta}{\sin\theta}\times\frac{1}{\cos\theta}$$

$$=1\times\frac{1}{1}=1$$

답 1

0432

오른쪽 그림의 △ABC에서

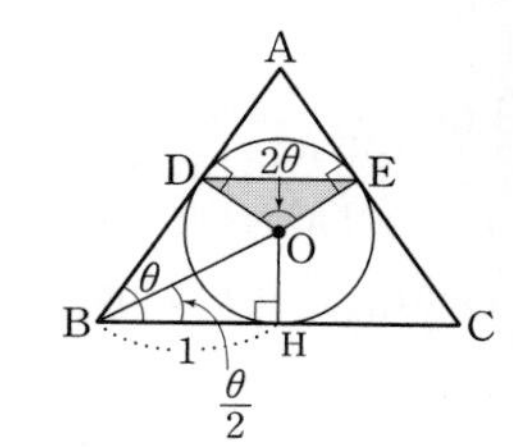

$\angle B=\angle C=\theta$이므로

$\angle A=\pi-2\theta$

□ADOE에서

$\angle ADO=\angle AEO=\frac{\pi}{2}$이므로

$\angle DOE=\pi-\angle DAE=\pi-(\pi-2\theta)=2\theta$

점 O에서 변 BC에 내린 수선의 발을 H라 하고 선분 OB를 그으면

$\angle OBH=\frac{\theta}{2}$, $\overline{BH}=1$이므로

└ △ODB≡△OHB이므로 $\angle OBH=\frac{1}{2}\angle DBH=\frac{\theta}{2}$

$\overline{OH}=\overline{BH}\tan\frac{\theta}{2}$

$=1\times\tan\frac{\theta}{2}=\tan\frac{\theta}{2}$

즉, 내접원의 반지름의 길이가 $\tan\frac{\theta}{2}$이므로

$S(\theta)=\frac{1}{2}\times\overline{OD}\times\overline{OE}\times\sin 2\theta=\frac{1}{2}\tan^2\frac{\theta}{2}\sin 2\theta$

$\therefore \lim_{\theta\to 0+}\frac{S(\theta)}{\theta^3}=\lim_{\theta\to 0+}\frac{\frac{1}{2}\tan^2\frac{\theta}{2}\sin 2\theta}{\theta^3}$

$=\lim_{\theta\to 0+}\left(\frac{\tan\frac{\theta}{2}}{\frac{\theta}{2}}\right)^2\times\frac{1}{4}\times\frac{\sin 2\theta}{2\theta}$

$=1^2\times\frac{1}{4}\times 1=\frac{1}{4}$

답 $\frac{1}{4}$

0433

| 전략 | 함수 $f(x)$가 $x=1$에서 연속이면 $\lim_{x\to 1}f(x)=f(1)$임을 이용한다.

함수 $f(x)$가 $x=1$에서 연속이므로 $\lim_{x\to 1}f(x)=f(1)$

$\therefore \lim_{x\to 1}\frac{\sin 2(x-1)}{x-1}=k$

이때, $x-1=t$로 놓으면 $x\to 1$일 때 $t\to 0$이므로

$\lim_{x\to 1}\frac{\sin 2(x-1)}{x-1}=\lim_{t\to 0}\frac{\sin 2t}{t}$

$=\lim_{t\to 0}\frac{\sin 2t}{2t}\times 2$

$=1\times 2=2$

$\therefore k=2$

답 ②

0434

함수 $f(x)$가 열린구간 $\left(-\frac{\pi}{2}, \frac{\pi}{2}\right)$에서 연속이므로 $x=0$에서도 연속이다.

즉, $\lim_{x\to 0}f(x)=f(0)$이므로

$\lim_{x\to 0}\frac{e^{ax}+b}{\tan x}=2$ ……㉠

$x\to 0$일 때 (분모) $\to 0$이고 극한값이 존재하므로 (분자) $\to 0$이다.

즉, $\lim_{x\to 0}(e^{ax}+b)=0$이므로

$1+b=0 \qquad \therefore b=-1$

$b=-1$을 ㉠에 대입하면

$\lim_{x\to 0}\frac{e^{ax}-1}{\tan x}=\lim_{x\to 0}\frac{e^{ax}-1}{ax}\times\frac{x}{\tan x}\times a$

$=1\times 1\times a=a$

즉, $a=2$

$\therefore a+b=2+(-1)=1$

답 1

0435

함수 $f(x)$가 $x=0$에서 연속이므로 $\lim_{x\to 0}f(x)=f(0)$

$\therefore \lim_{x\to 0}\frac{e^x-\sin 2x-a}{3x}=b$ ……㉠

$x\to 0$일 때 (분모) $\to 0$이고 극한값이 존재하므로 (분자) $\to 0$이다.

즉, $\lim_{x\to 0}(e^x-\sin 2x-a)=0$이므로

$1-0-a=0 \qquad \therefore a=1$

$a=1$을 ㉠에 대입하면

$\lim_{x\to 0}\frac{e^x-\sin 2x-1}{3x}=\lim_{x\to 0}\left(\frac{e^x-1}{3x}-\frac{\sin 2x}{3x}\right)$

$=\lim_{x\to 0}\left(\frac{e^x-1}{x}\times\frac{1}{3}-\frac{\sin 2x}{2x}\times\frac{2}{3}\right)$

$=1\times\frac{1}{3}-1\times\frac{2}{3}=-\frac{1}{3}$

즉, $b=-\frac{1}{3}$

$\therefore a-b=1-\left(-\frac{1}{3}\right)=\frac{4}{3}$

답 ④

0436

| 전략 | $\{f(x)g(x)\}'=f'(x)g(x)+f(x)g'(x)$임을 이용한다.

$f(x)=e^x\sin x$이므로

$f'(x)=e^x\sin x+e^x\cos x=e^x(\sin x+\cos x)$

$\therefore f'(0)=e^0(\sin 0+\cos 0)=1$

답 ①

0437

$f(x)=3x\sin x+2\cos x$에서

$f'(x)=3\sin x+3x\cos x-2\sin x$

$=\sin x+3x\cos x$

$\therefore f'\left(\frac{\pi}{3}\right)=\sin\frac{\pi}{3}+3\times\frac{\pi}{3}\times\cos\frac{\pi}{3}=\frac{\pi}{2}+\frac{\sqrt{3}}{2}$

답 ③

0438

$f(x)=e^x\cos x$에서

$f'(x)=e^x\cos x+e^x(-\sin x)$

$=e^x(\cos x-\sin x)$ … ❶

$f'(x)=0$에서 $\cos x-\sin x=0$ ($\because e^x>0$)

$\therefore \cos x=\sin x$

이때, $0<x<2\pi$이므로

$x=\frac{\pi}{4}$ 또는 $x=\frac{5}{4}\pi$ … ❷

따라서 모든 x의 값의 합은

$\frac{\pi}{4}+\frac{5}{4}\pi=\frac{3}{2}\pi$ … ❸

답 $\frac{3}{2}\pi$

채점 기준	비율
❶ $f'(x)$를 구할 수 있다.	40 %
❷ $f'(x)=0$을 만족시키는 x의 값을 구할 수 있다.	40 %
❸ 모든 x의 값의 합을 구할 수 있다.	20 %

0439

|전략| $\lim_{h\to 0}\frac{f(a+h)-f(a)}{h}=f'(a)$임을 이용한다.

$\lim_{h\to 0}\frac{f(\pi+h)-f(\pi-h)}{h}$

$=\lim_{h\to 0}\frac{\{f(\pi+h)-f(\pi)\}-\{f(\pi-h)-f(\pi)\}}{h}$

$=\lim_{h\to 0}\frac{f(\pi+h)-f(\pi)}{h}+\lim_{h\to 0}\frac{f(\pi-h)-f(\pi)}{-h}$

$=f'(\pi)+f'(\pi)=2f'(\pi)$

$f(x)=2x\cos x$에서 $f'(x)=2\cos x-2x\sin x$

따라서 $f'(\pi)=2\cos\pi-2\pi\sin\pi=-2$이므로

$2f'(\pi)=2\times(-2)=-4$

답 -4

0440

$\lim_{h\to 0}\frac{f(\pi+2h)-f(\pi-3h)}{h}$

$=\lim_{h\to 0}\frac{\{f(\pi+2h)-f(\pi)\}-\{f(\pi-3h)-f(\pi)\}}{h}$

$=\lim_{h\to 0}\left\{\frac{f(\pi+2h)-f(\pi)}{2h}\times 2+\frac{f(\pi-3h)-f(\pi)}{-3h}\times 3\right\}$

$=2f'(\pi)+3f'(\pi)=5f'(\pi)$

$f(x)=x\sin x$에서 $f'(x)=\sin x+x\cos x$

따라서 $f'(\pi)=\sin\pi+\pi\cos\pi=-\pi$이므로

$5f'(\pi)=5\times(-\pi)=-5\pi$

답 ⑤

0441

$\lim_{x\to\pi}\frac{2f(x)-1}{x-\pi}=3$에서 $x\to\pi$일 때 (분모) $\to 0$이고 극한값이 존재하므로 (분자) $\to 0$이다.

즉, $\lim_{x\to\pi}\{2f(x)-1\}=0$이므로

$2f(\pi)-1=0$ $\quad\therefore f(\pi)=\frac{1}{2}$

$\lim_{x\to\pi}\frac{2f(x)-1}{x-\pi}=\lim_{x\to\pi}\frac{2f(x)-2f(\pi)}{x-\pi}$

$=2\lim_{x\to\pi}\frac{f(x)-f(\pi)}{x-\pi}$

$=2f'(\pi)=3$

$\therefore f'(\pi)=\frac{3}{2}$

$g(x)=-2f(x)\cos x$에서

$g'(x)=-2f'(x)\cos x-2f(x)(-\sin x)$

$=-2f'(x)\cos x+2f(x)\sin x$

$\therefore g'(\pi)=-2f'(\pi)\cos\pi+2f(\pi)\sin\pi$

$=-2\times\frac{3}{2}\times(-1)=3$

답 3

0442

|전략| 함수 $f(x)$가 $x=0$에서 미분가능하므로 $x=0$에서 연속이다.

함수 $f(x)$가 $x=0$에서 미분가능하므로 $x=0$에서 연속이다.

즉, $\lim_{x\to 0}f(x)=f(0)$이므로 $b=1$

또, $f'(0)$이 존재하므로

$f'(x)=\begin{cases}e^x(\cos x-\sin x) & (x>0)\\ 2x+a & (x<0)\end{cases}$

에서 $\lim_{x\to 0+}e^x(\cos x-\sin x)=\lim_{x\to 0-}(2x+a)$

$\therefore a=1$

$\therefore ab=1\times 1=1$

답 ①

0443

함수 $f(x)$가 $x=0$에서 미분가능하므로 $x=0$에서 연속이다.

즉, $\lim_{x\to 0}f(x)=f(0)$이므로 $a=1$

또, $f'(0)$이 존재하므로

$f'(x)=\begin{cases}\cos x & (x>0)\\ b & (x<0)\end{cases}$

에서 $\lim_{x\to 0+}\cos x=\lim_{x\to 0-}b$

$\therefore b=1$

$\therefore a+b=1+1=2$

답 2

다른 풀이 $x=0$에서 미분가능하므로

$\lim_{h\to 0+}\frac{f(h)-f(0)}{h}=\lim_{h\to 0-}\frac{f(h)-f(0)}{h}$

$\lim_{h\to 0+}\frac{\sin h}{h}=\lim_{h\to 0-}\frac{bh}{h}$ $\quad\therefore b=1$

$\therefore a+b=1+1=2$

0444

함수 $f(x)$가 모든 실수 x에서 미분가능하면 $x=0$에서도 미분가능하므로 $x=0$에서 연속이다.

즉, $\lim_{x\to 0}f(x)=f(0)$이므로 $b=-1$

또, $f'(0)$이 존재하므로

$f'(x)=\begin{cases}\cos x+\sin x & (x>0)\\ a & (x<0)\end{cases}$

에서 $\lim_{x\to 0+}(\cos x+\sin x)=\lim_{x\to 0-}a$

$\therefore a=1$

$\therefore a+b=1+(-1)=0$

답 0

4 삼각함수의 미분

STEP 3 내신 마스터

0445

유형 01 삼각함수의 덧셈정리

|전략| 주어진 식의 양변을 각각 제곱한 후 $\sin(\alpha+\beta)=\sin\alpha\cos\beta+\cos\alpha\sin\beta$임을 이용한다.

$\sin\alpha+\cos\beta=\frac{1}{\sqrt{2}}$, $\cos\alpha+\sin\beta=\frac{1}{2}$의 양변을 각각 제곱하면

$\sin^2\alpha+2\sin\alpha\cos\beta+\cos^2\beta=\frac{1}{2}$ …… ㉠

$\cos^2\alpha+2\cos\alpha\sin\beta+\sin^2\beta=\frac{1}{4}$ …… ㉡

㉠+㉡을 하면

$2+2(\sin\alpha\cos\beta+\cos\alpha\sin\beta)=\frac{3}{4}$

$2+2\sin(\alpha+\beta)=\frac{3}{4}$ $\therefore \sin(\alpha+\beta)=-\frac{5}{8}$

답 ①

0446

유형 02 삼각함수의 덧셈정리 – 방정식에의 활용

|전략| 이차방정식의 근과 계수의 관계를 이용한다.

이차방정식의 근과 계수의 관계에 의하여

$\tan\alpha+\tan\beta=4$, $\tan\alpha\tan\beta=2$

$\therefore \tan(\alpha+\beta)=\frac{\tan\alpha+\tan\beta}{1-\tan\alpha\tan\beta}=\frac{4}{1-2}=-4$

답 ①

0447

유형 04 삼각함수의 덧셈정리 – 도형에의 활용

|전략| $\tan(\alpha-\beta)=\frac{\tan\alpha-\tan\beta}{1+\tan\alpha\tan\beta}$임을 이용한다.

오른쪽 그림과 같이 $\angle CAB=\alpha$, $\angle EAD=\beta$라 하면

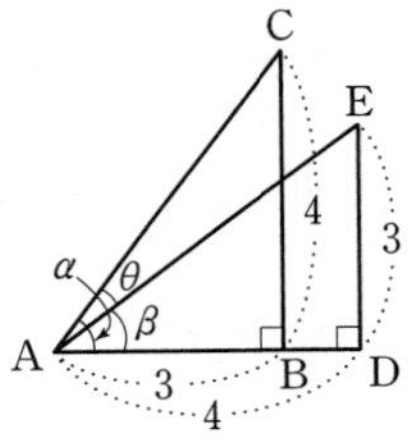

$\tan\alpha=\frac{4}{3}$, $\tan\beta=\frac{3}{4}$이므로

$\tan\theta=\tan(\alpha-\beta)$

$=\frac{\tan\alpha-\tan\beta}{1+\tan\alpha\tan\beta}$

$=\frac{\frac{4}{3}-\frac{3}{4}}{1+\frac{4}{3}\times\frac{3}{4}}=\frac{7}{24}$

$\therefore 48\tan\theta=48\times\frac{7}{24}=14$

답 ⑤

0448

유형 01 삼각함수의 덧셈정리 + 05 삼각함수의 합성

|전략| $\cos(\alpha-\beta)=\cos\alpha\cos\beta+\sin\alpha\sin\beta$와 삼각함수의 합성을 이용한다.

$f(x)=2\cos\left(x-\frac{\pi}{6}\right)+3\sin x$

$=2\left(\cos x\cos\frac{\pi}{6}+\sin x\sin\frac{\pi}{6}\right)+3\sin x$

$=\sqrt{3}\cos x+\sin x+3\sin x$

$=\sqrt{3}\cos x+4\sin x$

$=\sqrt{19}\left(\sin x\times\frac{4}{\sqrt{19}}+\cos x\times\frac{\sqrt{3}}{\sqrt{19}}\right)$

$=\sqrt{19}\sin(x+\alpha)$ $\left(\text{단, } \sin\alpha=\frac{\sqrt{3}}{\sqrt{19}}, \cos\alpha=\frac{4}{\sqrt{19}}\right)$

따라서 $f(x)$의 최댓값은 $\sqrt{19}$이다.

답 ④

0449

유형 05 삼각함수의 합성

|전략| $a\sin\theta+b\cos\theta=\sqrt{a^2+b^2}\sin(\theta+\alpha)$임을 이용한다.

$\sqrt{3}\cos\theta-\sin\theta=2\left(\frac{\sqrt{3}}{2}\cos\theta-\frac{1}{2}\sin\theta\right)$

$=2\left(\sin\frac{2}{3}\pi\cos\theta+\cos\frac{2}{3}\pi\sin\theta\right)$

$=2\sin\left(\theta+\frac{2}{3}\pi\right)=\frac{1}{2}$

$\therefore \sin\left(\theta+\frac{2}{3}\pi\right)=\frac{1}{4}$

이때, $0<\theta<\frac{\pi}{2}$에서 $\frac{2}{3}\pi<\theta+\frac{2}{3}\pi<\frac{7}{6}\pi$이므로

$\cos\left(\theta+\frac{2}{3}\pi\right)<0$

$\therefore \cos\left(\theta+\frac{2}{3}\pi\right)=-\sqrt{1-\sin^2\left(\theta+\frac{2}{3}\pi\right)}$

$=-\sqrt{1-\left(\frac{1}{4}\right)^2}=-\frac{\sqrt{15}}{4}$

$\therefore \sqrt{3}\sin\theta+\cos\theta$

$=2\left(\sin\theta\times\frac{\sqrt{3}}{2}+\cos\theta\times\frac{1}{2}\right)=2\left(\sin\theta\cos\frac{\pi}{6}+\cos\theta\sin\frac{\pi}{6}\right)$

$=2\sin\left(\theta+\frac{\pi}{6}\right)=2\sin\left(\theta+\frac{2}{3}\pi-\frac{\pi}{2}\right)$

$=2\sin\left\{-\left(\frac{\pi}{2}-\theta-\frac{2}{3}\pi\right)\right\}=-2\sin\left\{\frac{\pi}{2}-\left(\theta+\frac{2}{3}\pi\right)\right\}$

$=-2\cos\left(\theta+\frac{2}{3}\pi\right)=-2\times\left(-\frac{\sqrt{15}}{4}\right)=\frac{\sqrt{15}}{2}$

답 ④

0450

유형 05 삼각함수의 합성

|전략| 지름에 대한 원주각의 크기는 $\frac{\pi}{2}$임을 이용한다.

$\triangle ABP$는 $\angle P$가 직각인 직각삼각형이므로 $\angle PAB=\theta$라 하면

$\overline{AP}=a\cos\theta$, $\overline{BP}=a\sin\theta$

$\therefore \overline{AP}+\overline{BP}=a(\cos\theta+\sin\theta)$

$=\sqrt{2}a\left(\sin\theta\times\frac{1}{\sqrt{2}}+\cos\theta\times\frac{1}{\sqrt{2}}\right)$

$=\sqrt{2}a\sin\left(\theta+\frac{\pi}{4}\right)$

$0<\theta<\frac{\pi}{2}$에서 $\frac{\pi}{4}<\theta+\frac{\pi}{4}<\frac{3}{4}\pi$이므로 $\frac{\sqrt{2}}{2}<\sin\left(\theta+\frac{\pi}{4}\right)\le 1$

$\overline{AP}+\overline{BP}$는 $\sin\left(\theta+\frac{\pi}{4}\right)=1$, 즉 $\theta+\frac{\pi}{4}=\frac{\pi}{2}$일 때 최댓값 $\sqrt{2}a$를 갖고, 이때 $\theta=\frac{\pi}{4}$이므로 $\overline{AP}=a\cos\frac{\pi}{4}=\frac{\sqrt{2}}{2}a$

따라서 구하는 값은

$\sqrt{2}a+\frac{\sqrt{2}}{2}a=\frac{3\sqrt{2}}{2}a$

답 ③

0451

유형 **06** 배각의 공식

|전략| $\sin 2\theta=2\sin\theta\cos\theta$임을 이용한다.

$\frac{\pi}{2}<\theta<\pi$에서 $\cos\theta<0$이므로

$\cos\theta=-\sqrt{1-\sin^2\theta}=-\sqrt{1-\left(\frac{3}{5}\right)^2}=-\frac{4}{5}$

$\therefore \sin 2\theta=2\sin\theta\cos\theta=2\times\frac{3}{5}\times\left(-\frac{4}{5}\right)=-\frac{24}{25}$

답 ①

0452

유형 **07** 배각의 공식 – 도형에의 활용

|전략| $\sin 2\theta=2\sin\theta\cos\theta$임을 이용한다.

한 원에서 호 AB에 대한 중심각 ∠AOB의 크기는 원주각 ∠ACB의 크기 θ의 2배이므로 $\angle AOB=2\theta$ $\quad\therefore \alpha=2\theta$

이때, △ABC의 넓이가 10이므로

$\frac{1}{2}\times 10\times 8\times\sin\theta=10 \qquad \therefore \sin\theta=\frac{1}{4}$

또, $0<\theta<\frac{\pi}{2}$이므로 $\cos\theta=\sqrt{1-\sin^2\theta}=\sqrt{1-\left(\frac{1}{4}\right)^2}=\frac{\sqrt{15}}{4}$

$\therefore \sin\alpha=\sin 2\theta=2\sin\theta\cos\theta=2\times\frac{1}{4}\times\frac{\sqrt{15}}{4}=\frac{\sqrt{15}}{8}$

답 ①

0453

유형 **09** $\lim_{x\to0}\frac{\sin x}{x}=1$을 이용한 함수의 극한

|전략| 분자를 인수분해한 후 분모, 분자에 $1+\cos x$를 각각 곱한다.

$\lim_{x\to0}\frac{3\cos^2 x+2\cos x-5}{x^2}$

$=\lim_{x\to0}\frac{(\cos x-1)(3\cos x+5)}{x^2}$

$=\lim_{x\to0}\frac{-(1-\cos x)(1+\cos x)(3\cos x+5)}{x^2(1+\cos x)}$

$=\lim_{x\to0}\frac{-\sin^2 x(3\cos x+5)}{x^2(1+\cos x)}$

$=-\lim_{x\to0}\left(\frac{\sin x}{x}\right)^2\times\frac{3\cos x+5}{1+\cos x}$

$=-1^2\times\frac{8}{2}=-4$

답 ①

0454

유형 **09** $\lim_{x\to0}\frac{\sin x}{x}=1$을 이용한 함수의 극한 + **10** $\lim_{x\to0}\frac{\tan x}{x}=1$을 이용한 함수의 극한

|전략| $\lim_{x\to0}\frac{\sin ax}{ax}=1$, $\lim_{x\to0}\frac{\tan bx}{bx}=1$임을 이용한다.

$\lim_{x\to0}\frac{\tan 2x}{\sin 3x}=\lim_{x\to0}\frac{\tan 2x}{2x}\times\frac{3x}{\sin 3x}\times\frac{2}{3}$

$=1\times1\times\frac{2}{3}=\frac{2}{3}$

답 ②

0455

유형 **15** 삼각함수의 연속

|전략| 함수 $f(x)$가 $x=0$에서 연속이면 $\lim_{x\to0}f(x)=f(0)$임을 이용한다.

함수 $f(x)$가 $x=0$에서 연속이므로 $\lim_{x\to0}f(x)=f(0)$

$\therefore \lim_{x\to0}\frac{e^{2x}-1}{2\sin x}=a$

$\lim_{x\to0}\frac{e^{2x}-1}{2\sin x}=\lim_{x\to0}\frac{e^{2x}-1}{2x}\times\frac{x}{\sin x}=1\times1=1$

$\therefore a=1$

답 ④

0456

유형 **05** 삼각함수의 합성 + **16** 사인함수와 코사인함수의 도함수

|전략| 함수 $f(x)$를 미분한 다음 삼각함수의 합성을 이용하여 a의 값을 구한다.

$f'(x)=\cos x+\sqrt{3}\sin x+1$

$=2\left(\sin x\times\frac{\sqrt{3}}{2}+\cos x\times\frac{1}{2}\right)+1=2\sin\left(x+\frac{\pi}{6}\right)+1$

$f'(a)=\sqrt{2}+1$에서

$2\sin\left(a+\frac{\pi}{6}\right)+1=\sqrt{2}+1 \qquad \therefore \sin\left(a+\frac{\pi}{6}\right)=\frac{\sqrt{2}}{2}$

이때, $0<a<\frac{\pi}{2}$에서 $\frac{\pi}{6}<a+\frac{\pi}{6}<\frac{2}{3}\pi$이므로

$a+\frac{\pi}{6}=\frac{\pi}{4} \qquad \therefore a=\frac{\pi}{12}$

답 ①

0457

유형 **17** 사인함수와 코사인함수의 도함수 – 미분계수를 이용한 극한값의 계산

|전략| $\lim_{x\to0}\frac{f(x+a)-f(a)}{x}=f'(a)$임을 이용한다.

$\lim_{x\to0}\frac{f(x+a)-f(a)}{x}=f'(a)$

$f(x)=\sin x\cos x$에서

$f'(x)=\cos x\cos x+\sin x\times(-\sin x)=\cos^2 x-\sin^2 x$

$\therefore f'(a)=\cos^2 a-\sin^2 a$

이때, $f'(a)=0$에서 $\cos^2 a=\sin^2 a$

그런데 $0<a<\frac{\pi}{2}$에서 $\sin a>0$, $\cos a>0$이므로

$\cos a=\sin a \qquad \therefore a=\frac{\pi}{4}$

답 ⑤

4 삼각함수의 미분

0458

유형 01 삼각함수의 덧셈정리

| 전략 | $\cos(\alpha+\beta)=\cos\alpha\cos\beta-\sin\alpha\sin\beta$임을 이용한다.

함수 $g(x)$는 함수 $f(x)$의 역함수이므로

$g\left(\frac{8}{17}\right)=\alpha$에서 $f(\alpha)=\frac{8}{17}$, 즉 $\cos\alpha=\frac{8}{17}$

$g\left(\frac{15}{17}\right)=\beta$에서 $f(\beta)=\frac{15}{17}$, 즉 $\cos\beta=\frac{15}{17}$ … ❶

이때, $0<x<\pi$에서 $\sin\alpha>0$, $\sin\beta>0$이므로

$\sin\alpha=\sqrt{1-\left(\frac{8}{17}\right)^2}=\frac{15}{17}$, $\sin\beta=\sqrt{1-\left(\frac{15}{17}\right)^2}=\frac{8}{17}$ … ❷

$\therefore f(\alpha+\beta)=\cos(\alpha+\beta)$

$=\cos\alpha\cos\beta-\sin\alpha\sin\beta$

$=\frac{8}{17}\times\frac{15}{17}-\frac{15}{17}\times\frac{8}{17}=0$ … ❸

답 0

채점 기준	배점
❶ $\cos\alpha$, $\cos\beta$의 값을 구할 수 있다.	2점
❷ $\sin\alpha$, $\sin\beta$의 값을 구할 수 있다.	2점
❸ $f(\alpha+\beta)$의 값을 구할 수 있다.	2점

Lecture

함수 $f(x)$와 그 역함수 $g(x)$에 대하여

$f(a)=b \Longleftrightarrow g(b)=a$

0459

유형 09 $\lim_{x\to0}\frac{\sin x}{x}=1$을 이용한 함수의 극한

| 전략 | $\lim_{x\to0}\frac{\sin ax}{ax}=1$임을 이용한다.

$$f(n)=\lim_{x\to0}\frac{x}{\sin x+\sin 2x+\sin 3x+\cdots+\sin nx}$$

$$=\lim_{x\to0}\frac{1}{\frac{\sin x+\sin 2x+\sin 3x+\cdots+\sin nx}{x}}$$

$$=\lim_{x\to0}\frac{1}{\frac{\sin x}{x}+\frac{\sin 2x}{2x}\times2+\frac{\sin 3x}{3x}\times3+\cdots+\frac{\sin nx}{nx}\times n}$$

$$=\frac{1}{1+2+3+\cdots+n}=\frac{1}{\frac{n(n+1)}{2}}$$

$$=\frac{2}{n(n+1)} \quad \cdots ❶$$

$$\therefore \sum_{n=1}^{\infty}f(n)=\lim_{n\to\infty}\sum_{k=1}^{n}\frac{2}{k(k+1)}=2\lim_{n\to\infty}\sum_{k=1}^{n}\left(\frac{1}{k}-\frac{1}{k+1}\right)$$

$$=2\lim_{n\to\infty}\left\{\left(1-\frac{1}{2}\right)+\left(\frac{1}{2}-\frac{1}{3}\right)+\cdots+\left(\frac{1}{n}-\frac{1}{n+1}\right)\right\}$$

$$=2\lim_{n\to\infty}\left(1-\frac{1}{n+1}\right)=2\times1=2 \quad \cdots ❷$$

답 2

채점 기준	배점
❶ $f(n)$을 n에 관한 식으로 간단히 나타낼 수 있다.	4점
❷ $\sum_{n=1}^{\infty}f(n)$의 값을 구할 수 있다.	3점

참고 $\frac{1}{AB}=\frac{1}{B-A}\left(\frac{1}{A}-\frac{1}{B}\right)$ (단, $A\neq B$)

0460

유형 18 사인함수와 코사인함수의 도함수 – 미분가능성

| 전략 | 함수 $f(x)$가 $x=0$에서 미분가능하면 $x=0$에서 연속임을 이용한다.

함수 $f(x)$가 $x=0$에서 미분가능하므로 $x=0$에서 연속이다.

즉, $\lim_{x\to0}f(x)=f(0)$이므로 $3a=b$ …… ㉠ … ❶

또, $f'(0)$이 존재하므로

$$f'(x)=\begin{cases}3ae^x & (x>0)\\ \cos x & (x<0)\end{cases}$$

에서 $\lim_{x\to0+}3ae^x=\lim_{x\to0-}\cos x$

$3a=1 \quad \therefore a=\frac{1}{3}$ … ❷

$a=\frac{1}{3}$을 ㉠에 대입하면 $b=1$ … ❸

$\therefore a+b=\frac{1}{3}+1=\frac{4}{3}$ … ❹

답 $\frac{4}{3}$

채점 기준	배점
❶ a, b 사이의 관계식을 구할 수 있다.	2점
❷ a의 값을 구할 수 있다.	3점
❸ b의 값을 구할 수 있다.	1점
❹ $a+b$의 값을 구할 수 있다.	1점

0461

유형 14 삼각함수의 극한 – 도형에의 활용

| 전략 | $\overline{AC}$를 삼각함수를 이용하여 나타낸 다음

$S(\theta)=\frac{1}{2}\times\overline{BC}\times\overline{DC}\times\sin\theta$임을 이용한다.

(1) 오른쪽 그림과 같이 원의 중심을 O, 원과 $\overline{AC}$가 만나는 점을 M이라 하고, 선분 AO를 그으면 점 O는 삼각형 ABC의 내심이므로

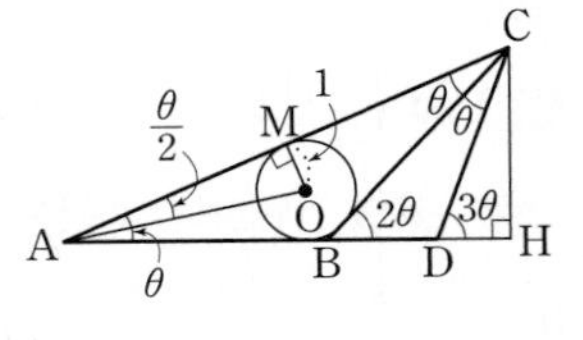

$\angle MAO=\frac{1}{2}\angle CAB=\frac{\theta}{2}$

$\angle CBD=\angle CAB+\angle BCA=\theta+\theta=2\theta$

또, 점 C에서 선분 AD의 연장선 위에 내린 수선의 발을 H라 하면

$\angle CDH=\angle CBD+\angle BCD=2\theta+\theta=3\theta$

$\triangle AOM$에서 $\angle MAO=\frac{\theta}{2}$이므로

$\overline{AM}=\frac{\overline{OM}}{\tan\frac{\theta}{2}}=\frac{1}{\tan\frac{\theta}{2}} \quad \therefore \overline{AC}=2\overline{AM}=\frac{2}{\tan\frac{\theta}{2}}$

(2) $\triangle$CAH에서 $\angle$CAH$=\theta$이므로

$$\overline{CH}=\overline{AC}\sin\theta=\frac{2}{\tan\frac{\theta}{2}}\times\sin\theta=\frac{2\sin\theta}{\tan\frac{\theta}{2}}$$

$\triangle$CBH에서 $\angle$CBH$=2\theta$이므로

$$\overline{BC}=\frac{\overline{CH}}{\sin 2\theta}=\frac{2\sin\theta}{\tan\frac{\theta}{2}}\times\frac{1}{\sin 2\theta}=\frac{2\sin\theta}{\tan\frac{\theta}{2}\sin 2\theta}$$

$\triangle$CDH에서 $\angle$CDH$=3\theta$이므로

$$\overline{DC}=\frac{\overline{CH}}{\sin 3\theta}=\frac{2\sin\theta}{\tan\frac{\theta}{2}}\times\frac{1}{\sin 3\theta}=\frac{2\sin\theta}{\tan\frac{\theta}{2}\sin 3\theta}$$

$$\therefore S(\theta)=\frac{1}{2}\times\overline{BC}\times\overline{DC}\times\sin\theta$$

$$=\frac{1}{2}\times\frac{2\sin\theta}{\tan\frac{\theta}{2}\sin 2\theta}\times\frac{2\sin\theta}{\tan\frac{\theta}{2}\sin 3\theta}\times\sin\theta$$

$$=\frac{2\sin^3\theta}{\tan^2\frac{\theta}{2}\sin 2\theta\sin 3\theta}$$

(3) $\lim_{\theta\to 0+}\theta S(\theta)$

$$=\lim_{\theta\to 0+}\theta\times\frac{2\sin^3\theta}{\tan^2\frac{\theta}{2}\sin 2\theta\sin 3\theta}$$

$$=2\lim_{\theta\to 0+}\left(\frac{\sin\theta}{\theta}\right)^3\times\left(\frac{\frac{\theta}{2}}{\tan\frac{\theta}{2}}\right)^2\times\frac{2\theta}{\sin 2\theta}\times\frac{3\theta}{\sin 3\theta}\times\frac{4}{6}$$

$$=2\times 1^3\times 1^2\times 1\times 1\times\frac{2}{3}=\frac{4}{3}$$

답 (1) $\overline{AC}=\frac{2}{\tan\frac{\theta}{2}}$ (2) $S(\theta)=\frac{2\sin^3\theta}{\tan^2\frac{\theta}{2}\sin 2\theta\sin 3\theta}$ (3) $\frac{4}{3}$

채점 기준	배점
(1) $\overline{AC}$를 삼각함수를 이용하여 나타낼 수 있다.	4점
(2) $S(\theta)$를 삼각함수를 이용하여 나타낼 수 있다.	5점
(3) $\lim_{\theta\to 0+}\theta S(\theta)$의 값을 구할 수 있다.	3점

0462

유형 17 사인함수와 코사인함수의 도함수 – 미분계수를 이용한 극한값의 계산

|전략| $\lim_{x\to a}\frac{f(x)-f(a)}{x-a}=f'(a)$임을 이용한다.

(1) $f(x)=\lim_{t\to x}\frac{t\sin x-x\sin t}{t-x}$

$$=\lim_{t\to x}\frac{t\sin x-x\sin x+x\sin x-x\sin t}{t-x}$$

$$=\lim_{t\to x}\left\{\frac{(t-x)\sin x}{t-x}-\frac{x(\sin t-\sin x)}{t-x}\right\}$$

$$=\lim_{t\to x}\left(\sin x-x\times\frac{\sin t-\sin x}{t-x}\right)$$

$g(t)=\sin t$로 놓으면

$$f(x)=\lim_{t\to x}\left\{\sin x-x\times\frac{g(t)-g(x)}{t-x}\right\}$$

$$=\sin x-xg'(x)=\sin x-x\cos x$$

(2) $f'(x)=\cos x-(\cos x-x\sin x)=x\sin x$

(3) $f'\left(\frac{\pi}{6}\right)=\frac{\pi}{6}\sin\frac{\pi}{6}=\frac{\pi}{12}$

답 (1) $f(x)=\sin x-x\cos x$ (2) $f'(x)=x\sin x$ (3) $\frac{\pi}{12}$

채점 기준	배점
(1) $f(x)$를 간단히 할 수 있다.	5점
(2) $f'(x)$를 구할 수 있다.	3점
(3) $f'\left(\frac{\pi}{6}\right)$의 값을 구할 수 있다.	2점

다른 풀이 (1) $f(x)=\lim_{t\to x}\left(\sin x-x\times\frac{\sin t-\sin x}{t-x}\right)$에서

$t-x=a$로 놓으면 $t\to x$일 때 $a\to 0$이므로

$$\lim_{t\to x}\frac{\sin t-\sin x}{t-x}=\lim_{a\to 0}\frac{\sin(a+x)-\sin x}{a}$$

$g(x)=\sin x$로 놓으면

$$\lim_{a\to 0}\frac{\sin(a+x)-\sin x}{a}=\lim_{a\to 0}\frac{g(x+a)-g(x)}{a}=g'(x)=\cos x$$

$\therefore f(x)=\sin x-x\cos x$

창의·융합 교과서 속 심화문제

0463

|전략| 삼각함수의 합성, 배각의 공식 등을 이용하여 주어진 함수를 최댓값, 최솟값, 주기를 판단하기 쉬운 꼴로 변형한다.

ㄱ. $y=\frac{f(x)}{g(x)}=\frac{3\sin x}{4\cos x}=\frac{3}{4}\tan x$

이므로 함수 $y=\frac{f(x)}{g(x)}$의 주기는 π이다. (참)

ㄴ. $y=f(x)+g(x)+2=3\sin x+4\cos x+2$

$$=5\left(\sin x\times\frac{3}{5}+\cos x\times\frac{4}{5}\right)+2$$

$$=5\sin(x+\alpha)+2\left(\text{단, }\sin\alpha=\frac{4}{5},\ \cos\alpha=\frac{3}{5}\right)$$

이때, $-1\le\sin(x+\alpha)\le 1$이므로

$-3\le 5\sin(x+\alpha)+2\le 7$

그러므로 함수 $y=f(x)+g(x)+2$의 최솟값은 -3이다. (거짓)

ㄷ. $y=f(x)g(x)=3\sin x\times 4\cos x=6\sin 2x$

함수 $y=f(\pi x)g(\pi x)=6\sin 2\pi x$의 주기는 $\frac{2\pi}{2\pi}=1$이므로

$y=|f(\pi x)g(\pi x)|=|6\sin 2\pi x|$의 주기는 $\frac{1}{2}$

이때, $0\le|6\sin 2\pi x|\le 6$이므로 $y=|f(\pi x)g(\pi x)|$의 최댓값은 6이다.

4 삼각함수의 미분

그러므로 함수 $y=|f(\pi x)g(\pi x)|$의 주기와 최댓값의 곱은

$\frac{1}{2}\times 6=3$이다. (참)

따라서 옳은 것은 ㄱ, ㄷ이다. 답 ③

0464

|전략| 삼각함수의 덧셈정리와 배각의 공식을 이용하여 삼각형 OP_2Q_2의 넓이를 A를 사용하여 나타낸다.

오른쪽 그림에서

$\angle OP_1Q_1=\angle OP_2Q_2=90^\circ$

이므로 직각삼각형 OP_1Q_1의 넓이는

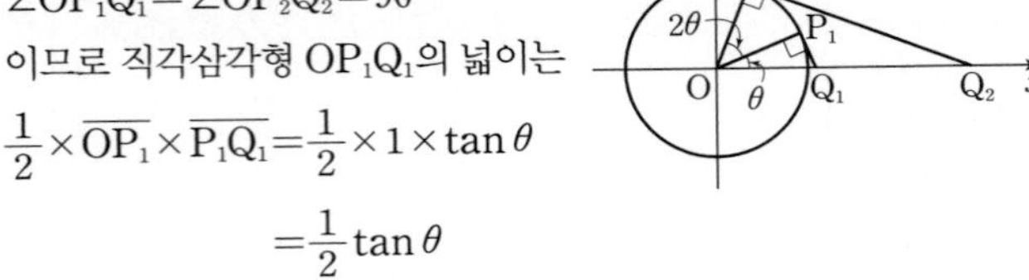

$$\frac{1}{2}\times\overline{OP_1}\times\overline{P_1Q_1}=\frac{1}{2}\times 1\times\tan\theta=\frac{1}{2}\tan\theta$$

따라서 $\frac{1}{2}\tan\theta=A$에서 $\tan\theta=2A$

직각삼각형 OP_2Q_2의 넓이는

$$\frac{1}{2}\times\overline{OP_2}\times\overline{P_2Q_2}=\frac{1}{2}\times 1\times\tan 3\theta=\frac{1}{2}\tan 3\theta$$

이때,

$$\tan 2\theta=\frac{2\tan\theta}{1-\tan^2\theta}=\frac{2\times 2A}{1-(2A)^2}=\frac{4A}{1-4A^2}$$

이므로

$$\tan 3\theta=\tan(2\theta+\theta)=\frac{\tan 2\theta+\tan\theta}{1-\tan 2\theta\tan\theta}$$

$$=\frac{\frac{4A}{1-4A^2}+2A}{1-\frac{4A}{1-4A^2}\times 2A}=\frac{\frac{4A+2A-8A^3}{1-4A^2}}{\frac{1-4A^2-8A^2}{1-4A^2}}$$

$$=\frac{6A-8A^3}{1-12A^2}$$

따라서 삼각형 OP_2Q_2의 넓이는

$$\frac{1}{2}\tan 3\theta=\frac{1}{2}\times\frac{6A-8A^3}{1-12A^2}=\frac{3A-4A^3}{1-12A^2}$$

답 $\frac{3A-4A^3}{1-12A^2}$

0465

|전략| $\triangle APB$는 $\angle APB=90^\circ$인 직각삼각형이므로 $\overline{AP}$, $\overline{BP}$를 삼각함수를 이용하여 나타낸 후 삼각함수의 합성을 이용하여 r의 최솟값을 구한다.

반원에 대한 원주각의 크기는 90°이므로 $\angle APB=90^\circ$

오른쪽 그림에서 $\angle PAB=\theta$라 하면

$\overline{AP}=r\cos\theta$, $\overline{BP}=r\sin\theta$

$\therefore a\overline{AP}+b\overline{BP}$

$=ar\cos\theta+br\sin\theta$

$=r\sqrt{a^2+b^2}\left(\frac{a}{\sqrt{a^2+b^2}}\cos\theta+\frac{b}{\sqrt{a^2+b^2}}\sin\theta\right)$

$=r\sqrt{a^2+b^2}\sin(\theta+\alpha)\left(\text{단, }\sin\alpha=\frac{a}{\sqrt{a^2+b^2}},\ \cos\alpha=\frac{b}{\sqrt{a^2+b^2}}\right)$

이때, $-1\le\sin(\theta+\alpha)\le 1$이므로

$-r\sqrt{a^2+b^2}\le r\sqrt{a^2+b^2}\sin(\theta+\alpha)\le r\sqrt{a^2+b^2}$

이고, 최댓값이 $r\sqrt{a^2+b^2}=r^2$이므로 $a^2+b^2=r^2$

(i) $r=1, 2, 3, 4$인 경우

$a^2+b^2=r^2$을 만족시키는 순서쌍은

$(r, 0), (-r, 0), (0, r), (0, -r)$

의 4개이므로 조건을 만족시키지 않는다.

(ii) $r=5$인 경우

$a^2+b^2=5^2$을 만족시키는 순서쌍은

$(5, 0), (4, 3), (3, 4), (0, 5), (-5, 0), (-4, -3),$

$(-3, -4), (0, -5), (-4, 3), (-3, 4), (4, -3), (3, -4)$

의 12개이므로 조건을 만족시킨다.

따라서 자연수 r의 최솟값은 5이다. 답 5

0466

|전략| $\overline{CH}=k$라 하고 $\overline{AH}$, $\overline{BH}$, $\overline{BC}$, $\overline{BD}$, $\overline{CD}$를 각각 k와 삼각함수를 이용하여 나타낸다.

직각삼각형 AHC에서 $\overline{CH}=k$라 하면 $\overline{AH}=k\tan 3\theta$

직각삼각형 ABH에서 $\overline{BH}=\frac{\overline{AH}}{\tan 2\theta}=\frac{k\tan 3\theta}{\tan 2\theta}$이므로

$$\overline{BC}=\overline{BH}+\overline{CH}=\frac{k\tan 3\theta}{\tan 2\theta}+k=k\left(1+\frac{\tan 3\theta}{\tan 2\theta}\right)$$

직각삼각형 BCD에서

$$\overline{BD}=\overline{BC}\cos\theta=k\left(1+\frac{\tan 3\theta}{\tan 2\theta}\right)\cos\theta$$

$$\overline{CD}=\overline{BC}\sin\theta=k\left(1+\frac{\tan 3\theta}{\tan 2\theta}\right)\sin\theta$$

이때,

$S_1=\frac{1}{2}\times\overline{BH}\times\overline{AH}$, $S_2=\frac{1}{2}\times\overline{CH}\times\overline{AH}$, $S_3=\frac{1}{2}\times\overline{BD}\times\overline{CD}$

이므로

$$\frac{S_1+S_3}{S_2}$$

$$=\frac{S_1}{S_2}+\frac{S_3}{S_2}=\frac{\overline{BH}}{\overline{CH}}+\frac{\overline{BD}\times\overline{CD}}{\overline{CH}\times\overline{AH}}$$

$$=\frac{\frac{k\tan 3\theta}{\tan 2\theta}}{k}+\frac{k\left(1+\frac{\tan 3\theta}{\tan 2\theta}\right)\cos\theta\times k\left(1+\frac{\tan 3\theta}{\tan 2\theta}\right)\sin\theta}{k\times k\tan 3\theta}$$

$$=\frac{\tan 3\theta}{\tan 2\theta}+\frac{\left(1+\frac{\tan 3\theta}{\tan 2\theta}\right)^2\cos\theta\sin\theta}{\tan 3\theta}$$

$$\therefore \lim_{\theta\to 0+}\frac{S_1+S_3}{S_2}$$

$$=\lim_{\theta\to 0+}\left\{\frac{\tan 3\theta}{\tan 2\theta}+\frac{\left(1+\frac{\tan 3\theta}{\tan 2\theta}\right)^2\cos\theta\sin\theta}{\tan 3\theta}\right\}$$

$$=\lim_{\theta\to 0+}\frac{\tan 3\theta}{3\theta}\times\frac{2\theta}{\tan 2\theta}\times\frac{3}{2}+\lim_{\theta\to 0+}\frac{\sin 2\theta\left(1+\frac{\tan 3\theta}{\tan 2\theta}\right)^2}{2\tan 3\theta}$$

$$=1\times 1\times\frac{3}{2}$$

$$+\lim_{\theta\to 0+}\frac{1}{3}\times\frac{\sin 2\theta}{2\theta}\times\frac{3\theta}{\tan 3\theta}\left(1+\frac{3}{2}\times\frac{2\theta}{\tan 2\theta}\times\frac{\tan 3\theta}{3\theta}\right)^2$$

$$=\frac{3}{2}+\frac{1}{3}\times 1\times 1\times\left(1+\frac{3}{2}\times 1\times 1\right)^2=\frac{43}{12}$$

답 $\frac{43}{12}$

5 | 여러 가지 미분법

본책 78~95쪽

STEP 1 개념 마스터

0467

$$y'=-\frac{(x-1)'}{(x-1)^2}=-\frac{1}{(x-1)^2}$$

답 $y'=-\frac{1}{(x-1)^2}$

0468

$$y'=-\frac{(\ln x)'}{(\ln x)^2}=-\frac{1}{x(\ln x)^2}$$

답 $y'=-\frac{1}{x(\ln x)^2}$

0469

$$y'=\frac{(2x-1)'(x+2)-(2x-1)(x+2)'}{(x+2)^2}$$
$$=\frac{2(x+2)-(2x-1)}{(x+2)^2}$$
$$=\frac{5}{(x+2)^2}$$

답 $y'=\frac{5}{(x+2)^2}$

0470

$$y'=\frac{(x^2-2)'(2x+1)-(x^2-2)(2x+1)'}{(2x+1)^2}$$
$$=\frac{2x(2x+1)-(x^2-2)\times 2}{(2x+1)^2}$$
$$=\frac{2x^2+2x+4}{(2x+1)^2}$$

답 $y'=\frac{2x^2+2x+4}{(2x+1)^2}$

0471

$$y'=\frac{(x)'e^x-x(e^x)'}{(e^x)^2}=\frac{e^x-xe^x}{e^{2x}}=\frac{e^x(1-x)}{e^{2x}}=\frac{1-x}{e^x}$$

답 $y'=\frac{1-x}{e^x}$

0472

$$y'=\frac{(\sin x+1)'\cos x-(\sin x+1)(\cos x)'}{(\cos x)^2}$$
$$=\frac{\cos x\cos x-(\sin x+1)(-\sin x)}{\cos^2 x}$$
$$=\frac{\cos^2 x+\sin^2 x+\sin x}{\cos^2 x}$$
$$=\frac{1+\sin x}{\cos^2 x}$$

답 $y'=\frac{1+\sin x}{\cos^2 x}$

0473

$$y'=3\times(-5)\times x^{-5-1}=-15x^{-6}=-\frac{15}{x^6}$$

답 $y'=-\frac{15}{x^6}$

0474

$y=\frac{x^2+1}{x^4}=\frac{1}{x^2}+\frac{1}{x^4}=x^{-2}+x^{-4}$이므로

$$y'=-2x^{-2-1}+(-4)\times x^{-4-1}=-2x^{-3}-4x^{-5}$$
$$=-\frac{2}{x^3}-\frac{4}{x^5}$$

답 $y'=-\frac{2}{x^3}-\frac{4}{x^5}$

0475

$\overline{OP}=\sqrt{(-3)^2+4^2}=5$

(1) $\csc\theta=\frac{5}{4}$

(2) $\sec\theta=\frac{5}{-3}=-\frac{5}{3}$

(3) $\cot\theta=\frac{-3}{4}=-\frac{3}{4}$

답 (1) $\frac{5}{4}$ (2) $-\frac{5}{3}$ (3) $-\frac{3}{4}$

0476

(1) $\csc\frac{\pi}{6}=\frac{1}{\sin\frac{\pi}{6}}=\frac{1}{\frac{1}{2}}=2$

(2) $\sec\frac{\pi}{4}=\frac{1}{\cos\frac{\pi}{4}}=\frac{1}{\frac{1}{\sqrt{2}}}=\sqrt{2}$

(3) $\cot\frac{2}{3}\pi=\frac{1}{\tan\frac{2}{3}\pi}=\frac{1}{-\sqrt{3}}=-\frac{\sqrt{3}}{3}$

답 (1) 2 (2) $\sqrt{2}$ (3) $-\frac{\sqrt{3}}{3}$

0477

$$\tan\theta+\cot\theta=\frac{\sin\theta}{\cos\theta}+\frac{\cos\theta}{\sin\theta}=\frac{\sin^2\theta+\cos^2\theta}{\sin\theta\cos\theta}$$
$$=\frac{1}{\sin\theta\cos\theta}$$

$\sin\theta+\cos\theta=\frac{1}{2}$의 양변을 제곱하면

$\sin^2\theta+2\sin\theta\cos\theta+\cos^2\theta=\frac{1}{4}$

$1+2\sin\theta\cos\theta=\frac{1}{4}$ $\quad\therefore \sin\theta\cos\theta=-\frac{3}{8}$

$\therefore \tan\theta+\cot\theta=\frac{1}{\sin\theta\cos\theta}=-\frac{8}{3}$

답 $-\frac{8}{3}$

0478

$\cot\theta=\frac{1}{\tan\theta}=\frac{1}{3}$이므로

$\csc^2\theta=1+\cot^2\theta=1+\left(\frac{1}{3}\right)^2=\frac{10}{9}$

답 $\frac{10}{9}$

0479 답 $y'=\sec^2 x-\sin x$

0480 답 $y'=\sec x\tan x-\csc x\cot x$

0481
$y'=(x)'\cot x+x(\cot x)'=\cot x+x(-\csc^2 x)$
$=\cot x-x\csc^2 x$ 답 $y'=\cot x-x\csc^2 x$

0482
$y'=3(2x-1)^2\times(2x-1)'=3(2x-1)^2\times 2$
$=6(2x-1)^2$ 답 $y'=6(2x-1)^2$

0483
$y=\dfrac{1}{(2-x)^3}=(2-x)^{-3}$이므로
$y'=-3(2-x)^{-4}\times(2-x)'=-3(2-x)^{-4}\times(-1)$
$=\dfrac{3}{(2-x)^4}$ 답 $y'=\dfrac{3}{(2-x)^4}$

0484
$y'=\{(3x+1)^2\}'(x^2-1)+(3x+1)^2(x^2-1)'$
$=2(3x+1)\times(3x+1)'\times(x^2-1)+(3x+1)^2\times 2x$
$=6(3x+1)(x^2-1)+2x(3x+1)^2$
$=2(3x+1)(6x^2+x-3)$ 답 $y'=2(3x+1)(6x^2+x-3)$

0485
$y'=\dfrac{(x-1)'(x^3+1)^2-(x-1)\{(x^3+1)^2\}'}{(x^3+1)^4}$
$=\dfrac{(x^3+1)^2-(x-1)\{2(x^3+1)\times(x^3+1)'\}}{(x^3+1)^4}$
$=\dfrac{(x^3+1)^2-(x-1)\times 6x^2(x^3+1)}{(x^3+1)^4}$
$=\dfrac{-5x^3+6x^2+1}{(x^3+1)^3}$ 답 $y'=\dfrac{-5x^3+6x^2+1}{(x^3+1)^3}$

0486
$y'=3\sin^2 x\times(\sin x)'=3\sin^2 x\cos x$ 답 $y'=3\sin^2 x\cos x$

Lecture
함수 $f(x)$가 미분가능할 때
(1) $y=\sin f(x)$ ⇨ $y'=\cos f(x)\times f'(x)$
(2) $y=\cos f(x)$ ⇨ $y'=-\sin f(x)\times f'(x)$
(3) $y=\sin^n f(x)$ ⇨ $y'=n\sin^{n-1}f(x)\times\cos f(x)\times f'(x)$
(4) $y=\cos^n f(x)$ ⇨ $y'=n\cos^{n-1}f(x)\times\{-\sin f(x)\}\times f'(x)$
(단, n은 정수)

0487
$y'=-\sin(2x+3)\times(2x+3)'=-2\sin(2x+3)$
답 $y'=-2\sin(2x+3)$

0488
$y'=-\csc^2 x^2\times(x^2)'=-2x\csc^2 x^2$ 답 $y'=-2x\csc^2 x^2$

0489
$y'=\cos(\tan x)\times(\tan x)'=\cos(\tan x)\sec^2 x$
답 $y'=\cos(\tan x)\sec^2 x$

0490
$y'=e^{x^2-x}\times(x^2-x)'=(2x-1)e^{x^2-x}$ 답 $y'=(2x-1)e^{x^2-x}$

0491
$y'=5^{5x+1}\ln 5\times(5x+1)'=5^{5x+2}\ln 5$ 답 $y'=5^{5x+2}\ln 5$

0492
$y'=2^{\cos x}\ln 2\times(\cos x)'=-2^{\cos x}\ln 2\times\sin x$
답 $y'=-2^{\cos x}\ln 2\times\sin x$

0493
$y'=(x)'\ln|x|+x(\ln|x|)'$
$=\ln|x|+x\times\dfrac{1}{x}=\ln|x|+1$ 답 $y'=\ln|x|+1$

0494
$y'=\dfrac{(3x+1)'}{(3x+1)\ln 2}=\dfrac{3}{(3x+1)\ln 2}$ 답 $y'=\dfrac{3}{(3x+1)\ln 2}$

0495
$y'=\dfrac{(e^x+1)'}{e^x+1}=\dfrac{e^x}{e^x+1}$ 답 $y'=\dfrac{e^x}{e^x+1}$

0496
$y'=\dfrac{(\sin x)'}{\sin x}=\dfrac{\cos x}{\sin x}=\cot x$ 답 $y'=\cot x$

0497
$\dfrac{dx}{dt}=3$, $\dfrac{dy}{dt}=4t$이므로
$\dfrac{dy}{dx}=\dfrac{\frac{dy}{dt}}{\frac{dx}{dt}}=\dfrac{4t}{3}=\dfrac{4}{3}t$ 답 $\dfrac{dy}{dx}=\dfrac{4}{3}t$

0498
$\dfrac{dx}{dt}=2t$, $\dfrac{dy}{dt}=-\dfrac{1}{t^2}$이므로
$\dfrac{dy}{dx}=\dfrac{\frac{dy}{dt}}{\frac{dx}{dt}}=\dfrac{-\frac{1}{t^2}}{2t}=-\dfrac{1}{2t^3}$ 답 $\dfrac{dy}{dx}=-\dfrac{1}{2t^3}$

0499

$\frac{dx}{dt}=e^{t+1}$, $\frac{dy}{dt}=2e^{2t+3}$이므로

$\frac{dy}{dx}=\frac{\frac{dy}{dt}}{\frac{dx}{dt}}=\frac{2e^{2t+3}}{e^{t+1}}=2e^{t+2}$ 답 $\frac{dy}{dx}=2e^{t+2}$

0500

$\frac{dx}{d\theta}=1-\cos\theta$, $\frac{dy}{d\theta}=\sin\theta$이므로

$\frac{dy}{dx}=\frac{\frac{dy}{d\theta}}{\frac{dx}{d\theta}}=\frac{\sin\theta}{1-\cos\theta}$ 답 $\frac{dy}{dx}=\frac{\sin\theta}{1-\cos\theta}$

0501

$(x+1)^2+(y-3)^2=2$의 각 항을 x에 대하여 미분하면

$2(x+1)+2(y-3)\frac{dy}{dx}=0$

$\therefore \frac{dy}{dx}=-\frac{x+1}{y-3}$ $(y\neq3)$ 답 $\frac{dy}{dx}=-\frac{x+1}{y-3}$ $(y\neq3)$

0502

$xy=4$의 각 항을 x에 대하여 미분하면

$y+x\frac{dy}{dx}=0$ $\therefore \frac{dy}{dx}=-\frac{y}{x}$ 답 $\frac{dy}{dx}=-\frac{y}{x}$

0503

$x^2-y^3+3x^2y-1=0$의 각 항을 x에 대하여 미분하면

$2x-3y^2\frac{dy}{dx}+6xy+3x^2\frac{dy}{dx}=0$

$(3x^2-3y^2)\frac{dy}{dx}=-2x-6xy$

$\therefore \frac{dy}{dx}=-\frac{2x+6xy}{3x^2-3y^2}$ $(x^2\neq y^2)$

답 $\frac{dy}{dx}=-\frac{2x+6xy}{3x^2-3y^2}$ $(x^2\neq y^2)$

0504

$\sin x+\cos y=1$의 각 항을 x에 대하여 미분하면

$\cos x-\sin y\frac{dy}{dx}=0$

$\therefore \frac{dy}{dx}=\frac{\cos x}{\sin y}$ $(\sin y\neq0)$ 답 $\frac{dy}{dx}=\frac{\cos x}{\sin y}$ $(\sin y\neq0)$

0505

$y=\frac{1}{\sqrt[5]{x}}=x^{-\frac{1}{5}}$이므로

$y'=-\frac{1}{5}x^{-\frac{1}{5}-1}=-\frac{1}{5}x^{-\frac{6}{5}}=-\frac{1}{5x\sqrt[5]{x}}$ 답 $y'=-\frac{1}{5x\sqrt[5]{x}}$

0506

$y=x\sqrt{x}=x^{\frac{3}{2}}$이므로

$y'=\frac{3}{2}x^{\frac{3}{2}-1}=\frac{3}{2}x^{\frac{1}{2}}=\frac{3\sqrt{x}}{2}$ 답 $y'=\frac{3\sqrt{x}}{2}$

0507 답 $y'=\sqrt{3}x^{\sqrt{3}-1}$

0508

$y'=-ex^{-e-1}=-\frac{e}{x^{e+1}}$ 답 $y'=-\frac{e}{x^{e+1}}$

0509

$y=\sqrt{1-x^2}=(1-x^2)^{\frac{1}{2}}$이므로

$y'=\frac{1}{2}(1-x^2)^{\frac{1}{2}-1}\times(1-x^2)'$

$=\frac{1}{2}(1-x^2)^{-\frac{1}{2}}\times(-2x)$

$=-\frac{x}{\sqrt{1-x^2}}$ 답 $y'=-\frac{x}{\sqrt{1-x^2}}$

0510

$y=\sqrt[3]{2x-5}=(2x-5)^{\frac{1}{3}}$이므로

$y'=\frac{1}{3}(2x-5)^{\frac{1}{3}-1}\times(2x-5)'$

$=\frac{1}{3}(2x-5)^{-\frac{2}{3}}\times2$

$=\frac{2}{3\sqrt[3]{(2x-5)^2}}$ 답 $y'=\frac{2}{3\sqrt[3]{(2x-5)^2}}$

0511

$x=y^3$의 양변을 y에 대하여 미분하면

$\frac{dx}{dy}=3y^2$

$\therefore \frac{dy}{dx}=\frac{1}{\frac{dx}{dy}}=\frac{1}{3y^2}=\frac{1}{3(\sqrt[3]{x})^2}=\frac{1}{3\sqrt[3]{x^2}}$ 답 $\frac{dy}{dx}=\frac{1}{3\sqrt[3]{x^2}}$

($x=y^3$에서 $y=\sqrt[3]{x}$이므로 $3y^2=3(\sqrt[3]{x})^2$)

0512

$y=\sqrt[6]{x}$에서 $x=y^6$이므로 양변을 y에 대하여 미분하면

$\frac{dx}{dy}=6y^5$

$\therefore \frac{dy}{dx}=\frac{1}{\frac{dx}{dy}}=\frac{1}{6y^5}=\frac{1}{6(\sqrt[6]{x})^5}=\frac{1}{6\sqrt[6]{x^5}}$ 답 $\frac{dy}{dx}=\frac{1}{6\sqrt[6]{x^5}}$

0513

$y=\sqrt[3]{x-3}$에서 $x=y^3+3$이므로 양변을 y에 대하여 미분하면

$\frac{dx}{dy}=3y^2$

$\therefore \dfrac{dy}{dx}=\dfrac{1}{\dfrac{dx}{dy}}=\dfrac{1}{3y^2}=\dfrac{1}{3(\sqrt[3]{x-3})^2}=\dfrac{1}{3\sqrt[3]{(x-3)^2}}$

답 $\dfrac{dy}{dx}=\dfrac{1}{3\sqrt[3]{(x-3)^2}}$

0514

$y'=12x^2+2$이므로

$y''=24x$ 답 $y''=24x$

0515

$y'=-\dfrac{1}{x^2}$이므로

$y''=-\left(-\dfrac{2x}{x^4}\right)=\dfrac{2}{x^3}$ 답 $y''=\dfrac{2}{x^3}$

다른 풀이 $y=\dfrac{1}{x}=x^{-1}$에서 $y'=-x^{-2}$이므로

$y''=2x^{-3}=\dfrac{2}{x^3}$

0516

$y=\sqrt{x+1}=(x+1)^{\frac{1}{2}}$에서

$y'=\dfrac{1}{2}(x+1)^{-\frac{1}{2}}$이므로

$y''=-\dfrac{1}{4}(x+1)^{-\frac{3}{2}}=-\dfrac{1}{4(x+1)\sqrt{x+1}}$

답 $y''=-\dfrac{1}{4(x+1)\sqrt{x+1}}$

0517

$y'=-2e^{-2x}$이므로

$y''=4e^{-2x}$ 답 $y''=4e^{-2x}$

0518

$y'=\dfrac{5}{5x}=\dfrac{1}{x}$이므로

$y''=-\dfrac{1}{x^2}$ 답 $y''=-\dfrac{1}{x^2}$

0519

$y'=3\cos 3x$이므로

$y''=-9\sin 3x$ 답 $y''=-9\sin 3x$

0520

$y'=\ln x+x\times\dfrac{1}{x}=\ln x+1$이므로

$y''=\dfrac{1}{x}$ 답 $y''=\dfrac{1}{x}$

0521

$y'=e^x\cos x+e^x(-\sin x)=e^x(\cos x-\sin x)$이므로

$y''=e^x(\cos x-\sin x)+e^x(-\sin x-\cos x)$

$=-2e^x\sin x$ 답 $y''=-2e^x\sin x$

STEP 2 유형 마스터

0522

|전략| 함수 $g(x)(g(x)\neq0)$가 미분가능할 때, $\left\{\dfrac{1}{g(x)}\right\}'=-\dfrac{g'(x)}{\{g(x)\}^2}$임을 이용한다.

$\lim\limits_{h\to0}\dfrac{f(1+h)-f(1-h)}{h}$

$=\lim\limits_{h\to0}\dfrac{\{f(1+h)-f(1)\}-\{f(1-h)-f(1)\}}{h}$

$=\lim\limits_{h\to0}\dfrac{f(1+h)-f(1)}{h}+\lim\limits_{h\to0}\dfrac{f(1-h)-f(1)}{-h}$

$=f'(1)+f'(1)=2f'(1)$

$f(x)=\dfrac{1}{x^2+1}$에서 $f'(x)=-\dfrac{2x}{(x^2+1)^2}$

$\therefore 2f'(1)=2\times\left(-\dfrac{1}{2}\right)=-1$ 답 ①

0523

$f(x)=\dfrac{1}{e^x-1}$에서 $f'(x)=-\dfrac{e^x}{(e^x-1)^2}$

$\therefore f'(\ln 2)=-\dfrac{e^{\ln 2}}{(e^{\ln 2}-1)^2}=-\dfrac{2}{(2-1)^2}=-2$ 답 ④

0524

$f(1)=1$이므로

$\lim\limits_{x\to1}\dfrac{f(x)-1}{x^2-1}=\lim\limits_{x\to1}\dfrac{f(x)-f(1)}{x^2-1}$

$=\lim\limits_{x\to1}\left\{\dfrac{f(x)-f(1)}{x-1}\times\dfrac{1}{x+1}\right\}$

$=\dfrac{1}{2}f'(1)$

$f(x)=-\dfrac{2}{x^2-3}$에서 $f'(x)=-\left\{-\dfrac{2\times2x}{(x^2-3)^2}\right\}=\dfrac{4x}{(x^2-3)^2}$

$\therefore \dfrac{1}{2}f'(1)=\dfrac{1}{2}\times\dfrac{4}{(1-3)^2}=\dfrac{1}{2}$ 답 $\dfrac{1}{2}$

0525

|전략| 두 함수 $f(x), g(x)\,(g(x)\neq0)$가 미분가능할 때,

$\left\{\dfrac{f(x)}{g(x)}\right\}'=\dfrac{f'(x)g(x)-f(x)g'(x)}{\{g(x)\}^2}$임을 이용한다.

$f(x)=\dfrac{ax+b}{x^2+x+1}$에서

$f'(x)=\dfrac{a(x^2+x+1)-(ax+b)(2x+1)}{(x^2+x+1)^2}$

$f'(0)=-3$에서 $a-b=-3$ …… ㉠

$f'(-1)=1$에서 $a+(-a+b)=1$ $\therefore b=1$

$b=1$을 ㉠에 대입하면 $a=-2$

$\therefore a+b=-1$ 답 -1

0526

$f(x)=\dfrac{x}{g(x)+3}$에서 $f'(x)=\dfrac{g(x)+3-xg'(x)}{\{g(x)+3\}^2}$

$f'(0)=1$에서 $\dfrac{g(0)+3}{\{g(0)+3\}^2}=1$

$\dfrac{1}{g(0)+3}=1,\ g(0)+3=1 \qquad \therefore g(0)=-2$

답 ①

0527

$f(x)=\dfrac{x^2-3x+5}{x^2+1}$에서

$f'(x)=\dfrac{(2x-3)(x^2+1)-(x^2-3x+5)\times 2x}{(x^2+1)^2}$

$=\dfrac{(x-3)(3x+1)}{(x^2+1)^2}$ … ❶

이때, $(x^2+1)^2>0$이므로 $f'(x)\le 0$에서

$(x-3)(3x+1)\le 0 \qquad \therefore -\dfrac{1}{3}\le x\le 3$ … ❷

따라서 $f'(x)\le 0$을 만족시키는 정수 x는 0, 1, 2, 3의 4개이다.

… ❸

답 4

채점 기준	비율
❶ $f'(x)$를 구할 수 있다.	50 %
❷ $f'(x)\le 0$을 만족시키는 x의 값의 범위를 구할 수 있다.	30 %
❸ $f'(x)\le 0$을 만족시키는 정수 x의 개수를 구할 수 있다.	20 %

0528

$f\left(\dfrac{\pi}{3}\right)=\dfrac{1-\sin\frac{\pi}{3}}{\cos\frac{\pi}{3}}=\dfrac{1-\frac{\sqrt{3}}{2}}{\frac{1}{2}}=2-\sqrt{3}$이므로

$\displaystyle\lim_{x\to\frac{\pi}{3}}\dfrac{f(x)-2+\sqrt{3}}{x-\frac{\pi}{3}}=\lim_{x\to\frac{\pi}{3}}\dfrac{f(x)-f\left(\frac{\pi}{3}\right)}{x-\frac{\pi}{3}}=f'\left(\dfrac{\pi}{3}\right)$

$f(x)=\dfrac{1-\sin x}{\cos x}$에서

$f'(x)=\dfrac{(-\cos x)\cos x-(1-\sin x)(-\sin x)}{(\cos x)^2}$

$=\dfrac{-\cos^2 x+\sin x-\sin^2 x}{\cos^2 x}=\dfrac{\sin x-1}{\cos^2 x}$

$\therefore f'\left(\dfrac{\pi}{3}\right)=\dfrac{\sin\frac{\pi}{3}-1}{\cos^2\frac{\pi}{3}}=\dfrac{\frac{\sqrt{3}}{2}-1}{\frac{1}{4}}=2\sqrt{3}-4$

답 $2\sqrt{3}-4$

0529

| 전략 | n이 정수일 때, $(x^n)'=nx^{n-1}$임을 이용한다.

$f(x)=\dfrac{1}{x^2}+\dfrac{2}{x^3}+\dfrac{3}{x^4}+\dfrac{4}{x^5}=x^{-2}+2x^{-3}+3x^{-4}+4x^{-5}$에서

$f'(x)=-2x^{-3}+2\times(-3)x^{-4}+3\times(-4)x^{-5}+4\times(-5)x^{-6}$

$=-2x^{-3}-6x^{-4}-12x^{-5}-20x^{-6}$

$\therefore f'(1)=-2-6-12-20=-40$

답 ②

0530

$y=\dfrac{x^5-3x+1}{x^2}=x^3-\dfrac{3}{x}+\dfrac{1}{x^2}=x^3-3x^{-1}+x^{-2}$에서

$y'=3x^2+3x^{-2}-2x^{-3}=3x^2+\dfrac{3}{x^2}-\dfrac{2}{x^3}$

답 $y'=3x^2+\dfrac{3}{x^2}-\dfrac{2}{x^3}$

다른 풀이 $y'=\dfrac{(5x^4-3)x^2-(x^5-3x+1)\times 2x}{x^4}$

$=\dfrac{3x^5+3x-2}{x^3}=3x^2+\dfrac{3}{x^2}-\dfrac{2}{x^3}$

0531

| 전략 | $\sin^2\theta+\cos^2\theta=1,\ 1+\tan^2\theta=\sec^2\theta$임을 이용한다.

$\dfrac{\csc\theta}{\sec\theta-\tan\theta}+\dfrac{\csc\theta}{\sec\theta+\tan\theta}$

$=\dfrac{\csc\theta(\sec\theta+\tan\theta)+\csc\theta(\sec\theta-\tan\theta)}{(\sec\theta-\tan\theta)(\sec\theta+\tan\theta)}$

$=\dfrac{2\csc\theta\sec\theta}{\sec^2\theta-\tan^2\theta}$ ← $1+\tan^2\theta=\sec^2\theta$이므로 $\sec^2\theta-\tan^2\theta=1$

$=2\csc\theta\sec\theta=\dfrac{2}{\sin\theta\cos\theta}$

이때, $\sin\theta+\cos\theta=\dfrac{1}{3}$의 양변을 제곱하면

$\sin^2\theta+2\sin\theta\cos\theta+\cos^2\theta=\dfrac{1}{9}$

$1+2\sin\theta\cos\theta=\dfrac{1}{9} \qquad \therefore \sin\theta\cos\theta=-\dfrac{4}{9}$

$\therefore \dfrac{2}{\sin\theta\cos\theta}=\dfrac{2}{-\frac{4}{9}}=-\dfrac{9}{2}$

답 ①

0532

$(1+\tan\theta+\sec\theta)(1+\cot\theta-\csc\theta)$

$=\left(1+\dfrac{\sin\theta}{\cos\theta}+\dfrac{1}{\cos\theta}\right)\left(1+\dfrac{\cos\theta}{\sin\theta}-\dfrac{1}{\sin\theta}\right)$

$=\dfrac{\cos\theta+\sin\theta+1}{\cos\theta}\times\dfrac{\sin\theta+\cos\theta-1}{\sin\theta}$

$=\dfrac{(\cos\theta+\sin\theta)^2-1}{\cos\theta\sin\theta}$

$=\dfrac{\cos^2\theta+2\cos\theta\sin\theta+\sin^2\theta-1}{\cos\theta\sin\theta}$

$=\dfrac{2\cos\theta\sin\theta}{\cos\theta\sin\theta}=2$

답 ④

0533

$\sec^2\theta+\csc^2\theta=\dfrac{1}{\cos^2\theta}+\dfrac{1}{\sin^2\theta}=\dfrac{\sin^2\theta+\cos^2\theta}{\cos^2\theta\sin^2\theta}$

$=\dfrac{1}{(\cos\theta\sin\theta)^2}$

5 여러 가지 미분법

이때, $\tan\theta+\cot\theta=6$에서

$\dfrac{\sin\theta}{\cos\theta}+\dfrac{\cos\theta}{\sin\theta}=6$, $\dfrac{\sin^2\theta+\cos^2\theta}{\cos\theta\sin\theta}=6$

$\therefore \dfrac{1}{\cos\theta\sin\theta}=6$

$\therefore \dfrac{1}{(\cos\theta\sin\theta)^2}=6^2=36$ 답 36

0534

$\dfrac{1-\cot\theta}{1+\tan\theta}+\dfrac{1+\cot\theta}{1-\tan\theta}$

$=\dfrac{(1-\cot\theta)(1-\tan\theta)+(1+\cot\theta)(1+\tan\theta)}{(1+\tan\theta)(1-\tan\theta)}$

$=\dfrac{2+2\underline{\cot\theta\tan\theta}}{1-\tan^2\theta}$ — $\cot\theta\tan\theta=\dfrac{1}{\tan\theta}\times\tan\theta=1$

$=\dfrac{4}{1-\tan^2\theta}$

이때, $\sin\theta=-\dfrac{2}{3}$에서 $\sin^2\theta=\dfrac{4}{9}$

또, $\cos^2\theta=1-\sin^2\theta=1-\dfrac{4}{9}=\dfrac{5}{9}$이므로

$\tan^2\theta=\dfrac{\sin^2\theta}{\cos^2\theta}=\dfrac{\frac{4}{9}}{\frac{5}{9}}=\dfrac{4}{5}$

$\therefore \dfrac{4}{1-\tan^2\theta}=\dfrac{4}{1-\frac{4}{5}}=20$ 답 20

0535

이차방정식의 근과 계수의 관계에 의하여

$\sec\theta+\csc\theta=\dfrac{1}{\cos\theta}+\dfrac{1}{\sin\theta}=a$에서

$\dfrac{\sin\theta+\cos\theta}{\cos\theta\sin\theta}=a$ …… ㉠

$\sec\theta\csc\theta=\dfrac{1}{\cos\theta\sin\theta}=2$에서

$\cos\theta\sin\theta=\dfrac{1}{2}$ …… ㉡

㉡을 ㉠에 대입하여 정리하면

$\sin\theta+\cos\theta=\dfrac{a}{2}$ …… ㉢

㉢의 양변을 제곱하면

$\sin^2\theta+2\sin\theta\cos\theta+\cos^2\theta=\dfrac{a^2}{4}$

$1+2\times\dfrac{1}{2}=\dfrac{a^2}{4}$, $a^2=8$ $\quad\therefore a=2\sqrt{2}$ ($\because$ a는 양수) 답 ④

0536

|전략| 주어진 함수를 간단히 한 후 $(\tan x)'=\sec^2 x$, $(\sec x)'=\sec x\tan x$임을 이용한다.

$f(x)=\dfrac{1-\csc x}{\cot x}=\dfrac{1}{\cot x}-\dfrac{\csc x}{\cot x}=\tan x-\sec x$이므로 — $\dfrac{\csc x}{\cot x}=\dfrac{1}{\sin x}\times\dfrac{\sin x}{\cos x}=\dfrac{1}{\cos x}=\sec x$

$f'(x)=\sec^2 x-\sec x\tan x=\sec x(\sec x-\tan x)$

$\therefore f'\left(\dfrac{\pi}{4}\right)=\sec\dfrac{\pi}{4}\left(\sec\dfrac{\pi}{4}-\tan\dfrac{\pi}{4}\right)$

$=\dfrac{1}{\cos\frac{\pi}{4}}\left(\dfrac{1}{\cos\frac{\pi}{4}}-\tan\dfrac{\pi}{4}\right)$

$=\sqrt{2}(\sqrt{2}-1)=2-\sqrt{2}$ 답 ①

0537

$\lim\limits_{h\to 0}\dfrac{f(\pi+h)-f(\pi)}{h}=f'(\pi)$

$f(x)=\sin x+\tan x$에서 $f'(x)=\cos x+\sec^2 x$이므로

$f'(\pi)=\cos\pi+\sec^2\pi=-1+(-1)^2=0$ 답 ④

0538

$f(x)=\tan x$에서 $f'(x)=\sec^2 x$이므로

$f'(a)+f'(b)+f'(c)$

$=\sec^2 a+\sec^2 b+\sec^2 c$

$=(1+\tan^2 a)+(1+\tan^2 b)+(1+\tan^2 c)=3$

$\therefore \tan^2 a+\tan^2 b+\tan^2 c=0$

이때, $\tan^2 a\ge 0$, $\tan^2 b\ge 0$, $\tan^2 c\ge 0$이므로

$\tan^2 a=\tan^2 b=\tan^2 c=0$

$\therefore \tan a=\tan b=\tan c=0$

$\therefore f(a)+f(b)+f(c)=\tan a+\tan b+\tan c=0$ 답 ①

0539

|전략| 두 함수 $y=f(u)$, $u=g(x)$가 미분가능할 때, 합성함수 $h(x)=f(g(x))$의 도함수는 $h'(x)=f'(g(x))g'(x)$임을 이용한다.

$h(x)=(f\circ g)(x)=f(g(x))$에서

$h'(x)=f'(g(x))g'(x)$

$\therefore h'(0)=f'(g(0))g'(0)=f'(-1)g'(0)$ …… ㉠

이때, $g'(x)=\dfrac{4(x+1)-(4x-1)}{(x+1)^2}=\dfrac{5}{(x+1)^2}$이므로

$g'(0)=5$

따라서 $h'(0)=15$, $g'(0)=5$를 ㉠에 대입하면

$5f'(-1)=15$ $\quad\therefore f'(-1)=3$ 답 3

0540

$h(x)=(f\circ g)(x)=f(g(x))$에서

$h'(x)=f'(g(x))g'(x)$

$\therefore h'(1)=f'(g(1))g'(1)=f'(0)g'(1)$ …… ㉠

이때, $f'(x)=\dfrac{x^2+1-x\times 2x}{(x^2+1)^2}=\dfrac{-x^2+1}{(x^2+1)^2}$이므로

$f'(0)=1$

$g'(x)=2x-5$이므로 $g'(1)=-3$
따라서 $f'(0)=1$, $g'(1)=-3$을 ㉠에 대입하면
$h'(1)=1\times(-3)=-3$

답 ①

0541

$f(f(x))=g(x)$로 놓으면 $g(1)=f(f(1))=f(2)=2$이므로

$$\lim_{x\to1}\frac{f(f(x))-2}{x-1}=\lim_{x\to1}\frac{g(x)-g(1)}{x-1}=g'(1)$$

이때, $g'(x)=f'(f(x))f'(x)$이므로

$$g'(1)=f'(f(1))f'(1)=f'(2)f'(1)=4\times3=12$$

답 12

0542

$\lim_{x\to2}\frac{f(x)+1}{x-2}=3$에서 $x\to2$일 때 (분모) $\to0$이고 극한값이 존재하므로 (분자) $\to0$이다.

즉, $\lim_{x\to2}\{f(x)+1\}=0$이므로 $f(2)=-1$

$\therefore \lim_{x\to2}\frac{f(x)+1}{x-2}=\lim_{x\to2}\frac{f(x)-f(2)}{x-2}=f'(2)=3$ … ❶

또, $\lim_{x\to-1}\frac{g(x)-2}{x+1}=2$에서 $x\to-1$일 때 (분모) $\to0$이고 극한값이 존재하므로 (분자) $\to0$이다.

즉, $\lim_{x\to-1}\{g(x)-2\}=0$이므로 $g(-1)=2$

$\therefore \lim_{x\to-1}\frac{g(x)-2}{x+1}=\lim_{x\to-1}\frac{g(x)-g(-1)}{x-(-1)}=g'(-1)=2$ … ❷

이때, $y=(g\circ f)(x)=g(f(x))$에서 $y'=g'(f(x))f'(x)$
따라서 함수 $y=(g\circ f)(x)$의 $x=2$에서의 미분계수는
$g'(f(2))f'(2)=g'(-1)f'(2)=2\times3=6$ … ❸

답 6

채점 기준	비율
❶ $f(2)$, $f'(2)$의 값을 구할 수 있다.	40 %
❷ $g(-1)$, $g'(-1)$의 값을 구할 수 있다.	40 %
❸ 함수 $y=(g\circ f)(x)$의 $x=2$에서의 미분계수를 구할 수 있다.	20 %

0543

|전략| 함수 $f(x)$가 미분가능할 때, $\{f(ax+b)\}'=af'(ax+b)$임을 이용한다.

$f(x)=f(3x-1)$의 양변을 x에 대하여 미분하면
$f'(x)=3f'(3x-1)$ …… ㉠
㉠의 양변에 $x=2$를 대입하면 $f'(2)=3f'(5)$
$f'(2)=6$이므로 $3f'(5)=6$ $\quad\therefore f'(5)=2$
㉠의 양변에 $x=5$를 대입하면 $f'(5)=3f'(14)$
$f'(5)=2$이므로 $3f'(14)=2$ $\quad\therefore f'(14)=\frac{2}{3}$

답 $\frac{2}{3}$

0544

$f(-3x+2)=x^3-x^2+x+5$의 양변을 x에 대하여 미분하면
$-3f'(-3x+2)=3x^2-2x+1$
위의 식의 양변에 $x=-1$을 대입하면
$-3f'(5)=3+2+1=6$
$\therefore f'(5)=-2$

답 ③

0545

$f(2x-3)=\sin2\pi x-\cos\pi x$의 양변을 x에 대하여 미분하면
$2f'(2x-3)=2\pi\cos2\pi x+\pi\sin\pi x$
위의 식의 양변에 $x=1$을 대입하면
$2f'(-1)=2\pi\cos2\pi+\pi\sin\pi=2\pi$
$\therefore f'(-1)=\pi$

답 ④

0546

|전략| 함수 $f(x)$가 미분가능할 때, $[\{f(x)\}^n]'=n\{f(x)\}^{n-1}f'(x)$ (n은 정수)임을 이용한다.

$g(x)=\{f(x)+1\}^3$에서 $g'(x)=3\{f(x)+1\}^2f'(x)$
$\therefore g'(1)=3\{f(1)+1\}^2f'(1)$ …… ㉠
$f(x)=\frac{1}{2x-1}$에서 $f'(x)=-\frac{2}{(2x-1)^2}$ $\quad\therefore f'(1)=-2$
$f(1)=1$, $f'(1)=-2$를 ㉠에 대입하면
$g'(1)=3(1+1)^2\times(-2)=-24$

답 -24

0547

$f(x)=\left(\frac{x+a}{2x+1}\right)^3$에서

$$f'(x)=3\left(\frac{x+a}{2x+1}\right)^2\left(\frac{x+a}{2x+1}\right)'=3\left(\frac{x+a}{2x+1}\right)^2\times\frac{2x+1-(x+a)\times2}{(2x+1)^2}=\frac{3(x+a)^2(1-2a)}{(2x+1)^4}$$

$f'(0)=-3$에서 $3a^2(1-2a)=-3$
$2a^3-a^2-1=0$, $(a-1)(2a^2+a+1)=0$
$\therefore a=1$ ($\because a$는 정수)

답 ①

0548

$f(x)=\cos^3(2x-\pi)$에서
$f'(x)=3\cos^2(2x-\pi)\times\{-\sin(2x-\pi)\}\times2$
$=-6\cos^2(2x-\pi)\sin(2x-\pi)$

$$\therefore f'\left(\frac{\pi}{3}\right)=-6\cos^2\left(-\frac{\pi}{3}\right)\sin\left(-\frac{\pi}{3}\right)=-6\cos^2\frac{\pi}{3}\left(-\sin\frac{\pi}{3}\right)=-6\times\left(\frac{1}{2}\right)^2\times\left(-\frac{\sqrt{3}}{2}\right)=\frac{3\sqrt{3}}{4}$$

$\sin(-x)=-\sin x$
$\cos(-x)=\cos x$

답 $\frac{3\sqrt{3}}{4}$

0549

$y=\{x^2f(x)\}^2$에서
$y'=2\{x^2f(x)\}\{x^2f(x)\}'$
$=2\{x^2f(x)\}\{2xf(x)+x^2f'(x)\}$

이므로 $x=1$에서의 미분계수는

$2\{1^2\times f(1)\}\{2\times 1\times f(1)+1^2\times f'(1)\}=2\times 1\times(2+2)=8$

답 ②

0550

|전략| 함수 $f(x)$가 미분가능할 때, $\{a^{f(x)}\}'=a^{f(x)}\ln a\times f'(x)$임을 이용한다. (단, $a>0, a\neq 1$)

$$\lim_{h\to 0}\frac{f(\pi+2h)-f(\pi)}{h}=2\lim_{h\to 0}\frac{f(\pi+2h)-f(\pi)}{2h}=2f'(\pi)$$

$f(x)=2^{\sin x}$에서

$f'(x)=2^{\sin x}\ln 2\times(\sin x)'=2^{\sin x}\ln 2\times\cos x$

$\therefore 2f'(\pi)=2\times 2^{\sin\pi}\times\ln 2\times\cos\pi=-2\ln 2$

답 ①

0551

$f(x)=\dfrac{x^2+1}{e^{2x}}$에서

$$f'(x)=\frac{2x\times e^{2x}-(x^2+1)\times 2e^{2x}}{(e^{2x})^2}=\frac{2e^{2x}(x-x^2-1)}{e^{4x}}=\frac{2(x-x^2-1)}{e^{2x}}$$

$\therefore f(1)-f'(1)=\dfrac{2}{e^2}-\dfrac{-2}{e^2}=\dfrac{4}{e^2}$

답 ⑤

0552

$h(x)=g(f(x))$로 놓으면 $h(x)=2e^{2\cos x}$이므로

$h\left(\dfrac{\pi}{3}\right)=2e^{2\cos\frac{\pi}{3}}=2e$

$$\therefore \lim_{x\to\frac{\pi}{3}}\frac{g(f(x))-2e}{x-\frac{\pi}{3}}=\lim_{x\to\frac{\pi}{3}}\frac{h(x)-h\left(\frac{\pi}{3}\right)}{x-\frac{\pi}{3}}=h'\left(\frac{\pi}{3}\right)$$

$h(x)=2e^{2\cos x}$에서

$h'(x)=2e^{2\cos x}\times(2\cos x)'=-4e^{2\cos x}\sin x$이므로

$$h'\left(\frac{\pi}{3}\right)=-4e^{2\cos\frac{\pi}{3}}\times\sin\frac{\pi}{3}=-4e\times\frac{\sqrt{3}}{2}=-2\sqrt{3}e$$

답 $-2\sqrt{3}e$

0553

|전략| 함수 $f(x)$가 미분가능하고 $f(x)\neq 0$일 때, $\{\ln|f(x)|\}'=\dfrac{f'(x)}{f(x)}$임을 이용한다.

$$y=\ln\sqrt{\frac{1-\cos x}{1+\cos x}}=\frac{1}{2}\ln\frac{1-\cos x}{1+\cos x}=\frac{1}{2}\{\ln(1-\cos x)-\ln(1+\cos x)\}$$

$$\therefore y'=\frac{1}{2}\left(\frac{\sin x}{1-\cos x}-\frac{-\sin x}{1+\cos x}\right)=\frac{\sin x(1+\cos x)+\sin x(1-\cos x)}{2(1-\cos^2 x)}=\frac{2\sin x}{2\sin^2 x}=\frac{1}{\sin x}$$

따라서 $x=\dfrac{\pi}{6}$에서의 미분계수는 $\dfrac{1}{\sin\frac{\pi}{6}}=\dfrac{1}{\frac{1}{2}}=2$

답 ⑤

0554

$$\log\{(x+1)f(x)\}=\log(x+4)+\log(x^3+1)=\log(x+4)(x^3+1)$$

이므로

$(x+1)f(x)=(x+4)(x^3+1)$

$\therefore f(x)=(x+4)(x^2-x+1)\ (x\neq -1)$

$$f'(x)=(x^2-x+1)+(x+4)(2x-1)=(x^2-x+1)+(2x^2+7x-4)=3(x^2+2x-1)$$

$g(x)=\ln|f(x)|$에서

$$g'(x)=\frac{f'(x)}{f(x)}=\frac{3(x^2+2x-1)}{(x+4)(x^2-x+1)}$$

$\therefore g'(1)=\dfrac{3\times 2}{5\times 1}=\dfrac{6}{5}$

답 $\dfrac{6}{5}$

0555

$f(x)=\log_3(3x-1)^3=3\log_3(3x-1)$에서

$$f'(x)=3\times\frac{3}{(3x-1)\ln 3}=\frac{9}{(3x-1)\ln 3}$$

$f'(a)=\dfrac{3}{\ln 3}$에서 $\dfrac{9}{(3a-1)\ln 3}=\dfrac{3}{\ln 3}$

$\dfrac{3}{3a-1}=1,\ 3a-1=3\qquad\therefore a=\dfrac{4}{3}$

답 $\dfrac{4}{3}$

0556

$f(x)=\ln(x^2-1)$에서 $f'(x)=\dfrac{2x}{x^2-1}$이므로

$f'(n)=\dfrac{2n}{n^2-1}$

$$\therefore \sum_{n=2}^{\infty}\frac{f'(n)}{n}=\sum_{n=2}^{\infty}\frac{1}{n}\times\frac{2n}{n^2-1}=\sum_{n=2}^{\infty}\frac{2}{n^2-1}$$

$$=\sum_{n=2}^{\infty}\frac{2}{(n-1)(n+1)}$$

$$=\lim_{n\to\infty}\sum_{k=2}^{n}\left(\frac{1}{k-1}-\frac{1}{k+1}\right)$$

$$=\lim_{n\to\infty}\left\{\left(1-\frac{1}{3}\right)+\left(\frac{1}{2}-\frac{1}{4}\right)+\left(\frac{1}{3}-\frac{1}{5}\right)+\cdots+\left(\frac{1}{n-2}-\frac{1}{n}\right)+\left(\frac{1}{n-1}-\frac{1}{n+1}\right)\right\}$$

$$=\lim_{n\to\infty}\left(1+\frac{1}{2}-\frac{1}{n}-\frac{1}{n+1}\right)=\frac{3}{2}$$

답 $\dfrac{3}{2}$

0557

|전략| 주어진 식의 양변의 절댓값에 자연로그를 취한 후 양변을 x에 대하여 미분한다.

$f(x)=\dfrac{(x+1)^3}{x^2(x-1)}$의 양변의 절댓값에 자연로그를 취하면

$$\ln|f(x)|=\ln\left|\frac{(x+1)^3}{x^2(x-1)}\right|=3\ln|x+1|-2\ln|x|-\ln|x-1|$$

위의 식의 양변을 x에 대하여 미분하면

$$\frac{f'(x)}{f(x)}=\frac{3}{x+1}-\frac{2}{x}-\frac{1}{x-1}$$

$$\therefore f'(x)=f(x)\left(\frac{3}{x+1}-\frac{2}{x}-\frac{1}{x-1}\right)$$

$f(2)=\frac{3^3}{2^2\times1}=\frac{27}{4}$이므로

$$f'(2)=\frac{27}{4}\times(1-1-1)=-\frac{27}{4}$$

답 ②

다른 풀이 함수의 몫의 미분법을 이용하면

$$f'(x)=\frac{3(x+1)^2\times x^2(x-1)-(x+1)^3\{2x(x-1)+x^2\}}{\{x^2(x-1)\}^2}$$

$$=\frac{x(x+1)^2\{3x(x-1)-(x+1)(3x-2)\}}{x^4(x-1)^2}$$

$$=\frac{2(x+1)^2(1-2x)}{x^3(x-1)^2}$$

$$\therefore f'(2)=\frac{2\times3^2\times(-3)}{2^3\times1^2}=-\frac{27}{4}$$

0558

$f(x)=\frac{(x-1)^2\sqrt{x+1}}{x+2}$의 양변의 절댓값에 자연로그를 취하면

$$\ln|f(x)|=\ln\left|\frac{(x-1)^2\sqrt{x+1}}{x+2}\right|$$

$$\therefore \ln|f(x)|=2\ln|x-1|+\frac{1}{2}\ln|x+1|-\ln|x+2| \quad \cdots ❶$$

위의 식의 양변을 x에 대하여 미분하면

$$\frac{f'(x)}{f(x)}=\frac{2}{x-1}+\frac{1}{2(x+1)}-\frac{1}{x+2} \quad \cdots ❷$$

$$\therefore g(0)=\frac{f'(0)}{f(0)}=-2+\frac{1}{2}-\frac{1}{2}=-2 \quad \cdots ❸$$

답 -2

채점 기준	비율
❶ 주어진 식을 변형할 수 있다.	40 %
❷ $\frac{f'(x)}{f(x)}$를 구할 수 있다.	40 %
❸ $g(0)$의 값을 구할 수 있다.	20 %

0559

$f(x)=x^x$의 양변에 자연로그를 취하면

$\ln f(x)=x\ln x$

위의 식의 양변을 x에 대하여 미분하면

$$\frac{f'(x)}{f(x)}=\ln x+x\times\frac{1}{x}=\ln x+1$$

$$\therefore f'(x)=f(x)(\ln x+1)=x^x(\ln x+1)$$

$$\therefore f'(e)=e^e(\ln e+1)=2e^e$$

답 ④

0560

$f(\pi)=\pi^{\sin\pi}=1$이므로

$$\lim_{x\to\pi}\frac{f(x)-1}{x-\pi}=\lim_{x\to\pi}\frac{f(x)-f(\pi)}{x-\pi}=f'(\pi)$$

$f(x)=x^{\sin x}$의 양변에 자연로그를 취하면

$\ln f(x)=\ln x^{\sin x}=\sin x\times\ln x$

위의 식의 양변을 x에 대하여 미분하면

$$\frac{f'(x)}{f(x)}=\cos x\times\ln x+\sin x\times\frac{1}{x}$$

$$\therefore f'(x)=f(x)\left(\cos x\times\ln x+\sin x\times\frac{1}{x}\right)$$

$$=x^{\sin x}\left(\cos x\times\ln x+\sin x\times\frac{1}{x}\right)$$

$$\therefore f'(\pi)=\pi^{\sin\pi}\left(\cos\pi\times\ln\pi+\sin\pi\times\frac{1}{\pi}\right)$$

$$=-\ln\pi=\ln\frac{1}{\pi}$$

답 ⑤

0561

|전략| 매개변수로 나타낸 함수 $x=f(t)$, $y=g(t)$가 t에 대하여 미분가능하고 $f'(t)\neq0$이면 $\frac{dy}{dx}=\frac{g'(t)}{f'(t)}$임을 이용한다.

$\frac{dx}{dt}=3t^2-2t$, $\frac{dy}{dt}=3t^2+\frac{2}{3}t$이므로

$$\frac{dy}{dx}=\frac{\frac{dy}{dt}}{\frac{dx}{dt}}=\frac{3t^2+\frac{2}{3}t}{3t^2-2t}\ (3t^2\neq2t)$$

$$\therefore \lim_{t\to0}\frac{dy}{dx}=\lim_{t\to0}\frac{3t^2+\frac{2}{3}t}{3t^2-2t}=\lim_{t\to0}\frac{3t+\frac{2}{3}}{3t-2}=-\frac{1}{3}$$

답 $-\frac{1}{3}$

0562

$$\frac{dx}{d\theta}=\cos\theta-\theta\sin\theta-\cos\theta=-\theta\sin\theta,$$

$$\frac{dy}{d\theta}=\sin\theta+\theta\cos\theta-\sin\theta=\theta\cos\theta$$

이므로

$$\frac{dy}{dx}=\frac{\frac{dy}{d\theta}}{\frac{dx}{d\theta}}=\frac{\theta\cos\theta}{-\theta\sin\theta}=-\cot\theta$$

$\theta=\frac{\pi}{6}$일 때, $\frac{dy}{dx}=-\cot\frac{\pi}{6}=-\frac{1}{\tan\frac{\pi}{6}}=-\sqrt{3}$

답 ①

0563

$$\lim_{h\to0}\frac{f(4+2h)-f(4-3h)}{h}$$

$$=\lim_{h\to0}\frac{f(4+2h)-f(4)+f(4)-f(4-3h)}{h}$$

$$=\lim_{h\to0}\left\{\frac{f(4+2h)-f(4)}{2h}\times2+\frac{f(4-3h)-f(4)}{-3h}\times3\right\}$$

$$=2f'(4)+3f'(4)=5f'(4)$$

이때, $\frac{dx}{dt}=2t$, $\frac{dy}{dt}=6t^2$이므로

$$\frac{dy}{dx}=\frac{\frac{dy}{dt}}{\frac{dx}{dt}}=\frac{6t^2}{2t}=3t$$

$x=4$에서 $t^2=4$ $\quad\therefore t=2\ (\because t>0)$

따라서 구하는 값은

$5f'(4)=5\times3\times2=30$ 답 ④

0564

$\frac{dx}{dt}=3t^2$, $\frac{dy}{dt}=2t-a$이므로

$$\frac{dy}{dx}=\frac{\frac{dy}{dt}}{\frac{dx}{dt}}=\frac{2t-a}{3t^2}\ (t\neq0)$$

$t=1$일 때, $\frac{dy}{dx}=-1$이므로

$\frac{2-a}{3}=-1$, $2-a=-3$ $\quad\therefore a=5$ 답 ⑤

0565

$\frac{dx}{d\theta}=\sec^2\theta$, $\frac{dy}{d\theta}=2\cos\theta(-\sin\theta)=-2\cos\theta\sin\theta$이므로

$$\frac{dy}{dx}=\frac{\frac{dy}{d\theta}}{\frac{dx}{d\theta}}=\frac{-2\cos\theta\sin\theta}{\sec^2\theta}=\frac{-2\cos\theta\sin\theta}{\frac{1}{\cos^2\theta}}$$

$=-2\cos^3\theta\sin\theta$ ··· ❶

$x=1$, $y=\frac{1}{2}$일 때, $\tan\theta=1$, $\cos^2\theta=\frac{1}{2}$에서

$\theta=\frac{\pi}{4}\left(\because -\frac{\pi}{2}<\theta<\frac{\pi}{2}\right)$ ··· ❷

따라서 점 $\left(1, \frac{1}{2}\right)$에서의 접선의 기울기는

$-2\cos^3\frac{\pi}{4}\sin\frac{\pi}{4}=-2\times\left(\frac{\sqrt{2}}{2}\right)^3\times\frac{\sqrt{2}}{2}=-\frac{1}{2}$ ··· ❸

답 $-\frac{1}{2}$

채점 기준	비율
❶ $\frac{dy}{dx}$를 구할 수 있다.	40 %
❷ $x=1$, $y=\frac{1}{2}$일 때의 θ의 값을 구할 수 있다.	40 %
❸ 점 $\left(1, \frac{1}{2}\right)$에서의 접선의 기울기를 구할 수 있다.	20 %

0566

전략 음함수 $f(x, y)=0$에서 y를 x의 함수로 보고 각 항을 x에 대하여 미분하여 $\frac{dy}{dx}$를 구한다.

$x^2-y^2+axy+b=0$의 각 항을 x에 대하여 미분하면

$2x-2y\frac{dy}{dx}+\left(ay+ax\frac{dy}{dx}\right)=0$

$(ax-2y)\frac{dy}{dx}=-2x-ay$

$\therefore \frac{dy}{dx}=\frac{-2x-ay}{ax-2y}\ (ax\neq2y)$

점 $(1, 2)$에서의 $\frac{dy}{dx}$의 값이 8이므로

$\frac{-2-2a}{a-4}=8$, $-2-2a=8a-32$

$10a=30$ $\quad\therefore a=3$

또, 점 $(1, 2)$가 곡선 위의 점이므로

$1^2-2^2+3\times1\times2+b=0$ $\quad\therefore b=-3$

$\therefore a-b=6$ 답 6

0567

$2\pi x=y+\sin xy$의 각 항을 x에 대하여 미분하면

$2\pi=\frac{dy}{dx}+\cos xy\times\left(y+x\frac{dy}{dx}\right)$

$(1+x\cos xy)\frac{dy}{dx}=2\pi-y\cos xy$

$\therefore \frac{dy}{dx}=\frac{2\pi-y\cos xy}{1+x\cos xy}\ (1+x\cos xy\neq0)$

위의 식에 $x=1$, $y=2\pi$를 대입하면

$\frac{dy}{dx}=\frac{2\pi-2\pi\cos2\pi}{1+\cos2\pi}=\frac{2\pi-2\pi}{1+1}=0$ 답 ③

0568

$y^3=\ln(5-x^2)+xy+4$의 각 항을 x에 대하여 미분하면

$3y^2\frac{dy}{dx}=\frac{-2x}{5-x^2}+y+x\frac{dy}{dx}$, $(3y^2-x)\frac{dy}{dx}=-\frac{2x}{5-x^2}+y$

$\therefore \frac{dy}{dx}=\frac{-\frac{2x}{5-x^2}+y}{3y^2-x}\ (3y^2\neq x)$

따라서 점 $(2, 2)$에서의 접선의 기울기는

$\frac{-\frac{2\times2}{5-2^2}+2}{3\times2^2-2}=\frac{-2}{10}=-\frac{1}{5}$ 답 ⑤

0569

$\frac{a}{x}+\frac{b}{y}=xy$에서 $ay+bx=x^2y^2$

$ay+bx=x^2y^2$의 각 항을 x에 대하여 미분하면

$a\frac{dy}{dx}+b=2xy^2+2x^2y\frac{dy}{dx}$, $(2x^2y-a)\frac{dy}{dx}=b-2xy^2$

$\therefore \frac{dy}{dx}=\frac{b-2xy^2}{2x^2y-a}\ (2x^2y\neq a)$

점 $(1, 2)$에서의 접선의 기울기가 1이므로

$\frac{b-8}{4-a}=1$, $b-8=4-a$ $\quad\therefore a+b=12$ ······ ㉠

또, 점 $(1, 2)$가 곡선 $ay+bx=x^2y^2$ 위의 점이므로

$a\times2+b\times1=1^2\times2^2$ $\quad\therefore 2a+b=4$ ······ ㉡

㉠, ㉡을 연립하여 풀면 $a=-8$, $b=20$

$\therefore b-a=28$ 답 28

0570

$\frac{x}{3-x}=e^{4(t-3)}$ ······ ㉠

㉠의 양변에 자연로그를 취하면

$\ln\left(\frac{x}{3-x}\right)=\ln e^{4(t-3)}$

$\therefore \ln x-\ln(3-x)=4(t-3)$

위의 식의 양변을 t에 대하여 미분하면

$\left(\frac{1}{x}+\frac{1}{3-x}\right)\frac{dx}{dt}=4 \qquad \therefore \frac{dx}{dt}=4\div\left(\frac{1}{x}+\frac{1}{3-x}\right)$

㉠에서 $t=3$일 때, $\frac{x}{3-x}=e^0=1$, $3-x=x \qquad \therefore x=\frac{3}{2}$

따라서 구하는 순간변화율은

$\frac{dx}{dt}=4\div\left(\frac{2}{3}+\frac{2}{3}\right)=3$ 답 3

0571

|전략| 함수 $g(x)$가 미분가능할 때, $[\{g(x)\}^n]'=n\{g(x)\}^{n-1}g'(x)$ (n은 실수)임을 이용한다.

$f(x)=(2x-\sqrt{4x^2+1})^5$에서

$f'(x)=5(2x-\sqrt{4x^2+1})^4\left(2-\frac{8x}{2\sqrt{4x^2+1}}\right)$

$=5(2x-\sqrt{4x^2+1})^4\left(2-\frac{4x}{\sqrt{4x^2+1}}\right)$

이므로

$a=f'(1)=5(2-\sqrt{5})^4\left(2-\frac{4}{\sqrt{5}}\right)$

$b=f'(-1)=5(-2-\sqrt{5})^4\left(2+\frac{4}{\sqrt{5}}\right)=5(2+\sqrt{5})^4\left(2+\frac{4}{\sqrt{5}}\right)$

$\therefore ab=5(2-\sqrt{5})^4\left(2-\frac{4}{\sqrt{5}}\right)\times5(2+\sqrt{5})^4\left(2+\frac{4}{\sqrt{5}}\right)$

$=25\{(2-\sqrt{5})(2+\sqrt{5})\}^4\left(2-\frac{4}{\sqrt{5}}\right)\left(2+\frac{4}{\sqrt{5}}\right)$

$=25\times(-1)^4\times\frac{4}{5}=20$ 답 20

0572

$f(x)=\frac{1-\sqrt{1-x^2}}{x}$에서

$f'(x)=\frac{-\frac{-2x}{2\sqrt{1-x^2}}\times x-(1-\sqrt{1-x^2})\times1}{x^2}$

$=\frac{\frac{x^2}{\sqrt{1-x^2}}-(1-\sqrt{1-x^2})}{x^2}=\frac{1-\sqrt{1-x^2}}{x^2\sqrt{1-x^2}}$

$\therefore \lim_{x\to0}f'(x)=\lim_{x\to0}\frac{1-\sqrt{1-x^2}}{x^2\sqrt{1-x^2}}$

$=\lim_{x\to0}\frac{x^2}{x^2\sqrt{1-x^2}(1+\sqrt{1-x^2})}$

$=\lim_{x\to0}\frac{1}{\sqrt{1-x^2}(1+\sqrt{1-x^2})}=\frac{1}{2}$ 답 ④

0573

|전략| 함수가 $x=f(y)$ 꼴로 주어진 경우 x를 y에 대하여 미분한 후 $\frac{dy}{dx}=\frac{1}{\frac{dx}{dy}}$임을 이용한다.

$x=\sqrt{y^2+2y}-2$의 양변을 y에 대하여 미분하면

$\frac{dx}{dy}=\frac{2y+2}{2\sqrt{y^2+2y}}=\frac{y+1}{\sqrt{y^2+2y}}$

$\therefore \frac{dy}{dx}=\frac{1}{\frac{dx}{dy}}=\frac{\sqrt{y^2+2y}}{y+1}$ 답 ①

0574

$x=\tan y$의 양변을 y에 대하여 미분하면

$\frac{dx}{dy}=\sec^2 y \qquad \therefore \frac{dy}{dx}=\frac{1}{\frac{dx}{dy}}=\frac{1}{\sec^2 y}=\cos^2 y$

$x=\tan y$에서 $x=1$일 때, $y=\frac{\pi}{4}$ $\left(\because 0<y<\frac{\pi}{2}\right)$

따라서 $x=1$에서의 $\frac{dy}{dx}$의 값은

$\cos^2\frac{\pi}{4}=\left(\frac{\sqrt{2}}{2}\right)^2=\frac{1}{2}$ 답 ③

0575

$\tan\theta=\frac{4}{x}$에서 $x=\frac{4}{\tan\theta}$

이 식의 양변을 θ에 대하여 미분하면

$\frac{dx}{d\theta}=-\frac{4\sec^2\theta}{\tan^2\theta} \qquad \therefore \frac{d\theta}{dx}=\frac{1}{\frac{dx}{d\theta}}=-\frac{\tan^2\theta}{4\sec^2\theta}$

$\tan\theta=\frac{4}{x}$에서 $x=2$일 때 $\tan\theta=2$이므로 $\tan^2\theta=4$

따라서 $x=2$에서의 $\frac{d\theta}{dx}$의 값은

$-\frac{\tan^2\theta}{4\sec^2\theta}=-\frac{\tan^2\theta}{4(1+\tan^2\theta)}=-\frac{4}{4\times5}=-\frac{1}{5}$ 답 $-\frac{1}{5}$

0576

|전략| 미분가능한 함수 $f(x)$의 역함수 $g(x)$에 대하여 $g(b)=a$이면 $g'(b)=\frac{1}{f'(a)}$임을 이용한다.

$g(18)=a$라 하면 $f(a)=18$이므로

$a^2-4a+6=18$, $a^2-4a-12=0$

$(a+2)(a-6)=0 \qquad \therefore a=6$ ($\because a>2$)

따라서 $g(18)=6$이고 $f'(x)=2x-4$이므로

$g'(18)=\frac{1}{f'(g(18))}=\frac{1}{f'(6)}=\frac{1}{8}$ 답 ⑤

다른 풀이 $y=x^2-4x+6$ $(x>2)$이라 하면 역함수는 $x=y^2-4y+6$ $(y>2)$이므로

$\frac{dx}{dy}=2y-4=2(y-2) \qquad \therefore \frac{dy}{dx}=\frac{1}{2(y-2)}$ ······ ㉠

한편, $x=y^2-4y+6$에서 $x=18$일 때

$y^2-4y+6=18$, $y^2-4y-12=0$

$(y+2)(y-6)=0$ $\quad\therefore y=6\ (\because y>2)$

$y=6$을 ㉠에 대입하면 구하는 값은

$\frac{1}{2(6-2)}=\frac{1}{8}$

0577

$f(2)=3$에서 $g(3)=2$이므로

$g'(3)=\frac{1}{f'(g(3))}=\frac{1}{f'(2)}=2$ 답 2

0578

$g(2)=\theta$라 하면 $f(\theta)=2$이므로

$2\sin\theta+1=2$, $\sin\theta=\frac{1}{2}$ $\quad\therefore \theta=\frac{\pi}{6}\left(\because 0\le\theta<\frac{\pi}{2}\right)$

따라서 $g(2)=\frac{\pi}{6}$이고 $f'(x)=2\cos x$이므로

$g'(2)=\frac{1}{f'(g(2))}=\frac{1}{f'\left(\frac{\pi}{6}\right)}=\frac{1}{2\cos\frac{\pi}{6}}=\frac{1}{2\times\frac{\sqrt{3}}{2}}=\frac{\sqrt{3}}{3}$

답 ③

0579

$\lim_{x\to3}\frac{x-3}{f(x)-1}=\frac{1}{5}$에서 $x\to3$일 때 (분자) $\to0$이고 0이 아닌 극한값이 존재하므로 (분모) $\to0$이다.

즉, $\lim_{x\to3}\{f(x)-1\}=0$이므로 $f(3)=1$ $\quad\therefore g(1)=3$

이때, $\lim_{x\to3}\frac{x-3}{f(x)-1}=\lim_{x\to3}\frac{x-3}{f(x)-f(3)}=\frac{1}{f'(3)}$이므로

$\frac{1}{f'(3)}=\frac{1}{5}$

$\therefore g'(1)=\frac{1}{f'(g(1))}=\frac{1}{f'(3)}=\frac{1}{5}$ 답 $\frac{1}{5}$

0580

| 전략 | 함수 $h(x)$의 도함수 $h'(x)$가 미분가능할 때, $\lim_{x\to a}\frac{h'(x)-h'(a)}{x-a}=h''(a)$임을 이용한다.

$h(x)=(g\circ f)(x)=g(f(x))=\{\ln(x+1)\}^2$에서

$h'(x)=2\ln(x+1)\times\frac{1}{x+1}=\frac{2\ln(x+1)}{x+1}$

$h'(0)=0$이므로

$\lim_{x\to0}\frac{h'(x)}{x}=\lim_{x\to0}\frac{h'(x)-h'(0)}{x-0}=h''(0)$

$h''(x)=2\times\frac{\frac{1}{x+1}\times(x+1)-\ln(x+1)}{(x+1)^2}$

$=2\times\frac{1-\ln(x+1)}{(x+1)^2}$

$\therefore h''(0)=2\times1=2$ 답 ②

다른 풀이 $\lim_{x\to0}\frac{h'(x)}{x}=\lim_{x\to0}\frac{2\ln(x+1)}{x(x+1)}$

$=\lim_{x\to0}\left\{\frac{\ln(x+1)}{x}\times\frac{2}{x+1}\right\}=1\times2=2$

0581

$f(x)=\frac{1}{x}$에서 $f'(x)=-\frac{1}{x^2}$

$f'(1)=-1$이므로

$\lim_{x\to1}\frac{f'(x)+1}{x-1}=\lim_{x\to1}\frac{f'(x)-f'(1)}{x-1}=f''(1)$

$f''(x)=-\left(-\frac{2x}{x^4}\right)=\frac{2}{x^3}$

$\therefore f''(1)=2$ 답 ④

0582

$f(x)=xe^{ax+b}(a\ne0)$에서

$f'(x)=e^{ax+b}+xe^{ax+b}\times a=(ax+1)e^{ax+b}$

$f''(x)=ae^{ax+b}+(ax+1)e^{ax+b}\times a=a(ax+2)e^{ax+b}$ … ❶

$f'(3)=4$에서 $(3a+1)e^{3a+b}=4$ …… ㉠

$f''(-2)=0$에서 $a(-2a+2)e^{-2a+b}=0$

그런데 $e^{-2a+b}>0$이므로 $a(-2a+2)=0$

$\therefore a=1\ (\because a\ne0)$

$a=1$을 ㉠에 대입하면 $4e^{3+b}=4$, $3+b=0$ $\quad\therefore b=-3$ … ❷

$\therefore a^2+b^2=1^2+(-3)^2=10$ … ❸

답 10

채점 기준	비율
❶ $f'(x)$, $f''(x)$를 구할 수 있다.	40 %
❷ a, b의 값을 구할 수 있다.	40 %
❸ a^2+b^2의 값을 구할 수 있다.	20 %

0583

| 전략 | $f'(x)$, $f''(x)$를 각각 구하여 주어진 식에 대입한다.

$f(x)=e^x\sin x$에서

$f'(x)=e^x\sin x+e^x\cos x=e^x(\sin x+\cos x)$

$f''(x)=e^x(\sin x+\cos x)+e^x(\cos x-\sin x)=2e^x\cos x$

이것을 $f''(x)=af'(x)+bf(x)$에 대입하면

$2e^x\cos x=ae^x(\sin x+\cos x)+be^x\sin x$

$2\cos x=a\sin x+a\cos x+b\sin x\ (\because e^x>0)$

$\therefore\ (a+b)\sin x+(a-2)\cos x=0$

위의 식이 x의 값에 관계없이 항상 성립하므로

$a+b=0$, $a-2=0$

따라서 $a=2$, $b=-2$이므로

$a^2+b^2=2^2+(-2)^2=8$ 답 ③

0584

$f(x)=e^{-x}(\cos 2x+1)$에서

$f'(x)=-e^{-x}(\cos 2x+1)+e^{-x}(-2\sin 2x)$
$=-e^{-x}(\cos 2x+2\sin 2x+1)$
$f''(x)=e^{-x}(\cos 2x+2\sin 2x+1)$
$-e^{-x}(-2\sin 2x+4\cos 2x)$
$=e^{-x}(4\sin 2x-3\cos 2x+1)$
$\therefore f'(0)=-1\times(1+1)=-2, f''(0)=1\times(-3+1)=-2$
이것을 $f'(0)+kf''(0)=0$에 대입하면
$-2-2k=0 \quad \therefore k=-1$ 답 -1

0585

$f(x)=\sqrt{3}\sin x-\cos x$에서 $f'(x)=\sqrt{3}\cos x+\sin x$

$f''(x)=-\sqrt{3}\sin x+\cos x=2\left(-\frac{\sqrt{3}}{2}\sin x+\frac{1}{2}\cos x\right)$

$=2\sin\left(x+\frac{5}{6}\pi\right)$

$f''(x)=1$에서

$2\sin\left(x+\frac{5}{6}\pi\right)=1 \quad \therefore \sin\left(x+\frac{5}{6}\pi\right)=\frac{1}{2}$

이때, $x+\frac{5}{6}\pi=t$로 놓으면 $0\le x\le 2\pi$에서 $\frac{5}{6}\pi\le t\le\frac{17}{6}\pi$이고, 주어진 방정식은

$\sin t=\frac{1}{2} \quad \therefore t=\frac{5}{6}\pi$ 또는 $t=\frac{13}{6}\pi$ 또는 $t=\frac{17}{6}\pi$

즉, $x+\frac{5}{6}\pi=\frac{5}{6}\pi$ 또는 $x+\frac{5}{6}\pi=\frac{13}{6}\pi$ 또는 $x+\frac{5}{6}\pi=\frac{17}{6}\pi$

$\therefore x=0$ 또는 $x=\frac{4}{3}\pi$ 또는 $x=2\pi$

따라서 $f''(x)=1$을 만족시키는 모든 x의 값의 합은 $\frac{10}{3}\pi$ 답 ⑤

다른 풀이 $f(x)=\sqrt{3}\sin x-\cos x=2\sin\left(x-\frac{\pi}{6}\right)$이므로

$f'(x)=2\cos\left(x-\frac{\pi}{6}\right), f''(x)=-2\sin\left(x-\frac{\pi}{6}\right)$

$f''(x)=1$에서

$-2\sin\left(x-\frac{\pi}{6}\right)=1 \quad \therefore \sin\left(x-\frac{\pi}{6}\right)=-\frac{1}{2}$

이때, $x-\frac{\pi}{6}=t$로 놓으면 $0\le x\le 2\pi$에서 $-\frac{\pi}{6}\le t\le\frac{11}{6}\pi$이고, 주어진 방정식은

$\sin t=-\frac{1}{2} \quad \therefore t=-\frac{\pi}{6}$ 또는 $t=\frac{7}{6}\pi$ 또는 $t=\frac{11}{6}\pi$

즉, $x-\frac{\pi}{6}=-\frac{\pi}{6}$ 또는 $x-\frac{\pi}{6}=\frac{7}{6}\pi$ 또는 $x-\frac{\pi}{6}=\frac{11}{6}\pi$

$\therefore x=0$ 또는 $x=\frac{4}{3}\pi$ 또는 $x=2\pi$

따라서 $f''(x)=1$을 만족시키는 모든 x의 값의 합은 $\frac{10}{3}\pi$

Lecture

삼각함수의 합성
$a\sin\theta+b\cos\theta=\sqrt{a^2+b^2}\sin(\theta+\alpha)$

$\left(\text{단, } \sin\alpha=\frac{b}{\sqrt{a^2+b^2}}, \cos\alpha=\frac{a}{\sqrt{a^2+b^2}}\right)$

0586

|전략| $f^{(1)}(x), f^{(2)}(x), f^{(3)}(x), \cdots$를 차례로 구하여 규칙을 찾는다.

$f(x)=\cos x$에서
$f^{(1)}(x)=-\sin x$, $f^{(2)}(x)=-\cos x$, $f^{(3)}(x)=\sin x$,
$f^{(4)}(x)=\cos x$, $f^{(5)}(x)=-\sin x$, $\cdots$
$\therefore f^{(4k+1)}(x)=f^{(1)}(x), f^{(4k+2)}(x)=f^{(2)}(x)$,
$f^{(4k+3)}(x)=f^{(3)}(x), f^{(4k+4)}(x)=f^{(4)}(x)$ (단, k는 자연수)
이때, $101=4\times 25+1$이므로

$f^{(101)}\left(\frac{\pi}{3}\right)=f^{(1)}\left(\frac{\pi}{3}\right)=-\sin\frac{\pi}{3}=-\frac{\sqrt{3}}{2}$ 답 ①

0587

$y=e^x(\sin x+\cos x)$에서
$y^{(1)}=e^x(\sin x+\cos x)+e^x(\cos x-\sin x)=2e^x\cos x$
$y^{(2)}=2e^x\cos x-2e^x\sin x=2e^x(\cos x-\sin x)$
$\therefore y^{(3)}=2e^x(\cos x-\sin x)+2e^x(-\sin x-\cos x)$
$=-4e^x\sin x$ 답 ①

0588

$f(x)=e^{\frac{x}{2}}$에서

$f^{(1)}(x)=\frac{1}{2}e^{\frac{x}{2}}$, $f^{(2)}(x)=\left(\frac{1}{2}\right)^2 e^{\frac{x}{2}}$, $f^{(3)}(x)=\left(\frac{1}{2}\right)^3 e^{\frac{x}{2}}$, $\cdots$

즉, $f^{(n)}(x)=\left(\frac{1}{2}\right)^n e^{\frac{x}{2}}$이므로

$F(x)=\sum_{n=1}^{\infty} f^{(n)}(x)=\sum_{n=1}^{\infty}\left(\frac{1}{2}\right)^n e^{\frac{x}{2}}=\frac{\frac{1}{2}}{1-\frac{1}{2}}e^{\frac{x}{2}}=e^{\frac{x}{2}}$

$\therefore F(4)=e^2$ 답 ⑤

Lecture

등비급수 $\sum_{n=1}^{\infty} ar^{n-1}=a+ar+ar^2+\cdots+ar^{n-1}+\cdots$은 $-1<r<1$일 때 수렴하고, 그 합은 $\frac{a}{1-r}$이다. (단, $a\ne 0$)

STEP 3 내신 마스터

0589

유형 02 함수의 몫의 미분법 – $\frac{f(x)}{g(x)}$ 꼴

|전략| 두 함수 $f(x), g(x)\,(g(x)\ne 0)$가 미분가능할 때,
$\left\{\frac{f(x)}{g(x)}\right\}'=\frac{f'(x)g(x)-f(x)g'(x)}{\{g(x)\}^2}$임을 이용한다.

$f(x)=\frac{x^2+a}{x+1}$에서

$$f'(x)=\frac{2x(x+1)-(x^2+a)}{(x+1)^2}=\frac{x^2+2x-a}{(x+1)^2} \quad \cdots\cdots ㉠$$

방정식 $f'(x)=0$의 한 근이 2이므로

$\frac{2^2+2\times2-a}{(2+1)^2}=0$, $\frac{8-a}{9}=0 \qquad \therefore a=8$

$a=8$을 ㉠에 대입하면

$$f'(x)=\frac{x^2+2x-8}{(x+1)^2}=\frac{(x+4)(x-2)}{(x+1)^2}$$

$f'(x)=0$에서 $(x+4)(x-2)=0$

$\therefore x=-4$ 또는 $x=2$

따라서 구하는 다른 한 근은 -4이다. 답 ①

0590

유형 04 삼각함수 사이의 관계

|전략| $\sec\theta=\frac{1}{\cos\theta}$, $\csc\theta=\frac{1}{\sin\theta}$임을 이용한다.

$$\sec\theta\csc\theta=\frac{1}{\cos\theta}\times\frac{1}{\sin\theta}=\frac{1}{\cos\theta\sin\theta}$$

이때, $\sin\theta-\cos\theta=\frac{1}{2}$의 양변을 제곱하면

$$\sin^2\theta-2\sin\theta\cos\theta+\cos^2\theta=\frac{1}{4}$$

$1-2\sin\theta\cos\theta=\frac{1}{4} \qquad \therefore \sin\theta\cos\theta=\frac{3}{8}$

$$\therefore \sec\theta\csc\theta=\frac{1}{\cos\theta\sin\theta}=\frac{1}{\frac{3}{8}}=\frac{8}{3}$$ 답 ③

0591

유형 05 삼각함수의 도함수

|전략| $(\tan x)'=\sec^2 x$, $(\sec x)'=\sec x\tan x$임을 이용한다.

$f(x)=\frac{1+\tan x}{\sec x}$에서

$$\begin{aligned}f'(x)&=\frac{\sec^2 x\sec x-(1+\tan x)\sec x\tan x}{(\sec x)^2}\\&=\sec x-\frac{(1+\tan x)\tan x}{\sec x}\\&=\sec x-(1+\tan x)\sin x\end{aligned}$$

$$\begin{aligned}\therefore f'\left(\frac{\pi}{4}\right)&=\sec\frac{\pi}{4}-\left(1+\tan\frac{\pi}{4}\right)\sin\frac{\pi}{4}\\&=\frac{1}{\cos\frac{\pi}{4}}-(1+1)\times\frac{\sqrt{2}}{2}\\&=\sqrt{2}-\sqrt{2}=0\end{aligned}$$ 답 ①

0592

유형 06 합성함수의 미분법

|전략| 두 함수 $y=f(u)$, $u=g(x)$가 미분가능할 때, 합성함수 $h(x)=f(g(x))$의 도함수는 $h'(x)=f'(g(x))g'(x)$임을 이용한다.

$f(x)=\sin(\tan 2x)$에서

$f'(x)=\cos(\tan 2x)\times\sec^2 2x\times2=2\cos(\tan 2x)\sec^2 2x$

따라서 점 $\left(\frac{\pi}{2}, 0\right)$에서의 접선의 기울기는

$$f'\left(\frac{\pi}{2}\right)=2\cos(\tan\pi)\sec^2\pi=2\times1\times(-1)^2=2$$ 답 ⑤

0593

유형 07 합성함수의 미분법 – $f(ax+b)$ 꼴

|전략| 함수 $f(x)$가 미분가능할 때, $\{f(ax+b)\}'=af'(ax+b)$임을 이용한다.

$f(4-x)=f(4+x)$의 양변에 $x=1$을 대입하면 $f(3)=f(5)$

$$\therefore \lim_{x\to3}\frac{f(x)-f(5)}{x-3}=\lim_{x\to3}\frac{f(x)-f(3)}{x-3}=f'(3)=1$$

$f(4-x)=f(4+x)$의 양변을 x에 대하여 미분하면

$-f'(4-x)=f'(4+x)$

위의 식의 양변에 $x=1$을 대입하면

$-f'(3)=f'(5) \qquad \therefore f'(5)=-1$ 답 ②

0594

유형 08 합성함수의 미분법 – $\{f(x)\}^n$ 꼴

|전략| 함수 $f(x)$가 미분가능할 때, $[\{f(x)\}^n]'=n\{f(x)\}^{n-1}f'(x)$ (n은 정수)임을 이용한다.

$f(x)=\sin^2\frac{x}{2}$에서

$$f'(x)=2\sin\frac{x}{2}\times\cos\frac{x}{2}\times\frac{1}{2}=\sin\frac{x}{2}\cos\frac{x}{2}=\frac{1}{2}\sin x$$

$$\therefore \lim_{x\to0}\frac{f'(x)}{x}=\lim_{x\to0}\frac{\frac{1}{2}\sin x}{x}=\frac{1}{2}$$ 답 ④

0595

유형 09 지수함수의 도함수

|전략| 함수 $f(x)$가 미분가능할 때, $\{a^{f(x)}\}'=a^{f(x)}\ln a\times f'(x)$임을 이용한다. (단, $a>0$, $a\neq1$)

$f(x)=2^{4x}$에서

$f'(x)=2^{4x}\ln2\times4=2^{4x+2}\ln2$

$f'(a)=64\ln2$에서

$2^{4a+2}\ln2=64\ln2$, $2^{4a+2}=2^6$

$4a+2=6 \qquad \therefore a=1$ 답 ②

0596

유형 10 로그함수의 도함수

|전략| 함수 $f(x)$가 미분가능하고 $f(x)\neq0$일 때, $\{\ln|f(x)|\}'=\frac{f'(x)}{f(x)}$임을 이용한다.

$f'(x)=e^x+f(x)$를 $g(x)=\ln f'(x)$에 대입하면

$g(x)=\ln\{e^x+f(x)\}$

(2) 위의 식의 양변을 x에 대하여 미분하면

$f'(x)+g'(x)=-e^{-x}-2e^{x}$

다시 양변을 x에 대하여 미분하면

$f''(x)+g''(x)=e^{-x}-2e^{x}$ ...... ㉢

㉢을 ㉠, ㉡에 각각 대입하면

$e^{-x}-2e^{x}+g(x)=e^{-x}$, $e^{-x}-2e^{x}-f(x)=2e^{x}$

$\therefore f(x)=e^{-x}-4e^{x}$, $g(x)=2e^{x}$

(3) $g'(x)=2e^{x}$이므로

$f(1)+2g'(1)=(e^{-1}-4e)+2\times 2e$

$=e^{-1}=\frac{1}{e}$

답 (1) $f(x)+g(x)=e^{-x}-2e^{x}$ (2) $f(x)=e^{-x}-4e^{x}$, $g(x)=2e^{x}$

(3) $\frac{1}{e}$

채점 기준	배점
(1) $f(x)+g(x)$를 구할 수 있다.	3점
(2) $f(x)$, $g(x)$를 각각 구할 수 있다.	6점
(3) $f(1)+2g'(1)$의 값을 구할 수 있다.	3점

창의·융합 교과서 속 심화문제

0607

|전략| 도함수의 정의를 이용하여 $f(x)$를 구한 후 함수의 몫의 미분법을 이용하여 $f'(x)$를 구한다.

$f(x)=\lim_{t\to x}\frac{t\cos x-x\cos t}{t^2-x^2}$

$=\lim_{t\to x}\frac{t\cos x-x\cos x-x\cos t+x\cos x}{t-x}\times\frac{1}{t+x}$

$=\lim_{t\to x}\frac{(t-x)\cos x-x(\cos t-\cos x)}{t-x}\times\frac{1}{t+x}$

$=\lim_{t\to x}\left(\cos x-x\times\frac{\cos t-\cos x}{t-x}\right)\times\frac{1}{t+x}$

$=\{\cos x-x(\cos x)'\}\times\frac{1}{2x}$

$=\frac{\cos x+x\sin x}{2x}$

$\therefore f'(x)=\frac{(-\sin x+\sin x+x\cos x)\times 2x-(\cos x+x\sin x)\times 2}{4x^2}$

$=\frac{x^2\cos x-\cos x-x\sin x}{2x^2}$

따라서 $f'(\pi)=\frac{-\pi^2+1}{2\pi^2}=-\frac{1}{2}+\frac{1}{2}\times\frac{1}{\pi^2}$이므로

$a=-\frac{1}{2}$, $b=\frac{1}{2}$ $\therefore a+b=0$

답 0

0608

|전략| $g(x)=4^x-2^x+3$으로 놓고 $\{f(g(x))\}'=f'(g(x))g'(x)$임을 이용한다.

$f(4^x-2^x+3)=2^x+5$에서 $g(x)=4^x-2^x+3$이라 하면

$g'(x)=4^x\ln 4-2^x\ln 2=(2\times 4^x-2^x)\ln 2$

$f(g(x))=2^x+5$의 양변을 x에 대하여 미분하면

$f'(g(x))g'(x)=2^x\ln 2$ ...... ㉠

$g(x)=4^x-2^x+3=3$에서

$2^{2x}=2^x$, $2x=x$ $\therefore x=0$

㉠에 $x=0$을 대입하면 $f'(g(0))g'(0)=\ln 2$

이때, $g(0)=3$, $g'(0)=\ln 2$이므로

$f'(3)\ln 2=\ln 2$ $\therefore f'(3)=1$

답 1

0609

|전략| $f(x)$, $g(x)$, $g(f(x))$, $f(g(x))$의 도함수를 이용할 수 있도록 주어진 식을 변형한다.

$f(x)=3^x$, $g(x)=\ln(x+1)$에서

$f'(x)=3^x\ln 3$, $g'(x)=\frac{1}{x+1}$

ㄱ. $f(0)=1$, $g(0)=0$이므로

$\lim_{x\to 0}\frac{f(x)+g(x)-1}{x}$

$=\lim_{x\to 0}\frac{f(x)-f(0)+g(x)-g(0)}{x}$

$=\lim_{x\to 0}\frac{f(x)-f(0)}{x-0}+\lim_{x\to 0}\frac{g(x)-g(0)}{x-0}$

$=f'(0)+g'(0)$

$=\ln 3+1=\ln 3e$ (참)

ㄴ. $g(f(x))=h(x)$라 하면 $h(0)=g(f(0))=g(1)=\ln 2$이고

$h'(x)=g'(f(x))f'(x)=\frac{3^x\ln 3}{3^x+1}$이므로

$\lim_{x\to 0}\frac{g(f(x))-\ln 2}{x}=\lim_{x\to 0}\frac{h(x)-h(0)}{x-0}=h'(0)$

$=\frac{\ln 3}{2}=\ln\sqrt{3}$ (참)

ㄷ. $f(g(x))=k(x)$라 하면 $k(0)=f(g(0))=f(0)=1$이고

$k'(x)=f'(g(x))g'(x)=\frac{3^{\ln(x+1)}\ln 3}{x+1}$이므로

$\lim_{x\to 0}\frac{\{f(g(x))\}^2-1}{x}=\lim_{x\to 0}\frac{\{k(x)\}^2-1}{x}$

$=\lim_{x\to 0}\frac{k(x)-k(0)}{x-0}\times\{k(x)+1\}$

$=k'(0)\{k(0)+1\}$

$=2\ln 3=\ln 9$ (참)

따라서 옳은 것은 ㄱ, ㄴ, ㄷ이다.

답 ⑤

0610

|전략| $f(a)=b$로 놓고 $f'(a)=\frac{1}{g'(b)}$임을 이용한다.

$f(h(x))=x$이므로 $h(x)$는 $f(x)$의 역함수이다.
즉, $h(x)=g(x)$이므로
$\sqrt{x^2+1}\{g(x)\}^2+(x+1)g(x)=g(x)$
$\sqrt{x^2+1}\{g(x)\}^2+xg(x)=0$
$g(x)\{\sqrt{x^2+1}g(x)+x\}=0$
이때, $g(x)=0$인 경우 미분가능한 함수 $f(x)$의 역함수가 $g(x)$라는 조건에 맞지 않으므로

$\sqrt{x^2+1}g(x)+x=0 \qquad \therefore g(x)=-\frac{x}{\sqrt{x^2+1}}$

$$g'(x)=-\frac{\sqrt{x^2+1}-x\times\frac{2x}{2\sqrt{x^2+1}}}{x^2+1}=-\frac{1}{(x^2+1)\sqrt{x^2+1}}$$

$f(a)=b$라 하면 $f'(a)=\frac{1}{g'(f(a))}=\frac{1}{g'(b)}=-2\sqrt{2}$이므로
$-(b^2+1)\sqrt{b^2+1}=-2\sqrt{2}$
$b^2+1=2 \qquad \therefore b=\pm1$
즉, $f(a)=\pm1$에서 $g(1)=a$ 또는 $g(-1)=a$이고
$g(1)=-\frac{1}{\sqrt{1^2+1}}=-\frac{\sqrt{2}}{2}$
$g(-1)=\frac{1}{\sqrt{(-1)^2+1}}=\frac{\sqrt{2}}{2}$
그런데 a는 양수이므로 $a=\frac{\sqrt{2}}{2}$

답 $\frac{\sqrt{2}}{2}$

0611

|전략| $\frac{d^2y}{dx^2}=\frac{d}{dx}\left(\frac{dy}{dx}\right)$이므로 $\frac{dy}{dx}$를 구한 후 이 식을 다시 x에 대하여 미분한다.

$\frac{dx}{dt}=2-\cos t$, $\frac{dy}{dt}=2\sin 2t$이므로

$$\frac{dy}{dx}=\frac{\frac{dy}{dt}}{\frac{dx}{dt}}=\frac{2\sin 2t}{2-\cos t}$$

$$\therefore \frac{d^2y}{dx^2}=\frac{d}{dx}\left(\frac{dy}{dx}\right)=\frac{d}{dx}\left(\frac{2\sin 2t}{2-\cos t}\right)$$
$$=\frac{d}{dt}\left(\frac{2\sin 2t}{2-\cos t}\right)\times\frac{dt}{dx}$$
$$=\frac{4\cos 2t(2-\cos t)-2\sin 2t\sin t}{(2-\cos t)^2}\times\frac{1}{\frac{dx}{dt}}$$
$$=\frac{4\cos 2t(2-\cos t)-2\sin 2t\sin t}{(2-\cos t)^3}$$

따라서 $t=0$일 때 $\frac{d^2y}{dx^2}$의 값은

$$\frac{4\cos 0(2-\cos 0)-2\sin 0\sin 0}{(2-\cos 0)^3}=4$$

답 ⑤

본책 98~117쪽

6 | 도함수의 활용 (1)

STEP 1 개념 마스터

0612

$f(x)=\frac{1}{x+1}$로 놓으면 $f'(x)=-\frac{1}{(x+1)^2}$이므로
점 $(0, 1)$에서의 접선의 기울기는 $f'(0)=-1$
따라서 구하는 접선의 방정식은
$y-1=-(x-0) \qquad \therefore y=-x+1$

답 $y=-x+1$

0613

$f(x)=\sqrt{2x-1}$로 놓으면 $f'(x)=\frac{2}{2\sqrt{2x-1}}=\frac{1}{\sqrt{2x-1}}$이므로
점 $(5, 3)$에서의 접선의 기울기는 $f'(5)=\frac{1}{3}$
따라서 구하는 접선의 방정식은
$y-3=\frac{1}{3}(x-5) \qquad \therefore y=\frac{1}{3}x+\frac{4}{3}$

답 $y=\frac{1}{3}x+\frac{4}{3}$

0614

$f(x)=e^x$으로 놓으면 $f'(x)=e^x$이므로
점 $(1, e)$에서의 접선의 기울기는 $f'(1)=e$
따라서 구하는 접선의 방정식은
$y-e=e(x-1) \qquad \therefore y=ex$

답 $y=ex$

0615

$f(x)=\ln(x+1)$로 놓으면 $f'(x)=\frac{1}{x+1}$이므로
점 $(0, 0)$에서의 접선의 기울기는 $f'(0)=1$
따라서 구하는 접선의 방정식은 $y=x$

답 $y=x$

0616

$f(x)=\sin x$로 놓으면 $f'(x)=\cos x$이므로
점 $\left(\frac{\pi}{2}, 1\right)$에서의 접선의 기울기는 $f'\left(\frac{\pi}{2}\right)=0$
따라서 구하는 접선의 방정식은 $y=1$

답 $y=1$

0617

$f(x)=\cos 2x$로 놓으면 $f'(x)=-2\sin 2x$이므로
점 $\left(\frac{\pi}{4}, 0\right)$에서의 접선의 기울기는 $f'\left(\frac{\pi}{4}\right)=-2$
따라서 구하는 접선의 방정식은
$y=-2\left(x-\frac{\pi}{4}\right) \qquad \therefore y=-2x+\frac{\pi}{2}$

답 $y=-2x+\frac{\pi}{2}$

0618

$f(x)=3x-x\ln x$로 놓으면

$f'(x)=3-\left(\ln x+x\times\frac{1}{x}\right)=2-\ln x$

점 $(e, 2e)$에서의 접선의 기울기는 $f'(e)=1$이므로 이 점에서의 접선에 수직인 직선의 기울기는 -1이다.

따라서 구하는 직선의 방정식은

$y-2e=-(x-e)$ $\quad\therefore y=-x+3e$ 답 $y=-x+3e$

0619

$f(x)=-\frac{2}{x+1}$로 놓으면 $f'(x)=\frac{2}{(x+1)^2}$

접점의 좌표를 $\left(t, -\frac{2}{t+1}\right)$라 하면 접선의 기울기가 2이므로

$f'(t)=\frac{2}{(t+1)^2}=2$, $(t+1)^2=1$

$t+1=\pm1$ $\quad\therefore t=0$ ($\because t>-1$)

따라서 접점의 좌표가 $(0, -2)$이므로 구하는 접선의 방정식은

$y=2x-2$ 답 $y=2x-2$

0620

$f(x)=4\sqrt{x}$로 놓으면 $f'(x)=\frac{4}{2\sqrt{x}}=\frac{2}{\sqrt{x}}$

접점의 좌표를 $(t, 4\sqrt{t})$라 하면 접선의 기울기가 2이므로

$f'(t)=\frac{2}{\sqrt{t}}=2$에서 $t=1$

따라서 접점의 좌표가 $(1, 4)$이므로 구하는 접선의 방정식은

$y-4=2(x-1)$ $\quad\therefore y=2x+2$ 답 $y=2x+2$

0621

$f(x)=e^{x+1}$으로 놓으면 $f'(x)=e^{x+1}$

접점의 좌표를 (t, e^{t+1})이라 하면 접선의 기울기가 1이므로

$f'(t)=e^{t+1}=1$, $t+1=0$ $\quad\therefore t=-1$

따라서 접점의 좌표가 $(-1, 1)$이므로 구하는 접선의 방정식은

$y-1=x-(-1)$ $\quad\therefore y=x+2$ 답 $y=x+2$

0622

$f(x)=\ln(2x+1)$로 놓으면 $f'(x)=\frac{2}{2x+1}$

접점의 좌표를 $(t, \ln(2t+1))$이라 하면 접선의 기울기가 1이므로

$f'(t)=\frac{2}{2t+1}=1$, $2t+1=2$ $\quad\therefore t=\frac{1}{2}$

따라서 접점의 좌표가 $\left(\frac{1}{2}, \ln 2\right)$이므로 구하는 접선의 방정식은

$y-\ln 2=x-\frac{1}{2}$ $\quad\therefore y=x+\ln 2-\frac{1}{2}$ 답 $y=x+\ln 2-\frac{1}{2}$

0623

$f(x)=\cos x$로 놓으면 $f'(x)=-\sin x$

접점의 좌표를 $(t, \cos t)$라 하면 접선의 기울기가 1이므로

$f'(t)=-\sin t=1$, $\sin t=-1$ $\quad\therefore t=\frac{3}{2}\pi$ ($\because 0\le t\le 2\pi$)

따라서 접점의 좌표가 $\left(\frac{3}{2}\pi, 0\right)$이므로 구하는 접선의 방정식은

$y=x-\frac{3}{2}\pi$ 답 $y=x-\frac{3}{2}\pi$

0624

$f(x)=\frac{1}{x}$로 놓으면 $f'(x)=-\frac{1}{x^2}$

접점의 좌표를 $\left(t, \frac{1}{t}\right)$이라 하면 이 점에서의 접선의 기울기는

$f'(t)=-\frac{1}{t^2}$이므로 접선의 방정식은

$y-\frac{1}{t}=-\frac{1}{t^2}(x-t)$ …… ㉠

이 직선이 점 $(1, 0)$을 지나므로

$-\frac{1}{t}=-\frac{1}{t^2}+\frac{1}{t}$, $-t=-1+t$ $\quad\therefore t=\frac{1}{2}$

따라서 $t=\frac{1}{2}$을 ㉠에 대입하면 구하는 접선의 방정식은

$y-2=-4\left(x-\frac{1}{2}\right)$ $\quad\therefore y=-4x+4$ 답 $y=-4x+4$

0625

$f(x)=\sqrt{x+1}$로 놓으면 $f'(x)=\frac{1}{2\sqrt{x+1}}$

접점의 좌표를 $(t, \sqrt{t+1})$이라 하면 이 점에서의 접선의 기울기는

$f'(t)=\frac{1}{2\sqrt{t+1}}$이므로 접선의 방정식은

$y-\sqrt{t+1}=\frac{1}{2\sqrt{t+1}}(x-t)$ …… ㉠

이 직선이 점 $(-2, 0)$을 지나므로

$-\sqrt{t+1}=-\frac{1}{\sqrt{t+1}}-\frac{t}{2\sqrt{t+1}}$, $t+1=1+\frac{t}{2}$ $\quad\therefore t=0$

따라서 $t=0$을 ㉠에 대입하면 구하는 접선의 방정식은

$y-1=\frac{1}{2}x$ $\quad\therefore y=\frac{1}{2}x+1$ 답 $y=\frac{1}{2}x+1$

0626

$f(x)=e^{-x}$으로 놓으면 $f'(x)=-e^{-x}$

접점의 좌표를 (t, e^{-t})이라 하면 이 점에서의 접선의 기울기는

$f'(t)=-e^{-t}$이므로 접선의 방정식은

$y-e^{-t}=-e^{-t}(x-t)$ …… ㉠

이 직선이 점 $(-1, 0)$을 지나므로

$-e^{-t}=e^{-t}+te^{-t}$, $e^{-t}(t+2)=0$ $\quad\therefore t=-2$ ($\because e^{-t}>0$)

따라서 $t=-2$를 ㉠에 대입하면 구하는 접선의 방정식은

$y-e^2=-e^2(x+2)$ $\quad\therefore y=-e^2x-e^2$ 답 $y=-e^2x-e^2$

0627

$f(x)=\ln x$로 놓으면 $f'(x)=\frac{1}{x}$

접점의 좌표를 $(t, \ln t)$라 하면 이 점에서의 접선의 기울기는

$f'(t)=\frac{1}{t}$이므로 접선의 방정식은

$y-\ln t=\frac{1}{t}(x-t)$ …… ㉠

이 직선이 점 $(0, 0)$을 지나므로

$-\ln t=-1 \quad \therefore t=e$

따라서 $t=e$를 ㉠에 대입하면 구하는 접선의 방정식은

$y-\ln e=\frac{1}{e}(x-e) \quad \therefore y=\frac{1}{e}x$

답 $y=\frac{1}{e}x$

0628

(1) $\frac{dx}{dt}=2t$, $\frac{dy}{dt}=1-\frac{1}{t^2}$이므로

$$\frac{dy}{dx}=\frac{\frac{dy}{dt}}{\frac{dx}{dt}}=\frac{1-\frac{1}{t^2}}{2t}=\frac{t^2-1}{2t^3}$$

(2) $t=\frac{1}{2}$일 때, $x=\frac{1}{4}$, $y=\frac{5}{2}$, $\frac{dy}{dx}=\frac{\left(\frac{1}{2}\right)^2-1}{2\times\left(\frac{1}{2}\right)^3}=-3$

(3) $y-\frac{5}{2}=-3\left(x-\frac{1}{4}\right) \quad \therefore y=-3x+\frac{13}{4}$

답 (1) $\frac{dy}{dx}=\frac{t^2-1}{2t^3}$ (2) $x=\frac{1}{4}$, $y=\frac{5}{2}$, $\frac{dy}{dx}=-3$ (3) $y=-3x+\frac{13}{4}$

0629

(1) $x^2-2x-3y+y^2=1$의 각 항을 x에 대하여 미분하면

$2x-2-3\frac{dy}{dx}+2y\frac{dy}{dx}=0$, $(2y-3)\frac{dy}{dx}=-2x+2$

$\therefore \frac{dy}{dx}=\frac{-2x+2}{2y-3}\ \left(y\neq\frac{3}{2}\right)$ …… ㉠

(2) $x=3$, $y=1$을 ㉠에 대입하면

$\frac{dy}{dx}=\frac{-6+2}{2-3}=4$

(3) $y-1=4(x-3) \quad \therefore y=4x-11$

답 (1) $\frac{dy}{dx}=\frac{-2x+2}{2y-3}\ \left(y\neq\frac{3}{2}\right)$ (2) 4 (3) $y=4x-11$

0630

$f(x)=xe^x$에서 $f'(x)=e^x+xe^x=$ (가) $e^x(x+1)$

$f'(x)=0$에서 $x+1=0$ ($\because e^x>0$) $\quad \therefore x=$ (나) -1

x	$\cdots$	(나) -1	$\cdots$
$f'(x)$	$-$	0	$+$
$f(x)$	↘		↗

따라서 함수 $f(x)$는 구간 $(-\infty$, (나) $-1]$에서 (다) 감소하고, 구간 $[$(나) -1, $\infty)$에서 (라) 증가한다.

답 (가) $e^x(x+1)$ (나) -1 (다) 감소 (라) 증가

0631

$f(x)=x+\frac{1}{x}$에서 $x\neq0$이고

$f'(x)=1-\frac{1}{x^2}=\frac{(x+1)(x-1)}{x^2}$

$f'(x)=0$에서 $x=-1$ 또는 $x=1$

x	$\cdots$	-1	$\cdots$	(0)	$\cdots$	1	$\cdots$
$f'(x)$	$+$	0	$-$		$-$	0	$+$
$f(x)$	↗		↘		↘		↗

따라서 함수 $f(x)$는 구간 $(-\infty, -1]$, $[1, \infty)$에서 증가하고, 구간 $[-1, 0)$, $(0, 1]$에서 감소한다.

답 구간 $(-\infty, -1]$, $[1, \infty)$에서 증가, 구간 $[-1, 0)$, $(0, 1]$에서 감소

0632

$f(x)=\frac{-3x+4}{x^2+1}$에서

$$f'(x)=\frac{-3(x^2+1)-(-3x+4)\times 2x}{(x^2+1)^2}=\frac{3x^2-8x-3}{(x^2+1)^2}=\frac{(3x+1)(x-3)}{(x^2+1)^2}$$

$f'(x)=0$에서 $x=-\frac{1}{3}$ 또는 $x=3$

x	$\cdots$	$-\frac{1}{3}$	$\cdots$	3	$\cdots$
$f'(x)$	$+$	0	$-$	0	$+$
$f(x)$	↗		↘		↗

따라서 함수 $f(x)$는 구간 $\left(-\infty, -\frac{1}{3}\right]$, $[3, \infty)$에서 증가하고, 구간 $\left[-\frac{1}{3}, 3\right]$에서 감소한다.

답 구간 $\left(-\infty, -\frac{1}{3}\right]$, $[3, \infty)$에서 증가, 구간 $\left[-\frac{1}{3}, 3\right]$에서 감소

0633

$f(x)=\sqrt{x^2+2x+2}$에서

$f'(x)=\frac{2x+2}{2\sqrt{x^2+2x+2}}=\frac{x+1}{\sqrt{x^2+2x+2}}$

$f'(x)=0$에서 $x=-1$

따라서 함수 $f(x)$는 구간 $(-\infty, -1]$에서 감소하고, 구간 $[-1, \infty)$에서 증가한다.

x	$\cdots$	-1	$\cdots$
$f'(x)$	$-$	0	$+$
$f(x)$	↘		↗

답 구간 $(-\infty, -1]$에서 감소, 구간 $[-1, \infty)$에서 증가

0634

$f(x)=\frac{3}{\sqrt{x^2+2}}$에서

$f'(x)=-\frac{1}{2}\times\frac{3\times 2x}{(x^2+2)\sqrt{x^2+2}}=-\frac{3x}{(x^2+2)\sqrt{x^2+2}}$

$f'(x)=0$에서 $x=0$

따라서 함수 $f(x)$는 구간 $(-\infty, 0]$에서 증가하고, 구간 $[0, \infty)$에서 감소한다.

x	$\cdots$	0	$\cdots$
$f'(x)$	$+$	0	$-$
$f(x)$	↗		↘

답 구간 $(-\infty, 0]$에서 증가, 구간 $[0, \infty)$에서 감소

0635

$f(x)=e^x-x$에서 $f'(x)=e^x-1$

$f'(x)=0$에서 $x=0$

따라서 함수 $f(x)$는 구간 $(-\infty, 0]$에서 감소하고, 구간 $[0, \infty)$에서 증가한다.

x	$\cdots$	0	$\cdots$
$f'(x)$	$-$	0	$+$
$f(x)$	↘		↗

답 구간 $(-\infty, 0]$에서 감소, 구간 $[0, \infty)$에서 증가

0636

$f(x)=x^2e^x$에서 $f'(x)=2xe^x+x^2e^x=x(2+x)e^x$

$f'(x)=0$에서 $x=-2$ 또는 $x=0$ ($\because e^x>0$)

x	$\cdots$	-2	$\cdots$	0	$\cdots$
$f'(x)$	$+$	0	$-$	0	$+$
$f(x)$	↗		↘		↗

따라서 함수 $f(x)$는 구간 $(-\infty, -2]$, $[0, \infty)$에서 증가하고, 구간 $[-2, 0]$에서 감소한다.

답 구간 $(-\infty, -2]$, $[0, \infty)$에서 증가, 구간 $[-2, 0]$에서 감소

0637

$f(x)=x-\ln x$에서 $x>0$이고

$f'(x)=1-\frac{1}{x}$

$f'(x)=0$에서 $x=1$

x	(0)	$\cdots$	1	$\cdots$
$f'(x)$		$-$	0	$+$
$f(x)$		↘		↗

따라서 함수 $f(x)$는 구간 $(0, 1]$에서 감소하고, 구간 $[1, \infty)$에서 증가한다.

답 구간 $(0, 1]$에서 감소, 구간 $[1, \infty)$에서 증가

0638

$f(x)=\frac{\ln x}{x}$에서 $x>0$이고

$f'(x)=\frac{\frac{1}{x}\times x-\ln x}{x^2}=\frac{1-\ln x}{x^2}$

$f'(x)=0$에서 $\ln x=1$ $\quad\therefore x=e$

x	(0)	$\cdots$	e	$\cdots$
$f'(x)$		$+$	0	$-$
$f(x)$		↗		↘

따라서 함수 $f(x)$는 구간 $(0, e]$에서 증가하고, 구간 $[e, \infty)$에서 감소한다.

답 구간 $(0, e]$에서 증가, 구간 $[e, \infty)$에서 감소

0639

$f(x)=1+\cos x$에서 $f'(x)=-\sin x$

$f'(x)=0$에서 $\sin x=0$ $\quad\therefore x=\pi$ ($\because 0<x<2\pi$)

x	(0)	$\cdots$	π	$\cdots$	(2π)
$f'(x)$		$-$	0	$+$	
$f(x)$		↘		↗	

따라서 함수 $f(x)$는 구간 $(0, \pi]$에서 감소하고, 구간 $[\pi, 2\pi)$에서 증가한다.

답 구간 $(0, \pi]$에서 감소, 구간 $[\pi, 2\pi)$에서 증가

0640

$f(x)=\sin x+\cos x$에서 $f'(x)=\cos x-\sin x$

$f'(x)=0$에서 $\sin x=\cos x$ $\quad\therefore x=\frac{\pi}{4}$ ($\because 0<x<\pi$)

x	(0)	$\cdots$	$\frac{\pi}{4}$	$\cdots$	(π)
$f'(x)$		$+$	0	$-$	
$f(x)$		↗		↘	

따라서 함수 $f(x)$는 구간 $\left(0, \frac{\pi}{4}\right]$에서 증가하고, 구간 $\left[\frac{\pi}{4}, \pi\right)$에서 감소한다.

답 구간 $\left(0, \frac{\pi}{4}\right]$에서 증가, 구간 $\left[\frac{\pi}{4}, \pi\right)$에서 감소

0641

$f(x)=\tan x-x$에서 $f'(x)=\sec^2 x-1$

$f'(x)=0$에서 $\sec^2 x=1$, $\sec x=\pm 1$

$\therefore x=0$ $\left(\because -\frac{\pi}{2}<x<\frac{\pi}{2}\right)$

x	$\left(-\frac{\pi}{2}\right)$	$\cdots$	0	$\cdots$	$\left(\frac{\pi}{2}\right)$
$f'(x)$		$+$	0	$+$	
$f(x)$		↗		↗	

따라서 함수 $f(x)$는 구간 $\left(-\frac{\pi}{2}, \frac{\pi}{2}\right)$에서 증가한다.

답 구간 $\left(-\frac{\pi}{2}, \frac{\pi}{2}\right)$에서 증가

0642

$f(x)=\frac{-x^2+2}{x^2+1}$에서

$f'(x)=\frac{-2x(x^2+1)-(-x^2+2)\times 2x}{(x^2+1)^2}=-\frac{6x}{(x^2+1)^2}$

$f'(x)=0$에서 $x=0$

따라서 함수 $f(x)$는 $x=0$에서 극댓값 2를 갖는다.

x	$\cdots$	0	$\cdots$
$f'(x)$	+	0	−
$f(x)$	↗	2	↘

답 극댓값: 2

0643

$f(x)=\sqrt{2x^2+1}$에서 $f'(x)=\dfrac{4x}{2\sqrt{2x^2+1}}=\dfrac{2x}{\sqrt{2x^2+1}}$

$f'(x)=0$에서 $x=0$

따라서 함수 $f(x)$는 $x=0$에서 극솟값 1을 갖는다.

x	$\cdots$	0	$\cdots$
$f'(x)$	−	0	+
$f(x)$	↘	1	↗

답 극솟값: 1

0644

$f(x)=x-e^{x-2}$에서 $f'(x)=1-e^{x-2}$

$f'(x)=0$에서 $e^{x-2}=1$, $x-2=0$ $\quad\therefore x=2$

따라서 함수 $f(x)$는 $x=2$에서 극댓값 1을 갖는다.

x	$\cdots$	2	$\cdots$
$f'(x)$	+	0	−
$f(x)$	↗	1	↘

답 극댓값: 1

0645

$f(x)=x\ln x$에서 $x>0$이고

$f'(x)=\ln x+x\times\dfrac{1}{x}=\ln x+1$

$f'(x)=0$에서 $\ln x+1=0$, $\ln x=-1$ $\quad\therefore x=\dfrac{1}{e}$

x	(0)	$\cdots$	$\frac{1}{e}$	$\cdots$
$f'(x)$		−	0	+
$f(x)$		↘	$-\frac{1}{e}$	↗

따라서 함수 $f(x)$는 $x=\dfrac{1}{e}$에서 극솟값 $-\dfrac{1}{e}$을 갖는다.

답 극솟값: $-\dfrac{1}{e}$

0646

$f(x)=x+2\sin x$에서 $f'(x)=1+2\cos x$

$f'(x)=0$에서 $\cos x=-\dfrac{1}{2}$ $\quad\therefore x=\dfrac{2}{3}\pi$ ($\because 0<x<\pi$)

x	(0)	$\cdots$	$\frac{2}{3}\pi$	$\cdots$	(π)
$f'(x)$		+	0	−	
$f(x)$		↗	$\frac{2}{3}\pi+\sqrt{3}$	↘	

따라서 함수 $f(x)$는 $x=\dfrac{2}{3}\pi$에서 극댓값 $\dfrac{2}{3}\pi+\sqrt{3}$을 갖는다.

답 극댓값: $\dfrac{2}{3}\pi+\sqrt{3}$

0647

(1) $f(x)=x^3-3x^2+1$에서

$f'(x)=3x^2-6x$, $f''(x)=6x-6$

(2) $3x^2-6x=0$에서 $3x(x-2)=0$ $\quad\therefore x=0$ 또는 $x=2$

$f''(0)=-6<0$, $f''(2)=6>0$

(3) 함수 $f(x)$는 $x=0$에서 극댓값 1, $x=2$에서 극솟값 -3을 갖는다.

답 (1) $f'(x)=3x^2-6x$, $f''(x)=6x-6$ (2) $f''(0)<0$, $f''(2)>0$ (3) 극댓값: 1, 극솟값: -3

0648

$f(x)=x^2\ln x$에서 $x>0$이고

$f'(x)=2x\ln x+x^2\times\dfrac{1}{x}=x(2\ln x+1)$

$f''(x)=(2\ln x+1)+x\times\dfrac{2}{x}=2\ln x+3$

$f'(x)=0$에서 $2\ln x+1=0$ ($\because x>0$)

$\ln x=-\dfrac{1}{2}$ $\quad\therefore x=\dfrac{1}{\sqrt{e}}$

이때, $f''\left(\dfrac{1}{\sqrt{e}}\right)=2>0$

따라서 함수 $f(x)$는 $x=\dfrac{1}{\sqrt{e}}$에서 극솟값 $-\dfrac{1}{2e}$을 갖는다.

답 극솟값: $-\dfrac{1}{2e}$

0649

$f(x)=x-2\sin x$에서

$f'(x)=1-2\cos x$, $f''(x)=2\sin x$

$f'(x)=0$에서 $\cos x=\dfrac{1}{2}$

$\therefore x=\dfrac{\pi}{3}$ 또는 $x=\dfrac{5}{3}\pi$ ($\because 0<x<2\pi$)

이때, $f''\left(\dfrac{\pi}{3}\right)=\sqrt{3}>0$, $f''\left(\dfrac{5}{3}\pi\right)=-\sqrt{3}<0$

따라서 함수 $f(x)$는 $x=\dfrac{5}{3}\pi$에서 극댓값 $\dfrac{5}{3}\pi+\sqrt{3}$, $x=\dfrac{\pi}{3}$에서 극솟값 $\dfrac{\pi}{3}-\sqrt{3}$을 갖는다.

답 극댓값: $\dfrac{5}{3}\pi+\sqrt{3}$, 극솟값: $\dfrac{\pi}{3}-\sqrt{3}$

0650

$f(x)=e^{\sin x}$에서 $f'(x)=e^{\sin x}\times\cos x$

$f''(x)=e^{\sin x}\times\cos^2 x+e^{\sin x}\times(-\sin x)=(\cos^2 x-\sin x)e^{\sin x}$

$f'(x)=0$에서 $\cos x=0$ ($\because e^{\sin x}>0$)

$\therefore x=\dfrac{\pi}{2}$ 또는 $x=\dfrac{3}{2}\pi$ ($\because 0<x<2\pi$)

이때, $f''\left(\dfrac{\pi}{2}\right)=-e<0$, $f''\left(\dfrac{3}{2}\pi\right)=\dfrac{1}{e}>0$

따라서 함수 $f(x)$는 $x=\dfrac{\pi}{2}$에서 극댓값 e, $x=\dfrac{3}{2}\pi$에서 극솟값 $\dfrac{1}{e}$을 갖는다.

답 극댓값: e, 극솟값: $\dfrac{1}{e}$

STEP 2 유형 마스터

0651

|전략| 곡선 $y=f(x)$ 위의 점 $(a, f(a))$에서의 접선의 방정식은 $y-f(a)=f'(a)(x-a)$임을 이용한다.

$f(x)=e^{-x^2+x}$으로 놓으면 $f'(x)=(-2x+1)e^{-x^2+x}$

$x=1$인 점에서의 접선의 기울기는
$f'(1)=(-2+1)e^{-1+1}=-1$
점 $(1, 1)$에서의 접선의 방정식은
$y-1=-(x-1)$ $\quad\therefore y=-x+2$
따라서 $a=-1$, $b=2$이므로 $a^2+b^2=5$ 답 ⑤

0652

$f(x)=x\ln x-x$로 놓으면 $f'(x)=\ln x+x\times\frac{1}{x}-1=\ln x$
$x=e^2$인 점에서의 접선의 기울기는
$f'(e^2)=\ln e^2=2$
또, $x=e^2$일 때 $f(e^2)=e^2\ln e^2-e^2=2e^2-e^2=e^2$
따라서 점 (e^2, e^2)에서의 접선의 방정식은
$y-e^2=2(x-e^2)$ $\quad\therefore y=2x-e^2$ 답 $y=2x-e^2$

0653

$f(x)=\sin x+2\cos x$로 놓으면 $f'(x)=\cos x-2\sin x$
$x=\pi$인 점에서의 접선의 기울기는
$f'(\pi)=\cos\pi-2\sin\pi=-1-0=-1$
또, $x=\pi$일 때 $f(\pi)=\sin\pi+2\cos\pi=0-2=-2$
따라서 점 $(\pi, -2)$에서의 접선의 방정식은
$y-(-2)=-(x-\pi)$ $\quad\therefore y=-x+\pi-2$
이 직선이 점 (k, π)를 지나므로
$\pi=-k+\pi-2$ $\quad\therefore k=-2$ 답 -2

0654

$g(x)=\sin x$로 놓으면 $g'(x)=\cos x$
점 $(t, \sin t)$에서의 접선의 기울기는 $g'(t)=\cos t$이므로 이 점에서의 접선의 방정식은
$y-\sin t=\cos t\times(x-t)$
위의 식에 $y=0$을 대입하면 $-\sin t=x\cos t-t\cos t$
$x\cos t=t\cos t-\sin t$ $\quad\therefore x=t-\tan t$
따라서 $f(t)=t-\tan t$이므로

$$\lim_{t\to0}\frac{f(t)}{t}=\lim_{t\to0}\frac{t-\tan t}{t}=\lim_{t\to0}\left(1-\frac{\tan t}{t}\right)$$
$$=1-1=0$$

답 ③

0655

|전략| 기울기가 $a(a\neq0)$인 직선에 수직인 직선의 기울기는 $-\frac{1}{a}$임을 이용한다.

$f(x)=\sqrt{2x+3}+a$로 놓으면 $f'(x)=\frac{2}{2\sqrt{2x+3}}=\frac{1}{\sqrt{2x+3}}$
$x=-1$인 점에서의 접선의 기울기는 $f'(-1)=1$이므로 이 점에서의 접선에 수직인 직선의 기울기는 -1이다.
점 $(-1, 1+a)$를 지나고 기울기가 -1인 직선의 방정식은
$y-(1+a)=-(x+1)$ $\quad\therefore y=-x+a$
이때, 이 직선의 y절편이 1이므로 $a=1$ 답 1

0656

$f(x)=2\ln(x-1)$로 놓으면 $f'(x)=\frac{2}{x-1}$
점 $(2, 0)$에서의 접선의 기울기는 $f'(2)=2$이므로 이 점에서의 접선에 수직인 직선의 기울기는 $-\frac{1}{2}$이다.
점 $(2, 0)$을 지나고 기울기가 $-\frac{1}{2}$인 직선의 방정식은
$y=-\frac{1}{2}(x-2)$ $\quad\therefore x+2y-2=0$
따라서 $a=1$, $b=2$이므로 $ab=2$ 답 ④

0657

$f(x)=\sin 3x$로 놓으면 $f'(x)=3\cos 3x$
점 $(t, \sin 3t)$에서의 접선의 기울기는 $f'(t)=3\cos 3t$이므로 이 점에서의 접선에 수직인 직선의 기울기는 $-\frac{1}{3\cos 3t}$이다. … ❶
점 $(t, \sin 3t)$를 지나고 기울기가 $-\frac{1}{3\cos 3t}$인 직선의 방정식은
$y-\sin 3t=-\frac{1}{3\cos 3t}(x-t)$
$\therefore y=-\frac{1}{3\cos 3t}x+\frac{t}{3\cos 3t}+\sin 3t$ … ❷
따라서 $g(t)=\frac{t}{3\cos 3t}+\sin 3t$이므로
$g(\pi)=\frac{\pi}{3\cos 3\pi}+\sin 3\pi=-\frac{\pi}{3}$ … ❸

답 $-\frac{\pi}{3}$

채점 기준	비율
❶ 접선에 수직인 직선의 기울기를 구할 수 있다.	40 %
❷ 접선에 수직인 직선의 방정식을 구할 수 있다.	40 %
❸ $g(\pi)$의 값을 구할 수 있다.	20 %

0658

|전략| 접점의 좌표를 $(t, t\ln t+t)$로 놓고 접선의 방정식을 구한다.

$x+2y+2=0$에서 $y=-\frac{1}{2}x-1$이므로 이 직선에 수직인 직선의 기울기는 2이다.
$f(x)=x\ln x+x$로 놓으면 $f'(x)=\ln x+x\times\frac{1}{x}+1=\ln x+2$
접점의 좌표를 $(t, t\ln t+t)$라 하면 접선의 기울기가 2이므로
$f'(t)=\ln t+2=2$, $\ln t=0$ $\quad\therefore t=1$
즉, 접점의 좌표가 $(1, 1)$이므로 접선의 방정식은
$y-1=2(x-1)$ $\quad\therefore y=2x-1$
따라서 $a=2$, $b=-1$이므로 $a-b=3$ 답 3

0659

$f(x)=\frac{2}{x-2}$로 놓으면 $f'(x)=-\frac{2}{(x-2)^2}$
접점의 좌표를 $\left(t, \frac{2}{t-2}\right)$라 하면 접선의 기울기가 -2이므로

$f'(t)=-\frac{2}{(t-2)^2}=-2,\ (t-2)^2=1$

$t-2=\pm1 \quad \therefore t=1$ 또는 $t=3$

즉, 접점의 좌표가 $(1,\ -2),\ (3,\ 2)$이므로 접선의 방정식은

$y-(-2)=-2(x-1),\ y-2=-2(x-3)$에서

$y=-2x,\ y=-2x+8$

따라서 $a=0,\ b=8$ 또는 $a=8,\ b=0$이므로 $ab=0$ 답 0

0660

직선 $y=-x+1$에 평행한 직선의 기울기는 -1이다.

$f(x)=\cos^2 x$로 놓으면 $f'(x)=2\cos x\times(-\sin x)=-\sin 2x$

접점의 좌표를 $(t,\ \cos^2 t)$라 하면 접선의 기울기가 -1이므로

$f'(t)=-\sin 2t=-1,\ 2t=\frac{\pi}{2}\ (\because 0\le 2t\le 2\pi) \quad \therefore t=\frac{\pi}{4}$

따라서 접점의 좌표가 $\left(\frac{\pi}{4},\ \frac{1}{2}\right)$이므로 구하는 직선의 방정식은

$y-\frac{1}{2}=-\left(x-\frac{\pi}{4}\right) \quad \therefore y=-x+\frac{1}{2}+\frac{\pi}{4}$ 답 ③

0661

$f(x)=e^{2x}+ax$로 놓으면 $f'(x)=2e^{2x}+a$

곡선 $y=f(x)$가 x축과 점 $(t,\ 0)$에서 접한다고 하면

$f(t)=e^{2t}+at=0$ …… ㉠

또, $x=t$인 점에서의 접선의 기울기는 0이므로

$f'(t)=2e^{2t}+a=0,\ a=-2e^{2t}$

$a=-2e^{2t}$을 ㉠에 대입하면

$e^{2t}-2e^{2t}\times t=0,\ e^{2t}(1-2t)=0 \quad \therefore t=\frac{1}{2}\ (\because e^{2t}>0)$

$\therefore a=-2e^{2\times\frac{1}{2}}=-2e$ 답 ①

0662

$f(x)=ke^{x-1}$으로 놓으면 $f'(x)=ke^{x-1}$

접점의 좌표가 $(\alpha,\ 2\alpha)$이므로 $ke^{\alpha-1}=2\alpha$ …… ㉠

또, 점 $(\alpha,\ 2\alpha)$에서의 접선의 기울기가 2이므로

$f'(\alpha)=ke^{\alpha-1}=2$ …… ㉡

㉠, ㉡에서 $\alpha=1,\ k=2$

$\therefore 4\alpha+k^2=4\times1+2^2=8$ 답 ④

0663

$\triangle$ABP에서 $\overline{AB}$를 밑변으로 생각하면 밑변의 길이는 일정하므로 높이가 최소일 때 넓이가 최소가 된다.

즉, 점 P에서의 접선이 직선 AB에 평행할 때 넓이는 최소이다.

$f(x)=\ln x$로 놓으면 $f'(x)=\frac{1}{x}$

점 P의 좌표를 $(t,\ \ln t)$라 하면 점 P에서의 접선의 기울기는 1이어야 하므로

직선 AB와 평행한 직선의 기울기는 $\frac{2-0}{0-(-2)}=1$

$f'(t)=\frac{1}{t}=1 \quad \therefore t=1$

즉, P$(1,\ 0)$이므로 $\triangle$ABP의 넓이의 최솟값은

$\frac{1}{2}\times3\times2=3$ 답 3

밑변을 $\overline{AP}$로 생각하면 밑변의 길이는 $\overline{AP}=3$, 높이는 $\overline{OB}=2$

0664

$f(x)=\sin x-\cos x$로 놓으면

$f'(x)=\cos x+\sin x=\sqrt{2}\sin\left(x+\frac{\pi}{4}\right)$

접점의 좌표를 $(t,\ \sin t-\cos t)$라 하면 접선의 기울기는

$\tan 45^\circ=1$이므로

$\sqrt{2}\sin\left(t+\frac{\pi}{4}\right)=1,\ \sin\left(t+\frac{\pi}{4}\right)=\frac{1}{\sqrt{2}}$

이때, $0<t<\pi$에서 $\frac{\pi}{4}<t+\frac{\pi}{4}<\frac{5}{4}\pi$이므로

$t+\frac{\pi}{4}=\frac{3}{4}\pi \quad \therefore t=\frac{\pi}{2}$

즉, 접점의 좌표가 $\left(\frac{\pi}{2},\ 1\right)$이므로 접선의 방정식은

$y-1=x-\frac{\pi}{2} \quad \therefore y=x-\frac{\pi}{2}+1$

위의 식에 $y=0$을 대입하면

$0=x-\frac{\pi}{2}+1 \quad \therefore x=\frac{\pi}{2}-1$

따라서 구하는 x절편은 $\frac{\pi}{2}-1$ 답 $\frac{\pi}{2}-1$

0665

|전략| 접점의 좌표를 $\left(t,\ \frac{e^t}{t}\right)$으로 놓고 접선의 방정식을 구한다.

$f(x)=\frac{e^x}{x}$으로 놓으면 $f'(x)=\frac{e^x\times x-e^x}{x^2}=\frac{e^x(x-1)}{x^2}$

접점의 좌표를 $\left(t,\ \frac{e^t}{t}\right)$이라 하면 이 점에서의 접선의 기울기는

$f'(t)=\frac{e^t(t-1)}{t^2}$이므로 접선의 방정식은

$y-\frac{e^t}{t}=\frac{e^t(t-1)}{t^2}(x-t)$ …… ㉠

이 직선이 점 $(0,\ 0)$을 지나므로

$-\frac{e^t}{t}=-\frac{e^t(t-1)}{t},\ e^t(t-2)=0 \quad \therefore t=2\ (\because e^t>0)$

$t=2$를 ㉠에 대입하면 접선의 방정식은

$y-\frac{e^2}{2}=\frac{e^2}{4}(x-2) \quad \therefore y=\frac{e^2}{4}x$

이 직선이 점 $\left(k,\ \frac{e}{2}\right)$를 지나므로 $\frac{e^2}{4}k=\frac{e}{2} \quad \therefore k=\frac{2}{e}$ 답 ④

0666

$f(x)=\frac{x}{x+1}$로 놓으면 $f'(x)=\frac{(x+1)-x}{(x+1)^2}=\frac{1}{(x+1)^2}$

접점의 좌표를 $\left(t,\ \frac{t}{t+1}\right)$라 하면 이 점에서의 접선의 기울기는

$f'(t)=\frac{1}{(t+1)^2}$이므로 접선의 방정식은

$y-\frac{t}{t+1}=\frac{1}{(t+1)^2}(x-t)$

이 직선이 점 $(3, 3)$을 지나므로

$3-\frac{t}{t+1}=\frac{3-t}{(t+1)^2}$, $3(t+1)^2-t(t+1)=3-t$

$2t^2+6t=0$, $2t(t+3)=0$

$\therefore t=-3$ 또는 $t=0$

따라서 $m_1=\frac{1}{4}$, $m_2=1$ 또는 $m_1=1$, $m_2=\frac{1}{4}$이므로

$m_1+m_2=\frac{5}{4}$ 답 ⑤

0667

$f(x)=\frac{x}{\sqrt{x^2+1}}$로 놓으면

$$f'(x)=\frac{\sqrt{x^2+1}-x\times\frac{2x}{2\sqrt{x^2+1}}}{x^2+1}=\frac{1}{(x^2+1)\sqrt{x^2+1}}$$

접점의 좌표를 $\left(t, \frac{t}{\sqrt{t^2+1}}\right)$라 하면 이 점에서의 접선의 기울기는

$f'(t)=\frac{1}{(t^2+1)\sqrt{t^2+1}}$이므로 접선의 방정식은

$y-\frac{t}{\sqrt{t^2+1}}=\frac{1}{(t^2+1)\sqrt{t^2+1}}(x-t)$ …… ㉠

이 직선이 점 $(1, 0)$을 지나므로

$-\frac{t}{\sqrt{t^2+1}}=\frac{1-t}{(t^2+1)\sqrt{t^2+1}}$, $-t(t^2+1)=1-t$

$t^3=-1$ $\therefore t=-1$

$t=-1$을 ㉠에 대입하면 접선의 방정식은

$y+\frac{1}{\sqrt{2}}=\frac{1}{2\sqrt{2}}(x+1)$ $\therefore y=\frac{\sqrt{2}}{4}x-\frac{\sqrt{2}}{4}$

따라서 구하는 y절편은 $-\frac{\sqrt{2}}{4}$이다. 답 ③

0668

$f(x)=xe^{-x}$으로 놓으면 $f'(x)=e^{-x}-xe^{-x}=e^{-x}(1-x)$

접점의 좌표를 (t, te^{-t})이라 하면 이 점에서의 접선의 기울기는

$f'(t)=e^{-t}(1-t)$이므로 접선의 방정식은

$y-te^{-t}=e^{-t}(1-t)(x-t)$

이 직선이 점 $(-1, 0)$을 지나므로

$-te^{-t}=e^{-t}(1-t)(-1-t)$, $(t^2+t-1)e^{-t}=0$

$\therefore t^2+t-1=0$ ($\because e^{-t}>0$)

이차방정식 $t^2+t-1=0$은 서로 다른 두 실근을 갖고, 이때의 두 실근을 α, β라 하면 이차방정식의 근과 계수의 관계에 의하여

$\alpha+\beta=-1$, $\alpha\beta=-1$ …… ㉠

따라서 두 접선의 기울기의 곱은

$$\begin{aligned}f'(\alpha)f'(\beta)&=e^{-\alpha}(1-\alpha)\times e^{-\beta}(1-\beta)\\&=e^{-\alpha}e^{-\beta}(1-\alpha)(1-\beta)\\&=e^{-(\alpha+\beta)}\{1-(\alpha+\beta)+\alpha\beta\}\\&=e^{-(-1)}(1+1-1)=e\ (\because ㉠)\end{aligned}$$

답 ③

0669

$f(x)=e^x$, $g(x)=\ln x$로 놓으면 $f'(x)=e^x$, $g'(x)=\frac{1}{x}$

원점에서 곡선 $y=e^x$에 그은 접선의 접점을 (a, e^a)이라 하면 접선의 기울기가 $f'(a)=e^a$이므로 접선의 방정식은

$y-e^a=e^a(x-a)$

이 접선이 원점을 지나므로

$-e^a=-ae^a$, $e^a(a-1)=0$ $\therefore a=1$ ($\because e^a>0$)

따라서 접선의 방정식은

$y-e=e(x-1)$ $\therefore y=ex$

원점에서 곡선 $y=\ln x$에 그은 접선의 접점을 $(b, \ln b)$라 하면 접선의 기울기가 $g'(b)=\frac{1}{b}$이므로 접선의 방정식은

$y-\ln b=\frac{1}{b}(x-b)$

이 접선이 원점을 지나므로

$-\ln b=-1$ $\therefore b=e$

따라서 접선의 방정식은

$y-1=\frac{1}{e}(x-e)$ $\therefore y=\frac{1}{e}x$

두 접선 $y=ex$, $y=\frac{1}{e}x$가 x축의 양의 방향과 이루는 각의 크기를 각각 θ_1, θ_2라 하면

$\tan\theta_1=e$, $\tan\theta_2=\frac{1}{e}$

이때, $\theta=\theta_1-\theta_2$이므로

$$\begin{aligned}\tan\theta&=\tan(\theta_1-\theta_2)=\frac{\tan\theta_1-\tan\theta_2}{1+\tan\theta_1\tan\theta_2}\\&=\frac{e-\frac{1}{e}}{1+e\times\frac{1}{e}}=\frac{1}{2}\left(e-\frac{1}{e}\right)\end{aligned}$$

답 $\frac{1}{2}\left(e-\frac{1}{e}\right)$

0670

$f(x)=x+\frac{4}{x}$로 놓으면 $f'(x)=1-\frac{4}{x^2}$

접점의 좌표를 $\left(t, t+\frac{4}{t}\right)$라 하면 이 점에서의 접선의 기울기는

$f'(t)=1-\frac{4}{t^2}$이므로 접선의 방정식은

$y-\left(t+\frac{4}{t}\right)=\left(1-\frac{4}{t^2}\right)(x-t)$

이 직선이 점 $(2, 1)$을 지나므로

$1-t-\frac{4}{t}=2-\frac{8}{t^2}-t+\frac{4}{t}$, $1+\frac{8}{t}-\frac{8}{t^2}=0$

$t\neq0$이므로 양변에 t^2을 곱하면 $t^2+8t-8=0$

이 이차방정식의 판별식을 D라 하면

$\frac{D}{4}=4^2+8=24>0$

이므로 서로 다른 두 개의 실근을 가진다.

즉, 접점의 개수가 2이므로 점 $(2, 1)$에서 그을 수 있는 접선의 개수는 2이다. 답 2

0671

$f(x)=xe^x$으로 놓으면 $f'(x)=e^x+xe^x=(x+1)e^x$

접점의 좌표를 (t, te^t)이라 하면 이 점에서의 접선의 기울기는

$f'(t)=(t+1)e^t$이므로 접선의 방정식은

$y-te^t=(t+1)e^t(x-t)$

이 직선이 점 $(a, 0)$을 지나므로

$-te^t=a(t+1)e^t-t(t+1)e^t$, $e^t(t^2-at-a)=0$

$\therefore t^2-at-a=0$ ($\because e^t>0$) …… ㉠

점 $(a, 0)$에서 곡선 $y=xe^x$에 서로 다른 두 개의 접선을 그을 수 있으려면 이차방정식 ㉠이 서로 다른 두 실근을 가져야 한다.

㉠의 판별식을 D라 하면

$D=a^2+4a>0$, $a(a+4)>0$

$\therefore a<-4$ 또는 $a>0$

따라서 양의 정수 a의 최솟값은 1이다.

답 ①

0672

|전략| 접선의 방정식을 구한 후 x절편, y절편을 구한다.

$f(x)=x^2\ln x$로 놓으면

$f'(x)=2x\ln x+x^2\times\frac{1}{x}=(2\ln x+1)x$

$x=e$인 점에서의 접선의 기울기는 $f'(e)=3e$

따라서 점 (e, e^2)에서의 접선의 방정식은

$y-e^2=3e(x-e)$ $\therefore y=3ex-2e^2$

접선의 x절편과 y절편이 각각 $\frac{2}{3}e$, $-2e^2$이므로 구하는 도형의 넓이는

$\frac{1}{2}\times\frac{2}{3}e\times 2e^2=\frac{2}{3}e^3$

답 ④

0673

$f(x)=e^{3-x}$으로 놓으면 $f'(x)=-e^{3-x}$

접점의 좌표를 (t, e^{3-t})이라 하면 접선의 기울기가 -1이므로

$f'(t)=-e^{3-t}=-1$

$e^{3-t}=1$, $3-t=0$ $\therefore t=3$

접점의 좌표가 $(3, 1)$이므로 접선의 방정식은

$y-1=-(x-3)$ $\therefore y=-x+4$

따라서 $P(4, 0)$, $Q(0, 4)$이므로 $\triangle OPQ$의 넓이는

$\frac{1}{2}\times 4\times 4=8$

답 ④

0674

$f(x)=\ln\frac{x}{2}+1$로 놓으면 $f'(x)=\frac{1}{2}\times\frac{1}{\frac{x}{2}}=\frac{1}{x}$

접점 P의 좌표를 $\left(t, \ln\frac{t}{2}+1\right)$이라 하면 이 점에서의 접선의 기울기는 $f'(t)=\frac{1}{t}$이므로 접선의 방정식은

$y-\left(\ln\frac{t}{2}+1\right)=\frac{1}{t}(x-t)$

이 직선이 원점을 지나므로

$-\ln\frac{t}{2}-1=-1$, $\frac{t}{2}=1$ $\therefore t=2$

즉, 점 P의 좌표는 $(2, 1)$이고 접선의 기울기는 $\frac{1}{2}$이다. … ❶

점 P를 지나고 접선에 수직인 직선의 기울기는 -2이므로 이 직선의 방정식은

$y-1=-2(x-2)$ $\therefore y=-2x+5$

즉, 점 Q의 좌표는 $\left(\frac{5}{2}, 0\right)$ … ❷

따라서 $\triangle POQ$의 넓이는

$\frac{1}{2}\times\frac{5}{2}\times 1=\frac{5}{4}$ … ❸

답 $\frac{5}{4}$

채점 기준	비율
❶ 점 P의 좌표를 구할 수 있다.	50 %
❷ 점 Q의 좌표를 구할 수 있다.	30 %
❸ △POQ의 넓이를 구할 수 있다.	20 %

0675

|전략| 두 곡선 $y=f(x)$, $y=g(x)$가 $x=t$에서 공통인 접선을 가지면 $f(t)=g(t)$, $f'(t)=g'(t)$임을 이용한다.

$f(x)=ax^3$, $g(x)=\ln x$로 놓으면

$f'(x)=3ax^2$, $g'(x)=\frac{1}{x}$

두 곡선이 $x=t$인 점에서 접한다고 하면

$f(t)=g(t)$에서 $at^3=\ln t$ …… ㉠

$f'(t)=g'(t)$에서 $3at^2=\frac{1}{t}$ …… ㉡

㉡에서 $at^3=\frac{1}{3}$을 ㉠에 대입하면 $\frac{1}{3}=\ln t$ $\therefore t=\sqrt[3]{e}$

$t=\sqrt[3]{e}$를 ㉠에 대입하면 $ae=\frac{1}{3}$ $\therefore a=\frac{1}{3e}$

답 ④

0676

$f(x)=\frac{1}{x^2}-x+2$, $g(x)=x^2+ax+2b$로 놓으면

$f'(x)=-\frac{2}{x^3}-1$, $g'(x)=2x+a$

두 곡선이 $x=1$에서 공통인 접선을 가지므로

$f(1)=g(1)$에서 $2=1+a+2b$ $\therefore a+2b=1$ …… ㉠

$f'(1)=g'(1)$에서 $-3=2+a$ $\therefore a=-5$

$a=-5$를 ㉠에 대입하면 $b=3$

$\therefore a+b=-2$

답 ①

0677

$f(x)=\sin^2 x-a$, $g(x)=\cos x$로 놓으면

$f'(x)=2\sin x\cos x$, $g'(x)=-\sin x$

두 곡선이 $x=t$에서 공통인 접선을 가지므로

$f(t)=g(t)$에서 $\sin^2 t-a=\cos t$ …… ㉠

$f'(t)=g'(t)$에서 $2\sin t\cos t=-\sin t$, $\sin t(2\cos t+1)=0$

$\therefore \cos t=-\frac{1}{2}$ ($\because 0<t<\pi$)

이것을 ㉠에 대입하면

$a=\sin^2 t-\cos t=1-\cos^2 t-\cos t$

$=1-\left(-\frac{1}{2}\right)^2-\left(-\frac{1}{2}\right)=\frac{5}{4}$ 답 $\frac{5}{4}$

0678

|전략| $f(k)=-1$을 만족시키는 k의 값을 찾은 후 $g'(-1)=\frac{1}{f'(k)}$임을 이용한다.

$g(-1)=k$라 하면 $f(k)=-1$이므로

$\tan k=-1$ $\quad\therefore k=-\frac{\pi}{4}$ $\left(\because -\frac{\pi}{2}<k<\frac{\pi}{2}\right)$

$\therefore g'(-1)=\frac{1}{f'(g(-1))}=\frac{1}{f'\left(-\frac{\pi}{4}\right)}$

이때, $f'(x)=\sec^2 x$이므로

$f'\left(-\frac{\pi}{4}\right)=\sec^2\left(-\frac{\pi}{4}\right)=2$ $\quad\therefore g'(-1)=\frac{1}{2}$

곡선 $y=g(x)$ 위의 점 $\left(-1, -\frac{\pi}{4}\right)$에서의 접선의 방정식은

$y+\frac{\pi}{4}=\frac{1}{2}(x+1)$

위의 식에 $y=0$을 대입하면

$\frac{\pi}{4}=\frac{1}{2}(x+1)$, $\pi=2x+2$ $\quad\therefore x=-1+\frac{\pi}{2}$

따라서 x절편이 $-1+\frac{\pi}{2}$이므로

$a=-1$, $b=\frac{1}{2}$ $\quad\therefore a+2b=0$ 답 ③

0679

$g(2)=a$라 하면 $f(a)=2$이므로

$\sqrt{a+3}=2$, $a+3=4$ $\quad\therefore a=1$

$\therefore g'(2)=\frac{1}{f'(g(2))}=\frac{1}{f'(1)}$

이때, $f'(x)=\frac{1}{2\sqrt{x+3}}$이므로

$f'(1)=\frac{1}{4}$ $\quad\therefore g'(2)=4$

따라서 곡선 $y=g(x)$ 위의 점 $(2, 1)$에서의 접선의 방정식은

$y-1=4(x-2)$ $\quad\therefore y=4x-7$ 답 ④

다른 풀이 $y=\sqrt{x+3}$이라 하면 $y^2=x+3$

$\therefore x=y^2-3$

x와 y를 서로 바꾸면 $y=x^2-3$ $(x\ge 0)$

즉, $g(x)=x^2-3(x\ge 0)$이므로 $g'(x)=2x$

따라서 곡선 $y=g(x)$ 위의 점 $(2,1)$을 지나고 기울기가 $g'(2)=4$인 접선의 방정식은

$y-1=4(x-2)$ $\quad\therefore y=4x-7$

0680

$g(1)=a$라 하면 $f(a)=1$이므로

$e^{a-2}=1$, $a-2=0$ $\quad\therefore a=2$

$\therefore g'(1)=\frac{1}{f'(g(1))}=\frac{1}{f'(2)}$

이때, $f'(x)=e^{x-2}$이므로

$f'(2)=1$ $\quad\therefore g'(1)=1$

곡선 $y=g(x)$ 위의 점 $(1, 2)$에서의 접선의 방정식은

$y-2=x-1$ $\quad\therefore y=x+1$

따라서 구하는 y절편은 1이다. 답 ⑤

다른 풀이 $y=e^{x-2}$이라 하면 $\ln y=x-2$

$\therefore x=\ln y+2$

x와 y를 서로 바꾸면 $y=\ln x+2$

즉, $g(x)=\ln x+2$이므로 $g'(x)=\frac{1}{x}$

곡선 $y=g(x)$ 위의 점 $(1,2)$를 지나고 기울기가 $g'(1)=1$인 접선의 방정식은

$y-2=x-1$ $\quad\therefore y=x+1$

따라서 구하는 y절편은 1이다.

0681

|전략| $\frac{dy}{dx}=\frac{\frac{dy}{dt}}{\frac{dx}{dt}}$임을 이용하여 $t=2$에 대응하는 점에서의 접선의 기울기를 구한다.

$\frac{dx}{dt}=\frac{(1+t^2)-t\times 2t}{(1+t^2)^2}=\frac{1-t^2}{(1+t^2)^2}$

$\frac{dy}{dt}=\frac{2t(1+t^2)-t^2\times 2t}{(1+t^2)^2}=\frac{2t}{(1+t^2)^2}$

이므로

$\frac{dy}{dx}=\frac{\frac{dy}{dt}}{\frac{dx}{dt}}=\frac{\frac{2t}{(1+t^2)^2}}{\frac{1-t^2}{(1+t^2)^2}}=\frac{2t}{1-t^2}$ $(t\ne\pm 1)$

$t=2$일 때, $x=\frac{2}{5}$, $y=\frac{4}{5}$, $\frac{dy}{dx}=-\frac{4}{3}$이므로 접선의 방정식은

$y-\frac{4}{5}=-\frac{4}{3}\left(x-\frac{2}{5}\right)$ $\quad\therefore y=-\frac{4}{3}x+\frac{4}{3}$

따라서 구하는 y절편은 $\frac{4}{3}$이다. 답 $\frac{4}{3}$

0682

$\frac{dx}{dt}=-2$, $\frac{dy}{dt}=-2+2t$이므로

$\frac{dy}{dx}=\frac{\frac{dy}{dt}}{\frac{dx}{dt}}=\frac{-2+2t}{-2}=1-t$

$x=5$에서 $1-2t=5$이므로 $t=-2$

$t=-2$일 때, $y=11$, $\frac{dy}{dx}=3$이므로 접선의 방정식은

$y-11=3(x-5)$ $\quad\therefore y=3x-4$

따라서 구하는 x절편은 $\frac{4}{3}$이다. 답 ④

0683

$\frac{dx}{d\theta}=3\cos^2\theta\times(-\sin\theta)=-3\cos^2\theta\sin\theta$

$\frac{dy}{d\theta}=3\sin^2\theta\times\cos\theta=3\sin^2\theta\cos\theta$

이므로

$$\frac{dy}{dx}=\frac{\frac{dy}{d\theta}}{\frac{dx}{d\theta}}=\frac{3\sin^2\theta\cos\theta}{-3\cos^2\theta\sin\theta}=-\tan\theta\ (\cos^2\theta\sin\theta\neq0)$$

$\theta=\frac{\pi}{3}$일 때, $x=\frac{1}{8}$, $y=\frac{3\sqrt{3}}{8}$, $\frac{dy}{dx}=-\sqrt{3}$이므로 접선의 방정식은

$y-\frac{3\sqrt{3}}{8}=-\sqrt{3}\left(x-\frac{1}{8}\right)$ $\quad\therefore y=-\sqrt{3}x+\frac{\sqrt{3}}{2}$

따라서 $a=-\sqrt{3}$, $b=\frac{\sqrt{3}}{2}$이므로 $2ab=-3$ 답 -3

0684

$\frac{dx}{dt}=ae^{at}$, $\frac{dy}{dt}=-ae^{-at}$이므로

$$\frac{dy}{dx}=\frac{\frac{dy}{dt}}{\frac{dx}{dt}}=\frac{-ae^{-at}}{ae^{at}}=-e^{-2at}$$

$t=\ln2$일 때, $x=2^a$, $y=2^{-a}$, $\frac{dy}{dx}=-2^{-2a}$이므로 접선의 방정식은

$y-2^{-a}=-2^{-2a}(x-2^a)$ $\quad\therefore y=-2^{-2a}x+2^{-a+1}$

이 직선이 직선 $y=-\frac{1}{16}x+\frac{1}{2}$과 일치하므로

$-2^{-2a}=-\frac{1}{16}$, $2^{-a+1}=\frac{1}{2}$

$-a+1=-1$ $\quad\therefore a=2$ 답 ④

0685

$\frac{dx}{dt}=\frac{t-(t-1)}{t^2}=\frac{1}{t^2}$, $\frac{dy}{dt}=\frac{(t+1)-t}{(t+1)^2}=\frac{1}{(t+1)^2}$이므로

$$\frac{dy}{dx}=\frac{\frac{dy}{dt}}{\frac{dx}{dt}}=\frac{\frac{1}{(t+1)^2}}{\frac{1}{t^2}}=\frac{t^2}{(t+1)^2}$$

$t=1$일 때, $x=0$, $y=\frac{1}{2}$, $\frac{dy}{dx}=\frac{1}{4}$이므로 접선의 방정식은

$y-\frac{1}{2}=\frac{1}{4}x$ $\quad\therefore y=\frac{1}{4}x+\frac{1}{2}$

따라서 $\mathrm{P}\left(0, \frac{1}{2}\right)$, $\mathrm{Q}(-2, 0)$이므로 $\triangle\mathrm{OPQ}$의 넓이는

$\frac{1}{2}\times2\times\frac{1}{2}=\frac{1}{2}$ 답 $\frac{1}{2}$

0686

$\frac{dx}{d\theta}=-\sin\theta$, $\frac{dy}{d\theta}=2\cos\theta$이므로

$$\frac{dy}{dx}=\frac{\frac{dy}{d\theta}}{\frac{dx}{d\theta}}=\frac{2\cos\theta}{-\sin\theta}=-2\cot\theta\ (\sin\theta\neq0)$$

점 $\mathrm{P}(a, b)$에서의 접선의 기울기가 -2이므로

$-2\cot\theta=-2$, $\cot\theta=1$ $\quad\therefore \theta=\frac{\pi}{4}$ $(\because 0<\theta<\pi)$

$\theta=\frac{\pi}{4}$일 때, $a=\frac{\sqrt{2}}{2}$, $b=\sqrt{2}$이므로 접선의 방정식은

$y-\sqrt{2}=-2\left(x-\frac{\sqrt{2}}{2}\right)$ $\quad\therefore y=-2x+2\sqrt{2}$

따라서 $\mathrm{A}(\sqrt{2}, 0)$, $\mathrm{B}(0, 2\sqrt{2})$이므로 $\triangle\mathrm{OAB}$의 넓이는

$\frac{1}{2}\times\sqrt{2}\times2\sqrt{2}=2$ 답 ⑤

0687

|전략| 음함수의 미분법을 이용하여 $\frac{dy}{dx}$를 구한 후 점 $(1, 2)$에서의 접선의 기울기를 구한다.

$x^3+y^3-5xy+1=0$의 각 항을 x에 대하여 미분하면

$3x^2+3y^2\frac{dy}{dx}-5y-5x\frac{dy}{dx}=0$, $(3y^2-5x)\frac{dy}{dx}=-3x^2+5y$

$\therefore \frac{dy}{dx}=\frac{-3x^2+5y}{3y^2-5x}$ $(3y^2-5x\neq0)$

점 $(1, 2)$에서의 접선의 기울기는

$\frac{dy}{dx}=\frac{-3\times1^2+5\times2}{3\times2^2-5\times1}=\frac{7}{7}=1$

이므로 접선의 방정식은

$y-2=x-1$ $\quad\therefore y=x+1$

따라서 구하는 x절편은 -1이다. 답 -1

0688

$x\cos y+y\cos x+2\pi=0$의 각 항을 x에 대하여 미분하면

$\cos y-x\sin y\frac{dy}{dx}+\cos x\frac{dy}{dx}-y\sin x=0$

$\cos y-y\sin x+(\cos x-x\sin y)\frac{dy}{dx}=0$

$\therefore \frac{dy}{dx}=\frac{y\sin x-\cos y}{\cos x-x\sin y}$ $(\cos x-x\sin y\neq0)$

점 (π, π)에서의 접선의 기울기는

$\frac{dy}{dx}=\frac{\pi\sin\pi-\cos\pi}{\cos\pi-\pi\sin\pi}=\frac{1}{-1}=-1$

이므로 접선의 방정식은

$y-\pi=-(x-\pi)$ $\quad\therefore y=-x+2\pi$

따라서 이 접선 위의 점은 ①$(0, 2\pi)$이다. 답 ①

0689

$x^2+2ye^x+y^2-3=0$의 각 항을 x에 대하여 미분하면

$2x+2e^x\frac{dy}{dx}+2ye^x+2y\frac{dy}{dx}=0$, $(2e^x+2y)\frac{dy}{dx}=-2x-2ye^x$

$\therefore \frac{dy}{dx}=-\frac{x+ye^x}{e^x+y}$ $(e^x+y\neq0)$ ··· ❶

점 (0, 1)에서의 접선의 기울기는

$$\frac{dy}{dx}=-\frac{0+1\times e^0}{e^0+1}=-\frac{1}{2}$$

이므로 접선의 방정식은

$y-1=-\frac{1}{2}x \qquad \therefore y=-\frac{1}{2}x+1$ … ❷

이 직선이 점 $(a, 0)$을 지나므로 $a=2$ … ❸

답 2

채점 기준	비율
❶ $\frac{dy}{dx}$를 구할 수 있다.	50 %
❷ 접선의 방정식을 구할 수 있다.	30 %
❸ a의 값을 구할 수 있다.	20 %

0690

$\sqrt{x}+\sqrt{y}=2$의 각 항을 x에 대하여 미분하면

$$\frac{1}{2\sqrt{x}}+\frac{1}{2\sqrt{y}}\times\frac{dy}{dx}=0 \qquad \therefore \frac{dy}{dx}=-\frac{\sqrt{y}}{\sqrt{x}}\ (x\neq0, y\neq0)$$

점 (1, 1)에서의 접선의 기울기는 $\frac{dy}{dx}=-1$이므로 접선의 방정식은

$y-1=-(x-1) \qquad \therefore y=-x+2$

따라서 A(2, 0), B(0, 2)이므로 △OAB의 넓이는

$\frac{1}{2}\times2\times2=2$

답 2

0691

$x^2y^2-1=0$의 각 항을 x에 대하여 미분하면

$$2xy^2+2x^2y\frac{dy}{dx}=0 \qquad \therefore \frac{dy}{dx}=-\frac{y}{x}$$

점 (−1, 1)에서의 접선의 기울기는 $\frac{dy}{dx}=1$이므로 접선 l의 방정식은

$y-1=x+1 \qquad \therefore x-y+2=0$

따라서 점 (2, 0)과 직선 $x-y+2=0$ 사이의 거리는

$$\frac{|2+2|}{\sqrt{1^2+(-1)^2}}=\frac{4}{\sqrt{2}}=2\sqrt{2}$$

답 ⑤

0692

$xy=3$의 각 항을 x에 대하여 미분하면

$$y+x\frac{dy}{dx}=0 \qquad \therefore \frac{dy}{dx}=-\frac{y}{x}$$

점 $P_n(x_n, y_n)$에서의 접선의 기울기는

$$\frac{dy}{dx}=-\frac{y_n}{x_n}=-\frac{3}{{x_n}^2}\ \left(\because y_n=\frac{3}{x_n}\right)$$

이므로 접선의 방정식은

$$y-y_n=-\frac{3}{{x_n}^2}(x-x_n)$$

위의 식에 $y=0$을 대입하면

$-y_n=-\frac{3}{{x_n}^2}(x-x_n),\ y_n{x_n}^2=3x-3x_n$

$3x_n=3x-3x_n\ (\because x_ny_n=3) \qquad \therefore x=2x_n$

즉, $x_{n+1}=2x_n$

점 $P_{n+1}(x_{n+1}, y_{n+1})$은 곡선 $y=\frac{3}{x}$ 위의 점이므로

$$y_{n+1}=\frac{3}{x_{n+1}}=\frac{3}{2x_n}=\frac{1}{2}\times\frac{3}{x_n}=\frac{1}{2}y_n\ \left(\because y_n=\frac{3}{x_n}\right)$$

따라서 수열 $\{y_n\}$은 첫째항이 3, 공비가 $\frac{1}{2}$인 등비수열이므로

$$y_n=3\times\left(\frac{1}{2}\right)^{n-1}$$

$$\therefore \sum_{n=1}^{\infty}y_n=3+3\times\left(\frac{1}{2}\right)+3\times\left(\frac{1}{2}\right)^2+\cdots=\frac{3}{1-\frac{1}{2}}=6$$

답 ②

0693

|전략| 증감표를 작성하여 $f'(x)$의 부호를 조사한다.

$f(x)=\frac{x-1}{x^2+3}$에서

$$f'(x)=\frac{(x^2+3)-(x-1)\times2x}{(x^2+3)^2}=\frac{-(x^2-2x-3)}{(x^2+3)^2}=-\frac{(x+1)(x-3)}{(x^2+3)^2}$$

$f'(x)=0$에서 $x=-1$ 또는 $x=3$

x	…	−1	…	3	…
$f'(x)$	−	0	+	0	−
$f(x)$	↘		↗		↘

따라서 함수 $f(x)$는 구간 $[-1, 3]$에서 증가하고, 구간 $(-\infty, -1]$, $[3, \infty)$에서 감소하므로

$a=-1, b=3 \qquad \therefore a+b=2$

답 2

0694

$f(x)=x+\sqrt{8-x^2}$에서 $0<x\leq2\sqrt{2}$이고

$$f'(x)=1+\frac{-2x}{2\sqrt{8-x^2}}=\frac{\sqrt{8-x^2}-x}{\sqrt{8-x^2}}$$ … ❶

$f'(x)=0$에서 $\sqrt{8-x^2}=x$

양변을 제곱하여 정리하면 $x^2=4 \qquad \therefore x=2\ (\because x>0)$ … ❷

x	(0)	…	2	…	$2\sqrt{2}$
$f'(x)$		+	0	−	
$f(x)$		↗		↘	

따라서 함수 $f(x)$가 증가하는 구간은 $(0, 2]$이므로 이 구간에 속하는 모든 정수 x의 값의 합은

$1+2=3$ … ❸

답 3

채점 기준	비율
❶ $f'(x)$를 구할 수 있다.	40 %
❷ $f'(x)=0$을 만족시키는 x의 값을 구할 수 있다.	30 %
❸ 증가하는 구간에 속하는 모든 정수 x의 값의 합을 구할 수 있다.	30 %

0695

$f(x)=\frac{e^{-x}}{3x^2+1}$에서

$f'(x)=\frac{-e^{-x}(3x^2+1)-e^{-x}\times 6x}{(3x^2+1)^2}=\frac{-e^{-x}(3x^2+6x+1)}{(3x^2+1)^2}$

$f'(x)=0$에서 $3x^2+6x+1=0$ ($\because e^{-x}>0$)

$\therefore x=-1\pm\frac{\sqrt{6}}{3}$

x	$\cdots$	$-1-\frac{\sqrt{6}}{3}$	$\cdots$	$-1+\frac{\sqrt{6}}{3}$	$\cdots$
$f'(x)$	$-$	0	$+$	0	$-$
$f(x)$	↘		↗		↘

따라서 함수 $f(x)$가 증가하는 x의 값의 범위는

$-1-\frac{\sqrt{6}}{3}\le x\le -1+\frac{\sqrt{6}}{3}$

이므로 $\alpha=-1-\frac{\sqrt{6}}{3}$, $\beta=-1+\frac{\sqrt{6}}{3}$

$\therefore \alpha+\beta=-2$ 답 -2

0696

$f(x)=3\ln(x^2+1)-x^3$에서

$f'(x)=\frac{6x}{x^2+1}-3x^2=\frac{6x-3x^2(x^2+1)}{x^2+1}$

$=\frac{-3x(x^3+x-2)}{x^2+1}=-\frac{3x(x-1)(x^2+x+2)}{x^2+1}$

$f'(x)=0$에서 $x=0$ 또는 $x=1$ ($\because x^2+x+2>0$)

x	$\cdots$	0	$\cdots$	1	$\cdots$
$f'(x)$	$-$	0	$+$	0	$-$
$f(x)$	↘		↗		↘

따라서 함수 $f(x)$가 감소하는 구간은 $(-\infty, 0]$, $[1, \infty)$이므로 이 구간에 속하는 x의 값이 아닌 것은 ③ $\frac{1}{2}$이다. 답 ③

0697

|전략| 함수 $f(x)$가 실수 전체의 집합에서 증가하려면 모든 실수 x에 대하여 $f'(x)\ge 0$이어야 함을 이용한다.

$f(x)=(ax^2-1)e^{-x}$에서

$f'(x)=2axe^{-x}-(ax^2-1)e^{-x}=-(ax^2-2ax-1)e^{-x}$

함수 $f(x)$가 실수 전체의 집합에서 증가하려면 모든 실수 x에 대하여 $f'(x)\ge 0$이어야 한다.

이때, $e^{-x}>0$이므로 $ax^2-2ax-1\le 0$이어야 한다.

(i) $a=0$일 때, $-1\le 0$이므로 항상 성립한다.

(ii) $a\ne 0$일 때, $a<0$이고 이차방정식 $ax^2-2ax-1=0$의 판별식을 D라 하면

$\frac{D}{4}=a^2+a\le 0$, $-1\le a\le 0$

$a<0$이므로 $-1\le a<0$

(i), (ii)에 의하여 구하는 a의 값의 범위는 $-1\le a\le 0$ 답 ④

이차함수 $f(x)=ax^2+bx+c$에 대하여 이차방정식 $ax^2+bx+c=0$의 판별식을 D라 할 때

(1) 모든 실수 x에 대하여 $f(x)\ge 0$일 조건은 ⇨ $a>0$, $D\le 0$

(2) 모든 실수 x에 대하여 $f(x)\le 0$일 조건은 ⇨ $a<0$, $D\le 0$

0698

$f(x)=ax+\ln(x^2+4)$에서

$f'(x)=a+\frac{2x}{x^2+4}=\frac{ax^2+2x+4a}{x^2+4}$

함수 $f(x)$가 구간 $(-\infty, \infty)$에서 감소하려면 모든 실수 x에 대하여 $f'(x)\le 0$이어야 한다.

이때, $x^2+4>0$이므로 $ax^2+2x+4a\le 0$이어야 한다.

즉, $a<0$이고 이차방정식 $ax^2+2x+4a=0$의 판별식을 D라 하면

$\frac{D}{4}=1-4a^2\le 0$, $(2a-1)(2a+1)\ge 0$

$\therefore a\le -\frac{1}{2}$ 또는 $a\ge\frac{1}{2}$

그런데 $a<0$이므로 $a\le -\frac{1}{2}$

따라서 구하는 a의 최댓값은 $-\frac{1}{2}$이다. 답 ④

0699

$f(x)=(x^2+2ax+b)e^x$에서

$f'(x)=(2x+2a)e^x+(x^2+2ax+b)e^x$

$=\{x^2+2(a+1)x+2a+b\}e^x$

함수 $f(x)$가 실수 전체의 집합에서 증가하려면 모든 실수 x에 대하여 $f'(x)\ge 0$이어야 한다.

이때, $e^x>0$이므로 $x^2+2(a+1)x+2a+b\ge 0$이어야 한다.

이차방정식 $x^2+2(a+1)x+2a+b=0$의 판별식을 D라 하면

$\frac{D}{4}=(a+1)^2-(2a+b)\le 0$ $\therefore a^2+1\le b$

따라서 b의 최솟값은 1이다. 답 ①

0700

|전략| 함수 $f(x)$가 구간 $(-1, 1)$에서 증가하려면 이 구간의 모든 x에 대하여 $f'(x)\ge 0$이어야 함을 이용한다.

$f(x)=\frac{x^2+2x+a}{x^2+1}$에서

$f'(x)=\frac{(2x+2)(x^2+1)-(x^2+2x+a)\times 2x}{(x^2+1)^2}$

$=\frac{-2x^2+2(1-a)x+2}{(x^2+1)^2}$

함수 $f(x)$가 구간 $(-1, 1)$에서 증가하려면 $-1<x<1$에서 $f'(x)\ge 0$이어야 한다.

이때, $(x^2+1)^2>0$이므로 $g(x)=-2x^2+2(1-a)x+2$로 놓으면 $-1<x<1$에서 $g(x)\ge 0$이어야 한다.

$g(-1)=-2-2(1-a)+2\geq 0$에서 $a\geq 1$

$g(1)=-2+2(1-a)+2\geq 0$에서 $a\leq 1$

따라서 구하는 a의 값은 1이다. 답 1

0701

$f(x)=ax-\sin x$에서 $f'(x)=a-\cos x$

함수 $f(x)$가 $0<x<\frac{\pi}{2}$에서 감소하려면 $0<x<\frac{\pi}{2}$에서 $f'(x)\leq 0$ 이어야 한다.

이때, $0<x<\frac{\pi}{2}$에서 $0<\cos x<1$이므로

$-1<-\cos x<0$ $\quad\therefore a-1<a-\cos x<a$

즉, $a-1<f'(x)<a$이므로 $f'(x)\leq 0$이려면 $a\leq 0$

따라서 a의 최댓값은 0이다. 답 ③

0702

$f(x)=k^2\ln x+x^2-4x$에서

$f'(x)=\frac{k^2}{x}+2x-4=\frac{2x^2-4x+k^2}{x}$

함수 $f(x)$의 역함수가 존재하려면 $f(x)$가 구간 $(0, \infty)$에서 증가해야 하므로 $x>0$에서 $f'(x)\geq 0$이어야 한다.

즉, $x>0$에서 $2x^2-4x+k^2\geq 0$이 항상 성립해야 한다.

$g(x)=2x^2-4x+k^2=2(x-1)^2+k^2-2$

로 놓으면 $x>0$에서 $g(x)\geq 0$이어야 하므로

$k^2-2\geq 0$

$\therefore k\leq -\sqrt{2}$ 또는 $k\geq \sqrt{2}$

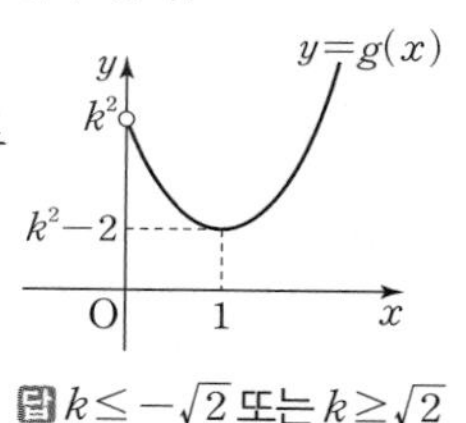

답 $k\leq -\sqrt{2}$ 또는 $k\geq \sqrt{2}$

0703

| 전략 | $f'(x)=0$이 되는 x의 값을 구하고 그 값의 좌우에서 $f'(x)$의 부호가 바뀌는지 조사한다.

$f(x)=\frac{2x-1}{x^2+2}$에서

$f'(x)=\frac{2(x^2+2)-(2x-1)\times 2x}{(x^2+2)^2}=\frac{-2x^2+2x+4}{(x^2+2)^2}$

$=\frac{-2(x+1)(x-2)}{(x^2+2)^2}$

$f'(x)=0$에서 $x=-1$ 또는 $x=2$

x	$\cdots$	-1	$\cdots$	2	$\cdots$
$f'(x)$	$-$	0	$+$	0	$-$
$f(x)$	↘	-1	↗	$\frac{1}{2}$	↘

따라서 함수 $f(x)$는 $x=2$에서 극댓값 $\frac{1}{2}$, $x=-1$에서 극솟값 -1을 가지므로 $\alpha=2, f(\alpha)=\frac{1}{2}, \beta=-1, f(\beta)=-1$

$\therefore \frac{f(\alpha)}{\beta}+\frac{f(\beta)}{\alpha}=\frac{\frac{1}{2}}{-1}+\frac{-1}{2}=-1$ 답 -1

0704

$f(x)=\frac{x^2+3}{x+1}$에서 $x\neq -1$이고

$f'(x)=\frac{2x(x+1)-(x^2+3)}{(x+1)^2}=\frac{x^2+2x-3}{(x+1)^2}$

$=\frac{(x-1)(x+3)}{(x+1)^2}$

$f'(x)=0$에서 $x=-3$ 또는 $x=1$

x	$\cdots$	-3	$\cdots$	(-1)	$\cdots$	1	$\cdots$
$f'(x)$	$+$	0	$-$		$-$	0	$+$
$f(x)$	↗	-6	↘		↘	2	↗

따라서 함수 $f(x)$는 $x=-3$에서 극댓값 -6, $x=1$에서 극솟값 2를 가지므로 극댓값과 극솟값의 합은

$-6+2=-4$ 답 -4

0705

| 전략 | (근호 안의 식의 값)≥ 0, (분모)$\neq 0$인 x의 값의 범위에서 극대, 극소를 조사한다.

$f(x)=\frac{1}{\sqrt{x-2}-x}$에서 $x\geq 2$이고

$f'(x)=-\frac{\frac{1}{2\sqrt{x-2}}-1}{(\sqrt{x-2}-x)^2}=\frac{2\sqrt{x-2}-1}{2\sqrt{x-2}(\sqrt{x-2}-x)^2}$

$f'(x)=0$에서 $2\sqrt{x-2}=1$, $x-2=\frac{1}{4}$ $\quad\therefore x=\frac{9}{4}$

x	2	$\cdots$	$\frac{9}{4}$	$\cdots$
$f'(x)$		$-$	0	$+$
$f(x)$		↘	$-\frac{4}{7}$	↗

따라서 함수 $f(x)$는 $x=\frac{9}{4}$에서 극솟값 $-\frac{4}{7}$를 갖는다. 답 $-\frac{4}{7}$

0706

$f(x)=\sqrt{x}+\sqrt{2-x}$에서 $0\leq x\leq 2$이고

$f'(x)=\frac{1}{2\sqrt{x}}+\frac{-1}{2\sqrt{2-x}}=\frac{\sqrt{2-x}-\sqrt{x}}{2\sqrt{x(2-x)}}$

$f'(x)=0$에서 $\sqrt{2-x}=\sqrt{x}$

양변을 제곱하면 $2-x=x$ $\quad\therefore x=1$

x	0	$\cdots$	1	$\cdots$	2
$f'(x)$		$+$	0	$-$	
$f(x)$		↗	2	↘	$\sqrt{2}$

따라서 함수 $f(x)$는 $x=1$에서 극댓값 2를 갖는다. 답 2

0707

| 전략 | $f'(x)=0$이 되는 x의 값을 구하고 그 값의 좌우에서 $f'(x)$의 부호가 바뀌는지 조사한다.

$f(x)=(x^2-3x+1)e^x$에서

$f'(x)=(2x-3)e^x+(x^2-3x+1)e^x$
$\quad=(x^2-x-2)e^x=(x+1)(x-2)e^x$
$f'(x)=0$에서 $x=-1$ 또는 $x=2$ ($\because e^x>0$)

x	$\cdots$	-1	$\cdots$	2	$\cdots$
$f'(x)$	$+$	0	$-$	0	$+$
$f(x)$	↗	$\frac{5}{e}$	↘	$-e^2$	↗

따라서 함수 $f(x)$는 $x=-1$에서 극댓값 $\frac{5}{e}$, $x=2$에서 극솟값 $-e^2$을 가지므로 구하는 극댓값과 극솟값의 곱은
$\frac{5}{e}\times(-e^2)=-5e$ 답 ①

다른 풀이 $f'(x)=(x^2-x-2)e^x$에서
$f''(x)=(2x-1)e^x+(x^2-x-2)e^x=(x^2+x-3)e^x$
$f'(x)=0$에서 $x=-1$ 또는 $x=2$ ($\because e^x>0$)
이때, $f''(-1)=-\frac{3}{e}<0$, $f''(2)=3e^2>0$이므로 $f(x)$의 극댓값은
$f(-1)=\frac{5}{e}$, 극솟값은 $f(2)=-e^2$이다.
따라서 구하는 극댓값과 극솟값의 곱은 $\frac{5}{e}\times(-e^2)=-5e$

0708

$f(x)=e^x+e^{-x}$에서 $f'(x)=e^x-e^{-x}$
$f'(x)=0$에서 $e^x=e^{-x}$ $\quad\therefore x=0$
따라서 함수 $f(x)$는 $x=0$에서 극솟값 2를 가지므로
$a=0$, $b=2$ $\quad\therefore a+b=2$

x	$\cdots$	0	$\cdots$
$f'(x)$	$-$	0	$+$
$f(x)$	↘	2	↗

답 2

0709

$f(x)=e^{-x^2}$에서 $f'(x)=-2xe^{-x^2}$
$f'(x)=0$에서 $x=0$ ($\because e^{-x^2}>0$)

x	$\cdots$	0	$\cdots$
$f'(x)$	$+$	0	$-$
$f(x)$	↗	1	↘

ㄱ. $x=0$에서 극댓값 1을 갖는다. (참)
ㄴ. 극솟값은 없다. (거짓)
ㄷ. 구간 $(-\infty, 0]$에서 증가하고 구간 $[0, \infty)$에서 감소한다. (거짓)
따라서 옳은 것은 ㄱ이다. 답 ①

0710

|전략| (진수)>0인 x의 값의 범위에서 극대, 극소를 조사한다.
$f(x)=1-x(\ln x)^2$에서 $x>0$이고
$f'(x)=-(\ln x)^2-x\times 2\ln x\times\frac{1}{x}=-\ln x\times(\ln x+2)$
$f'(x)=0$에서 $\ln x=-2$ 또는 $\ln x=0$
$\therefore x=\frac{1}{e^2}$ 또는 $x=1$

x	(0)	$\cdots$	$\frac{1}{e^2}$	$\cdots$	1	$\cdots$
$f'(x)$		$-$	0	$+$	0	$-$
$f(x)$		↘	극소	↗	극대	↘

따라서 함수 $f(x)$는 $x=1$에서 극댓값을 갖는다. 답 1

다른 풀이 $f'(x)=-\ln x\times(\ln x+2)$에서
$f''(x)=-\frac{1}{x}(\ln x+2)-\ln x\times\frac{1}{x}=-\frac{2}{x}(\ln x+1)$
$f'(x)=0$에서 $x=\frac{1}{e^2}$ 또는 $x=1$
이때, $f''\left(\frac{1}{e^2}\right)=-2e^2\times(-1)=2e^2>0$, $f''(1)=-2<0$이므로 $f(x)$는 $x=1$에서 극댓값을 갖는다.

0711

$f(x)=x+2-\ln x$에서 $x>0$이고 $f'(x)=1-\frac{1}{x}$
$f'(x)=0$에서 $x=1$

x	(0)	$\cdots$	1	$\cdots$
$f'(x)$		$-$	0	$+$
$f(x)$		↘	3	↗

따라서 함수 $f(x)$는 $x=1$에서 극솟값 3을 가지므로
$\alpha=1$, $\beta=3$ $\quad\therefore \alpha+\beta=4$ 답 ②

0712

$f(x)=\frac{x}{\ln x}$에서 $0<x<1$ 또는 $x>1$이고 $f'(x)=\frac{\ln x-1}{(\ln x)^2}$
$f'(x)=0$에서 $\ln x=1$ $\quad\therefore x=e$

x	(0)	$\cdots$	(1)	$\cdots$	e	$\cdots$
$f'(x)$		$-$		$-$	0	$+$
$f(x)$		↘		↘	e	↗

따라서 함수 $f(x)$는 $x=e$에서 극솟값 e를 가지므로
$a=e$, $b=e$ $\quad\therefore a+b=2e$ 답 $2e$

0713

$f(x)=e^x-e\ln(x+e)$에서 $x>-e$이고 $f'(x)=e^x-\frac{e}{x+e}$
$f'(x)=0$에서 $e^x=\frac{e}{x+e}$
이 방정식의 실근은 두 곡선 $y=e^x$과 $y=\frac{e}{x+e}$의 교점의 x좌표와 같다.
오른쪽 그림에서 $f'(0)=0$이고
$-e<x<0$이면 $f'(x)<0$
$x>0$이면 $f'(x)>0$
따라서 함수 $f(x)$는 $x=0$에서 극소이고 극솟값은
$f(0)=1-e$ 답 ②

참고 $x>0$이면 $y=e^x$의 그래프가 $y=\frac{e}{x+e}$의 그래프보다 위쪽에 있으므로

$e^x>\frac{e}{x+e}$ $\quad\therefore f'(x)=e^x-\frac{e}{x+e}>0$

0714

|전략| 주어진 범위에서 $f'(x)=0$이 되는 x의 값을 구하고 그 값의 좌우에서 $f'(x)$의 부호가 바뀌는지 조사한다.

$f(x)=x+2\cos x$에서 $f'(x)=1-2\sin x$

$f'(x)=0$에서 $\sin x=\frac{1}{2}$

$\therefore x=\frac{\pi}{6}$ 또는 $x=\frac{5}{6}\pi$ ($\because 0<x<\pi$)

x	(0)	$\cdots$	$\frac{\pi}{6}$	$\cdots$	$\frac{5}{6}\pi$	$\cdots$	(π)
$f'(x)$		$+$	0	$-$	0	$+$	
$f(x)$		↗	$\frac{\pi}{6}+\sqrt{3}$	↘	$\frac{5}{6}\pi-\sqrt{3}$	↗	

따라서 함수 $f(x)$는 $x=\frac{\pi}{6}$에서 극댓값 $\frac{\pi}{6}+\sqrt{3}$, $x=\frac{5}{6}\pi$에서 극솟값 $\frac{5}{6}\pi-\sqrt{3}$을 가지므로 $M=\frac{\pi}{6}+\sqrt{3}$, $m=\frac{5}{6}\pi-\sqrt{3}$

$\therefore M-m=\left(\frac{\pi}{6}+\sqrt{3}\right)-\left(\frac{5}{6}\pi-\sqrt{3}\right)=-\frac{2}{3}\pi+2\sqrt{3}$ 답 ③

다른 풀이 $f'(x)=1-2\sin x$에서 $f''(x)=-2\cos x$

$f'(x)=0$에서 $x=\frac{\pi}{6}$ 또는 $x=\frac{5}{6}\pi$ ($\because 0<x<\pi$)

이때, $f''\left(\frac{\pi}{6}\right)=-\sqrt{3}<0$, $f''\left(\frac{5}{6}\pi\right)=\sqrt{3}>0$이므로 $f(x)$의 극댓값은

$f\left(\frac{\pi}{6}\right)=\frac{\pi}{6}+\sqrt{3}$, 극솟값은 $f\left(\frac{5}{6}\pi\right)=\frac{5}{6}\pi-\sqrt{3}$이다.

따라서 $M=\frac{\pi}{6}+\sqrt{3}$, $m=\frac{5}{6}\pi-\sqrt{3}$이므로

$M-m=-\frac{2}{3}\pi+2\sqrt{3}$

0715

$f(x)=2\cos x-\cos 2x$에서

$f'(x)=-2\sin x+2\sin 2x=-2\sin x+4\sin x\cos x$

$=2\sin x(2\cos x-1)$

$f'(x)=0$에서 $\sin x=0$ 또는 $\cos x=\frac{1}{2}$

$\therefore x=\pi$ 또는 $x=\frac{\pi}{3}$ 또는 $x=\frac{5}{3}\pi$ ($\because 0<x<2\pi$) … ❶

x	(0)	$\cdots$	$\frac{\pi}{3}$	$\cdots$	π	$\cdots$	$\frac{5}{3}\pi$	$\cdots$	(2π)
$f'(x)$		$+$	0	$-$	0	$+$	0	$-$	
$f(x)$		↗	$\frac{3}{2}$	↘	-3	↗	$\frac{3}{2}$	↘	

따라서 함수 $f(x)$는 $x=\frac{\pi}{3}$, $x=\frac{5}{3}\pi$에서 극댓값 $\frac{3}{2}$, $x=\pi$에서 극솟값 -3을 가지므로 $\alpha=\frac{3}{2}$, $\beta=-3$ … ❷

$\therefore 2\alpha-\beta=2\times\frac{3}{2}-(-3)=6$ … ❸

답 6

채점 기준	비율
❶ $f'(x)=0$을 만족시키는 x의 값을 구할 수 있다.	40 %
❷ α, β의 값을 구할 수 있다.	40 %
❸ $2\alpha-\beta$의 값을 구할 수 있다.	20 %

0716

$f(x)=(\sin 2x)^2+1$에서

$f'(x)=2\sin 2x\times 2\cos 2x=4\sin 2x\cos 2x=2\sin 4x$

$f'(x)=0$에서 $4x=\pi$ 또는 $4x=2\pi$ 또는 $4x=3\pi$ ($\because 0<4x<4\pi$)

$\therefore x=\frac{\pi}{4}$ 또는 $x=\frac{\pi}{2}$ 또는 $x=\frac{3}{4}\pi$

x	(0)	$\cdots$	$\frac{\pi}{4}$	$\cdots$	$\frac{\pi}{2}$	$\cdots$	$\frac{3}{4}\pi$	$\cdots$	(π)
$f'(x)$		$+$	0	$-$	0	$+$	0	$-$	
$f(x)$		↗	극대	↘	극소	↗	극대	↘	

따라서 함수 $f(x)$는 $x=\frac{\pi}{4}$, $x=\frac{3}{4}\pi$에서 극대, $x=\frac{\pi}{2}$에서 극소이므로 $0<x<\pi$에서 극대 또는 극소가 되는 점의 개수는 3이다.

답 ④

0717

|전략| 함수 $f(x)$가 $x=\alpha$에서 극값 β를 가지면 $f(\alpha)=\beta$, $f'(\alpha)=0$임을 이용한다.

$f(x)=\frac{x^2+ax+b}{x+1}$에서 $x\neq-1$이고

$f'(x)=\frac{(2x+a)(x+1)-(x^2+ax+b)}{(x+1)^2}=\frac{x^2+2x+a-b}{(x+1)^2}$

함수 $f(x)$가 $x=-4$에서 극댓값 -9를 가지므로

$f(-4)=\frac{16-4a+b}{-3}=-9$에서 $-4a+b=11$ …… ㉠

$f'(-4)=\frac{8+a-b}{9}=0$에서 $a-b=-8$ …… ㉡

㉠, ㉡을 연립하여 풀면 $a=-1$, $b=7$

$\therefore f(x)=\frac{x^2-x+7}{x+1}$

$f'(x)=\frac{(2x-1)(x+1)-(x^2-x+7)}{(x+1)^2}=\frac{(x+4)(x-2)}{(x+1)^2}$

$f'(x)=0$에서 $x=-4$ 또는 $x=2$

x	$\cdots$	-4	$\cdots$	(-1)	$\cdots$	2	$\cdots$
$f'(x)$	$+$	0	$-$		$-$	0	$+$
$f(x)$	↗	-9	↘		↘	3	↗

따라서 함수 $f(x)$는 $x=2$에서 극솟값 3을 갖는다. 답 ⑤

0718

$f(x)=a\sin x+b\cos 2x$에서 $f'(x)=a\cos x-2b\sin 2x$ … ❶

함수 $f(x)$가 $x=\frac{\pi}{6}$에서 극댓값 $\frac{3}{2}$을 가지므로

$f\left(\frac{\pi}{6}\right)=\frac{a}{2}+\frac{b}{2}=\frac{3}{2}$에서 $a+b=3$ …… ㉠

$f'\left(\frac{\pi}{6}\right)=\frac{\sqrt{3}}{2}a-\sqrt{3}b=0$에서 $a-2b=0$ …… ㉡ … ❷

㉠, ㉡을 연립하여 풀면 $a=2, b=1$

$\therefore a-b=1$ … ❸

답 1

채점 기준	비율
❶ $f'(x)$를 구할 수 있다.	30 %
❷ a, b에 대한 연립방정식을 세울 수 있다.	50 %
❸ $a-b$의 값을 구할 수 있다.	20 %

0719

$f(x)=\dfrac{x^2+ax+1}{x^2-x+1}\ (a>-1)$에서

$f'(x)=\dfrac{(2x+a)(x^2-x+1)-(x^2+ax+1)(2x-1)}{(x^2-x+1)^2}$

$=\dfrac{-(a+1)(x+1)(x-1)}{(x^2-x+1)^2}$

$f'(x)=0$에서 $x=-1$ 또는 $x=1$

x	…	-1	…	1	…
$f'(x)$	$-$	0	$+$	0	$-$
$f(x)$	↘	극소	↗	극대	↘

$a>-1$이므로 함수 $f(x)$는 $x=-1$에서 극솟값, $x=1$에서 극댓값을 갖는다.

따라서 $f(-1)=\dfrac{-a+2}{3}=-1$이므로 $a=5$

$\alpha=f(1)=1+5+1=7$

$\therefore a+\alpha=5+7=12$

답 ④

0720

$f(x)=e^x+9e^{-x}+a$에서 $f'(x)=e^x-9e^{-x}=\dfrac{e^{2x}-9}{e^x}$

$f'(x)=0$에서 $e^{2x}=9,\ 2x=\ln 9 \quad \therefore x=\ln 3$

x	…	$\ln 3$	…
$f'(x)$	$-$	0	$+$
$f(x)$	↘	극소	↗

따라서 함수 $f(x)$는 $x=\ln 3$에서 극솟값 2를 가지므로

$f(\ln 3)=e^{\ln 3}+9e^{-\ln 3}+a=2,\ 3+9\times\dfrac{1}{3}+a=2$

$\therefore a=-4$

답 ②

0721

$f(x)=\dfrac{1}{2}x^2-a\ln x\,(a>0)$에서 $x>0$이고

$f'(x)=x-\dfrac{a}{x}=\dfrac{x^2-a}{x}$

$f'(x)=0$에서 $x^2=a \quad \therefore x=\sqrt{a}\ (\because x>0)$

x	(0)	…	$\sqrt{a}$	…
$f'(x)$		$-$	0	$+$
$f(x)$		↘	극소	↗

따라서 함수 $f(x)$는 $x=\sqrt{a}$에서 극솟값 0을 가지므로

$f(\sqrt{a})=\dfrac{a}{2}-a\ln\sqrt{a}=0,\ \dfrac{a}{2}-\dfrac{a}{2}\ln a=0,\ \dfrac{a}{2}(1-\ln a)=0$

그런데 $a>0$이므로 $1-\ln a=0,\ \ln a=1 \quad \therefore a=e$

답 ④

0722

$f(x)=x+a\cos x\,(a>1)$에서 $f'(x)=1-a\sin x$

$f'(x)=0$에서 $\sin x=\dfrac{1}{a}$

이때, $0<\dfrac{1}{a}<1$이므로 $f'(x)=0$을 만족시키는 x의 값을

$x=\alpha\left(0<\alpha<\dfrac{\pi}{2}\right),\ x=\pi-\alpha$로 놓으면

x	(0)	…	α	…	$\pi-\alpha$	…	(2π)
$f'(x)$		$+$	0	$-$	0	$+$	
$f(x)$		↗	극대	↘	극소	↗	

함수 $f(x)$는 $x=\pi-\alpha$에서 극솟값 0을 가지므로

$f(\pi-\alpha)=\pi-\alpha+a\cos(\pi-\alpha)=\pi-\alpha-a\cos\alpha=0$

$\therefore \alpha+a\cos\alpha=\pi$

이때, $f(x)$는 $x=\alpha$에서 극대이므로 극댓값은

$f(\alpha)=\alpha+a\cos\alpha=\pi$

답 ③

0723

전략 함수 $f(x)$가 극댓값과 극솟값을 모두 가지려면 방정식 $f'(x)=0$이 서로 다른 두 실근을 가져야 함을 이용한다.

$f(x)=(x^2-x+k)e^x$에서

$f'(x)=(2x-1)e^x+(x^2-x+k)e^x=(x^2+x+k-1)e^x$

이때, 함수 $f(x)$가 극댓값과 극솟값을 모두 가지려면 이차방정식 $x^2+x+k-1=0$이 서로 다른 두 실근을 가져야 한다.

이차방정식 $x^2+x+k-1=0$의 판별식을 D라 하면

$D=1-4(k-1)>0,\ 4k-5<0 \quad \therefore k<\dfrac{5}{4}$

따라서 구하는 정수 k의 최댓값은 1이다.

답 ①

0724

$f(x)=\left(\dfrac{1}{2}x^2+kx+1\right)e^x$에서

$f'(x)=(x+k)e^x+\left(\dfrac{1}{2}x^2+kx+1\right)e^x$

$=\left\{\dfrac{1}{2}x^2+(k+1)x+k+1\right\}e^x$

이때, 함수 $f(x)$가 극값을 갖지 않으려면 이차방정식 $\dfrac{1}{2}x^2+(k+1)x+k+1=0$이 중근 또는 허근을 가져야 한다.

이차방정식 $\dfrac{1}{2}x^2+(k+1)x+k+1=0$의 판별식을 D라 하면

$D=(k+1)^2-2(k+1)\le 0,\ k^2\le 1 \quad \therefore -1\le k\le 1$

따라서 정수 k의 개수는 $-1, 0, 1$의 3이다.

답 3

0725

$f(x)=2\ln x+\dfrac{a}{x}-x$에서 $x>0$이고

$f'(x)=\frac{2}{x}-\frac{a}{x^2}-1=\frac{-x^2+2x-a}{x^2}$

이때, 함수 $f(x)$가 극댓값과 극솟값을 모두 가지려면 이차방정식 $-x^2+2x-a=0$이 $x>0$에서 서로 다른 두 실근을 가져야 한다.

(i) 이차방정식 $-x^2+2x-a=0$의 판별식을 D라 하면

$\frac{D}{4}=1-a>0 \quad \therefore a<1$

(ii) (두 근의 합)$=2>0$

(iii) (두 근의 곱)$=a>0$

(i), (ii), (iii)에서 구하는 a의 값의 범위는 $0<a<1$ 답 ④

Lecture

이차방정식의 실근의 부호

계수가 실수인 이차방정식 $ax^2+bx+c=0$의 두 실근을 α, β라 하고 판별식을 D라 할 때

① 두 근이 모두 양수 ⇨ $D\ge0, \alpha+\beta>0, \alpha\beta>0$

② 두 근이 모두 음수 ⇨ $D\ge0, \alpha+\beta<0, \alpha\beta>0$

③ 두 근이 서로 다른 부호 ⇨ $\alpha\beta<0$

(α, β가 서로 다른 두 실근인 경우 위의 조건에서 판별식의 등호(=)만 없애 주면 된다.)

0726

$y=\frac{1}{3}\cos^3 x+k\cos^2 x+k\cos x$에서 $\cos x=t(-1<t<1)$로 놓으면 $y=\frac{1}{3}t^3+kt^2+kt$

$f(t)=\frac{1}{3}t^3+kt^2+kt$로 놓으면 $f'(t)=t^2+2kt+k$

이때, 함수 $f(t)$가 $-1<t<1$에서 극댓값과 극솟값을 모두 가지려면 이차방정식 $t^2+2kt+k=0$이 $-1<t<1$에서 서로 다른 두 실근을 가져야 한다.

(i) 이차방정식 $t^2+2kt+k=0$의 판별식을 D라 하면

$\frac{D}{4}=k^2-k>0,\ k(k-1)>0 \quad \therefore k<0$ 또는 $k>1$

(ii) $y=f'(t)$의 그래프의 축은 직선 $t=-k$이므로

$-1<-k<1 \quad \therefore -1<k<1$

(iii) $f'(-1)=1-k>0$에서 $k<1$

$f'(1)=1+3k>0$에서 $k>-\frac{1}{3}$

$\therefore -\frac{1}{3}<k<1$

(i), (ii), (iii)에서 구하는 k의 값의 범위는

$-\frac{1}{3}<k<0$ 답 $-\frac{1}{3}<k<0$

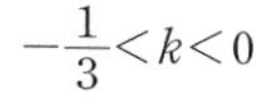

이차항의 계수가 양수인 이차방정식 $f(x)=0$이 $a<x<b$에서 서로 다른 두 실근을 가지면 함수 $y=f(x)$의 그래프는 오른쪽 그림과 같다.

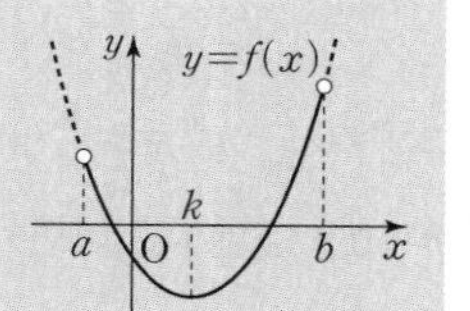

(i) x축과 서로 다른 두 점에서 만나므로 이차방정식 $f(x)=0$에서 판별식 $D>0$

(ii) 축이 $x=k$이면 $a<k<b$

(iii) $f(a)>0, f(b)>0$

0727

|전략| 함수 $f(x)$가 극값을 갖지 않으려면 모든 실수 x에 대하여 $f'(x)\ge0$ 또는 $f'(x)\le0$임을 이용한다.

$f(x)=kx+\sin x$에서 $f'(x)=k+\cos x$

이때, 함수 $f(x)$가 극값을 갖지 않으려면 $f'(x)\ge0$ 또는 $f'(x)\le0$이어야 한다.

이때, $-1\le\cos x\le1$이므로 $k-1\le k+\cos x\le k+1$

$\therefore k-1\le f'(x)\le k+1$

즉, $k-1\ge0$ 또는 $k+1\le0$이어야 하므로

$k\ge1$ 또는 $k\le-1$

따라서 k의 값이 될 수 없는 것은 ③ $\frac{1}{2}$이다. 답 ③

0728

$f(x)=e^x+ke^{-x}(k>0)$에서

$f'(x)=e^x-ke^{-x}=\frac{e^{2x}-k}{e^x}$

$f'(x)=0$에서 $e^{2x}=k,\ 2x=\ln k$

$\therefore x=\frac{1}{2}\ln k$

이때, $x<\frac{1}{2}\ln k$이면 $f'(x)<0$, $x>\frac{1}{2}\ln k$이면 $f'(x)>0$이므로 $f(x)$는 $x=\frac{1}{2}\ln k$에서 극값을 가진다.

따라서 함수 $f(x)$가 $0<x<1$에서 극값을 가지려면 $0<\frac{1}{2}\ln k<1$이어야 하므로

$0<\ln k<2 \quad \therefore 1<k<e^2$ 답 ②

0729

함수 $f(x)$가 극값을 가지므로 $f'(x)=0$을 만족시키는 x의 값이 존재하고 그 좌우에서 $f'(x)$의 부호가 바뀌어야 한다.

$f(x)=a\sin x+bx+1$에서 $f'(x)=a\cos x+b$

$y=f'(x)$의 그래프는 a, b의 값에 따라 다음과 같이 세 가지 형태로 생각할 수 있다.

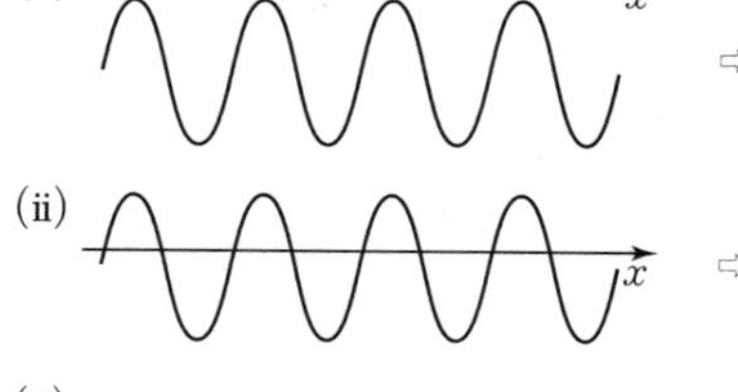

이때, $f'(x)=0$을 만족시키는 x의 값이 존재하고 그 좌우에서 $f'(x)$의 부호가 바뀌려면 (ii)의 그래프와 같이 $f'(x)$의 최댓값과 최솟값의 부호가 달라야 하므로

$(|a|+b)(-|a|+b)<0,\ b^2-|a|^2<0$

$\therefore a^2>b^2$ 답 ⑤

STEP 3 내신 마스터

0730

유형 01 접점의 좌표가 주어진 접선의 방정식

|전략| 곡선 $y=f(x)$ 위의 점 $(a, f(a))$에서의 접선의 방정식은 $y-f(a)=f'(a)(x-a)$임을 이용한다.

$f(x)=\frac{1}{x^2}$로 놓으면 $f'(x)=-\frac{2}{x^3}$

점 $\mathrm{P}(-1, 1)$에서의 접선의 기울기는 $f'(-1)=2$이므로 접선의 방정식은

$y-1=2(x+1)$ $\quad\therefore y=2x+3$

이때, 직선 $y=2x+3$이 x축과 만나는 점 Q의 좌표는 $\left(-\frac{3}{2}, 0\right)$

이 직선이 곡선과 만나는 점 P가 아닌 점 R의 x좌표는

$\frac{1}{x^2}=2x+3$에서 $2x^3+3x^2-1=0$

$(x+1)^2(2x-1)=0$ $\quad\therefore x=-1$ 또는 $x=\frac{1}{2}$

즉, 점 R의 좌표는 $\left(\frac{1}{2}, 4\right)$

$\overline{\mathrm{PQ}}=\sqrt{\left(-1+\frac{3}{2}\right)^2+1^2}=\frac{\sqrt{5}}{2}$, $\overline{\mathrm{QR}}=\sqrt{\left(\frac{1}{2}+\frac{3}{2}\right)^2+4^2}=2\sqrt{5}$

$\therefore \overline{\mathrm{PQ}}:\overline{\mathrm{QR}}=\frac{\sqrt{5}}{2}:2\sqrt{5}=1:4$

답 ③

0731

유형 03 기울기가 주어진 접선의 방정식

|전략| 접점의 좌표를 $\left(t, \frac{t+1}{t-1}\right)$로 놓고 접선의 방정식을 구한다.

$f(x)=\frac{x+1}{x-1}$로 놓으면

$f'(x)=\frac{(x-1)-(x+1)}{(x-1)^2}=-\frac{2}{(x-1)^2}$

접점의 좌표를 $\left(t, \frac{t+1}{t-1}\right)$이라 하면 접선의 기울기가 -2이므로

$f'(t)=-\frac{2}{(t-1)^2}=-2$, $(t-1)^2=1$

$t-1=\pm1$ $\quad\therefore t=0$ 또는 $t=2$

즉, 접점의 좌표가 $(0, -1)$, $(2, 3)$이므로 접선의 방정식은

$y+1=-2x$, $y-3=-2(x-2)$

$\therefore 2x+y+1=0$, $2x+y-7=0$

두 직선 사이의 거리는 직선 $2x+y+1=0$ 위의 점 $(0, -1)$과 직선 $2x+y-7=0$ 사이의 거리와 같으므로

$\frac{|-1-7|}{\sqrt{2^2+1^2}}=\frac{8}{\sqrt{5}}=\frac{8\sqrt{5}}{5}$

답 ④

0732

유형 04 곡선 밖의 한 점에서 그은 접선의 방정식

|전략| 점 $(0, 1)$에서 그은 접선의 접점의 좌표를 $(t_1, 2t_1-\ln t_1)$로 놓고 접선의 방정식을 구한 후 수직인 두 직선의 기울기의 곱이 -1임을 이용한다.

$f(x)=2x-\ln x$로 놓으면 $f'(x)=2-\frac{1}{x}$

점 $(0, 1)$에서 이 곡선에 그은 접선의 접점의 좌표를 $(t_1, 2t_1-\ln t_1)$이라 하면 이 점에서의 접선의 기울기는 $f'(t_1)=2-\frac{1}{t_1}$이므로 접선의 방정식은

$y-(2t_1-\ln t_1)=\left(2-\frac{1}{t_1}\right)(x-t_1)$

이 직선이 점 $(0, 1)$을 지나므로

$1-2t_1+\ln t_1=-2t_1+1$, $\ln t_1=0$ $\quad\therefore t_1=1$

즉, 점 $(0, 1)$에서 그은 접선의 기울기는 $f'(1)=2-1=1$이므로 이 점에서 그은 접선과 수직인 직선의 기울기는 -1이다.

점 $(a, 0)$에서 이 곡선에 그은 접선의 접점의 좌표를 $(t_2, 2t_2-\ln t_2)$라 하면 $f'(t_2)=2-\frac{1}{t_2}=-1$에서 $t_2=\frac{1}{3}$

점 $\left(\frac{1}{3}, \frac{2}{3}-\ln\frac{1}{3}\right)$에서의 접선의 방정식은

$y-\left(\frac{2}{3}-\ln\frac{1}{3}\right)=-\left(x-\frac{1}{3}\right)$

이 직선이 점 $(a, 0)$을 지나므로

$-\frac{2}{3}+\ln\frac{1}{3}=-a+\frac{1}{3}$ $\quad\therefore a=1+\ln 3$

답 ②

0733

유형 05 접선과 좌표축으로 둘러싸인 도형의 넓이

|전략| 접선의 방정식을 구한 후 x절편, y절편을 구한다.

$f(x)=(x^2+1)e^x$으로 놓으면

$f'(x)=2xe^x+(x^2+1)e^x=(x+1)^2e^x$

$x=0$인 점에서의 접선의 기울기는 $f'(0)=1$이므로 점 $(0, 1)$에서의 접선의 방정식은

$y-1=x$ $\quad\therefore y=x+1$

따라서 접선의 x절편은 -1, y절편은 1이므로 구하는 도형의 넓이는

$\frac{1}{2}\times1\times1=\frac{1}{2}$

답 ①

0734

유형 06 두 곡선의 공통인 접선

|전략| 두 곡선 $y=f(x)$, $y=g(x)$가 $x=t$에서 공통인 접선을 가지면 $f(t)=g(t)$, $f'(t)=g'(t)$임을 이용한다.

$f(x)=e^{2x}$, $g(x)=2\sqrt{x+a}$로 놓으면

$f'(x)=2e^{2x}$, $g'(x)=\frac{1}{\sqrt{x+a}}$

두 곡선이 $x=b$인 점에서 접하므로

$f(b)=g(b)$에서 $e^{2b}=2\sqrt{b+a}$ $\quad$ …… ㉠

$f'(b)=g'(b)$에서 $2e^{2b}=\frac{1}{\sqrt{b+a}}$ $\quad$ …… ㉡

㉠에서 $\frac{1}{\sqrt{b+a}}=\frac{2}{e^{2b}}$를 ㉡에 대입하면

$2e^{2b}=\frac{2}{e^{2b}}$, $e^{4b}=1$ $\quad\therefore b=0$

$b=0$을 ㉠에 대입하면

$1=2\sqrt{a}$, $4a=1$ $\quad\therefore a=\frac{1}{4}$

$\therefore a-b=\frac{1}{4}$

답 ④

0735

유형 08 매개변수로 나타낸 곡선의 접선의 방정식

|전략| $\frac{dy}{dx}=\frac{\frac{dy}{d\theta}}{\frac{dx}{d\theta}}$임을 이용하여 $\theta=\pi$에 대응하는 점에서의 접선의 기울기를 구한다.

$\frac{dx}{d\theta}=\cos\theta$, $\frac{dy}{d\theta}=1+\sin\theta$이므로

$\frac{dy}{dx}=\frac{\frac{dy}{d\theta}}{\frac{dx}{d\theta}}=\frac{1+\sin\theta}{\cos\theta}$ $(\cos\theta\neq0)$

$\theta=\pi$일 때, $x=1$, $y=\pi+1$, $\frac{dy}{dx}=-1$이므로 접선의 방정식은

$y-(\pi+1)=-(x-1)$ $\quad\therefore y=-x+\pi+2$

따라서 접선의 x절편과 y절편이 모두 $\pi+2$이므로 구하는 도형의 넓이는

$\frac{1}{2}\times(\pi+2)\times(\pi+2)=\frac{1}{2}(\pi+2)^2$

답 ④

0736

유형 11 실수 전체의 구간에서 함수가 증가 또는 감소하기 위한 조건

|전략| 함수 $f(x)$가 실수 전체의 집합에서 감소하려면 모든 실수 x에 대하여 $f'(x)\leq0$이어야 함을 이용한다.

$f(x)=(a-x)e^{x^2}$에서

$f'(x)=-e^{x^2}+(a-x)\times e^{x^2}\times2x$

$=e^{x^2}(-2x^2+2ax-1)$

함수 $f(x)$가 실수 전체의 구간에서 감소하려면 모든 실수 x에 대하여 $f'(x)\leq0$이어야 한다.

이때, $e^{x^2}>0$이므로 $-2x^2+2ax-1\leq0$이어야 한다.

이차방정식 $-2x^2+2ax-1=0$의 판별식을 D라 하면

$\frac{D}{4}=a^2-2\leq0$, $(a+\sqrt{2})(a-\sqrt{2})\leq0$

$\therefore -\sqrt{2}\leq a\leq\sqrt{2}$

답 ②

0737

유형 12 주어진 구간에서 함수가 증가 또는 감소하기 위한 조건

|전략| 함수 $f(x)$가 구간 $\left(-\frac{\pi}{2}, \frac{\pi}{2}\right)$에서 증가하려면 이 구간의 모든 x에 대하여 $f'(x)\geq0$이어야 함을 이용한다.

$f(x)=a\cos x+x$에서 $f'(x)=-a\sin x+1$

함수 $f(x)$가 구간 $\left(-\frac{\pi}{2}, \frac{\pi}{2}\right)$에서 증가하려면 $-\frac{\pi}{2}<x<\frac{\pi}{2}$에서 $f'(x)\geq0$이어야 한다.

이때, $-\frac{\pi}{2}<x<\frac{\pi}{2}$에서 $-1<\sin x<1$이고 $a>0$이므로

$-a+1<-a\sin x+1<a+1$

즉, $-a+1<f'(x)<a+1$이므로 $f'(x)\geq0$이려면

$-a+1\geq0$ $\quad\therefore a\leq1$

$\therefore 0<a\leq1$

따라서 a의 최댓값은 1이다.

답 ③

0738

유형 13 유리함수의 극대·극소

|전략| $f'(x)=0$이 되는 x의 값을 구하고 그 값의 좌우에서 $f'(x)$의 부호가 바뀌는지 조사한다.

$f(x)=-\frac{2x}{x^2+1}$에서

$f'(x)=-\frac{2(x^2+1)-2x\times2x}{(x^2+1)^2}=\frac{2(x+1)(x-1)}{(x^2+1)^2}$

$f'(x)=0$에서 $x=-1$ 또는 $x=1$

x	$\cdots$	-1	$\cdots$	1	$\cdots$
$f'(x)$	$+$	0	$-$	0	$+$
$f(x)$	↗	1	↘	-1	↗

따라서 함수 $f(x)$는 $x=-1$에서 극댓값 1, $x=1$에서 극솟값 -1을 가지므로 극댓값과 극솟값의 곱은

$1\times(-1)=-1$

답 ②

0739

유형 14 무리함수의 극대·극소

|전략| $f'(x)=0$이 되는 x의 값을 구하고 그 값의 좌우에서 $f'(x)$의 부호가 바뀌는지 조사한다.

$f(x)=x\sqrt{4-x^2}$에서

$f'(x)=\sqrt{4-x^2}-\frac{x^2}{\sqrt{4-x^2}}=\frac{2(2-x^2)}{\sqrt{4-x^2}}$

$f'(x)=0$에서 $x^2=2$ $\quad\therefore x=\pm\sqrt{2}$

x	(-2)	$\cdots$	$-\sqrt{2}$	$\cdots$	$\sqrt{2}$	$\cdots$	(2)
$f'(x)$		$-$	0	$+$	0	$-$	
$f(x)$		↘	-2	↗	2	↘	

따라서 함수 $f(x)$는 $x=\sqrt{2}$에서 극댓값 2, $x=-\sqrt{2}$에서 극솟값 -2를 가지므로 $a=2$, $b=-2$

$\therefore a^2+b^2=8$

답 ③

0740

유형 17 삼각함수의 극대·극소

|전략| 주어진 범위에서 $f'(x)=0$이 되는 x의 값을 구하고 그 값의 좌우에서 $f'(x)$의 부호가 바뀌는지 조사한다.

$f(x)=\cos x+x\sin x$에서

$f'(x)=-\sin x+\sin x+x\cos x=x\cos x$

$f'(x)=0$에서 $\cos x=0$ ($\because x>0$)

$\therefore x=\frac{\pi}{2}$ 또는 $x=\frac{3}{2}\pi$ ($\because 0<x<2\pi$)

x	(0)	$\cdots$	$\frac{\pi}{2}$	$\cdots$	$\frac{3}{2}\pi$	$\cdots$	(2π)
$f'(x)$		$+$	0	$-$	0	$+$	
$f(x)$		↗	$\frac{\pi}{2}$	↘	$-\frac{3}{2}\pi$	↗	

따라서 함수 $f(x)$는 $x=\frac{3}{2}\pi$에서 극솟값 $-\frac{3}{2}\pi$를 가지므로

$\alpha=\frac{3}{2}\pi$, $\beta=-\frac{3}{2}\pi$ $\quad\therefore \alpha+\beta=0$

답 ③

0741

유형 18 함수의 극대·극소 – 미정계수의 결정

|전략| 함수 $f(x)$가 $x=\alpha$에서 극값 β를 가지면 $f(\alpha)=\beta$, $f'(\alpha)=0$임을 이용한다.

$f(x)=3\ln x+ax-\dfrac{b}{x}$에서 $f'(x)=\dfrac{3}{x}+a+\dfrac{b}{x^2}$

함수 $f(x)$가 $x=1$에서 극솟값 -1을 가지므로

$f(1)=a-b=-1$ ...... ㉠

$f'(1)=3+a+b=0$에서 $a+b=-3$ ...... ㉡

㉠, ㉡을 연립하여 풀면 $a=-2$, $b=-1$

$\therefore ab=2$

답 ④

0742

유형 19 극값을 가질 조건 – 판별식을 이용하는 경우

|전략| 함수 $f(x)$가 극댓값과 극솟값을 모두 가지려면 방정식 $f'(x)=0$이 서로 다른 두 실근을 가져야 함을 이용한다.

$f(x)=2p\ln x+\dfrac{q}{x}+x$에서 $x>0$이고

$f'(x)=\dfrac{2p}{x}-\dfrac{q}{x^2}+1=\dfrac{x^2+2px-q}{x^2}$

이때, 함수 $f(x)$가 극댓값과 극솟값을 모두 가지려면 이차방정식 $x^2+2px-q=0$이 $x>0$에서 서로 다른 두 실근을 가져야 한다.

(i) 이차방정식 $x^2+2px-q=0$의 판별식을 D라 하면

$\dfrac{D}{4}=p^2+q>0 \quad \therefore q>-p^2$

(ii) (두 근의 합)$=-2p>0 \quad \therefore p<0$

(iii) (두 근의 곱)$=-q>0 \quad \therefore q<0$

(i), (ii), (iii)에 의하여 순서쌍 (p, q)가 될 수 있는 것은 ⑤$(-2, -3)$이다.

답 ⑤

0743

유형 03 기울기가 주어진 접선의 방정식

|전략| 주어진 직선과 평행한 접선의 접점의 좌표를 찾아 이 접점과 직선 사이의 거리를 구한다.

$f(x)=2\sqrt{x}$로 놓으면 $f'(x)=\dfrac{1}{\sqrt{x}}$ ··· ❶

곡선 $y=f(x)$의 접선 중에서 직선 $y=x+4$와 평행한 접선의 접점의 좌표를 $(t, 2\sqrt{t})$라 하면 이 점에서의 접선의 기울기가 1이므로

$f'(t)=\dfrac{1}{\sqrt{t}}=1 \quad \therefore t=1$

즉, 접점의 좌표는 $(1, 2)$이다. ··· ❷

따라서 점 $(1, 2)$와 직선 $y=x+4$, 즉 $x-y+4=0$ 사이의 거리가 최소이므로

$\dfrac{|1-2+4|}{\sqrt{1^2+(-1)^2}}=\dfrac{3}{\sqrt{2}}=\dfrac{3\sqrt{2}}{2}$ ··· ❸

답 $\dfrac{3\sqrt{2}}{2}$

채점 기준	배점
❶ $f'(x)$를 구할 수 있다.	2점
❷ 주어진 직선에 평행한 접선의 접점의 좌표를 구할 수 있다.	2점
❸ 거리의 최솟값을 구할 수 있다.	2점

0744

유형 02 접선과 수직인 직선의 방정식
+ 09 음함수로 나타낸 곡선의 접선의 방정식

|전략| 양변에 자연로그를 취한 후 음함수의 미분법을 이용하여 $\dfrac{dy}{dx}$를 구한다.

$y=x^x$의 양변에 자연로그를 취하면

$\ln y=x\ln x$

위의 식의 각 항을 x에 대하여 미분하면

$\dfrac{1}{y}\times\dfrac{dy}{dx}=\ln x+1 \quad \therefore \dfrac{dy}{dx}=y\ln x+y$ ··· ❶

점 $(1, 1)$에서의 접선의 기울기는 $\dfrac{dy}{dx}=1$이므로 접선에 수직인 직선의 기울기는 -1이다.

따라서 점 $(1, 1)$을 지나고 기울기가 -1인 직선의 방정식은

$y-1=-(x-1) \quad \therefore y=-x+2$ ··· ❷

이 직선이 점 $(a, 0)$을 지나므로 $a=2$ ··· ❸

답 2

채점 기준	배점
❶ $\dfrac{dy}{dx}$를 구할 수 있다.	3점
❷ 접선에 수직인 직선의 방정식을 구할 수 있다.	3점
❸ a의 값을 구할 수 있다.	1점

0745

유형 18 함수의 극대·극소 – 미정계수의 결정

|전략| 함수 $f(x)$가 $x=\alpha$에서 극값을 가지면 $f'(\alpha)=0$임을 이용한다.

$f(x)=(ax^2-b)e^x$에서

$f'(x)=2axe^x+(ax^2-b)e^x=(ax^2+2ax-b)e^x$ ··· ❶

함수 $f(x)$가 $x=1$에서 극솟값을 가지므로

$f'(1)=(3a-b)e=0 \quad \therefore 3a-b=0$ ...... ㉠

곡선 $y=f(x)$ 위의 $x=0$인 점에서의 접선의 기울기가 -3이므로

$f'(0)=-b=-3 \quad \therefore b=3$

$b=3$을 ㉠에 대입하면 $a=1$ ··· ❷

$\therefore a+b=4$ ··· ❸

답 4

채점 기준	배점
❶ $f'(x)$를 구할 수 있다.	2점
❷ a, b의 값을 구할 수 있다.	4점
❸ $a+b$의 값을 구할 수 있다.	1점

0746

유형 01 접점의 좌표가 주어진 접선의 방정식

|전략| 서로 수직인 두 직선의 기울기의 곱은 -1임을 이용한다.

(1) $g(x)=f(x)\ln x^4$에서

$g'(x)=f'(x)\ln x^4+f(x)\times\dfrac{4}{x}$

$\therefore g'(e)=f'(e)\ln e^4+f(e)\times\dfrac{4}{e}$

$=4f'(e)-4 \; (\because f(e)=-e)$

(2) 두 접선이 서로 수직이므로 $f'(e)g'(e)=-1$에서

$f'(e)\{4f'(e)-4\}=-1$

$4\{f'(e)\}^2-4f'(e)+1=0$

$\{2f'(e)-1\}^2=0 \quad \therefore f'(e)=\frac{1}{2}$

(3) $100f'(e)=100\times\frac{1}{2}=50$

답 (1) $4f'(e)-4$ (2) $\frac{1}{2}$ (3) 50

채점 기준	배점
(1) $g'(e)$를 $f'(e)$를 사용하여 나타낼 수 있다.	4점
(2) $f'(e)$의 값을 구할 수 있다.	4점
(3) $100f'(e)$의 값을 구할 수 있다.	2점

0747

유형 17 삼각함수의 극대·극소

|전략| $\frac{dy}{dx}=\frac{\frac{dy}{d\theta}}{\frac{dx}{d\theta}}$임을 이용하여 $\frac{dy}{dx}$를 구한 후 $\frac{dy}{dx}=0$을 만족시키는 θ의 값의 좌우에서 $\frac{dy}{dx}$의 부호가 바뀌는지 조사한다.

(1) $\frac{dx}{d\theta}=1-\sin\theta$, $\frac{dy}{d\theta}=\cos\theta-\frac{1}{2}$이므로

$$\frac{dy}{dx}=\frac{\frac{dy}{d\theta}}{\frac{dx}{d\theta}}=\frac{\cos\theta-\frac{1}{2}}{1-\sin\theta}\ (\sin\theta\neq1)$$

(2) $\frac{dy}{dx}=0$에서 $\cos\theta=\frac{1}{2} \quad \therefore \theta=\frac{\pi}{3}$

(3) $0<\theta<\frac{\pi}{3}$일 때 $\frac{dy}{dx}>0$, $\frac{\pi}{3}<\theta<\frac{\pi}{2}$일 때 $\frac{dy}{dx}<0$이므로 주어진 함수는 $\theta=\frac{\pi}{3}$에서 극댓값을 갖는다.

따라서 구하는 극댓값은

$\sin\frac{\pi}{3}-\frac{\pi}{6}=\frac{\sqrt{3}}{2}-\frac{\pi}{6}$

답 (1) $\frac{dy}{dx}=\frac{\cos\theta-\frac{1}{2}}{1-\sin\theta}\ (\sin\theta\neq1)$ (2) $\frac{\pi}{3}$ (3) $\frac{\sqrt{3}}{2}-\frac{\pi}{6}$

채점 기준	배점
(1) $\frac{dy}{dx}$를 구할 수 있다.	4점
(2) $\frac{dy}{dx}=0$을 만족시키는 θ의 값을 구할 수 있다.	4점
(3) 극댓값을 구할 수 있다.	4점

창의·융합 교과서 속 심화문제

0748

|전략| 곡선 위의 점에서의 접선의 방정식을 구하여 $\overline{OQ}$, $\overline{QR}$를 각각 t에 대한 식으로 나타낸 후 극한값을 구한다.

$f(x)=\frac{1}{1-\sin x}$로 놓으면 $f'(x)=\frac{\cos x}{(1-\sin x)^2}$

곡선 $y=f(x)$ 위의 점 $P\left(t, \frac{1}{1-\sin t}\right)$에서의 접선의 방정식은

$y-\frac{1}{1-\sin t}=\frac{\cos t}{(1-\sin t)^2}(x-t)$

위의 식에 $y=0$을 대입하여 정리하면

$-(1-\sin t)=\cos t\times(x-t)$, $x\cos t=t\cos t-1+\sin t$

$\therefore x=\frac{t\cos t-1+\sin t}{\cos t}$

즉, 점 Q의 좌표는 $\left(\frac{t\cos t-1+\sin t}{\cos t}, 0\right)$

이때, 점 P에서 x축에 내린 수선의 발 R의 좌표는 $(t, 0)$이므로

$\overline{QR}=\left|\frac{t\cos t-1+\sin t}{\cos t}-t\right|$

$=\left|\frac{-1+\sin t}{\cos t}\right|=\frac{1-\sin t}{\cos t}\ \left(\because 0<x<\frac{\pi}{2}\right)$

또, $t\to\frac{\pi}{2}-$일 때, (점 Q의 x좌표)>0

$$\therefore \lim_{t\to\frac{\pi}{2}-}\frac{\frac{\pi}{2}-\overline{OQ}}{\overline{QR}}=\lim_{t\to\frac{\pi}{2}-}\frac{\frac{\pi}{2}-\frac{t\cos t-1+\sin t}{\cos t}}{\frac{1-\sin t}{\cos t}}$$

$$=\lim_{t\to\frac{\pi}{2}-}\frac{\left(\frac{\pi}{2}-t\right)\cos t+1-\sin t}{1-\sin t}$$

이때, $t-\frac{\pi}{2}=\theta$라 하면 $t\to\frac{\pi}{2}-$일 때 $\theta\to0-$이므로

$$\lim_{t\to\frac{\pi}{2}-}\frac{\left(\frac{\pi}{2}-t\right)\cos t+1-\sin t}{1-\sin t}$$

$$=\lim_{\theta\to0-}\frac{-\theta\cos\left(\theta+\frac{\pi}{2}\right)+1-\sin\left(\theta+\frac{\pi}{2}\right)}{1-\sin\left(\theta+\frac{\pi}{2}\right)}$$

$$=\lim_{\theta\to0-}\frac{\theta\sin\theta+1-\cos\theta}{1-\cos\theta}=\lim_{\theta\to0-}\left(\frac{\theta\sin\theta}{1-\cos\theta}+1\right)$$

$$=1+\lim_{\theta\to0-}\frac{\theta\sin\theta(1+\cos\theta)}{1-\cos^2\theta}=1+\lim_{\theta\to0-}\frac{\theta\sin\theta(1+\cos\theta)}{\sin^2\theta}$$

$$=1+\lim_{\theta\to0-}\frac{\theta(1+\cos\theta)}{\sin\theta}=1+\lim_{\theta\to0-}\frac{\theta}{\sin\theta}\times\lim_{\theta\to0-}(1+\cos\theta)$$

$=1+1\times2=3$

답 3

0749

|전략| 곡선 $y=f(x)$와 직선 $y=g(x)$가 $x=t$에서 접하면 $f(t)=g(t)$, $f'(t)=g'(t)$임을 이용한다.

$f(x)=a_ne^{x-1}$, $g(x)=nx$로 놓으면

$f'(x)=a_ne^{x-1}$, $g'(x)=n$

곡선 $y=f(x)$와 직선 $y=g(x)$가 $x=t$인 점에서 접한다고 하면

$f(t)=g(t)$에서 $a_ne^{t-1}=nt$ …… ㉠

$f'(t)=g'(t)$에서 $a_ne^{t-1}=n$ …… ㉡

㉠, ㉡에서 $nt=n$ $\quad\therefore t=1$ ($\because n$은 자연수)

즉, 접점의 x좌표가 1이므로 접점의 y좌표 b_n은

$b_n=f(1)=a_ne^{1-1}=a_n$, $b_n=g(1)=n$

$\therefore a_n=b_n=n$

$\therefore \sum_{n=1}^{10}(a_n^2+b_n^2)=\sum_{n=1}^{10}2n^2=2\times\frac{10\times11\times21}{6}=770$ 답 770

0750

|전략| 이계도함수를 이용하여 극댓값을 찾고 등비수열의 합을 이용하여 모든 극댓값의 합을 구한다.

$f(x)=\sqrt{2}e^{-x}\cos x$에서

$f'(x)=-\sqrt{2}e^{-x}\cos x+\sqrt{2}e^{-x}(-\sin x)$

$=-\sqrt{2}e^{-x}(\sin x+\cos x)$

$f''(x)=\sqrt{2}e^{-x}(\sin x+\cos x)-\sqrt{2}e^{-x}(\cos x-\sin x)$

$=2\sqrt{2}e^{-x}\sin x$

$f'(x)=0$에서 $\sin x+\cos x=0$ ($\because e^{-x}>0$)

$\sin x=-\cos x$ $\quad\therefore x=\frac{3}{4}\pi+n\pi$ ($n\ge0$인 정수)

$2\sqrt{2}e^{-x}>0$이므로 $\sin x$의 부호를 조사한다.

$f''\left(\frac{3}{4}\pi+2k\pi\right)>0$, $f''\left(\frac{3}{4}\pi+(2k+1)\pi\right)<0$ ($k\ge0$인 정수)이므로

$x=\frac{7}{4}\pi, \frac{7}{4}\pi+2\pi, \frac{7}{4}\pi+4\pi, \cdots$에서 극댓값 $e^{-\frac{7}{4}\pi}, e^{-\frac{7}{4}\pi-2\pi}, e^{-\frac{7}{4}\pi-4\pi}, \cdots$을 갖는다.

따라서 함수 $f(x)$의 극댓값은 첫째항이 $e^{-\frac{7}{4}\pi}$, 공비가 $e^{-2\pi}$인 등비수열을 이루므로 모든 극댓값의 합은

$\frac{e^{-\frac{7}{4}\pi}}{1-e^{-2\pi}}=\frac{e^{2\pi}\times e^{-\frac{7}{4}\pi}}{e^{2\pi}(1-e^{-2\pi})}=\frac{e^{\frac{\pi}{4}}}{e^{2\pi}-1}$ 답 $\frac{e^{\frac{\pi}{4}}}{e^{2\pi}-1}$

0751

|전략| ㄱ. 삼각함수의 합성과 함수의 극한의 대소 관계를 이용한다.

ㄴ. $x=\frac{\pi}{2}$의 좌우에서 $f'(x)$의 부호의 변화를 조사한다.

ㄷ. $\frac{\pi}{2}<t<\frac{3}{4}\pi$에서 $f'(t)$의 부호를 조사하여 접선의 개형을 유추한다.

ㄱ. $\sin x+\cos x=\sqrt{2}\sin\left(x+\frac{\pi}{4}\right)$이므로 임의의 실수 x에 대하여

$-\sqrt{2}\le\sin x+\cos x\le\sqrt{2}$

$\therefore -\sqrt{2}e^x\le e^x(\sin x+\cos x)\le\sqrt{2}e^x$ ($\because e^x>0$)

이때, $\lim_{x\to-\infty}e^x=0$이므로

$\lim_{x\to-\infty}(-\sqrt{2}e^x)=0$, $\lim_{x\to-\infty}\sqrt{2}e^x=0$

$\therefore \lim_{x\to-\infty}f(x)=0$ (참)

ㄴ. $f'(x)=e^x(\sin x+\cos x)+e^x(\cos x-\sin x)=2e^x\cos x$

$f'\left(\frac{\pi}{2}\right)=0$이고 $-\frac{\pi}{2}<x<\frac{\pi}{2}$에서 $f'(x)>0$, $\frac{\pi}{2}<x<\frac{3}{2}\pi$에서 $f'(x)<0$이므로 $f(x)$는 $x=\frac{\pi}{2}$에서 극댓값을 갖는다. (참)

ㄷ. $\frac{\pi}{2}<t<\frac{3}{4}\pi$일 때, $f(t)=\sqrt{2}e^t\sin\left(t+\frac{\pi}{4}\right)>0$이므로 점 $(t, f(t))$는 제1사분면 위의 점이다.

또, 점 $(t, f(t))$에서의 접선의 기울기는 $f'(t)=2e^t\cos t<0$이다.

제1사분면 위의 점을 지나면서 기울기가 음수인 직선은 제3사분면을 지나지 않으므로 $\frac{\pi}{2}<t<\frac{3}{4}\pi$일 때, $y=f(x)$의 그래프 위의 점 $(t, f(t))$에서의 접선은 제3사분면을 지나지 않는다. (참)

따라서 옳은 것은 ㄱ, ㄴ, ㄷ이다. 답 ⑤

Lecture

함수의 극한의 대소 관계

두 함수 $f(x)$, $g(x)$에 대하여

$\lim_{x\to a}f(x)=L$, $\lim_{x\to a}g(x)=M$ (L, M은 실수)

일 때, a에 가까운 모든 실수 x에 대하여

(1) $f(x)\le g(x)$이면 $L\le M$

(2) 함수 $h(x)$에 대하여 $f(x)\le h(x)\le g(x)$이고 $L=M$이면 $\lim_{x\to a}h(x)=L$

0752

|전략| $f'(x)$를 구한 후 사잇값의 정리를 이용한다.

$f(x)=e^{-x}(\ln x-1)$에서 $x>0$이고

$f'(x)=-e^{-x}(\ln x-1)+e^{-x}\times\frac{1}{x}$

$=e^{-x}\left(\frac{1}{x}-\ln x+1\right)$

함수 $f(x)$가 $x=a$에서 극값을 가지므로 $f'(a)=0$

즉, $g(x)=\frac{1}{x}-\ln x+1$로 놓으면 $g(a)=0$

$g'(x)=-\frac{1}{x^2}-\frac{1}{x}=-\frac{1+x}{x^2}<0$ ($\because x>0$)이므로 함수 $g(x)$는 $x>0$에서 연속이고 감소한다.

이때,

$g(1)=1-\ln 1+1=2>0$,

$g(e)=\frac{1}{e}-\ln e+1=\frac{1}{e}>0$,

$g(e^2)=\frac{1}{e^2}-\ln e^2+1=\frac{1}{e^2}-1<0$

이므로 사잇값의 정리에 의하여 $g(c)=0$인 실수 c가 구간 (e, e^2)에 적어도 하나 존재한다.

따라서 a가 속하는 구간은 ② (e, e^2)이다. 답 ②

Lecture

사잇값의 정리

함수 $f(x)$가 닫힌구간 $[a, b]$에서 연속이고 $f(a)$와 $f(b)$의 부호가 서로 다르면 $f(c)=0$인 c가 열린구간 (a, b)에 적어도 하나 존재한다.

즉, 방정식 $f(x)=0$은 열린구간 (a, b)에서 적어도 하나의 실근을 갖는다.

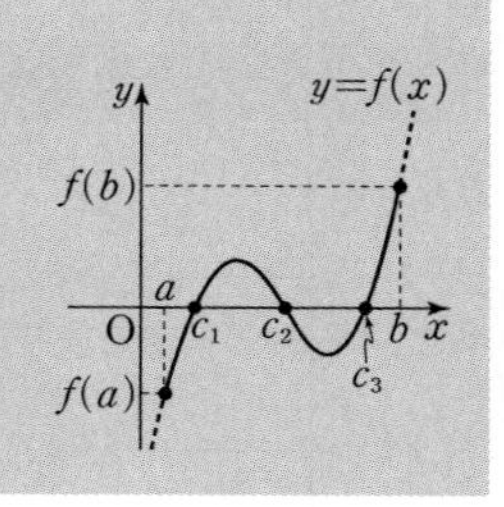

7 | 도함수의 활용 (2)

본책 120~139쪽

STEP 1 개념 마스터

0753

$f(x)=x^3-3x^2+5$로 놓으면

$f'(x)=3x^2-6x$, $f''(x)=6x-6=6(x-1)$

$f''(x)=0$에서 $x=1$

이때, $x<1$이면 $f''(x)<0$, $x>1$이면 $f''(x)>0$

따라서 곡선 $y=f(x)$는 구간 $(-\infty, 1)$에서 위로 볼록하고, 구간 $(1, \infty)$에서 아래로 볼록하다.

답 구간 $(-\infty, 1)$에서 위로 볼록, 구간 $(1, \infty)$에서 아래로 볼록

0754

$f(x)=-x^4+2x^3-1$로 놓으면

$f'(x)=-4x^3+6x^2$, $f''(x)=-12x^2+12x=-12x(x-1)$

$f''(x)=0$에서 $x=0$ 또는 $x=1$

이때, $x<0$ 또는 $x>1$이면 $f''(x)<0$, $0<x<1$이면 $f''(x)>0$

따라서 곡선 $y=f(x)$는 구간 $(-\infty, 0)$, $(1, \infty)$에서 위로 볼록하고, 구간 $(0, 1)$에서 아래로 볼록하다.

답 구간 $(-\infty, 0)$, $(1, \infty)$에서 위로 볼록, 구간 $(0, 1)$에서 아래로 볼록

0755

$f(x)=x-\frac{1}{2x}$로 놓으면 $x\neq0$이고

$f'(x)=1+\frac{1}{2x^2}$, $f''(x)=-\frac{1}{x^3}$

이때, $x<0$이면 $f''(x)>0$, $x>0$이면 $f''(x)<0$

따라서 곡선 $y=f(x)$는 구간 $(-\infty, 0)$에서 아래로 볼록하고, 구간 $(0, \infty)$에서 위로 볼록하다.

답 구간 $(-\infty, 0)$에서 아래로 볼록, 구간 $(0, \infty)$에서 위로 볼록

0756

$f(x)=3^x$으로 놓으면

$f'(x)=3^x\ln 3$, $f''(x)=3^x(\ln 3)^2$

이때, 모든 실수 x에 대하여 $f''(x)>0$

따라서 곡선 $y=f(x)$는 구간 $(-\infty, \infty)$에서 아래로 볼록하다.

답 구간 $(-\infty, \infty)$에서 아래로 볼록

0757

$f(x)=xe^{2x}$으로 놓으면

$f'(x)=e^{2x}+2xe^{2x}=(1+2x)e^{2x}$

$f''(x)=2e^{2x}+(1+2x)\times 2e^{2x}=4(x+1)e^{2x}$

$f''(x)=0$에서 $x=-1$ ($\because e^{2x}>0$)

이때, $x<-1$이면 $f''(x)<0$, $x>-1$이면 $f''(x)>0$

따라서 곡선 $y=f(x)$는 구간 $(-\infty, -1)$에서 위로 볼록하고, 구간 $(-1, \infty)$에서 아래로 볼록하다.

답 구간 $(-\infty, -1)$에서 위로 볼록, 구간 $(-1, \infty)$에서 아래로 볼록

0758

$f(x)=x-\ln x$로 놓으면 $x>0$이고

$f'(x)=1-\frac{1}{x}$, $f''(x)=\frac{1}{x^2}$

이때, $x>0$이면 $f''(x)>0$

따라서 곡선 $y=f(x)$는 구간 $(0, \infty)$에서 아래로 볼록하다.

답 구간 $(0, \infty)$에서 아래로 볼록

0759

$f(x)=\sin x$로 놓으면

$f'(x)=\cos x$, $f''(x)=-\sin x$

$f''(x)=0$에서 $x=\pi$ ($\because 0<x<2\pi$)

이때, $0<x<\pi$이면 $f''(x)<0$, $\pi<x<2\pi$이면 $f''(x)>0$

따라서 곡선 $y=f(x)$는 구간 $(0, \pi)$에서 위로 볼록하고, 구간 $(\pi, 2\pi)$에서 아래로 볼록하다.

답 구간 $(0, \pi)$에서 위로 볼록, 구간 $(\pi, 2\pi)$에서 아래로 볼록

0760

$f(x)=x^3+x+1$로 놓으면

$f'(x)=3x^2+1$, $f''(x)=6x$

$f''(x)=0$에서 $x=0$

이때, $x<0$이면 $f''(x)<0$, $x>0$이면 $f''(x)>0$

따라서 $x=0$의 좌우에서 $f''(x)$의 부호가 바뀌므로 변곡점의 좌표는 $(0, 1)$

답 $(0, 1)$

0761

$f(x)=x^4-4x^3$으로 놓으면

$f'(x)=4x^3-12x^2$, $f''(x)=12x^2-24x=12x(x-2)$

$f''(x)=0$에서 $x=0$ 또는 $x=2$

이때, $x<0$ 또는 $x>2$이면 $f''(x)>0$, $0<x<2$이면 $f''(x)<0$

따라서 $x=0$, $x=2$의 좌우에서 $f''(x)$의 부호가 바뀌므로 변곡점의 좌표는 $(0, 0)$, $(2, -16)$

답 $(0, 0)$, $(2, -16)$

0762

$f(x)=\frac{1}{x^2+3}$로 놓으면 $f'(x)=\frac{-2x}{(x^2+3)^2}$

$$f''(x)=\frac{-2(x^2+3)^2+2x\times2(x^2+3)\times2x}{(x^2+3)^4}=\frac{-2(x^2+3)+8x^2}{(x^2+3)^3}=\frac{6(x+1)(x-1)}{(x^2+3)^3}$$

$f''(x)=0$에서 $x=-1$ 또는 $x=1$

이때, $x<-1$ 또는 $x>1$이면 $f''(x)>0$, $-1<x<1$이면 $f''(x)<0$

따라서 $x=-1$, $x=1$의 좌우에서 $f''(x)$의 부호가 바뀌므로 변곡점의 좌표는 $\left(-1, \frac{1}{4}\right)$, $\left(1, \frac{1}{4}\right)$

답 $\left(-1, \frac{1}{4}\right)$, $\left(1, \frac{1}{4}\right)$

0763

$f(x)=xe^x$으로 놓으면

$f'(x)=e^x+xe^x=e^x(1+x)$

$f''(x)=e^x(1+x)+e^x=e^x(x+2)$

$f''(x)=0$에서 $x=-2$ ($\because e^x>0$)

이때, $x<-2$이면 $f''(x)<0$, $x>-2$이면 $f''(x)>0$

따라서 $x=-2$의 좌우에서 $f''(x)$의 부호가 바뀌므로 변곡점의 좌표는 $\left(-2, -\dfrac{2}{e^2}\right)$

답 $\left(-2, -\dfrac{2}{e^2}\right)$

0764

$f(x)=\ln(x^2+1)$로 놓으면 $f'(x)=\dfrac{2x}{x^2+1}$

$f''(x)=\dfrac{2(x^2+1)-2x\times 2x}{(x^2+1)^2}=\dfrac{-2(x^2-1)}{(x^2+1)^2}$

$=\dfrac{-2(x+1)(x-1)}{(x^2+1)^2}$

$f''(x)=0$에서 $x=-1$ 또는 $x=1$

이때, $x<-1$ 또는 $x>1$이면 $f''(x)<0$, $-1<x<1$이면 $f''(x)>0$

따라서 $x=-1$, $x=1$의 좌우에서 $f''(x)$의 부호가 바뀌므로 변곡점의 좌표는 $(-1, \ln 2)$, $(1, \ln 2)$

답 $(-1, \ln 2)$, $(1, \ln 2)$

0765

$f(x)=x^2-2x\ln x+1$로 놓으면 $x>0$이고

$f'(x)=2x-2\left(\ln x+x\times\dfrac{1}{x}\right)=2x-2\ln x-2$, $f''(x)=2-\dfrac{2}{x}$

$f''(x)=0$에서 $x=1$

이때, $0<x<1$이면 $f''(x)<0$, $x>1$이면 $f''(x)>0$

따라서 $x=1$의 좌우에서 $f''(x)$의 부호가 바뀌므로 변곡점의 좌표는 $(1, 2)$

답 $(1, 2)$

0766

$f(x)=x+2\cos x$로 놓으면

$f'(x)=1-2\sin x$, $f''(x)=-2\cos x$

$f''(x)=0$에서 $x=\dfrac{\pi}{2}$ 또는 $x=\dfrac{3}{2}\pi$ ($\because 0<x<2\pi$)

이때, $0<x<\dfrac{\pi}{2}$ 또는 $\dfrac{3}{2}\pi<x<2\pi$이면 $f''(x)<0$, $\dfrac{\pi}{2}<x<\dfrac{3}{2}\pi$이면 $f''(x)>0$

따라서 $x=\dfrac{\pi}{2}$, $x=\dfrac{3}{2}\pi$의 좌우에서 $f''(x)$의 부호가 바뀌므로 변곡점의 좌표는 $\left(\dfrac{\pi}{2}, \dfrac{\pi}{2}\right)$, $\left(\dfrac{3}{2}\pi, \dfrac{3}{2}\pi\right)$

답 $\left(\dfrac{\pi}{2}, \dfrac{\pi}{2}\right)$, $\left(\dfrac{3}{2}\pi, \dfrac{3}{2}\pi\right)$

0767

$f(x)=x^4-2x^3+2$에서

$f'(x)=4x^3-6x^2=2x^2(2x-3)$

$f''(x)=12x^2-12x=12x(x-1)$

$f'(x)=0$에서 $x=0$ 또는 $x=\dfrac{3}{2}$

$f''(x)=0$에서 $x=0$ 또는 $x=1$

x	$\cdots$	0	$\cdots$	1	$\cdots$	$\frac{3}{2}$	$\cdots$
$f'(x)$	$-$	0	$-$	$-$	$-$	0	$+$
$f''(x)$	$+$	0	$-$	0	$+$	$+$	$+$
$f(x)$	↘	2	↘	1	↘	$\frac{5}{16}$	↗

따라서 함수 $y=f(x)$의 그래프의 개형은 오른쪽 그림과 같다.

답 풀이 참조

참고 표에서 ↗, ↘는 각각 위로 볼록이면서 증가, 감소를 나타내고, ↗, ↘는 각각 아래로 볼록이면서 증가, 감소를 나타낸다.

0768

$f(x)=\dfrac{x^2+1}{x}=x+\dfrac{1}{x}$에서 $x\neq 0$이고

$f'(x)=1-\dfrac{1}{x^2}$, $f''(x)=\dfrac{2}{x^3}$

$f'(x)=0$에서 $x=-1$ 또는 $x=1$

$f''(x)=0$을 만족시키는 x의 값이 존재하지 않으므로 변곡점은 없다.

x	$\cdots$	-1	$\cdots$	(0)	$\cdots$	1	$\cdots$
$f'(x)$	$+$	0	$-$		$-$	0	$+$
$f''(x)$	$-$	$-$	$-$		$+$	$+$	$+$
$f(x)$	↗	-2	↘		↘	2	↗

이때, $\lim_{x\to 0+} f(x)=\infty$, $\lim_{x\to 0-} f(x)=-\infty$,

$\lim_{x\to\infty}\left(x+\dfrac{1}{x}\right)=\lim_{x\to\infty} x$,

$\lim_{x\to-\infty}\left(x+\dfrac{1}{x}\right)=\lim_{x\to-\infty} x$이므로

점근선은 y축과 직선 $y=x$이다.

따라서 함수 $y=f(x)$의 그래프의 개형은 오른쪽 그림과 같다.

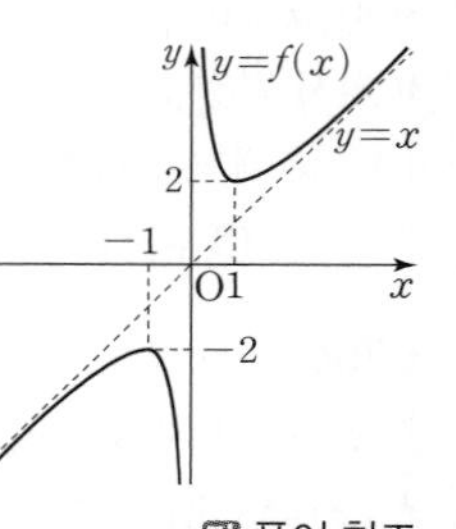

답 풀이 참조

참고 $\lim_{x\to\infty} f(x)=\lim_{x\to\infty}(mx+n)$ 또는 $\lim_{x\to-\infty} f(x)=\lim_{x\to-\infty}(mx+n)$

⇨ 직선 $y=mx+n$이 곡선 $y=f(x)$의 점근선

0769

$f(x)=\dfrac{x}{x^2+4}$에서

$f'(x)=\dfrac{(x^2+4)-x\times 2x}{(x^2+4)^2}=\dfrac{4-x^2}{(x^2+4)^2}=\dfrac{-(x+2)(x-2)}{(x^2+4)^2}$

$f''(x)=\dfrac{-2x(x^2+4)^2-(4-x^2)\times 2(x^2+4)\times 2x}{(x^2+4)^4}$

$=\dfrac{2x^3-24x}{(x^2+4)^3}=\dfrac{2x(x+2\sqrt{3})(x-2\sqrt{3})}{(x^2+4)^3}$

$f'(x)=0$에서 $x=-2$ 또는 $x=2$

$f''(x)=0$에서 $x=-2\sqrt{3}$ 또는 $x=0$ 또는 $x=2\sqrt{3}$

x	$\cdots$	$-2\sqrt{3}$	$\cdots$	-2	$\cdots$	0	$\cdots$	2	$\cdots$	$2\sqrt{3}$	$\cdots$
$f'(x)$	$-$	$-$	$-$	0	$+$	$+$	$+$	0	$-$	$-$	$-$
$f''(x)$	$-$	0	$+$	$+$	$+$	0	$-$	$-$	$-$	0	$+$
$f(x)$	↘	$-\frac{\sqrt{3}}{8}$	↘	$-\frac{1}{4}$	↗	0	↗	$\frac{1}{4}$	↘	$\frac{\sqrt{3}}{8}$	↘

이때, $\lim_{x\to\infty}f(x)=0$, $\lim_{x\to-\infty}f(x)=0$이므로 점근선은 x축이다.

따라서 함수 $y=f(x)$의 그래프의 개형은 오른쪽 그림과 같다.

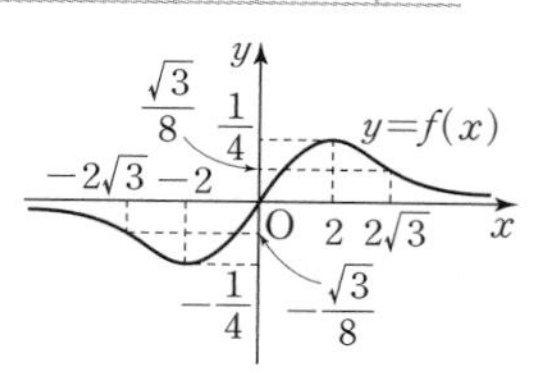

답 풀이 참조

0770

$f(x)=x-\sqrt{x}$에서 $x\geq0$이고

$$f'(x)=1-\frac{1}{2\sqrt{x}}=\frac{2\sqrt{x}-1}{2\sqrt{x}}$$

$$f''(x)=\frac{\frac{1}{\sqrt{x}}}{4x}=\frac{1}{4x\sqrt{x}}$$

$f'(x)=0$에서 $\sqrt{x}=\frac{1}{2}$ $\quad\therefore x=\frac{1}{4}$

$f''(x)=0$을 만족시키는 x의 값이 존재하지 않으므로 변곡점은 없다.

x	0	$\cdots$	$\frac{1}{4}$	$\cdots$
$f'(x)$		$-$	0	$+$
$f''(x)$		$+$	$+$	$+$
$f(x)$	0	↘	$-\frac{1}{4}$	↗

이때, $\lim_{x\to\infty}f(x)=\infty$이므로 함수 $y=f(x)$의 그래프의 개형은 오른쪽 그림과 같다.

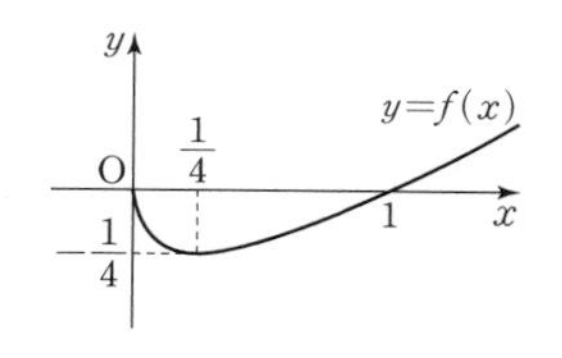

답 풀이 참조

0771

$f(x)=e^x+e^{-x}$에서

$f'(x)=e^x-e^{-x}$, $f''(x)=e^x+e^{-x}$

$f'(x)=0$에서 $e^x=e^{-x}$ $\quad\therefore x=0$

$f''(x)=0$을 만족시키는 x의 값이 존재하지 않으므로 변곡점은 없다.

x	$\cdots$	0	$\cdots$
$f'(x)$	$-$	0	$+$
$f''(x)$	$+$	$+$	$+$
$f(x)$	↘	2	↗

이때, $\lim_{x\to\infty}f(x)=\infty$, $\lim_{x\to-\infty}f(x)=\infty$이므로 함수 $y=f(x)$의 그래프의 개형은 오른쪽 그림과 같다.

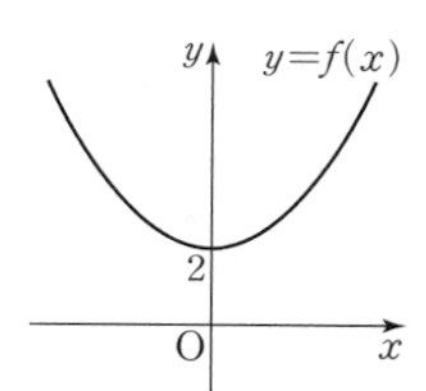

답 풀이 참조

0772

$f(x)=\frac{x}{e^x}=xe^{-x}$에서

$f'(x)=e^{-x}-xe^{-x}=(1-x)e^{-x}$

$f''(x)=-e^{-x}-(1-x)e^{-x}=(x-2)e^{-x}$

$f'(x)=0$에서 $x=1$ ($\because e^{-x}>0$)

$f''(x)=0$에서 $x=2$ ($\because e^{-x}>0$)

x	(0)	$\cdots$	1	$\cdots$	2	$\cdots$
$f'(x)$		$+$	0	$-$	$-$	$-$
$f''(x)$		$-$	$-$	$-$	0	$+$
$f(x)$		↗	$\frac{1}{e}$	↘	$\frac{2}{e^2}$	↘

이때, $\lim_{x\to\infty}f(x)=0$이므로 점근선은 x축이다.

따라서 함수 $y=f(x)$의 그래프의 개형은 오른쪽 그림과 같다.

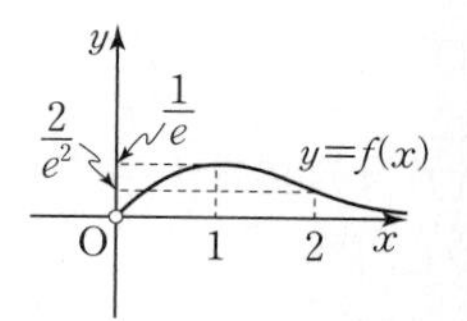

답 풀이 참조

0773

$f(x)=\ln(x^2+2)$에서

$$f'(x)=\frac{2x}{x^2+2}$$

$$f''(x)=\frac{2(x^2+2)-2x\times2x}{(x^2+2)^2}=\frac{-2(x^2-2)}{(x^2+2)^2}$$

$$=\frac{-2(x+\sqrt{2})(x-\sqrt{2})}{(x^2+2)^2}$$

$f'(x)=0$에서 $x=0$

$f''(x)=0$에서 $x=-\sqrt{2}$ 또는 $x=\sqrt{2}$

x	$\cdots$	$-\sqrt{2}$	$\cdots$	0	$\cdots$	$\sqrt{2}$	$\cdots$
$f'(x)$	$-$	$-$	$-$	0	$+$	$+$	$+$
$f''(x)$	$-$	0	$+$	$+$	$+$	0	$-$
$f(x)$	↘	$2\ln2$	↘	$\ln2$	↗	$2\ln2$	↗

이때, $\lim_{x\to\infty}f(x)=\infty$, $\lim_{x\to-\infty}f(x)=\infty$이므로 함수 $y=f(x)$의 그래프의 개형은 오른쪽 그림과 같다.

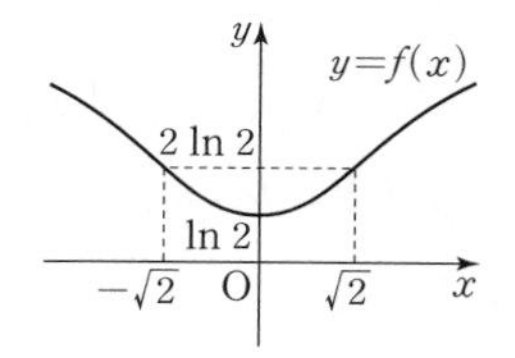

답 풀이 참조

0774

$f(x)=x+\sin x$에서

$f'(x)=1+\cos x$, $f''(x)=-\sin x$

$f'(x)=0$에서 $\cos x=-1$ $\quad\therefore x=\pi$ ($\because 0\leq x\leq2\pi$)

$f''(x)=0$에서 $x=0$ 또는 $x=\pi$ 또는 $x=2\pi$ ($\because 0\leq x\leq2\pi$)

x	0	$\cdots$	π	$\cdots$	2π
$f'(x)$		$+$	0	$+$	
$f''(x)$	0	$-$	0	$+$	0
$f(x)$	0	↗	π	↗	2π

따라서 함수 $y=f(x)$의 그래프의 개형은 오른쪽 그림과 같다.

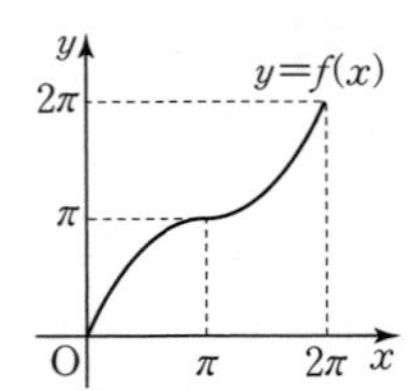

답 풀이 참조

0775

$f(x)=\dfrac{x^2-5x+15}{x-2}$에서

$f'(x)=\dfrac{(2x-5)(x-2)-(x^2-5x+15)}{(x-2)^2}$

$=\dfrac{x^2-4x-5}{(x-2)^2}=\dfrac{(x+1)(x-5)}{(x-2)^2}$

$f'(x)=0$에서 $x=5$ ($\because 3\le x\le 6$)

x	3	$\cdots$	5	$\cdots$	6
$f'(x)$		$-$	0	$+$	
$f(x)$	9	↘	5	↗	$\frac{21}{4}$

따라서 함수 $f(x)$는 $x=3$일 때 최댓값 9, $x=5$일 때 최솟값 5를 갖는다.

답 최댓값: 9, 최솟값: 5

0776

$f(x)=\dfrac{x}{x^2+x+1}$에서

$f'(x)=\dfrac{(x^2+x+1)-x(2x+1)}{(x^2+x+1)^2}=\dfrac{-x^2+1}{(x^2+x+1)^2}$

$=\dfrac{-(x+1)(x-1)}{(x^2+x+1)^2}$

$f'(x)=0$에서 $x=-1$ 또는 $x=1$

x	-2	$\cdots$	-1	$\cdots$	1	$\cdots$	2
$f'(x)$		$-$	0	$+$	0	$-$	
$f(x)$	$-\frac{2}{3}$	↘	-1	↗	$\frac{1}{3}$	↘	$\frac{2}{7}$

따라서 함수 $f(x)$는 $x=1$일 때 최댓값 $\frac{1}{3}$, $x=-1$일 때 최솟값 -1을 갖는다.

답 최댓값: $\frac{1}{3}$, 최솟값: -1

0777

$f(x)=\sqrt{3-x^2}$에서 $f'(x)=\dfrac{-2x}{2\sqrt{3-x^2}}=-\dfrac{x}{\sqrt{3-x^2}}$

$f'(x)=0$에서 $x=0$

x	-1	$\cdots$	0	$\cdots$	1
$f'(x)$		$+$	0	$-$	
$f(x)$	$\sqrt{2}$	↗	$\sqrt{3}$	↘	$\sqrt{2}$

따라서 함수 $f(x)$는 $x=0$일 때 최댓값 $\sqrt{3}$, $x=-1$ 또는 $x=1$일 때 최솟값 $\sqrt{2}$를 갖는다.

답 최댓값: $\sqrt{3}$, 최솟값: $\sqrt{2}$

0778

$f(x)=x^2e^x$에서 $f'(x)=2xe^x+x^2e^x=x(2+x)e^x$

$f'(x)=0$에서 $x=0$ ($\because e^x>0$, $-1\le x\le 2$)

x	-1	$\cdots$	0	$\cdots$	2
$f'(x)$		$-$	0	$+$	
$f(x)$	$\frac{1}{e}$	↘	0	↗	$4e^2$

따라서 함수 $f(x)$는 $x=2$일 때 최댓값 $4e^2$, $x=0$일 때 최솟값 0을 갖는다.

답 최댓값: $4e^2$, 최솟값: 0

0779

$f(x)=2x-\ln x$에서 $f'(x)=2-\dfrac{1}{x}$

$f'(x)=0$에서 $x=\dfrac{1}{2}$

x	$\frac{1}{e}$	$\cdots$	$\frac{1}{2}$	$\cdots$	e
$f'(x)$		$-$	0	$+$	
$f(x)$	$\frac{2}{e}+1$	↘	$1+\ln 2$	↗	$2e-1$

따라서 함수 $f(x)$는 $x=e$일 때 최댓값 $2e-1$, $x=\frac{1}{2}$일 때 최솟값 $1+\ln 2$를 갖는다.

답 최댓값: $2e-1$, 최솟값: $1+\ln 2$

0780

$f(x)=\dfrac{e^x}{\sin x}$에서

$f'(x)=\dfrac{e^x\sin x-e^x\cos x}{\sin^2 x}=\dfrac{(\sin x-\cos x)e^x}{\sin^2 x}$

$f'(x)=0$에서 $\sin x=\cos x$ ($\because e^x>0$)

$\therefore x=\dfrac{\pi}{4}$ $\left(\because \dfrac{\pi}{6}\le x\le \dfrac{5}{6}\pi\right)$

x	$\frac{\pi}{6}$	$\cdots$	$\frac{\pi}{4}$	$\cdots$	$\frac{5}{6}\pi$
$f'(x)$		$-$	0	$+$	
$f(x)$	$2e^{\frac{\pi}{6}}$	↘	$\sqrt{2}e^{\frac{\pi}{4}}$	↗	$2e^{\frac{5}{6}\pi}$

따라서 함수 $f(x)$는 $x=\frac{5}{6}\pi$일 때 최댓값 $2e^{\frac{5}{6}\pi}$, $x=\frac{\pi}{4}$일 때 최솟값 $\sqrt{2}e^{\frac{\pi}{4}}$을 갖는다.

답 최댓값: $2e^{\frac{5}{6}\pi}$, 최솟값: $\sqrt{2}e^{\frac{\pi}{4}}$

0781

$f(x)=\sin x-\cos x$에서 $f'(x)=\cos x+\sin x$

$f'(x)=0$에서 $\cos x=-\sin x$ $\quad\therefore x=\dfrac{7}{4}\pi$ ($\because \pi\le x\le 2\pi$)

x	π	$\cdots$	$\frac{7}{4}\pi$	$\cdots$	2π
$f'(x)$		$-$	0	$+$	
$f(x)$	1	↘	$-\sqrt{2}$	↗	-1

따라서 함수 $f(x)$는 $x=\pi$일 때 최댓값 1, $x=\frac{7}{4}\pi$일 때 최솟값 $-\sqrt{2}$를 갖는다.

답 최댓값: 1, 최솟값: $-\sqrt{2}$

0782

$f(x)=\sqrt{x+1}-x$로 놓으면 $x\ge-1$이고 $f'(x)=\frac{1}{2\sqrt{x+1}}-1$

$f'(x)=0$에서 $\sqrt{x+1}=\frac{1}{2}$, $x+1=\frac{1}{4}$ $\quad\therefore x=-\frac{3}{4}$

x	-1	$\cdots$	$-\frac{3}{4}$	$\cdots$
$f'(x)$		$+$	0	$-$
$f(x)$	1	↗	$\frac{5}{4}$	↘

이때, $\lim_{x\to\infty}f(x)=-\infty$이므로 함수 $y=f(x)$의 그래프의 개형은 오른쪽 그림과 같다.

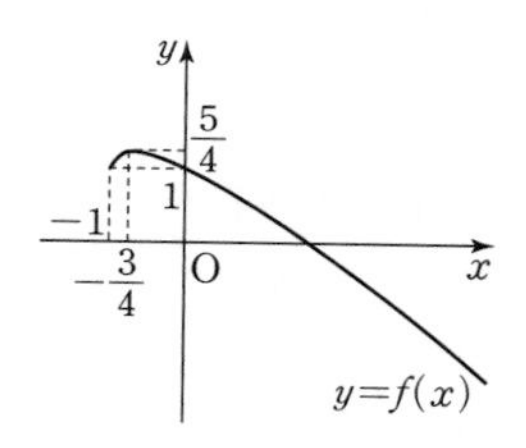

따라서 주어진 방정식은 한 개의 실근을 갖는다. 답 1

다른 풀이 방정식 $\sqrt{x+1}-x=0$, 즉 $\sqrt{x+1}=x$의 서로 다른 실근의 개수는 $x\ge-1$에서 두 함수 $y=\sqrt{x+1}$, $y=x$의 그래프의 교점의 개수와 같다.

따라서 오른쪽 그림에서 구하는 서로 다른 실근의 개수는 1이다.

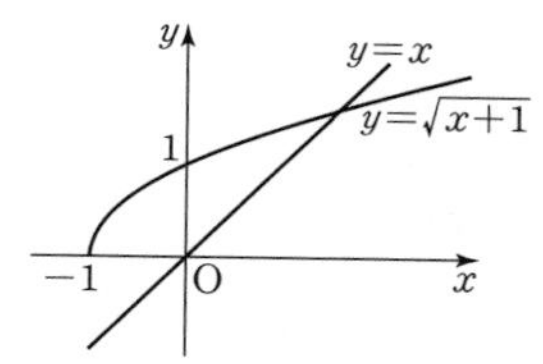

0783

$f(x)=e^x-x-2$로 놓으면 $f'(x)=e^x-1$

$f'(x)=0$에서 $e^x=1$ $\quad\therefore x=0$

x	$\cdots$	0	$\cdots$
$f'(x)$	$-$	0	$+$
$f(x)$	↘	-1	↗

이때, $\lim_{x\to\infty}f(x)=\infty$, $\lim_{x\to-\infty}f(x)=\infty$이므로 함수 $y=f(x)$의 그래프의 개형은 오른쪽 그림과 같다.

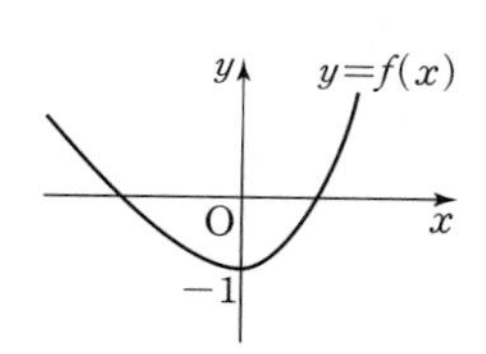

따라서 주어진 방정식은 서로 다른 두 개의 실근을 갖는다. 답 2

0784

$f(x)=\ln x-x+1$로 놓으면 $x>0$이고 $f'(x)=\frac{1}{x}-1$

$f'(x)=0$에서 $\frac{1}{x}=1$ $\quad\therefore x=1$

x	(0)	$\cdots$	1	$\cdots$
$f'(x)$		$+$	0	$-$
$f(x)$		↗	0	↘

이때, $\lim_{x\to0+}f(x)=-\infty$, $\lim_{x\to\infty}f(x)=-\infty$이므로 함수 $y=f(x)$의 그래프의 개형은 오른쪽 그림과 같다.

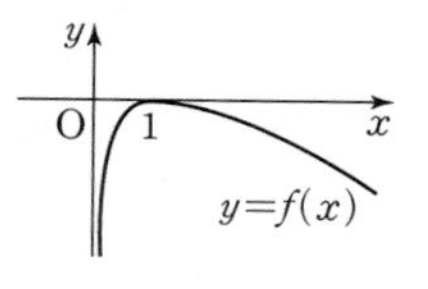

따라서 주어진 방정식은 한 개의 실근을 갖는다. 답 1

0785

방정식 $x+\frac{1}{e^x}=2$의 서로 다른 실근의 개수는 곡선 $y=x+\frac{1}{e^x}$과 직선 $y=2$의 교점의 개수와 같다.

$f(x)=x+\frac{1}{e^x}$로 놓으면 $f'(x)=1-\frac{1}{e^x}$

$f'(x)=0$에서 $e^x=1$ $\quad\therefore x=0$

x	$\cdots$	0	$\cdots$
$f'(x)$	$-$	0	$+$
$f(x)$	↘	1	↗

이때, $\lim_{x\to\infty}f(x)=\infty$, $\lim_{x\to-\infty}f(x)=\infty$이므로 함수 $y=f(x)$의 그래프의 개형은 오른쪽 그림과 같다.

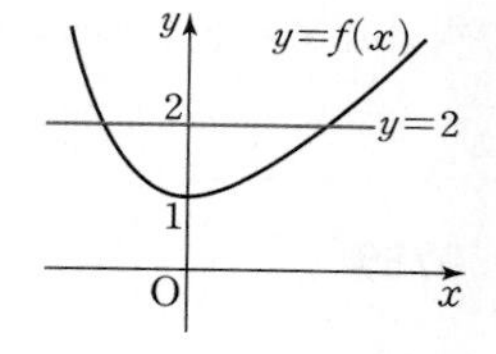

따라서 주어진 방정식은 서로 다른 두 개의 실근을 갖는다. 답 2

0786

방정식 $x-\cos x=1$의 서로 다른 실근의 개수는 곡선 $y=x-\cos x$와 직선 $y=1$의 교점의 개수와 같다.

$f(x)=x-\cos x$로 놓으면 $f'(x)=1+\sin x$

$f'(x)\ge0$이므로 함수 $f(x)$는 실수 전체의 구간에서 증가한다.

이때, $\lim_{x\to\infty}f(x)=\infty$, $\lim_{x\to-\infty}f(x)=-\infty$이므로 함수 $y=f(x)$의 그래프의 개형은 오른쪽 그림과 같다.

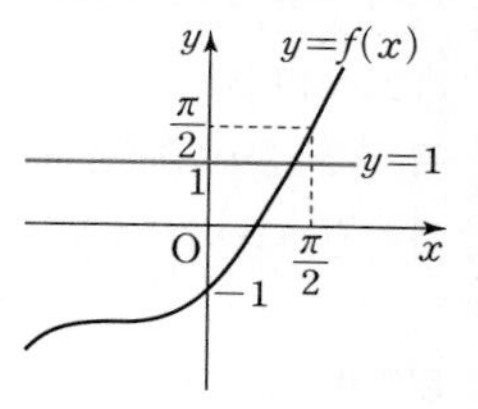

따라서 주어진 방정식은 한 개의 실근을 갖는다. 답 1

0787

방정식 $x-2\sqrt{x-2}=k$의 서로 다른 실근의 개수는 곡선 $y=x-2\sqrt{x-2}$와 직선 $y=k$의 교점의 개수와 같다.

$f(x)=x-2\sqrt{x-2}$로 놓으면 $x\ge2$이고

$f'(x)=1-\frac{1}{\sqrt{x-2}}$

$f'(x)=0$에서 $\sqrt{x-2}=1$, $x-2=1$ $\quad\therefore x=3$

x	2	$\cdots$	3	$\cdots$
$f'(x)$		$-$	0	$+$
$f(x)$	2	↘	1	↗

이때, $\lim_{x\to\infty}f(x)=\infty$이므로 함수 $y=f(x)$의 그래프의 개형은 오른쪽 그림과 같다.

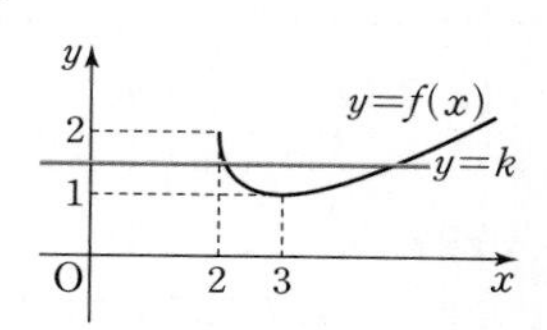

(1) 주어진 방정식이 한 실근을 가지려면 함수 $y=f(x)$의 그래프와 직선 $y=k$가 한 점에서 만나야 하므로 $k=1$ 또는 $k>2$

(2) 주어진 방정식이 서로 다른 두 실근을 가지려면 함수 $y=f(x)$의 그래프와 직선 $y=k$가 서로 다른 두 점에서 만나야 하므로 $1<k\le2$

답 (1) $k=1$ 또는 $k>2$ (2) $1<k\le2$

0788

$f(x)=e^x-x-1$로 놓으면 $f'(x)=$ (가) e^x-1

$f'(x)=0$에서 $x=$ (나) 0

x	$\cdots$	(나) 0	$\cdots$
$f'(x)$	$-$	0	$+$
$f(x)$	↘	(다) 0	↗

이때, $\lim_{x\to\infty} f(x)=\infty$, $\lim_{x\to-\infty} f(x)=\infty$이므로 $f(x)$의 최솟값은

$f($(나) $0)=$ (다) 0이다.

즉, $f(x)\ge0$이므로 $e^x-x-1\ge0$

따라서 모든 실수 x에 대하여 부등식 $e^x\ge x+1$이 성립한다.

답 (가) e^x-1 (나) 0 (다) 0

0789

$f(x)=x-\ln(x-1)$로 놓으면 $f'(x)=1-\frac{1}{x-1}=\frac{x-2}{x-1}$

$f'(x)=0$에서 $x=2$

x	(1)	$\cdots$	2	$\cdots$
$f'(x)$		$-$	0	$+$
$f(x)$		↘	2	↗

이때, $\lim_{x\to1+} f(x)=\infty$, $\lim_{x\to\infty} f(x)=\infty$이므로 $f(x)$의 최솟값은

$f(2)=2$이다.

즉, $f(x)\ge0$이므로 $x-\ln(x-1)\ge0$

따라서 $x>1$일 때 부등식 $x\ge\ln(x-1)$이 성립한다. 답 풀이 참조

0790

$f(x)=\cos x-1+2x$로 놓으면 $f'(x)=-\sin x+2$

$x>0$일 때 $f'(x)>0$이므로 $f(x)$는 증가한다.

또, $f(0)=0$이므로 $x>0$일 때 $f(x)>0$

즉, $\cos x-1+2x>0$

따라서 $x>0$일 때 부등식 $\cos x>1-2x$가 성립한다. 답 풀이 참조

0791

점 P의 시각 t에서의 속도와 가속도를 각각 $v(t)$, $a(t)$라 하면

$v(t)=f'(t)=e^t+te^t=e^t(t+1)$

$a(t)=f''(t)=e^t(t+1)+e^t=e^t(t+2)$

따라서 $t=2$에서의 점 P의 속도와 가속도는

$v(2)=3e^2$, $a(2)=4e^2$ 답 속도: $3e^2$, 가속도: $4e^2$

0792

점 P의 시각 t에서의 속도와 가속도를 각각 $v(t)$, $a(t)$라 하면

$v(t)=f'(t)=1+\frac{1}{t+1}$

$a(t)=f''(t)=-\frac{1}{(t+1)^2}$

따라서 $t=1$에서의 점 P의 속도와 가속도는

$v(1)=\frac{3}{2}$, $a(1)=-\frac{1}{4}$ 답 속도: $\frac{3}{2}$, 가속도: $-\frac{1}{4}$

0793

점 P의 시각 t에서의 속도와 가속도를 각각 $v(t)$, $a(t)$라 하면

$v(t)=f'(t)=1+\cos t$

$a(t)=f''(t)=-\sin t$

따라서 $t=\frac{\pi}{2}$에서의 점 P의 속도와 가속도는

$v\left(\frac{\pi}{2}\right)=1$, $a\left(\frac{\pi}{2}\right)=-1$ 답 속도: 1, 가속도: -1

0794

$\frac{dx}{dt}=2$, $\frac{dy}{dt}=2t$이므로 점 P의 시각 t에서의 속도는 $(2, 2t)$

따라서 $t=2$에서의 점 P의 속도는 $(2, 4)$

$\frac{d^2x}{dt^2}=0$, $\frac{d^2y}{dt^2}=2$이므로 점 P의 시각 t에서의 가속도는 $(0, 2)$

따라서 $t=2$에서의 점 P의 가속도는 $(0, 2)$

답 속도: $(2, 4)$, 가속도: $(0, 2)$

0795

$\frac{dx}{dt}=\sqrt{3}$, $\frac{dy}{dt}=1-t^2$이므로 점 P의 시각 t에서의 속도는

$(\sqrt{3}, 1-t^2)$

따라서 $t=2$에서의 점 P의 속도는 $(\sqrt{3}, -3)$

$\frac{d^2x}{dt^2}=0$, $\frac{d^2y}{dt^2}=-2t$이므로 점 P의 시각 t에서의 가속도는

$(0, -2t)$

따라서 $t=2$에서의 점 P의 가속도는 $(0, -4)$

답 속도: $(\sqrt{3}, -3)$, 가속도: $(0, -4)$

0796

$\frac{dx}{dt}=2e^{2t}$, $\frac{dy}{dt}=2t$이므로 점 P의 시각 t에서의 속도는

$(2e^{2t}, 2t)$

따라서 $t=2$에서의 점 P의 속도는 $(2e^4, 4)$

$\frac{d^2x}{dt^2}=4e^{2t}$, $\frac{d^2y}{dt^2}=2$이므로 점 P의 시각 t에서의 가속도는

$(4e^{2t}, 2)$

따라서 $t=2$에서의 점 P의 가속도는 $(4e^4, 2)$

답 속도: $(2e^4, 4)$, 가속도: $(4e^4, 2)$

0797

$\frac{dx}{dt}=-\sin t$, $\frac{dy}{dt}=\cos t$이므로 점 P의 시각 t에서의 속도는

$(-\sin t, \cos t)$

따라서 $t=\frac{\pi}{3}$에서의 점 P의 속도는 $\left(-\frac{\sqrt{3}}{2}, \frac{1}{2}\right)$

$\frac{d^2x}{dt^2}=-\cos t$, $\frac{d^2y}{dt^2}=-\sin t$이므로 점 P의 시각 t에서의 가속도는

$(-\cos t, -\sin t)$

따라서 $t=\frac{\pi}{3}$에서의 점 P의 가속도는 $\left(-\frac{1}{2}, -\frac{\sqrt{3}}{2}\right)$

답 속도: $\left(-\frac{\sqrt{3}}{2}, \frac{1}{2}\right)$, 가속도: $\left(-\frac{1}{2}, -\frac{\sqrt{3}}{2}\right)$

0798

$\frac{dx}{dt}=1-\cos t$, $\frac{dy}{dt}=\sin t$이므로 점 P의 시각 t에서의 속도는

$(1-\cos t, \sin t)$

따라서 $t=\frac{\pi}{3}$에서의 점 P의 속도는 $\left(\frac{1}{2}, \frac{\sqrt{3}}{2}\right)$

$\frac{d^2x}{dt^2}=\sin t$, $\frac{d^2y}{dt^2}=\cos t$이므로 점 P의 시각 t에서의 가속도는

$(\sin t, \cos t)$

따라서 $t=\frac{\pi}{3}$에서의 점 P의 가속도는 $\left(\frac{\sqrt{3}}{2}, \frac{1}{2}\right)$

답 속도: $\left(\frac{1}{2}, \frac{\sqrt{3}}{2}\right)$, 가속도: $\left(\frac{\sqrt{3}}{2}, \frac{1}{2}\right)$

0799

$\frac{dx}{dt}=1+\frac{2}{t^2}$, $\frac{dy}{dt}=2-\frac{1}{t^2}$이므로 점 P의 시각 t에서의 속도는

$\left(1+\frac{2}{t^2}, 2-\frac{1}{t^2}\right)$

따라서 $t=1$에서의 점 P의 속도는 $(3, 1)$이므로 속력은

$\sqrt{3^2+1^2}=\sqrt{10}$

$\frac{d^2x}{dt^2}=-\frac{4}{t^3}$, $\frac{d^2y}{dt^2}=\frac{2}{t^3}$이므로 점 P의 시각 t에서의 가속도는

$\left(-\frac{4}{t^3}, \frac{2}{t^3}\right)$

따라서 $t=1$에서의 점 P의 가속도는 $(-4, 2)$이므로 가속도의 크기는

$\sqrt{(-4)^2+2^2}=2\sqrt{5}$ 답 속력: $\sqrt{10}$, 가속도의 크기: $2\sqrt{5}$

0800

$\frac{dx}{dt}=\frac{1}{t+1}$, $\frac{dy}{dt}=-t$이므로 점 P의 시각 t에서의 속도는

$\left(\frac{1}{t+1}, -t\right)$

따라서 $t=1$에서의 점 P의 속도는 $\left(\frac{1}{2}, -1\right)$이므로 속력은

$\sqrt{\left(\frac{1}{2}\right)^2+(-1)^2}=\frac{\sqrt{5}}{2}$

$\frac{d^2x}{dt^2}=-\frac{1}{(t+1)^2}$, $\frac{d^2y}{dt^2}=-1$이므로 점 P의 시각 t에서의 가속도는

$\left(-\frac{1}{(t+1)^2}, -1\right)$

따라서 $t=1$에서의 점 P의 가속도는 $\left(-\frac{1}{4}, -1\right)$이므로 가속도의 크기는

$\sqrt{\left(-\frac{1}{4}\right)^2+(-1)^2}=\frac{\sqrt{17}}{4}$ 답 속력: $\frac{\sqrt{5}}{2}$, 가속도의 크기: $\frac{\sqrt{17}}{4}$

STEP 2 유형 마스터

0801

|전략| 함수 $f(x)$가 어떤 구간에서 $f''(x)<0$이면 곡선 $y=f(x)$는 이 구간에서 위로 볼록함을 이용한다.

$f(x)=e^x\sin x$로 놓으면

$f'(x)=e^x\sin x+e^x\cos x=e^x(\sin x+\cos x)$

$f''(x)=e^x(\sin x+\cos x)+e^x(\cos x-\sin x)=2e^x\cos x$

곡선 $y=e^x\sin x$가 위로 볼록하려면 $f''(x)<0$이어야 하므로

$\cos x<0$ ($\because e^x>0$)

$\therefore \frac{\pi}{2}<x<\frac{3}{2}\pi$ ($\because 0<x<2\pi$)

따라서 위로 볼록한 구간은 ④$\left(\frac{\pi}{2}, \frac{3}{2}\pi\right)$이다. 답 ④

0802

$f(x)=x^2(\ln x-1)$로 놓으면 $x>0$이고

$f'(x)=2x(\ln x-1)+x^2\times\frac{1}{x}=x(2\ln x-1)$

$f''(x)=2\ln x-1+x\times\frac{2}{x}=2\ln x+1$

곡선 $y=x^2(\ln x-1)$이 아래로 볼록하려면 $f''(x)>0$이어야 하므로

$2\ln x+1>0$, $\ln x>-\frac{1}{2}$ $\therefore x>\frac{1}{\sqrt{e}}$

따라서 실수 a의 최솟값은 $\frac{1}{\sqrt{e}}$이다. 답 ②

0803

임의의 서로 다른 두 실수 a, b에 대하여

$f\left(\frac{a+b}{2}\right)<\frac{1}{2}\{f(a)+f(b)\}$

를 만족시키는 함수 $y=f(x)$의 그래프는 오른쪽 그림과 같이 아래로 볼록한 형태이다.

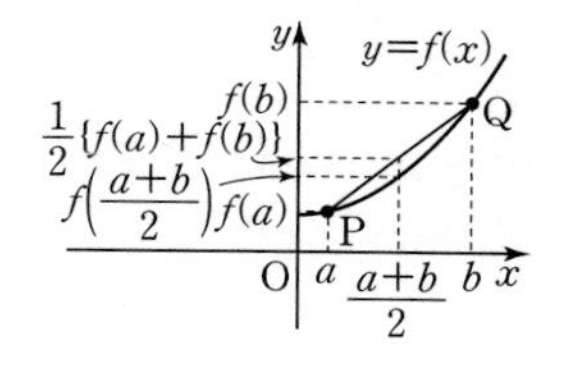

ㄱ. $f(x)=\ln x$에서 $x>0$이고 $f'(x)=\frac{1}{x}$, $f''(x)=-\frac{1}{x^2}$

$x>0$에서 $f''(x)<0$이므로 곡선 $y=f(x)$는 위로 볼록하다.

ㄴ. $f(x)=e^{3x}$에서 $f'(x)=3e^{3x}$, $f''(x)=9e^{3x}$

모든 실수 x에 대하여 $f''(x)>0$이므로 곡선 $y=f(x)$는 아래로 볼록하다.

ㄷ. $f(x)=\cos x$에서 $f'(x)=-\sin x$, $f''(x)=-\cos x$

$0<x<\frac{\pi}{2}$에서 $f''(x)<0$이므로 곡선 $y=f(x)$는 위로 볼록하다.

따라서 조건을 만족시키는 함수는 ㄴ이다. 답 ②

0804

|전략| $f''(x)=0$을 만족시키는 x의 값의 좌우에서 $f''(x)$의 부호를 조사하여 변곡점의 좌표를 구한다.

$f(x)=\ln(x^2+4)$에서 $f'(x)=\frac{2x}{x^2+4}$

$f''(x)=\frac{2(x^2+4)-2x\times2x}{(x^2+4)^2}=\frac{-2(x^2-4)}{(x^2+4)^2}=\frac{-2(x+2)(x-2)}{(x^2+4)^2}$

$f''(x)=0$에서 $x=-2$ 또는 $x=2$

이때, $x<-2$ 또는 $x>2$이면 $f''(x)<0$, $-2<x<2$이면 $f''(x)>0$

즉, $x=-2$, $x=2$의 좌우에서 $f''(x)$의 부호가 바뀌므로 변곡점의 좌표는 $(-2, 3\ln 2)$, $(2, 3\ln 2)$이다.

따라서 두 변곡점 사이의 거리는

$2-(-2)=4$ 답 ④

0805

$f(x)=1+\cos^2 x$에서

$f'(x)=2\cos x(-\sin x)=-\sin 2x$

$f''(x)=-2\cos 2x$

$f''(x)=0$에서 $2x=-\frac{\pi}{2}$ 또는 $2x=\frac{\pi}{2}$ ($\because -\pi<2x<\pi$)

$\therefore x=-\frac{\pi}{4}$ 또는 $x=\frac{\pi}{4}$ ··· ❶

이때, $-\frac{\pi}{2}<x<-\frac{\pi}{4}$ 또는 $\frac{\pi}{4}<x<\frac{\pi}{2}$이면 $f''(x)>0$,

$-\frac{\pi}{4}<x<\frac{\pi}{4}$이면 $f''(x)<0$

즉, $x=-\frac{\pi}{4}$, $x=\frac{\pi}{4}$의 좌우에서 $f''(x)$의 부호가 바뀌므로 변곡점의 x좌표는 $-\frac{\pi}{4}$, $\frac{\pi}{4}$이다. ··· ❷

따라서 두 변곡점의 x좌표의 차는 $\frac{\pi}{4}-\left(-\frac{\pi}{4}\right)=\frac{\pi}{2}$ ··· ❸

답 $\frac{\pi}{2}$

채점 기준	비율
❶ $f''(x)=0$을 만족시키는 x의 값을 구할 수 있다.	40 %
❷ 변곡점의 x좌표를 구할 수 있다.	40 %
❸ 변곡점의 x좌표의 차를 구할 수 있다.	20 %

0806

$f(x)=e^{-2x^2}$으로 놓으면 $f'(x)=-4xe^{-2x^2}$

$f''(x)=-4e^{-2x^2}+(-4x)\times(-4x)e^{-2x^2}=4(4x^2-1)e^{-2x^2}$

$f''(x)=0$에서 $4x^2-1=0$ ($\because e^{-2x^2}>0$)

$\therefore x=-\frac{1}{2}$ 또는 $x=\frac{1}{2}$

이때, $x<-\frac{1}{2}$ 또는 $x>\frac{1}{2}$이면 $f''(x)>0$, $-\frac{1}{2}<x<\frac{1}{2}$이면 $f''(x)<0$

즉, $x=-\frac{1}{2}$, $x=\frac{1}{2}$의 좌우에서 $f''(x)$의 부호가 바뀌므로 변곡점의 좌표는 $\left(-\frac{1}{2}, \frac{1}{\sqrt{e}}\right)$, $\left(\frac{1}{2}, \frac{1}{\sqrt{e}}\right)$이다.

따라서 오른쪽 그림에서 △OPQ의 넓이는

$\frac{1}{2}\times1\times\frac{1}{\sqrt{e}}=\frac{1}{2\sqrt{e}}$

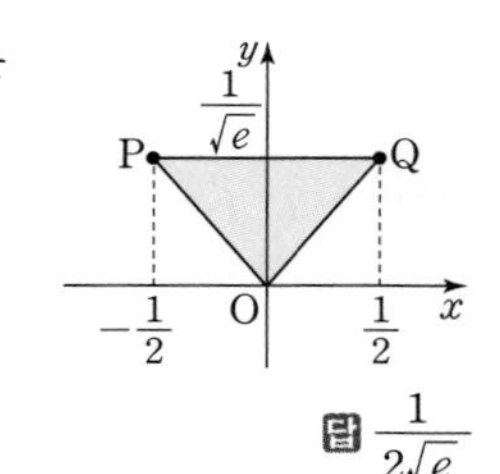

답 $\frac{1}{2\sqrt{e}}$

0807

$f(x)=n\sin^2 x+n-1$로 놓으면

$f'(x)=2n\sin x\cos x=n\sin 2x$

$f''(x)=2n\cos 2x$

$f''(x)=0$에서 $\cos 2x=0$ ($\because n$은 자연수)

$2x=\frac{\pi}{2}$ ($\because 0<2x<\pi$) $\quad\therefore x=\frac{\pi}{4}$

이때, $0<x<\frac{\pi}{4}$이면 $f''(x)>0$, $\frac{\pi}{4}<x<\frac{\pi}{2}$이면 $f''(x)<0$

즉, $x=\frac{\pi}{4}$의 좌우에서 $f''(x)$의 부호가 바뀌므로 변곡점의 y좌표는

$a_n=n\sin^2\frac{\pi}{4}+n-1=\frac{3}{2}n-1$

$\therefore \lim_{n\to\infty}\frac{a_n}{n}=\frac{\frac{3}{2}n-1}{n}=\frac{3}{2}$ 답 $\frac{3}{2}$

0808

|전략| 함수 $f(x)$가 $x=a$에서 극값을 가지면 $f'(a)=0$이고, $x=b$인 점이 곡선 $y=f(x)$의 변곡점이면 $f''(b)=0$임을 이용한다.

$f(x)=(2x+a)e^{-bx}$에서

$f'(x)=2e^{-bx}+(2x+a)(-b)e^{-bx}=e^{-bx}(-2bx-ab+2)$

$f''(x)=-be^{-bx}(-2bx-ab+2)+e^{-bx}(-2b)$

$=e^{-bx}(2b^2x+ab^2-4b)$

$x=-2$에서 극값을 가지므로

$f'(-2)=e^{2b}(4b-ab+2)=0$

$\therefore 4b-ab+2=0$ ($\because e^{2b}>0$) ······ ㉠

변곡점의 x좌표가 -1이므로

$f''(-1)=e^b(-2b^2+ab^2-4b)=0$

$-2b^2+ab^2-4b=0$ ($\because e^b>0$)

$\therefore 2b-ab+4=0$ ($\because b\neq0$) ······ ㉡

㉠, ㉡을 연립하여 풀면 $a=6$, $b=1$

$\therefore a+b=7$ 답 ⑤

0809

$f(x)=x^4+ax^3+bx^2+2x+1$로 놓으면

$f'(x)=4x^3+3ax^2+2bx+2$, $f''(x)=12x^2+6ax+2b$

변곡점의 좌표가 $(-1, 0)$이므로

$f''(-1)=12-6a+2b=0 \quad\therefore 3a-b=6$ ······ ㉠

$f(-1)=1-a+b-2+1=0 \quad\therefore a-b=0$ ······ ㉡

㉠, ㉡을 연립하여 풀면 $a=3$, $b=3$

$\therefore ab=9$ 답 9

0810

$f(x)=x^2+px+q\ln x$에서 $x>0$이고

$f'(x)=2x+p+\frac{q}{x}$, $f''(x)=2-\frac{q}{x^2}$

$x=\frac{1}{2}$에서 극대이므로

$f'\left(\frac{1}{2}\right)=1+p+2q=0 \quad\therefore p+2q=-1$ ······ ㉠

변곡점의 x좌표가 1이므로

$f''(1)=2-q=0 \qquad \therefore q=2$

$q=2$를 ㉠에 대입하면 $p=-5$

$\therefore f(x)=x^2-5x+2\ln x$

$f'(x)=2x-5+\dfrac{2}{x}=\dfrac{2x^2-5x+2}{x}=\dfrac{(2x-1)(x-2)}{x}$

$f'(x)=0$에서 $x=\dfrac{1}{2}$ 또는 $x=2$

x	(0)	$\cdots$	$\frac{1}{2}$	$\cdots$	2	$\cdots$
$f'(x)$		+	0	−	0	+
$f(x)$		↗	극대	↘	극소	↗

따라서 함수 $f(x)$의 극솟값은

$f(2)=-6+2\ln 2$ 답 $-6+2\ln 2$

0811

$f(x)=\left(\ln\dfrac{1}{ax}\right)^2=(-\ln ax)^2=(\ln ax)^2$으로 놓으면 $x>0$이고

$f'(x)=2(\ln ax)\times\dfrac{a}{ax}=\dfrac{2\ln ax}{x}$

$f''(x)=\dfrac{\left(2\times\dfrac{a}{ax}\right)\times x-(2\ln ax)\times 1}{x^2}=\dfrac{2(1-\ln ax)}{x^2}$

$f''(x)=0$에서 $1-\ln ax=0$

$\ln ax=1,\ ax=e \qquad \therefore x=\dfrac{e}{a}$

$0<x<\dfrac{e}{a}$, 즉 $0<ax<e$일 때 $\ln ax<1$이므로 $f''(x)>0$

└ $a>0$이므로 부등호의 방향이 바뀌지 않는다.

$x>\dfrac{e}{a}$, 즉 $ax>e$일 때 $\ln ax>1$이므로 $f''(x)<0$

따라서 $x=\dfrac{e}{a}$의 좌우에서 $f''(x)$의 부호가 바뀌므로 변곡점의 좌표는 $\left(\dfrac{e}{a}, 1\right)$이다.

이때, 변곡점이 직선 $y=2x$ 위에 있으므로

$1=\dfrac{2e}{a} \qquad \therefore a=2e$ 답 ⑤

0812

|전략| 함수 $f(x)$의 증감표를 작성하고 $y=f(x)$의 그래프를 그려서 참, 거짓을 조사한다.

$f(x)=\dfrac{x}{x^2+1}$에서

$f'(x)=\dfrac{(x^2+1)-x\times 2x}{(x^2+1)^2}=\dfrac{-x^2+1}{(x^2+1)^2}=\dfrac{-(x+1)(x-1)}{(x^2+1)^2}$

$f''(x)=\dfrac{-2x(x^2+1)^2-(-x^2+1)\times 2(x^2+1)\times 2x}{(x^2+1)^4}$

$=\dfrac{2x^3-6x}{(x^2+1)^3}=\dfrac{2x(x+\sqrt{3})(x-\sqrt{3})}{(x^2+1)^3}$

$f'(x)=0$에서 $x=-1$ 또는 $x=1$

$f''(x)=0$에서 $x=-\sqrt{3}$ 또는 $x=0$ 또는 $x=\sqrt{3}$

x	$\cdots$	$-\sqrt{3}$	$\cdots$	-1	$\cdots$	0	$\cdots$	1	$\cdots$	$\sqrt{3}$	$\cdots$
$f'(x)$	−	−	−	0	+	+	+	0	−	−	−
$f''(x)$	−	0	+	+	+	0	−	−	−	0	+
$f(x)$	↘	$-\frac{\sqrt{3}}{4}$	↘	$-\frac{1}{2}$	↗	0	↗	$\frac{1}{2}$	↘	$\frac{\sqrt{3}}{4}$	↘

이때, $\lim_{x\to\infty}f(x)=0$, $\lim_{x\to-\infty}f(x)=0$이므로 함수 $y=f(x)$의 그래프는 오른쪽 그림과 같다.

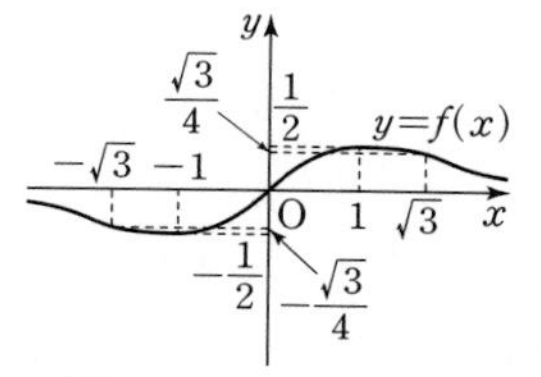

① $x=1$에서 극댓값 $\dfrac{1}{2}$을 갖는다. (참)

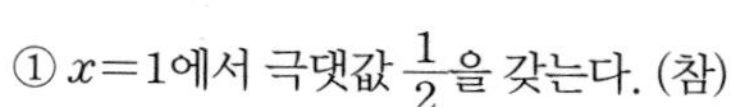

② 변곡점은 $\left(-\sqrt{3}, -\dfrac{\sqrt{3}}{4}\right)$, $(0, 0)$, $\left(\sqrt{3}, \dfrac{\sqrt{3}}{4}\right)$이므로 변곡점의 개수는 3이다. (거짓)

③ $f(-x)=-f(x)$이므로 $y=f(x)$의 그래프는 원점에 대하여 대칭이다. (참)

④ 구간 $(1, \sqrt{3})$에서 $f''(x)<0$이므로 위로 볼록하다. (참)

⑤ $x=-1$에서 극솟값 $-\dfrac{1}{2}$을 갖는다. (참)

따라서 옳지 않은 것은 ②이다. 답 ②

Lecture

함수 $f(x)$에 대하여

(1) $f(x)$가 우함수 $\iff f(-x)=f(x)$

$\iff y=f(x)$의 그래프는 x축에 대하여 대칭

(2) $f(x)$가 기함수 $\iff f(-x)=-f(x)$

$\iff y=f(x)$의 그래프는 원점에 대하여 대칭

0813

$f(x)=\ln(x^2+3)$에서 $f'(x)=\dfrac{2x}{x^2+3}$

$f''(x)=\dfrac{2(x^2+3)-2x\times 2x}{(x^2+3)^2}=\dfrac{-2(x^2-3)}{(x^2+3)^2}$

$=\dfrac{-2(x+\sqrt{3})(x-\sqrt{3})}{(x^2+3)^2}$

$f'(x)=0$에서 $x=0$

$f''(x)=0$에서 $x=-\sqrt{3}$ 또는 $x=\sqrt{3}$

x	$\cdots$	$-\sqrt{3}$	$\cdots$	0	$\cdots$	$\sqrt{3}$	$\cdots$
$f'(x)$	−	−	−	0	+	+	+
$f''(x)$	−	0	+	+	+	0	−
$f(x)$	↘	$\ln 6$	↘	$\ln 3$	↗	$\ln 6$	↗

이때, $\lim_{x\to\infty}f(x)=\infty$, $\lim_{x\to-\infty}f(x)=\infty$이므로 함수 $y=f(x)$의 그래프는 오른쪽 그림과 같다.

ㄱ. $x=0$에서 극솟값 $\ln 3$을 갖는다. (참)

ㄴ. 구간 $(-\sqrt{3}, 0)$에서 $f''(x)>0$이므로 아래로 볼록하다. (거짓)

ㄷ. 변곡점은 $(-\sqrt{3}, \ln 6)$, $(\sqrt{3}, \ln 6)$이므로 변곡점의 개수는 2이다. (거짓)

따라서 옳은 것은 ㄱ이다. 답 ①

0814

ㄱ. $f(x)=x\ln(x^2+1)-x$에서

$$f(-x)=-x\ln\{(-x)^2+1\}-(-x)=-x\ln(x^2+1)+x$$
$$=-\{x\ln(x^2+1)-x\}=-f(x)\ (\text{참})$$

ㄴ. $f'(x)=\ln(x^2+1)+x\times\dfrac{2x}{x^2+1}-1$

$$=\ln(x^2+1)+1-\frac{2}{x^2+1}$$

$$f''(x)=\frac{2x}{x^2+1}+\frac{4x}{(x^2+1)^2}=\frac{2x(x^2+3)}{(x^2+1)^2}$$

$f''(x)=0$에서 $x=0$

이때, $x=0$의 좌우에서 $f''(x)$의 부호가 바뀌므로 $y=f(x)$의 그래프의 변곡점은 $(0, 0)$의 1개이다. (참)

ㄷ. $x<0$에서 $f''(x)<0$이므로 위로 볼록하다. (거짓)

따라서 옳은 것은 ㄱ, ㄴ이다. 답 ③

0815

|전략| $f''(x)$의 부호는 $y=f'(x)$의 그래프에서 접선의 기울기의 부호와 같음을 이용한다.

오른쪽 그림과 같이 a, b, c, d, e를 정하고 $f''(x)$의 부호를 조사하면 다음과 같다.

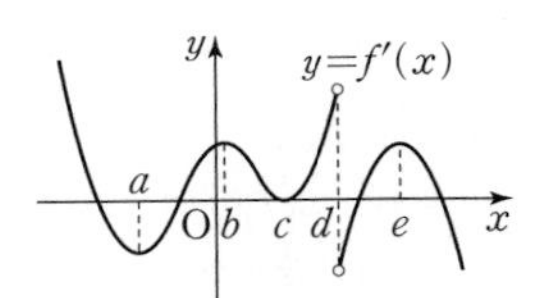

x	$\cdots$	a	$\cdots$	b	$\cdots$	c	$\cdots$	d	$\cdots$	e	$\cdots$
$f''(x)$	$-$	0	$+$	0	$-$	0	$+$		$+$	0	$-$

$f''(a)=f''(b)=f''(c)=f''(e)=0$이고, $x=a$, $x=b$, $x=c$, $x=e$의 좌우에서 $f''(x)$의 부호가 바뀌므로 변곡점의 개수는 4이다.

답 ④

0816

$f''(x)$의 부호를 조사하면 다음과 같다.

x	$\cdots$	a	$\cdots$	b	$\cdots$	c	$\cdots$	d	$\cdots$	e	$\cdots$
$f''(x)$	$+$	$+$	$+$	0	$-$	$-$	$-$	0	$+$	$+$	$+$

곡선 $y=f(x)$가 위로 볼록하려면 $f''(x)<0$이어야 하므로 구하는 구간은 (b, d)이다. 답 (b, d)

0817

$f'(x)=0$에서 $x=-1$ 또는 $x=2$

$f''(x)=0$에서 $x=-1$ 또는 $x=1$

x	$\cdots$	-1	$\cdots$	1	$\cdots$	2	$\cdots$
$f'(x)$	$+$	0	$+$	$+$	$+$	0	$-$
$f''(x)$	$-$	0	$+$	0	$-$	$-$	$-$
$f(x)$	↗	변곡점	⤴	변곡점	↗	극대	↘

ㄱ. 극솟값을 갖지 않는다. (거짓)

ㄴ. $x=2$에서 극댓값을 갖는다. (참)

ㄷ. $y=f(x)$의 그래프는 $x=-1$, $x=1$에서 변곡점을 가지므로 변곡점의 개수는 2이다. (참)

따라서 옳은 것은 ㄴ, ㄷ이다. 답 ㄴ, ㄷ

0818

(i) $f(x)>0$일 때, 즉 점 A, D, G, H에서 $f'(x)f''(x)>0$

$f'(x)>0$이면 $f''(x)>0$

⇨ 아래로 볼록하면서 증가하는 구간에 있는 점은 없다.

$f'(x)<0$이면 $f''(x)<0$

⇨ 위로 볼록하면서 감소하는 구간에 있는 점은 A, D, H

(ii) $f(x)<0$일 때, 즉 점 B, C, E, F에서 $f'(x)f''(x)<0$

$f'(x)>0$이면 $f''(x)<0$

⇨ 위로 볼록하면서 증가하는 구간에 있는 점은 없다.

$f'(x)<0$이면 $f''(x)>0$

⇨ 아래로 볼록하면서 감소하는 구간에 있는 점은 B, E

(i), (ii)에서 주어진 집합의 원소가 되는 점은 A, B, D, E, H 답 ⑤

0819

|전략| 함수의 몫의 미분법을 이용하여 $f'(x)$를 구한 후 최댓값과 최솟값을 구한다.

$f(x)=\dfrac{2(x-1)}{x^2+3}$에서

$$f'(x)=\frac{2(x^2+3)-2(x-1)\times 2x}{(x^2+3)^2}$$
$$=\frac{-2(x^2-2x-3)}{(x^2+3)^2}=\frac{-2(x+1)(x-3)}{(x^2+3)^2}$$

$f'(x)=0$에서 $x=-1$ 또는 $x=3$

x	$\cdots$	-1	$\cdots$	3	$\cdots$
$f'(x)$	$-$	0	$+$	0	$-$
$f(x)$	↘	-1	↗	$\frac{1}{3}$	↘

이때, $\lim_{x\to\infty}f(x)=0$, $\lim_{x\to-\infty}f(x)=0$이므로 함수 $y=f(x)$의 그래프는 오른쪽 그림과 같다.

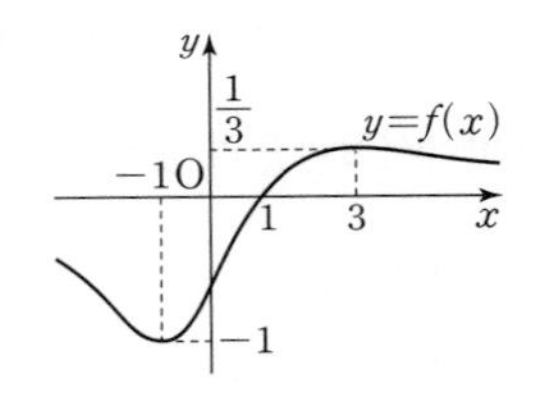

따라서 함수 $f(x)$는 $x=3$일 때 최댓값 $\frac{1}{3}$, $x=-1$일 때 최솟값 -1을 가지므로

$M=\frac{1}{3}$, $m=-1$ $\quad\therefore M+m=-\frac{2}{3}$ 답 ③

참고 최대·최소를 구하는 문제에서 구간이 주어지지 않은 경우에는 $\lim_{x\to\infty}f(x)$, $\lim_{x\to-\infty}f(x)$를 구하여 극값이 최댓값 또는 최솟값이 되는지 확인해야 한다.

0820

$f(x)=\dfrac{x^2+x+1}{x}=x+1+\dfrac{1}{x}$에서

$$f'(x)=1-\frac{1}{x^2}=\frac{(x+1)(x-1)}{x^2}$$

$f'(x)=0$에서 $x=1$ ($\because x>0$)

x	(0)	$\cdots$	1	$\cdots$
$f'(x)$		$-$	0	$+$
$f(x)$		↘	3	↗

따라서 함수 $f(x)$는 $x=1$일 때 최솟값 3을 가지므로

$\alpha=1, \beta=3 \quad \therefore \alpha\beta=3$ 답 ⑤

다른 풀이 $x>0$에서 $\frac{1}{x}>0$이므로 산술평균과 기하평균의 관계에 의하여

$f(x)=x+1+\frac{1}{x}\geq 2\sqrt{x\times\frac{1}{x}}+1=3$

(단, 등호는 $x=\frac{1}{x}$, 즉 $x=1$일 때 성립)

따라서 함수 $f(x)$는 $x=1$일 때 최솟값 3을 가지므로

$\alpha=1, \beta=3 \quad \therefore \alpha\beta=3$

0821

$f(x)=x-3+\frac{4}{x-3}$에서

$f'(x)=1-\frac{4}{(x-3)^2}=\frac{(x-1)(x-5)}{(x-3)^2}$

$f'(x)=0$에서 $x=1$ ($\because -1\leq x\leq 2$)

x	-1	$\cdots$	1	$\cdots$	2
$f'(x)$		$+$	0	$-$	
$f(x)$	-5	↗	-4	↘	-5

따라서 함수 $f(x)$는 $x=1$일 때 최댓값 -4, $x=-1$ 또는 $x=2$일 때 최솟값 -5를 가지므로 최댓값과 최솟값의 곱은

$(-4)\times(-5)=20$ 답 20

0822

|전략| (근호 안의 식의 값) ≥ 0인 x의 값의 범위에서 최댓값과 최솟값을 구한다.

$f(x)=x\sqrt{2-x^2}$에서 $2-x^2\geq 0$이므로 $-\sqrt{2}\leq x\leq\sqrt{2}$

$f'(x)=\sqrt{2-x^2}+x\times\frac{-2x}{2\sqrt{2-x^2}}=\frac{-2(x+1)(x-1)}{\sqrt{2-x^2}}$

$f'(x)=0$에서 $x=-1$ 또는 $x=1$

x	$-\sqrt{2}$	$\cdots$	-1	$\cdots$	1	$\cdots$	$\sqrt{2}$
$f'(x)$		$-$	0	$+$	0	$-$	
$f(x)$	0	↘	-1	↗	1	↘	0

따라서 함수 $f(x)$는 $x=1$일 때 최댓값 1, $x=-1$일 때 최솟값 -1을 가지므로 최댓값과 최솟값의 차는

$1-(-1)=2$ 답 ③

0823

$f(x)=x+\sqrt{8-x^2}$에서 $8-x^2\geq 0$이므로 $-2\sqrt{2}\leq x\leq 2\sqrt{2}$

$f'(x)=1+\frac{-2x}{2\sqrt{8-x^2}}=\frac{\sqrt{8-x^2}-x}{\sqrt{8-x^2}}$

$f'(x)=0$에서 $\sqrt{8-x^2}=x$, $8-x^2=x^2$ ($\sqrt{8-x^2}\geq 0$이므로 $x\geq 0$)

$x^2=4 \quad \therefore x=2$ ($\because x\geq 0$)

x	$-2\sqrt{2}$	$\cdots$	2	$\cdots$	$2\sqrt{2}$
$f'(x)$		$+$	0	$-$	
$f(x)$	$-2\sqrt{2}$	↗	4	↘	$2\sqrt{2}$

따라서 함수 $f(x)$는 $x=2$일 때 최댓값 4, $x=-2\sqrt{2}$일 때 최솟값 $-2\sqrt{2}$를 가지므로

$M=4, m=-2\sqrt{2} \quad \therefore M+m=4-2\sqrt{2}$ 답 ①

0824

$f(x)=\sqrt{x}+\sqrt{4-x}$에서 $x\geq 0$, $4-x\geq 0$이므로 $0\leq x\leq 4$ … ❶

$f'(x)=\frac{1}{2\sqrt{x}}-\frac{1}{2\sqrt{4-x}}=\frac{\sqrt{4-x}-\sqrt{x}}{2\sqrt{x}\sqrt{4-x}}$

$f'(x)=0$에서 $\sqrt{4-x}=\sqrt{x}$

$4-x=x \quad \therefore x=2$ … ❷

x	0	$\cdots$	2	$\cdots$	4
$f'(x)$		$+$	0	$-$	
$f(x)$	2	↗	$2\sqrt{2}$	↘	2

따라서 함수 $f(x)$는 $x=2$일 때 최댓값 $2\sqrt{2}$를 갖는다. … ❸

답 $2\sqrt{2}$

채점 기준	비율
❶ x의 값의 범위를 구할 수 있다.	20 %
❷ $f'(x)=0$을 만족시키는 x의 값을 구할 수 있다.	30 %
❸ $f(x)$의 최댓값을 구할 수 있다.	50 %

0825

|전략| $(e^x)'=e^x$임을 이용하여 $f'(x)$를 구한 후 최댓값과 최솟값을 구한다.

$f(x)=(x^2+x-1)e^x$에서

$f'(x)=(2x+1)e^x+(x^2+x-1)e^x=(x^2+3x)e^x$

$=x(x+3)e^x$

$f'(x)=0$에서 $x=0$ ($\because -2\leq x\leq 1$)

x	-2	$\cdots$	0	$\cdots$	1
$f'(x)$		$-$	0	$+$	
$f(x)$	$\frac{1}{e^2}$	↘	-1	↗	e

따라서 함수 $f(x)$는 $x=1$일 때 최댓값 e, $x=0$일 때 최솟값 -1을 가지므로

$M=e, m=-1 \quad \therefore M-m=e+1$ 답 ①

0826

$f(x)=xe^{-2x}$에서

$f'(x)=e^{-2x}-2xe^{-2x}=(1-2x)e^{-2x}$

$f'(x)=0$에서 $x=\frac{1}{2}$ ($\because e^{-2x}>0$)

x	-1	$\cdots$	$\frac{1}{2}$	$\cdots$	1
$f'(x)$		$+$	0	$-$	
$f(x)$	$-e^2$	↗	$\frac{1}{2e}$	↘	$\frac{1}{e^2}$

따라서 함수 $f(x)$는 $x=\frac{1}{2}$일 때 최댓값 $\frac{1}{2e}$, $x=-1$일 때 최솟값 $-e^2$을 가지므로 최댓값과 최솟값의 곱은

$\frac{1}{2e}\times(-e^2)=-\frac{e}{2}$ 답 ②

0827

$f(x)=(x^2-kx+k)e^{-x}$에서

$f'(x)=(2x-k)e^{-x}-(x^2-kx+k)e^{-x}$

$=-\{x^2-(k+2)x+2k\}e^{-x}$

$=-(x-k)(x-2)e^{-x}$

$f'(x)=0$에서 $x=k$ 또는 $x=2$ ($\because e^{-x}>0$)

x	$\cdots$	k	$\cdots$	2	$\cdots$
$f'(x)$	$-$	0	$+$	0	$-$
$f(x)$	↘	ke^{-k}	↗	$(4-k)e^{-2}$	↘

함수 $f(x)$는 $x=k$일 때 극솟값 ke^{-k}을 갖는다.

즉, $g(k)=ke^{-k}$이므로

$g'(k)=e^{-k}-ke^{-k}=(1-k)e^{-k}$

$g'(k)=0$에서 $k=1$ ($\because e^{-k}>0$)

k	$\cdots$	1	$\cdots$	(2)
$g'(k)$	$+$	0	$-$	
$g(k)$	↗	$\frac{1}{e}$	↘	

따라서 함수 $g(k)$는 $k=1$일 때 최댓값 $\frac{1}{e}$을 갖는다. 답 ②

0828

|전략| (진수)>0인 x의 값의 범위에서 최솟값을 구한다.

$f(x)=x^2-\ln x$에서 $x>0$이고

$f'(x)=2x-\frac{1}{x}=\frac{2x^2-1}{x}$

$f'(x)=0$에서 $x^2=\frac{1}{2}$ $\therefore x=\frac{\sqrt{2}}{2}$ ($\because x>0$)

x	(0)	$\cdots$	$\frac{\sqrt{2}}{2}$	$\cdots$
$f'(x)$		$-$	0	$+$
$f(x)$		↘	$\frac{1}{2}(1+\ln 2)$	↗

따라서 함수 $f(x)$는 $x=\frac{\sqrt{2}}{2}$일 때 최솟값 $\frac{1}{2}(1+\ln 2)$를 갖는다.

답 ⑤

0829

$f(x)=(x+1)\ln(x+1)-x+1$에서

$f'(x)=\ln(x+1)+(x+1)\times\frac{1}{x+1}-1=\ln(x+1)$

$f'(x)=0$에서 $\ln(x+1)=0$ $\therefore x=0$

x	$\frac{1}{e}-1$	$\cdots$	0	$\cdots$	$e-1$
$f'(x)$		$-$	0	$+$	
$f(x)$	$2-\frac{2}{e}$	↘	1	↗	2

따라서 함수 $f(x)$는 $x=e-1$일 때 최댓값 2, $x=0$일 때 최솟값 1을 가지므로

$M=2, m=1$ $\therefore M+m=3$ 답 ④

0830

$f(x)=\log_2(x+6)+\log_4(-x)$에서

$x+6>0, -x>0$ $\therefore -6<x<0$

$f'(x)=\frac{1}{(x+6)\ln 2}+\frac{1}{-x\ln 4}\times(-1)$

$=\frac{1}{(x+6)\ln 2}+\frac{1}{2x\ln 2}=\frac{3(x+2)}{2x(x+6)\ln 2}$

$f'(x)=0$에서 $x=-2$

x	(-6)	$\cdots$	-2	$\cdots$	(0)
$f'(x)$		$+$	0	$-$	
$f(x)$		↗	$\frac{5}{2}$	↘	

따라서 함수 $f(x)$는 $x=-2$일 때 최댓값 $\frac{5}{2}$를 갖는다. 답 $\frac{5}{2}$

0831

|전략| $(\sin 2x)'=2\cos 2x$임을 이용하여 $f'(x)$를 구한 후 최댓값과 최솟값을 구한다.

$f(x)=x+\sin 2x$에서 $f'(x)=1+2\cos 2x$

$f'(x)=0$에서 $\cos 2x=-\frac{1}{2}$

$2x=\frac{2}{3}\pi$ ($\because 0\le 2x\le\pi$) $\therefore x=\frac{\pi}{3}$

x	0	$\cdots$	$\frac{\pi}{3}$	$\cdots$	$\frac{\pi}{2}$
$f'(x)$		$+$	0	$-$	
$f(x)$	0	↗	$\frac{\pi}{3}+\frac{\sqrt{3}}{2}$	↘	$\frac{\pi}{2}$

따라서 함수 $f(x)$는 $x=\frac{\pi}{3}$일 때 최댓값 $\frac{\pi}{3}+\frac{\sqrt{3}}{2}$, $x=0$일 때 최솟값 0을 가지므로

$\alpha=\frac{\pi}{3}, \beta=0$ $\therefore \alpha+\beta=\frac{\pi}{3}$ 답 ②

0832

$f(x)=(1+\cos x)\sin x$에서

$f'(x)=-\sin^2 x+(1+\cos x)\cos x$

$=-(1-\cos^2 x)+\cos x+\cos^2 x$

$=2\cos^2 x+\cos x-1$

$=(2\cos x-1)(\cos x+1)$

$f'(x)=0$에서 $\cos x=\frac{1}{2}$ 또는 $\cos x=-1$

$\therefore x=\frac{\pi}{3}$ ($\because 0\le x\le\frac{\pi}{2}$)

x	0	$\cdots$	$\frac{\pi}{3}$	$\cdots$	$\frac{\pi}{2}$
$f'(x)$		$+$	0	$-$	
$f(x)$	0	↗	$\frac{3\sqrt{3}}{4}$	↘	1

따라서 함수 $f(x)$는 $x=\frac{\pi}{3}$일 때 최댓값 $\frac{3\sqrt{3}}{4}$을 가지므로

$M=\frac{3\sqrt{3}}{4}$ $\therefore 16M^2=16\times\frac{27}{16}=27$ 답 ⑤

0833

$f(x)=e^x\cos x$에서

$f'(x)=e^x\cos x-e^x\sin x=e^x(\cos x-\sin x)$

$f'(x)=0$에서 $\cos x=\sin x$ ($\because e^x>0$)

$\therefore x=\frac{\pi}{4}\left(\because -\frac{\pi}{2}\le x\le\frac{\pi}{2}\right)$ ··· ❶

x	$-\frac{\pi}{2}$	···	$\frac{\pi}{4}$	···	$\frac{\pi}{2}$
$f'(x)$		+	0	−	
$f(x)$	0	↗	$\frac{\sqrt{2}}{2}e^{\frac{\pi}{4}}$	↘	0

함수 $f(x)$는 $x=\frac{\pi}{4}$일 때 최댓값 $\frac{\sqrt{2}}{2}e^{\frac{\pi}{4}}$, $x=-\frac{\pi}{2}$ 또는 $x=\frac{\pi}{2}$일 때 최솟값 0을 갖는다. ··· ❷

따라서 최댓값과 최솟값의 합은 $\frac{\sqrt{2}}{2}e^{\frac{\pi}{4}}$이다. ··· ❸

답 $\frac{\sqrt{2}}{2}e^{\frac{\pi}{4}}$

채점 기준	비율
❶ $f'(x)=0$을 만족시키는 x의 값을 구할 수 있다.	40 %
❷ $f(x)$의 최댓값과 최솟값을 구할 수 있다.	40 %
❸ $f(x)$의 최댓값과 최솟값의 합을 구할 수 있다.	20 %

0834

|전략| 함수 $f(x)$를 $\cos x$에 대한 함수로 나타낸 후 $\cos x=t$로 치환하여 최댓값과 최솟값을 구한다.

$f(x)=\cos^3 x+3\sin^2 x+1$

$=\cos^3 x+3(1-\cos^2 x)+1$

$=\cos^3 x-3\cos^2 x+4$

$\cos x=t$로 놓으면 $-1\le t\le 1$

$g(t)=t^3-3t^2+4$라 하면 $g'(t)=3t^2-6t=3t(t-2)$

$g'(t)=0$에서 $t=0$ ($\because -1\le t\le 1$)

t	−1	···	0	···	1
$g'(t)$		+	0	−	
$g(t)$	0	↗	4	↘	2

따라서 함수 $g(t)$는 $t=0$일 때 최댓값 4를 갖는다.

답 4

0835

$f(x)=3(\log x)^4-8(\log x)^3+2$에서

$\log x=t$로 놓으면 $1\le t\le 3$ ($\because 10\le x\le 1000$)

$g(t)=3t^4-8t^3+2$라 하면 $g'(t)=12t^3-24t^2=12t^2(t-2)$

$g'(t)=0$에서 $t=2$ ($\because 1\le t\le 3$)

t	1	···	2	···	3
$g'(t)$		−	0	+	
$g(t)$	−3	↘	−14	↗	29

따라서 함수 $g(t)$는 $t=3$일 때 최댓값 29, $t=2$일 때 최솟값 −14를 가지므로 최댓값과 최솟값의 합은 15이다.

답 15

0836

$(2^x+2^{-x})^3=2^{3x}+3\times 2^{2x}\times 2^{-x}+3\times 2^x\times 2^{-2x}+2^{-3x}$

$=8^x+8^{-x}+3(2^x+2^{-x})$

$(2^x+2^{-x})^2=2^{2x}+2\times 2^x\times 2^{-x}+2^{-2x}$

$=4^x+4^{-x}+2$

이므로

$f(x)=8^x+8^{-x}+4^x+4^{-x}+2(2^x+2^{-x})+1$

$=(2^x+2^{-x})^3-3(2^x+2^{-x})+(2^x+2^{-x})^2-2+2(2^x+2^{-x})+1$

$=(2^x+2^{-x})^3+(2^x+2^{-x})^2-(2^x+2^{-x})-1$

$2^x+2^{-x}=t$로 놓으면 산술평균과 기하평균의 관계에 의하여

$2^x+2^{-x}\ge 2\sqrt{2^x\times 2^{-x}}=2 \qquad \therefore t\ge 2$

$g(t)=t^3+t^2-t-1$이라 하면

$g'(t)=3t^2+2t-1=(t+1)(3t-1)$

이때, $t\ge 2$에서 $g'(t)>0$이므로 함수 $g(t)$는 증가한다.

따라서 함수 $g(t)$는 $t=2$일 때 최솟값 9를 갖는다.

답 9

0837

$g(x)=\sqrt{3}\sin x+\cos x=2\left(\frac{\sqrt{3}}{2}\sin x+\frac{1}{2}\cos x\right)$

$=2\sin\left(x+\frac{\pi}{6}\right)$

이므로 $g(x)=t$로 놓으면 $-2\le t\le 2$이고

$(f\circ g)(x)=f(g(x))=f(t)=2t^3-3t^2+10$

$\therefore f'(t)=6t^2-6t=6t(t-1)$

$f'(t)=0$에서 $t=0$ 또는 $t=1$

t	−2	···	0	···	1	···	2
$f'(t)$		+	0	−	0	+	
$f(t)$	−18	↗	10	↘	9	↗	14

따라서 함수 $f(t)$는 $t=2$일 때 최댓값 14, $t=-2$일 때 최솟값 −18을 가지므로 최댓값과 최솟값의 차는

$14-(-18)=32$

답 32

0838

|전략| 증감표를 작성하여 최댓값을 찾은 후 주어진 값과 비교한다.

$f(x)=k\sin 2x-kx$에서

$f'(x)=2k\cos 2x-k=k(2\cos 2x-1)$

$f'(x)=0$에서 $\cos 2x=\frac{1}{2}$ ($\because k>0$)

$2x=\frac{\pi}{3}$ ($\because 0\le 2x\le\pi$) $\qquad \therefore x=\frac{\pi}{6}$

x	0	···	$\frac{\pi}{6}$	···	$\frac{\pi}{2}$
$f'(x)$		+	0	−	
$f(x)$	0	↗	$\frac{\sqrt{3}}{2}k-\frac{\pi}{6}k$	↘	$-\frac{\pi}{2}k$

함수 $f(x)$의 최댓값이 $\sqrt{3}-\frac{\pi}{3}$이므로

$\frac{\sqrt{3}}{2}k-\frac{\pi}{6}k=\sqrt{3}-\frac{\pi}{3}$, $\frac{k}{2}\left(\sqrt{3}-\frac{\pi}{3}\right)=\sqrt{3}-\frac{\pi}{3}$

$\frac{k}{2}=1 \qquad \therefore k=2$

함수 $f(x)$는 $x=\frac{\pi}{2}$일 때 최솟값을 가지므로 최솟값은

$-\frac{\pi}{2}\times 2=-\pi$ 답 ③

0839

$f(x)=\frac{1}{4}x^2-\frac{1}{2}\ln kx$에서 $x>0$($\because k>0$)이고

$f'(x)=\frac{x}{2}-\frac{1}{2x}=\frac{x^2-1}{2x}=\frac{(x+1)(x-1)}{2x}$

$f'(x)=0$에서 $x=1$ ($\because x>0$) … ❶

x	(0)	$\cdots$	1	$\cdots$
$f'(x)$		$-$	0	$+$
$f(x)$		↘	$\frac{1}{4}-\frac{1}{2}\ln k$	↗

함수 $f(x)$는 $x=1$일 때 최솟값 $\frac{1}{4}-\frac{1}{2}\ln k$를 갖는다. … ❷

함수 $f(x)$의 최솟값이 0이므로

$\frac{1}{4}-\frac{1}{2}\ln k=0$, $\ln k=\frac{1}{2}$ $\therefore k=\sqrt{e}$ … ❸

답 $\sqrt{e}$

채점 기준	비율
❶ $f'(x)=0$을 만족시키는 x의 값을 구할 수 있다.	30 %
❷ 증감표를 작성하여 $f(x)$의 최솟값을 k에 대한 식으로 나타낼 수 있다.	40 %
❸ k의 값을 구할 수 있다.	30 %

0840

$f(x)=10^{x^3}\times 10^{-3x^2+k}=10^{x^3-3x^2+k}$에서

$g(x)=x^3-3x^2+k$로 놓으면 $g(x)$가 최소일 때 $f(x)$도 최소이다.

$g'(x)=3x^2-6x=3x(x-2)$

$g'(x)=0$에서 $x=2$ ($\because 1\le x\le 3$)

x	1	$\cdots$	2	$\cdots$	3
$g'(x)$		$-$	0	$+$	
$g(x)$	$-2+k$	↘	$-4+k$	↗	k

따라서 함수 $g(x)$는 $x=2$일 때 최소이므로 함수 $f(x)$도 $x=2$일 때 최소이다.

함수 $f(x)$의 최솟값이 10^{10}이므로 $10^{-4+k}=10^{10}$

$-4+k=10$ $\therefore k=14$ 답 ④

0841

|전략| 두 점 P, Q의 x좌표를 t로 놓고 $\overline{PQ}$를 t에 대한 함수로 나타내어 최솟값을 구한다.

두 점 P, Q의 좌표를 각각 (t, e^t), (t, t)로 놓으면

$\overline{PQ}=e^t-t$

$f(t)=e^t-t$라 하면 $f'(t)=e^t-1$

$f'(t)=0$에서 $t=0$

t	$\cdots$	0	$\cdots$
$f'(t)$	$-$	0	$+$
$f(t)$	↘	극소	↗

따라서 함수 $f(t)$는 $t=0$일 때 극소이면서 최소이므로 선분 PQ의 길이의 최솟값은

$f(0)=e^0-0=1$ 답 1

0842

직사각형의 넓이를 $S(a)$라 하면

$S(a)=2ae^{-2a}$

$S'(a)=2e^{-2a}-4ae^{-2a}=-2e^{-2a}(2a-1)$

$S'(a)=0$에서 $a=\frac{1}{2}$ ($\because e^{-2a}>0$)

a	(0)	$\cdots$	$\frac{1}{2}$	$\cdots$
$S'(a)$		$+$	0	$-$
$S(a)$		↗	극대	↘

따라서 함수 $S(a)$는 $a=\frac{1}{2}$일 때 극대이면서 최대이므로 직사각형의 넓이의 최댓값은

$S\left(\frac{1}{2}\right)=2\times\frac{1}{2}\times e^{-1}=\frac{1}{e}$ 답 $\frac{1}{e}$

0843

점 P의 좌표를 $(a, \ln a)$($0<a<1$), 직사각형 ORPQ의 넓이를 $S(a)$라 하면

$S(a)=a(-\ln a)=-a\ln a$

$S'(a)=-\ln a-a\times\frac{1}{a}=-(\ln a+1)$

$S'(a)=0$에서 $a=\frac{1}{e}$

a	(0)	$\cdots$	$\frac{1}{e}$	$\cdots$	(1)
$S'(a)$		$+$	0	$-$	
$S(a)$		↗	극대	↘	

따라서 함수 $S(a)$는 $a=\frac{1}{e}$일 때 극대이면서 최대이므로 직사각형 ORPQ의 넓이의 최댓값은

$S\left(\frac{1}{e}\right)=-\frac{1}{e}\times\ln\frac{1}{e}=\frac{1}{e}$ 답 $\frac{1}{e}$

0844

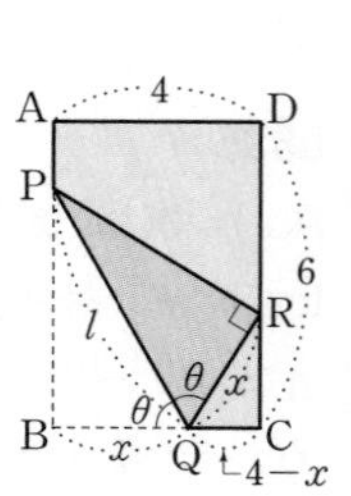

$\overline{PQ}=l$, $\overline{BQ}=x$ ($2<x<4$), $\angle PQB=\theta$로 놓으면 △PQB와 △RQC에서

$\cos\theta=\frac{x}{l}$, $\cos(\pi-2\theta)=\frac{4-x}{x}$

$\cos(\pi-2\theta)=-\cos 2\theta=1-2\cos^2\theta$

이므로

$\frac{4-x}{x}=1-\frac{2x^2}{l^2}$, $\frac{2x^2}{l^2}=\frac{2x-4}{x}$

$\therefore l^2=\frac{x^3}{x-2}$

이때, $f(x)=\frac{x^3}{x-2}$이라 하면

$$f'(x)=\frac{3x^2(x-2)-x^3}{(x-2)^2}=\frac{2x^2(x-3)}{(x-2)^2}$$

$f'(x)=0$에서 $x=3$ ($\because 2<x<4$)

x	(2)	$\cdots$	3	$\cdots$	(4)
$f'(x)$		$-$	0	$+$	
$f(x)$		↘	극소	↗	

따라서 함수 $f(x)$는 $x=3$일 때 극소이면서 최소이므로 접힌 선분 PQ의 길이의 최솟값은

$\sqrt{27}=3\sqrt{3}$ 답 $3\sqrt{3}$

0845

$\angle POQ=\theta$로 놓으면 $0<\theta<\frac{\pi}{2}$

$\overline{OP}=1$이므로 $\overline{PQ}=\sin\theta$, $\overline{OQ}=\cos\theta$

색칠한 부분의 넓이를 $f(\theta)$라 하면

$f(\theta)=$(□PQQ'P'의 넓이)+(△OPQ의 넓이)
−(부채꼴 OAP의 넓이)

$$=\sin^2\theta+\frac{1}{2}\sin\theta\cos\theta-\frac{\theta}{2}$$

($\frac{\theta}{2}$: $\frac{1}{2}\times1^2\times\theta$)

$$\therefore f'(\theta)=2\sin\theta\cos\theta+\frac{1}{2}(\cos^2\theta-\sin^2\theta)-\frac{1}{2}$$
$$=2\sin\theta\cos\theta+\frac{1}{2}(1-2\sin^2\theta)-\frac{1}{2}$$
$$=2\sin\theta\cos\theta-\sin^2\theta$$
$$=\sin\theta(2\cos\theta-\sin\theta)$$

$0<\theta<\frac{\pi}{2}$에서 $\sin\theta>0$이므로

$f'(\theta)=0$에서 $2\cos\theta=\sin\theta$ $\quad\therefore \tan\theta=2$

$\tan\theta=2$를 만족시키는 θ의 값을 $\alpha\left(0<\alpha<\frac{\pi}{2}\right)$라 하자.

θ	(0)	$\cdots$	α	$\cdots$	$\left(\frac{\pi}{2}\right)$
$f'(\theta)$		$+$	0	$-$	
$f(\theta)$		↗	극대	↘	

함수 $f(\theta)$는 $\theta=\alpha$일 때 극대이면서 최대이므로 색칠한 부분의 넓이를 최대로 하는 선분 PQ의 길이는 $\tan\alpha=2$일 때의 $\sin\alpha$의 값과 같다.

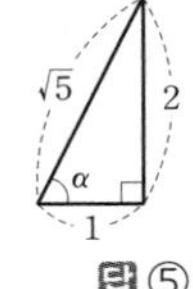

$$\therefore \overline{PQ}=\sin\alpha=\frac{2}{\sqrt{5}}=\frac{2\sqrt{5}}{5}$$ 답 ⑤

Lecture

부채꼴의 호의 길이와 넓이

반지름의 길이가 r, 중심각의 크기가 θ(라디안)인 부채꼴에서

(1) 호의 길이 ⇨ $l=r\theta$

(2) 넓이 ⇨ $S=\frac{1}{2}rl=\frac{1}{2}r^2\theta$

(3) 둘레의 길이 ⇨ $2r+r\theta$

0846

| 전략 | 밑면의 한 변의 길이를 x로 놓고 사각기둥의 부피를 x에 대한 함수로 나타내어 부피가 최대일 때의 x의 값을 구한다.

밑면 PQRS의 한 변의 길이를 $x(0<x<3)$로 놓고 사각기둥의 부피를 $V(x)$라 하면

$V(x)=x^2\sqrt{9-x^2}$

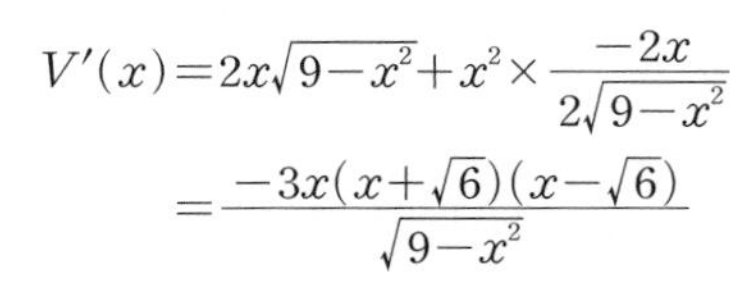

$$V'(x)=2x\sqrt{9-x^2}+x^2\times\frac{-2x}{2\sqrt{9-x^2}}$$
$$=\frac{-3x(x+\sqrt{6})(x-\sqrt{6})}{\sqrt{9-x^2}}$$

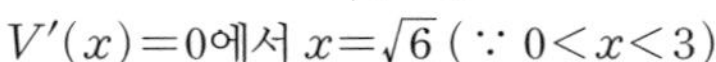

$V'(x)=0$에서 $x=\sqrt{6}$ ($\because 0<x<3$)

x	(0)	$\cdots$	$\sqrt{6}$	$\cdots$	(3)
$V'(x)$		$+$	0	$-$	
$V(x)$		↗	극대	↘	

따라서 함수 $V(x)$는 $x=\sqrt{6}$일 때 극대이면서 최대이므로 사각기둥의 부피가 최대일 때 밑면의 한 변의 길이는 $\sqrt{6}$이다. 답 $\sqrt{6}$

0847

직원뿔의 밑면의 반지름의 길이를 $r(r>4)$, 높이를 h, 모선이 밑면과 이루는 각의 크기를 2θ로 놓으면 $\tan\theta=\frac{4}{r}$, $\tan2\theta=\frac{h}{r}$이므로

$\tan2\theta=\frac{2\tan\theta}{1-\tan^2\theta}$에서

$$\frac{h}{r}=\frac{\frac{8}{r}}{1-\frac{16}{r^2}}=\frac{8r}{r^2-16}\qquad\therefore h=\frac{8r^2}{r^2-16}$$

직원뿔의 부피를 $V(r)$라 하면 $V(r)=\frac{1}{3}\pi r^2h=\frac{8}{3}\pi\times\frac{r^4}{r^2-16}$

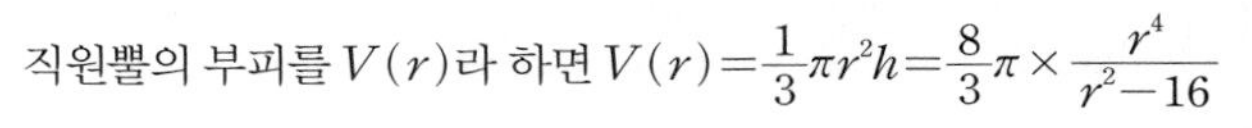

$$V'(r)=\frac{8}{3}\pi\times\frac{4r^3(r^2-16)-r^4\times2r}{(r^2-16)^2}$$
$$=\frac{8}{3}\pi\times\frac{2r^3(r+4\sqrt{2})(r-4\sqrt{2})}{(r^2-16)^2}$$

$V'(r)=0$에서 $r=4\sqrt{2}$ ($\because r>4$)

r	(4)	$\cdots$	$4\sqrt{2}$	$\cdots$
$V'(r)$		$-$	0	$+$
$V(r)$		↘	극소	↗

따라서 함수 $V(r)$는 $r=4\sqrt{2}$일 때 극소이면서 최소이므로 직원뿔의 부피가 최소일 때 밑면의 반지름의 길이는 $4\sqrt{2}$이다. 답 ①

0848

| 전략 | 등변사다리꼴의 윗변과 등변이 이루는 각의 크기를 θ로 놓는다.

등변사다리꼴의 윗변과 등변이 이루는 각의 크기를 $\theta\left(0<\theta<\frac{\pi}{2}\right)$로 놓고 등변사다리꼴의 넓이를 $S(\theta)$ m²라 하면

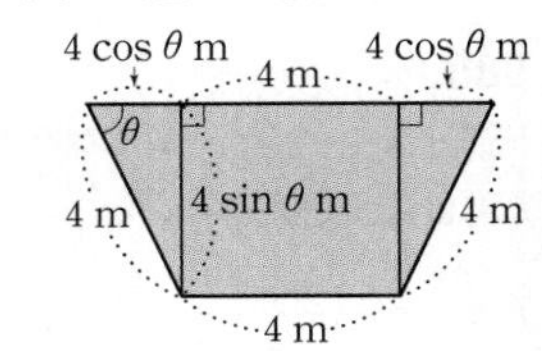

$$S(\theta)=\frac{1}{2}(8\cos\theta+8)\times4\sin\theta$$
$$=16(\cos\theta+1)\sin\theta$$
$$S'(\theta)=16(-\sin\theta)\sin\theta+16(\cos\theta+1)\cos\theta$$
$$=16(\cos^2\theta-1)+16(\cos^2\theta+\cos\theta)$$
$$=16(2\cos^2\theta+\cos\theta-1)=16(2\cos\theta-1)(\cos\theta+1)$$

$S'(\theta)=0$에서 $\cos\theta=\frac{1}{2}\left(\because 0<\theta<\frac{\pi}{2}\right)$ $\quad\therefore \theta=\frac{\pi}{3}$

θ	(0)	$\cdots$	$\frac{\pi}{3}$	$\cdots$	$\left(\frac{\pi}{2}\right)$
$S'(\theta)$		+	0	−	
$S(\theta)$		↗	극대	↘	

따라서 함수 $S(\theta)$는 $\theta=\frac{\pi}{3}$일 때 극대이면서 최대이므로 단면의 최대 넓이는

$S\left(\frac{\pi}{3}\right)=16\left(\frac{1}{2}+1\right)\times\frac{\sqrt{3}}{2}=12\sqrt{3}$ (m^2) 답 $12\sqrt{3}\ \mathrm{m}^2$

0849

막대가 통로를 통과할 수 있어야 하므로 오른쪽 그림과 같이 점 P를 지나고 양쪽 벽에 끝점 A, B를 갖는 선분 AB의 길이의 최솟값이 막대의 길이의 최댓값이다.

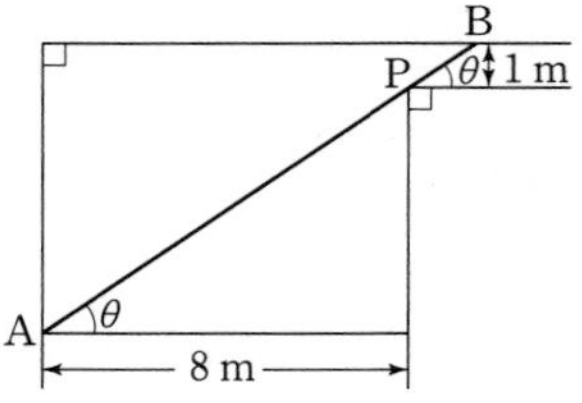

막대가 한쪽 벽과 이루는 각의 크기를 $\theta\left(0<\theta<\frac{\pi}{2}\right)$라 하면 $\overline{\mathrm{AB}}=\overline{\mathrm{AP}}+\overline{\mathrm{BP}}$에서

$\overline{\mathrm{AP}}=\frac{8}{\cos\theta}$ m, $\overline{\mathrm{BP}}=\frac{1}{\sin\theta}$ m

막대의 길이 $\overline{\mathrm{AB}}$를 $f(\theta)$ m라 하면 $f(\theta)=\frac{8}{\cos\theta}+\frac{1}{\sin\theta}$

$f'(\theta)=\frac{8\sin\theta}{\cos^2\theta}-\frac{\cos\theta}{\sin^2\theta}=\frac{8\sin^3\theta-\cos^3\theta}{\cos^2\theta\sin^2\theta}$

$f'(\theta)=0$에서 $8\sin^3\theta-\cos^3\theta=0$, $\tan^3\theta=\frac{1}{8}$

$\therefore \tan\theta=\frac{1}{2}\left(\because 0<\theta<\frac{\pi}{2}\right)$

$\tan\theta=\frac{1}{2}$을 만족시키는 θ의 값을 $\alpha\left(0<\alpha<\frac{\pi}{2}\right)$라 하자.

θ	(0)	$\cdots$	α	$\cdots$	$\left(\frac{\pi}{2}\right)$
$f'(\theta)$		−	0	+	
$f(\theta)$		↘	극소	↗	

따라서 함수 $f(\theta)$는 $\theta=\alpha$일 때 극소이면서 최소이므로 막대의 최대 길이는

$f(\alpha)=\frac{8}{\cos\alpha}+\frac{1}{\sin\alpha}=4\sqrt{5}+\sqrt{5}=5\sqrt{5}$ (m) 답 $5\sqrt{5}$ m

└ $\tan\alpha=\frac{1}{2}$에서 $\sin\alpha=\frac{1}{\sqrt{5}}$, $\cos\alpha=\frac{2}{\sqrt{5}}$

0850

|전략| 함수 $y=f(x)$의 그래프와 직선 $y=k$의 교점의 개수가 1이 되도록 하는 k의 값을 구한다.

$f(x)=\frac{2}{x^2-4x+5}$로 놓으면 $f'(x)=\frac{-4(x-2)}{(x^2-4x+5)^2}$

$f'(x)=0$에서 $x=2$

x	$\cdots$	2	$\cdots$
$f'(x)$	+	0	−
$f(x)$	↗	2	↘

이때, $\lim_{x\to\infty}f(x)=0$, $\lim_{x\to-\infty}f(x)=0$이고 $x=2$일 때 극대이면서 최대이므로 함수 $y=f(x)$의 그래프는 오른쪽 그림과 같다.

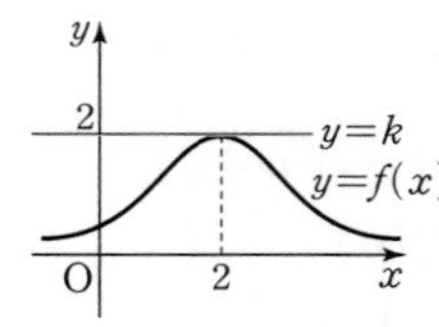

주어진 방정식이 오직 한 개의 실근을 가지려면 함수 $y=f(x)$의 그래프와 직선 $y=k$가 한 점에서 만나야 하므로 $k=2$ 답 ②

0851

$e^x+e^{-x}-k=0$에서 $e^x+e^{-x}=k$

$f(x)=e^x+e^{-x}$으로 놓으면 $f'(x)=e^x-e^{-x}$

$f'(x)=0$에서 $e^x-e^{-x}=0$, $e^{2x}=1$ $\quad\therefore x=0$

x	$\cdots$	0	$\cdots$
$f'(x)$	−	0	+
$f(x)$	↘	2	↗

이때, $\lim_{x\to\infty}f(x)=\infty$, $\lim_{x\to-\infty}f(x)=\infty$이고 $x=0$일 때 극소이면서 최소이므로 함수 $y=f(x)$의 그래프는 오른쪽 그림과 같다.

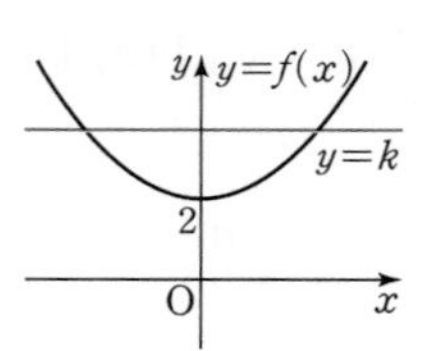

주어진 방정식이 서로 다른 두 실근을 가지려면 함수 $y=f(x)$의 그래프와 직선 $y=k$가 서로 다른 두 점에서 만나야 하므로

$k>2$ $\quad\therefore \alpha=2$ 답 ⑤

0852

$x\ln x-2x-k=0$에서 $x\ln x-2x=k$

$f(x)=x\ln x-2x$로 놓으면 $x>0$이고

$f'(x)=\ln x+x\times\frac{1}{x}-2=\ln x-1$

$f'(x)=0$에서 $\ln x=1$ $\quad\therefore x=e$

x	(0)	$\cdots$	e	$\cdots$
$f'(x)$		−	0	+
$f(x)$		↘	$-e$	↗

이때, $\lim_{x\to\infty}f(x)=\infty$이고 $x=e$일 때 극소이면서 최소이므로 함수 $y=f(x)$의 그래프는 오른쪽 그림과 같다.

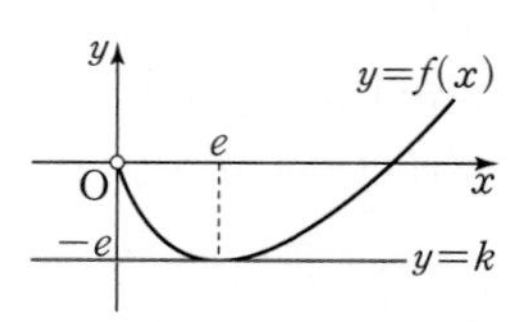

주어진 방정식이 적어도 하나의 실근을 가지려면 함수 $y=f(x)$의 그래프와 직선 $y=k$가 만나야 하므로

$k\geq -e$

따라서 실수 k의 최솟값은 $-e$이다. 답 ②

0853

|전략| 곡선 $y=\ln x$와 직선 $y=ax$가 한 점에서 접해야 함을 이용한다.

방정식 $\ln x=ax$가 오직 한 개의 실근을 가지려면 오른쪽 그림과 같이 곡선 $y=\ln x$와 직선 $y=ax$가 한 점에서 접해야 한다.

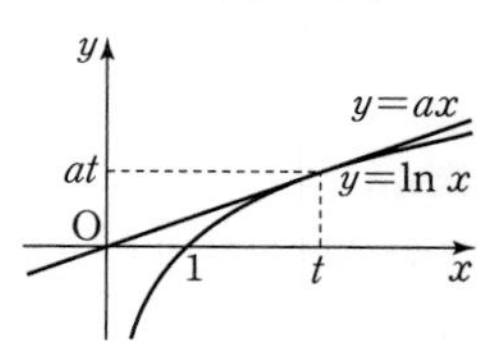

$f(x)=\ln x$, $g(x)=ax$로 놓으면

$f'(x)=\frac{1}{x}$, $g'(x)=a$

접점의 x좌표를 t라 하면

$f(t)=g(t)$에서 $\ln t=at$ …… ㉠

$f'(t)=g'(t)$에서 $\frac{1}{t}=a$ …… ㉡

㉡을 ㉠에 대입하면 $\ln t=1$ $\therefore t=e$

$t=e$를 ㉡에 대입하면 $a=\frac{1}{e}$

답 ①

0854

$-1\le x\le 1$에서 방정식 $\sin \pi x=kx$가 서로 다른 세 실근을 가지려면 오른쪽 그림과 같이 $-1\le x\le 1$에서 곡선 $y=\sin \pi x$와 직선 $y=kx$가 서로 다른 세 점에서 만나야 한다.

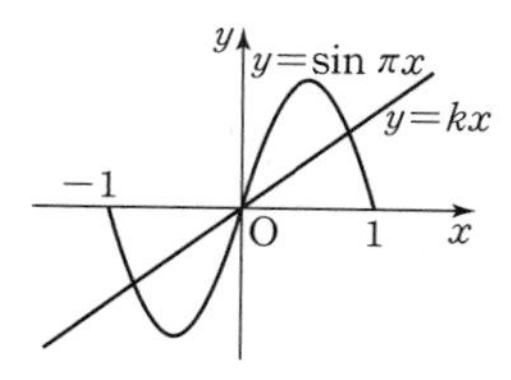

$y=\sin \pi x$에서 $y'=\pi \cos \pi x$이므로 곡선 $y=\sin \pi x$ 위의 점 $(0, 0)$에서의 접선의 방정식은

$y-0=\pi \cos 0\times(x-0)$ $\therefore y=\pi x$

따라서 곡선 $y=\sin \pi x$와 직선 $y=kx$가 서로 다른 세 점에서 만나려면

$0\le k<\pi$

답 $0\le k<\pi$

0855

방정식 $\ln x=kx^3$이 서로 다른 두 실근을 가지려면 오른쪽 그림과 같이 두 곡선 $y=\ln x$와 $y=kx^3$이 서로 다른 두 점에서 만나야 하므로

$k>0$

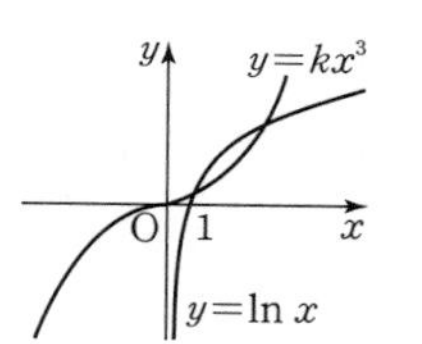

$f(x)=\ln x$, $g(x)=kx^3$으로 놓으면

$f'(x)=\frac{1}{x}$, $g'(x)=3kx^2$

두 곡선이 접할 때의 접점의 x좌표를 t라 하면

$f(t)=g(t)$에서 $\ln t=kt^3$ …… ㉠

$f'(t)=g'(t)$에서 $\frac{1}{t}=3kt^2$ …… ㉡

㉡에서 $k=\frac{1}{3t^3}$을 ㉠에 대입하면

$\ln t=\frac{1}{3t^3}\times t^3=\frac{1}{3}$ $\therefore t=e^{\frac{1}{3}}$

$t=e^{\frac{1}{3}}$을 $k=\frac{1}{3t^3}$에 대입하면 $k=\frac{1}{3e}$

즉, $k=\frac{1}{3e}$이면 두 곡선이 한 점에서 만나므로 방정식 $\ln x=kx^3$이 서로 다른 두 실근을 가지려면

$0<k<\frac{1}{3e}$

답 $0<k<\frac{1}{3e}$

0856

|전략| 곡선 $y=f(x)$가 변곡점을 가지려면 방정식 $f''(x)=0$의 실근이 존재하고 그 실근의 좌우에서 $f''(x)$의 부호가 바뀌어야 한다.

$f(x)=2\cos x+ax^2+3x$로 놓으면

$f'(x)=-2\sin x+2ax+3$, $f''(x)=-2\cos x+2a$

곡선 $y=f(x)$가 변곡점을 가지려면 방정식 $f''(x)=0$이 실근을 갖고 그 실근의 좌우에서 $f''(x)$의 부호가 바뀌어야 한다.

$f''(x)=0$에서 $\cos x=a$

이 방정식이 실근을 가지려면 오른쪽 그림과 같이 곡선 $y=\cos x$와 직선 $y=a$가 만나야 하므로

$-1\le a\le 1$

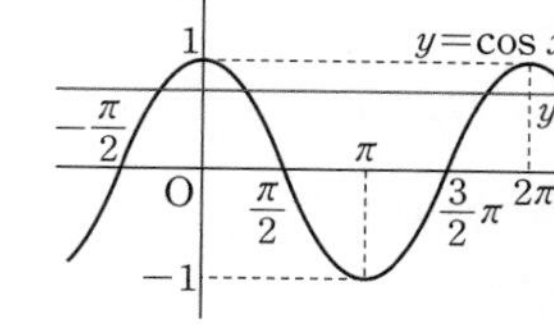

이때, $a=-1$ 또는 $a=1$이면

$f''(x)=-2(\cos x+1)$ 또는 $f''(x)=2(1-\cos x)$

$\therefore f''(x)\le 0$ 또는 $f''(x)\ge 0$

따라서 $f''(x)=0$을 만족시키는 x의 값의 좌우에서 $f''(x)$의 부호가 바뀌지 않으므로 곡선 $y=f(x)$가 변곡점을 갖지 않는다.

$\therefore -1<a<1$

답 ③

0857

$f(x)=\sin x+\frac{1}{2}ax^2-2x$로 놓으면

$f'(x)=\cos x+ax-2$, $f''(x)=-\sin x+a$

곡선 $y=f(x)$가 $0<x<2\pi$에서 두 개의 변곡점을 가지므로 방정식 $f''(x)=0$이 $0<x<2\pi$에서 서로 다른 두 실근을 갖고, 이 실근의 좌우에서 $f''(x)$의 부호가 바뀌어야 한다.

$f''(x)=0$에서 $\sin x=a$

이 방정식이 $0<x<2\pi$에서 서로 다른 두 실근을 가지려면 오른쪽 그림과 같이 곡선 $y=\sin x$와 직선 $y=a$가 서로 다른 두 점에서 만나야 하므로

$-1<a<0$ 또는 $0<a<1$

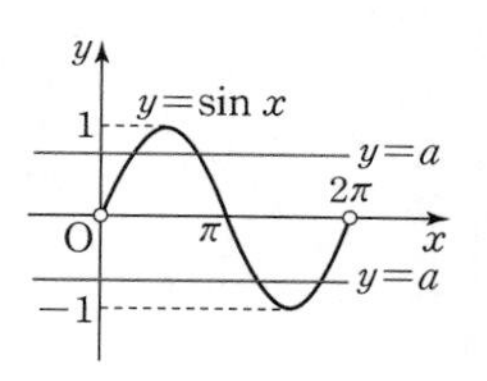

따라서 실수 a의 값이 될 수 없는 것은 ⑤1이다.

답 ⑤

0858

$f(x)=e^{2x}+e^{-2x}+ax^2$으로 놓으면

$f'(x)=2e^{2x}-2e^{-2x}+2ax$, $f''(x)=4e^{2x}+4e^{-2x}+2a$

곡선 $y=f(x)$가 변곡점을 가지려면 방정식 $f''(x)=0$이 실근을 갖고 그 실근의 좌우에서 $f''(x)$의 부호가 바뀌어야 한다.

이때, $4e^{2x}>0$, $4e^{-2x}>0$이므로 산술평균과 기하평균의 관계에 의하여

$f''(x)=4e^{2x}+4e^{-2x}+2a$

$\ge 2\sqrt{4e^{2x}\times 4e^{-2x}}+2a=2a+8$ (단, 등호는 $x=0$일 때 성립)

$f''(x)$의 최솟값이 $2a+8$이므로 방정식 $f''(x)=0$이 실근을 가지려면 $2a+8\le 0$, 즉 $a\le -4$이어야 한다.

그런데 $a=-4$이면 $f''(x)\ge 0$이므로 $f''(x)=0$을 만족시키는 x의 값의 좌우에서 $f''(x)$의 부호가 바뀌지 않는다.

$\therefore a<-4$

답 $a<-4$

0859

전략 $f(x)=x^2+\frac{1}{x^2}+k$로 놓고 ($f(x)$의 최솟값)>0인 k의 값의 범위를 구한다.

$f(x)=x^2+\frac{1}{x^2}+k$로 놓으면

$f'(x)=2x-\frac{2}{x^3}=\frac{2(x^4-1)}{x^3}=\frac{2(x^2+1)(x+1)(x-1)}{x^3}$

$f'(x)=0$에서 $x=1$ ($\because x>0$)

x	(0)	$\cdots$	1	$\cdots$
$f'(x)$		$-$	0	$+$
$f(x)$		↘	$k+2$	↗

함수 $f(x)$는 $x=1$일 때 극소이면서 최소이므로 $f(x)>0$이 성립하려면

$k+2>0 \quad \therefore k>-2$ 답 $k>-2$

0860

$f(x)=x-a+1-\ln(1+x)$로 놓으면

$f'(x)=1-\frac{1}{1+x}=\frac{x}{1+x}>0$ ($\because x>0$)

즉, 함수 $f(x)$는 $x>0$에서 증가하므로 $f(x)>0$이 성립하려면

$f(0)=-a+1\geq 0 \quad \therefore a\leq 1$ 답 $a\leq 1$

0861

$\sin x+k\cos x\leq k$에서 $\sin x\leq k(1-\cos x)$

$\frac{\pi}{4}\leq x\leq \pi$에서 $1-\cos x>0$이므로 $\frac{\sin x}{1-\cos x}\leq k$

$f(x)=\frac{\sin x}{1-\cos x}$로 놓으면

$f'(x)=\frac{\cos x(1-\cos x)-\sin x\times\sin x}{(1-\cos x)^2}=\frac{-1+\cos x}{(1-\cos x)^2}$

$=-\frac{1}{1-\cos x}<0$

즉, 함수 $f(x)$는 $\frac{\pi}{4}\leq x\leq\pi$에서 감소하므로 $f(x)$의 최댓값은

$f\left(\frac{\pi}{4}\right)=\frac{\frac{\sqrt{2}}{2}}{1-\frac{\sqrt{2}}{2}}=\frac{\sqrt{2}}{2-\sqrt{2}}=\sqrt{2}+1$

$\frac{\pi}{4}\leq x\leq\pi$에서 $f(x)\leq k$가 성립하려면 $k\geq\sqrt{2}+1$

따라서 k의 최솟값은 $\sqrt{2}+1$이다. 답 ④

0862

$f(x)=e^x-\frac{x^2}{2}-x+k$로 놓으면

$f'(x)=e^x-x-1, f''(x)=e^x-1$ … ❶

$x>0$일 때, $f''(x)>0$이므로 $f'(x)$는 증가하고 $f'(0)=0$이므로 $x>0$에서 $f'(x)>0$이다.

즉, 함수 $f(x)$는 $x>0$에서 증가한다. … ❷

$f(x)>0$이 성립하려면

$f(0)=1+k\geq 0 \quad \therefore k\geq -1$ … ❸

따라서 실수 k의 최솟값은 -1이다. … ❹

답 -1

채점 기준	비율
❶ $f'(x), f''(x)$를 구할 수 있다.	30 %
❷ $x>0$에서 $f(x)$의 증가, 감소를 판단할 수 있다.	30 %
❸ k의 값의 범위를 구할 수 있다.	30 %
❹ k의 최솟값을 구할 수 있다.	10 %

0863

전략 곡선 $y=x^2$이 곡선 $y=a\ln x$보다 위쪽에 있어야 함을 이용한다.

$x>0$인 모든 실수 x에 대하여 부등식 $x^2>a\ln x$가 성립하려면 오른쪽 그림과 같이 $x>0$에서 곡선 $y=x^2$이 곡선 $y=a\ln x$보다 위쪽에 있어야 한다.

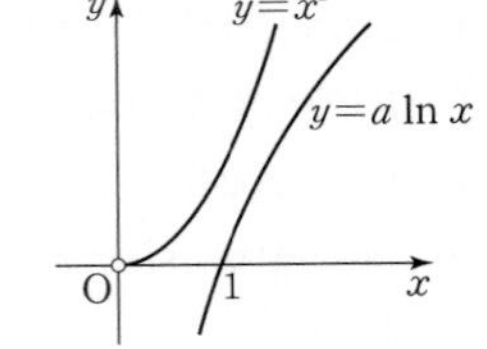

$f(x)=x^2, g(x)=a\ln x$로 놓으면

$f'(x)=2x, g'(x)=\frac{a}{x}$

두 곡선이 접할 때의 접점의 x좌표를 $t(t>0)$라 하면

$f(t)=g(t)$에서 $t^2=a\ln t$ …… ㉠

$f'(t)=g'(t)$에서 $2t=\frac{a}{t} \quad \therefore t^2=\frac{a}{2}$ …… ㉡

㉡을 ㉠에 대입하면

$\frac{a}{2}=a\ln t, \ln t=\frac{1}{2} \quad \therefore t=\sqrt{e}$

$t=\sqrt{e}$를 ㉡에 대입하면 $a=2e$

따라서 주어진 부등식을 만족시키는 양수 a의 값의 범위는

$0<a<2e$ 답 ①

0864

모든 실수 x에 대하여 부등식 $e^x\geq mx$가 성립하려면 오른쪽 그림과 같이 곡선 $y=e^x$이 직선 $y=mx$보다 위쪽에 있거나 곡선과 직선이 접해야 한다.

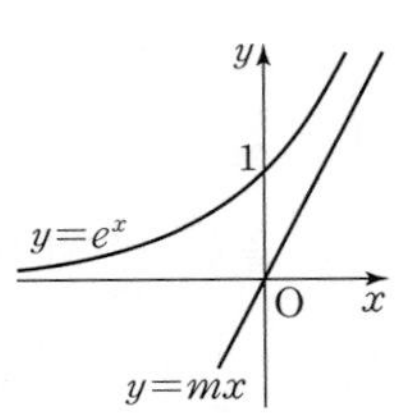

$f(x)=e^x, g(x)=mx$로 놓으면

$f'(x)=e^x, g'(x)=m$

곡선과 직선이 접할 때의 접점의 x좌표를 t라 하면

$f(t)=g(t)$에서 $e^t=mt$ …… ㉠

$f'(t)=g'(t)$에서 $e^t=m$ …… ㉡

㉡을 ㉠에 대입하면

$m=mt \quad \therefore t=1$

$t=1$을 ㉡에 대입하면 $m=e$

따라서 주어진 부등식을 만족시키는 m의 값의 범위는

$0\le m\le e$ 답 $0\le m\le e$

0865

임의의 양의 실수 x에 대하여 $f(x)\ge g(x)$가 성립하려면 $x>0$에서 $y=f(x)$의 그래프가 $y=g(x)$의 그래프보다 위쪽에 있거나 두 그래프가 접해야 한다.

$$f'(x)=1-\frac{1}{x^2}=\frac{x^2-1}{x^2}=\frac{(x+1)(x-1)}{x^2}$$

$f'(x)=0$에서 $x=1$ ($\because x>0$)

x	(0)	$\cdots$	1	$\cdots$
$f'(x)$		$-$	0	$+$
$f(x)$		↘	극소	↗

즉, $f(x)$의 최솟값은 $f(1)=2$

$$g'(x)=\frac{3(x^2+1)-3x\times 2x}{(x^2+1)^2}=\frac{-3(x+1)(x-1)}{(x^2+1)^2}$$

$g'(x)=0$에서 $x=1$ ($\because x>0$)

x	(0)	$\cdots$	1	$\cdots$
$g'(x)$		$+$	0	$-$
$g(x)$		↗	극대	↘

이때, $\lim_{x\to\infty} g(x)=a$이므로 두 함수 $y=f(x)$, $y=g(x)$의 그래프는 오른쪽 그림과 같다.

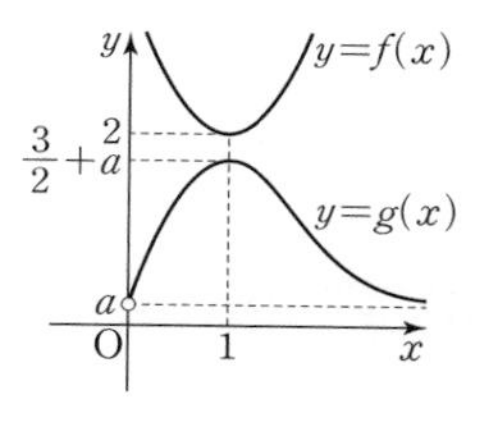

$g(x)$의 최댓값은 $g(1)=\frac{3}{2}+a$

임의의 양의 실수 x에 대하여

$f(x)\ge g(x)$이려면

$2\ge\frac{3}{2}+a \quad \therefore a\le\frac{1}{2}$

따라서 실수 a의 최댓값은 $\frac{1}{2}$이다. 답 ②

0866

|전략| 수직선 위를 움직이는 점 P의 시각 t에서의 위치 x가 $x=f(t)$이면 시각 t에서의 속도는 $f'(t)$이다.

점 P의 시각 t에서의 속도를 $v(t)$라 하면

$$v(t)=f'(t)=5a\cos\left(5t+\frac{\pi}{6}\right)$$

$t=\pi$에서의 속도가 $5\sqrt{3}$이므로

$$v(\pi)=5a\cos\left(5\pi+\frac{\pi}{6}\right)=5a\cos\left(\pi+\frac{\pi}{6}\right)$$
$$=-5a\cos\frac{\pi}{6}=-\frac{5\sqrt{3}}{2}a=5\sqrt{3}$$

$\therefore a=-2$ 답 -2

0867

점 P의 시각 t에서의 속도를 $v(t)$, 가속도를 $a(t)$라 하면

$$v(t)=f'(t)=\frac{2}{t+1}+1$$

$$a(t)=f''(t)=-\frac{2}{(t+1)^2}$$

속도가 2인 순간은 $\frac{2}{t+1}+1=2$에서

$\frac{2}{t+1}=1 \quad \therefore t=1$

따라서 점 P의 속도가 2일 때의 가속도는

$a(1)=-\frac{1}{2}$ 답 ①

0868

점 P의 시각 t에서의 속도를 $v(t)$라 하면

$$v(t)=f'(t)=(2t-7)e^t+(t^2-7t+13)e^t$$
$$=(t^2-5t+6)e^t$$

점 P가 운동 방향을 바꿀 때의 속도는 0이므로

$(t^2-5t+6)e^t=0$에서 $t^2-5t+6=0$ ($\because e^t>0$)

$(t-2)(t-3)=0 \quad \therefore t=2$ 또는 $t=3$

이때, $t=2$, $t=3$의 좌우에서 $v(t)$의 부호가 바뀌므로 점 P는 운동 방향을 2번 바꾼다. 답 2번

0869

점 P의 시각 t에서의 속도를 $v(t)$라 하면

$$v(t)=f'(t)=2\cos 2t-2\sqrt{3}\sin 2t$$
$$=4\left(\frac{1}{2}\cos 2t-\frac{\sqrt{3}}{2}\sin 2t\right)$$
$$=4\sin\left(2t+\frac{5}{6}\pi\right)$$

$-4\le v(t)\le 4$이므로 속력 $|v(t)|$의 최댓값은 4이다. 답 ⑤

0870

|전략| 좌표평면 위를 움직이는 점 P의 시각 t에서의 위치 (x, y)가 $x=f(t)$, $y=g(t)$이면 시각 t에서의 속도는 $(f'(t), g'(t))$이고, 속력은 $\sqrt{\{f'(t)\}^2+\{g'(t)\}^2}$이다.

$\frac{dx}{dt}=3$, $\frac{dy}{dt}=4-2t$이므로 점 P의 시각 t에서의 속도는

$(3, 4-2t)$

점 P의 속력은

$\sqrt{3^2+(4-2t)^2}=\sqrt{4(t-2)^2+9}$

따라서 점 P의 속력이 최소일 때는 $t=2$일 때이다. 답 2

0871

$\frac{dx}{dt}=e^t\cos t-e^t\sin t$, $\frac{dy}{dt}=e^t\sin t+e^t\cos t$

이므로 점 P의 시각 t에서의 속도는

$(e^t\cos t-e^t\sin t, e^t\sin t+e^t\cos t)$

점 P의 속력은

$\sqrt{e^{2t}(\cos t-\sin t)^2+e^{2t}(\sin t+\cos t)^2}=\sqrt{2e^{2t}}=\sqrt{2}e^t$

따라서 점 P의 속력이 4일 때의 시각 t는

$\sqrt{2}e^t=4$에서 $e^t=2\sqrt{2} \quad \therefore t=\ln 2\sqrt{2}$ 답 ②

0872

$\frac{dx}{dt}=10\sqrt{2}$, $\frac{dy}{dt}=-10t+10\sqrt{2}$이므로 골프공의 시각 t에서의 속도는

$(10\sqrt{2},\ -10t+10\sqrt{2})$

골프공이 지면에 떨어질 때는 $y=0$일 때이므로

$-5t^2+10\sqrt{2}t=0$에서 $-5t(t-2\sqrt{2})=0$

$\therefore t=2\sqrt{2}\ (\because t>0)$

$t=2\sqrt{2}$에서의 골프공의 속도는 $(10\sqrt{2},\ -10\sqrt{2})$이므로 구하는 속력은

$\sqrt{(10\sqrt{2})^2+(-10\sqrt{2})^2}=20\ (\mathrm{m/s})$ 답 20 m/s

0873

$\frac{dx}{dt}=2at-\sin t$, $\frac{dy}{dt}=1-\cos t$이므로 점 P의 시각 t에서의 속도는

$(2at-\sin t,\ 1-\cos t)$ …❶

$t=\frac{\pi}{2}$일 때의 속도는 $(a\pi-1,\ 1)$ …❷

이때의 속력이 1이므로

$\sqrt{(a\pi-1)^2+1^2}=1$, $(a\pi-1)^2+1=1$

$(a\pi-1)^2=0 \qquad \therefore a=\frac{1}{\pi}$ …❸

답 $\frac{1}{\pi}$

채점 기준	비율
❶ 점 P의 시각 t에서의 속도를 구할 수 있다.	40 %
❷ $t=\frac{\pi}{2}$일 때의 속도를 구할 수 있다.	30 %
❸ a의 값을 구할 수 있다.	30 %

0874

|전략| 좌표평면 위를 움직이는 점 P의 시각 t에서의 위치 (x, y)가 $x=f(t)$, $y=g(t)$이면 시각 t에서의 가속도는 $(f''(t), g''(t))$이고, 가속도의 크기는 $\sqrt{\{f''(t)\}^2+\{g''(t)\}^2}$이다.

$\frac{dx}{dt}=\sqrt{17}$, $\frac{dy}{dt}=3t^2-1$이므로 점 P의 시각 t에서의 속도는

$(\sqrt{17},\ 3t^2-1)$

점 P의 속력이 9일 때의 시각 t는

$\sqrt{(\sqrt{17})^2+(3t^2-1)^2}=9$에서 $(3t^2-1)^2=64$, $3t^2-1=\pm8$

이때, t는 실수이므로 $t^2=3$

$\therefore t=\sqrt{3}\ (\because t>0)$

또, $\frac{d^2x}{dt^2}=0$, $\frac{d^2y}{dt^2}=6t$이므로 점 P의 시각 t에서의 가속도는

$(0,\ 6t)$

$t=\sqrt{3}$에서의 점 P의 가속도는 $(0,\ 6\sqrt{3})$이므로 구하는 가속도의 크기는

$\sqrt{0+(6\sqrt{3})^2}=6\sqrt{3}$ 답 $6\sqrt{3}$

0875

$\frac{dx}{dt}=-3\sin t$, $\frac{dy}{dt}=3\cos t$,

$\frac{d^2x}{dt^2}=-3\cos t$, $\frac{d^2y}{dt^2}=-3\sin t$

이므로 점 P의 시각 t에서의 속도는 $(-3\sin t,\ 3\cos t)$이고 가속도는 $(-3\cos t,\ -3\sin t)$이다.

점 P의 속력과 가속도의 크기는 각각

$\sqrt{(-3\sin t)^2+(3\cos t)^2}=3$

$\sqrt{(-3\cos t)^2+(-3\sin t)^2}=3$

따라서 $a=3$, $b=3$이므로 $a+b=6$ 답 ④

0876

$\frac{dx}{dt}=2t+9$, $\frac{dy}{dt}=3at^2-5$에서

$\frac{d^2x}{dt^2}=2$, $\frac{d^2y}{dt^2}=6at$

이므로 점 P의 시각 t에서의 가속도는 $(2,\ 6at)$

$t=1$에서의 가속도는 $(2,\ 6a)$이므로 가속도의 크기는

$\sqrt{4+36a^2}$

즉, $\sqrt{4+36a^2}=2\sqrt{10}$이므로 양변을 제곱하여 정리하면

$a^2=1 \qquad \therefore a=1\ (\because a>0)$ 답 1

STEP 3 내신 마스터

0877

유형 01 곡선의 오목·볼록

|전략| 함수 $f(x)$가 어떤 구간에서 $f''(x)<0$이면 곡선 $y=f(x)$는 이 구간에서 위로 볼록함을 이용한다.

$f(x)=\sin^2 x$로 놓으면

$f'(x)=2\sin x\cos x=\sin 2x$

$f''(x)=2\cos 2x$

곡선 $y=\sin^2 x$가 위로 볼록하려면 $f''(x)<0$이어야 하므로

$\cos 2x<0$, $\frac{\pi}{2}<2x<\pi\ (\because 0<2x<\pi)$

$\therefore \frac{\pi}{4}<x<\frac{\pi}{2}$

따라서 $a=\frac{\pi}{4}$, $b=\frac{\pi}{2}$이므로

$a+b=\frac{\pi}{4}+\frac{\pi}{2}=\frac{3}{4}\pi$ 답 ⑤

0878

유형 02 변곡점

|전략| $f''(x)=0$을 만족시키는 x의 값의 좌우에서 $f''(x)$의 부호를 조사하여 변곡점의 좌표를 구한다.

$f(x)=e^x-e^{-x}+1$로 놓으면

$f'(x)=e^x+e^{-x}$, $f''(x)=e^x-e^{-x}$

$f''(x)=0$에서 $x=0$

이때, $x<0$이면 $f''(x)<0$, $x>0$이면 $f''(x)>0$

즉, $x=0$의 좌우에서 $f''(x)$의 부호가 바뀌므로 곡선 $y=f(x)$의 변곡점의 좌표는 $(0, 1)$이다.

점 $(0, 1)$에서의 접선의 기울기는 $f'(0)=2$이므로 접선의 방정식은

$y-1=2(x-0)$ $\therefore y=2x+1$

따라서 접선이 x축과 만나는 점의 좌표는 $\left(-\frac{1}{2}, 0\right)$이다. 답 ①

0879

유형 04 함수의 그래프의 성질

| 전략 | $f'(x)$, $f''(x)$, $\lim_{x\to\infty} f(x)$를 구하여 참, 거짓을 조사한다.

ㄱ. $f(x)=\frac{x^2-3}{x-2}$에서 $x\neq2$이고

$$f'(x)=\frac{2x(x-2)-(x^2-3)}{(x-2)^2}=\frac{x^2-4x+3}{(x-2)^2}=\frac{(x-1)(x-3)}{(x-2)^2}$$

$f'(x)=0$에서 $x=1$ 또는 $x=3$

x	$\cdots$	1	$\cdots$	(2)	$\cdots$	3	$\cdots$
$f'(x)$	$+$	0	$-$		$-$	0	$+$
$f(x)$	↗	극대	↘		↘	극소	↗

따라서 함수 $f(x)$는 $x=1$에서 극댓값, $x=3$에서 극솟값을 갖는다. (거짓)

ㄴ. $$f''(x)=\frac{(2x-4)(x-2)^2-(x^2-4x+3)\times2(x-2)}{(x-2)^4}$$
$$=\frac{2(x-2)^2-2(x^2-4x+3)}{(x-2)^3}$$
$$=\frac{2}{(x-2)^3}$$

$f''(x)=0$을 만족시키는 x의 값은 존재하지 않으므로 변곡점은 존재하지 않는다. (참)

ㄷ. $f(x)=\frac{x^2-3}{x-2}=x+2+\frac{1}{x-2}$

$\lim_{x\to\infty} f(x)=\lim_{x\to\infty}(x+2)$, $\lim_{x\to-\infty} f(x)=\lim_{x\to-\infty}(x+2)$이므로 직선 $y=x+2$는 $y=f(x)$의 그래프의 점근선이다. (참)

따라서 옳은 것은 ㄴ, ㄷ이다. 답 ⑤

0880

유형 06 유리함수의 최대·최소

| 전략 | 함수의 몫의 미분법을 이용하여 주어진 함수의 최댓값과 최솟값을 찾은 후 $f(n)$을 구한다.

$g(x)=\frac{2nx}{x^2-x+1}$로 놓으면

$$g'(x)=\frac{2n(x^2-x+1)-2nx(2x-1)}{(x^2-x+1)^2}$$
$$=\frac{-2n(x+1)(x-1)}{(x^2-x+1)^2}$$

$g'(x)=0$에서 $x=-1$ 또는 $x=1$

x	$\cdots$	-1	$\cdots$	1	$\cdots$
$g'(x)$	$-$	0	$+$	0	$-$
$g(x)$	↘	$-\frac{2}{3}n$	↗	$2n$	↘

이때, $\lim_{x\to\infty} g(x)=\lim_{x\to-\infty} g(x)=0$이므로 함수 $g(x)$는 $x=1$일 때 최댓값 $2n$, $x=-1$일 때 최솟값 $-\frac{2}{3}n$을 갖는다.

따라서 $f(n)=2n+\left(-\frac{2}{3}n\right)=\frac{4}{3}n$이므로

$\sum_{n=1}^{12} f(n)=\sum_{n=1}^{12}\frac{4}{3}n=\frac{4}{3}\times\frac{12\times13}{2}=104$ 답 ③

0881

유형 07 무리함수의 최대·최소

| 전략 | 주어진 구간에서의 극값과 구간의 양 끝에서의 함숫값을 비교하여 최댓값과 최솟값을 구한다.

$f(x)=x+\sqrt{1-x}$에서 $f'(x)=1-\frac{1}{2\sqrt{1-x}}$

$f'(x)=0$에서 $2\sqrt{1-x}=1$, $1-x=\frac{1}{4}$ $\therefore x=\frac{3}{4}$

x	0	$\cdots$	$\frac{3}{4}$	$\cdots$	1
$f'(x)$		$+$	0	$-$	
$f(x)$	1	↗	$\frac{5}{4}$	↘	1

따라서 함수 $f(x)$는 $x=\frac{3}{4}$일 때 최댓값 $\frac{5}{4}$, $x=0$ 또는 $x=1$일 때 최솟값 1을 가지므로

$M=\frac{5}{4}$, $m=1$ $\therefore M-m=\frac{1}{4}$ 답 ①

0882

유형 08 지수함수의 최대·최소

| 전략 | 주어진 구간에서의 극값과 구간의 양 끝에서의 함숫값을 비교하여 최댓값과 최솟값을 구한다.

$f(x)=\frac{e^{-x}}{x^2}$에서

$$f'(x)=\frac{-e^{-x}x^2-2xe^{-x}}{x^4}=-\frac{e^{-x}(x+2)}{x^3}$$

$f'(x)=0$에서 $x+2=0$ $\left(\because \frac{e^{-x}}{x^3}<0\right)$ $\therefore x=-2$

x	-3	$\cdots$	-2	$\cdots$	-1
$f'(x)$		$-$	0	$+$	
$f(x)$	$\frac{e^3}{9}$	↘	$\frac{e^2}{4}$	↗	e

따라서 함수 $f(x)$는 $x=-1$일 때 최댓값 e, $x=-2$일 때 최솟값 $\frac{e^2}{4}$을 가지므로

$M=e$, $m=\frac{e^2}{4}$ $\therefore \frac{M}{m}=\frac{e}{\frac{e^2}{4}}=\frac{4}{e}$ 답 ①

0883

유형 11 치환을 이용한 함수의 최대 · 최소

|전략| 함수 $f(x)$를 $\cos x$에 대한 함수로 나타낸 후 $\cos x=t$로 치환하여 최댓값과 최솟값을 구한다.

$f(x)=\sin^2 x\cos x=(1-\cos^2 x)\cos x=-\cos^3 x+\cos x$

$\cos x=t$로 놓으면 $-1\le t\le 1$

$g(t)=-t^3+t$라 하면 $g'(t)=-3t^2+1$

$g'(t)=0$에서 $t=-\frac{\sqrt{3}}{3}$ 또는 $t=\frac{\sqrt{3}}{3}$

t	-1	$\cdots$	$-\frac{\sqrt{3}}{3}$	$\cdots$	$\frac{\sqrt{3}}{3}$	$\cdots$	1
$g'(t)$		$-$	0	$+$	0	$-$	
$g(t)$	0	↘	$-\frac{2\sqrt{3}}{9}$	↗	$\frac{2\sqrt{3}}{9}$	↘	0

함수 $g(t)$는 $t=\frac{\sqrt{3}}{3}$일 때 최댓값 $\frac{2\sqrt{3}}{9}$, $t=-\frac{\sqrt{3}}{3}$일 때 최솟값 $-\frac{2\sqrt{3}}{9}$을 가지므로

$M=\frac{2\sqrt{3}}{9}$, $m=-\frac{2\sqrt{3}}{9}$ $\qquad\therefore M^2+m^2=\frac{8}{27}$

따라서 $p=27$, $q=8$이므로 $p+q=35$ 답 ②

0884

유형 12 함수의 최대 · 최소 – 미정계수의 결정

|전략| 증감표를 작성하여 최솟값을 찾은 후 주어진 값과 비교한다.

$f(x)=x\ln x-ax-1$에서

$f'(x)=\ln x+x\times\frac{1}{x}-a=\ln x+1-a$

$f'(x)=0$에서 $\ln x=a-1$ $\qquad\therefore x=e^{a-1}$

이때, $1<a<3$이므로 $1<e^{a-1}<e^2$

x	1	$\cdots$	e^{a-1}	$\cdots$	e^2
$f'(x)$		$-$	0	$+$	
$f(x)$	$-a-1$	↘	$-e^{a-1}-1$	↗	$(2-a)e^2-1$

함수 $f(x)$의 최솟값이 $-e-1$이므로

$-e^{a-1}-1=-e-1$, $e^{a-1}=e$ $\qquad\therefore a=2$

이때, $f(1)=-2-1=-3$, $f(e^2)=-1$이므로 $f(x)$의 최댓값은 -1이다. 답 ②

0885

유형 16 방정식 $f(x)=k$의 실근의 개수

|전략| 함수 $y=\ln x-x+20$의 그래프와 직선 $y=n$의 교점의 개수가 2가 되도록 하는 n의 값의 범위를 구한다.

$\ln x-x+20-n=0$에서 $\ln x-x+20=n$

$f(x)=\ln x-x+20$으로 놓으면 $x>0$이고 $f'(x)=\frac{1}{x}-1$

$f'(x)=0$에서 $x=1$

x	(0)	$\cdots$	1	$\cdots$
$f'(x)$		$+$	0	$-$
$f(x)$		↗	19	↘

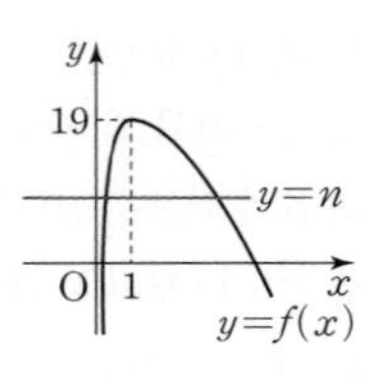

이때, $\lim_{x\to 0+}f(x)=-\infty$, $\lim_{x\to\infty}f(x)=-\infty$이고 $x=1$일 때 극대이면서 최대이므로 함수 $y=f(x)$의 그래프는 오른쪽 그림과 같다.

함수 $y=f(x)$의 그래프와 직선 $y=n$이 서로 다른 두 점에서 만나려면 $n<19$

따라서 자연수 n은 $1, 2, 3, \cdots, 18$의 18개이다. 답 ④

0886

유형 18 변곡점을 가질 조건

|전략| 곡선 $y=f(x)$가 변곡점을 갖지 않으려면 방정식 $f''(x)=0$이 실근을 갖지 않거나 $f''(x)=0$의 실근의 좌우에서 $f''(x)$의 부호가 바뀌지 않아야 한다.

$f(x)=ax^2+\sin x+\cos x$로 놓으면

$f'(x)=2ax+\cos x-\sin x$

$f''(x)=2a-\sin x-\cos x=2a-\sqrt{2}\sin\left(x+\frac{\pi}{4}\right)$

$\quad=\sqrt{2}\left\{\sqrt{2}a-\sin\left(x+\frac{\pi}{4}\right)\right\}$

곡선 $y=f(x)$가 변곡점을 갖지 않으려면 방정식 $f''(x)=0$이 실근을 갖지 않거나 $f''(x)=0$의 실근의 좌우에서 $f''(x)$의 부호가 바뀌지 않아야 한다.

$f''(x)=0$에서 $\sqrt{2}a=\sin\left(x+\frac{\pi}{4}\right)$

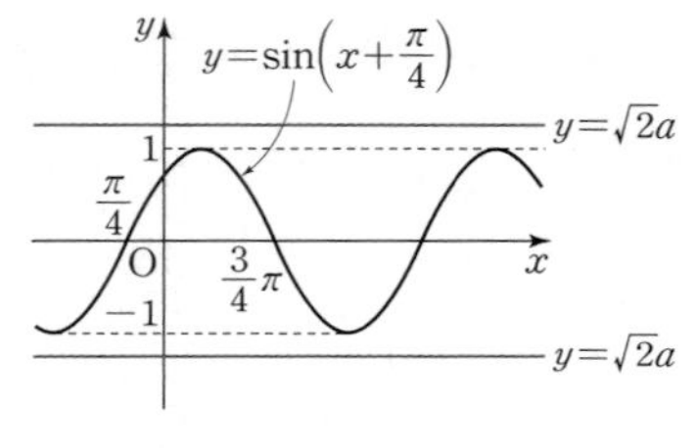

(i) 방정식 $f''(x)=0$이 실근을 갖지 않으려면 오른쪽 그림과 같이 곡선 $y=\sin\left(x+\frac{\pi}{4}\right)$와 직선 $y=\sqrt{2}a$가 만나지 않아야 하므로

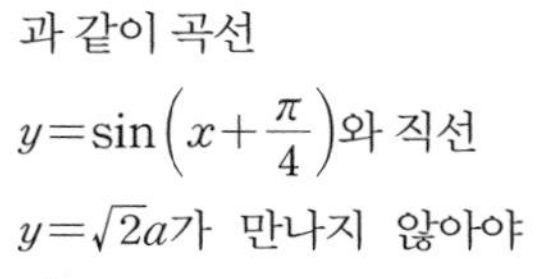

$\sqrt{2}a<-1$ 또는 $\sqrt{2}a>1$ $\qquad\therefore a<-\frac{\sqrt{2}}{2}$ 또는 $a>\frac{\sqrt{2}}{2}$

(ii) $a=-\frac{\sqrt{2}}{2}$ 또는 $a=\frac{\sqrt{2}}{2}$이면

$f''(x)=-\sqrt{2}\left\{1+\sin\left(x+\frac{\pi}{4}\right)\right\}$ 또는

$f''(x)=\sqrt{2}\left\{1-\sin\left(x+\frac{\pi}{4}\right)\right\}$

$\therefore f''(x)\le 0$ 또는 $f''(x)\ge 0$

따라서 $f''(x)=0$을 만족시키는 x의 값의 좌우에서 $f''(x)$의 부호가 바뀌지 않으므로 곡선 $y=f(x)$가 변곡점을 갖지 않는다.

(i), (ii)에 의하여 $a\le-\frac{\sqrt{2}}{2}$ 또는 $a\ge\frac{\sqrt{2}}{2}$ 답 ③

0887

유형 19 $f(x)\ge a$ 꼴의 부등식이 항상 성립할 조건

|전략| 각 변에 e^x을 곱하여 주어진 부등식을 변형한 후 부등식이 성립할 조건을 알아본다.

$\alpha e^{-x}\le 2x^2-3x\le\beta e^{-x}$의 각 변에 e^x을 곱하면

$\alpha\le(2x^2-3x)e^x\le\beta$

$f(x)=(2x^2-3x)e^x$으로 놓으면

$f'(x)=(4x-3)e^x+(2x^2-3x)e^x=(2x^2+x-3)e^x$

$\quad =(2x+3)(x-1)e^x$

$f'(x)=0$에서 $x=-\frac{3}{2}$ 또는 $x=1$ ($\because e^x>0$)

x	-2	$\cdots$	$-\frac{3}{2}$	$\cdots$	1	$\cdots$	2
$f'(x)$		$+$	0	$-$	0	$+$	
$f(x)$	$\frac{14}{e^2}$	↗	$\frac{9}{\sqrt{e^3}}$	↘	$-e$	↗	$2e^2$

함수 $f(x)$는 $x=2$일 때 최댓값 $2e^2$, $x=1$일 때 최솟값 $-e$를 가지므로 $\alpha\le f(x)\le\beta$가 성립하려면

$\alpha\le -e,\ \beta\ge 2e^2$

따라서 $\beta-\alpha$의 최솟값은

$2e^2-(-e)=e(2e+1)$

답 ⑤

0888

유형 21 수직선 위를 움직이는 점의 속도와 가속도

|전략| 수직선 위를 움직이는 점 P의 시각 t에서의 위치 x가 $x=f(t)$이면 시각 t에서의 속도는 $f'(t)$이고, 점 P가 운동 방향을 바꿀 때의 속도는 0임을 이용한다.

점 P의 시각 t에서의 속도를 $v(t)$라 하면

$v(t)=f'(t)=-e^{\cos t}\sin t$

점 P가 운동 방향을 바꿀 때의 속도는 0이므로

$-e^{\cos t}\sin t=0$에서 $\sin t=0$ ($\because e^{\cos t}>0$)

$\therefore t=n\pi$ (n은 자연수)

이때 $t=\pi,\ t=2\pi,\ t=3\pi,\ \cdots$의 좌우에서 $v(t)$의 부호가 바뀌므로 점 P가 두 번째로 운동 방향을 바꾼 때는 $t=2\pi$일 때이고, 그때의 점 P의 위치는

$f(2\pi)=e^{\cos 2\pi}=e$

답 ⑤

0889

유형 03 변곡점 – 미정계수의 결정

|전략| $f''(x)=0$을 만족시키는 x의 값의 좌우에서 $f''(x)$의 부호를 조사하여 변곡점의 좌표를 구한 후 두 변곡점 사이의 거리가 2임을 이용한다.

$f(x)=\ln(x^2+k)$로 놓으면 $f'(x)=\frac{2x}{x^2+k}$

$f''(x)=\frac{2(x^2+k)-2x\times 2x}{(x^2+k)^2}=\frac{-2(x^2-k)}{(x^2+k)^2}$

$\quad=\frac{-2(x+\sqrt{k})(x-\sqrt{k})}{(x^2+k)^2}$

$f''(x)=0$에서 $x=-\sqrt{k}$ 또는 $x=\sqrt{k}$ … ❶

이때, $x<-\sqrt{k}$ 또는 $x>\sqrt{k}$이면 $f''(x)<0$, $-\sqrt{k}<x<\sqrt{k}$이면 $f''(x)>0$

즉, $x=-\sqrt{k},\ x=\sqrt{k}$의 좌우에서 $f''(x)$의 부호가 바뀌므로 변곡점의 좌표는 $(-\sqrt{k},\ \ln 2k)$, $(\sqrt{k},\ \ln 2k)$이다. … ❷

두 변곡점 사이의 거리가 2이므로

$\sqrt{k}-(-\sqrt{k})=2,\ \sqrt{k}=1 \qquad \therefore k=1$ … ❸

답 1

채점 기준	배점
❶ $f''(x)=0$을 만족시키는 x의 값을 구할 수 있다.	3점
❷ 변곡점의 좌표를 구할 수 있다.	2점
❸ k의 값을 구할 수 있다.	2점

0890

유형 13 최대·최소의 활용 – 길이, 넓이

|전략| $\angle DOE=\theta$로 놓고 사다리꼴의 넓이를 θ에 대한 함수로 나타내어 최댓값을 구한다.

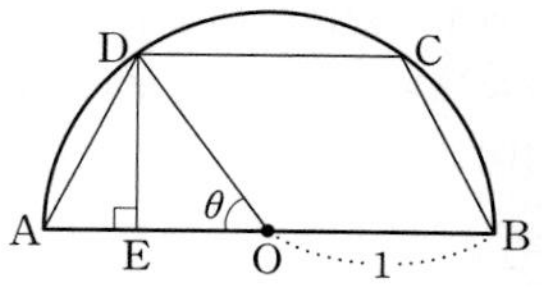

오른쪽 그림과 같이 점 D에서 $\overline{AB}$에 내린 수선의 발을 E라 하고

$\angle DOE=\theta\left(0<\theta<\frac{\pi}{2}\right)$로 놓으면

$\overline{OE}=\cos\theta,\ \overline{DE}=\sin\theta$

사다리꼴 ABCD의 넓이를 $S(\theta)$라 하면

$S(\theta)=\frac{1}{2}(\overline{AB}+\overline{CD})\times\overline{DE}$

$\quad=\frac{1}{2}(2+2\cos\theta)\sin\theta=(1+\cos\theta)\sin\theta$ … ❶

$S'(\theta)=-\sin^2\theta+(1+\cos\theta)\cos\theta$

$\quad=-(1-\cos^2\theta)+(1+\cos\theta)\cos\theta$

$\quad=2\cos^2\theta+\cos\theta-1=(2\cos\theta-1)(\cos\theta+1)$

$S'(\theta)=0$에서 $\cos\theta=\frac{1}{2}$ ($\because \cos\theta+1>0$)

$\therefore \theta=\frac{\pi}{3}$ $\left(\because 0<\theta<\frac{\pi}{2}\right)$ … ❷

θ	(0)	$\cdots$	$\frac{\pi}{3}$	$\cdots$	$\left(\frac{\pi}{2}\right)$
$S'(\theta)$		$+$	0	$-$	
$S(\theta)$		↗	$\frac{3\sqrt{3}}{4}$	↘	

따라서 함수 $S(\theta)$는 $\theta=\frac{\pi}{3}$일 때 극대이면서 최대이므로 사다리꼴 ABCD의 넓이의 최댓값은 $\frac{3\sqrt{3}}{4}$이다. … ❸

답 $\frac{3\sqrt{3}}{4}$

채점 기준	배점
❶ 사다리꼴의 넓이 $S(\theta)$를 θ에 대한 함수로 나타낼 수 있다.	2점
❷ $S'(\theta)=0$을 만족시키는 θ의 값을 구할 수 있다.	3점
❸ 사다리꼴의 넓이의 최댓값을 구할 수 있다.	2점

0891

유형 19 $f(x)\ge a$ 꼴의 부등식이 항상 성립할 조건

|전략| $f(x)=\ln(x^2+1)+\frac{1}{x^2+1}+k$로 놓고 ($f(x)$의 최솟값)$\ge 0$인 k의 값의 범위를 구한다.

$f(x)=\ln(x^2+1)+\frac{1}{x^2+1}+k$로 놓으면

$f'(x)=\dfrac{2x}{x^2+1}-\dfrac{2x}{(x^2+1)^2}=\dfrac{2x^3}{(x^2+1)^2}$

$f'(x)=0$에서 $x=0$ ··· ❶

x	$\cdots$	0	$\cdots$
$f'(x)$	$-$	0	$+$
$f(x)$	↘	$1+k$	↗

함수 $f(x)$는 $x=0$일 때 최솟값 $1+k$를 갖는다. ··· ❷

$f(x)\geq 0$이 성립하려면 $1+k\geq 0$ $\quad\therefore k\geq -1$

따라서 음의 정수 k는 -1로 1개이다. ··· ❸

답 1

채점 기준	배점
❶ $f'(x)=0$을 만족시키는 x의 값을 구할 수 있다.	2점
❷ $f(x)$의 최솟값을 구할 수 있다.	2점
❸ 음의 정수 k의 개수를 구할 수 있다.	2점

0892

유형 09 로그함수의 최대·최소

|전략| (진수)>0인 x의 값의 범위에서 최솟값 a_n을 구한 후 무리수 e의 정의와 삼각함수의 극한을 이용하여 $\lim\limits_{n\to\infty}a_n$의 값을 구한다.

(1) $f(x)=n\ln x+\dfrac{n+1}{x}-n\cos\dfrac{1}{n}$에서 $x>0$이고

$f'(x)=\dfrac{n}{x}-\dfrac{n+1}{x^2}=\dfrac{nx-(n+1)}{x^2}$

$f'(x)=0$에서 $x=\dfrac{n+1}{n}$

(2) $0<x<\dfrac{n+1}{n}$일 때 $f'(x)<0$, $x>\dfrac{n+1}{n}$일 때 $f'(x)>0$이므로

$f(x)$는 $x=\dfrac{n+1}{n}$에서 극소이면서 최소이다.

$\therefore a_n=f\left(\dfrac{n+1}{n}\right)=n\ln\dfrac{n+1}{n}+n-n\cos\dfrac{1}{n}$

$=n\ln\left(1+\dfrac{1}{n}\right)+n\left(1-\cos\dfrac{1}{n}\right)$

(3) $\lim\limits_{n\to\infty}a_n=\lim\limits_{n\to\infty}\left\{\ln\left(1+\dfrac{1}{n}\right)^n+n\left(1-\cos\dfrac{1}{n}\right)\right\}$

이때, $\dfrac{1}{n}=t$로 놓으면 $n\to\infty$일 때 $t\to 0$이므로

$\lim\limits_{n\to\infty}a_n=\lim\limits_{t\to 0}\left\{\ln(1+t)^{\frac{1}{t}}+\dfrac{1-\cos t}{t}\right\}$

$=\lim\limits_{t\to 0}\ln(1+t)^{\frac{1}{t}}+\lim\limits_{t\to 0}\dfrac{1-\cos^2 t}{t(1+\cos t)}$

$=\ln e+\lim\limits_{t\to 0}\dfrac{\sin^2 t}{t(1+\cos t)}$

$=1+\lim\limits_{t\to 0}\dfrac{\sin t}{t}\times\lim\limits_{t\to 0}\dfrac{\sin t}{1+\cos t}=1$

답 (1) $\dfrac{n+1}{n}$ (2) $a_n=n\ln\left(1+\dfrac{1}{n}\right)+n\left(1-\cos\dfrac{1}{n}\right)$ (3) 1

채점 기준	배점
(1) $f'(x)=0$을 만족시키는 x의 값을 구할 수 있다.	3점
(2) a_n을 구할 수 있다.	4점
(3) $\lim\limits_{n\to\infty}a_n$의 값을 구할 수 있다.	5점

0893

유형 23 좌표평면 위를 움직이는 점의 가속도

|전략| 좌표평면 위를 움직이는 점 P의 시각 t에서의 위치 (x, y)가 $x=f(t)$, $y=g(t)$이면 시각 t에서의 가속도는 $(f''(t), g''(t))$이고, 가속도의 크기는 $\sqrt{\{f''(t)\}^2+\{g''(t)\}^2}$이다.

(1) $\dfrac{dx}{dt}=e^t\sin t+e^t\cos t=e^t(\sin t+\cos t)$, $\dfrac{dy}{dt}=-\sin t$에서

$\dfrac{d^2x}{dt^2}=e^t(\sin t+\cos t)+e^t(\cos t-\sin t)=2e^t\cos t$

$\dfrac{d^2y}{dt^2}=-\cos t$

이므로 점 P의 시각 t에서의 가속도는

$(2e^t\cos t, -\cos t)$

(2) 점 P의 가속도의 크기는

$\sqrt{(2e^t\cos t)^2+(-\cos t)^2}=|\cos t|\sqrt{4e^{2t}+1}$

(3) $|\cos t|\geq 0$, $\sqrt{4e^{2t}+1}>1$이므로 구하는 가속도의 크기의 최솟값은 $\cos t=0$일 때 0이다.

답 (1) $(2e^t\cos t, -\cos t)$ (2) $|\cos t|\sqrt{4e^{2t}+1}$ (3) 0

채점 기준	배점
(1) 점 P의 시각 t에서의 가속도를 구할 수 있다.	3점
(2) 점 P의 시각 t에서의 가속도의 크기를 구할 수 있다.	3점
(3) 가속도의 크기의 최솟값을 구할 수 있다.	4점

창의·융합 교과서 속 심화문제

0894

|전략| $f''(x)$의 부호를 이용하여 오목, 볼록을 조사하고, $a>1$일 때 $y=f(x)$의 그래프를 그려서 방정식의 실근의 개수를 판단한다.

ㄱ. $f(x)=-\ln(e^x+a)$에서 $f'(x)=-\dfrac{e^x}{e^x+a}$이므로

$\lim\limits_{x\to\infty}f'(x)=\lim\limits_{x\to\infty}\left(-\dfrac{e^x}{e^x+a}\right)=\lim\limits_{x\to\infty}\left(-\dfrac{1}{1+\dfrac{a}{e^x}}\right)=-1$ (참)

ㄴ. $f''(x)=-\dfrac{e^x(e^x+a)-e^x\times e^x}{(e^x+a)^2}=-\dfrac{ae^x}{(e^x+a)^2}$

$a>0$일 때, 모든 실수 x에 대하여 $f''(x)<0$이므로 $y=f(x)$의 그래프는 위로 볼록하다. (거짓)

ㄷ. $a>1$일 때,

$\lim\limits_{x\to-\infty}f(x)=-\ln a<0$,

$\lim\limits_{x\to\infty}f(x)=-\infty$이고

$f'(x)=-\dfrac{e^x}{e^x+a}<0$이므로

$y=f(x)$의 그래프는 오른쪽 그림과 같다.

즉, $a>1$일 때 방정식 $f(x)=a$는 실근을 갖지 않는다. (거짓)

따라서 옳은 것은 ㄱ이다.

답 ①

0895

| 전략 | 곡선 $y=\ln x$ 위의 점 $(t, \ln t)$에서의 접선의 방정식을 $y=x^2+k$에 대입하여 x에 대한 이차방정식을 만들고 이 방정식이 중근을 가져야 함을 이용한다.

$y=\ln x$에서 $y'=\frac{1}{x}$이므로 곡선 $y=\ln x$ 위의 점 $(t, \ln t)$에서의 접선의 방정식은

$y-\ln t=\frac{1}{t}(x-t)$ $\quad \therefore y=\frac{1}{t}(x-t)+\ln t$

직선 $y=\frac{1}{t}(x-t)+\ln t$가 곡선 $y=x^2+k$에 접하므로 이차방정식 $\frac{1}{t}(x-t)+\ln t=x^2+k$, 즉 $x^2-\frac{1}{t}x+k+1-\ln t=0$은 중근을 가져야 한다.

이 이차방정식의 판별식을 D라 하면

$D=\left(-\frac{1}{t}\right)^2-4(k+1-\ln t)=0$에서 $k=\ln t-1+\frac{1}{4t^2}$이므로 k는 t에 대한 함수 $k(t)$로 볼 수 있다.

$k'(t)=\frac{1}{t}-\frac{1}{2t^3}=\frac{2t^2-1}{2t^3}$

$k'(t)=0$에서 $t^2=\frac{1}{2}$ $\quad \therefore t=\frac{\sqrt{2}}{2}$ $(\because t>0)$

t	(0)	$\cdots$	$\frac{\sqrt{2}}{2}$	$\cdots$
$k'(t)$		$-$	0	$+$
$k(t)$		↘	극소	↗

따라서 k는 $t=\frac{\sqrt{2}}{2}$일 때 극소이면서 최소이다.

답 $\frac{\sqrt{2}}{2}$

0896

| 전략 | 직선 OP와 직선 l이 x축의 양의 방향과 이루는 각의 크기를 각각 θ_1, θ_2로 놓고 $\tan\theta_1$, $\tan\theta_2$를 구한 후 이를 이용하여 $\tan\theta$를 a에 대한 함수로 나타낸다.

$y=x^2$에서 $y'=2x$이므로 점 $\mathrm{P}(a, a^2)$에서의 접선의 기울기는 $2a$이고, 이 접선과 수직인 직선 l의 기울기는 $-\frac{1}{2a}$이다.

오른쪽 그림과 같이 직선 OP와 직선 l이 x축의 양의 방향과 이루는 각의 크기를 각각 θ_1, θ_2라 하면

$\tan\theta_1=\frac{a^2}{a}=a$, $\tan\theta_2=-\frac{1}{2a}$

이때, $\theta=\theta_1+\pi-\theta_2$이므로

$\tan\theta=\tan(\theta_1+\pi-\theta_2)=\tan(\theta_1-\theta_2)$

$=\frac{\tan\theta_1-\tan\theta_2}{1+\tan\theta_1\tan\theta_2}=\frac{a+\frac{1}{2a}}{1+a\times\left(-\frac{1}{2a}\right)}$

$=2a+\frac{1}{a}$

$f(a)=2a+\frac{1}{a}$로 놓으면

$f'(a)=2-\frac{1}{a^2}=\frac{2a^2-1}{a^2}$

$f'(a)=0$에서 $a^2=\frac{1}{2}$ $\quad \therefore a=\frac{\sqrt{2}}{2}$ $(\because a>0)$

a	(0)	$\cdots$	$\frac{\sqrt{2}}{2}$	$\cdots$
$f'(a)$		$-$	0	$+$
$f(a)$		↘	$2\sqrt{2}$	↗

따라서 $f(a)$, 즉 $\tan\theta$는 $a=\frac{\sqrt{2}}{2}$일 때 최솟값 $2\sqrt{2}$를 갖는다.

답 $2\sqrt{2}$

다른 풀이 $a>0$에서 $2a>0$, $\frac{1}{a}>0$이므로 산술평균과 기하평균의 관계에 의하여

$2a+\frac{1}{a}\geq 2\sqrt{2a\times\frac{1}{a}}=2\sqrt{2}$ $\left(\text{단, 등호는 } 2a=\frac{1}{a}\text{, 즉 } a=\frac{\sqrt{2}}{2}\text{일 때 성립}\right)$

따라서 $\tan\theta$의 최솟값은 $2\sqrt{2}$이다.

0897

| 전략 | $f(x)=\ln(\sin x)+x-k$로 놓고 ($f(x)$의 최댓값)≤ 0을 만족시키는 k의 최솟값을 구한다.

$f(x)=\ln(\sin x)+x-k$로 놓으면

$f'(x)=\frac{\cos x}{\sin x}+1=\cot x+1$

$f'(x)=0$에서 $\cot x=-1$ $\quad \therefore \tan x=-1$

$(2n-2)\pi<x<(2n-1)\pi$에서 $\tan x=-1$을 만족시키는 x의 값은

$x=(2n-2)\pi+\frac{3}{4}\pi$

x	$((2n-2)\pi)$	$\cdots$	$(2n-2)\pi+\frac{3}{4}\pi$	$\cdots$	$((2n-1)\pi)$
$f'(x)$		$+$	0	$-$	
$f(x)$		↗	극대	↘	

함수 $f(x)$는 $x=(2n-2)\pi+\frac{3}{4}\pi$에서 극대이며 최대이므로 $(2n-2)\pi<x<(2n-1)\pi$인 모든 실수 x에 대하여 주어진 부등식이 항상 성립하려면 $f\left((2n-2)\pi+\frac{3}{4}\pi\right)\leq 0$이어야 한다.

$f\left((2n-2)\pi+\frac{3}{4}\pi\right)$

$=\ln\left[\sin\left\{(2n-2)\pi+\frac{3}{4}\pi\right\}\right]+(2n-2)\pi+\frac{3}{4}\pi-k$

$=\ln\frac{\sqrt{2}}{2}+(2n-2)\pi+\frac{3}{4}\pi-k\leq 0$

$\therefore k\geq\ln\frac{\sqrt{2}}{2}+(2n-2)\pi+\frac{3}{4}\pi$

따라서 자연수 n에 대하여 주어진 부등식이 성립하도록 하는 실수 k의 최솟값 m_n은

$m_n=\ln\frac{\sqrt{2}}{2}+(2n-2)\pi+\frac{3}{4}\pi$

$\therefore \sum_{n=1}^{10} m_n = \sum_{n=1}^{10} \left\{ \ln \frac{\sqrt{2}}{2} + (2n-2)\pi + \frac{3}{4}\pi \right\}$

$= 2\pi \sum_{n=1}^{10} n + \left(\ln \frac{\sqrt{2}}{2} - \frac{5}{4}\pi \right) \sum_{n=1}^{10} 1$

$= 2\pi \times \frac{10 \times 11}{2} + 10\left(\ln \frac{\sqrt{2}}{2} - \frac{5}{4}\pi \right)$

$= 110\pi + 10 \ln 2^{-\frac{1}{2}} - \frac{25}{2}\pi$

$= \frac{195}{2}\pi - 5\ln 2$

따라서 $a = \frac{195}{2}$, $b = -5$이므로

$2a + b = 195 - 5 = 190$ 답 190

0898

|전략| $\sqrt{\left(\frac{dx}{dt}\right)^2 + \left(\frac{dy}{dt}\right)^2}$을 $\sin 2t$에 대한 식으로 나타내고 속력이 최대일 때의 $\sin 2t$의 값을 구한 후 $\frac{dy}{dx} = \frac{\frac{dy}{dt}}{\frac{dx}{dt}}$임을 이용한다.

$x = 2\sin t - 2\cos t$, $y = 3\sin t \cos t = \frac{3}{2}\sin 2t$에서

$\frac{dx}{dt} = 2\cos t + 2\sin t$, $\frac{dy}{dt} = 3\cos 2t$이므로

$\frac{dy}{dx} = \frac{\frac{dy}{dt}}{\frac{dx}{dt}} = \frac{3\cos 2t}{2(\cos t + \sin t)}$ …… ㉠

시각 t에서의 점 P의 속력은

$\sqrt{(2\cos t + 2\sin t)^2 + (3\cos 2t)^2}$

$= \sqrt{4\cos^2 t + 8\sin t \cos t + 4\sin^2 t + 9\cos^2 2t}$

$= \sqrt{4 + 4\sin 2t + 9(1 - \sin^2 2t)}$

$= \sqrt{-9\sin^2 2t + 4\sin 2t + 13}$ ($0 \le t \le \frac{\pi}{4}$에서 $0 \le 2t \le \frac{\pi}{2}$이므로 $0 \le \sin 2t \le 1$)

이때, $\sin 2t = A$로 놓으면 $0 \le A \le 1$이고

$\sqrt{-9\sin^2 2t + 4\sin 2t + 13} = \sqrt{-9A^2 + 4A + 13}$

$= \sqrt{-9\left(A - \frac{2}{9}\right)^2 + \frac{121}{9}}$

이므로 속력은 $A = \frac{2}{9}$, 즉 $\sin 2t = \frac{2}{9}$일 때 최대이다.

$\sin 2t = \frac{2}{9}$에서

$\cos 2t = \sqrt{1 - \left(\frac{2}{9}\right)^2} = \frac{\sqrt{77}}{9}$ $\left(\because 0 \le t \le \frac{\pi}{4}\right)$ …… ㉡

또, $\sin 2t = 2\sin t \cos t = \frac{2}{9}$이므로

$(\sin t + \cos t)^2 = \sin^2 t + 2\sin t \cos t + \cos^2 t$

$= 1 + \frac{2}{9} = \frac{11}{9}$

$\therefore \sin t + \cos t = \frac{\sqrt{11}}{3}$ $\left(\because 0 \le t \le \frac{\pi}{4}\right)$ …… ㉢

따라서 ㉡, ㉢을 ㉠에 대입하면 구하는 값은

$\frac{dy}{dx} = \frac{3 \times \frac{\sqrt{77}}{9}}{2 \times \frac{\sqrt{11}}{3}} = \frac{\sqrt{7}}{2}$ 답 $\frac{\sqrt{7}}{2}$

본책 142~155쪽

8 | 여러 가지 적분법

STEP 1 개념 마스터

0899

$\int \sqrt[3]{x}\, dx = \int x^{\frac{1}{3}}\, dx = \frac{3}{4}x^{\frac{4}{3}} + C$

$= \frac{3}{4}x\sqrt[3]{x} + C$ 답 $\frac{3}{4}x\sqrt[3]{x} + C$

0900

$\int x^2\sqrt{x}\, dx = \int x^{\frac{5}{2}} dx = \frac{2}{7}x^{\frac{7}{2}} + C$

$= \frac{2}{7}x^3\sqrt{x} + C$ 답 $\frac{2}{7}x^3\sqrt{x} + C$

0901

$\int \left(\sqrt[3]{x^2} - \frac{3}{x^2}\right) dx = \int (x^{\frac{2}{3}} - 3x^{-2}) dx$

$= \frac{3}{5}x^{\frac{5}{3}} + 3x^{-1} + C$

$= \frac{3}{5}x\sqrt[3]{x^2} + \frac{3}{x} + C$ 답 $\frac{3}{5}x\sqrt[3]{x^2} + \frac{3}{x} + C$

0902

$\int \left(\sqrt{x} + \frac{1}{\sqrt{x}}\right) dx = \int (x^{\frac{1}{2}} + x^{-\frac{1}{2}}) dx$

$= \frac{2}{3}x^{\frac{3}{2}} + 2x^{\frac{1}{2}} + C$

$= \frac{2}{3}x\sqrt{x} + 2\sqrt{x} + C$ 답 $\frac{2}{3}x\sqrt{x} + 2\sqrt{x} + C$

0903

$\int \frac{x^3 - 3x + 1}{x} dx = \int \left(x^2 - 3 + \frac{1}{x}\right) dx$

$= \frac{1}{3}x^3 - 3x + \ln|x| + C$

답 $\frac{1}{3}x^3 - 3x + \ln|x| + C$

0904

$\int \frac{(2x-1)^2}{x} dx = \int \frac{4x^2 - 4x + 1}{x} dx$

$= \int \left(4x - 4 + \frac{1}{x}\right) dx$

$= 2x^2 - 4x + \ln|x| + C$ 답 $2x^2 - 4x + \ln|x| + C$

0905

$$\int\frac{1-x}{x^2}dx=\int\left(\frac{1}{x^2}-\frac{1}{x}\right)dx=\int\left(x^{-2}-\frac{1}{x}\right)dx$$
$$=-\frac{1}{x}-\ln|x|+C$$

답 $-\frac{1}{x}-\ln|x|+C$

0906

$$\int(\sqrt[6]{x}-1)(\sqrt[6]{x}+1)dx=\int(\sqrt[6]{x^2}-1)dx=\int(x^{\frac{1}{3}}-1)dx$$
$$=\frac{3}{4}x^{\frac{4}{3}}-x+C=\frac{3}{4}x\sqrt[3]{x}-x+C$$

답 $\frac{3}{4}x\sqrt[3]{x}-x+C$

0907

$$\int\frac{\sqrt{x^3}}{\sqrt{x}-1}dx-\int\frac{1}{\sqrt{x}-1}dx$$
$$=\int\frac{\sqrt{x^3}-1}{\sqrt{x}-1}dx=\int\frac{(\sqrt{x}-1)(\sqrt{x^2}+\sqrt{x}+1)}{\sqrt{x}-1}dx$$
$$=\int(\sqrt{x^2}+\sqrt{x}+1)dx=\int(x+x^{\frac{1}{2}}+1)dx$$
$$=\frac{1}{2}x^2+\frac{2}{3}x^{\frac{3}{2}}+x+C=\frac{1}{2}x^2+\frac{2}{3}x\sqrt{x}+x+C$$

답 $\frac{1}{2}x^2+\frac{2}{3}x\sqrt{x}+x+C$

0908

$$\int e^{x+3}dx=\int e^x\times e^3dx=e^3\int e^xdx$$
$$=e^3\times e^x+C=e^{x+3}+C$$

답 $e^{x+3}+C$

0909

$$\int\frac{e^{2x}-4^x}{e^x+2^x}dx=\int\frac{(e^x+2^x)(e^x-2^x)}{e^x+2^x}dx$$
$$=\int(e^x-2^x)\,dx=e^x-\frac{2^x}{\ln 2}+C$$

답 $e^x-\frac{2^x}{\ln 2}+C$

0910

$$\int(2^x+1)^2dx=\int(4^x+2\times2^x+1)dx$$
$$=\frac{4^x}{\ln 4}+\frac{2^{x+1}}{\ln 2}+x+C$$

답 $\frac{4^x}{\ln 4}+\frac{2^{x+1}}{\ln 2}+x+C$

0911

$$\int\frac{9^x-1}{3^x+1}dx=\int\frac{(3^x+1)(3^x-1)}{3^x+1}dx$$
$$=\int(3^x-1)dx=\frac{3^x}{\ln 3}-x+C$$

답 $\frac{3^x}{\ln 3}-x+C$

0912

$$\int(2\sin x-3\cos x)dx=2\int\sin x\,dx-3\int\cos x\,dx$$
$$=-2\cos x-3\sin x+C$$

답 $-2\cos x-3\sin x+C$

0913

$$\int(\cos x+\tan x)\sec x\,dx=\int(1+\sec x\tan x)dx$$
$$=x+\sec x+C$$

답 $x+\sec x+C$

0914

$$\int\frac{1+2\cos^3 x}{\cos^2 x}dx=\int(\sec^2 x+2\cos x)dx$$
$$=\tan x+2\sin x+C$$

답 $\tan x+2\sin x+C$

0915

$1+\tan^2 x=\sec^2 x$에서 $\tan^2 x=\sec^2 x-1$이므로

$$\int\tan^2 x\,dx=\int(\sec^2 x-1)\,dx$$
$$=\tan x-x+C$$

답 $\tan x-x+C$

0916

$1+\cot^2 x=\csc^2 x$에서 $\cot^2 x=\csc^2 x-1$이므로

$$\int\cot^2 x\,dx=\int(\csc^2 x-1)\,dx$$
$$=-\cot x-x+C$$

답 $-\cot x-x+C$

0917

$$\int\frac{\cos^2 x}{1-\sin x}dx=\int\frac{1-\sin^2 x}{1-\sin x}dx$$
$$=\int\frac{(1+\sin x)(1-\sin x)}{1-\sin x}dx$$
$$=\int(1+\sin x)\,dx$$
$$=x-\cos x+C$$

답 $x-\cos x+C$

0918

$x^2-1=t$로 놓으면 $2x=\frac{dt}{dx}$이므로

$$\int 2x(x^2-1)^4dx=\int t^4dt=\frac{1}{5}t^5+C$$
$$=\frac{1}{5}(x^2-1)^5+C$$

답 $\frac{1}{5}(x^2-1)^5+C$

0919

$x^2=t$로 놓으면 $2x=\frac{dt}{dx}$이므로

$$\int 2xe^{x^2}dx=\int e^t\,dt=e^t+C$$
$$=e^{x^2}+C$$

답 $e^{x^2}+C$

8 여러 가지 적분법

0920

$\sin x=t$로 놓으면 $\cos x=\frac{dt}{dx}$이므로

$\int \sin^2 x\cos x\,dx=\int t^2 dt=\frac{1}{3}t^3+C$

$=\frac{1}{3}\sin^3 x+C$　　답 $\frac{1}{3}\sin^3 x+C$

0921

$2x+5=t$로 놓으면 $2=\frac{dt}{dx}$이므로

$\int (2x+5)^4 dx=\int t^4\times\frac{1}{2}dt=\frac{1}{10}t^5+C$

$=\frac{1}{10}(2x+5)^5+C$　　답 $\frac{1}{10}(2x+5)^5+C$

0922

$3x-2=t$로 놓으면 $3=\frac{dt}{dx}$이므로

$\int\sqrt{3x-2}\,dx=\int\sqrt{t}\times\frac{1}{3}dt=\frac{2}{9}t^{\frac{3}{2}}+C=\frac{2}{9}t\sqrt{t}+C$

$=\frac{2}{9}(3x-2)\sqrt{3x-2}+C$　답 $\frac{2}{9}(3x-2)\sqrt{3x-2}+C$

0923

$4x+1=t$로 놓으면 $4=\frac{dt}{dx}$이므로

$\int\cos(4x+1)dx=\int\cos t\times\frac{1}{4}dt=\frac{1}{4}\sin t+C$

$=\frac{1}{4}\sin(4x+1)+C$　　답 $\frac{1}{4}\sin(4x+1)+C$

0924

$(x^2-2x-1)'=2x-2$이므로

$\int\frac{2x-2}{x^2-2x-1}dx=\int\frac{(x^2-2x-1)'}{x^2-2x-1}dx$

$=\ln|x^2-2x-1|+C$　　답 $\ln|x^2-2x-1|+C$

0925

$(e^x+1)'=e^x$이므로

$\int\frac{e^x}{e^x+1}dx=\int\frac{(e^x+1)'}{e^x+1}dx$

$=\ln(e^x+1)+C$ ($\because e^x+1>0$)　　답 $\ln(e^x+1)+C$

0926

$(x+\cos x)'=1-\sin x$이므로

$\int\frac{1-\sin x}{x+\cos x}dx=\int\frac{(x+\cos x)'}{x+\cos x}dx$

$=\ln|x+\cos x|+C$　　답 $\ln|x+\cos x|+C$

0927

$\tan x=\frac{\sin x}{\cos x}$이고, $(\cos x)'=-\sin x$이므로

$\int\tan x\,dx=\int\frac{\sin x}{\cos x}dx=-\int\frac{(\cos x)'}{\cos x}dx$

$=-\ln|\cos x|+C$　　답 $-\ln|\cos x|+C$

0928

$\frac{x^2-x+3}{x-1}=\frac{x(x-1)+3}{x-1}=x+\frac{3}{x-1}$이므로

$\int\frac{x^2-x+3}{x-1}dx=\int\left(x+\frac{3}{x-1}\right)dx$

$=\frac{1}{2}x^2+3\ln|x-1|+C$

답 $\frac{1}{2}x^2+3\ln|x-1|+C$

0929

$\frac{x^2+1}{x+1}=\frac{(x^2-1)+2}{x+1}=x-1+\frac{2}{x+1}$이므로

$\int\frac{x^2+1}{x+1}dx=\int\left(x-1+\frac{2}{x+1}\right)dx$

$=\frac{1}{2}x^2-x+2\ln|x+1|+C$

답 $\frac{1}{2}x^2-x+2\ln|x+1|+C$

0930

$\frac{1}{x(x+1)}=\frac{1}{x}-\frac{1}{x+1}$이므로

$\int\frac{1}{x(x+1)}dx=\int\left(\frac{1}{x}-\frac{1}{x+1}\right)dx$

$=\ln|x|-\ln|x+1|+C$

$=\ln\left|\frac{x}{x+1}\right|+C$　　답 $\ln\left|\frac{x}{x+1}\right|+C$

0931

$\frac{3x-1}{x^2-1}=\frac{3x-1}{(x+1)(x-1)}=\frac{a}{x+1}+\frac{b}{x-1}$로 놓으면

$\frac{a}{x+1}+\frac{b}{x-1}=\frac{(a+b)x-a+b}{x^2-1}$이므로

$3x-1=(a+b)x-a+b$

위의 등식은 x에 대한 항등식이므로

$a+b=3$, $-a+b=-1$

위의 두 식을 연립하여 풀면 $a=2$, $b=1$

$\therefore \int\frac{3x-1}{x^2-1}dx=\int\left(\frac{2}{x+1}+\frac{1}{x-1}\right)dx$

$=2\ln|x+1|+\ln|x-1|+C$

$=\ln|(x+1)^2(x-1)|+C$

답 $\ln|(x+1)^2(x-1)|+C$

0932

$f(x)=x$, $g'(x)=e^x$으로 놓으면

$f'(x)=1$, $g(x)=e^x$

$\therefore \int xe^x dx = xe^x - \int e^x dx$

$= xe^x - e^x + C$ 답 $xe^x - e^x + C$

0933

$f(x)=x, g'(x)=\sin x$로 놓으면

$f'(x)=1, g(x)=-\cos x$

$\therefore \int x\sin x\,dx = -x\cos x - \int(-\cos x)dx$

$= -x\cos x + \sin x + C$ 답 $-x\cos x + \sin x + C$

0934

$f(x)=4x-2, g'(x)=e^{2x}$으로 놓으면

$f'(x)=4, g(x)=\frac{1}{2}e^{2x}$

$\therefore \int(4x-2)e^{2x}dx = (4x-2)\times\frac{1}{2}e^{2x} - 2\int e^{2x}dx$

$=(2x-1)e^{2x} - 2\times\frac{1}{2}e^{2x} + C$

$=(2x-2)e^{2x}+C$ 답 $(2x-2)e^{2x}+C$

0935

$f(x)=\ln x, g'(x)=1$로 놓으면

$f'(x)=\frac{1}{x}, g(x)=x$

$\therefore \int \ln x\,dx = x\ln x - \int\frac{1}{x}\times x\,dx$

$= x\ln x - x + C$ 답 $x\ln x - x + C$

0936

$f(x)=\ln x, g'(x)=x$로 놓으면

$f'(x)=\frac{1}{x}, g(x)=\frac{1}{2}x^2$

$\therefore \int x\ln x\,dx = \ln x\times\frac{1}{2}x^2 - \int\frac{1}{x}\times\frac{1}{2}x^2 dx$

$=\frac{1}{2}x^2\ln x - \frac{1}{2}\int x\,dx$

$=\frac{1}{2}x^2\ln x - \frac{1}{4}x^2 + C$ 답 $\frac{1}{2}x^2\ln x - \frac{1}{4}x^2 + C$

STEP 2 유형 마스터

0937

|전략| $\int x^n dx = \frac{1}{n+1}x^{n+1}+C(n\neq-1)$, $\int\frac{1}{x}dx = \ln|x|+C$임을 이용한다.

$f(x)=\int\frac{(x-1)^2}{x}dx = \int\frac{x^2-2x+1}{x}dx = \int\left(x-2+\frac{1}{x}\right)dx$

$=\frac{1}{2}x^2-2x+\ln|x|+C$

이때, $f(e)=\frac{1}{2}e^2-2e$에서

$\frac{1}{2}e^2-2e+1+C=\frac{1}{2}e^2-2e$, $1+C=0$ $\therefore C=-1$

따라서 $f(x)=\frac{1}{2}x^2-2x+\ln|x|-1$이므로

$f(1)=\frac{1}{2}-2-1=-\frac{5}{2}$ 답 ②

0938

$F(x)=\int f(x)dx = \int\frac{x-1}{\sqrt{x}+1}dx$

$=\int\frac{(\sqrt{x}-1)(\sqrt{x}+1)}{\sqrt{x}+1}dx = \int(\sqrt{x}-1)dx$

$=\int(x^{\frac{1}{2}}-1)dx = \frac{2}{3}x\sqrt{x}-x+C$

이때, $F(1)=\frac{5}{3}$에서 $\frac{2}{3}-1+C=\frac{5}{3}$ $\therefore C=2$

$\therefore F(x)=\frac{2}{3}x\sqrt{x}-x+2$ 답 $F(x)=\frac{2}{3}x\sqrt{x}-x+2$

0939

$F(x)=xf(x)+\frac{4}{x}$의 양변을 x에 대하여 미분하면

$f(x)=f(x)+xf'(x)-\frac{4}{x^2}$

$xf'(x)=\frac{4}{x^2}$ $\therefore f'(x)=\frac{4}{x^3}$

$\therefore f(x)=\int\frac{4}{x^3}dx = \int 4x^{-3}dx = -\frac{2}{x^2}+C$

이때, $f(1)=4$에서 $-2+C=4$ $\therefore C=6$

따라서 $f(x)=-\frac{2}{x^2}+6$이므로

$8f(4)=8\times\left(-\frac{1}{8}+6\right)=47$ 답 ④

0940

|전략| $\int e^x dx = e^x+C$임을 이용한다.

$f(x)=\int\frac{xe^x+2}{x}dx = \int\left(e^x+\frac{2}{x}\right)dx$

$=e^x+2\ln|x|+C$

이때, $f(1)=e-e^2$에서 $e+C=e-e^2$ $\therefore C=-e^2$

따라서 $f(x)=e^x+2\ln|x|-e^2$이므로

$f(2)=2\ln 2$ 답 $2\ln 2$

0941

조건 (가), (나)의 두 식을 변끼리 더하면

$2f'(x)=e^{-x}+e^{x}$ $\quad\therefore f'(x)=\frac{1}{2}(e^{-x}+e^{x})$

또, 조건 (가), (나)의 두 식을 변끼리 빼면

$2g'(x)=e^{-x}-e^{x}$ $\quad\therefore g'(x)=\frac{1}{2}(e^{-x}-e^{x})$

$f(x)=\int\frac{1}{2}(e^{x}+e^{-x})\,dx=\frac{1}{2}(e^{x}-e^{-x})+C_1$

$g(x)=\int-\frac{1}{2}(e^{x}-e^{-x})\,dx=-\frac{1}{2}(e^{x}+e^{-x})+C_2$

조건 (다)에서 $f(0)=0$이므로

$\frac{1}{2}(1-1)+C_1=0$ $\quad\therefore C_1=0$

또, $g(0)=-1$이므로

$-\frac{1}{2}(1+1)+C_2=-1$ $\quad\therefore C_2=0$

따라서 $f(x)=\frac{1}{2}(e^{x}-e^{-x})$, $g(x)=-\frac{1}{2}(e^{x}+e^{-x})$이므로

$f(1)-g(1)=\frac{1}{2}(e-e^{-1})+\frac{1}{2}(e+e^{-1})=e$

답 e

0942

$y=\ln x-1$로 놓으면

$y+1=\ln x$ $\quad\therefore x=e^{y+1}$

x와 y를 서로 바꾸면 $y=e^{x+1}$

따라서 $g(x)=e^{x+1}$이므로

$G(x)=\int g(x)dx=\int e^{x+1}dx=e\int e^{x}dx$

$=e\times e^{x}+C=e^{x+1}+C$

이때, $G(-1)=2$에서 $1+C=2$ $\quad\therefore C=1$

따라서 $G(x)=e^{x+1}+1$이므로

$G\left(\ln\frac{2}{e}\right)=G(\ln 2-1)=e^{\ln 2}+1=2+1=3$

답 ③

0943

| 전략 | $\int a^{x}dx=\frac{a^{x}}{\ln a}+C\,(a>0,\,a\neq1)$임을 이용한다.

$f(x)=\int(3^{x}+9^{x})dx=\frac{3^{x}}{\ln 3}+\frac{9^{x}}{\ln 9}+C$

이때, 곡선 $y=f(x)$가 점 $\left(0,\,\frac{3}{\ln 9}\right)$을 지나므로 $f(0)=\frac{3}{\ln 9}$에서

$\frac{1}{\ln 3}+\frac{1}{\ln 9}+C=\frac{3}{\ln 9}$, $\frac{1}{\ln 3}+\frac{1}{2\ln 3}+C=\frac{3}{2\ln 3}$

$\frac{3}{2\ln 3}+C=\frac{3}{2\ln 3}$ $\quad\therefore C=0$

따라서 $f(x)=\frac{3^{x}}{\ln 3}+\frac{9^{x}}{\ln 9}$이므로

$f(1)=\frac{3}{\ln 3}+\frac{9}{\ln 9}=\frac{6}{2\ln 3}+\frac{9}{2\ln 3}=\frac{15}{2\ln 3}$

답 ④

Lecture

로그의 성질

$a>0$, $a\neq1$, $M>0$, $N>0$일 때

(1) $\log_a 1=0$, $\log_a a=1$

(2) $\log_a MN=\log_a M+\log_a N$

(3) $\log_a\frac{M}{N}=\log_a M-\log_a N$

(4) $\log_a N^{k}=k\log_a N$ (단, k는 실수)

0944

$f(x)=-\int\left(\frac{1}{2}\right)^{x}\ln 2\,dx=-\ln 2\int\left(\frac{1}{2}\right)^{x}dx$

$=-\ln 2\times\frac{\left(\frac{1}{2}\right)^{x}}{\ln\frac{1}{2}}+C=-\ln 2\times\frac{\left(\frac{1}{2}\right)^{x}}{-\ln 2}+C$

$=\left(\frac{1}{2}\right)^{x}+C$

이때, $f(0)=1$에서 $1+C=1$ $\quad\therefore C=0$

따라서 $f(x)=\left(\frac{1}{2}\right)^{x}$이므로

$f(1)f(-1)=\frac{1}{2}\times2=1$

답 1

0945

$f(x)=\int 4^{x}\ln 2\,dx=\ln 2\int 4^{x}dx=\ln 2\times\frac{4^{x}}{\ln 4}+C$

$=\ln 2\times\frac{4^{x}}{2\ln 2}+C=\frac{4^{x}}{2}+C$

이때, $f(1)=2$에서 $2+C=2$ $\quad\therefore C=0$

따라서 $f(x)=\frac{4^{x}}{2}$이므로

$\sum_{n=1}^{\infty}\frac{1}{f(n)}=2\sum_{n=1}^{\infty}\left(\frac{1}{4}\right)^{n}=2\times\frac{\frac{1}{4}}{1-\frac{1}{4}}=\frac{2}{3}$

따라서 $p=3$, $q=2$이므로 $p+q=5$

답 5

Lecture

등비급수의 수렴과 발산

등비급수 $\sum_{n=1}^{\infty}ar^{n-1}=a+ar+ar^{2}+\cdots+ar^{n-1}+\cdots\,(a\neq0)$은

(1) $|r|<1$일 때 수렴하고, 그 합은 $\frac{a}{1-r}$이다.

(2) $|r|\geq1$일 때 발산한다.

0946

| 전략 | $\sin^{2}x=1-\cos^{2}x$임을 이용하여 주어진 식을 적분하기 쉬운 꼴로 변형한다.

곡선 $y=f(x)$ 위의 점 $(x,\,f(x))$에서의 접선의 기울기가 $\frac{\sin^{2}x}{1+\cos x}$이므로 $f'(x)=\frac{\sin^{2}x}{1+\cos x}$

$$\therefore f(x)=\int \frac{\sin^2 x}{1+\cos x}dx=\int \frac{1-\cos^2 x}{1+\cos x}dx$$
$$=\int \frac{(1+\cos x)(1-\cos x)}{1+\cos x}dx$$
$$=\int (1-\cos x)dx=x-\sin x+C$$
이때, 이 곡선이 점 $(0, 1)$을 지나므로 $f(0)=1$에서 $C=1$
따라서 $f(x)=x-\sin x+1$이므로
$f\left(\frac{\pi}{2}\right)=\frac{\pi}{2}-1+1=\frac{\pi}{2}$ 답 ①

0947

$$\int \frac{1}{1-\sin x}dx=\int \frac{1+\sin x}{1-\sin^2 x}dx=\int \frac{1+\sin x}{\cos^2 x}dx$$
$$=\int \left(\frac{1}{\cos^2 x}+\frac{1}{\cos x}\times \tan x\right)dx$$
$$=\int (\sec^2 x+\sec x\tan x)dx$$
$$=\tan x+\sec x+C$$
따라서 $a=1, b=1, c=0$이므로 $a+b+c=2$ 답 2

0948

$$\left(\sin\frac{x}{2}+\cos\frac{x}{2}\right)^2=\sin^2\frac{x}{2}+2\sin\frac{x}{2}\cos\frac{x}{2}+\cos^2\frac{x}{2}$$
$$=1+2\sin\frac{x}{2}\cos\frac{x}{2}=1+\sin x$$
$$\therefore f(x)=\int (1+\sin x)dx=x-\cos x+C$$
이때, $f(0)=0$에서 $-1+C=0$ $\therefore C=1$
따라서 $f(x)=x-\cos x+1$이므로
$f\left(\frac{\pi}{3}\right)=\frac{\pi}{3}-\frac{1}{2}+1=\frac{\pi}{3}+\frac{1}{2}$ 답 $\frac{\pi}{3}+\frac{1}{2}$

0949

$$\lim_{h\to 0}\frac{f(x+3h)-f(x+h)}{h}$$
$$=\lim_{h\to 0}\frac{f(x+3h)-f(x)-\{f(x+h)-f(x)\}}{h}$$
$$=\lim_{h\to 0}\frac{f(x+3h)-f(x)}{3h}\times 3-\lim_{h\to 0}\frac{f(x+h)-f(x)}{h}$$
$$=3f'(x)-f'(x)=2f'(x)$$
즉, $2f'(x)=\frac{4}{1+\cos 2x}$이므로
$$f'(x)=\frac{2}{1+\cos 2x}=\frac{2}{1+(2\cos^2 x-1)}=\frac{1}{\cos^2 x}=\sec^2 x$$
$$\therefore f(x)=\int \sec^2 x\,dx=\tan x+C$$
$\therefore f\left(\frac{\pi}{4}\right)-f(\pi)=\left(\tan\frac{\pi}{4}+C\right)-\left(\tan\pi+C\right)=1$ 답 1

0950

| 전략 | $3x-1=t$로 놓고 치환적분법을 이용한다.

$3x-1=t$로 놓으면 $3=\frac{dt}{dx}$이므로
$$f(x)=\int (3x-1)^5 dx=\int \frac{1}{3}t^5 dt$$
$$=\frac{1}{18}t^6+C=\frac{1}{18}(3x-1)^6+C$$
이때, $f(0)=\frac{1}{2}$에서 $\frac{1}{18}+C=\frac{1}{2}$ $\therefore C=\frac{4}{9}$

따라서 $f(x)=\frac{1}{18}(3x-1)^6+\frac{4}{9}$이므로 $f(x)$를 $x-1$로 나누었을 때의 나머지는
$f(1)=\frac{64}{18}+\frac{4}{9}=4$ 답 4

Lecture

나머지정리
다항식 $f(x)$를 일차식 $x-a$로 나누었을 때의 나머지는 $f(a)$이다.

0951

$x^2-x-3=t$로 놓으면 $2x-1=\frac{dt}{dx}$이므로
$$\int (4x-2)(x^2-x-3)^5 dx=\int 2t^5 dt=\frac{1}{3}t^6+C$$
$$=\frac{1}{3}(x^2-x-3)^6+C$$
$\therefore a=3, b=6$ $\therefore a+b=9$ 답 9

0952

$ax-3=t$로 놓으면 $a=\frac{dt}{dx}$이므로
$$F(x)=\int (ax-3)^7 dx=\int t^7\times\frac{1}{a}dt$$
$$=\frac{1}{8a}t^8+C=\frac{1}{8a}(ax-3)^8+C$$
$F(x)$의 최고차항의 계수가 16이므로
$\frac{1}{8a}\times a^8=16, a^7=2^7$ $\therefore a=2$ 답 2

0953

| 전략 | $x^2+1=t$로 놓고 치환적분법을 이용한다.

$x^2+1=t$로 놓으면 $2x=\frac{dt}{dx}$이므로
$$f(x)=\int x\sqrt{x^2+1}\,dx=\int \frac{1}{2}\sqrt{t}\,dt=\frac{1}{2}\int t^{\frac{1}{2}}dt$$
$$=\frac{1}{2}\times\frac{2}{3}t^{\frac{3}{2}}+C=\frac{1}{3}t\sqrt{t}+C$$
$$=\frac{1}{3}(x^2+1)\sqrt{x^2+1}+C$$
이때, $f(0)=2$에서 $\frac{1}{3}+C=2$ $\therefore C=\frac{5}{3}$

따라서 $f(x)=\frac{1}{3}(x^2+1)\sqrt{x^2+1}+\frac{5}{3}$이므로

$f(2)=\frac{1}{3}\times5\sqrt{5}+\frac{5}{3}=\frac{5}{3}(\sqrt{5}+1)$ 답 ⑤

0954

$x+1=t$로 놓으면 $1=\frac{dt}{dx}$이므로

$$f(x)=\int\frac{x-1}{\sqrt{x+1}}dx=\int\frac{t-2}{\sqrt{t}}dt$$
$$=\int\left(\sqrt{t}-\frac{2}{\sqrt{t}}\right)dt=\int\left(t^{\frac{1}{2}}-2t^{-\frac{1}{2}}\right)dt$$
$$=\frac{2}{3}t^{\frac{3}{2}}-2\times2t^{\frac{1}{2}}+C=\frac{2}{3}t\sqrt{t}-4\sqrt{t}+C$$
$$=\frac{2}{3}(x+1)\sqrt{x+1}-4\sqrt{x+1}+C$$

이때, $f'(x)=\frac{x-1}{\sqrt{x+1}}$이므로 $f'(x)=0$에서 $x=1$

x	(-1)	$\cdots$	1	$\cdots$
$f'(x)$		$-$	0	$+$
$f(x)$		↘	극소	↗

따라서 함수 $f(x)$는 $x=1$에서 극솟값을 갖고, 극솟값이 $-\frac{8\sqrt{2}}{3}$이므로 $f(1)=\frac{4\sqrt{2}}{3}-4\sqrt{2}+C=-\frac{8\sqrt{2}}{3}$

$-\frac{8\sqrt{2}}{3}+C=-\frac{8\sqrt{2}}{3}$ $\quad\therefore C=0$

따라서 $f(x)=\frac{2}{3}(x+1)\sqrt{x+1}-4\sqrt{x+1}$이므로

$f(3)=\frac{16}{3}-8=-\frac{8}{3}$ 답 ①

0955

$x^2+3=t$로 놓으면 $2x=\frac{dt}{dx}$이므로

$$f(x)=\int\frac{x}{\sqrt{x^2+3}}dx=\int\frac{1}{\sqrt{t}}\times\frac{1}{2}dt=\frac{1}{2}\int t^{-\frac{1}{2}}dt$$
$$=\frac{1}{2}\times2t^{\frac{1}{2}}+C=\sqrt{t}+C=\sqrt{x^2+3}+C$$ ··· ❶

이때, $f(1)=-1$에서 $2+C=-1$ $\quad\therefore C=-3$

$\therefore f(x)=\sqrt{x^2+3}-3$ ··· ❷

방정식 $f(x)=0$, 즉 $\sqrt{x^2+3}-3=0$에서 $\sqrt{x^2+3}=3$

위의 식의 양변을 제곱하면

$x^2+3=9$, $x^2=6$ $\quad\therefore x=\pm\sqrt{6}$

따라서 구하는 모든 실수 x의 값의 곱은 -6이다. ··· ❸

답 -6

채점 기준	비율
❶ $f'(x)=\frac{x}{\sqrt{x^2+3}}$의 부정적분을 구할 수 있다.	30 %
❷ $f(x)$를 구할 수 있다.	30 %
❸ 방정식 $f(x)=0$을 만족시키는 모든 실수 x의 값의 곱을 구할 수 있다.	40 %

0956

| 전략 | $x^2-2x+3=t$로 놓고 치환적분법을 이용한다.

$x^2-2x+3=t$로 놓으면 $2(x-1)=\frac{dt}{dx}$이므로

$$f(x)=\int(x-1)e^{x^2-2x+3}dx=\frac{1}{2}\int e^t dt$$
$$=\frac{1}{2}e^t+C=\frac{1}{2}e^{x^2-2x+3}+C$$

함수 $y=f(x)$의 그래프가 점 $\left(0, \frac{e^3}{2}\right)$을 지나므로 $f(0)=\frac{e^3}{2}$에서

$\frac{e^3}{2}+C=\frac{e^3}{2}$ $\quad\therefore C=0$

따라서 $f(x)=\frac{1}{2}e^{x^2-2x+3}$이므로 $f(1)=\frac{e^2}{2}$ 답 ⑤

0957

$e^x+3=t$로 놓으면 $e^x=\frac{dt}{dx}$이므로

$$f(x)=\int\frac{e^x}{\sqrt{e^x+3}}dx=\int\frac{1}{\sqrt{t}}dt=\int t^{-\frac{1}{2}}dt$$
$$=2\sqrt{t}+C=2\sqrt{e^x+3}+C$$

$\therefore f(\ln 13)-f(\ln 6)=(2\sqrt{e^{\ln 13}+3}+C)-(2\sqrt{e^{\ln 6}+3}+C)$

$=(8+C)-(6+C)=2$ 답 2

다른 풀이 $\sqrt{e^x+3}=t$로 놓으면 $e^x+3=t^2$에서 $e^x=2t\frac{dt}{dx}$이므로

$$f(x)=\int\frac{e^x}{\sqrt{e^x+3}}dx=\int\frac{2t}{t}dt=\int 2dt$$
$$=2t+C=2\sqrt{e^x+3}+C$$

$\therefore f(\ln 13)-f(\ln 6)=2$

0958

$e^x+2=t$로 놓으면 $e^x=\frac{dt}{dx}$이므로

$$f(x)=\int 3e^x\sqrt{e^x+2}\,dx=\int 3\sqrt{t}\,dt=3\int t^{\frac{1}{2}}dt$$
$$=3\times\frac{2}{3}t^{\frac{3}{2}}+C=2t\sqrt{t}+C=2(e^x+2)\sqrt{e^x+2}+C$$

이때, $f(0)=6\sqrt{3}$에서 $6\sqrt{3}+C=6\sqrt{3}$ $\quad\therefore C=0$

$\therefore f(x)=2(e^x+2)\sqrt{e^x+2}$

한편, $f'(x)>0$이므로 함수 $f(x)$는 증가한다.

따라서 $0\le x\le\ln 7$에서 함수 $f(x)$는 $x=\ln 7$일 때 최대이므로 구하는 최댓값은

$f(\ln 7)=2(e^{\ln 7}+2)\sqrt{e^{\ln 7}+2}=2\times9\times3=54$ 답 ④

0959

|전략| $\ln x=t$로 놓고 치환적분법을 이용한다.

$\ln x=t$로 놓으면 $\frac{1}{x}=\frac{dt}{dx}$이므로

$F(x)=\int \frac{4(\ln x)^3}{x}dx=\int 4t^3dt$

$=t^4+C=(\ln x)^4+C$

이때, $F(e)=2$에서 $1+C=2$ $\quad \therefore C=1$

따라서 $F(x)=(\ln x)^4+1$이므로

$F(e^2)=2^4+1=17$ 답 ②

0960

곡선 $y=f(x)$ 위의 점 $(x, f(x))$에서의 접선의 기울기가 $\frac{\ln x^4}{x}$이므로 $f'(x)=\frac{\ln x^4}{x}$

$\therefore f(x)=\int \frac{\ln x^4}{x}dx=\int \frac{4\ln|x|}{x}dx$

$\ln|x|=t$로 놓으면 $\frac{1}{x}=\frac{dt}{dx}$이므로

$\int \frac{4\ln|x|}{x}dx=\int 4t\,dt=2t^2+C$

$=2(\ln|x|)^2+C$

이때, 이 곡선이 점 $(e, 0)$을 지나므로 $f(e)=0$에서

$2+C=0$ $\quad \therefore C=-2$

따라서 $f(x)=2(\ln|x|)^2-2$이므로

$f(e^2)=2\times 2^2-2=6$ 답 ③

0961

$xf'(x)=\ln x$에서 $f'(x)=\frac{\ln x}{x}$이므로

$f(x)=\int \frac{\ln x}{x}dx$

$\ln x=t$로 놓으면 $\frac{1}{x}=\frac{dt}{dx}$이므로

$\int \frac{\ln x}{x}dx=\int t\,dt=\frac{1}{2}t^2+C=\frac{1}{2}(\ln x)^2+C$

이때, $f(1)=\frac{1}{2}$에서 $C=\frac{1}{2}$

따라서 $f(x)=\frac{1}{2}(\ln x)^2+\frac{1}{2}$이므로

$f(e)=\frac{1}{2}+\frac{1}{2}=1$ 답 1

0962

|전략| $\sin x=t$로 놓고 치환적분법을 이용한다.

$\lim_{h\to 0}\frac{f(x+h)-f(x)}{h}=f'(x)$이므로 $f'(x)=\cos^3 x$

$f(x)=\int \cos^3 x\,dx=\int \cos^2 x\cos x\,dx$

$=\int (1-\sin^2 x)\cos x\,dx$

$\sin x=t$로 놓으면 $\cos x=\frac{dt}{dx}$이므로

$\int (1-\sin^2 x)\cos x\,dx=\int (1-t^2)dt=t-\frac{1}{3}t^3+C$

$=\sin x-\frac{1}{3}\sin^3 x+C$

이때, $f(0)=2$에서 $C=2$

따라서 $f(x)=\sin x-\frac{1}{3}\sin^3 x+2$이므로

$f\left(\frac{\pi}{2}\right)=1-\frac{1}{3}+2=\frac{8}{3}$ 답 ⑤

0963

$\tan x=t$로 놓으면 $\sec^2 x=\frac{dt}{dx}$이므로

$f(x)=\int \tan x\sec^2 x\,dx=\int t\,dt$

$=\frac{1}{2}t^2+C=\frac{1}{2}\tan^2 x+C$

이때, $f(0)=5$에서 $C=5$

$\therefore f(x)=\frac{1}{2}\tan^2 x+5$ 답 $f(x)=\frac{1}{2}\tan^2 x+5$

0964

$f(x)=\int \frac{\sin x}{2+\cos x}dx$

$2+\cos x=t$로 놓으면 $-\sin x=\frac{dt}{dx}$이므로

$\int \frac{\sin x}{2+\cos x}dx=\int \left(-\frac{1}{t}\right)dt=-\ln|t|+C$

$=-\ln(2+\cos x)+C$ ($\because 2+\cos x>0$)

이때, $f(0)=0$에서 $-\ln 3+C=0$ $\quad \therefore C=\ln 3$

따라서 $f(x)=-\ln(2+\cos x)+\ln 3$이므로

$f\left(-\frac{\pi}{2}\right)=-\ln 2+\ln 3=\ln\frac{3}{2}$ 답 ①

0965

|전략| $\int \sin ax\,dx=-\frac{1}{a}\cos ax+C$임을 이용한다.

$f(x)=\int \sin 2x\cos^2 x\,dx+\int 2\sin^3 x\cos x\,dx$

$=\int (\sin 2x\cos^2 x+\sin 2x\sin^2 x)dx$

$=\int \sin 2x(\cos^2 x+\sin^2 x)dx$

$=\int \sin 2x\,dx=-\frac{1}{2}\cos 2x+C$

이때, $f(\pi)=-\frac{1}{2}$에서 $-\frac{1}{2}+C=-\frac{1}{2}$ $\quad \therefore C=0$

8 여러 가지 적분법

따라서 $f(x)=-\frac{1}{2}\cos 2x$이므로

$f\left(\frac{\pi}{3}\right)=-\frac{1}{2}\times\left(-\frac{1}{2}\right)=\frac{1}{4}$ 답 ④

0966

$f(x)=\int(5-2\sin^2 x)dx=\int\{(1-2\sin^2 x)+4\}dx$

$=\int(\cos 2x+4)dx=\frac{1}{2}\sin 2x+4x+C$

이때, $f(\pi)=3\pi$이므로 $4\pi+C=3\pi$ $\quad\therefore C=-\pi$

따라서 $f(x)=\frac{1}{2}\sin 2x+4x-\pi$이므로

$f\left(\frac{\pi}{4}\right)=\frac{1}{2}+\pi-\pi=\frac{1}{2}$ $\quad\therefore a=\frac{1}{2}$ 답 ④

0967

$f(x)=\int(\sin x-\cos 2x)dx=-\cos x-\frac{1}{2}\sin 2x+C$ … ❶

$f'(x)=\sin x-\cos 2x=\sin x-(1-2\sin^2 x)$

$=2\sin^2 x+\sin x-1=(2\sin x-1)(\sin x+1)$

$f'(x)=0$에서 $\sin x=\frac{1}{2}$ 또는 $\sin x=-1$

$\therefore x=\frac{\pi}{6}$ 또는 $x=\frac{5}{6}\pi$ ($\because 0<x<\pi$) … ❷

x	(0)	$\cdots$	$\frac{\pi}{6}$	$\cdots$	$\frac{5}{6}\pi$	$\cdots$	(π)
$f'(x)$		$-$	0	$+$	0	$-$	
$f(x)$		↘	극소	↗	극대	↘	

따라서 함수 $f(x)$는 $x=\frac{\pi}{6}$에서 극솟값을 갖고, 극솟값이 $-\frac{3\sqrt{3}}{4}$이므로

$f\left(\frac{\pi}{6}\right)=-\cos\frac{\pi}{6}-\frac{1}{2}\sin\frac{\pi}{3}+C=-\frac{3\sqrt{3}}{4}$

$-\frac{\sqrt{3}}{2}-\frac{\sqrt{3}}{4}+C=-\frac{3\sqrt{3}}{4}$ $\quad\therefore C=0$ … ❸

따라서 $f(x)=-\cos x-\frac{1}{2}\sin 2x$이고, $f(x)$는 $x=\frac{5}{6}\pi$에서 극댓값을 가지므로

$f\left(\frac{5}{6}\pi\right)=\frac{\sqrt{3}}{2}-\frac{1}{2}\times\left(-\frac{\sqrt{3}}{2}\right)=\frac{3\sqrt{3}}{4}$ … ❹

답 $\frac{3\sqrt{3}}{4}$

채점 기준	비율
❶ $f'(x)$의 부정적분을 구할 수 있다.	20 %
❷ $f'(x)=0$인 x의 값을 구할 수 있다.	30 %
❸ 적분상수 C를 구할 수 있다.	30 %
❹ $f(x)$의 극댓값을 구할 수 있다.	20 %

0968

|전략| $\int\frac{f'(x)}{f(x)}dx=\ln|f(x)|+C$임을 이용한다.

$(x^2+1)'=2x$이므로

$f(x)=\int\frac{6x}{x^2+1}dx=3\int\frac{2x}{x^2+1}dx$

$=3\int\frac{(x^2+1)'}{x^2+1}dx=3\ln(x^2+1)+C$ ($\because x^2+1>0$)

이때, $f(0)=2$에서 $C=2$

따라서 $f(x)=3\ln(x^2+1)+2$이므로

$f(1)=3\ln 2+2$ 답 $3\ln 2+2$

0969

$f(x)=\int\frac{2e^{2x}}{e^{2x}+1}dx$

이때, $(e^{2x}+1)'=2e^{2x}$이므로

$f(x)=\int\frac{2e^{2x}}{e^{2x}+1}dx=\int\frac{(e^{2x}+1)'}{e^{2x}+1}dx$

$=\ln(e^{2x}+1)+C$ ($\because e^{2x}+1>0$)

$\therefore f(\ln 3)-f(\ln 2)=\{\ln(e^{2\ln 3}+1)+C\}-\{\ln(e^{2\ln 2}+1)+C\}$

$=(\ln 10+C)-(\ln 5+C)$

$=\ln\frac{10}{5}=\ln 2$ 답 $\ln 2$

0970

$f(x)=f'(x)$에서 $\frac{f'(x)}{f(x)}=1$이므로

$\int\frac{f'(x)}{f(x)}dx=\int dx$, $\ln f(x)=x+C$ ($\because f(x)>0$)

$\therefore f(x)=e^{x+C}$

이때, $f(0)=e^2$에서 $e^C=e^2$ $\quad\therefore C=2$

따라서 $f(x)=e^{x+2}$이므로 $f(1)=e^3$ 답 e^3

0971

조건 (가)에서 두 식을 변끼리 더하면

$f'(x)+g'(x)=2\{f(x)+g(x)\}$, $\frac{f'(x)+g'(x)}{f(x)+g(x)}=2$

즉, $\int\frac{f'(x)+g'(x)}{f(x)+g(x)}dx=\int 2dx$이므로

$\ln|f(x)+g(x)|=2x+C$

이때, 조건 (나)에서 $f(0)=1$, $g(0)=3$이므로

$\ln|1+3|=C$ $\quad\therefore C=\ln 4$

$\ln|f(x)+g(x)|=2x+\ln 4$에서

$f(x)+g(x)=e^{2x+\ln 4}=e^{2x}\times e^{\ln 4}=4e^{2x}$

$\therefore f(\ln 2)+g(\ln 2)=4e^{2\ln 2}=4\times 4=16$ 답 16

0972

|전략| $\frac{px+q}{(x+a)(x+b)}=\frac{A}{x+a}+\frac{B}{x+b}$ 꼴로 변형한 후 부정적분을 구한다.

$\frac{4x}{x^2-2x-3}=\frac{4x}{(x+1)(x-3)}=\frac{A}{x+1}+\frac{B}{x-3}$로 놓으면

$\frac{A}{x+1}+\frac{B}{x-3}=\frac{(A+B)x-3A+B}{(x+1)(x-3)}$이므로

$4x=(A+B)x-3A+B$
위의 등식은 x에 대한 항등식이므로
$A+B=4,\ -3A+B=0$
위의 두 식을 연립하여 풀면 $A=1,\ B=3$

$$\therefore \int \frac{4x}{x^2-2x-3}dx=\int\left(\frac{1}{x+1}+\frac{3}{x-3}\right)dx$$
$$=\ln|x+1|+3\ln|x-3|+C$$

따라서 $a=1,\ b=3$이므로 $ab=3$

답 ③

0973

$$f(x)=\int\frac{1}{4x^2-1}dx=\int\frac{1}{(2x-1)(2x+1)}dx$$
$$=\int\frac{1}{2}\left(\frac{1}{2x-1}-\frac{1}{2x+1}\right)dx=\int\frac{1}{4}\left(\frac{2}{2x-1}-\frac{2}{2x+1}\right)dx$$
$$=\frac{1}{4}(\ln|2x-1|-\ln|2x+1|)+C=\frac{1}{4}\ln\left|\frac{2x-1}{2x+1}\right|+C$$

이때, $f(0)=0$에서 $C=0$

따라서 $f(x)=\frac{1}{4}\ln\left|\frac{2x-1}{2x+1}\right|$이므로

$$f(1)=\frac{1}{4}\ln\frac{1}{3}=-\frac{\ln 3}{4}$$

답 $-\frac{\ln 3}{4}$

0974

$y=\frac{6-x}{2+x}$로 놓으면 $2y+xy=6-x$

$x(y+1)=6-2y \qquad \therefore x=\frac{6-2y}{y+1}$

x와 y를 서로 바꾸면 $y=\frac{6-2x}{x+1}$

따라서 $g(x)=\frac{6-2x}{x+1}$이므로 … ❶

$$\int g(x)dx=\int\frac{6-2x}{x+1}dx=\int\left(-2+\frac{8}{x+1}\right)dx$$
$$=-2x+8\ln|x+1|+C$$ … ❷

답 $-2x+8\ln|x+1|+C$

채점 기준	비율
❶ $g(x)$를 구할 수 있다.	40 %
❷ $\int g(x)dx$를 구할 수 있다.	60 %

0975

| 전략 | $\int f(x)g'(x)dx=f(x)g(x)-\int f'(x)g(x)dx$임을 이용한다.

$u(x)=x+1,\ v'(x)=e^x$으로 놓으면
$u'(x)=1,\ v(x)=e^x$이므로

$$f(x)=\int(x+1)e^xdx=(x+1)e^x-\int e^xdx$$
$$=(x+1)e^x-e^x+C=xe^x+C$$

이때, $f(0)=0$에서 $C=0$
따라서 $f(x)=xe^x$이므로 $f(2)=2e^2$

답 $2e^2$

0976

$u(x)=\ln x,\ v'(x)=ax$로 놓으면

$u'(x)=\frac{1}{x},\ v(x)=\frac{a}{2}x^2$이므로

$$f(x)=\int ax\ln x\,dx=\ln x\times\frac{a}{2}x^2-\int\frac{1}{x}\times\frac{a}{2}x^2dx$$
$$=\frac{a}{2}x^2\ln x-\frac{a}{2}\int x\,dx=\frac{a}{2}x^2\ln x-\frac{a}{4}x^2+C$$

이때, $f'(x)=ax\ln x$이고 $f'(e^2)=2e^2$이므로
$2ae^2=2e^2,\ 2e^2(a-1)=0 \qquad \therefore a=1$

또, $f\left(\frac{1}{e}\right)=-\frac{3}{4e^2}$이므로

$-\frac{1}{2e^2}-\frac{1}{4e^2}+C=-\frac{3}{4e^2}\ (\because a=1) \qquad \therefore C=0$

따라서 $f(x)=\frac{1}{2}x^2\ln x-\frac{1}{4}x^2$이므로

$$f(e)=\frac{1}{2}e^2-\frac{1}{4}e^2=\frac{1}{4}e^2$$

답 ②

0977

$\{e^{f(x)}\}'=x\sin x\times e^{f(x)}$에서 $e^{f(x)}\times f'(x)=x\sin x\times e^{f(x)}$
$\therefore f'(x)=x\sin x$

$f(x)=\int x\sin x\,dx$에서 $u(x)=x,\ v'(x)=\sin x$로 놓으면

$u'(x)=1,\ v(x)=-\cos x$이므로

$$f(x)=\int x\sin x\,dx=x\times(-\cos x)-\int(-\cos x)dx$$
$$=-x\cos x+\sin x+C$$

이때, $f\left(\frac{\pi}{2}\right)=1$에서 $1+C=1 \qquad \therefore C=0$

$\therefore f(x)=-x\cos x+\sin x$

$$\therefore \lim_{x\to 0}\frac{f(x)+f'(x)}{x}=\lim_{x\to 0}\frac{(-x\cos x+\sin x)+x\sin x}{x}$$
$$=-\lim_{x\to 0}\cos x+\lim_{x\to 0}\frac{\sin x}{x}+\lim_{x\to 0}\sin x$$
$$=-1+1+0=0$$

답 0

0978

함수 $y=f(x)$의 그래프 위의 점 $(x,\ y)$에서의 접선의 기울기가 xe^{4x}이므로 $f'(x)=xe^{4x}$

$f(x)=\int xe^{4x}dx$에서 $u(x)=x,\ v'(x)=e^{4x}$으로 놓으면

$u'(x)=1,\ v(x)=\frac{1}{4}e^{4x}$이므로

$$f(x)=x\times\frac{1}{4}e^{4x}-\int\frac{1}{4}e^{4x}dx=\frac{1}{4}xe^{4x}-\frac{1}{16}e^{4x}+C$$

이때, $f\left(\frac{1}{4}\right)=1$에서 $\frac{1}{16}e-\frac{1}{16}e+C=1 \qquad \therefore C=1$

$\therefore f(x)=\frac{1}{4}xe^{4x}-\frac{1}{16}e^{4x}+1$

$f'(x)=0$에서 $x=0$ ($\because e^{4x}>0$)

따라서 함수 $f(x)$는 $x=0$에서 극소이면서 최소이므로 $f(x)$의 최솟값은

x	$\cdots$	0	$\cdots$
$f'(x)$	$-$	0	$+$
$f(x)$	↘	극소	↗

$f(0)=-\frac{1}{16}+1=\frac{15}{16}$

답 ⑤

0979

$f(x)+xf'(x)=\{xf(x)\}'$이므로 조건 (나)에서

$xf(x)=\int\{f(x)+xf'(x)\}dx=\int 2\ln x\,dx$

$u(x)=\ln x$, $v'(x)=2$로 놓으면

$u'(x)=\frac{1}{x}$, $v(x)=2x$이므로

$$xf(x)=\int 2\ln x\,dx=\ln x\times 2x-\int\frac{1}{x}\times 2x\,dx$$
$$=2x\ln x-2x+C$$

조건 (가)에서 $f(e)=1$이므로

$ef(e)=2e-2e+C \qquad \therefore C=e$

따라서 $xf(x)=2x\ln x-2x+e$이므로 $x=e^2$을 대입하면

$e^2f(e^2)=4e^2-2e^2+e=2e^2+e$에서

$f(e^2)=2+\frac{1}{e}$

답 ④

0980

$\lim\limits_{h\to 0}\frac{f(x+h)-f(x)}{h}=f'(x)$이므로

$f'(x)=\frac{x(1+\cos 2x)}{2}$

$$\therefore f(x)=\int\frac{x(1+\cos 2x)}{2}dx=\int\left(\frac{1}{2}x+\frac{1}{2}x\cos 2x\right)dx$$
$$=\frac{1}{4}x^2+\frac{1}{2}\int x\cos 2x\,dx \qquad \cdots\cdots ㉠$$

$\int x\cos 2x\,dx$에서 $u(x)=x$, $v'(x)=\cos 2x$로 놓으면

$u'(x)=1$, $v(x)=\frac{1}{2}\sin 2x$이므로

$$\int x\cos 2x\,dx=x\times\frac{1}{2}\sin 2x-\int\frac{1}{2}\sin 2x\,dx$$
$$=\frac{1}{2}x\sin 2x+\frac{1}{4}\cos 2x+C_1 \qquad \cdots\cdots ㉡$$

㉡을 ㉠에 대입하면

$$f(x)=\frac{1}{4}x^2+\frac{1}{2}\left(\frac{1}{2}x\sin 2x+\frac{1}{4}\cos 2x+C_1\right)$$
$$=\frac{1}{4}x^2+\frac{1}{4}x\sin 2x+\frac{1}{8}\cos 2x+C$$

$\frac{1}{2}C_1=C$

이때, $f(0)=\frac{1}{4}$에서 $\frac{1}{8}+C=\frac{1}{4} \qquad \therefore C=\frac{1}{8}$

따라서 $f(x)=\frac{1}{4}x^2+\frac{1}{4}x\sin 2x+\frac{1}{8}\cos 2x+\frac{1}{8}$이므로

$f\left(\frac{\pi}{2}\right)=\frac{1}{4}\left(\frac{\pi}{2}\right)^2-\frac{1}{8}+\frac{1}{8}=\frac{\pi^2}{16}$

답 ①

0981

|전략| 부분적분법을 한 번 적용하여 적분이 되지 않는 경우에는 부분적분법을 한 번 더 적용한다.

곡선 $y=f(x)$ 위의 점 (x, y)에서의 접선의 기울기가 $e^x\cos x$이므로

$f'(x)=e^x\cos x$

$f(x)=\int e^x\cos x\,dx$에서 $u(x)=\cos x$, $v'(x)=e^x$으로 놓으면

$u'(x)=-\sin x$, $v(x)=e^x$이므로

$$f(x)=\int e^x\cos x\,dx=e^x\cos x+\int e^x\sin x\,dx \qquad \cdots\cdots ㉠$$

$\int e^x\sin x\,dx$에서 부분적분법을 한 번 더 적용하면

$$\int e^x\sin x\,dx=e^x\sin x-\int e^x\cos x\,dx$$
$$=e^x\sin x-f(x)+C_1 \qquad \cdots\cdots ㉡$$

㉡을 ㉠에 대입하면

$f(x)=e^x\cos x+e^x\sin x-f(x)+C_1$

$2f(x)=e^x(\cos x+\sin x)+C_1$

$\therefore f(x)=\frac{1}{2}e^x(\cos x+\sin x)+C$

$\frac{1}{2}C_1=C$

이때, y절편이 $\frac{1}{2}$이므로 $f(0)=\frac{1}{2}$에서

$\frac{1}{2}(1+0)+C=\frac{1}{2} \qquad \therefore C=0$

따라서 $f(x)=\frac{1}{2}e^x(\cos x+\sin x)$이므로 $f(\pi)=-\frac{1}{2}e^{\pi}$

답 ②

0982

$f(x)=\int(4-x^2)e^x\,dx$에서 $u(x)=4-x^2$, $v'(x)=e^x$으로 놓으면

$u'(x)=-2x$, $v(x)=e^x$이므로

$$f(x)=\int(4-x^2)e^x dx=(4-x^2)e^x-\int(-2x)e^x dx$$
$$=(4-x^2)e^x+2\int xe^x dx \qquad \cdots\cdots ㉠$$

$\int xe^x dx$에서 부분적분법을 한 번 더 적용하면

$$\int xe^x dx=xe^x-\int e^x dx=xe^x-e^x+C_1 \qquad \cdots\cdots ㉡$$

㉡을 ㉠에 대입하면

$$f(x)=(4-x^2)e^x+2(xe^x-e^x+C_1)$$
$$=e^x(-x^2+2x+2)+C$$

$2C_1=C$

이때, $f(0)=2$에서 $2+C=2 \qquad \therefore C=0$

$\therefore f(x)=e^x(-x^2+2x+2)$

방정식 $f(x)=0$에서 $x^2-2x-2=0$ ($\because e^x>0$)

따라서 구하는 두 실근의 곱은 이차방정식의 근과 계수의 관계에 의하여 -2이다.

답 -2

0983

$$\lim_{h\to 0}\frac{f(x+2h)-f(x-2h)}{h}$$
$$=\lim_{h\to 0}\frac{f(x+2h)-f(x)-\{f(x-2h)-f(x)\}}{h}$$
$$=\lim_{h\to 0}\frac{f(x+2h)-f(x)}{2h}\times 2+\lim_{h\to 0}\frac{f(x-2h)-f(x)}{-2h}\times 2$$
$$=2f'(x)+2f'(x)=4f'(x)$$

즉, $4f'(x)=4(\ln x)^2$이므로 $f'(x)=(\ln x)^2$

$f(x)=\int(\ln x)^2dx$에서 $u(x)=(\ln x)^2$, $v'(x)=1$로 놓으면

$u'(x)=\frac{2\ln x}{x}$, $v(x)=x$이므로

$$f(x)=\int(\ln x)^2dx=(\ln x)^2\times x-\int\frac{2\ln x}{x}\times x\,dx$$
$$=x(\ln x)^2-2\int\ln x\,dx \quad \cdots\cdots ㉠$$

$\int\ln x\,dx$에서 부분적분법을 한 번 더 적용하면

$$\int\ln x\,dx=x\ln x-\int dx=x\ln x-x+C_1 \quad \cdots\cdots ㉡$$

㉡을 ㉠에 대입하면

$$f(x)=x(\ln x)^2-2(x\ln x-x+C_1)$$
$$=x\{(\ln x)^2-2\ln x+2\}+C$$

$-2C_1=C$

이때, $f(e^3)=5e^3+1$에서 $5e^3+C=5e^3+1$ $\quad\therefore C=1$

따라서 $f(x)=x\{(\ln x)^2-2\ln x+2\}+1$이므로

$$f\left(\frac{1}{e}\right)=\frac{5}{e}+1$$

답 ⑤

0984

|전략| 주어진 식의 양변을 미분하여 $f'(x)$를 구한 다음 부분적분법을 이용한다.

$F(x)=xf(x)-x^2e^x$에서

$F(1)=f(1)-e=e$ $\quad\therefore f(1)=2e$ $\quad\cdots\cdots ㉠$

$F(x)=xf(x)-x^2e^x$의 양변을 x에 대하여 미분하면

$f(x)=f(x)+xf'(x)-(2xe^x+x^2e^x)$

$xf'(x)=2xe^x+x^2e^x$ $\quad\therefore f'(x)=2e^x+xe^x$

$$\therefore f(x)=\int(2e^x+xe^x)dx$$
$$=2e^x+\int xe^xdx$$
$$=2e^x+xe^x-\int e^xdx$$
$$=(x+1)e^x+C$$

$\int xe^xdx$에서 $u(x)=x$, $v'(x)=e^x$으로 놓으면
$u'(x)=1$, $v(x)=e^x$
$\therefore \int xe^xdx=xe^x-\int e^xdx$

이때, ㉠에서 $f(1)=2e$이므로 $2e+C=2e$ $\quad\therefore C=0$

따라서 $f(x)=(x+1)e^x$이므로 $f(0)=1$

답 ①

0985

$\int f(x)dx=xf(x)-x^3\ln x$의 양변을 x에 대하여 미분하면

$$f(x)=f(x)+xf'(x)-\left(3x^2\ln x+x^3\times\frac{1}{x}\right)$$

$xf'(x)=3x^2\ln x+x^2$ $\quad\therefore f'(x)=3x\ln x+x$

$$\therefore f(x)=\int(3x\ln x+x)dx$$
$$=3\int x\ln x\,dx+\frac{1}{2}x^2$$
$$=3\left(\frac{1}{2}x^2\ln x-\int\frac{1}{2}x\,dx\right)+\frac{1}{2}x^2$$
$$=\frac{3}{2}x^2\ln x-3\times\frac{1}{4}x^2+\frac{1}{2}x^2+C$$
$$=\frac{3}{2}x^2\ln x-\frac{1}{4}x^2+C$$

$\int x\ln x\,dx$에서
$u(x)=\ln x$, $v'(x)=x$로 놓으면
$u'(x)=\frac{1}{x}$, $v(x)=\frac{1}{2}x^2$
$\therefore \int x\ln x\,dx$
$=\frac{1}{2}x^2\ln x-\int\frac{1}{2}x\,dx$

이때, $f(e)=\frac{5}{4}e^2+\frac{3}{4}$에서

$\frac{3}{2}e^2-\frac{1}{4}e^2+C=\frac{5}{4}e^2+\frac{3}{4}$ $\quad\therefore C=\frac{3}{4}$

따라서 $f(x)=\frac{3}{2}x^2\ln x-\frac{1}{4}x^2+\frac{3}{4}$이므로

$$f(1)=-\frac{1}{4}+\frac{3}{4}=\frac{1}{2}$$

답 ①

0986

$g(x)=e^xf(x)$의 양변을 x에 대하여 미분하면

$$g'(x)=e^xf(x)+e^xf'(x)=e^x\{f(x)+f'(x)\}$$
$$=e^x\times xe^x=xe^{2x}$$

$g(x)=\int xe^{2x}dx$에서 $u(x)=x$, $v'(x)=e^{2x}$으로 놓으면

$u'(x)=1$, $v(x)=\frac{1}{2}e^{2x}$이므로

$$g(x)=\frac{1}{2}xe^{2x}-\int\frac{1}{2}e^{2x}dx=\frac{1}{2}xe^{2x}-\frac{1}{4}e^{2x}+C$$

이때, $g(1)=\frac{1}{4}e^2$에서 $\frac{1}{2}e^2-\frac{1}{4}e^2+C=\frac{1}{4}e^2$ $\quad\therefore C=0$

따라서 $g(x)=\frac{1}{2}xe^{2x}-\frac{1}{4}e^{2x}$이므로 $g(0)=-\frac{1}{4}$

답 ②

STEP 3 내신 마스터

0987

유형 01 함수 $y=x^n$(n은 실수)의 부정적분

|전략| $\int x^ndx=\frac{1}{n+1}x^{n+1}+C\,(n\neq-1)$임을 이용한다.

$$f(x)=\int\left(\frac{x}{\sqrt{x}-1}-\frac{1}{\sqrt{x}-1}\right)dx$$
$$=\int\frac{(\sqrt{x}+1)(\sqrt{x}-1)}{\sqrt{x}-1}dx=\int(\sqrt{x}+1)dx$$
$$=\int(x^{\frac{1}{2}}+1)dx=\frac{2}{3}x\sqrt{x}+x+C$$

이때, $f(1)=\frac{2}{3}$에서 $\frac{2}{3}+1+C=\frac{2}{3}$ $\quad\therefore C=-1$

따라서 $f(x)=\frac{2}{3}x\sqrt{x}+x-1$이므로

$f(9)=18+9-1=26$ 답 ④

0988

유형 02 지수함수의 부정적분 – 밑이 e인 경우

|전략| $\int e^x dx=e^x+C$임을 이용한다.

$$f(x)=\int \frac{(e^x-1)(e^{2x}+e^x+1)}{e^{2x}+e^x+1}dx$$

$$=\int (e^x-1)dx=e^x-x+C$$

이때, 곡선 $y=f(x)$가 점 $(0, 2)$를 지나므로 $f(0)=2$에서

$1+C=2$ $\quad\therefore C=1$

$\therefore f(x)=e^x-x+1$ 답 ③

0989

유형 04 삼각함수의 부정적분

|전략| $\int \sin x\,dx=-\cos x+C_1$, $\int \cos x\,dx=\sin x+C_2$임을 이용한다.

$f'(x)=\begin{cases}\cos x & (x>0)\\ \sin x+1 & (x<0)\end{cases}$이므로

$$f(x)=\begin{cases}\sin x+C_1 & (x>0)\\ -\cos x+x+C_2 & (x<0)\end{cases}$$

$f(-\pi)=1$에서 $1-\pi+C_2=1$ $\quad\therefore C_2=\pi$

함수 $f(x)$가 실수 전체의 집합에서 연속이면 $x=0$에서 연속이므로

$f(0)=\lim_{x\to 0-}(-\cos x+x+\pi)=\lim_{x\to 0+}(\sin x+C_1)$

$\therefore C_1=\pi-1$

따라서 $f(x)=\begin{cases}\sin x+\pi-1 & (x\geq 0)\\ -\cos x+x+\pi & (x<0)\end{cases}$이므로

$f\left(\frac{\pi}{2}\right)=1+\pi-1=\pi$ 답 ⑤

0990

유형 05 다항함수의 치환적분법

|전략| $x^3+2=t$로 놓고 치환적분법을 이용한다.

$x^3+2=t$로 놓으면 $3x^2=\frac{dt}{dx}$이므로

$$\int 3x^2(x^3+2)^3dx=\int t^3dt=\frac{1}{4}t^4+C$$

$$=\frac{1}{4}(x^3+2)^4+C$$

따라서 $a=4$, $b=4$이므로 $ab=16$ 답 ④

0991

유형 06 무리함수의 치환적분법

|전략| $1-x^2=t$로 놓고 치환적분법을 이용한다.

$1-x^2=t$로 놓으면 $-2x=\frac{dt}{dx}$이므로

$$f(x)=\int \frac{x}{\sqrt{1-x^2}}dx=-\frac{1}{2}\int \frac{1}{\sqrt{t}}dt$$

$$=-\frac{1}{2}\int t^{-\frac{1}{2}}dt=-t^{\frac{1}{2}}+C$$

$$=-\sqrt{1-x^2}+C$$

이때, $f(0)=0$에서 $-1+C=0$ $\quad\therefore C=1$

$\therefore f(x)=-\sqrt{1-x^2}+1$

방정식 $f(x)=1$, 즉 $-\sqrt{1-x^2}+1=1$에서

$1-x^2=0$, $(1+x)(1-x)=0$ $\quad\therefore x=-1$ 또는 $x=1$

따라서 모든 실수 x의 값의 합은 0이다. 답 ③

0992

유형 07 지수함수의 치환적분법

|전략| $x^2-1=t$로 놓고 치환적분법을 이용한다.

$x^2-1=t$로 놓으면 $2x=\frac{dt}{dx}$이므로

$$f(x)=\int 2xe^{x^2-1}dx=\int e^t dt$$

$$=e^t+C=e^{x^2-1}+C$$

$\therefore f(\sqrt{2})-f(1)=(e+C)-(1+C)=e-1$ 답 ②

0993

유형 08 로그함수의 치환적분법

|전략| 주어진 식의 양변을 미분하여 $f'(x)$를 구한 다음 $\ln x=t$로 놓고 치환적분법을 이용한다.

$F(x)=xf(x)-4x\ln x$의 양변을 x에 대하여 미분하면

$f(x)=f(x)+xf'(x)-4\ln x-4$

$xf'(x)=4\ln x+4$ $\quad\therefore f'(x)=\frac{4\ln x+4}{x}$

$f(x)=\int \frac{4\ln x+4}{x}dx$에서 $\ln x=t$로 놓으면 $\frac{1}{x}=\frac{dt}{dx}$이므로

$$f(x)=\int \frac{4\ln x+4}{x}dx=\int (4t+4)dt$$

$$=2t^2+4t+C=2(\ln x)^2+4\ln x+C$$

이때, $f(e)=8$에서 $2+4+C=8$ $\quad\therefore C=2$

$\therefore f(x)=2(\ln x)^2+4\ln x+2$

한편, $\ln x=t$로 놓고 $g(t)=2t^2+4t+2=2(t+1)^2$이라 하면 t는 모든 실수($\because x>0$)이므로 구하는 최솟값은 $t=-1$일 때 0이다.

답 ①

0994

유형 09 삼각함수의 치환적분법

|전략| $1+\sin x=t$로 놓고 치환적분법을 이용한다.

$1+\sin x=t$로 놓으면 $\cos x=\frac{dt}{dx}$이므로

$f(x)=\int(1+\sin x)^2\cos x\,dx=\int t^2dt=\frac{1}{3}t^3+C$

$=\frac{1}{3}(1+\sin x)^3+C$

이때, $f(0)=\frac{2}{3}$이므로 $\frac{1}{3}+C=\frac{2}{3}$ $\quad\therefore C=\frac{1}{3}$

따라서 $f(x)=\frac{1}{3}(1+\sin x)^3+\frac{1}{3}$이므로

$f\left(\frac{\pi}{2}\right)=\frac{1}{3}(1+1)^3+\frac{1}{3}=3$ $\quad\therefore a=3$

답 ⑤

0995

유형 10 삼각함수의 치환적분법 – $\sin ax$, $\cos ax$ 꼴

|전략| $\int\sin ax\,dx=-\frac{1}{a}\cos ax+C$임을 이용한다.

$\lim_{h\to0}\frac{f(x+h)-f(x)}{h}=f'(x)$이므로

$f'(x)=\sin 2x-\cos x$

$\therefore f(x)=\int(\sin 2x-\cos x)dx=-\frac{1}{2}\cos 2x-\sin x+C$

$f'(x)=\sin 2x-\cos x=2\sin x\cos x-\cos x$

$=(2\sin x-1)\cos x$

$f'(x)=0$에서 $\sin x=\frac{1}{2}$ 또는 $\cos x=0$

$\therefore x=\frac{\pi}{6}$ 또는 $x=\frac{\pi}{2}$ 또는 $x=\frac{5}{6}\pi$ ($\because 0<x<\pi$)

x	(0)	$\cdots$	$\frac{\pi}{6}$	$\cdots$	$\frac{\pi}{2}$	$\cdots$	$\frac{5}{6}\pi$	$\cdots$	(π)
$f'(x)$		$-$	0	$+$	0	$-$	0	$+$	
$f(x)$		↘	극소	↗	극대	↘	극소	↗	

따라서 함수 $f(x)$는 $x=\frac{\pi}{2}$에서 극댓값을 갖고, 극댓값이 $\frac{7}{2}$이므로

$f\left(\frac{\pi}{2}\right)=\frac{1}{2}-1+C=\frac{7}{2}$ $\quad\therefore C=4$

따라서 $f(x)=-\frac{1}{2}\cos 2x-\sin x+4$이므로

$f\left(\frac{\pi}{4}\right)=4-\frac{\sqrt{2}}{2}$

답 ③

0996

유형 11 분수함수의 부정적분 – $\frac{f'(x)}{f(x)}$ 꼴인 경우

|전략| $\int\frac{f'(x)}{f(x)}dx=\ln|f(x)|+C$임을 이용한다.

$(x^2+3x+1)'=2x+3$이므로

$f(x)=\int\frac{2x+3}{x^2+3x+1}dx=\int\frac{(x^2+3x+1)'}{x^2+3x+1}dx$

$=\ln|x^2+3x+1|+C$

$\therefore f(1)-f(-1)=(\ln 5+C)-C=\ln 5$

답 ④

0997

유형 08 로그함수의 치환적분법 + 13 부분적분법

|전략| $\ln x=t$로 놓고 치환적분법을 이용한 다음 부분적분법을 이용한다.

곡선 $y=f(x)$ 위의 점 (x, y)에서의 접선의 기울기가 $\frac{\ln x}{x^2}$이므로

$f'(x)=\frac{\ln x}{x^2}$

$f(x)=\int\frac{\ln x}{x^2}dx$에서 $\ln x=t$로 놓으면 $x=e^t$이고 $\frac{1}{x}=\frac{dt}{dx}$이므로

$f(x)=\int\frac{\ln x}{x^2}dx=\int\frac{t}{e^t}dt=\int te^{-t}dt$

$u(t)=t$, $v'(t)=e^{-t}$으로 놓으면 $u'(t)=1$, $v(t)=-e^{-t}$

$=t\times(-e^{-t})-\int(-e^{-t})dt$

$=-te^{-t}-e^{-t}+C$

$=-e^{-\ln x}\ln x-e^{-\ln x}+C$

$=-\frac{\ln x}{x}-\frac{1}{x}+C$

이때, x절편이 1이므로 $f(1)=0$에서

$-1+C=0$ $\quad\therefore C=1$

따라서 $f(x)=-\frac{\ln x}{x}-\frac{1}{x}+1$이므로

$f\left(\frac{1}{e}\right)=e-e+1=1$

답 ③

0998

유형 03 지수함수의 부정적분 – 밑이 e가 아닌 경우

|전략| $\int a^x dx=\frac{a^x}{\ln a}+C\,(a>0, a\neq1)$임을 이용한다.

$f(x)=\int\frac{8^x-1}{2^x-1}dx=\int\frac{(2^x-1)(4^x+2^x+1)}{2^x-1}dx$

$=\int(4^x+2^x+1)dx=\frac{4^x}{\ln 4}+\frac{2^x}{\ln 2}+x+C$ $\quad\cdots$ ❶

이때, $f(0)=\frac{1}{\ln 2}$에서

$\frac{1}{\ln 4}+\frac{1}{\ln 2}+C=\frac{1}{\ln 2}$ $\quad\therefore C=-\frac{1}{\ln 4}$

따라서 $f(x)=\frac{4^x}{\ln 4}+\frac{2^x}{\ln 2}+x-\frac{1}{\ln 4}$이므로 $\quad\cdots$ ❷

$f(1)=\frac{4}{\ln 4}+\frac{2}{\ln 2}+1-\frac{1}{\ln 4}$

$=\frac{4}{\ln 4}+\frac{4}{\ln 4}+1-\frac{1}{\ln 4}$

$=\frac{7}{\ln 4}+1$ $\quad\cdots$ ❸

답 $\frac{7}{\ln 4}+1$

채점 기준	배점
❶ $f'(x)=\frac{8^x-1}{2^x-1}$의 부정적분을 구할 수 있다.	2점
❷ $f(x)$를 구할 수 있다.	2점
❸ $f(1)$의 값을 구할 수 있다.	2점

8 여러 가지 적분법

0999

유형 15 부분적분법의 응용

|전략| 주어진 식의 양변을 미분하여 $f'(x)$를 구한 다음 부분적분법을 이용한다.

$F(x)=xf(x)+3x^2e^{2x}$의 양변을 x에 대하여 미분하면

$f(x)=f(x)+xf'(x)+6xe^{2x}+6x^2e^{2x}$

$xf'(x)=-6xe^{2x}-6x^2e^{2x}$ $\therefore f'(x)=-6e^{2x}-6xe^{2x}$ ··· ❶

$\therefore f(x)=-6\int(e^{2x}+xe^{2x})dx$

$=-3e^{2x}-6\int xe^{2x}dx$ ······㉠

$\int xe^{2x}dx$에서 $u(x)=x$, $v'(x)=e^{2x}$으로 놓으면

$u'(x)=1$, $v(x)=\frac{1}{2}e^{2x}$이므로

$\int xe^{2x}dx=\frac{1}{2}xe^{2x}-\int\frac{1}{2}e^{2x}dx$

$=\frac{1}{2}xe^{2x}-\frac{1}{4}e^{2x}+C_1$ ······㉡

㉡을 ㉠에 대입하면

$f(x)=-3e^{2x}-6\left(\frac{1}{2}xe^{2x}-\frac{1}{4}e^{2x}+C_1\right)$

$=-3e^{2x}-3xe^{2x}+\frac{3}{2}e^{2x}+C$ ($-6C_1=C$)

$=-\frac{3}{2}e^{2x}-3xe^{2x}+C$ ··· ❷

이때, $f(0)=-\frac{3}{2}$에서 $-\frac{3}{2}+C=-\frac{3}{2}$ $\therefore C=0$

따라서 $f(x)=-\frac{3}{2}e^{2x}-3xe^{2x}$이므로 ··· ❸

$f(1)=-\frac{3}{2}e^2-3e^2=-\frac{9}{2}e^2$ $\therefore a=-\frac{9}{2}e^2$ ··· ❹

답 $-\frac{9}{2}e^2$

채점 기준	배점
❶ $f'(x)$를 구할 수 있다.	2점
❷ $f'(x)$의 부정적분을 구할 수 있다.	2점
❸ $f(x)$를 구할 수 있다.	2점
❹ a의 값을 구할 수 있다.	1점

1000

유형 07 지수함수의 치환적분법 + **09** 삼각함수의 치환적분법

|전략| $\sin x=t$로 놓고 치환적분법을 이용한다.

(1) $f'(x)g(x)+f(x)g'(x)=\{f(x)g(x)\}'$이므로

$f(x)g(x)=\int\{f'(x)g(x)+f(x)g'(x)\}dx$

$=\int h(x)dx=\int e^{\sin x}\cos x\,dx$

$\sin x=t$로 놓으면 $\cos x=\frac{dt}{dx}$이므로

$f(x)g(x)=\int e^t dt=e^t+C=e^{\sin x}+C$

(2) $f(x)=e^x$이므로 $f(x)g(x)=e^{\sin x}+C$에서

$e^xg(x)=e^{\sin x}+C$

$g(0)=2$에서 $2=1+C$ $\therefore C=1$

(3) $e^xg(x)=e^{\sin x}+1$이므로 $g(x)=\frac{e^{\sin x}+1}{e^x}$

답 (1) $f(x)g(x)=e^{\sin x}+C$ (2) 1 (3) $g(x)=\frac{e^{\sin x}+1}{e^x}$

채점 기준	배점
(1) $\{f(x)g(x)\}'$의 부정적분을 구할 수 있다.	5점
(2) 적분상수 C를 구할 수 있다.	4점
(3) $g(x)$를 구할 수 있다.	3점

창의·융합 교과서 속 심화문제

1001

|전략| 치환을 이용하여 주어진 식을 간단히 한 뒤 몫의 미분법의 형태가 되도록 식을 변형한다.

$x^2=t$로 놓으면 $2x=\frac{dt}{dx}$이므로

$f(x)=\int\frac{x^3e^{x^2}}{(x^2+1)^2}dx=\frac{1}{2}\int\frac{x^2e^{x^2}}{(x^2+1)^2}\times 2x\,dx$

$=\frac{1}{2}\int\frac{te^t}{(t+1)^2}dt=\frac{1}{2}\int\frac{e^t(t+1)-e^t}{(t+1)^2}dt$

$=\frac{1}{2}\times\frac{e^t}{t+1}+C$ (몫의 미분법에 의하여 $\left(\frac{e^t}{t+1}\right)'=\frac{e^t(t+1)-e^t}{(t+1)^2}$)

$=\frac{e^{x^2}}{2(x^2+1)}+C$

이때, $f(0)=\frac{1}{2}$에서 $\frac{1}{2}+C=\frac{1}{2}$ $\therefore C=0$

$\therefore f(x)=\frac{e^{x^2}}{2(x^2+1)}$

$f(x)=k$에서 $\frac{e^{x^2}}{2(x^2+1)}=k$, $e^{x^2}=2k(x^2+1)$

$x^2=a$라 하면 $e^a=2k(a+1)\,(a\ge 0)$ ······㉠

이때, ㉠을 만족시키는 a가 양수이면 $x=\pm\sqrt{a}$로 그 개수가 2가 되므로 방정식 $f(x)=k$의 서로 다른 실근의 개수가 1이 되려면 $a=0$이어야 한다.

따라서 ㉠에 $a=0$을 대입하면

$1=2k$ $\therefore k=\frac{1}{2}$

답 ①

1002

|전략| $\ln x=t$로 놓고 치환적분법을 이용한다.

$x>1>0$이므로

$f(x)=\int\frac{a}{x}\cos(\ln x^b)\,dx=\int\frac{a}{x}\cos(b\ln x)dx$

$\ln x=t$로 놓으면 $\frac{1}{x}=\frac{dt}{dx}$이므로

$f(x)=\int \frac{a}{x}\cos(b\ln x)dx=\int a\cos bt\,dt$

$=\frac{a}{b}\sin bt+C=\frac{a}{b}\sin(b\ln x)+C$

이때, 조건 ㈎에서 $f(1)=2$이므로 $C=2$

$\therefore f(x)=\frac{a}{b}\sin(b\ln x)+2$

$x>1, b>0$이므로 $-1\le\sin(b\ln x)\le1$

$a>0, b>0$이므로 $-\frac{a}{b}\le\frac{a}{b}\sin(b\ln x)\le\frac{a}{b}$

$-\frac{a}{b}+2\le\frac{a}{b}\sin(b\ln x)+2\le\frac{a}{b}+2$

조건 ㈏에서 $f(x)$의 최댓값이 4이므로

$\frac{a}{b}+2=4, \frac{a}{b}=2 \qquad \therefore a=2b$

$\therefore f(x)=2\sin(b\ln x)+2$

$f(x)=0$에서 $2\sin(b\ln x)+2=0$, $\sin(b\ln x)=-1$

$b\ln x>0$이고 $y=b\ln x$는 $x>1$에서 증가하므로 방정식 $f(x)=0$을 만족시키는 실근 중 최솟값은 $b\ln x=\frac{3}{2}\pi$일 때이다.

이때, 조건 ㈐에서 $f(x)=0$의 실근 중 최솟값이 $e^{\frac{\pi}{2}}$이므로 $b=3$

$\therefore f(x)=2\sin(3\ln x)+2$

따라서 방정식 $f(x)=4$에서 $2\sin(3\ln x)+2=4$, 즉 $\sin(3\ln x)=1$이고 이 식을 만족시키는 실근 중 최솟값은

$3\ln x=\frac{\pi}{2}$에서 $\ln x=\frac{\pi}{6} \qquad \therefore x=e^{\frac{\pi}{6}}$

답 ③

1003

전략 첫 번째 식의 경우 곱의 미분법의 형태로 변형하고 두 번째 식의 경우 몫의 미분법의 형태로 변형한다.

$x>0$이므로 $\frac{f(x)}{x}+f'(x)=1+\ln x^2$의 양변에 x를 곱하면

$f(x)+xf'(x)=x+2x\ln x$, $\{xf(x)\}'=(x^2\ln x)'$

$\therefore xf(x)=\int(x^2\ln x)'dx=x^2\ln x+C_1$

이때, $f(1)=1$이므로 $C_1=1$

$\therefore f(x)=x\ln x+\frac{1}{x}$

$x>0$이므로 $\frac{g(x)}{x}-g'(x)=1-\ln x$의 양변을 $-x$로 나누면

$\frac{xg'(x)-g(x)}{x^2}=-\frac{1}{x}+\frac{\ln x}{x}$, $\left\{\frac{g(x)}{x}\right\}'=-\frac{1}{x}+\frac{\ln x}{x}$

$\therefore \frac{g(x)}{x}=\int\left(-\frac{1}{x}+\frac{\ln x}{x}\right)dx$

$=-\int\frac{1}{x}dx+\int\frac{\ln x}{x}dx$

$=-\ln x+\frac{1}{2}(\ln x)^2+C_2$

($\int\frac{\ln x}{x}dx$에서 $\ln x=t$로 놓으면 $\frac{1}{x}=\frac{dt}{dx}$이므로 $\int\frac{\ln x}{x}dx=\int t\,dt=\frac{1}{2}t^2+C=\frac{1}{2}(\ln x)^2+C$)

이때, $g(1)=1$이므로 $C_2=1$

$\therefore g(x)=-x\ln x+\frac{x}{2}(\ln x)^2+x$

$\therefore \int\frac{f(x)+g(x)}{x^2}dx$

$=\int\frac{1}{x^2}\left\{\frac{x}{2}(\ln x)^2+x+\frac{1}{x}\right\}dx$

$=\int\left\{\frac{1}{2x}(\ln x)^2+\frac{1}{x}+\frac{1}{x^3}\right\}dx$

$=\int\frac{1}{2x}(\ln x)^2dx+\int\frac{1}{x}dx+\int x^{-3}dx$

$=\frac{1}{2}\int t^2dt+\ln x-\frac{1}{2}x^{-2}+C$

($\int\frac{1}{2x}(\ln x)^2dx$에서 $\ln x=t$로 놓으면 $\frac{1}{x}=\frac{dt}{dx}$이므로 $\int\frac{1}{2x}(\ln x)^2dx=\frac{1}{2}\int t^2dt$)

$=\frac{1}{6}t^3+\ln x-\frac{1}{2x^2}+C$

$=\frac{1}{6}(\ln x)^3+\ln x-\frac{1}{2x^2}+C$

답 $\frac{1}{6}(\ln x)^3+\ln x-\frac{1}{2x^2}+C$

1004

전략 조건 ㈐의 식을 $\frac{f'(x)}{f(x)}$ 꼴로 변형하여 부정적분을 구한다.

조건 ㈐에서 $\frac{f'(x)}{f(x)+e}=2$이므로

$\int\frac{f'(x)}{f(x)+e}dx=\int2\,dx \qquad \therefore \ln|f(x)+e|=2x+C_1$

이때, 조건 ㈏에서 $f(x)+e>0$이므로

$\ln\{f(x)+e\}=2x+C_1$, $f(x)+e=e^{2x+C_1}$

$\therefore f(x)=e^{2x+C_1}-e$

조건 ㈎에서 $f(0)=0$이므로

$e^{C_1}-e=0, e^{C_1}=e \qquad \therefore C_1=1$

따라서 $f(x)=e^{2x+1}-e$이므로

$g(x)=\int xf(x)\,dx=\int x(e^{2x+1}-e)dx$

$=\int xe^{2x+1}dx-e\int x\,dx$

$=\frac{1}{2}xe^{2x+1}-\int\frac{1}{2}e^{2x+1}dx-\frac{e}{2}x^2$

($u(x)=x, v'(x)=e^{2x+1}$로 놓으면 $u'(x)=1, v(x)=\frac{1}{2}e^{2x+1}$)

$=\frac{1}{2}xe^{2x+1}-\frac{1}{4}e^{2x+1}-\frac{e}{2}x^2+C_2$

$=\frac{1}{4}e^{2x+1}(2x-1)-\frac{e}{2}x^2+C_2$

$\therefore g(1)-g(-1)$

$=\left(\frac{1}{4}e^3-\frac{e}{2}+C_2\right)-\left(-\frac{3}{4}e^{-1}-\frac{e}{2}+C_2\right)$

$=\frac{1}{4}e^3+\frac{3}{4}e^{-1}$

따라서 $a=\frac{1}{4}, b=\frac{3}{4}$이므로 $a+b=1$

답 ①

9 | 정적분

본책 158~175쪽

STEP 1 개념 마스터

1005

$\int_0^8 \sqrt[3]{x}\,dx=\int_0^8 x^{\frac{1}{3}}dx=\left[\frac{3}{4}x^{\frac{4}{3}}\right]_0^8=12$

답 12

1006

$\int_1^4 x\sqrt{x}\,dx=\int_1^4 x^{\frac{3}{2}}dx=\left[\frac{2}{5}x^{\frac{5}{2}}\right]_1^4$

$=\frac{64}{5}-\frac{2}{5}=\frac{62}{5}$

답 $\frac{62}{5}$

1007

$\int_1^3 \frac{1}{x^3}dx=\int_1^3 x^{-3}dx=\left[-\frac{1}{2}x^{-2}\right]_1^3$

$=-\frac{1}{18}-\left(-\frac{1}{2}\right)=\frac{4}{9}$

답 $\frac{4}{9}$

1008

$\int_e^{e^2}\frac{1}{x}dx=\Big[\ln|x|\Big]_e^{e^2}=\ln e^2-\ln e=1$

답 1

1009

$\int_0^3 e^{4x}dx=\left[\frac{1}{4}e^{4x}\right]_0^3=\frac{1}{4}e^{12}-\frac{1}{4}=\frac{1}{4}(e^{12}-1)$

답 $\frac{1}{4}(e^{12}-1)$

1010

$\int_0^{\frac{\pi}{2}}\cos x\,dx=\Big[\sin x\Big]_0^{\frac{\pi}{2}}=\sin\frac{\pi}{2}-\sin 0=1$

답 1

1011

위끝과 아래끝이 같으므로

$\int_\pi^\pi \sec^2 x\,dx=0$

답 0

1012

$\int_1^0 2^x dx=-\int_0^1 2^x dx=-\left[\frac{2^x}{\ln 2}\right]_0^1$

$=-\left(\frac{2}{\ln 2}-\frac{1}{\ln 2}\right)=-\frac{1}{\ln 2}$

답 $-\frac{1}{\ln 2}$

1013

$\int_0^1(\sqrt{x}+1)dx+\int_0^1(\sqrt{x}-1)dx$

$=\int_0^1\{(\sqrt{x}+1)+(\sqrt{x}-1)\}dx=\int_0^1 2\sqrt{x}\,dx$

$=2\int_0^1\sqrt{x}\,dx=2\left[\frac{2}{3}x^{\frac{3}{2}}\right]_0^1=\frac{4}{3}$

답 $\frac{4}{3}$

1014

$\int_0^2(e^x+1)dx+\int_0^2(e^x-1)dx$

$=\int_0^2\{(e^x+1)+(e^x-1)\}dx=\int_0^2 2e^x dx$

$=2\int_0^2 e^x dx=2\Big[e^x\Big]_0^2=2(e^2-1)$

답 $2(e^2-1)$

1015

$\int_0^5\sqrt{x}\,dx+\int_5^9\sqrt{x}\,dx=\int_0^9\sqrt{x}\,dx=\left[\frac{2}{3}x^{\frac{3}{2}}\right]_0^9=18$

답 18

1016

$\int_0^{\frac{\pi}{2}}\sin 2x\,dx-\int_\pi^{\frac{\pi}{2}}\sin 2y\,dy$

$=\int_0^{\frac{\pi}{2}}\sin 2x\,dx+\int_{\frac{\pi}{2}}^\pi\sin 2x\,dx=\int_0^\pi\sin 2x\,dx$

$=\left[-\frac{1}{2}\cos 2x\right]_0^\pi=-\frac{1}{2}-\left(-\frac{1}{2}\right)=0$

답 0

1017

$|\cos x|=\begin{cases}-\cos x & \left(\frac{\pi}{2}\le x\le\frac{3}{2}\pi\right)\\ \cos x & \left(\frac{3}{2}\pi\le x\le\frac{5}{2}\pi\right)\end{cases}$ 이므로

$\int_{\frac{\pi}{2}}^{\frac{5}{2}\pi}|\cos x|dx=\int_{\frac{\pi}{2}}^{\frac{3}{2}\pi}(-\cos x)dx+\int_{\frac{3}{2}\pi}^{\frac{5}{2}\pi}\cos x\,dx$

$=\Big[-\sin x\Big]_{\frac{\pi}{2}}^{\frac{3}{2}\pi}+\Big[\sin x\Big]_{\frac{3}{2}\pi}^{\frac{5}{2}\pi}=2+2=4$

답 4

Lecture

절댓값 기호를 포함한 함수의 정적분

(i) 절댓값 기호 안의 식의 값이 0이 되게 하는 x의 값을 경계로 적분 구간을 나눈다.

(ii) $\int_a^b f(x)dx=\int_a^c f(x)dx+\int_c^b f(x)dx$임을 이용하여 정적분의 값을 구한다.

1018

$|e^x-1|=\begin{cases}-e^x+1 & (x\le 0)\\ e^x-1 & (x\ge 0)\end{cases}$ 이므로

$\int_{-1}^1|e^x-1|dx=\int_{-1}^0(-e^x+1)dx+\int_0^1(e^x-1)dx$

$=\Big[-e^x+x\Big]_{-1}^0+\Big[e^x-x\Big]_0^1$

$=\frac{1}{e}+e-2$

답 $\frac{1}{e}+e-2$

1019
$\tan x$, $-x$는 기함수이므로

$\int_{-1}^{1}(\tan x-x)dx=0$

답 0

1020
$\sin 2x$는 기함수, x^2은 우함수이므로

$\int_{-2}^{2}(\sin 2x+x^2)dx=2\int_{0}^{2}x^2dx=2\left[\frac{1}{3}x^3\right]_0^2=\frac{16}{3}$

답 $\frac{16}{3}$

1021
$f(x)=e^x+e^{-x}$으로 놓으면 $f(-x)=e^{-x}+e^x=f(x)$

따라서 $f(x)=e^x+e^{-x}$은 우함수이므로

$\int_{-4}^{4}(e^x+e^{-x})dx=2\int_{0}^{4}(e^x+e^{-x})dx=2\left[e^x-e^{-x}\right]_0^4$

$=2\left(e^4-\frac{1}{e^4}\right)$

답 $2\left(e^4-\frac{1}{e^4}\right)$

1022
$\sin x$는 기함수, $\cos x$는 우함수이므로

$\int_{-\pi}^{\pi}(\sin x+\cos x)dx=2\int_{0}^{\pi}\cos x\,dx=2\left[\sin x\right]_0^{\pi}=0$

답 0

1023
$f(x+2)=f(x)$를 만족시키므로

$\int_{-1}^{1}f(x)dx=\int_{1}^{3}f(x)dx=\int_{3}^{5}f(x)dx=2$

$\therefore \int_{-1}^{5}f(x)dx=\int_{-1}^{1}f(x)dx+\int_{1}^{3}f(x)dx+\int_{3}^{5}f(x)dx$

$=2\times3=6$

답 6

1024
$2x+1=t$로 놓으면 $2=\frac{dt}{dx}$

$x=0$일 때 $t=1$, $x=1$일 때 $t=3$이므로

$\int_{0}^{1}(2x+1)^3dx=\frac{1}{2}\int_{0}^{1}2(2x+1)^3dx=\frac{1}{2}\int_{1}^{3}t^3dt$

$=\frac{1}{2}\left[\frac{1}{4}t^4\right]_1^3=\frac{1}{2}\left(\frac{81}{4}-\frac{1}{4}\right)=10$

답 10

1025
$x+1=t$로 놓으면 $1=\frac{dt}{dx}$

$x=0$일 때 $t=1$, $x=3$일 때 $t=4$이므로

$\int_{0}^{3}\sqrt{x+1}\,dx=\int_{1}^{4}\sqrt{t}\,dt=\int_{1}^{4}t^{\frac{1}{2}}dt$

$=\left[\frac{2}{3}t^{\frac{3}{2}}\right]_1^4=\frac{2}{3}(8-1)=\frac{14}{3}$

답 $\frac{14}{3}$

1026
$x^2-1=t$로 놓으면 $2x=\frac{dt}{dx}$

$x=1$일 때 $t=0$, $x=2$일 때 $t=3$이므로

$\int_{1}^{2}2x(x^2-1)^2dx=\int_{0}^{3}t^2dt=\left[\frac{1}{3}t^3\right]_0^3=9$

답 9

1027
$2x^2+1=t$로 놓으면 $4x=\frac{dt}{dx}$

$x=0$일 때 $t=1$, $x=2$일 때 $t=9$이므로

$\int_{0}^{2}\frac{x}{2x^2+1}dx=\frac{1}{4}\int_{0}^{2}\frac{4x}{2x^2+1}dx=\frac{1}{4}\int_{1}^{9}\frac{1}{t}dt$

$=\frac{1}{4}\left[\ln|t|\right]_1^9=\frac{1}{4}\ln 9=\frac{1}{2}\ln 3$

답 $\frac{1}{2}\ln 3$

1028
$e^x+1=t$로 놓으면 $e^x=\frac{dt}{dx}$

$x=0$일 때 $t=2$, $x=\ln 3$일 때 $t=4$이므로

$\int_{0}^{\ln 3}\frac{e^x}{e^x+1}dx=\int_{2}^{4}\frac{1}{t}dt=\left[\ln|t|\right]_2^4$

$=\ln 4-\ln 2=\ln 2$

답 $\ln 2$

1029
$x^2=t$로 놓으면 $2x=\frac{dt}{dx}$

$x=0$일 때 $t=0$, $x=1$일 때 $t=1$이므로

$\int_{0}^{1}xe^{x^2}dx=\frac{1}{2}\int_{0}^{1}2xe^{x^2}dx=\frac{1}{2}\int_{0}^{1}e^t\,dt$

$=\frac{1}{2}\left[e^t\right]_0^1=\frac{1}{2}(e-1)$

답 $\frac{1}{2}(e-1)$

1030
$\sin x=t$로 놓으면 $\cos x=\frac{dt}{dx}$

$x=0$일 때 $t=0$, $x=\frac{\pi}{2}$일 때 $t=1$이므로

$\int_{0}^{\frac{\pi}{2}}\sin^3x\cos x\,dx=\int_{0}^{1}t^3dt=\left[\frac{1}{4}t^4\right]_0^1=\frac{1}{4}$

답 $\frac{1}{4}$

1031
$x=\sin\theta\left(-\frac{\pi}{2}\le\theta\le\frac{\pi}{2}\right)$로 놓으면 $\frac{dx}{d\theta}=$ (가) $\cos\theta$

$x=0$일 때 $\theta=$ (나) 0, $x=1$일 때 $\theta=\frac{\pi}{2}$이므로

$\int_{0}^{1}\sqrt{1-x^2}\,dx=\int_{(나)\,0}^{\frac{\pi}{2}}\sqrt{1-\sin^2\theta}\times$ (가) $\cos\theta$ $d\theta$

$=\int_{(나)\,0}^{\frac{\pi}{2}}\cos^2\theta\,d\theta$

이때, $\cos 2\theta=2\cos^2\theta-1$에서 $\cos^2\theta=\dfrac{1+\cos 2\theta}{2}$이므로

$$\int_0^1\sqrt{1-x^2}\,dx=\int_{\boxed{(나)\,0}}^{\frac{\pi}{2}}\cos^2\theta\,d\theta=\frac{1}{2}\int_{\boxed{(나)\,0}}^{\frac{\pi}{2}}(1+\cos 2\theta)d\theta$$
$$=\frac{1}{2}\left[\boxed{(다)\,\theta+\frac{1}{2}\sin 2\theta}\right]_{\boxed{(나)\,0}}^{\frac{\pi}{2}}=\boxed{(라)\,\frac{\pi}{4}}$$

답 (가) $\cos\theta$ (나) 0 (다) $\theta+\dfrac{1}{2}\sin 2\theta$ (라) $\dfrac{\pi}{4}$

1032

$x=2\sin\theta\left(-\dfrac{\pi}{2}\le\theta\le\dfrac{\pi}{2}\right)$로 놓으면 $\dfrac{dx}{d\theta}=2\cos\theta$

$x=0$일 때 $\theta=0$, $x=\sqrt{2}$일 때 $\theta=\dfrac{\pi}{4}$이므로

$$\int_0^{\sqrt{2}}\frac{1}{\sqrt{4-x^2}}dx=\int_0^{\frac{\pi}{4}}\frac{1}{\sqrt{4-4\sin^2\theta}}\times 2\cos\theta\,d\theta$$
$$=\int_0^{\frac{\pi}{4}}\frac{2\cos\theta}{2\cos\theta}d\theta=\int_0^{\frac{\pi}{4}}d\theta=\Big[\theta\Big]_0^{\frac{\pi}{4}}=\frac{\pi}{4}$$

답 $\dfrac{\pi}{4}$

1033

$x=\tan\theta\left(-\dfrac{\pi}{2}<\theta<\dfrac{\pi}{2}\right)$로 놓으면 $\dfrac{dx}{d\theta}=\sec^2\theta$

$x=0$일 때 $\theta=0$, $x=\dfrac{1}{\sqrt{3}}$일 때 $\theta=\dfrac{\pi}{6}$이므로

$$\int_0^{\frac{1}{\sqrt{3}}}\frac{1}{x^2+1}dx=\int_0^{\frac{\pi}{6}}\frac{1}{\tan^2\theta+1}\times\sec^2\theta\,d\theta$$
$$=\int_0^{\frac{\pi}{6}}\frac{\sec^2\theta}{\sec^2\theta}d\theta=\int_0^{\frac{\pi}{6}}d\theta=\Big[\theta\Big]_0^{\frac{\pi}{6}}=\frac{\pi}{6}$$

답 $\dfrac{\pi}{6}$

1034

$f(x)=x$, $g'(x)=e^x$으로 놓으면

$f'(x)=1$, $g(x)=e^x$

$$\therefore \int_0^1 xe^x\,dx=\Big[xe^x\Big]_0^1-\int_0^1 e^x\,dx=e-\Big[e^x\Big]_0^1$$
$$=e-(e-1)=1$$

답 1

1035

$f(x)=\ln x$, $g'(x)=1$로 놓으면

$f'(x)=\dfrac{1}{x}$, $g(x)=x$

$$\therefore \int_1^e\ln x\,dx=\Big[x\ln x\Big]_1^e-\int_1^e dx=e-\Big[x\Big]_1^e$$
$$=e-(e-1)=1$$

답 1

1036

주어진 식의 양변을 x에 대하여 미분하면

$f(x)=-e^{-x}$

답 $f(x)=-e^{-x}$

1037

주어진 식의 양변을 x에 대하여 미분하면

$f(x)=\dfrac{1}{x}-1$

답 $f(x)=\dfrac{1}{x}-1$

1038

주어진 식의 양변을 x에 대하여 미분하면

$f(x)=-\sin x+2$

답 $f(x)=-\sin x+2$

1039

(1) $f(t)$의 한 부정적분을 $F(t)$라 하면

$$\lim_{x\to-1}\frac{1}{x+1}\int_{-1}^x f(t)dt=\lim_{x\to-1}\frac{F(x)-F(-1)}{x+1}$$
$$=F'(-1)=f(-1)$$
$$=(-1)^2-1+3=3$$

(2) $f(t)$의 한 부정적분을 $F(t)$라 하면

$$\lim_{x\to0}\frac{1}{x}\int_2^{x+2}f(t)\,dt=\lim_{x\to0}\frac{F(x+2)-F(2)}{x}$$
$$=F'(2)=f(2)$$
$$=2^2-e^3+3=7-e^3$$

답 (1) 3 (2) $7-e^3$

STEP 2 유형 마스터

1040

|전략| $\displaystyle\int_a^b x^n\,dx=\left[\frac{1}{n+1}x^{n+1}\right]_a^b(n\ne-1)$, $\displaystyle\int_a^b\frac{1}{x}dx=\Big[\ln|x|\Big]_a^b$임을 이용한다.

$$\int_1^2\frac{x^2-2x+1}{x^3}dx=\int_1^2\left(\frac{1}{x}-\frac{2}{x^2}+\frac{1}{x^3}\right)dx$$
$$=\int_1^2\left(\frac{1}{x}-2x^{-2}+x^{-3}\right)dx$$
$$=\left[\ln|x|+2x^{-1}-\frac{1}{2}x^{-2}\right]_1^2$$
$$=\left(\ln 2+\frac{7}{8}\right)-\frac{3}{2}=\ln 2-\frac{5}{8}$$

답 $\ln 2-\dfrac{5}{8}$

1041

$$\int_{-1}^1\frac{x+2}{x^2-x-6}dx=\int_{-1}^1\frac{x+2}{(x-3)(x+2)}dx$$
$$=\int_{-1}^1\frac{1}{x-3}dx=\Big[\ln|x-3|\Big]_{-1}^1$$
$$=\ln 2-\ln 4=-\ln 2$$

$\therefore a=2$

답 ②

1042

$$\int_2^1 \frac{1}{x(x+1)}dx+\int_1^4 \frac{1}{y(y+1)}dy+\int_4^3 \frac{1}{z(z+1)}dz$$
$$=\int_2^1 \frac{1}{x(x+1)}dx+\int_1^4 \frac{1}{x(x+1)}dx+\int_4^3 \frac{1}{x(x+1)}dx$$
$$=\int_2^4 \frac{1}{x(x+1)}dx+\int_4^3 \frac{1}{x(x+1)}dx$$
$$=\int_2^3 \frac{1}{x(x+1)}dx=\int_2^3\left(\frac{1}{x}-\frac{1}{x+1}\right)dx$$
$$=\Big[\ln|x|-\ln|x+1|\Big]_2^3$$
$$=(\ln 3-\ln 4)-(\ln 2-\ln 3)$$
$$=2\ln 3-3\ln 2=\ln\frac{9}{8}$$

답 ③

1043

|전략| $\int_a^b x^n dx=\left[\frac{1}{n+1}x^{n+1}\right]_a^b (n\neq -1)$임을 이용한다.

$$\int_0^1 (\sqrt{x}-\sqrt[3]{x})^2 dx=\int_0^1 (x-2\sqrt{x}\sqrt[3]{x}+\sqrt[3]{x^2})dx$$
$$=\int_0^1 (x-2x^{\frac{5}{6}}+x^{\frac{2}{3}})dx$$
$$=\left[\frac{1}{2}x^2-\frac{12}{11}x^{\frac{11}{6}}+\frac{3}{5}x^{\frac{5}{3}}\right]_0^1$$
$$=\frac{1}{2}-\frac{12}{11}+\frac{3}{5}=\frac{1}{110}$$

답 ④

1044

$$\int_1^3 \frac{\{f(x-1)\}^2}{f(x)}dx=\int_1^3 \frac{x-1}{\sqrt{x}}dx=\int_1^3\left(\sqrt{x}-\frac{1}{\sqrt{x}}\right)dx$$
$$=\int_1^3 (x^{\frac{1}{2}}-x^{-\frac{1}{2}})dx=\left[\frac{2}{3}x^{\frac{3}{2}}-2x^{\frac{1}{2}}\right]_1^3$$
$$=(2\sqrt{3}-2\sqrt{3})-\left(\frac{2}{3}-2\right)=\frac{4}{3}$$

답 ⑤

1045

$$\sum_{n=0}^{a}\int_n^{n+1} f(x)dx=\int_0^1 f(x)dx+\int_1^2 f(x)dx+\cdots+\int_a^{a+1} f(x)dx$$
$$=\int_0^{a+1} f(x)dx=\int_0^{a+1} 3\sqrt{x}dx$$
$$=\int_0^{a+1} 3x^{\frac{1}{2}}dx=\left[2x^{\frac{3}{2}}\right]_0^{a+1}$$
$$=2(a+1)^{\frac{3}{2}}$$ … ❶

즉, $2(a+1)^{\frac{3}{2}}=54$이므로

$(a+1)^{\frac{3}{2}}=27$, $a+1=9$

$\therefore a=8$ … ❷

답 8

채점 기준	비율
❶ $\sum_{n=0}^{a}\int_n^{n+1} f(x)dx$를 a에 대한 식으로 간단히 나타낼 수 있다.	60 %
❷ a의 값을 구할 수 있다.	40 %

1046

|전략| $\int_\alpha^\beta e^{kx}dx=\left[\frac{1}{k}e^{kx}\right]_\alpha^\beta$임을 이용한다.

$$\int_0^{\ln 2}\frac{e^{3x}}{e^x+1}dx-\int_{\ln 2}^0 \frac{1}{e^t+1}dt$$
$$=\int_0^{\ln 2}\frac{e^{3x}}{e^x+1}dx+\int_0^{\ln 2}\frac{1}{e^x+1}dx$$
$$=\int_0^{\ln 2}\frac{e^{3x}+1}{e^x+1}dx=\int_0^{\ln 2}(e^{2x}-e^x+1)dx$$
$$=\left[\frac{1}{2}e^{2x}-e^x+x\right]_0^{\ln 2}$$
$$=\left(\frac{1}{2}\times 4-2+\ln 2\right)-\left(\frac{1}{2}-1\right)=\ln 2+\frac{1}{2}$$

답 ⑤

1047

$$\int_{-1}^0 \sqrt{e^{2x}+4e^x+4}\,dx=\int_{-1}^0 \sqrt{(e^x+2)^2}\,dx$$
$$=\int_{-1}^0 (e^x+2)dx\ (\because e^x+2>0)$$
$$=\Big[e^x+2x\Big]_{-1}^0$$
$$=1-(e^{-1}-2)=3-\frac{1}{e}$$

답 $3-\frac{1}{e}$

1048

$$\int_0^1 (3^x+1)(9^x-3^x+1)dx=\int_0^1 (27^x+1)dx$$
$$=\left[\frac{27^x}{\ln 27}+x\right]_0^1$$
$$=\left(\frac{27}{\ln 27}+1\right)-\frac{1}{\ln 27}=\frac{26}{\ln 27}+1$$

따라서 $a=26$, $b=1$이므로 $a+b=27$

답 ④

1049

|전략| $\int_\alpha^\beta \sin kx\,dx=\left[-\frac{1}{k}\cos kx\right]_\alpha^\beta$임을 이용하여 주어진 정적분의 값을 a에 대한 식으로 나타낸다.

$$\int_0^a (\sin x+\cos x)^2 dx-\int_0^a (\sin x-\cos x)^2 dx$$
$$=\int_0^a \{(1+2\sin x\cos x)-(1-2\sin x\cos x)\}dx$$
$$=\int_0^a 4\sin x\cos x\,dx=\int_0^a 2\sin 2x\,dx$$
$$=\Big[-\cos 2x\Big]_0^a=-\cos 2a+1$$

즉, $-\cos 2a+1=\frac{1}{2}$이므로

$\cos 2a=\frac{1}{2}$, $2a=\frac{\pi}{3}$ ($\because 0<2a<\pi$)

$\therefore a=\frac{\pi}{6}$

답 ③

Lecture

배각의 공식

(1) $\sin 2\alpha=2\sin\alpha\cos\alpha$

(2) $\cos 2\alpha=\cos^2\alpha-\sin^2\alpha=2\cos^2\alpha-1=1-2\sin^2\alpha$

9 정적분

1050

$$\int_0^{\frac{\pi}{6}}\tan^2 x\,dx=\int_0^{\frac{\pi}{6}}(\sec^2 x-1)dx$$
$$=\Big[\tan x-x\Big]_0^{\frac{\pi}{6}}=\frac{\sqrt{3}}{3}-\frac{\pi}{6}$$

답 ③

1051

$$\int_\pi^{2\pi}(\cos^2 x-\sin x+2)dx-\int_{2\pi}^{\pi}(\sin^2 t-3)dt$$
$$=\int_\pi^{2\pi}(\cos^2 x-\sin x+2)dx+\int_\pi^{2\pi}(\sin^2 x-3)dx$$
$$=\int_\pi^{2\pi}(\cos^2 x+\sin^2 x-\sin x-1)dx$$
$$=\int_\pi^{2\pi}(-\sin x)dx=\Big[\cos x\Big]_\pi^{2\pi}=1-(-1)=2$$

답 2

1052

|전략| 적분 구간을 나누어 정적분의 값을 구한다.

$$\int_{-2}^{\frac{\pi}{2}}f(x)dx=\int_{-2}^{0}(e^x-1)dx+\int_0^{\frac{\pi}{2}}(\cos x-1)dx$$
$$=\Big[e^x-x\Big]_{-2}^{0}+\Big[\sin x-x\Big]_0^{\frac{\pi}{2}}$$
$$=(-1-e^{-2})+\left(1-\frac{\pi}{2}\right)$$
$$=-\frac{1}{e^2}-\frac{\pi}{2}$$

답 $-\frac{1}{e^2}-\frac{\pi}{2}$

1053

$f(x)=\begin{cases}-\frac{2}{(x+2)^3} & (x\le -3)\\ e^{-x}-e^3+2 & (x\ge -3)\end{cases}$이므로

$f(x-2)=\begin{cases}-\frac{2}{x^3} & (x\le -1)\\ e^{-x+2}-e^3+2 & (x\ge -1)\end{cases}$

$$\therefore \int_{-3}^{2}f(x-2)dx=\int_{-3}^{-1}\left(-\frac{2}{x^3}\right)dx+\int_{-1}^{2}(e^{-x+2}-e^3+2)dx$$
$$=\int_{-3}^{-1}(-2x^{-3})\,dx+\int_{-1}^{2}(e^{-x}\times e^2-e^3+2)dx$$
$$=\Big[\frac{1}{x^2}\Big]_{-3}^{-1}+\Big[-e^2\times e^{-x}-e^3x+2x\Big]_{-1}^{2}$$
$$=\frac{8}{9}+(-2e^3+5)$$
$$=-2e^3+\frac{53}{9}$$

답 $-2e^3+\frac{53}{9}$

1054

함수 $f(x)$가 모든 실수 x에 대하여 연속이므로 $f(x)$는 $x=\frac{\pi}{2}$에서 연속이다.

즉, $\lim\limits_{x\to\frac{\pi}{2}-}\sin x=\lim\limits_{x\to\frac{\pi}{2}+}(\cos x+k)=f\left(\frac{\pi}{2}\right)$에서

$k=1$

따라서 $f(x)=\begin{cases}\sin x & \left(x<\frac{\pi}{2}\right)\\ \cos x+1 & \left(x\ge\frac{\pi}{2}\right)\end{cases}$이므로

$$\int_0^{\pi}f(x)dx=\int_0^{\frac{\pi}{2}}\sin x\,dx+\int_{\frac{\pi}{2}}^{\pi}(\cos x+1)dx$$
$$=\Big[-\cos x\Big]_0^{\frac{\pi}{2}}+\Big[\sin x+x\Big]_{\frac{\pi}{2}}^{\pi}$$
$$=1+\left(\pi-1-\frac{\pi}{2}\right)=\frac{\pi}{2}$$

답 ②

1055

|전략| $\frac{x-1}{x+1}=0$이 되게 하는 x의 값을 경계로 적분 구간을 나누어 정적분의 값을 구한다.

$\left|\frac{x-1}{x+1}\right|=\begin{cases}-\frac{x-1}{x+1} & (-1<x\le 1)\\ \frac{x-1}{x+1} & (x<-1 \text{ 또는 } x\ge 1)\end{cases}$이므로

$$\int_0^2\left|\frac{x-1}{x+1}\right|dx=\int_0^1\left(-\frac{x-1}{x+1}\right)dx+\int_1^2\frac{x-1}{x+1}dx$$
$$=\int_0^1\left(-1+\frac{2}{x+1}\right)dx+\int_1^2\left(1-\frac{2}{x+1}\right)dx$$
$$=\Big[-x+2\ln|x+1|\Big]_0^1+\Big[x-2\ln|x+1|\Big]_1^2$$
$$=(-1+2\ln 2)+(1-2\ln 3+2\ln 2)$$
$$=4\ln 2-2\ln 3=\ln\frac{16}{9}$$

답 ⑤

1056

$\sqrt{x+3}-2=0$에서 $\sqrt{x+3}=2$

$x+3=4 \qquad \therefore x=1$

즉, $|\sqrt{x+3}-2|=\begin{cases}-\sqrt{x+3}+2 & (-3\le x\le 1)\\ \sqrt{x+3}-2 & (x\ge 1)\end{cases}$이므로

$$\int_{-2}^{6}|\sqrt{x+3}-2|dx$$
$$=\int_{-2}^{1}(-\sqrt{x+3}+2)dx+\int_1^6(\sqrt{x+3}-2)dx$$
$$=\Big[-\frac{2}{3}(x+3)^{\frac{3}{2}}+2x\Big]_{-2}^{1}+\Big[\frac{2}{3}(x+3)^{\frac{3}{2}}-2x\Big]_1^6$$
$$=\frac{4}{3}+\frac{8}{3}=4$$

답 ④

1057

$\int_{-1}^{1}f'(x)dx=f(1)-f(-1)$이므로

$\int_{-1}^{1}|e^x-1|dx=f(1)-f(-1)$

$\therefore f(1)=f(-1)+\int_{-1}^{1}|e^x-1|dx$ ⋯ ❶

이때, $|e^x-1|=\begin{cases}1-e^x & (x\le 0)\\ e^x-1 & (x\ge 0)\end{cases}$이므로

$$\int_{-1}^{1}|e^x-1|dx=\int_{-1}^{0}(1-e^x)dx+\int_0^1(e^x-1)dx$$
$$=\Big[x-e^x\Big]_{-1}^{0}+\Big[e^x-x\Big]_0^1$$
$$=\frac{1}{e}+e-2$$ ⋯ ❷

$\therefore f(1)=f(-1)+\frac{1}{e}+e-2=e+\frac{1}{e}$ ··· ❸

답 $e+\frac{1}{e}$

채점 기준	비율
❶ $f(1)$을 $f(-1)$과 $f'(x)$의 정적분의 합으로 나타낼 수 있다.	30 %
❷ $\int_{-1}^{1}\lvert e^x-1\rvert dx$의 값을 구할 수 있다.	50 %
❸ $f(1)$의 값을 구할 수 있다.	20 %

1058

|전략| $f(x)=x$, $g(x)=e^x+e^{-x}$으로 놓고 (기함수)×(우함수)=(기함수)임을 이용한다.

$\int_{-1}^{1}x(e^x+e^{-x})dx$에서 $f(x)=x$, $g(x)=e^x+e^{-x}$으로 놓으면

$f(-x)=-x=-f(x)$, $g(-x)=e^{-x}+e^x=g(x)$

따라서 $f(x)$는 기함수이고 $g(x)$는 우함수이므로 $f(x)g(x)$는 기함수이다.

$\therefore \int_{-1}^{1}x(e^x+e^{-x})dx=0$

답 ①

Lecture

우함수, 기함수의 곱

(1) (우함수)×(우함수)=(우함수)
(2) (우함수)×(기함수)=(기함수)
(3) (기함수)×(기함수)=(우함수)

1059

$f(x)=\tan(\cos x)$에서

$f(-x)=\tan\{\cos(-x)\}=\tan(\cos x)=f(x)$

따라서 $f(x)$는 우함수이므로

$\int_{-2}^{0}f(x)dx=\int_{0}^{2}f(x)dx=a$

$\therefore \int_{-2}^{3}f(x)dx=\int_{-2}^{0}f(x)dx+\int_{0}^{3}f(x)dx=a+b$

답 $a+b$

1060

$f(-x)=-f(x)$이므로 $f(x)$는 기함수이고,

$\sin(-x)=-\sin x$, $\cos(-x)=\cos x$이다.

ㄱ. $\sin f(-x)=\sin\{-f(x)\}=-\sin f(x)$이므로 $\sin f(x)$는 기함수이다.

$\therefore \int_{-\frac{\pi}{2}}^{\frac{\pi}{2}}\sin f(x)dx=0$

ㄴ. $\cos f(-x)=\cos\{-f(x)\}=\cos f(x)$이므로 $\cos f(x)$는 우함수이다.

즉, $\int_{-\pi}^{\pi}\cos f(x)dx$의 값이 항상 0인 것은 아니다.

ㄷ. $f(x)$는 기함수, $\cos x$는 우함수이므로 $f(x)\cos x$는 기함수이다.

$\therefore \int_{-\frac{\pi}{2}}^{\frac{\pi}{2}}f(x)\cos x\,dx=0$

따라서 정적분의 값이 항상 0인 것은 ㄱ, ㄷ이다.

답 ㄱ, ㄷ

1061

|전략| 주기가 p인 연속함수 $f(x)$에 대하여 $\int_{a}^{a+p}f(x)dx=\int_{b}^{b+p}f(x)dx$임을 이용한다.

$f(x)=\lvert\cos x\rvert$로 놓으면 $f(x)$는 주기가 π인 주기함수이므로

$\int_{0}^{\pi}\lvert\cos x\rvert dx=\int_{\pi}^{2\pi}\lvert\cos x\rvert dx=\int_{2\pi}^{3\pi}\lvert\cos x\rvert dx$

$$\begin{aligned}\therefore \int_{0}^{3\pi}\lvert\cos x\rvert dx&=3\int_{0}^{\pi}\lvert\cos x\rvert dx\\&=3\left\{\int_{0}^{\frac{\pi}{2}}\cos x\,dx+\int_{\frac{\pi}{2}}^{\pi}(-\cos x)dx\right\}\\&=3\Big[\sin x\Big]_{0}^{\frac{\pi}{2}}-3\Big[\sin x\Big]_{\frac{\pi}{2}}^{\pi}\\&=3+3=6\end{aligned}$$

답 ③

1062

$f(x)=f(x+2)$에서 $f(x)$는 주기가 2인 주기함수이므로

$\int_{-1}^{1}f(x)dx=\int_{1}^{3}f(x)dx=\int_{3}^{5}f(x)dx$

이때, $f(-x)=\frac{e^{-x}+e^x}{2}=f(x)$이므로 $f(x)$는 우함수이다.

$$\begin{aligned}\therefore \int_{-1}^{5}f(x)dx&=3\int_{-1}^{1}f(x)dx=6\int_{0}^{1}f(x)dx\\&=6\int_{0}^{1}\frac{e^x+e^{-x}}{2}dx=3\int_{0}^{1}(e^x+e^{-x})dx\\&=3\Big[e^x-e^{-x}\Big]_{0}^{1}=3\left(e-\frac{1}{e}\right)\end{aligned}$$

$\therefore k=3$

답 3

1063

$f(x)=\lvert\sin x\rvert$로 놓으면 $f(x)$는 주기가 π인 주기함수이므로

$$\int_{0}^{\pi}\lvert\sin x\rvert dx=\int_{\pi}^{2\pi}\lvert\sin x\rvert dx=\int_{2\pi}^{3\pi}\lvert\sin x\rvert dx=\cdots=\int_{(n-1)\pi}^{n\pi}\lvert\sin x\rvert dx$$

$$\begin{aligned}\therefore \int_{0}^{n\pi}\lvert\sin x\rvert dx&=n\int_{0}^{\pi}\lvert\sin x\rvert dx=n\int_{0}^{\pi}\sin x\,dx\\&=n\Big[-\cos x\Big]_{0}^{\pi}=2n\end{aligned}$$

따라서 $a_{n+1}=a_n+2n$이므로 n 대신 1, 2, 3, ⋯, $n-1$을 차례로 대입하여 변끼리 더하면

$$\begin{aligned}\cancel{a_2}&=a_1+2\times1\\\cancel{a_3}&=\cancel{a_2}+2\times2\\\cancel{a_4}&=\cancel{a_3}+2\times3\\&\ \ \vdots\\+)\ a_n&=\cancel{a_{n-1}}+2(n-1)\\\hline a_n&=a_1+2\{1+2+3+\cdots+(n-1)\}\end{aligned}$$

$$\begin{aligned}\therefore a_n&=a_1+2\sum_{k=1}^{n-1}k=1+2\times\frac{(n-1)n}{2}\\&=(n-1)n+1\end{aligned}$$

$a_n\ge101$에서 $(n-1)n+1\ge101$ $\quad\therefore (n-1)n\ge100$

이때, $9\times10=90$, $10\times11=110$이므로 구하는 자연수 n의 최솟값은 11이다.

답 ③

1064

|전략| $\sqrt{x-1}=t$로 놓고 치환적분법을 이용한다.

$\sqrt{x-1}=t$로 놓으면 $x=t^2+1$이고 $1=2t\dfrac{dt}{dx}$

$x=1$일 때 $t=0$, $x=2$일 때 $t=1$이므로

$$\int_1^2 x\sqrt{x-1}\,dx=\int_0^1 (t^2+1)\times t\times 2t\,dt=2\int_0^1 (t^4+t^2)dt$$
$$=2\left[\frac{1}{5}t^5+\frac{1}{3}t^3\right]_0^1=\frac{16}{15}$$

따라서 $p=15$, $q=16$이므로 $p+q=31$ 답 31

다른 풀이 $x-1=t$로 놓으면 $1=\dfrac{dt}{dx}$

$x=1$일 때 $t=0$, $x=2$일 때 $t=1$이므로

$$\int_1^2 x\sqrt{x-1}\,dx=\int_0^1 (t+1)\sqrt{t}\,dt=\int_0^1 (t\sqrt{t}+\sqrt{t})dt$$
$$=\left[\frac{2}{5}t^{\frac{5}{2}}+\frac{2}{3}t^{\frac{3}{2}}\right]_0^1=\frac{16}{15}$$

따라서 $p=15$, $q=16$이므로 $p+q=31$

1065

$x^2+1=t$로 놓으면 $2x=\dfrac{dt}{dx}$

$x=0$일 때 $t=1$, $x=\sqrt{3}$일 때 $t=4$이므로

$$\int_0^{\sqrt{3}} \frac{4x}{\sqrt{x^2+1}}dx=2\int_1^4 \frac{1}{\sqrt{t}}dt=2\int_1^4 t^{-\frac{1}{2}}dt$$
$$=2\left[2t^{\frac{1}{2}}\right]_1^4=4$$

답 ④

1066

$x^3+2=t$로 놓으면 $3x^2=\dfrac{dt}{dx}$

$x=0$일 때 $t=2$, $x=a$일 때 $t=a^3+2$이므로 ··· ❶

$$\int_0^a \frac{6x^2}{x^3+2}dx=2\int_2^{a^3+2}\frac{1}{t}dt=2\Big[\ln|t|\Big]_2^{a^3+2}$$
$$=2\{\ln(a^3+2)-\ln 2\}\ (\because\ a>0)$$
$$=\ln\left(\frac{a^3+2}{2}\right)^2$$ ··· ❷

즉, $\ln\left(\dfrac{a^3+2}{2}\right)^2=\ln 25$이고 $a>0$이므로

$\dfrac{a^3+2}{2}=5$, $a^3=8$ $\quad\therefore a=2$ ··· ❸

답 2

채점 기준	비율
❶ $x^3+2=t$로 치환하고 적분 구간을 구할 수 있다.	40 %
❷ $\int_0^a \frac{6x^2}{x^3+2}dx$를 a에 대한 식으로 간단히 나타낼 수 있다.	40 %
❸ a의 값을 구할 수 있다.	20 %

1067

|전략| $2^x+1=t$로 놓고 치환적분법을 이용한다.

$2^x+1=t$로 놓으면 $2^x\ln 2=\dfrac{dt}{dx}$

$x=0$일 때 $t=2$, $x=2$일 때 $t=5$이므로

$$\int_0^2 \frac{2^x\ln 2}{2^x+1}dx=\int_2^5 \frac{1}{t}dt=\Big[\ln|t|\Big]_2^5$$
$$=\ln 5-\ln 2=\ln\frac{5}{2}$$

답 ②

1068

$$\int_0^{\sqrt{2}}(x+1)^2e^{x^2}dx-\int_0^{\sqrt{2}}(x-1)^2e^{x^2}dx$$
$$=\int_0^{\sqrt{2}}\{(x+1)^2-(x-1)^2\}e^{x^2}dx=\int_0^{\sqrt{2}}4xe^{x^2}dx$$

이때, $x^2=t$로 놓으면 $2x=\dfrac{dt}{dx}$

$x=0$일 때 $t=0$, $x=\sqrt{2}$일 때 $t=2$이므로

$$\int_0^{\sqrt{2}}4xe^{x^2}dx=2\int_0^2 e^t\,dt=2\Big[e^t\Big]_0^2=2(e^2-1)$$

답 ④

1069

$$\int_0^{\ln 2}\frac{(e^x+1)(2e^{2x}-e^x)}{e^{3x}+1}dx=\int_0^{\ln 2}\frac{(e^x+1)(2e^x-1)e^x}{(e^x+1)(e^{2x}-e^x+1)}dx$$
$$=\int_0^{\ln 2}\frac{(2e^x-1)e^x}{e^{2x}-e^x+1}dx$$

이때, $e^x=t$로 놓으면 $e^x=\dfrac{dt}{dx}$

$x=0$일 때 $t=1$, $x=\ln 2$일 때 $t=2$이므로

$$\int_0^{\ln 2}\frac{(2e^x-1)e^x}{e^{2x}-e^x+1}dx=\int_1^2\frac{2t-1}{t^2-t+1}dt$$
$$=\Big[\ln|t^2-t+1|\Big]_1^2$$
$$=\ln 3$$

$\int_1^2 \frac{f'(t)}{f(t)}dt=\Big[\ln|f(t)|\Big]_1^2$

답 ②

1070

|전략| $\ln x=t$로 놓고 치환적분법을 이용한다.

$\ln x=t$로 놓으면 $\dfrac{1}{x}=\dfrac{dt}{dx}$

$x=e$일 때 $t=1$, $x=e^4$일 때 $t=4$이므로

$$\int_e^{e^4}\frac{1}{x\sqrt{\ln x}}dx=\int_1^4\frac{1}{\sqrt{t}}dt=\int_1^4 t^{-\frac{1}{2}}dt$$
$$=\left[2t^{\frac{1}{2}}\right]_1^4=2$$

답 ②

1071

$\ln x-1=t$로 놓으면 $\dfrac{1}{x}=\dfrac{dt}{dx}$

$x=1$일 때 $t=-1$, $x=e^2$일 때 $t=1$이므로

$$\int_1^{e^2}\frac{1}{x(\ln x-1)^2}dx=\int_{-1}^1\frac{1}{t^2}dt=\int_{-1}^1 t^{-2}dt$$
$$=\Big[-t^{-1}\Big]_{-1}^1=-2$$

답 ①

1072

$\ln x=t$로 놓으면 $\frac{1}{x}=\frac{dt}{dx}$

$x=1$일 때 $t=0$, $x=e$일 때 $t=1$이므로 ··· ❶

$a_n=\int_1^e \frac{(\ln x)^n}{x}dx=\int_0^1 t^n dt=\left[\frac{1}{n+1}t^{n+1}\right]_0^1=\frac{1}{n+1}$ ··· ❷

$\therefore \sum_{n=1}^{\infty} a_n a_{n+1}=\lim_{n\to\infty}\sum_{k=1}^{n} a_k a_{k+1}$

$=\lim_{n\to\infty}\sum_{k=1}^{n}\frac{1}{(k+1)(k+2)}$

$=\lim_{n\to\infty}\sum_{k=1}^{n}\left(\frac{1}{k+1}-\frac{1}{k+2}\right)$

$=\lim_{n\to\infty}\left\{\left(\frac{1}{2}-\frac{1}{3}\right)+\left(\frac{1}{3}-\frac{1}{4}\right)+\cdots+\left(\frac{1}{n+1}-\frac{1}{n+2}\right)\right\}$

$=\lim_{n\to\infty}\left(\frac{1}{2}-\frac{1}{n+2}\right)=\frac{1}{2}$ ··· ❸

답 $\frac{1}{2}$

채점 기준	비율
❶ $\ln x=t$로 치환하고 적분 구간을 구할 수 있다.	30 %
❷ a_n을 n에 대한 식으로 간단히 나타낼 수 있다.	30 %
❸ $\sum_{n=1}^{\infty}a_n a_{n+1}$의 값을 구할 수 있다.	40 %

1073

|전략| $\sin x=t$로 놓고 치환적분법을 이용한다.

$\int_0^{\frac{\pi}{2}}\cos^3 x\,dx=\int_0^{\frac{\pi}{2}}(1-\sin^2 x)\cos x\,dx$

이때, $\sin x=t$로 놓으면 $\cos x=\frac{dt}{dx}$

$x=0$일 때 $t=0$, $x=\frac{\pi}{2}$일 때 $t=1$이므로

$\int_0^{\frac{\pi}{2}}(1-\sin^2 x)\cos x\,dx=\int_0^1(1-t^2)dt$

$=\left[t-\frac{1}{3}t^3\right]_0^1=\frac{2}{3}$

답 ②

1074

$\int_0^{\frac{\pi}{2}}f(x)\sin 2x\,dx=\int_0^{\frac{\pi}{2}}(\sin x+1)\sin 2x\,dx$

$=\int_0^{\frac{\pi}{2}}(\sin x+1)\times 2\sin x\cos x\,dx$

이때, $\sin x=t$로 놓으면 $\cos x=\frac{dt}{dx}$

$x=0$일 때 $t=0$, $x=\frac{\pi}{2}$일 때 $t=1$이므로

$\int_0^{\frac{\pi}{2}}(\sin x+1)\times 2\sin x\cos x\,dx=\int_0^1(t+1)\times 2t\,dt$

$=\int_0^1(2t^2+2t)dt$

$=\left[\frac{2}{3}t^3+t^2\right]_0^1=\frac{5}{3}$

답 ⑤

1075

$\int_{-\frac{\pi}{4}}^{0}x^2\tan x\,dx+\int_0^{\frac{\pi}{4}}(x^2+1)\tan x\,dx$

$=\int_{-\frac{\pi}{4}}^{0}x^2\tan x\,dx+\int_0^{\frac{\pi}{4}}x^2\tan x\,dx+\int_0^{\frac{\pi}{4}}\tan x\,dx$

$=\int_{-\frac{\pi}{4}}^{\frac{\pi}{4}}x^2\tan x\,dx+\int_0^{\frac{\pi}{4}}\tan x\,dx$

x^2은 우함수, $\tan x$는 기함수이므로 $x^2\tan x$는 기함수이다.

$=\int_0^{\frac{\pi}{4}}\tan x\,dx=\int_0^{\frac{\pi}{4}}\frac{\sin x}{\cos x}dx$

이때, $\cos x=t$로 놓으면 $-\sin x=\frac{dt}{dx}$

$x=0$일 때 $t=1$, $x=\frac{\pi}{4}$일 때 $t=\frac{\sqrt{2}}{2}$이므로

$\int_0^{\frac{\pi}{4}}\frac{\sin x}{\cos x}dx=-\int_1^{\frac{\sqrt{2}}{2}}\frac{1}{t}dt=\int_{\frac{\sqrt{2}}{2}}^{1}\frac{1}{t}dt$

$=\left[\ln|t|\right]_{\frac{\sqrt{2}}{2}}^{1}=-\ln\frac{\sqrt{2}}{2}=\ln\sqrt{2}$

답 ④

1076

|전략| $x=2\sin\theta\left(-\frac{\pi}{2}\le\theta\le\frac{\pi}{2}\right)$로 놓고 치환적분법을 이용한다.

$x=2\sin\theta\left(-\frac{\pi}{2}\le\theta\le\frac{\pi}{2}\right)$로 놓으면 $\frac{dx}{d\theta}=2\cos\theta$

$x=0$일 때 $\theta=0$, $x=2$일 때 $\theta=\frac{\pi}{2}$이므로

$\int_0^2\sqrt{4-x^2}dx=\int_0^{\frac{\pi}{2}}\sqrt{4-4\sin^2\theta}\times 2\cos\theta\,d\theta$

$=4\int_0^{\frac{\pi}{2}}\cos^2\theta\,d\theta$

이때, $\cos 2\theta=2\cos^2\theta-1$에서 $\cos^2\theta=\frac{1+\cos 2\theta}{2}$이므로

$4\int_0^{\frac{\pi}{2}}\cos^2\theta\,d\theta=4\int_0^{\frac{\pi}{2}}\frac{1+\cos 2\theta}{2}d\theta$

$=\frac{4}{2}\left[\theta+\frac{1}{2}\sin 2\theta\right]_0^{\frac{\pi}{2}}=\pi$

답 π

1077

$9x-x^2=9-(9-9x+x^2)=9-(3-x)^2$이므로

$\int_0^3\sqrt{9x-x^2}dx=\int_0^3\sqrt{9-(3-x)^2}dx$

이때, $3-x=3\sin\theta\left(-\frac{\pi}{2}\le\theta\le\frac{\pi}{2}\right)$로 놓으면 $-\frac{dx}{d\theta}=3\cos\theta$

$x=0$일 때 $\theta=\frac{\pi}{2}$, $x=3$일 때 $\theta=0$이므로

$\int_0^3\sqrt{9-(3-x)^2}dx=-\int_{\frac{\pi}{2}}^{0}\sqrt{9-9\sin^2\theta}\times 3\cos\theta\,d\theta$

$=-9\int_{\frac{\pi}{2}}^{0}\cos^2\theta\,d\theta=9\int_0^{\frac{\pi}{2}}\cos^2\theta\,d\theta$

이때, $\cos 2\theta=2\cos^2\theta-1$에서 $\cos^2\theta=\frac{1+\cos 2\theta}{2}$이므로

$9\int_0^{\frac{\pi}{2}}\cos^2\theta\,d\theta=9\int_0^{\frac{\pi}{2}}\frac{1+\cos 2\theta}{2}d\theta$

$=\frac{9}{2}\left[\theta+\frac{1}{2}\sin 2\theta\right]_0^{\frac{\pi}{2}}=\frac{9}{4}\pi$

답 $\frac{9}{4}\pi$

1078

|전략| $x=3\tan\theta\left(-\frac{\pi}{2}<\theta<\frac{\pi}{2}\right)$로 놓고 치환적분법을 이용한다.

$x=3\tan\theta\left(-\frac{\pi}{2}<\theta<\frac{\pi}{2}\right)$로 놓으면 $\frac{dx}{d\theta}=3\sec^2\theta$

$x=-3$일 때 $\theta=-\frac{\pi}{4}$, $x=3$일 때 $\theta=\frac{\pi}{4}$이므로

$$\int_{-3}^{3}\frac{1}{9+x^2}dx=\int_{-\frac{\pi}{4}}^{\frac{\pi}{4}}\frac{1}{9+9\tan^2\theta}\times3\sec^2\theta d\theta$$
$$=\frac{1}{3}\int_{-\frac{\pi}{4}}^{\frac{\pi}{4}}\frac{\sec^2\theta}{\sec^2\theta}d\theta=\frac{1}{3}\int_{-\frac{\pi}{4}}^{\frac{\pi}{4}}d\theta$$
$$=\frac{1}{3}\left[\theta\right]_{-\frac{\pi}{4}}^{\frac{\pi}{4}}=\frac{\pi}{6}$$

답 $\frac{\pi}{6}$

1079

$$\int_1^2\frac{1}{x^2-2x+2}dx=\int_1^2\frac{1}{(x-1)^2+1}dx$$

이때, $x-1=\tan\theta\left(-\frac{\pi}{2}<\theta<\frac{\pi}{2}\right)$로 놓으면 $\frac{dx}{d\theta}=\sec^2\theta$

$x=1$일 때 $\theta=0$, $x=2$일 때 $\theta=\frac{\pi}{4}$이므로

$$\int_1^2\frac{1}{(x-1)^2+1}dx=\int_0^{\frac{\pi}{4}}\frac{1}{\tan^2\theta+1}\times\sec^2\theta d\theta$$
$$=\int_0^{\frac{\pi}{4}}\frac{\sec^2\theta}{\sec^2\theta}d\theta=\int_0^{\frac{\pi}{4}}d\theta$$
$$=\left[\theta\right]_0^{\frac{\pi}{4}}=\frac{\pi}{4}$$

답 $\frac{\pi}{4}$

1080

|전략| $x+1=t$로 놓고 치환적분법을 이용한다.

$x+1=t$로 놓으면 $1=\frac{dt}{dx}$

$x=0$일 때 $t=1$, $x=1$일 때 $t=2$이므로

$$\int_0^1\{f(x)+f(x+1)\}dx=\int_0^1f(x)dx+\int_0^1f(x+1)dx$$
$$=\int_0^1f(x)dx+\int_1^2f(t)dt$$
$$=\int_0^1f(x)dx+\int_1^2f(x)dx$$
$$=\int_0^2f(x)dx=\int_0^2 2^x dx$$
$$=\left[\frac{2^x}{\ln2}\right]_0^2=\frac{4}{\ln2}-\frac{1}{\ln2}=\frac{3}{\ln2}$$

답 ⑤

1081

$5x+3=t$로 놓으면 $5=\frac{dt}{dx}$

$x=-1$일 때 $t=-2$, $x=0$일 때 $t=3$이므로

$$\int_{-1}^0f(5x+3)dx=\int_{-2}^3f(t)\times\frac{1}{5}dt$$
$$=\frac{1}{5}\int_{-2}^3f(t)dt$$
$$=\frac{1}{5}\int_{-2}^3f(x)dx=\frac{k}{5}$$

답 ①

1082

|전략| $f(x)=\ln x$, $g'(x)=\frac{1}{x^2}$로 놓고 부분적분법을 이용한다.

$f(x)=\ln x$, $g'(x)=\frac{1}{x^2}$로 놓으면

$f'(x)=\frac{1}{x}$, $g(x)=-\frac{1}{x}$이므로

$$\int_1^e\frac{\ln x}{x^2}dx=\left[-\frac{\ln x}{x}\right]_1^e-\int_1^e\left(-\frac{1}{x^2}\right)dx$$
$$=-\frac{1}{e}-\left[\frac{1}{x}\right]_1^e=-\frac{1}{e}-\left(\frac{1}{e}-1\right)$$
$$=1-\frac{2}{e}$$

답 $1-\frac{2}{e}$

1083

$$|x|-\left|x-\frac{\pi}{2}\right|=\begin{cases}-\frac{\pi}{2} & (x\le0)\\ 2x-\frac{\pi}{2} & \left(0\le x\le\frac{\pi}{2}\right)\\ \frac{\pi}{2} & \left(x\ge\frac{\pi}{2}\right)\end{cases}$$이므로

$$\int_0^\pi\left(|x|-\left|x-\frac{\pi}{2}\right|\right)\cos x\,dx$$
$$=\int_0^{\frac{\pi}{2}}\left(2x-\frac{\pi}{2}\right)\cos x\,dx+\frac{\pi}{2}\int_{\frac{\pi}{2}}^{\pi}\cos x\,dx$$

이때, $\int_0^{\frac{\pi}{2}}\left(2x-\frac{\pi}{2}\right)\cos x\,dx$에서

$u(x)=2x-\frac{\pi}{2}$, $v'(x)=\cos x$로 놓으면

$u'(x)=2$, $v(x)=\sin x$이므로

$$\int_0^{\frac{\pi}{2}}\left(2x-\frac{\pi}{2}\right)\cos x\,dx+\frac{\pi}{2}\int_{\frac{\pi}{2}}^{\pi}\cos x\,dx$$
$$=\left[\left(2x-\frac{\pi}{2}\right)\sin x\right]_0^{\frac{\pi}{2}}-\int_0^{\frac{\pi}{2}}2\sin x\,dx+\frac{\pi}{2}\left[\sin x\right]_{\frac{\pi}{2}}^{\pi}$$
$$=\frac{\pi}{2}+2\left[\cos x\right]_0^{\frac{\pi}{2}}-\frac{\pi}{2}=-2$$

답 ①

1084

$y=\ln x$에서 $x=e^y$이므로

$$\int_1^2xy\,dx+\int_0^{\ln2}xy\,dy=\int_1^2x\ln x\,dx+\int_0^{\ln2}ye^y\,dy$$

(i) $\int_1^2x\ln x\,dx$에서 $f(x)=\ln x$, $g'(x)=x$로 놓으면

$f'(x)=\frac{1}{x}$, $g(x)=\frac{1}{2}x^2$이므로

$$\int_1^2x\ln x\,dx=\left[\frac{1}{2}x^2\ln x\right]_1^2-\int_1^2\frac{1}{2}x\,dx$$
$$=2\ln2-\left[\frac{1}{4}x^2\right]_1^2=2\ln2-\frac{3}{4}\quad\cdots❶$$

(ii) $\int_0^{\ln 2} ye^y dy$에서 $u(y)=y$, $v'(y)=e^y$으로 놓으면

$u'(y)=1$, $v(y)=e^y$이므로

$$\int_0^{\ln 2} ye^y dy=\Big[ye^y\Big]_0^{\ln 2}-\int_0^{\ln 2} e^y dy$$

$$=2\ln 2-\Big[e^y\Big]_0^{\ln 2}=2\ln 2-1 \quad \cdots ❷$$

(i), (ii)에서

$$\int_1^2 x\ln x dx+\int_0^{\ln 2} ye^y dy=\left(2\ln 2-\frac{3}{4}\right)+(2\ln 2-1)$$

$$=4\ln 2-\frac{7}{4} \quad \cdots ❸$$

답 $4\ln 2-\frac{7}{4}$

채점 기준	비율
❶ $\int_1^2 xy\,dx$의 값을 구할 수 있다.	40 %
❷ $\int_0^{\ln 2} xy\,dy$의 값을 구할 수 있다.	40 %
❸ 주어진 정적분의 값을 구할 수 있다.	20 %

1085

$$\int_0^1 (e^x-3ax)^2 dx=\int_0^1 (e^{2x}-6axe^x+9a^2x^2)dx$$

$$=\int_0^1 (e^{2x}+9a^2x^2)dx-6a\int_0^1 xe^x dx$$

이때, $\int_0^1 xe^x dx$에서 $f(x)=x$, $g'(x)=e^x$으로 놓으면

$f'(x)=1$, $g(x)=e^x$이므로

$$\int_0^1 (e^{2x}+9a^2x^2)dx-6a\int_0^1 xe^x dx$$

$$=\left[\frac{1}{2}e^{2x}+3a^2x^3\right]_0^1-6a\left(\Big[xe^x\Big]_0^1-\int_0^1 e^x dx\right)$$

$$=\frac{1}{2}e^2+3a^2-\frac{1}{2}-6a\left(e-\Big[e^x\Big]_0^1\right)$$

$$=\frac{1}{2}e^2+3a^2-\frac{1}{2}-6a\{e-(e-1)\}$$

$$=3a^2-6a+\frac{1}{2}e^2-\frac{1}{2}=3(a-1)^2+\frac{1}{2}e^2-\frac{7}{2}$$

따라서 주어진 정적분의 값이 최소가 되도록 하는 실수 a의 값은 1이다.

답 ④

1086

|전략| 부분적분법을 한 번 적용하여 적분이 되지 않는 경우에는 부분적분법을 한 번 더 적용한다.

$f(x)=\sin x$, $g'(x)=e^x$으로 놓으면

$f'(x)=\cos x$, $g(x)=e^x$이므로

$$\int_0^{\frac{\pi}{2}} e^x \sin x dx=\Big[e^x\sin x\Big]_0^{\frac{\pi}{2}}-\int_0^{\frac{\pi}{2}} e^x\cos x dx$$

$$=e^{\frac{\pi}{2}}-\int_0^{\frac{\pi}{2}} e^x \cos x dx \quad \cdots\cdots ㉠$$

$\int_0^{\frac{\pi}{2}} e^x \cos x dx$에서 $u(x)=\cos x$, $v'(x)=e^x$으로 놓으면

$u'(x)=-\sin x$, $v(x)=e^x$이므로

$$\int_0^{\frac{\pi}{2}} e^x\cos x dx=\Big[e^x\cos x\Big]_0^{\frac{\pi}{2}}-\int_0^{\frac{\pi}{2}}(-e^x\sin x)dx$$

$$=-1+\int_0^{\frac{\pi}{2}} e^x\sin x dx \quad \cdots\cdots ㉡$$

㉡을 ㉠에 대입하면

$$\int_0^{\frac{\pi}{2}} e^x\sin x dx=e^{\frac{\pi}{2}}-\left(-1+\int_0^{\frac{\pi}{2}} e^x\sin x dx\right)$$

$$=e^{\frac{\pi}{2}}+1-\int_0^{\frac{\pi}{2}} e^x \sin x dx$$

$$\therefore \int_0^{\frac{\pi}{2}} e^x\sin x dx=\frac{1}{2}e^{\frac{\pi}{2}}+\frac{1}{2}$$

답 ②

1087

$f(x)=x^2$, $g'(x)=e^x$으로 놓으면

$f'(x)=2x$, $g(x)=e^x$이므로

$$\int_0^2 x^2e^x dx=\Big[x^2e^x\Big]_0^2-\int_0^2 2xe^x dx$$

$$=4e^2-2\int_0^2 xe^x dx \quad \cdots\cdots ㉠$$

$\int_0^2 xe^x dx$에서 $u(x)=x$, $v'(x)=e^x$으로 놓으면

$u'(x)=1$, $v(x)=e^x$이므로

$$\int_0^2 xe^x dx=\Big[xe^x\Big]_0^2-\int_0^2 e^x dx=2e^2-\Big[e^x\Big]_0^2$$

$$=2e^2-(e^2-1)=e^2+1 \quad \cdots\cdots ㉡$$

㉡을 ㉠에 대입하면

$$\int_0^2 x^2e^x dx=4e^2-2(e^2+1)=2e^2-2$$

따라서 $a=2$, $b=-2$이므로 $a+b=0$

답 ③

1088

|전략| $\int_1^e f(t)dt=k$(k는 상수)로 놓고 k의 값을 구한다.

$$\int_1^e f(t)dt=k \ (k\text{는 상수}) \quad \cdots\cdots ㉠$$

로 놓으면 $f(x)=\frac{1}{x}+k$

$f(t)=\frac{1}{t}+k$를 ㉠에 대입하면

$$\int_1^e \left(\frac{1}{t}+k\right)dt=k,\ \Big[\ln|t|+kt\Big]_1^e=k,\ (1+ek)-k=k$$

$$(2-e)k=1 \qquad \therefore k=\frac{1}{2-e}$$

따라서 $f(x)=\frac{1}{x}+\frac{1}{2-e}$이므로

$$\int_2^e f(x)dx=\int_2^e\left(\frac{1}{x}+\frac{1}{2-e}\right)dx$$

$$=\left[\ln|x|+\frac{1}{2-e}x\right]_2^e$$

$$=\left(1+\frac{e}{2-e}\right)-\left(\ln 2+\frac{2}{2-e}\right)=-\ln 2$$

답 $-\ln 2$

1089

$\int_0^{\frac{\pi}{3}} f(t)\sin t\,dt=k$ (k는 상수) ······ ㉠

로 놓으면 $f(x)=\cos x+k$

$f(t)=\cos t+k$를 ㉠에 대입하면

$\int_0^{\frac{\pi}{3}}(\cos t+k)\sin t\,dt=k$, $\int_0^{\frac{\pi}{3}}\left(\frac{1}{2}\sin 2t+k\sin t\right)dt=k$

$\left[-\frac{1}{4}\cos 2t-k\cos t\right]_0^{\frac{\pi}{3}}=k$, $\frac{3}{8}+\frac{1}{2}k=k$ $\quad\therefore k=\frac{3}{4}$

$f(x)=\cos x+\frac{3}{4}$이므로 $f(0)=\frac{7}{4}$

따라서 $p=4$, $q=7$이므로 $p^2+q^2=65$ 답 ④

다른 풀이 $\int_0^{\frac{\pi}{3}} f(t)\sin t\,dt=k$ (k는 상수) ······ ㉠

로 놓으면 $f(x)=\cos x+k$

$f(t)=\cos t+k$를 ㉠에 대입하면

$\int_0^{\frac{\pi}{3}}(\cos t+k)\sin t\,dt=k$

이때, $\cos t+k=l$로 놓으면 $-\sin t=\frac{dl}{dt}$

$t=0$일 때 $l=1+k$, $t=\frac{\pi}{3}$일 때 $l=\frac{1}{2}+k$이므로

$$\begin{aligned}\int_0^{\frac{\pi}{3}}(\cos t+k)\sin t\,dt&=-\int_{1+k}^{\frac{1}{2}+k} l\,dl=\int_{\frac{1}{2}+k}^{1+k} l\,dl\\&=\left[\frac{1}{2}l^2\right]_{\frac{1}{2}+k}^{1+k}=\frac{1}{2}(1+k)^2-\frac{1}{2}\left(\frac{1}{2}+k\right)^2\\&=\frac{k}{2}+\frac{3}{8}\end{aligned}$$

즉, $\frac{k}{2}+\frac{3}{8}=k$이므로 $\frac{k}{2}=\frac{3}{8}$ $\quad\therefore k=\frac{3}{4}$

$f(x)=\cos x+\frac{3}{4}$이므로 $f(0)=\frac{7}{4}$

따라서 $p=4$, $q=7$이므로 $p^2+q^2=4^2+7^2=65$

1090

$\int_1^e tf(t)dt=k$ (k는 상수) ······ ㉠

로 놓으면 $f(x)=\ln x+k$

$f(t)=\ln t+k$를 ㉠에 대입하면

$\int_1^e t(\ln t+k)dt=k$

이때, $u(t)=\ln t+k$, $v'(t)=t$로 놓으면

$u'(t)=\frac{1}{t}$, $v(t)=\frac{1}{2}t^2$이므로

$$\begin{aligned}\int_1^e t(\ln t+k)\,dt&=\left[\frac{1}{2}t^2(\ln t+k)\right]_1^e-\int_1^e\frac{1}{t}\times\frac{1}{2}t^2dt\\&=\frac{1}{2}e^2(1+k)-\frac{1}{2}k-\frac{1}{2}\int_1^e t\,dt\\&=\frac{1}{2}e^2(1+k)-\frac{1}{2}k-\frac{1}{2}\left[\frac{1}{2}t^2\right]_1^e\\&=\frac{1}{2}e^2(1+k)-\frac{1}{2}k-\frac{1}{4}(e^2-1)\\&=\frac{1}{4}e^2+\frac{1}{2}k(e^2-1)+\frac{1}{4}\end{aligned}$$

즉, $\frac{1}{4}e^2+\frac{1}{2}k(e^2-1)+\frac{1}{4}=k$이므로

$\frac{1}{2}k(e^2-3)=-\frac{1}{4}(e^2+1)$ $\quad\therefore k=-\frac{e^2+1}{2(e^2-3)}$

$\therefore \int_1^e xf(x)dx=\int_1^e tf(t)dt=k=-\frac{e^2+1}{2(e^2-3)}$ 답 ②

1091

|전략| 주어진 등식의 양변을 x에 대하여 미분한다.

$2xf(x)-x=\int_1^x\{f(t)-1\}dt$ ······ ㉠

㉠의 양변을 x에 대하여 미분하면

$2f(x)+2xf'(x)-1=f(x)-1$

$f(x)+2xf'(x)=0$ $\quad\therefore \frac{f'(x)}{f(x)}=-\frac{1}{2x}$

즉, $\int\frac{f'(x)}{f(x)}dx=\int\left(-\frac{1}{2x}\right)dx$이므로

$\ln f(x)=-\frac{1}{2}\ln x+C$ ($\because f(x)>0$)

㉠의 양변에 $x=1$을 대입하면 $2f(1)-1=0$에서 $f(1)=\frac{1}{2}$이므로

$C=\ln\frac{1}{2}$

따라서 $\ln f(x)=-\frac{1}{2}\ln x+\ln\frac{1}{2}=\ln\frac{1}{2\sqrt{x}}$이므로

$f(x)=\frac{1}{2\sqrt{x}}$

$\therefore f(9)=\frac{1}{2\sqrt{9}}=\frac{1}{6}$ 답 ①

1092

$f(x)=\int_0^x\frac{2}{1+t^4}dt$ ······ ㉠

㉠의 양변을 x에 대하여 미분하면

$f'(x)=\frac{2}{1+x^4}$

㉠의 양변에 $x=0$을 대입하면 $f(0)=0$

$\int_0^a\frac{2e^{f(x)}}{1+x^4}dx$에서 $e^{f(x)}=h$로 놓으면

$e^{f(x)}\times f'(x)=\frac{dh}{dx}$, $\frac{2e^{f(x)}}{1+x^4}=\frac{dh}{dx}$

$x=0$일 때 $h=e^{f(0)}=1$, $x=a$일 때 $h=e^{f(a)}=e$이므로

$\int_0^a\frac{2e^{f(x)}}{1+x^4}dx=\int_1^e dh=\Big[h\Big]_1^e=e-1$ 답 ①

1093

$xf(x)=x^2e^x+\int_1^x f(t)dt$ ······ ㉠

㉠의 양변을 x에 대하여 미분하면

$f(x)+xf'(x)=2xe^x+x^2e^x+f(x)$

$\therefore f'(x)=2e^x+xe^x=(x+2)e^x$

$f(x)=\int(x+2)e^x dx$에서 $u(x)=x+2$, $v'(x)=e^x$으로 놓으면

$u'(x)=1$, $v(x)=e^x$이므로

$f(x)=\int(x+2)e^x dx=(x+2)e^x-\int e^x dx$

$=(x+2)e^x-e^x+C=(x+1)e^x+C$

㉠의 양변에 $x=1$을 대입하면 $f(1)=e$

즉, $2e+C=e$이므로 $C=-e$

따라서 $f(x)=(x+1)e^x-e$이므로

$f(-1)=-e$ 답 $-e$

1094

|전략| 좌변을 $\int_1^x(t+x)f(t)dt=\int_1^x tf(t)dt+x\int_1^x f(t)dt$로 변형한 후 양변을 x에 대하여 미분한다.

$\int_1^x(t+x)f(t)dt=e^x+x-e-1$에서

$\int_1^x tf(t)dt+x\int_1^x f(t)dt=e^x+x-e-1$

위의 식의 양변을 x에 대하여 미분하면

$xf(x)+\int_1^x f(t)dt+xf(x)=e^x+1$

$\therefore 2xf(x)+\int_1^x f(t)dt=e^x+1$

위의 식의 양변에 $x=1$을 대입하면 $2f(1)=e+1$

$\therefore f(1)=\frac{e+1}{2}$ 답 $\frac{e+1}{2}$

1095

$\int_0^x(x-t)f(t)dt=\sin x-x$에서

$x\int_0^x f(t)dt-\int_0^x tf(t)dt=\sin x-x$

위의 식의 양변을 x에 대하여 미분하면

$\int_0^x f(t)dt+xf(x)-xf(x)=\cos x-1$

$\therefore \int_0^x f(t)dt=\cos x-1$

양변을 x에 대하여 다시 미분하면 $f(x)=-\sin x$

$\therefore f(\pi)=0$ 답 ③

1096

$\int_0^x 2f(t)dt=\int_0^x(x-t)f'(t)dt-\cos 2x+1$에서

$\int_0^x 2f(t)dt=x\int_0^x f'(t)dt-\int_0^x tf'(t)dt-\cos 2x+1$

위의 식의 양변을 x에 대하여 미분하면

$2f(x)=\int_0^x f'(t)dt+xf'(x)-xf'(x)+2\sin 2x$

$2f(x)=f(x)-f(0)+2\sin 2x$

$\therefore f(x)=-f(0)+2\sin 2x$

위의 식의 양변에 $x=0$을 대입하면 $f(0)=0$

$\therefore f(x)=2\sin 2x$ 답 ③

1097

|전략| $f'(x)=0$을 만족시키는 x의 값의 좌우에서 $f'(x)$의 부호를 조사하여 증감표를 작성한 후 극값을 구한다.

$f(x)=\int_0^x(t+1)e^{-t}dt$의 양변을 x에 대하여 미분하면

$f'(x)=(x+1)e^{-x}$

$f'(x)=0$에서 $x=-1$ ($\because e^{-x}>0$)

x	$\cdots$	-1	$\cdots$
$f'(x)$	$-$	0	$+$
$f(x)$	↘	극소	↗

함수 $f(x)$는 $x=-1$일 때 극소이므로 극솟값은

$f(-1)=\int_0^{-1}(t+1)e^{-t}dt=-\int_{-1}^0(t+1)e^{-t}dt$

이때, $u(t)=t+1$, $v'(t)=e^{-t}$으로 놓으면

$u'(t)=1$, $v(t)=-e^{-t}$이므로

$\int_{-1}^0(t+1)e^{-t}dt=\Big[-(t+1)e^{-t}\Big]_{-1}^0-\int_{-1}^0(-e^{-t})dt$

$=-1+\Big[-e^{-t}\Big]_{-1}^0$

$=-1+(-1+e)=e-2$

$\therefore f(-1)=-(e-2)=2-e$ 답 $2-e$

1098

$f(x)=\int_0^x(t\sqrt{t}-2t)dt$의 양변을 x에 대하여 미분하면

$f'(x)=x\sqrt{x}-2x=x(\sqrt{x}-2)$

$f'(x)=0$에서 $x=4$ ($\because x>0$)

x	(0)	$\cdots$	4	$\cdots$
$f'(x)$		$-$	0	$+$
$f(x)$		↘	극소	↗

함수 $f(x)$는 $x=4$일 때 극소이므로 극솟값은

$f(4)=\int_0^4(t\sqrt{t}-2t)dt=\int_0^4(t^{\frac{3}{2}}-2t)dt$

$=\Big[\frac{2}{5}t^{\frac{5}{2}}-t^2\Big]_0^4=-\frac{16}{5}$ 답 ②

1099

$f(x)=\int_0^x(1+\cos t)\sin t\,dt$의 양변을 x에 대하여 미분하면

$f'(x)=(1+\cos x)\sin x$

$f'(x)=0$에서 $x=\pi$ ($\because 0<x<2\pi$)

x	(0)	$\cdots$	π	$\cdots$	(2π)
$f'(x)$		$+$	0	$-$	
$f(x)$		↗	극대	↘	

함수 $f(x)$는 $x=\pi$일 때 극대이므로 극댓값은

$f(\pi)=\int_0^\pi(1+\cos t)\sin t\,dt=\int_0^\pi\left(\sin t+\frac{1}{2}\sin 2t\right)dt$

$=\Big[-\cos t-\frac{1}{4}\cos 2t\Big]_0^\pi=\frac{3}{4}-\left(-\frac{5}{4}\right)=2$ 답 ⑤

다른 풀이 함수 $f(x)$는 $x=\pi$일 때 극대이므로 극댓값은

$$f(\pi)=\int_0^{\pi}(1+\cos t)\sin t\,dt$$

이때, $1+\cos t=k$로 놓으면 $-\sin t=\frac{dk}{dt}$

$t=0$일 때 $k=2$, $t=\pi$일 때 $k=0$이므로

$$f(\pi)=\int_0^{\pi}(1+\cos t)\sin t\,dt=-\int_2^0 k\,dk$$
$$=\int_0^2 k\,dk=\left[\frac{1}{2}k^2\right]_0^2=2$$

1100

|전략| $\frac{d}{dx}\int_x^{x+a}g(t)dt=g(x+a)-g(x)$임을 이용한다.

$f(x)=\int_x^{x+1}\left(t+\frac{6}{t}\right)dt$의 양변을 x에 대하여 미분하면

$$f'(x)=\left(x+1+\frac{6}{x+1}\right)-\left(x+\frac{6}{x}\right)$$
$$=1+\frac{6}{x+1}-\frac{6}{x}=\frac{x^2+x-6}{x(x+1)}$$
$$=\frac{(x+3)(x-2)}{x(x+1)}$$

$f'(x)=0$에서 $x=2$ ($\because x>0$)

x	(0)	$\cdots$	2	$\cdots$
$f'(x)$		$-$	0	$+$
$f(x)$		↘	극소	↗

함수 $f(x)$는 $x=2$일 때 극소이면서 최소이므로 최솟값은

$$f(2)=\int_2^3\left(t+\frac{6}{t}\right)dt=\left[\frac{1}{2}t^2+6\ln|t|\right]_2^3$$
$$=\left(\frac{9}{2}+6\ln 3\right)-\left(2+6\ln 2\right)=\frac{5}{2}+6\ln\frac{3}{2}$$

답 $\frac{5}{2}+6\ln\frac{3}{2}$

1101

$f(x)=\int_{-2}^{x}te^{t^2-1}dt-\frac{1}{2e}$의 양변을 x에 대하여 미분하면

$f'(x)=xe^{x^2-1}$

$f'(x)=0$에서 $x=0$ ($\because e^{x^2-1}>0$) … ❶

x	$\cdots$	0	$\cdots$
$f'(x)$	$-$	0	$+$
$f(x)$	↘	극소	↗

함수 $f(x)$는 $x=0$일 때 극소이면서 최소이므로 최솟값은

$$f(0)=\int_{-2}^{0}te^{t^2-1}dt-\frac{1}{2e}$$

이때, $t^2-1=s$로 놓으면 $2t=\frac{ds}{dt}$

$t=-2$일 때 $s=3$, $t=0$일 때 $s=-1$이므로

$$f(0)=\int_{-2}^{0}te^{t^2-1}dt-\frac{1}{2e}=\frac{1}{2}\int_3^{-1}e^s ds-\frac{1}{2e}$$
$$=-\frac{1}{2}\int_{-1}^{3}e^s ds-\frac{1}{2e}=-\frac{1}{2}\left[e^s\right]_{-1}^{3}-\frac{1}{2e}$$
$$=-\frac{1}{2}\left(e^3-\frac{1}{e}\right)-\frac{1}{2e}=-\frac{e^3}{2}$$ … ❷

따라서 $a=0$, $b=-\frac{e^3}{2}$이므로 $a+b=-\frac{e^3}{2}$ … ❸

답 $-\frac{e^3}{2}$

채점 기준	비율
❶ $f'(x)=0$을 만족시키는 x의 값을 구할 수 있다.	30 %
❷ $f(x)$의 최솟값을 구할 수 있다.	50 %
❸ $a+b$의 값을 구할 수 있다.	20 %

1102

$f(x)=4\int_1^x(t-t\ln t)dt$의 양변을 x에 대하여 미분하면

$f'(x)=4(x-x\ln x)=4x(1-\ln x)$

$f'(x)=0$에서 $x=e$ ($\because x>0$)

x	(0)	$\cdots$	e	$\cdots$
$f'(x)$		$+$	0	$-$
$f(x)$		↗	극대	↘

함수 $f(x)$는 $x=e$일 때 극대이면서 최대이므로 최댓값은

$$f(e)=4\int_1^e(t-t\ln t)dt=4\int_1^e t(1-\ln t)\,dt$$

이때, $u(t)=1-\ln t$, $v'(t)=t$로 놓으면

$u'(t)=-\frac{1}{t}$, $v(t)=\frac{1}{2}t^2$이므로

$$\int_1^e t(1-\ln t)dt=\left[\frac{1}{2}t^2(1-\ln t)\right]_1^e-\int_1^e\left(-\frac{1}{t}\right)\times\frac{1}{2}t^2dt$$
$$=-\frac{1}{2}+\frac{1}{2}\int_1^e t\,dt=-\frac{1}{2}+\frac{1}{2}\left[\frac{1}{2}t^2\right]_1^e$$
$$=-\frac{1}{2}+\frac{1}{2}\left(\frac{e^2}{2}-\frac{1}{2}\right)=\frac{1}{4}(e^2-3)$$

$$\therefore f(e)=4\int_1^e t(1-\ln t)dt$$
$$=4\times\frac{1}{4}(e^2-3)=e^2-3$$

답 ④

1103

|전략| $\lim_{x\to0}\frac{1}{x}\int_a^{x+a}f(t)dt=f(a)$임을 이용한다.

$f(x)=x\sin x$, $F'(x)=f(x)$로 놓으면

$$\lim_{h\to0}\frac{1}{h}\int_{\frac{\pi}{2}-h}^{\frac{\pi}{2}+3h}x\sin x\,dx$$
$$=\lim_{h\to0}\frac{F\left(\frac{\pi}{2}+3h\right)-F\left(\frac{\pi}{2}-h\right)}{h}$$
$$=\lim_{h\to0}\frac{F\left(\frac{\pi}{2}+3h\right)-F\left(\frac{\pi}{2}\right)}{h}-\lim_{h\to0}\frac{F\left(\frac{\pi}{2}-h\right)-F\left(\frac{\pi}{2}\right)}{h}$$
$$=\lim_{h\to0}\frac{F\left(\frac{\pi}{2}+3h\right)-F\left(\frac{\pi}{2}\right)}{3h}\times3+\lim_{h\to0}\frac{F\left(\frac{\pi}{2}-h\right)-F\left(\frac{\pi}{2}\right)}{-h}$$
$$=3F'\left(\frac{\pi}{2}\right)+F'\left(\frac{\pi}{2}\right)=4F'\left(\frac{\pi}{2}\right)$$
$$=4f\left(\frac{\pi}{2}\right)=4\times\frac{\pi}{2}=2\pi$$

답 ③

1104

$f(t)=\frac{\cos 2t}{\sin t+1}$, $F'(t)=f(t)$로 놓으면

$$\lim_{x\to\frac{\pi}{2}}\frac{1}{x-\frac{\pi}{2}}\int_{\frac{\pi}{2}}^{x}\frac{\cos 2t}{\sin t+1}dt=\lim_{x\to\frac{\pi}{2}}\frac{F(x)-F\left(\frac{\pi}{2}\right)}{x-\frac{\pi}{2}}$$

$$=F'\left(\frac{\pi}{2}\right)=f\left(\frac{\pi}{2}\right)=-\frac{1}{2}$$

답 $-\frac{1}{2}$

1105

$F'(t)=f(t)$로 놓으면

$$\lim_{x\to 1}\frac{1}{x-1}\int_{1}^{x^3}f(t)dt=\lim_{x\to 1}\frac{F(x^3)-F(1)}{x-1}$$

$$=\lim_{x\to 1}\frac{F(x^3)-F(1)}{x^3-1}\times(x^2+x+1)$$

$$=3F'(1)=3f(1)=3e$$

답 ④

STEP 3 내신 마스터

1106

유형 01 유리함수의 정적분

|전략| $\int_a^b\frac{1}{x}dx=\Big[\ln|x|\Big]_a^b$, $\int_a^b x^n dx=\Big[\frac{1}{n+1}x^{n+1}\Big]_a^b$ $(n\neq-1)$임을 이용한다.

$$\int_1^e f(x)dx=\int_1^e\left(\frac{1}{x}-2\right)dx=\Big[\ln|x|-2x\Big]_1^e$$

$$=(\ln e-2e)-(-2)=3-2e$$

답 ③

1107

유형 03 지수함수의 정적분

|전략| $\int_\alpha^\gamma f(x)dx+\int_\gamma^\beta f(x)dx=\int_\alpha^\beta f(x)dx$, $\int_\alpha^\beta e^{kx}dx=\Big[\frac{1}{k}e^{kx}\Big]_\alpha^\beta$임을 이용한다.

$$\sum_{n=1}^{\infty}a_n=\lim_{n\to\infty}\sum_{k=1}^{n}a_k$$

$$=\lim_{n\to\infty}(a_1+a_2+\cdots+a_n)$$

$$=\lim_{n\to\infty}\left\{\int_1^2 f(x)dx+\int_2^3 f(x)dx+\cdots+\int_n^{n+1}f(x)dx\right\}$$

$$=\lim_{n\to\infty}\int_1^{n+1}f(x)dx=\lim_{n\to\infty}\int_1^{n+1}e^{-x}dx$$

$$=\lim_{n\to\infty}\Big[-e^{-x}\Big]_1^{n+1}=\lim_{n\to\infty}\left(-\frac{1}{e^{n+1}}+\frac{1}{e}\right)=\frac{1}{e}$$

답 ②

1108

유형 04 삼각함수의 정적분

|전략| $\int_\alpha^\beta\sin ax\,dx=\Big[-\frac{1}{a}\cos ax\Big]_\alpha^\beta$, $\int_\alpha^\beta\cos ax\,dx=\Big[\frac{1}{a}\sin ax\Big]_\alpha^\beta$임을 이용한다.

$$\int_0^{\frac{\pi}{4}}\frac{\sin^2 x}{\sin x+\cos x}dx+\int_{\frac{\pi}{4}}^{0}\frac{\cos^2 x}{\sin x+\cos x}dx$$

$$=\int_0^{\frac{\pi}{4}}\frac{\sin^2 x}{\sin x+\cos x}dx-\int_0^{\frac{\pi}{4}}\frac{\cos^2 x}{\sin x+\cos x}dx$$

$$=\int_0^{\frac{\pi}{4}}\frac{\sin^2 x-\cos^2 x}{\sin x+\cos x}dx$$

$$=\int_0^{\frac{\pi}{4}}\frac{(\sin x+\cos x)(\sin x-\cos x)}{\sin x+\cos x}dx$$

$$=\int_0^{\frac{\pi}{4}}(\sin x-\cos x)dx$$

$$=\Big[-\cos x-\sin x\Big]_0^{\frac{\pi}{4}}$$

$$=-\sqrt{2}-(-1)=1-\sqrt{2}$$

답 ①

1109

유형 05 구간에 따라 다르게 정의된 함수의 정적분

|전략| 적분 구간을 나누어 정적분의 값을 구한다.

$$\int_{-\frac{\pi}{3}}^{3}f(x)dx=\int_{-\frac{\pi}{3}}^{0}\sin x\,dx+\int_0^3\left(\frac{1}{x+1}-1\right)dx$$

$$=\Big[-\cos x\Big]_{-\frac{\pi}{3}}^{0}+\Big[\ln|x+1|-x\Big]_0^3$$

$$=-\frac{1}{2}+(\ln 4-3)$$

$$=\ln 4-\frac{7}{2}$$

따라서 $a=4$, $b=-\frac{7}{2}$이므로 $a+b=\frac{1}{2}$

답 ②

1110

유형 06 절댓값 기호를 포함한 함수의 정적분

|전략| $e^x-2=0$이 되게 하는 x의 값을 경계로 적분 구간을 나누어 정적분의 값을 구한다.

$e^x-2=0$에서 $e^x=2$ $\quad\therefore x=\ln 2$

즉, $|e^x-2|=\begin{cases}2-e^x & (x\le\ln 2)\\ e^x-2 & (x\ge\ln 2)\end{cases}$이므로

$$\int_0^{\ln 4}|e^x-2|dx=\int_0^{\ln 2}(2-e^x)dx+\int_{\ln 2}^{\ln 4}(e^x-2)dx$$

$$=\Big[2x-e^x\Big]_0^{\ln 2}+\Big[e^x-2x\Big]_{\ln 2}^{\ln 4}$$

$$=(2\ln 2-1)+(2-2\ln 2)=1$$

답 ②

1111

유형 08 주기함수의 정적분

|전략| 주기가 p인 연속함수 $f(x)$에 대하여 $\int_a^{a+p}f(x)dx=\int_b^{b+p}f(x)dx$임을 이용한다.

$f(x)=|\sin 2x|$로 놓으면 $f(x)$는 주기가 $\frac{\pi}{2}$인 주기함수이므로

$$\int_{-\pi}^{-\frac{\pi}{2}}|\sin 2x|dx=\int_{-\frac{\pi}{2}}^{0}|\sin 2x|dx=\int_{0}^{\frac{\pi}{2}}|\sin 2x|dx$$
$$=\int_{\frac{\pi}{2}}^{\pi}|\sin 2x|dx$$

$$\therefore \int_{-\pi}^{\pi}|\sin 2x|dx=4\int_{0}^{\frac{\pi}{2}}|\sin 2x|dx=4\int_{0}^{\frac{\pi}{2}}\sin 2x\,dx$$
$$=4\left[-\frac{1}{2}\cos 2x\right]_{0}^{\frac{\pi}{2}}$$
$$=4\left\{\frac{1}{2}-\left(-\frac{1}{2}\right)\right\}=4$$

답 ④

Lecture

삼각함수의 주기

(1) 함수 $y=a\sin bx+c$의 주기 ⇨ $\frac{2\pi}{|b|}$

(2) 함수 $y=a\cos bx+c$의 주기 ⇨ $\frac{2\pi}{|b|}$

(3) 함수 $y=a\tan bx+c$의 주기 ⇨ $\frac{\pi}{|b|}$

(4) 함수 $y=|a\sin bx|+c$의 주기 ⇨ $\frac{\pi}{|b|}$

(5) 함수 $y=|a\cos bx|+c$의 주기 ⇨ $\frac{\pi}{|b|}$

1112

유형 10 정적분의 치환적분법 - 지수함수

|전략| $e^x+1=t$로 놓고 치환적분법을 이용한다.

$e^x+1=t$로 놓으면 $e^x=\frac{dt}{dx}$

$x=-a$일 때 $t=e^{-a}+1$, $x=a$일 때 $t=e^a+1$이므로

$$\int_{-a}^{a}\frac{e^x}{e^x+1}dx=\int_{e^{-a}+1}^{e^a+1}\frac{1}{t}dt=\Big[\ln|t|\Big]_{e^{-a}+1}^{e^a+1}$$
$$=\ln(e^a+1)-\ln(e^{-a}+1)$$
$$=\ln\frac{e^a+1}{e^{-a}+1}=\ln\frac{e^a(e^a+1)}{1+e^a}$$
$$=\ln e^a=a$$

$\therefore a=9$

답 ⑤

1113

유형 11 정적분의 치환적분법 - 로그함수

|전략| $\ln x=t$로 놓고 치환적분법을 이용한다.

$\ln x=t$로 놓으면 $\frac{1}{x}=\frac{dt}{dx}$

$x=e$일 때 $t=1$, $x=e^n$일 때 $t=n$이므로

$$f(n)=\int_{e}^{e^n}\frac{\ln x}{x}dx=\int_{1}^{n}t\,dt$$
$$=\left[\frac{1}{2}t^2\right]_{1}^{n}=\frac{n^2}{2}-\frac{1}{2}$$

$$\therefore \lim_{n\to\infty}\frac{f(n)}{n^2}=\lim_{n\to\infty}\frac{\frac{n^2}{2}-\frac{1}{2}}{n^2}=\lim_{n\to\infty}\frac{n^2-1}{2n^2}=\frac{1}{2}$$

답 ③

1114

유형 11 정적분의 치환적분법 - 로그함수
+ 12 정적분의 치환적분법 - 삼각함수

|전략| $\ln(x+1)=s$, $\cos x=t$로 놓고 각각 치환적분법을 이용한다.

주어진 식의 좌변에서 $\ln(x+1)=s$로 놓으면 $\frac{1}{x+1}=\frac{ds}{dx}$

$x=0$일 때 $s=0$, $x=e^2-1$일 때 $s=2$이므로

$$\int_{0}^{e^2-1}\frac{a+\ln(x+1)}{x+1}dx=\int_{0}^{2}(a+s)ds$$
$$=\left[as+\frac{1}{2}s^2\right]_{0}^{2}=2a+2 \quad \cdots\cdots ㉠$$

주어진 식의 우변에서 $\int_{0}^{\frac{\pi}{2}}\sin 2x\cos x\,dx=2\int_{0}^{\frac{\pi}{2}}\sin x\cos^2 x\,dx$

이므로 $\cos x=t$로 놓으면 $-\sin x=\frac{dt}{dx}$

$x=0$일 때 $t=1$, $x=\frac{\pi}{2}$일 때 $t=0$이므로

$$2\int_{0}^{\frac{\pi}{2}}\sin x\cos^2 x\,dx=-2\int_{1}^{0}t^2dt=2\int_{0}^{1}t^2dt$$
$$=2\left[\frac{1}{3}t^3\right]_{0}^{1}=\frac{2}{3} \quad \cdots\cdots ㉡$$

따라서 ㉠=㉡에서 $2a+2=\frac{2}{3}$이므로

$2a=-\frac{4}{3}$ $\quad\therefore a=-\frac{2}{3}$

답 ②

1115

유형 13 삼각치환법 - $\sqrt{a^2-x^2}$ 꼴 **+ 14** 삼각치환법 - $\frac{1}{a^2+x^2}$ 꼴

|전략| 피적분함수가 $\sqrt{a^2-x^2}\,(a>0)$ 꼴이면 $x=a\sin\theta\left(-\frac{\pi}{2}\le\theta\le\frac{\pi}{2}\right)$, $\frac{1}{a^2+x^2}\,(a>0)$ 꼴이면 $x=a\tan\theta\left(-\frac{\pi}{2}<\theta<\frac{\pi}{2}\right)$로 치환한다.

(i) $\int_{0}^{\frac{1}{2}}\frac{4}{1+4x^2}dx$에서

$x=\frac{1}{2}\tan\theta\left(-\frac{\pi}{2}<\theta<\frac{\pi}{2}\right)$로 놓으면 $\frac{dx}{d\theta}=\frac{1}{2}\sec^2\theta$

$x=0$일 때 $\theta=0$, $x=\frac{1}{2}$일 때 $\theta=\frac{\pi}{4}$이므로

$$\int_{0}^{\frac{1}{2}}\frac{4}{1+4x^2}dx=\int_{0}^{\frac{\pi}{4}}\frac{4}{1+\tan^2\theta}\times\frac{1}{2}\sec^2\theta\,d\theta$$
$$=2\int_{0}^{\frac{\pi}{4}}\frac{\sec^2\theta}{\sec^2\theta}d\theta$$
$$=2\int_{0}^{\frac{\pi}{4}}d\theta=2\Big[\theta\Big]_{0}^{\frac{\pi}{4}}=\frac{\pi}{2}$$

(ii) $\int_{0}^{\frac{\sqrt{2}}{2}}\frac{2}{\sqrt{1-x^2}}dx$에서

$x=\sin\theta\left(-\frac{\pi}{2}\le\theta\le\frac{\pi}{2}\right)$로 놓으면 $\frac{dx}{d\theta}=\cos\theta$

$x=0$일 때 $\theta=0$, $x=\frac{\sqrt{2}}{2}$일 때 $\theta=\frac{\pi}{4}$이므로

$$\int_{0}^{\frac{\sqrt{2}}{2}}\frac{2}{\sqrt{1-x^2}}dx=\int_{0}^{\frac{\pi}{4}}\frac{2}{\sqrt{1-\sin^2\theta}}\times\cos\theta\,d\theta$$
$$=2\int_{0}^{\frac{\pi}{4}}\frac{\cos\theta}{\cos\theta}d\theta$$
$$=2\int_{0}^{\frac{\pi}{4}}d\theta=2\Big[\theta\Big]_{0}^{\frac{\pi}{4}}=\frac{\pi}{2}$$

(i), (ii)에서

$$\int_0^{\frac{1}{2}}\frac{4}{1+4x^2}dx+\int_0^{\frac{\sqrt{2}}{2}}\frac{2}{\sqrt{1-x^2}}dx=\frac{\pi}{2}+\frac{\pi}{2}=\pi$$

답 ②

1116

유형 15 정적분의 치환적분법 – $f(px+q)$ 꼴

|전략| $\int_{-2}^{0}\frac{f(x)}{e^{-x}+1}dx$에서 $x=-t$로 놓고 치환적분법을 이용한다.

$$\int_{-2}^{2}\frac{f(x)}{e^{-x}+1}dx=\int_{-2}^{0}\frac{f(x)}{e^{-x}+1}dx+\int_0^2\frac{f(x)}{e^{-x}+1}dx$$

$\int_{-2}^{0}\frac{f(x)}{e^{-x}+1}dx$에서 $x=-t$로 놓으면 $1=-\frac{dt}{dx}$이고

$x=-2$일 때 $t=2$, $x=0$일 때 $t=0$이므로

$$\begin{aligned}\int_{-2}^{0}\frac{f(x)}{e^{-x}+1}dx&=\int_2^0\frac{f(-t)}{e^t+1}(-dt)\\&=\int_0^2\frac{f(t)}{e^t+1}dt\ (\because f(x)=f(-x))\\&=\int_0^2\frac{f(x)}{e^x+1}dx\end{aligned}$$

$$\begin{aligned}\therefore \int_{-2}^{2}\frac{f(x)}{e^{-x}+1}dx&=\int_0^2\frac{f(x)}{e^x+1}dx+\int_0^2\frac{f(x)}{e^{-x}+1}dx\\&=\int_0^2\frac{f(x)}{e^x+1}dx+\int_0^2\frac{e^xf(x)}{e^x+1}dx\\&=\int_0^2\frac{e^x+1}{e^x+1}f(x)dx\\&=\int_0^2 f(x)dx=3\end{aligned}$$

답 ③

1117

유형 07 우함수·기함수의 정적분 + 16 정적분의 부분적분법

|전략| $x^3\cos x$, $x^2\sin 2x$, $x\sin x$가 우함수인지 기함수인지 판단하여 주어진 식을 간단히 나타낸 다음 부분적분법을 이용한다.

x^3, x, $\sin 2x$, $\sin x$는 기함수이고 x^2, $\cos x$는 우함수이므로 $x^3\cos x$, $x^2\sin 2x$는 기함수이고 $x\sin x$는 우함수이다.

$$\begin{aligned}\therefore \int_{-\frac{\pi}{2}}^{\frac{\pi}{2}}(x^3\cos x-x^2\sin 2x+x\sin x)dx&=\int_{-\frac{\pi}{2}}^{\frac{\pi}{2}}x\sin x\,dx\\&=2\int_0^{\frac{\pi}{2}}x\sin x\,dx\end{aligned}$$

이때, $\int_0^{\frac{\pi}{2}}x\sin x\,dx$에서 $f(x)=x$, $g'(x)=\sin x$로 놓으면

$f'(x)=1$, $g(x)=-\cos x$이므로

$$\begin{aligned}2\int_0^{\frac{\pi}{2}}x\sin x\,dx&=2\left(\Big[-x\cos x\Big]_0^{\frac{\pi}{2}}+\int_0^{\frac{\pi}{2}}\cos x\,dx\right)\\&=2\Big[\sin x\Big]_0^{\frac{\pi}{2}}=2\end{aligned}$$

답 ②

1118

유형 19 적분 구간에 변수가 있는 정적분을 포함한 등식

|전략| 주어진 등식의 양변을 x에 대하여 두 번 미분한다.

주어진 식의 양변을 x에 대하여 미분하면

$$f(x)=\int_0^x f(t)dt+xf(x)-xf(x)+1$$

$$\therefore \int_0^x f(t)dt=f(x)-1 \qquad \cdots\cdots ㉠$$

㉠의 양변을 x에 대하여 미분하면

$f(x)=f'(x)$, $\frac{f'(x)}{f(x)}=1$

즉, $\int\frac{f'(x)}{f(x)}dx=\int 1\,dx$이므로

$\ln f(x)=x+C$ ($\because f(x)>0$)

$\therefore f(x)=e^{x+C}$

㉠에 $x=0$을 대입하면 $f(0)=1$이므로 $C=0$

따라서 $f(x)=e^x$이므로 $f(4)=e^4$

답 ④

1119

유형 22 정적분으로 정의된 함수의 최대·최소

|전략| 양변을 x에 대하여 미분하여 $f'(x)$를 구한 후, 극값을 이용하여 최댓값을 구한다.

$f(x)=\int_0^x(2-e^t)dt$의 양변을 x에 대하여 미분하면

$f'(x)=2-e^x$

$f'(x)=0$에서 $e^x=2$ $\quad\therefore x=\ln 2$

x	$\cdots$	$\ln 2$	$\cdots$
$f'(x)$	$+$	0	$-$
$f(x)$	↗	극대	↘

함수 $f(x)$는 $x=\ln 2$일 때 극대이면서 최대이므로 최댓값은

$$\begin{aligned}f(\ln 2)&=\int_0^{\ln 2}(2-e^t)dt=\Big[2t-e^t\Big]_0^{\ln 2}\\&=(2\ln 2-2)-(-1)=2\ln 2-1\end{aligned}$$

답 ②

1120

유형 02 무리함수의 정적분

|전략| $n\neq-1$일 때 $\int_a^b x^n dx=\left[\frac{1}{n+1}x^{n+1}\right]_a^b$임을 이용하여 $\int_0^{\frac{1}{n}}\frac{1}{\sqrt{x+1}}dx$를 n에 대한 식으로 나타낸다.

$$\begin{aligned}\int_0^{\frac{1}{n}}\frac{1}{\sqrt{x+1}}dx&=\int_0^{\frac{1}{n}}(x+1)^{-\frac{1}{2}}dx=\Big[2\sqrt{x+1}\Big]_0^{\frac{1}{n}}\\&=2\sqrt{\frac{1}{n}+1}-2=2\times\frac{\sqrt{n+1}-\sqrt{n}}{\sqrt{n}}\\&=\frac{2}{\sqrt{n}(\sqrt{n+1}+\sqrt{n})}\end{aligned}$$

··· ❶

$$\therefore \lim_{n\to\infty}\left\{(n+1)\int_0^{\frac{1}{n}}\frac{1}{\sqrt{x+1}}dx\right\}=\lim_{n\to\infty}\frac{2(n+1)}{\sqrt{n}(\sqrt{n+1}+\sqrt{n})}=1$$

··· ❷

답 1

채점 기준	배점
❶ $\int_0^{\frac{1}{n}}\frac{1}{\sqrt{x+1}}dx$를 n에 대한 식으로 나타낼 수 있다.	4점
❷ $\lim_{n\to\infty}\left\{(n+1)\int_0^{\frac{1}{n}}\frac{1}{\sqrt{x+1}}dx\right\}$의 값을 구할 수 있다.	2점

1121

유형 09 정적분의 치환적분법 - 유리함수·무리함수

|전략| $x^3+3x+3=t$로 놓고 치환적분법을 이용한다.

$x^3+3x+3=t$로 놓으면 $3x^2+3=\dfrac{dt}{dx}$

$x=-1$일 때 $t=-1$, $x=1$일 때 $t=7$이므로 … ❶

$$\int_{-1}^{1}\frac{x^2+1}{x^3+3x+3}dx=\frac{1}{3}\int_{-1}^{7}\frac{1}{t}dt$$

$$=\frac{1}{3}\Big[\ln|t|\Big]_{-1}^{7}=\frac{1}{3}\ln 7$$ … ❷

따라서 $a\ln 7=\frac{1}{3}\ln 7$이므로 $a=\frac{1}{3}$ … ❸

답 $\frac{1}{3}$

채점 기준	배점
❶ $x^3+3x+3=t$로 치환하고 적분 구간을 구할 수 있다.	2점
❷ $\int_{-1}^{1}\frac{x^2+1}{x^3+3x+3}dx$의 값을 구할 수 있다.	3점
❸ a의 값을 구할 수 있다.	1점

1122

유형 18 적분 구간이 상수인 정적분을 포함한 등식

|전략| $\int_1^3 f(t)dt=k$(k는 상수)로 놓고 k의 값을 구한다.

$\int_1^3 f(t)dt=k$ (k는 상수) …… ㉠

로 놓으면 $f(x)=\ln x+k$ … ❶

$f(t)=\ln t+k$를 ㉠에 대입하면

$\int_1^3(\ln t+k)dt=k$

이때, $u(t)=\ln t+k$, $v'(t)=1$로 놓으면

$u'(t)=\frac{1}{t}$, $v(t)=t$이므로

$$\int_1^3(\ln t+k)dt=\Big[t(\ln t+k)\Big]_1^3-\int_1^3\frac{1}{t}\times t\,dt$$
$$=3(\ln 3+k)-k-\int_1^3 dt$$
$$=3\ln 3+2k-\Big[t\Big]_1^3$$
$$=3\ln 3+2k-2$$

즉, $3\ln 3+2k-2=k$이므로 $k=2-3\ln 3$ … ❷

따라서 $f(x)=\ln x+2-3\ln 3$이므로 $f(27)=2$ … ❸

답 2

채점 기준	배점
❶ $\int_1^3 f(t)dt=k$(k는 상수)로 놓고 $f(x)$를 k에 대한 식으로 나타낼 수 있다.	1점
❷ k의 값을 구할 수 있다.	5점
❸ $f(27)$의 값을 구할 수 있다.	1점

1123

유형 07 우함수·기함수의 정적분

|전략| $f(x)$가 우함수이면 $\int_{-a}^{a}f(x)dx=2\int_0^a f(x)dx$, $f(x)$가 기함수이면 $\int_{-a}^{a}f(x)dx=0$임을 이용한다.

(1) $f(x)=2^x+2^{-x}$, $g(x)=7^x-7^{-x}$에서

$f(-x)=2^{-x}+2^x=f(x)$

$g(-x)=7^{-x}-7^x=-(7^x-7^{-x})=-g(x)$

이므로 $f(x)$는 우함수, $g(x)$는 기함수이다.

(2) $$\int_{-1}^{1}(2^x+7^x+2^{-x}-7^{-x})dx=2\int_0^1(2^x+2^{-x})dx$$
$$=2\Big[\frac{2^x}{\ln 2}-\frac{2^{-x}}{\ln 2}\Big]_0^1$$
$$=2\times\frac{3}{2\ln 2}=\frac{3}{\ln 2}$$

답 (1) $f(x)$: 우함수, $g(x)$: 기함수 (2) $\frac{3}{\ln 2}$

채점 기준	배점
(1) $f(x)=2^x+2^{-x}$, $g(x)=7^x-7^{-x}$으로 놓고 두 함수가 우함수인지 기함수인지 각각 구할 수 있다.	4점
(2) 정적분 $\int_{-1}^{1}(2^x+7^x+2^{-x}-7^{-x})dx$의 값을 구할 수 있다.	6점

1124

유형 23 정적분으로 정의된 함수의 극한

|전략| $\lim_{x\to 0}\frac{1}{x}\int_a^{x+a}f(t)dt=f(a)$임을 이용한다.

(1) $F'(t)=f(t)$로 놓으면

$$\lim_{h\to 0}\frac{1}{h}\int_{\frac{\pi}{2}-h}^{\frac{\pi}{2}+h}f(t)dt$$
$$=\lim_{h\to 0}\frac{F\left(\frac{\pi}{2}+h\right)-F\left(\frac{\pi}{2}-h\right)}{h}$$
$$=\lim_{h\to 0}\frac{F\left(\frac{\pi}{2}+h\right)-F\left(\frac{\pi}{2}\right)-\left\{F\left(\frac{\pi}{2}-h\right)-F\left(\frac{\pi}{2}\right)\right\}}{h}$$
$$=\lim_{h\to 0}\frac{F\left(\frac{\pi}{2}+h\right)-F\left(\frac{\pi}{2}\right)}{h}+\lim_{h\to 0}\frac{F\left(\frac{\pi}{2}-h\right)-F\left(\frac{\pi}{2}\right)}{-h}$$
$$=F'\left(\frac{\pi}{2}\right)+F'\left(\frac{\pi}{2}\right)=2F'\left(\frac{\pi}{2}\right)=2f\left(\frac{\pi}{2}\right)$$

(2) $$2f\left(\frac{\pi}{2}\right)=2\int_{-\frac{\pi}{2}}^{\frac{\pi}{2}}\frac{1}{2}\sin 2t(\sin t+1)dt$$
$$=2\int_{-\frac{\pi}{2}}^{\frac{\pi}{2}}\sin t\cos t(\sin t+1)dt$$

이때, $\sin t=h$로 놓으면 $\cos t=\frac{dh}{dt}$

$t=-\frac{\pi}{2}$일 때 $h=-1$, $t=\frac{\pi}{2}$일 때 $h=1$이므로

$$2\int_{-\frac{\pi}{2}}^{\frac{\pi}{2}} \sin t\cos t(\sin t+1)dt=2\int_{-1}^{1} h(h+1)dh$$
$$=2\int_{-1}^{1}(h^2+h)dh$$
$$=2\int_{-1}^{1} h^2dh=4\int_{0}^{1}h^2dh$$
$$=4\left[\frac{1}{3}h^3\right]_0^1=\frac{4}{3}$$

답 (1) $2f\left(\frac{\pi}{2}\right)$ (2) $\frac{4}{3}$

채점 기준	배점
(1) $\lim_{h\to 0}\frac{1}{h}\int_{\frac{\pi}{2}-h}^{\frac{\pi}{2}+h} f(t)dt$를 $af(b)+c$ 꼴로 간단히 나타낼 수 있다.	6점
(2) 치환적분법을 이용하여 $\lim_{h\to 0}\frac{1}{h}\int_{\frac{\pi}{2}-h}^{\frac{\pi}{2}+h} f(t)\,dt$의 값을 구할 수 있다.	6점

창의·융합 교과서 속 심화문제

1125

|전략| $0\le x<1$인 경우와 $1<x\le 3$인 경우로 나누어 $f(x)$를 구한다.

(i) $0\le x<1$인 경우

$$f(x)=\lim_{n\to\infty}\frac{2x^{n+1}+3x^2}{2x^n+2x+1}=\frac{3x^2}{2x+1}$$

(ii) $1<x\le 3$인 경우

$$f(x)=\lim_{n\to\infty}\frac{2x^{n+1}+3x^2}{2x^n+2x+1}=\lim_{n\to\infty}\frac{2x+\frac{3}{x^{n-2}}}{2+\frac{2}{x^{n-1}}+\frac{1}{x^n}}=x$$

함수 $f(x)$가 실수 전체의 집합에서 연속이므로 $f(x)$는 $x=1$에서 연속이다.

즉, $\lim_{x\to 1-}f(x)=\lim_{x\to 1+}f(x)=f(1)$에서

$$\lim_{x\to 1-}\frac{3x^2}{2x+1}=\lim_{x\to 1+}x=\frac{k}{3}$$

$\frac{k}{3}=1$ $\quad\therefore k=3$

$$\therefore \int_0^3 f(x)dx=\int_0^1 f(x)dx+\int_1^3 f(x)dx$$
$$=\int_0^1\frac{3x^2}{2x+1}dx+\int_1^3 xdx$$
$$=\int_0^1\left(\frac{3}{2}x-\frac{3}{4}+\frac{3}{8x+4}\right)dx+\int_1^3 xdx$$
$$=\left[\frac{3}{4}x^2-\frac{3}{4}x+\frac{3}{8}\ln|8x+4|\right]_0^1+\left[\frac{1}{2}x^2\right]_1^3$$
$$=\frac{3}{8}\ln 3+4$$

답 $\frac{3}{8}\ln 3+4$

1126

|전략| $0\le x<\frac{\pi}{2}$인 경우와 $\frac{\pi}{2}\le x\le\pi$인 경우로 나누어 $f(x)$를 구한다.

(i) $0\le x<\frac{\pi}{2}$인 경우

$$f(x)=\int_0^{\frac{\pi}{2}}\sin|x-t|dt$$
$$=\int_0^x\sin(x-t)dt+\int_x^{\frac{\pi}{2}}\sin(t-x)dt$$
$$=\Big[\cos(x-t)\Big]_0^x-\Big[\cos(t-x)\Big]_x^{\frac{\pi}{2}}$$
$$=(1-\cos x)-\left\{\cos\left(\frac{\pi}{2}-x\right)-1\right\}$$
$$=2-\cos x-\sin x$$

(ii) $\frac{\pi}{2}\le x\le\pi$인 경우

$$f(x)=\int_0^{\frac{\pi}{2}}\sin|x-t|dt$$
$$=\int_0^{\frac{\pi}{2}}\sin(x-t)dt$$
$$=\Big[\cos(x-t)\Big]_0^{\frac{\pi}{2}}$$
$$=\cos\left(x-\frac{\pi}{2}\right)-\cos x$$
$$=\sin x-\cos x$$

(i), (ii)에 의하여

$$f(x)=\begin{cases}2-\cos x-\sin x & \left(0\le x<\frac{\pi}{2}\right)\\ \sin x-\cos x & \left(\frac{\pi}{2}\le x\le\pi\right)\end{cases}$$

$$\therefore \int_0^{\pi}f(x)dx=\int_0^{\frac{\pi}{2}}(2-\cos x-\sin x)dx+\int_{\frac{\pi}{2}}^{\pi}(\sin x-\cos x)dx$$
$$=\Big[2x-\sin x+\cos x\Big]_0^{\frac{\pi}{2}}+\Big[-\cos x-\sin x\Big]_{\frac{\pi}{2}}^{\pi}$$
$$=(\pi-2)+2=\pi$$

답 π

1127

|전략| $\int_0^{\frac{\pi}{2}}f(x)\cos^2 x\,dx$에서 $x=\frac{\pi}{2}-t$로 놓고 치환적분법을 이용한다.

$\int_0^{\frac{\pi}{2}}f(x)\cos^2 x\,dx$에서 $x=\frac{\pi}{2}-t$로 놓으면 $1=-\frac{dt}{dx}$

$x=0$일 때 $t=\frac{\pi}{2}$, $x=\frac{\pi}{2}$일 때 $t=0$이므로

$$\int_0^{\frac{\pi}{2}}f(x)\cos^2 x\,dx=-\int_{\frac{\pi}{2}}^{0}f\left(\frac{\pi}{2}-t\right)\cos^2\left(\frac{\pi}{2}-t\right)dt$$
$$=\int_0^{\frac{\pi}{2}}f\left(\frac{\pi}{2}-t\right)\sin^2 t\,dt$$
$$=\int_0^{\frac{\pi}{2}}f(t)\sin^2 t\,dt\quad\left(\because f(x)=f\left(\frac{\pi}{2}-x\right)\right)$$
$$=\int_0^{\frac{\pi}{2}}f(x)\sin^2 x\,dx=10$$

$$\therefore \int_0^{\frac{\pi}{2}}f(x)\,dx=\int_0^{\frac{\pi}{2}}f(x)(\sin^2 x+\cos^2 x)dx$$
$$=\int_0^{\frac{\pi}{2}}f(x)\sin^2 x\,dx+\int_0^{\frac{\pi}{2}}f(x)\cos^2 x\,dx$$
$$=10+10=20$$

답 20

1128

|전략| 주어진 등식의 양변을 x에 대하여 미분한다.

$$\{f(x)\}^2-4=\int_1^x \frac{tf(t)}{t^2+1}dt \quad \cdots\cdots \text{㉠}$$

㉠의 양변을 x에 대하여 미분하면

$$2f(x)f'(x)=\frac{xf(x)}{x^2+1} \qquad \therefore f'(x)=\frac{x}{2x^2+2}$$

$$\therefore f(x)=\int\frac{x}{2x^2+2}dx=\frac{1}{4}\int\frac{4x}{2x^2+2}dx$$
$$=\frac{1}{4}\ln(2x^2+2)+C$$

㉠의 양변에 $x=1$을 대입하면

$\{f(1)\}^2-4=0$에서 $f(1)=2$ ($\because f(x)>0$)이므로

$$\frac{1}{4}\ln 4+C=2 \qquad \therefore C=2-\frac{1}{4}\ln 4$$

$$\therefore f(x)=\frac{1}{4}\ln(2x^2+2)+2-\frac{1}{4}\ln 4=\frac{1}{4}\ln\frac{x^2+1}{2}+2$$

따라서 부분적분법을 이용하면

$$\int_1^3 xf''(x)dx=\Big[xf'(x)\Big]_1^3-\int_1^3 f'(x)dx$$
$$=3f'(3)-f'(1)-\Big[f(x)\Big]_1^3$$
$$=3f'(3)-f'(1)-f(3)+f(1)$$
$$=\frac{9}{20}-\frac{1}{4}-\frac{1}{4}\ln 5-2+2$$
$$=\frac{1}{5}-\frac{1}{4}\ln 5$$

답 ①

1129

|전략| $f(x)=\int_0^x(t-a)e^{t-b}dt$의 양변을 x에 대하여 미분한다.

(가) $f(x)=\int_0^x(t-a)e^{t-b}dt$의 양변을 x에 대하여 미분하면

$f'(x)=(x-a)e^{x-b}$

(나)에서 함수 $f(x)$는 $x=1$에서 극값을 가지므로

$f'(1)=(1-a)e^{1-b}=0$에서 $a=1$ ($\because e^{1-b}>0$)

(다)에서 $f(2)-2f(0)=\frac{2}{e^3}$이고 (가)에서 $f(0)=0$이므로

$$f(2)=\frac{2}{e^3}$$

(가)에서 $u(t)=t-1$, $v'(t)=e^{t-b}$으로 놓으면

$u'(t)=1$, $v(t)=e^{t-b}$이므로

$$f(x)=\int_0^x(t-1)^{t-b}dt=\Big[(t-1)e^{t-b}\Big]_0^x-\int_0^x e^{t-b}dt$$
$$=(x-1)e^{x-b}-(-e^{-b})-\Big[e^{t-b}\Big]_0^x$$
$$=(x-1)e^{x-b}+e^{-b}-e^{x-b}+e^{-b}$$
$$=(x-2)e^{x-b}+2e^{-b}$$

이때, $f(2)=\frac{2}{e^3}$이므로

$$2e^{-b}=\frac{2}{e^3} \qquad \therefore b=3$$

따라서 $f(x)=(x-2)e^{x-3}+\frac{2}{e^3}$이므로

$$f(3)=1+\frac{2}{e^3}$$

답 $1+\frac{2}{e^3}$

본책 178~191쪽

10 | 정적분의 활용

STEP 1 개념 마스터

1130

$$\lim_{n\to\infty}\frac{1}{n^5}(1^4+2^4+3^4+\cdots+n^4)=\lim_{n\to\infty}\frac{1}{n^5}\sum_{k=1}^{n}k^4$$
$$=\lim_{n\to\infty}\sum_{k=1}^{n}\left(\frac{k}{n}\right)^4\frac{1}{n}$$

이때, $f(x)=x^4$, $a=0$, $b=1$로 놓으면

$$\Delta x=\frac{b-a}{n}=\boxed{(가)\ \frac{1}{n}},\ x_k=a+k\Delta x=\boxed{(나)\ \frac{k}{n}}$$

$$\therefore \lim_{n\to\infty}\sum_{k=1}^{n}\left(\frac{k}{n}\right)^4\frac{1}{n}=\lim_{n\to\infty}\sum_{k=1}^{n}f(x_k)\Delta x=\int_0^1\boxed{(다)\ x^4}dx$$
$$=\Big[\frac{1}{5}x^5\Big]_0^1=\boxed{(라)\ \frac{1}{5}}$$

답 (가) $\frac{1}{n}$ (나) $\frac{k}{n}$ (다) x^4 (라) $\frac{1}{5}$

1131

$$\lim_{n\to\infty}\frac{1}{n}\left\{\left(1+\frac{1}{n}\right)^2+\left(1+\frac{2}{n}\right)^2+\cdots+\left(1+\frac{n}{n}\right)^2\right\}$$
$$=\lim_{n\to\infty}\sum_{k=1}^{n}\left(1+\frac{k}{n}\right)^2\frac{1}{n}$$

이때, $f(x)=x^2$, $a=1$, $b=2$로 놓으면

$$\Delta x=\frac{1}{n},\ x_k=1+\frac{k}{n}$$

$$\therefore \lim_{n\to\infty}\sum_{k=1}^{n}\left(1+\frac{k}{n}\right)^2\frac{1}{n}=\lim_{n\to\infty}\sum_{k=1}^{n}f(x_k)\Delta x=\int_1^2 x^2dx$$
$$=\Big[\frac{1}{3}x^3\Big]_1^2=\frac{7}{3}$$

답 $\frac{7}{3}$

다른 풀이 $f(x)=(1+x)^2$, $a=0$, $b=1$로 놓으면

$$\Delta x=\frac{1}{n},\ x_k=\frac{k}{n}$$

$$\therefore \lim_{n\to\infty}\sum_{k=1}^{n}\left(1+\frac{k}{n}\right)^2\frac{1}{n}=\lim_{n\to\infty}\sum_{k=1}^{n}f(x_k)\Delta x=\int_0^1(1+x)^2dx$$
$$=\Big[\frac{1}{3}(1+x)^3\Big]_0^1=\frac{7}{3}$$

1132

$$\lim_{n\to\infty}\frac{\pi}{n}\left(\sin\frac{\pi}{n}+\sin\frac{2\pi}{n}+\cdots+\sin\frac{n\pi}{n}\right)$$
$$=\lim_{n\to\infty}\sum_{k=1}^{n}\sin\frac{k\pi}{n}\times\frac{\pi}{n}$$

이때, $f(x)=\sin x$, $a=0$, $b=\pi$로 놓으면

$$\Delta x=\frac{\pi}{n},\ x_k=\frac{k\pi}{n}$$

$$\therefore \lim_{n\to\infty}\sum_{k=1}^{n}\sin\frac{k\pi}{n}\times\frac{\pi}{n}=\lim_{n\to\infty}\sum_{k=1}^{n}f(x_k)\Delta x=\int_0^{\pi}\sin x\,dx$$
$$=\Big[-\cos x\Big]_0^{\pi}=2$$

답 2

1133

오른쪽 그림에서 구하는 넓이는

$\int_1^e \frac{1}{x}dx=\Big[\ln|x|\Big]_1^e=1$

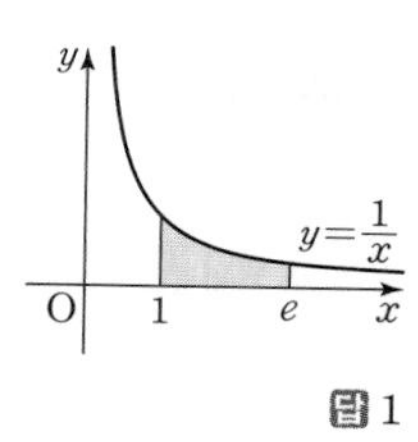

답 1

1134

곡선 $y=\sin x$와 x축의 교점의 x좌표는

$\sin x=0$에서

$x=0$ 또는 $x=\pi$ ($\because 0\le x\le\pi$)

따라서 구하는 넓이는

$\int_0^\pi \sin x\,dx=\Big[-\cos x\Big]_0^\pi=2$

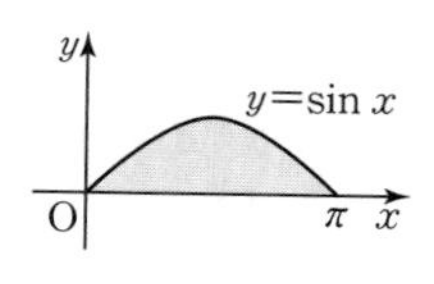

답 2

1135

오른쪽 그림에서 구하는 넓이는

$\int_{-1}^1 |-2e^x|dx=\int_{-1}^1 2e^x dx$

$=2\Big[e^x\Big]_{-1}^1=2\left(e-\frac{1}{e}\right)$

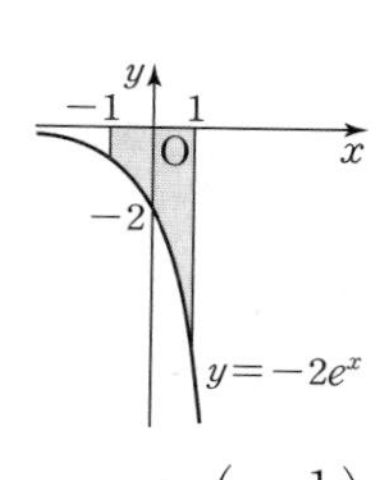

답 $2\left(e-\frac{1}{e}\right)$

1136

오른쪽 그림에서 구하는 넓이는

$\int_1^e \ln x\,dx=\Big[x\ln x\Big]_1^e-\int_1^e dx$

$=e-\Big[x\Big]_1^e$

$=e-(e-1)=1$

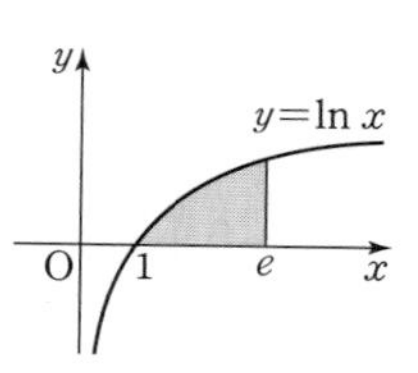

답 1

1137

$y=\frac{1}{2}x^2$에서 $x^2=2y$

$\therefore x=\sqrt{2y}$ ($\because x\ge0$)

따라서 구하는 넓이는

$\int_0^4 \sqrt{2y}\,dy=\left[\frac{2\sqrt{2}}{3}y^{\frac{3}{2}}\right]_0^4=\frac{16\sqrt{2}}{3}$

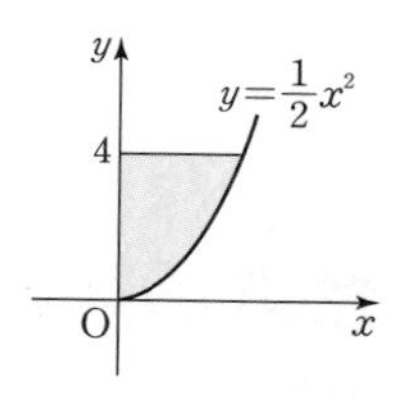

답 $\frac{16\sqrt{2}}{3}$

1138

$y=\sqrt{x}$에서 $x=y^2$

따라서 구하는 넓이는

$\int_1^4 y^2 dy=\left[\frac{1}{3}y^3\right]_1^4=21$

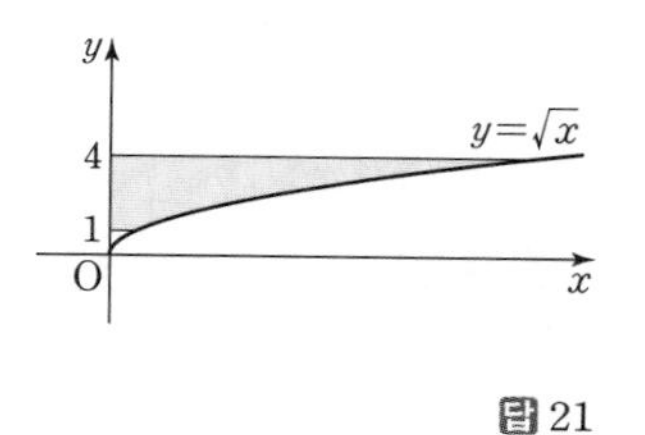

답 21

1139

$y=e^x$에서 $x=\ln y$

따라서 구하는 넓이는

$\int_1^{e^2} \ln y\,dy=\Big[y\ln y\Big]_1^{e^2}-\int_1^{e^2} dy$

$=2e^2-\Big[y\Big]_1^{e^2}$

$=2e^2-(e^2-1)=e^2+1$

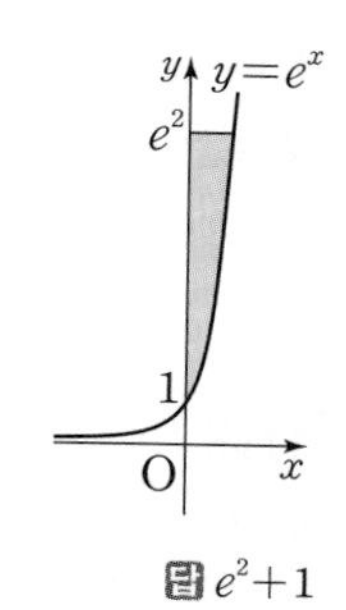

답 e^2+1

1140

$y=\ln x$에서 $x=e^y$

따라서 구하는 넓이는

$\int_{-1}^1 e^y dy=\Big[e^y\Big]_{-1}^1=e-\frac{1}{e}$

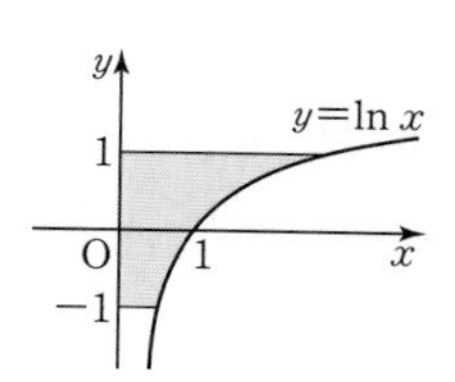

답 $e-\frac{1}{e}$

1141

곡선 $y=\frac{3}{x}$과 직선 $y=-x+4$의 교점의

x좌표는 $\frac{3}{x}=-x+4$에서

$x^2-4x+3=0$, $(x-1)(x-3)=0$

$\therefore x=1$ 또는 $x=3$

따라서 구하는 넓이는

$\int_1^3 \left\{(-x+4)-\frac{3}{x}\right\}dx=\left[-\frac{1}{2}x^2+4x-3\ln|x|\right]_1^3$

$=4-3\ln 3$

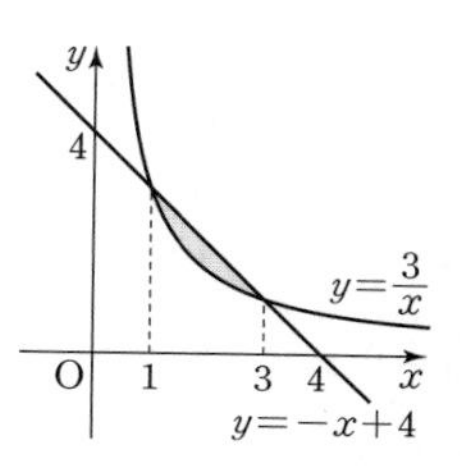

답 $4-3\ln 3$

1142

오른쪽 그림에서 구하는 넓이는

$\int_0^1 (e^x-e^{-x})dx=\Big[e^x+e^{-x}\Big]_0^1$

$=e+\frac{1}{e}-2$

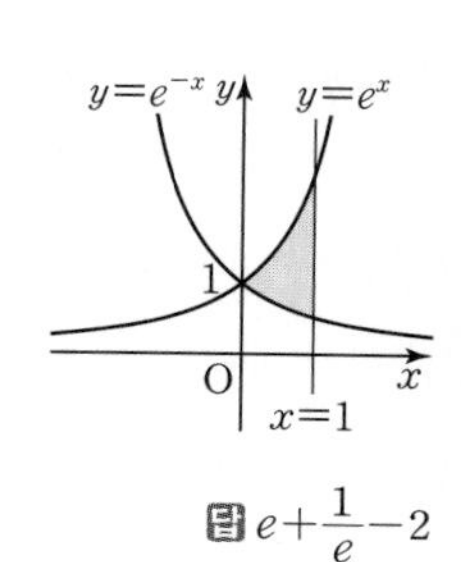

답 $e+\frac{1}{e}-2$

1143

두 곡선 $y=\sin x$, $y=\cos x$의 교점의

x좌표는 $\sin x=\cos x$에서

$x=\frac{\pi}{4}$ $\left(\because 0\le x\le\frac{\pi}{2}\right)$

따라서 구하는 넓이는

$\int_0^{\frac{\pi}{4}} (\cos x-\sin x)dx$

$=\Big[\sin x+\cos x\Big]_0^{\frac{\pi}{4}}=\sqrt{2}-1$

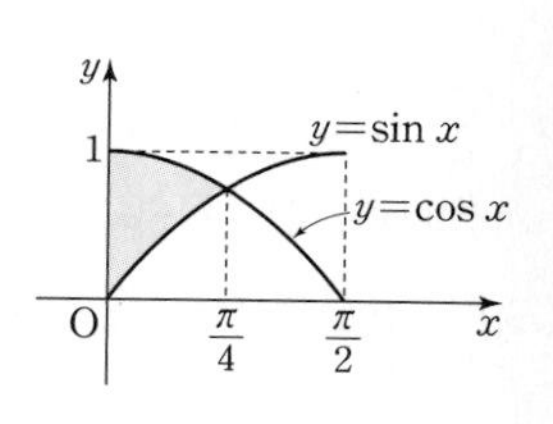

답 $\sqrt{2}-1$

10 정적분의 활용

1144

밑면으로부터 x인 지점에서의 단면의 넓이가 $\sqrt{6-x}$이므로 구하는 부피는

$$\int_0^6 \sqrt{6-x}\,dx = \left[-\frac{2}{3}(6-x)^{\frac{3}{2}}\right]_0^6 = 4\sqrt{6}$$

답 $4\sqrt{6}$

1145

밑면으로부터 x cm인 지점에서의 단면의 넓이가 $(e^x)^2 = e^{2x}$ (cm^2)이므로 구하는 부피는

$$\int_0^{10} e^{2x}\,dx = \left[\frac{1}{2}e^{2x}\right]_0^{10} = \frac{1}{2}(e^{20}-1)\ (\text{cm}^3)$$

답 $\frac{1}{2}(e^{20}-1)$ cm^3

1146

(1) $0+\int_0^3 e^{2t}\,dt = \left[\frac{1}{2}e^{2t}\right]_0^3 = \frac{1}{2}e^6 - \frac{1}{2}$

(2) $\int_0^5 e^{2t}\,dt = \left[\frac{1}{2}e^{2t}\right]_0^5 = \frac{1}{2}e^{10} - \frac{1}{2}$

(3) $\int_0^4 |e^{2t}|\,dt = \int_0^4 e^{2t}\,dt = \left[\frac{1}{2}e^{2t}\right]_0^4 = \frac{1}{2}e^8 - \frac{1}{2}$

답 (1) $\frac{1}{2}e^6-\frac{1}{2}$ (2) $\frac{1}{2}e^{10}-\frac{1}{2}$ (3) $\frac{1}{2}e^8-\frac{1}{2}$

1147

$x=\frac{1}{3}t^3-t$, $y=t^2$에서

$\frac{dx}{dt}=t^2-1$, $\frac{dy}{dt}=2t$

따라서 시각 $t=0$에서 $t=1$까지 점 P가 움직인 거리는

$$\int_0^1 \sqrt{(t^2-1)^2+(2t)^2}\,dt = \int_0^1 \sqrt{(t^2+1)^2}\,dt = \int_0^1 (t^2+1)\,dt$$
$$= \left[\frac{1}{3}t^3+t\right]_0^1 = \frac{4}{3}$$

답 $\frac{4}{3}$

1148

$x=3\cos t$, $y=3\sin t$에서

$\frac{dx}{dt}=-3\sin t$, $\frac{dy}{dt}=3\cos t$

따라서 시각 $t=0$에서 $t=1$까지 점 P가 움직인 거리는

$$\int_0^1 \sqrt{(-3\sin t)^2+(3\cos t)^2}\,dt = \int_0^1 3\,dt = \left[3t\right]_0^1 = 3$$

답 3

1149

$x=6t^2$, $y=t^3-12t$에서

$\frac{dx}{dt}=12t$, $\frac{dy}{dt}=3t^2-12$

따라서 구하는 곡선의 길이는

$$\int_0^1 \sqrt{(12t)^2+(3t^2-12)^2}\,dt = \int_0^1 \sqrt{(3t^2+12)^2}\,dt$$
$$= \int_0^1 (3t^2+12)\,dt$$
$$= \left[t^3+12t\right]_0^1 = 13$$

답 13

1150

$x=e^t\cos t$, $y=e^t\sin t$에서

$\frac{dx}{dt}=e^t\cos t - e^t\sin t = e^t(\cos t - \sin t)$

$\frac{dy}{dt}=e^t\sin t + e^t\cos t = e^t(\sin t + \cos t)$

따라서 구하는 곡선의 길이는

$$\int_1^3 \sqrt{\{e^t(\cos t-\sin t)\}^2+\{e^t(\sin t+\cos t)\}^2}\,dt$$
$$= \int_1^3 \sqrt{e^{2t}(1-2\sin t\cos t)+e^{2t}(1+2\sin t\cos t)}\,dt$$
$$= \int_1^3 \sqrt{2e^{2t}}\,dt = \int_1^3 \sqrt{2}e^t\,dt = \left[\sqrt{2}e^t\right]_1^3 = \sqrt{2}(e^3-e)$$

답 $\sqrt{2}(e^3-e)$

1151

$y'=\frac{2}{3}\times\frac{3}{2}x^{\frac{1}{2}}=\sqrt{x}$이므로 구하는 곡선의 길이는

$$\int_0^3 \sqrt{1+(\sqrt{x})^2}\,dx = \int_0^3 \sqrt{1+x}\,dx$$
$$= \left[\frac{2}{3}(1+x)\sqrt{1+x}\right]_0^3 = \frac{14}{3}$$

답 $\frac{14}{3}$

1152

$y'=\frac{e^x-e^{-x}}{2}$이므로 구하는 곡선의 길이는

$$\int_{-1}^1 \sqrt{1+\left(\frac{e^x-e^{-x}}{2}\right)^2}\,dx = \int_{-1}^1 \sqrt{1+\frac{e^{2x}-2+e^{-2x}}{4}}\,dx$$
$$= \int_{-1}^1 \sqrt{\frac{e^{2x}+2+e^{-2x}}{4}}\,dx$$
$$= \int_{-1}^1 \sqrt{\left(\frac{e^x+e^{-x}}{2}\right)^2}\,dx$$
$$= \int_{-1}^1 \frac{e^x+e^{-x}}{2}\,dx$$
$$= \int_0^1 (e^x+e^{-x})\,dx$$
$$= \left[e^x-e^{-x}\right]_0^1 = e-\frac{1}{e}$$

$f(x)=e^x+e^{-x}$이라 하면 $f(-x)=f(x)$이므로 우함수이다.

답 $e-\frac{1}{e}$

STEP 2 유형 마스터

1153

|전략| $\lim_{n\to\infty}\sum_{k=1}^n f\left(a+\frac{p}{n}k\right)\times\frac{p}{n}=\int_a^{a+p} f(x)\,dx$임을 이용하여 주어진 식을 정적분으로 나타낸다.

$$\lim_{n\to\infty}\sum_{k=1}^n f\Big(\underbrace{1+\frac{2k}{n}}_{x_k}\Big)\times\frac{2}{n} = \int_1^3 f(x)\,dx = \int_1^3 \frac{1}{x}\,dx$$
$$= \left[\ln|x|\right]_1^3 = \ln 3$$

답 ②

다른 풀이 $\lim_{n\to\infty}\sum_{k=1}^n f\Big(1+\underbrace{\frac{2k}{n}}_{x_k}\Big)\times\frac{2}{n} = \int_0^2 f(1+x)\,dx = \int_0^2 \frac{1}{1+x}\,dx$

$$= \left[\ln|1+x|\right]_0^2 = \ln 3$$

1154

$$\lim_{n\to\infty}\sum_{k=1}^{n} f\left(a+\underbrace{\frac{(1-a)k}{n}}_{x_k}\right)\times\frac{1-a}{n}=\int_a^1 f(x)dx$$

$$\lim_{n\to\infty}\sum_{k=1}^{n} f\left(a+\frac{\underbrace{(1-a)k}_{}}{\underbrace{n}_{x_k}}\right)\times\frac{1-a}{n}=\int_0^{1-a} f(a+x)dx$$

따라서 정적분으로 바르게 나타낸 것은 ②, ③이다.

답 ②, ③

1155

$$\lim_{n\to\infty}\frac{1}{n^3}\{(3n+2)^2+(3n+4)^2+\cdots+(3n+2n)^2\}$$

$$=\lim_{n\to\infty}\frac{1}{n}\left\{\left(3+\frac{2}{n}\right)^2+\left(3+\frac{4}{n}\right)^2+\cdots+\left(3+\frac{2n}{n}\right)^2\right\}$$

$$=\frac{1}{2}\lim_{n\to\infty}\sum_{k=1}^{n}\left(3+\frac{2k}{n}\right)^2\frac{2}{n}=\frac{1}{2}\int_3^5 x^2dx$$

$$=\frac{1}{2}\left[\frac{1}{3}x^3\right]_3^5=\frac{49}{3}$$

답 $\frac{49}{3}$

1156

$$\lim_{n\to\infty}\frac{\pi}{n}\sum_{k=1}^{n}\tan\frac{k\pi}{4n}=4\lim_{n\to\infty}\sum_{k=1}^{n}\left(\tan\frac{\pi}{4n}k\right)\frac{\pi}{4n}$$

$$=4\int_0^{\frac{\pi}{4}}\tan x\,dx=4\int_0^{\frac{\pi}{4}}\frac{\sin x}{\cos x}dx$$

이때, $\cos x=t$로 놓으면 $-\sin x=\frac{dt}{dx}$

$x=0$일 때 $t=1$, $x=\frac{\pi}{4}$일 때 $t=\frac{\sqrt{2}}{2}$이므로

$$4\int_0^{\frac{\pi}{4}}\frac{\sin x}{\cos x}dx=-4\int_1^{\frac{\sqrt{2}}{2}}\frac{1}{t}dt=4\int_{\frac{\sqrt{2}}{2}}^1\frac{1}{t}dt$$

$$=4\Big[\ln|t|\Big]_{\frac{\sqrt{2}}{2}}^1=-4\ln\frac{\sqrt{2}}{2}=\ln 4$$

$\therefore a=4$

답 ③

1157

$$\lim_{n\to\infty}\frac{1}{n}\ln\left(\frac{n+1}{n}\times\frac{n+2}{n}\times\frac{n+3}{n}\times\cdots\times\frac{2n}{n}\right)$$

$$=\lim_{n\to\infty}\frac{1}{n}\left(\ln\frac{n+1}{n}+\ln\frac{n+2}{n}+\ln\frac{n+3}{n}+\cdots+\ln\frac{n+n}{n}\right)$$

$$=\lim_{n\to\infty}\sum_{k=1}^{n}\ln\left(1+\frac{k}{n}\right)\times\frac{1}{n}$$

$$=\int_1^2\ln x\,dx \quad\cdots❶$$

$$=\Big[x\ln x\Big]_1^2-\int_1^2 dx$$

$$=2\ln 2-\Big[x\Big]_1^2=2\ln 2-1 \quad\cdots❷$$

답 $2\ln 2-1$

채점 기준	비율
❶ 주어진 급수를 정적분으로 나타낼 수 있다.	60 %
❷ 정적분의 값을 구할 수 있다.	40 %

1158

ㄱ. $\lim_{n\to\infty}\sum_{k=1}^{n}\left(2+\frac{3k}{n}\right)^2\frac{1}{n}=\lim_{n\to\infty}\sum_{k=1}^{n}\left(2+3\times\underbrace{\frac{k}{n}}_{x_k}\right)^2\frac{1}{n}$

$$=\int_0^1(2+3x)^2dx$$

ㄴ. $\lim_{n\to\infty}\sum_{k=1}^{n}\left(2+\frac{3k}{n}\right)^2\frac{1}{n}=\frac{1}{3}\lim_{n\to\infty}\sum_{k=1}^{n}\left(2+\underbrace{\frac{3k}{n}}_{x_k}\right)^2\frac{3}{n}$

$$=\frac{1}{3}\int_0^3(2+x)^2dx$$

ㄷ. $\lim_{n\to\infty}\sum_{k=1}^{n}\left(2+\frac{3k}{n}\right)^2\frac{1}{n}=\frac{1}{3}\lim_{n\to\infty}\sum_{k=1}^{n}\left(\underbrace{2+\frac{3k}{n}}_{x_k}\right)^2\frac{3}{n}$

$$=\frac{1}{3}\int_2^5 x^2dx$$

따라서 주어진 식과 같은 값을 갖는 것은 ㄱ이다.

답 ①

1159

$$\lim_{n\to\infty}\frac{|a|+\left|a-\frac{1}{n}\right|+\left|a-\frac{2}{n}\right|+\cdots+\left|a-\frac{n-1}{n}\right|}{n}$$

$$=\lim_{n\to\infty}\sum_{k=0}^{n-1}\left|a-\frac{k}{n}\right|\times\frac{1}{n}=\int_0^1|a-x|dx$$

$$=\int_0^a(-x+a)dx+\int_a^1(x-a)dx$$

$$=\left[-\frac{1}{2}x^2+ax\right]_0^a+\left[\frac{1}{2}x^2-ax\right]_a^1$$

$$=\frac{1}{2}a^2+\left(\frac{1}{2}-a+\frac{1}{2}a^2\right)=a^2-a+\frac{1}{2}$$

답 $a^2-a+\frac{1}{2}$

1160

|전략| 삼각형의 닮음을 이용하여 주어진 급수를 $\frac{k}{n}$를 포함한 식으로 나타낸 다음 정적분으로 변형하여 그 값을 구한다.

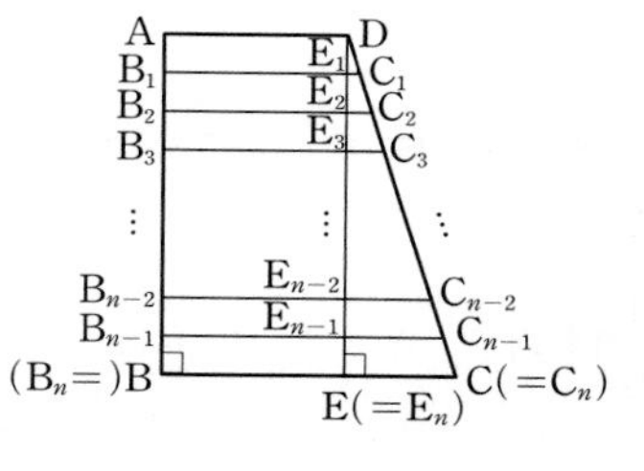

오른쪽 그림과 같이 꼭짓점 D에서 변 AB에 평행하게 직선을 그어 변 BC와 만나는 점을 E라 하고 선분 B_kC_k와 만나는 점을 E_k라 하면

$\overline{B_kE_k}=3$, $\overline{EC}=2$

한편, $\triangle DEC\backsim\triangle DE_kC_k$이므로

$\overline{DE}:\overline{EC}=\overline{DE_k}:\overline{E_kC_k}$

$6:2=\frac{6k}{n}:\overline{E_kC_k}\qquad\therefore \overline{E_kC_k}=\frac{2k}{n}$

따라서 $\overline{B_kC_k}=\overline{B_kE_k}+\overline{E_kC_k}=3+\frac{2k}{n}$이므로

$$\lim_{n\to\infty}\frac{3}{n}\sum_{k=1}^{n}\overline{B_kC_k}^2=\lim_{n\to\infty}\sum_{k=1}^{n}\left(3+\frac{2k}{n}\right)^2\frac{3}{n}$$

$$=\frac{3}{2}\lim_{n\to\infty}\sum_{k=1}^{n}\left(3+\frac{2k}{n}\right)^2\frac{2}{n}$$

$$=\frac{3}{2}\int_3^5x^2dx=\frac{3}{2}\left[\frac{1}{3}x^3\right]_3^5$$

$$=\frac{3}{2}\times\frac{98}{3}=49$$

답 49

1161

x축 위의 닫힌구간 $[0, 2]$를 n등분하면 $x_k=\frac{2k}{n}$이므로

$Q_k\left(\frac{2k}{n}, \sqrt{\frac{4k}{n}+1}\right)$

$$\therefore \overline{OQ_k}=\sqrt{\left(\frac{2k}{n}\right)^2+\left(\sqrt{\frac{4k}{n}+1}\right)^2}=\sqrt{\frac{4k^2}{n^2}+\frac{4k}{n}+1}$$

$$=\sqrt{\left(\frac{2k}{n}+1\right)^2}=\frac{2k}{n}+1$$

$$\therefore \lim_{n\to\infty}\frac{1}{n}\sum_{k=1}^{n}\overline{OQ_k}=\lim_{n\to\infty}\sum_{k=1}^{n}\left(1+\frac{2k}{n}\right)\frac{1}{n}$$

$$=\frac{1}{2}\lim_{n\to\infty}\sum_{k=1}^{n}\left(1+\frac{2k}{n}\right)\frac{2}{n}$$

$$=\frac{1}{2}\int_1^3 x\,dx=\frac{1}{2}\left[\frac{1}{2}x^2\right]_1^3$$

$$=\frac{1}{2}\times 4=2$$

답 ②

1162

|전략| 넓이는 양수이므로 닫힌구간 $[a, b]$에서 $f(x)\geq 0$이면 $S=\int_a^b f(x)dx$, $f(x)\leq 0$이면 $S=-\int_a^b f(x)dx$임을 이용한다.

닫힌구간 $[0, 2\pi]$에서 곡선 $y=x\sin x$와 x축의 교점의 x좌표는

$x\sin x=0$에서

$x=0$ 또는 $x=\pi$ 또는 $x=2\pi$

닫힌구간 $[0, \pi]$에서 $x\sin x\geq 0$, 닫힌구간 $[\pi, 2\pi]$에서 $x\sin x\leq 0$ 이므로 구하는 넓이는

$$\int_0^{\pi} x\sin x\,dx+\int_{\pi}^{2\pi}(-x\sin x)\,dx$$

$$=\left\{\Big[-x\cos x\Big]_0^{\pi}-\int_0^{\pi}(-\cos x)\,dx\right\}+\left(\Big[x\cos x\Big]_{\pi}^{2\pi}-\int_{\pi}^{2\pi}\cos x\,dx\right)$$

$$=\pi-\Big[-\sin x\Big]_0^{\pi}+3\pi-\Big[\sin x\Big]_{\pi}^{2\pi}=4\pi$$

답 ④

1163

오른쪽 그림에서 구하는 넓이는

$$\int_{-1}^{0}(e^{-x}-1)dx+\int_0^1\{-(e^{-x}-1)\}dx$$

$$=\Big[-e^{-x}-x\Big]_{-1}^{0}+\Big[e^{-x}+x\Big]_0^1$$

$$=e+\frac{1}{e}-2$$

답 $e+\frac{1}{e}-2$

1164

$n=1$일 때, $S_1=\int_0^{\frac{\pi}{2}}\frac{1}{2}\cos x\,dx=\left[\frac{1}{2}\sin x\right]_0^{\frac{\pi}{2}}=\frac{1}{2}$

$n=2$일 때, $S_2=-\int_{\frac{\pi}{2}}^{\pi}\left(\frac{1}{2}\right)^2\cos x\,dx=-\left[\left(\frac{1}{2}\right)^2\sin x\right]_{\frac{\pi}{2}}^{\pi}=\left(\frac{1}{2}\right)^2$

$n=3$일 때, $S_3=-\int_{\pi}^{\frac{3}{2}\pi}\left(\frac{1}{2}\right)^3\cos x\,dx=-\left[\left(\frac{1}{2}\right)^3\sin x\right]_{\pi}^{\frac{3}{2}\pi}=\left(\frac{1}{2}\right)^3$

$n=4$일 때, $S_4=\int_{\frac{3}{2}\pi}^{2\pi}\left(\frac{1}{2}\right)^4\cos x\,dx=\left[\left(\frac{1}{2}\right)^4\sin x\right]_{\frac{3}{2}\pi}^{2\pi}=\left(\frac{1}{2}\right)^4$

즉, 수열 $\{S_n\}$은 $\frac{1}{2}, \left(\frac{1}{2}\right)^2, \left(\frac{1}{2}\right)^3, \left(\frac{1}{2}\right)^4, \cdots$이므로

$$\sum_{n=1}^{\infty}S_n=\sum_{n=1}^{\infty}\left(\frac{1}{2}\right)^n=\frac{\frac{1}{2}}{1-\frac{1}{2}}=1$$

따라서 $a=1$이므로 $100a=100$

답 ②

1165

|전략| 넓이는 양수이므로 닫힌구간 $[a, b]$에서 $g(y)\geq 0$이면 $S=\int_a^b g(y)dy$, $g(y)\leq 0$이면 $S=-\int_a^b g(y)dy$임을 이용한다.

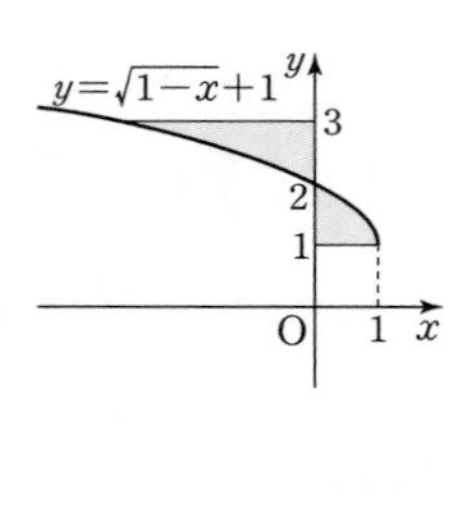

$y=\sqrt{1-x}+1$에서 $y-1=\sqrt{1-x}$

$(y-1)^2=1-x \qquad \therefore x=-y^2+2y$

따라서 구하는 넓이는

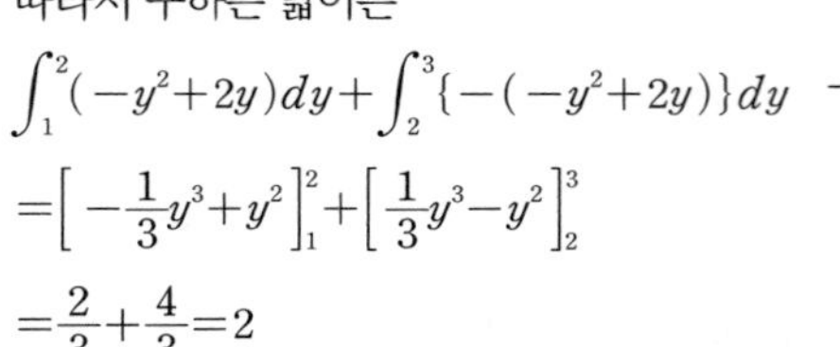

$$\int_1^2(-y^2+2y)dy+\int_2^3\{-(-y^2+2y)\}dy$$

$$=\left[-\frac{1}{3}y^3+y^2\right]_1^2+\left[\frac{1}{3}y^3-y^2\right]_2^3$$

$$=\frac{2}{3}+\frac{4}{3}=2$$

답 ②

1166

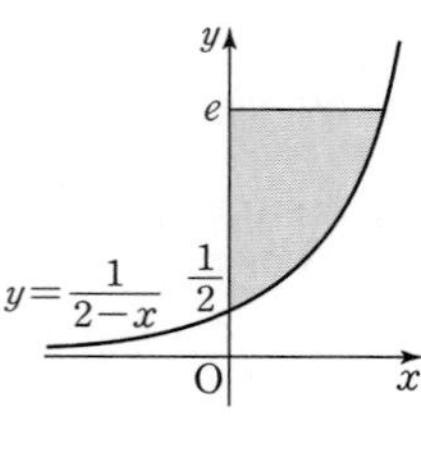

$y=\frac{1}{2-x}$에서 $2-x=\frac{1}{y}$

$\therefore x=2-\frac{1}{y}$

따라서 구하는 넓이는

$$\int_{\frac{1}{2}}^{e}\left(2-\frac{1}{y}\right)dy=\Big[2y-\ln|y|\Big]_{\frac{1}{2}}^{e}$$

$$=(2e-1)-\left(1-\ln\frac{1}{2}\right)$$

$$=2e-2-\ln 2$$

답 ①

1167

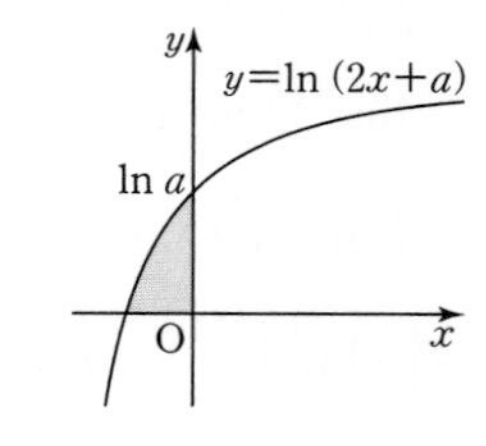

$y=\ln(2x+a)$에서 $2x+a=e^y$

$\therefore x=\frac{1}{2}(e^y-a)$ ··· ❶

오른쪽 그림에서 색칠한 도형의 넓이는

$$\int_0^{\ln a}\left\{-\frac{1}{2}(e^y-a)\right\}dy$$

$$=\int_0^{\ln a}\frac{1}{2}(a-e^y)dy$$

$$=\frac{1}{2}\Big[ay-e^y\Big]_0^{\ln a}=\frac{1}{2}(a\ln a-a+1) \quad \cdots ❷$$

따라서 $\frac{1}{2}(a\ln a-a+1)=\frac{1}{2}$이므로

$a\ln a-a+1=1,\ a(\ln a-1)=0 \qquad \therefore a=e\ (\because a>1)$ ··· ❸

답 e

채점 기준	비율
❶ x를 y에 대한 식으로 나타낼 수 있다.	30 %
❷ 도형의 넓이를 a에 대한 식으로 간단히 나타낼 수 있다.	40 %
❸ a의 값을 구할 수 있다.	30 %

1168

|전략| 곡선과 직선의 교점의 x좌표를 구한 후
{(위쪽 그래프의 식)−(아래쪽 그래프의 식)}의 정적분의 값을 구한다.

곡선 $y=\frac{2x}{x^2+1}$와 직선 $y=x$의 교점의 x좌표는 $\frac{2x}{x^2+1}=x$에서

$2x=x^3+x$, $x^3-x=0$

$x(x+1)(x-1)=0$ $\quad\therefore x=-1$ 또는 $x=0$ 또는 $x=1$

따라서 구하는 넓이는

$$\int_{-1}^{0}\left(x-\frac{2x}{x^2+1}\right)dx+\int_{0}^{1}\left(\frac{2x}{x^2+1}-x\right)dx$$

$$=\left[\frac{1}{2}x^2-\ln(x^2+1)\right]_{-1}^{0}+\left[\ln(x^2+1)-\frac{1}{2}x^2\right]_{0}^{1}$$

$$=-\left(\frac{1}{2}-\ln 2\right)+\left(\ln 2-\frac{1}{2}\right)$$

$$=2\ln 2-1$$

답 ③

1169

곡선 $y=\frac{1}{x}$과 직선 $y=2x$의 교점의 x좌표는 $\frac{1}{x}=2x$에서

$x^2=\frac{1}{2}$ $\quad\therefore x=\frac{\sqrt{2}}{2}$ ($\because x>0$)

또, 곡선 $y=\frac{1}{x}$과 직선 $y=\frac{1}{2}x$의 교점의 x좌표는 $\frac{1}{x}=\frac{1}{2}x$에서

$x^2=2$ $\quad\therefore x=\sqrt{2}$ ($\because x>0$)

따라서 구하는 넓이는

$$\int_{0}^{\frac{\sqrt{2}}{2}}\left(2x-\frac{1}{2}x\right)dx+\int_{\frac{\sqrt{2}}{2}}^{\sqrt{2}}\left(\frac{1}{x}-\frac{1}{2}x\right)dx$$

$$=\int_{0}^{\frac{\sqrt{2}}{2}}\frac{3}{2}x\,dx+\int_{\frac{\sqrt{2}}{2}}^{\sqrt{2}}\left(\frac{1}{x}-\frac{1}{2}x\right)dx$$

$$=\left[\frac{3}{4}x^2\right]_{0}^{\frac{\sqrt{2}}{2}}+\left[\ln|x|-\frac{1}{4}x^2\right]_{\frac{\sqrt{2}}{2}}^{\sqrt{2}}$$

$$=\frac{3}{8}+\left(\ln 2-\frac{3}{8}\right)=\ln 2$$

답 ②

다른 풀이 구하는 넓이는

$$\int_{0}^{\frac{\sqrt{2}}{2}}\left(2x-\frac{1}{2}x\right)dx+\int_{\frac{\sqrt{2}}{2}}^{\sqrt{2}}\left(\frac{1}{x}-\frac{1}{2}x\right)dx$$

$$=\int_{0}^{\frac{\sqrt{2}}{2}}2x\,dx+\int_{\frac{\sqrt{2}}{2}}^{\sqrt{2}}\frac{1}{x}dx-\int_{0}^{\sqrt{2}}\frac{1}{2}x\,dx$$

$$=\left[x^2\right]_{0}^{\frac{\sqrt{2}}{2}}+\left[\ln|x|\right]_{\frac{\sqrt{2}}{2}}^{\sqrt{2}}-\left[\frac{1}{4}x^2\right]_{0}^{\sqrt{2}}$$

$$=\frac{1}{2}+\left(\ln\sqrt{2}-\ln\frac{\sqrt{2}}{2}\right)-\frac{1}{2}=\ln 2$$

1170

곡선 $y=x+x\cos x$와 직선 $y=x$의 교점의 x좌표는 $x+x\cos x=x$에서

$x\cos x=0$

$\therefore x=0$ 또는 $x=\frac{\pi}{2}$ $\left(\because 0\le x\le\frac{\pi}{2}\right)$

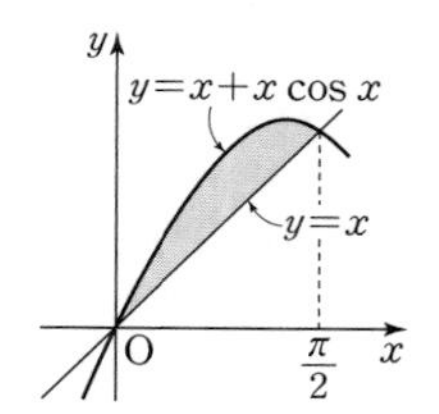

따라서 구하는 넓이는

$$\int_{0}^{\frac{\pi}{2}}(x+x\cos x-x)dx=\int_{0}^{\frac{\pi}{2}}x\cos x\,dx$$

$$=\left[x\sin x\right]_{0}^{\frac{\pi}{2}}-\int_{0}^{\frac{\pi}{2}}\sin x\,dx$$

$$=\frac{\pi}{2}+\left[\cos x\right]_{0}^{\frac{\pi}{2}}=\frac{\pi}{2}-1$$

답 $\frac{\pi}{2}-1$

참고 곡선 $y=x+x\cos x$와 직선 $y=x$의 교점의 x좌표는 0, $\frac{\pi}{2}$이고, $0<x<\frac{\pi}{2}$에서 $(x+x\cos x)-x=x\cos x>0$이므로 $0<x<\frac{\pi}{2}$에서 곡선 $y=x+x\cos x$는 직선 $y=x$보다 위쪽에 있음을 알 수 있다.

1171

|전략| 두 곡선의 교점의 x좌표를 구한 후
{(위쪽 그래프의 식)−(아래쪽 그래프의 식)}의 정적분의 값을 구한다.

두 곡선 $y=\sqrt{2}\cos x$, $y=\sin 2x$의 교점의 x좌표는 $\sqrt{2}\cos x=\sin 2x$에서

$\sqrt{2}\cos x=2\sin x\cos x$

$\sqrt{2}\cos x(1-\sqrt{2}\sin x)=0$

$\cos x=0$ 또는 $\sin x=\frac{\sqrt{2}}{2}$

$\therefore x=\frac{\pi}{4}$ 또는 $x=\frac{\pi}{2}$ $\left(\because 0\le x\le\frac{\pi}{2}\right)$

따라서 구하는 넓이는

$$\int_{\frac{\pi}{4}}^{\frac{\pi}{2}}(\sin 2x-\sqrt{2}\cos x)dx=\left[-\frac{1}{2}\cos 2x-\sqrt{2}\sin x\right]_{\frac{\pi}{4}}^{\frac{\pi}{2}}$$

$$=\frac{3}{2}-\sqrt{2}$$

답 ②

1172

두 곡선 $y=\sin x$, $y=\sin 2x$의 교점의 x좌표는 $\sin x=\sin 2x$에서

$\sin x=2\sin x\cos x$

$\sin x(1-2\cos x)=0$

$\sin x=0$ 또는 $\cos x=\frac{1}{2}$

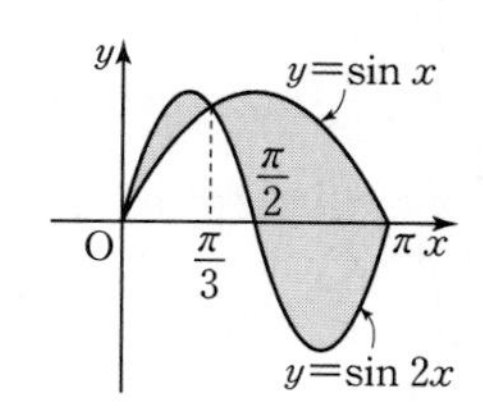

$\therefore x=0$ 또는 $x=\frac{\pi}{3}$ 또는 $x=\pi$ ($\because 0\le x\le\pi$) $\quad$ ··· ❶

따라서 구하는 넓이는

$$\int_{0}^{\frac{\pi}{3}}(\sin 2x-\sin x)dx+\int_{\frac{\pi}{3}}^{\pi}(\sin x-\sin 2x)dx$$

$$=\left[-\frac{1}{2}\cos 2x+\cos x\right]_{0}^{\frac{\pi}{3}}+\left[-\cos x+\frac{1}{2}\cos 2x\right]_{\frac{\pi}{3}}^{\pi}$$

$$=\frac{1}{4}+\frac{9}{4}=\frac{5}{2}$$ ··· ❷

답 $\frac{5}{2}$

채점 기준	비율
❶ 두 곡선의 교점의 x좌표를 구할 수 있다.	50 %
❷ 두 곡선으로 둘러싸인 도형의 넓이를 구할 수 있다.	50 %

10 정적분의 활용

1173

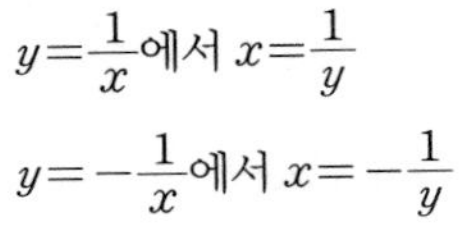

$y=\frac{1}{x}$에서 $x=\frac{1}{y}$

$y=-\frac{1}{x}$에서 $x=-\frac{1}{y}$

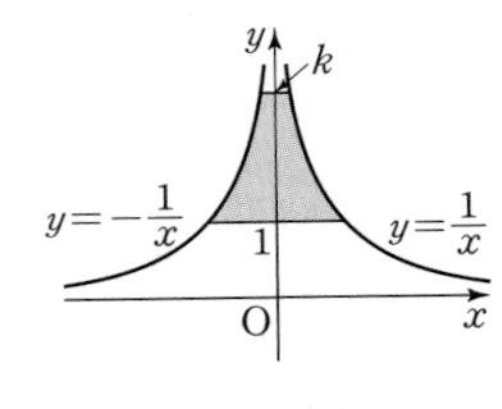

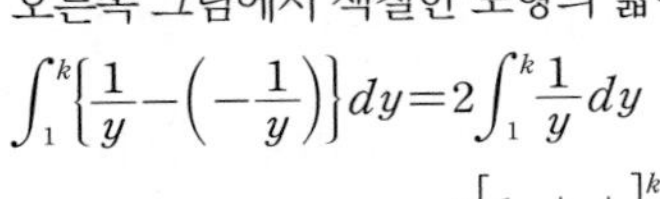

오른쪽 그림에서 색칠한 도형의 넓이는

$\int_1^k\left\{\frac{1}{y}-\left(-\frac{1}{y}\right)\right\}dy=2\int_1^k\frac{1}{y}dy$

$=2\Big[\ln|y|\Big]_1^k=2\ln k\ (\because k>1)$

따라서 $2\ln k=2$이므로 $\ln k=1$ $\quad\therefore k=e$ 답 ⑤

1174

|전략| 닫힌구간 $\left[0, \frac{\pi}{2}\right]$에서 곡선 $y=x\sin x$와 직선 $y=k$로 둘러싸인 두 도형의 넓이가 같고 $0\le k\le\frac{\pi}{2}$이므로 $\int_0^{\frac{\pi}{2}}(x\sin x-k)dx=0$임을 이용한다.

$\int_0^{\frac{\pi}{2}}(x\sin x-k)dx=0$에서

$\int_0^{\frac{\pi}{2}}x\sin x\,dx=\int_0^{\frac{\pi}{2}}k\,dx$

$\Big[-x\cos x\Big]_0^{\frac{\pi}{2}}+\int_0^{\frac{\pi}{2}}\cos x\,dx=\Big[kx\Big]_0^{\frac{\pi}{2}}$

$\Big[\sin x\Big]_0^{\frac{\pi}{2}}=\frac{\pi}{2}k,\ 1=\frac{\pi}{2}k$ $\quad\therefore k=\frac{2}{\pi}$ 답 $\frac{2}{\pi}$

1175

$\int_0^k(\sqrt{x}-2)dx=0$이므로

$\left[\frac{2}{3}x^{\frac{3}{2}}-2x\right]_0^k=0,\ \frac{2}{3}k^{\frac{3}{2}}-2k=0$

$k\left(\frac{2}{3}\sqrt{k}-2\right)=0,\ \sqrt{k}=3\ (\because k>4)$ $\quad\therefore k=9$ 답 ④

1176

$\int_k^e\frac{\ln x}{x}dx=0$에서 $\ln x=t$로 놓으면 $\frac{1}{x}=\frac{dt}{dx}$이고

$x=k$일 때 $t=\ln k$, $x=e$일 때 $t=1$이므로

$\int_k^e\frac{\ln x}{x}dx=\int_{\ln k}^1 t\,dt=0$

$\left[\frac{1}{2}t^2\right]_{\ln k}^1=0,\ \frac{1}{2}\{1-(\ln k)^2\}=0$

$(\ln k)^2=1,\ \ln k=-1\ (\because 0<k<1)$ $\quad\therefore k=\frac{1}{e}$ 답 $\frac{1}{e}$

1177

|전략| 직선 $y=ax$와 x축 및 직선 $x=1$로 둘러싸인 도형의 넓이는 주어진 도형의 넓이의 $\frac{1}{2}$배임을 이용한다.

오른쪽 그림에서 곡선 $y=e^x$과 x축, y축 및 직선 $x=1$로 둘러싸인 도형의 넓이를 S_1이라 하면

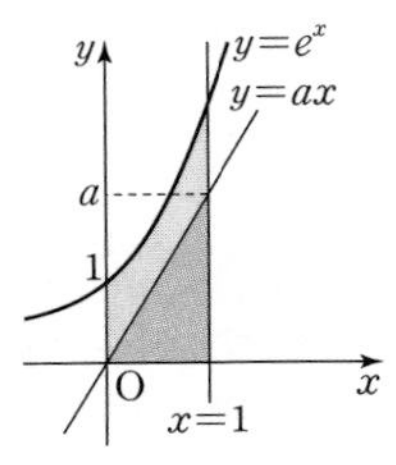

$S_1=\int_0^1 e^x dx=\Big[e^x\Big]_0^1=e-1$

직선 $y=ax$와 x축 및 직선 $x=1$로 둘러싸인 도형의 넓이를 S_2라 하면

$S_2=\frac{1}{2}\times1\times a=\frac{1}{2}a$

이때, $S_2=\frac{1}{2}S_1$이므로

$\frac{1}{2}a=\frac{1}{2}(e-1)$ $\quad\therefore a=e-1$ 답 ③

1178

$y=\frac{1}{x}$에서 $x=\frac{1}{y}$

곡선 $y=\frac{1}{x}$과 y축 및 두 직선 $y=1$, $y=4$로 둘러싸인 도형의 넓이를 S_1이라 하면

$S_1=\int_1^4\frac{1}{y}dy=\Big[\ln|y|\Big]_1^4=2\ln 2$

곡선 $y=\frac{1}{x}$과 y축 및 두 직선 $y=1$, $y=a$로 둘러싸인 도형의 넓이를 S_2라 하면

$S_2=\int_1^a\frac{1}{y}dy=\Big[\ln|y|\Big]_1^a=\ln a\ (\because 1<a<4)$

이때, $S_2=\frac{1}{2}S_1$이므로

$\ln a=\frac{1}{2}\times2\ln 2$ $\quad\therefore a=2$ 답 ②

1179

오른쪽 그림과 같이 곡선 $y=\cos(x-\theta)$와 x축의 교점의 x좌표를 $\alpha(0<\alpha<\pi)$라 하면 $\alpha=\frac{\pi}{2}+\theta$이고 두 곡선의 교점의 x좌표는

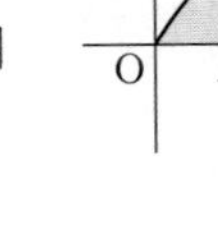

$\frac{\left(\alpha-\frac{\pi}{2}\right)+\frac{\pi}{2}}{2}=\frac{\alpha}{2}$

이때, 곡선 $y=\cos(x-\theta)$가 곡선 $y=\sin x$와 x축으로 둘러싸인 도형의 넓이를 이등분하므로

$\int_0^{\frac{\alpha}{2}}\sin x\,dx+\int_{\frac{\alpha}{2}}^{\alpha}\cos(x-\theta)\,dx=\frac{1}{2}\int_0^{\pi}\sin x\,dx$

이때, $\int_0^{\frac{\alpha}{2}}\sin x\,dx=\int_{\frac{\alpha}{2}}^{\alpha}\cos(x-\theta)\,dx$이므로

$2\int_0^{\frac{\alpha}{2}}\sin x\,dx=\frac{1}{2}\int_0^{\pi}\sin x\,dx$

$2\Big[-\cos x\Big]_0^{\frac{\alpha}{2}}=\frac{1}{2}\Big[-\cos x\Big]_0^{\pi}$

$2\left(-\cos\frac{\alpha}{2}+1\right)=\frac{1}{2}(1+1),\ \cos\frac{\alpha}{2}=\frac{1}{2}$

$\frac{\alpha}{2}=\frac{\pi}{3}\left(\because 0<\frac{\alpha}{2}<\frac{\pi}{2}\right)$ $\quad\therefore \alpha=\frac{2}{3}\pi$

따라서 $\alpha=\frac{\pi}{2}+\theta$에서 $\theta=\alpha-\frac{\pi}{2}$이므로

$\theta=\frac{2}{3}\pi-\frac{\pi}{2}=\frac{\pi}{6}$

답 $\frac{\pi}{6}$

1180

|전략| 먼저 원점에서 곡선 $y=\ln x$에 그은 접선의 방정식을 구한다.

$y=\ln x$에서 $y'=\frac{1}{x}$이므로 곡선 위의 점 $(a, \ln a)$에서의 접선의 기울기는 $\frac{1}{a}$이고 접선의 방정식은

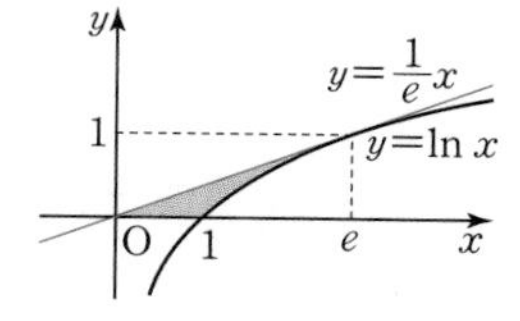

$y-\ln a=\frac{1}{a}(x-a)$

이 직선이 원점을 지나므로

$-\ln a=\frac{1}{a}\times(-a)$, $\ln a=1$ $\quad\therefore a=e$

즉, 곡선 $y=\ln x$ 위의 점 $(e, 1)$에서의 접선의 방정식은

$y-1=\frac{1}{e}(x-e)$ $\quad\therefore y=\frac{1}{e}x$

따라서 구하는 넓이는

$$\frac{1}{2}\times e\times 1-\int_1^e \ln x\,dx=\frac{e}{2}-\Big[x\ln x\Big]_1^e+\int_1^e dx$$
$$=\frac{e}{2}-e+\Big[x\Big]_1^e$$
$$=\frac{e}{2}-e+(e-1)=\frac{e}{2}-1$$

답 ②

다른 풀이 직선 $y=\frac{1}{e}x$에서 $x=ey$, 곡선 $y=\ln x$에서 $x=e^y$

따라서 구하는 넓이는

$$\int_0^1(e^y-ey)dy=\Big[e^y-\frac{e}{2}y^2\Big]_0^1=\frac{e}{2}-1$$

1181

$y=\sqrt{4-x}$에서 $y'=-\frac{1}{2\sqrt{4-x}}$이므로 곡선 위의 점 $(3, 1)$에서의 접선의 기울기는 $-\frac{1}{2}$이고 접선의 방정식은

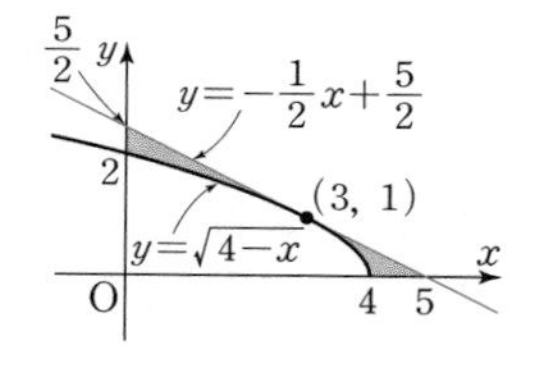

$y-1=-\frac{1}{2}(x-3)$

$\therefore y=-\frac{1}{2}x+\frac{5}{2}$ ··· ❶

따라서 구하는 넓이는

$$\frac{1}{2}\times 5\times\frac{5}{2}-\int_0^4\sqrt{4-x}\,dx$$
$$=\frac{25}{4}-\Big[-\frac{2}{3}(4-x)^{\frac{3}{2}}\Big]_0^4$$
$$=\frac{25}{4}-\frac{16}{3}=\frac{11}{12}$$ ··· ❷

답 $\frac{11}{12}$

채점 기준	비율
❶ 곡선 위의 점 $(3, 1)$에서의 접선의 방정식을 구할 수 있다.	40 %
❷ 도형의 넓이를 구할 수 있다.	60 %

1182

$y=e^x-1$에서 $y'=e^x$이므로 곡선 위의 점 $(1, e-1)$에서의 접선의 기울기는 e이고 접선의 방정식은

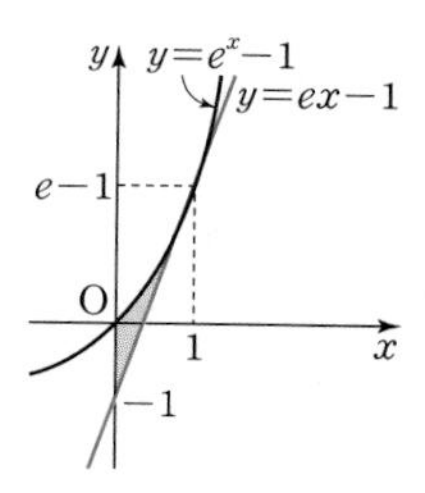

$y-(e-1)=e(x-1)$ $\quad\therefore y=ex-1$

따라서 구하는 넓이는

$$\int_0^1\{(e^x-1)-(ex-1)\}dx$$
$$=\int_0^1(e^x-ex)dx=\Big[e^x-\frac{e}{2}x^2\Big]_0^1=\frac{e}{2}-1$$

답 ①

1183

|전략| $y=g(x)$는 $y=f(x)$의 역함수이므로 두 함수 $y=f(x)$, $y=g(x)$의 그래프는 직선 $y=x$에 대하여 대칭임을 이용한다.

오른쪽 그림과 같이 두 곡선 $y=f(x)$와 $y=g(x)$는 직선 $y=x$에 대하여 대칭이므로 두 곡선 $y=f(x)$, $y=g(x)$의 교점의 x좌표는 곡선 $y=f(x)$와 직선 $y=x$의 교점의 x좌표와 같다.

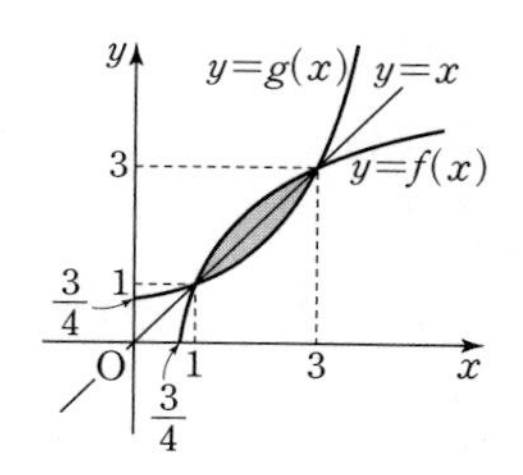

즉, $\sqrt{4x-3}=x$에서 $4x-3=x^2$

$x^2-4x+3=0$, $(x-1)(x-3)=0$

$\therefore x=1$ 또는 $x=3$

이때, 두 곡선 $y=f(x)$와 $y=g(x)$로 둘러싸인 도형의 넓이는 곡선 $y=f(x)$와 직선 $y=x$로 둘러싸인 도형의 넓이의 2배와 같으므로 구하는 넓이는

$$2\int_1^3(\sqrt{4x-3}-x)dx=2\Big[\frac{1}{6}(4x-3)^{\frac{3}{2}}-\frac{1}{2}x^2\Big]_1^3=\frac{2}{3}$$

답 $\frac{2}{3}$

1184

오른쪽 그림과 같이 두 곡선 $y=f(x)$와 $y=g(x)$는 직선 $y=x$에 대하여 대칭이므로 $B=\int_2^{e+1}g(x)dx$의 값은 곡선 $y=f(x)$와 y축 및 직선 $y=e+1$로 둘러싸인 도형의 넓이, 즉 A와 같다.

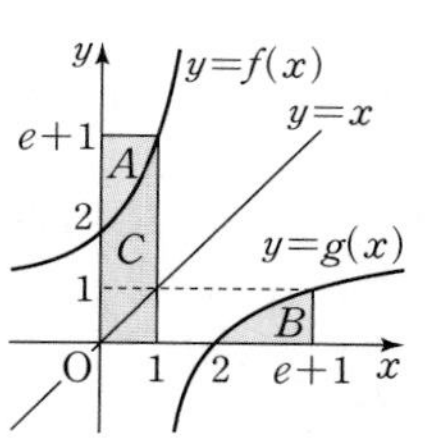

$$\therefore \int_0^1 f(x)dx+\int_2^{e+1}g(x)dx=C+B=C+A$$
$$=1\times(e+1)=e+1$$

답 $e+1$

1185

$y=2^x$과 $y=\log_2 x$는 역함수 관계이므로 오른쪽 그림에서 두 곡선 $y=2^x$과 $y=\log_2 x$는 직선 $y=x$에 대하여 대칭이다. 따라서

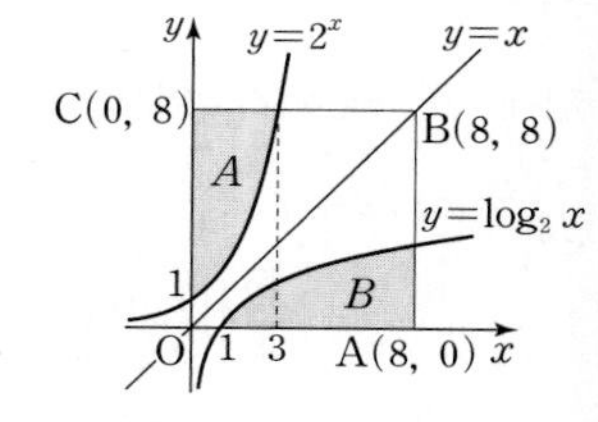

$B=\int_1^8\log_2 x\,dx$의 값은 곡선 $y=2^x$과 y축 및 직선 $y=8$로 둘러싸인 도형의 넓이, 즉 A와 같다.

이때, 색칠한 부분의 넓이는 A의 2배와 같으므로 구하는 넓이는

10 정적분의 활용

$$2\left(3\times8-\int_0^3 2^x dx\right)=48-2\left[\frac{2^x}{\ln 2}\right]_0^3$$
$$=48-\frac{14}{\ln 2}$$
답 $48-\frac{14}{\ln 2}$

다른 풀이 구하는 넓이는

$$2\int_1^8 \log_2 x\,dx=2\left(\Big[x\log_2 x\Big]_1^8-\int_1^8\frac{1}{x\ln 2}\times x\,dx\right)$$
$$=2\left(24-\frac{1}{\ln 2}\Big[x\Big]_1^8\right)=48-\frac{14}{\ln 2}$$

1186

$y=e^{ax}$에서 $\ln y=ax$, $x=\frac{1}{a}\ln y$

x와 y를 서로 바꾸면 $y=\frac{1}{a}\ln x$

$\therefore g(x)=\frac{1}{a}\ln x\ (x>0)$

두 곡선 $y=f(x)$, $y=g(x)$가 $x=e$에서 접하므로

(i) $f(e)=g(e)$에서

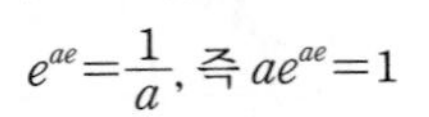

$e^{ae}=\frac{1}{a}$, 즉 $ae^{ae}=1$ ...... ㉠

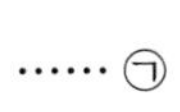

(ii) $f'(x)=ae^{ax}$, $g'(x)=\frac{1}{ax}$이므로

$f'(e)=g'(e)$에서

$ae^{ae}=\frac{1}{ae}$ ...... ㉡

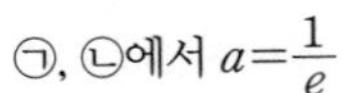

㉠, ㉡에서 $a=\frac{1}{e}$

$\therefore f(x)=e^{\frac{x}{e}}$, $g(x)=e\ln x$

두 곡선이 직선 $y=x$에 대하여 대칭이므로 두 곡선 $y=f(x)$, $y=g(x)$와 x축 및 y축으로 둘러싸인 도형의 넓이는 곡선 $y=f(x)$와 y축 및 직선 $y=x$로 둘러싸인 도형의 넓이의 2배와 같다.

따라서 구하는 넓이는

$$2\int_0^e\left(e^{\frac{x}{e}}-x\right)dx=2\left[e\times e^{\frac{x}{e}}-\frac{1}{2}x^2\right]_0^e$$
$$=2\left(e^2-\frac{1}{2}e^2-e\right)=e^2-2e$$
답 e^2-2e

1187

|전략| 밑면으로부터의 높이가 x인 지점에서 밑면과 평행한 평면으로 자른 단면의 넓이가 $S(x)$인 입체도형의 높이가 a일 때의 부피는 $\int_0^a S(x)dx$임을 이용한다.

밑면으로부터의 높이가 x인 지점에서의 단면의 넓이를 $S(x)$라 하면

$S(x)=\frac{\sqrt{3}}{4}(\sqrt{e^{5x}})^2=\frac{\sqrt{3}}{4}e^{5x}$

입체도형의 높이가 a이므로 부피는

$$\int_0^a S(x)dx=\int_0^a\frac{\sqrt{3}}{4}e^{5x}dx$$
$$=\frac{\sqrt{3}}{4}\left[\frac{1}{5}e^{5x}\right]_0^a=\frac{\sqrt{3}}{20}(e^{5a}-1)$$

이때, $\frac{\sqrt{3}}{20}(e^{5a}-1)=\frac{\sqrt{3}}{20}(e^{30}-1)$이므로

$5a=30$ $\quad\therefore a=6$

답 ③

1188

밑면으로부터의 높이가 x인 지점에서의 단면의 넓이를 $S(x)$라 하면

$S(x)=\pi(\sqrt{25+x^2})^2=\pi(25+x^2)$ ··· ❶

따라서 화분의 부피는

$$\int_0^5 S(x)dx=\int_0^5\pi(25+x^2)dx$$
$$=\pi\left[25x+\frac{1}{3}x^3\right]_0^5=\frac{500}{3}\pi$$ ··· ❷

답 $\frac{500}{3}\pi$

채점 기준	비율
❶ 밑면으로부터의 높이가 x인 지점에서의 단면의 넓이를 x에 대한 식으로 나타낼 수 있다.	40 %
❷ 화분의 부피를 구할 수 있다.	60 %

1189

물의 높이가 x일 때 수면의 넓이가 $x\ln(x^2+1)$이므로 구하는 물의 부피는

$$\int_0^2 x\ln(x^2+1)dx$$

이때, $x^2+1=t$로 놓으면 $2x=\frac{dt}{dx}$이고

$x=0$일 때 $t=1$, $x=2$일 때 $t=5$이므로

$$\int_0^2 x\ln(x^2+1)dx=\int_1^5\ln t\times\frac{1}{2}dt=\frac{1}{2}\left(\Big[t\ln t\Big]_1^5-\int_1^5 dt\right)$$
$$=\frac{1}{2}\{5\ln 5-(5-1)\}=\frac{5}{2}\ln 5-2$$

답 ⑤

1190

|전략| 닫힌구간 $[a, b]$에서 x좌표가 x인 점을 지나고 x축에 수직인 평면으로 잘랐을 때의 단면의 넓이가 $S(x)$인 입체도형의 부피는 $\int_a^b S(x)dx$임을 이용한다.

오른쪽 그림과 같이 x좌표가 $x(0\le x\le\pi)$인 점을 지나고 x축에 수직인 평면으로 자른 단면인 정삼각형의 한 변의 길이는 $\sqrt{\sin x}$이므로 단면의 넓이를 $S(x)$라 하면

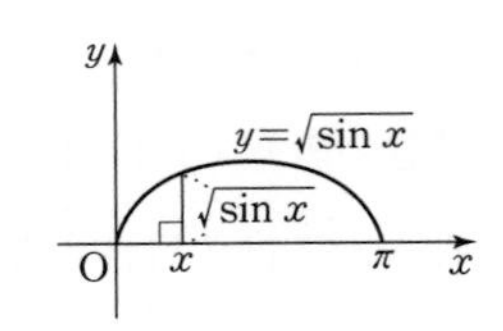

$S(x)=\frac{\sqrt{3}}{4}(\sqrt{\sin x})^2=\frac{\sqrt{3}}{4}\sin x$

따라서 구하는 부피는

$$\int_0^\pi S(x)dx=\int_0^\pi\frac{\sqrt{3}}{4}\sin x\,dx=\frac{\sqrt{3}}{4}\Big[-\cos x\Big]_0^\pi$$
$$=\frac{\sqrt{3}}{4}(1+1)=\frac{\sqrt{3}}{2}$$

답 ③

1191

오른쪽 그림과 같이 x좌표가 $x(-1\le x\le1)$인 점을 지나고 x축에 수직인 평면으로 자른 단면인 반원의 지름의 길이는 $-x^2+1$이므로 단면의 넓이를 $S(x)$라 하면

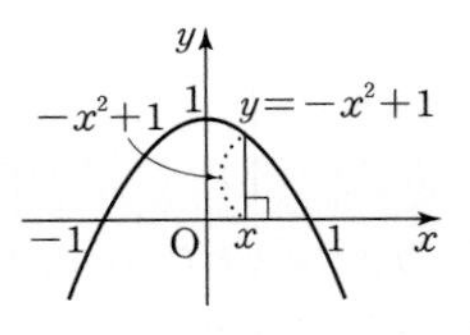

$S(x)=\frac{1}{2}\pi\left(\frac{-x^2+1}{2}\right)^2=\frac{\pi}{8}(-x^2+1)^2$

따라서 구하는 부피는

$$\int_{-1}^{1}S(x)dx=\int_{-1}^{1}\frac{\pi}{8}(-x^2+1)^2dx=2\int_0^1\frac{\pi}{8}(-x^2+1)^2dx$$
$$=\frac{\pi}{4}\int_0^1(x^4-2x^2+1)dx=\frac{\pi}{4}\left[\frac{1}{5}x^5-\frac{2}{3}x^3+x\right]_0^1$$
$$=\frac{\pi}{4}\times\frac{8}{15}=\frac{2}{15}\pi$$

답 ①

1192

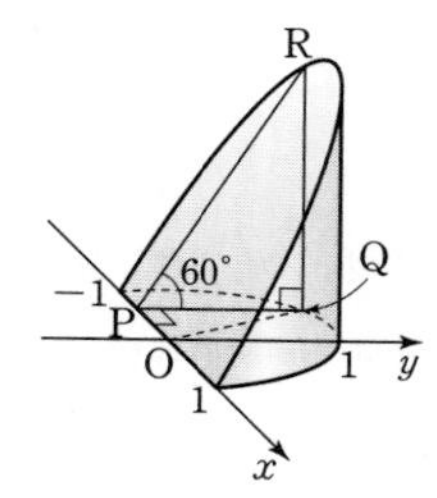

오른쪽 그림과 같이 밑면의 중심을 원점, 밑면의 지름을 x축으로 잡고, x축 위의 점 $\mathrm{P}(x, 0)(-1\le x\le 1)$을 지나고 x축에 수직인 평면으로 입체도형을 자른 단면을 $\triangle\mathrm{PQR}$라 하면

$\overline{\mathrm{PQ}}=\sqrt{\overline{\mathrm{OQ}}^2-\overline{\mathrm{OP}}^2}=\sqrt{1-x^2}$

$\overline{\mathrm{RQ}}=\overline{\mathrm{PQ}}\tan 60^\circ=\sqrt{3}\times\sqrt{1-x^2}$

$\triangle\mathrm{PQR}$의 넓이를 $S(x)$라 하면

$$S(x)=\frac{1}{2}\times\overline{\mathrm{PQ}}\times\overline{\mathrm{RQ}}=\frac{1}{2}\times\sqrt{1-x^2}\times\sqrt{3}\times\sqrt{1-x^2}$$
$$=\frac{\sqrt{3}}{2}(1-x^2)$$

따라서 구하는 부피는

$$\int_{-1}^{1}S(x)dx=\int_{-1}^{1}\frac{\sqrt{3}}{2}(1-x^2)dx=2\int_0^1\frac{\sqrt{3}}{2}(1-x^2)dx$$
$$=\sqrt{3}\left[x-\frac{1}{3}x^3\right]_0^1=\sqrt{3}\times\frac{2}{3}=\frac{2\sqrt{3}}{3}$$

답 $\frac{2\sqrt{3}}{3}$

1193

|전략| 수직선 위를 움직이는 점 P의 위치가 0일 때, 점 P가 원점을 지남을 이용한다.

$t=0$에서의 위치가 0이므로

$t=a(0<a\le 3\pi)$일 때 점 P의 위치는

$$0+\int_0^a\cos\frac{\pi}{2}t\,dt=\left[\frac{2}{\pi}\sin\frac{\pi}{2}t\right]_0^a=\frac{2}{\pi}\sin\frac{\pi}{2}a$$

점 P가 원점을 지나려면

$\frac{2}{\pi}\sin\frac{\pi}{2}a=0,\ \sin\frac{\pi}{2}a=0$

$\therefore a=2, 4, 6, 8\ (\because 0<a\le 3\pi)$

따라서 점 P는 원점을 4번 지난다.

답 4

1194

점 P가 운동 방향을 바꿀 때의 속도는 0이므로

$v(t)=\sin\pi t=0$에서 $t=1, 2, 3, \cdots\ (\because t>0)$

점 P는 $t=2$에서 두 번째로 운동 방향을 바꾸고, $0\le t\le 1$에서 $v(t)\ge 0$, $1\le t\le 2$에서 $v(t)\le 0$이므로 구하는 거리는

$$\int_0^2|\sin\pi t|\,dt=\int_0^1\sin\pi t\,dt-\int_1^2\sin\pi t\,dt$$
$$=\left[-\frac{1}{\pi}\cos\pi t\right]_0^1-\left[-\frac{1}{\pi}\cos\pi t\right]_1^2$$
$$=\frac{2}{\pi}-\left(-\frac{2}{\pi}\right)=\frac{4}{\pi}$$

답 $\frac{4}{\pi}$

1195

시각 t에서의 두 점 A, B의 위치를 각각 x_{A}, x_{B}라 하면

$$x_{\mathrm{A}}=0+\int_0^t dt=\Big[t\Big]_0^t=t$$

$$x_{\mathrm{B}}=0+\int_0^t\left(\frac{1}{2\sqrt{t}}+\frac{1}{2}\right)dt=\int_0^t\left(\frac{1}{2}t^{-\frac{1}{2}}+\frac{1}{2}\right)dt$$
$$=\left[t^{\frac{1}{2}}+\frac{1}{2}t\right]_0^t=\sqrt{t}+\frac{1}{2}t$$

두 점이 다시 만날 때 $x_{\mathrm{A}}=x_{\mathrm{B}}$이므로

$t=\sqrt{t}+\frac{1}{2}t,\ \frac{1}{2}\sqrt{t}(\sqrt{t}-2)=0\qquad\therefore t=4\ (\because t>0)$

즉, 두 점 A, B가 처음으로 다시 만나는 시각은 $t=4$이므로 그때의 위치는 $x_{\mathrm{A}}=t=4$이다.

답 4

1196

|전략| 좌표평면 위를 움직이는 점 P의 시각 t에서의 위치 (x, y)가 $x=f(t)$, $y=g(t)$일 때, 시각 $t=a$에서 $t=b$까지 점 P가 움직인 거리 s는 $s=\int_a^b\sqrt{\{f'(t)\}^2+\{g'(t)\}^2}\,dt$임을 이용한다.

$x=\frac{2}{3}t-1,\ y=\frac{e^t+e^{-t}}{3}$에서

$\frac{dx}{dt}=\frac{2}{3},\ \frac{dy}{dt}=\frac{e^t-e^{-t}}{3}$

시각 $t=0$에서 $t=1$까지 점 P가 움직인 거리는

$$\int_0^1\sqrt{\left(\frac{2}{3}\right)^2+\left(\frac{e^t-e^{-t}}{3}\right)^2}\,dt=\int_0^1\sqrt{\frac{4}{9}+\frac{e^{2t}-2+e^{-2t}}{9}}\,dt$$
$$=\int_0^1\sqrt{\frac{e^{2t}+2+e^{-2t}}{9}}\,dt$$
$$=\int_0^1\sqrt{\left(\frac{e^t+e^{-t}}{3}\right)^2}\,dt=\int_0^1\frac{e^t+e^{-t}}{3}\,dt$$
$$=\frac{1}{3}\left[e^t-e^{-t}\right]_0^1=\frac{1}{3}\left(e-\frac{1}{e}\right)$$

$\therefore a=\frac{1}{3}$

답 ②

1197

$x=e^t\cos t,\ y=e^t\sin t$에서

$\frac{dx}{dt}=e^t\cos t-e^t\sin t=e^t(\cos t-\sin t)$

$\frac{dy}{dt}=e^t\sin t+e^t\cos t=e^t(\sin t+\cos t)$

시각 $t=0$에서 $t=a$까지 점 P가 움직인 거리는

$$\int_0^a\sqrt{\{e^t(\cos t-\sin t)\}^2+\{e^t(\sin t+\cos t)\}^2}\,dt$$
$$=\int_0^a\sqrt{e^{2t}(1-2\cos t\sin t)+e^{2t}(1+2\sin t\cos t)}\,dt$$
$$=\int_0^a\sqrt{2e^{2t}}\,dt=\int_0^a\sqrt{2}e^t\,dt=\left[\sqrt{2}e^t\right]_0^a=\sqrt{2}(e^a-1)$$

이때, $\sqrt{2}(e^a-1)=\sqrt{2}(e^2-1)$이므로

$a=2$ 답 2

1198

$x=1-\frac{1}{2}\cos 2t,\ y=t-\frac{1}{2}\sin 2t$에서

$\frac{dx}{dt}=\sin 2t,\ \frac{dy}{dt}=1-\cos 2t$

점 P의 시각 t에서의 속력은

$$\begin{aligned}\sqrt{\sin^2 2t+(1-\cos 2t)^2}&=\sqrt{\sin^2 2t+1-2\cos 2t+\cos^2 2t}\\&=\sqrt{2(1-\cos 2t)}=\sqrt{2\{1-(1-2\sin^2 t)\}}\\&=\sqrt{4\sin^2 t}=2|\sin t|\end{aligned}$$

이때, 점 P의 속력이 0이 되는 시각은

$2|\sin t|=0$에서 $|\sin t|=0$ $\therefore t=\pi, 2\pi, 3\pi, \cdots$

따라서 점 P가 출발 후 처음으로 속력이 0이 되는 시각은 $t=\pi$이므로 시각 $t=0$에서 $t=\pi$까지 점 P가 움직인 거리는

$$\begin{aligned}\int_0^\pi 2|\sin t|dt&=2\int_0^\pi \sin t\,dt\\&=2\Big[-\cos t\Big]_0^\pi=2\times2=4\end{aligned}$$

답 ②

1199

|전략| 곡선 $y=f(x)(a\le x\le b)$의 길이 l은 $l=\int_a^b\sqrt{1+\{f'(x)\}^2}dx$임을 이용한다.

$y=\frac{1}{2}x^2-\frac{\ln x}{4}$에서 $y'=x-\frac{1}{4x}$

따라서 구하는 곡선의 길이는

$$\begin{aligned}\int_1^e\sqrt{1+\left(x-\frac{1}{4x}\right)^2}dx&=\int_1^e\sqrt{1+\left(x^2-\frac{1}{2}+\frac{1}{16x^2}\right)}dx\\&=\int_1^e\sqrt{x^2+\frac{1}{2}+\frac{1}{16x^2}}dx\\&=\int_1^e\sqrt{\left(x+\frac{1}{4x}\right)^2}dx\\&=\int_1^e\left(x+\frac{1}{4x}\right)dx\\&=\left[\frac{1}{2}x^2+\frac{1}{4}\ln|x|\right]_1^e=\frac{1}{2}e^2-\frac{1}{4}\end{aligned}$$

답 ④

1200

$x=2t^3+1,\ y=6t^2+1$에서 $\frac{dx}{dt}=6t^2,\ \frac{dy}{dt}=12t$

따라서 구하는 곡선의 길이는

$$\int_0^{\sqrt{5}}\sqrt{(6t^2)^2+(12t)^2}dt=\int_0^{\sqrt{5}}6t\sqrt{t^2+4}\,dt$$

이때, $t^2+4=u$로 놓으면 $2t=\frac{du}{dt}$이고

$t=0$일 때 $u=4$, $t=\sqrt{5}$일 때 $u=9$이므로

$$\begin{aligned}\int_0^{\sqrt{5}}6t\sqrt{t^2+4}\,dt&=\int_4^9 3\sqrt{u}\,du=\left[3\times\frac{2}{3}u^{\frac{3}{2}}\right]_4^9=\left[2u^{\frac{3}{2}}\right]_4^9\\&=2(27-8)=38\end{aligned}$$

답 ①

1201

$y=\frac{1}{3}(x^2+2)^{\frac{3}{2}}$에서

$y'=\frac{1}{3}\times\frac{3}{2}(x^2+2)^{\frac{1}{2}}\times 2x=x\sqrt{x^2+2}$

$0\le x\le a$에서 곡선의 길이는

$$\begin{aligned}\int_0^a\sqrt{1+(x\sqrt{x^2+2})^2}dx&=\int_0^a\sqrt{1+x^2(x^2+2)}dx\\&=\int_0^a\sqrt{x^4+2x^2+1}\,dx\\&=\int_0^a\sqrt{(x^2+1)^2}dx\\&=\int_0^a(x^2+1)dx\\&=\left[\frac{1}{3}x^3+x\right]_0^a=\frac{1}{3}a^3+a\end{aligned}$$

이때, $\frac{1}{3}a^3+a=12$이므로

$a^3+3a-36=0,\ (a-3)(a^2+3a+12)=0$

$\therefore a=3\ (\because a^2+3a+12>0)$ 답 3

STEP 3 내신 마스터

1202

유형 01 정적분과 급수의 합 사이의 관계

|전략| $\lim_{n\to\infty}\sum_{k=1}^n f\left(a+\frac{p}{n}k\right)\times\frac{p}{n}=\int_a^{a+p}f(x)\,dx$임을 이용하여 주어진 식을 정적분으로 나타낸다.

$$\begin{aligned}\lim_{n\to\infty}\sum_{k=1}^n f\left(1+\frac{k}{n}\right)\times\frac{2}{n}&=2\lim_{n\to\infty}\sum_{k=1}^n f\left(1+\frac{k}{n}\right)\times\frac{1}{n}\\&=2\int_1^2 f(x)dx=2\int_1^2 e^x dx\\&=2\Big[e^x\Big]_1^2=2(e^2-e)\end{aligned}$$

답 ③

1203

유형 03 곡선과 x축 사이의 넓이

|전략| 넓이는 양수이므로 닫힌구간 $[a, b]$에서 $f(x)\ge0$이면 $S=\int_a^b f(x)dx$, $f(x)\le0$이면 $S=-\int_a^b f(x)dx$임을 이용한다.

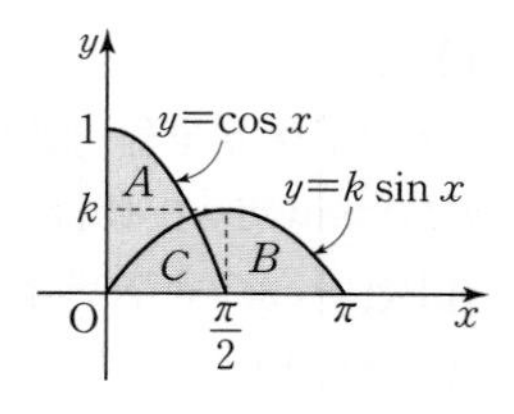

오른쪽 그림과 같이 닫힌구간 $\left[0, \frac{\pi}{2}\right]$에서 두 함수 $y=k\sin x$, $y=\cos x$의 그래프와 x축으로 둘러싸인 부분의 넓이를 C라 하면

$A=B$에서 $A+C=B+C$

(i) $A+C$는 곡선 $y=\cos x$와 x축 및 y축으로 둘러싸인 도형의 넓이이므로

$$A+C=\int_0^{\frac{\pi}{2}}\cos x\,dx=\Big[\sin x\Big]_0^{\frac{\pi}{2}}=1$$

(ii) $B+C$는 곡선 $y=k\sin x$와 x축으로 둘러싸인 도형의 넓이이므로

$$B+C=\int_0^{\pi}k\sin x\,dx=k\Big[-\cos x\Big]_0^{\pi}=2k$$

(i), (ii)에서 $1=2k$이므로 $k=\frac{1}{2}$ 답 ⑤

1204

유형 04 곡선과 y축 사이의 넓이

|전략| 넓이는 양수이므로 닫힌구간 $[a, b]$에서 $g(y)\geq0$이면 $S=\int_a^b g(y)dy$, $g(y)\leq0$이면 $S=-\int_a^b g(y)dy$임을 이용한다.

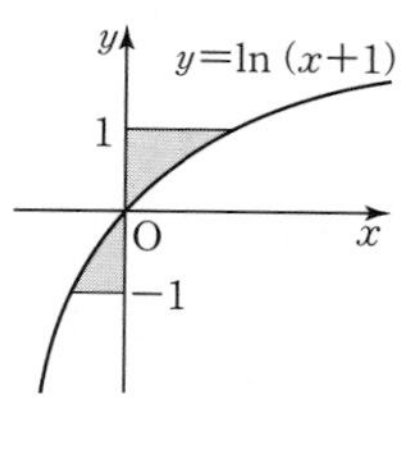

$y=\ln(x+1)$에서 $x+1=e^y$

$\therefore x=e^y-1$

따라서 구하는 넓이는

$$\int_{-1}^{0}\{-(e^y-1)\}dy+\int_0^1(e^y-1)dy$$
$$=\Big[-e^y+y\Big]_{-1}^{0}+\Big[e^y-y\Big]_0^1$$
$$=e+\frac{1}{e}-2$$

답 ③

1205

유형 06 두 곡선 사이의 넓이

|전략| 두 곡선의 교점의 y좌표를 구한 후 {(오른쪽 그래프의 식)−(왼쪽 그래프의 식)} 의 정적분의 값을 구한다.

$y=\ln x$에서 $x=e^y$

$y=2\ln(x-2)$에서 $x=e^{\frac{1}{2}y}+2$

두 곡선 $x=e^y$, $x=e^{\frac{1}{2}y}+2$의 교점의 y좌표는 $e^y=e^{\frac{1}{2}y}+2$에서

$e^y-e^{\frac{1}{2}y}-2=0$

$(e^{\frac{1}{2}y}-2)(e^{\frac{1}{2}y}+1)=0$

$e^{\frac{1}{2}y}=2$ ($\because e^{\frac{1}{2}y}>0$), $\frac{1}{2}y=\ln2$

$\therefore y=2\ln2$

따라서 구하는 넓이는

$$\int_0^{2\ln2}(e^{\frac{1}{2}y}+2-e^y)dy=\Big[2e^{\frac{1}{2}y}+2y-e^y\Big]_0^{2\ln2}$$
$$=4\ln2-1$$

답 ③

다른 풀이 두 곡선 $y=\ln x$, $y=2\ln(x-2)$의 교점의 x좌표는

$\ln x=2\ln(x-2)$에서 $x=(x-2)^2$

$x^2-5x+4=0$, $(x-1)(x-4)=0$ $\quad\therefore x=1$ 또는 $x=4$

이때, $x>0$, $x-2>0$에서 $x>2$이므로 $x=4$

따라서 구하는 넓이는

$$\int_1^4\ln x\,dx-\int_3^4 2\ln(x-2)\,dx$$
$$=\Big[x\ln x\Big]_1^4-\int_1^4dx-\left(\Big[2x\ln(x-2)\Big]_3^4-\int_3^4\frac{2x}{x-2}dx\right)$$
$$=4\ln4-\Big[x\Big]_1^4-8\ln2+\int_3^4\left(\frac{4}{x-2}+2\right)dx$$
$$=-3+\Big[4\ln(x-2)+2x\Big]_3^4$$
$$=-3+(4\ln2+8)-6=4\ln2-1$$

1206

유형 07 넓이의 활용 – 두 도형의 넓이가 같을 때

|전략| 닫힌구간 $[0, \pi]$에서 곡선 $y=(x^2-a)\sin x$와 x축으로 둘러싸인 두 도형의 넓이가 같고 $0<a<\pi^2$이므로 $\int_0^{\pi}(x^2-a)\sin x\,dx=0$임을 이용한다.

$\int_0^{\pi}(x^2-a)\sin x\,dx=0$에서 $f(x)=x^2-a$, $g'(x)=\sin x$로 놓으면

$f'(x)=2x$, $g(x)=-\cos x$이므로

$$\int_0^{\pi}(x^2-a)\sin x\,dx=\Big[-(x^2-a)\cos x\Big]_0^{\pi}-\int_0^{\pi}2x(-\cos x)dx$$
$$=\pi^2-2a+\int_0^{\pi}2x\cos x\,dx \quad\cdots\cdots ㉠$$

$\int_0^{\pi}2x\cos x\,dx$에서 $u(x)=2x$, $v'(x)=\cos x$로 놓으면

$u'(x)=2$, $v(x)=\sin x$이므로

$$\int_0^{\pi}2x\cos x\,dx=\Big[2x\sin x\Big]_0^{\pi}-\int_0^{\pi}2\sin x\,dx$$
$$=\Big[2\cos x\Big]_0^{\pi}=-4$$

이것을 ㉠에 대입하면

$$\int_0^{\pi}(x^2-a)\sin x\,dx=\pi^2-2a-4$$

따라서 $\pi^2-2a-4=0$이므로 $a=\frac{\pi^2}{2}-2$ 답 ①

1207

유형 08 넓이의 활용 – 넓이를 이등분할 때

|전략| 두 곡선의 교점의 x좌표를 $\alpha\left(0<\alpha<\frac{\pi}{2}\right)$라 하고 도형의 넓이를 이용하여 α에 대한 식을 세운다.

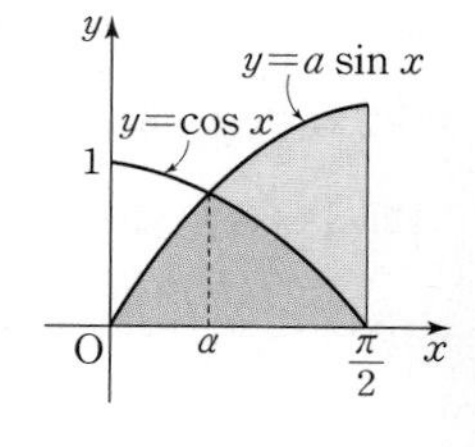

오른쪽 그림과 같이 두 곡선 $y=a\sin x$, $y=\cos x$의 교점의 x좌표를 $\alpha\left(0<\alpha<\frac{\pi}{2}\right)$라 하면

$a\sin\alpha=\cos\alpha$에서

$\frac{\sin\alpha}{\cos\alpha}=\frac{1}{a}$, 즉 $\tan\alpha=\frac{1}{a}$ $\quad\cdots\cdots ㉠$

$0\leq x\leq\frac{\pi}{2}$에서 곡선 $y=a\sin x$와 x축 및 직선 $x=\frac{\pi}{2}$로 둘러싸인 도형의 넓이를 S_1이라 하면

$$S_1=\int_0^{\frac{\pi}{2}}a\sin x\,dx=\Big[-a\cos x\Big]_0^{\frac{\pi}{2}}=a$$

$0\leq x\leq\frac{\pi}{2}$에서 두 곡선 $y=a\sin x$, $y=\cos x$와 직선 $x=\frac{\pi}{2}$로 둘러싸인 도형의 넓이를 S_2라 하면

$S_2=\int_\alpha^{\frac{\pi}{2}}(a\sin x-\cos x)dx=\Big[-a\cos x-\sin x\Big]_\alpha^{\frac{\pi}{2}}$

$=-1-(-a\cos\alpha-\sin\alpha)=a\cos\alpha+\sin\alpha-1$

이때, $S_2=\frac{1}{2}S_1$이므로

$a\cos\alpha+\sin\alpha-1=\frac{a}{2}\qquad \therefore a\cos\alpha+\sin\alpha=\frac{a}{2}+1$

$\cos\alpha\neq0$이므로 양변을 $\cos\alpha$로 나누면

$a+\frac{\sin\alpha}{\cos\alpha}=\left(\frac{a}{2}+1\right)\frac{1}{\cos\alpha}\qquad \therefore a+\tan\alpha=\left(\frac{a}{2}+1\right)\sec\alpha$ …… ㉡

㉠에서 $\sec^2\alpha=\tan^2\alpha+1=\frac{1}{a^2}+1$이므로

$\sec\alpha=\sqrt{\frac{1}{a^2}+1}\left(\because 0<\alpha<\frac{\pi}{2}\right)$ …… ㉢

㉠, ㉢을 ㉡에 대입하면

$a+\frac{1}{a}=\left(\frac{a}{2}+1\right)\sqrt{\frac{1}{a^2}+1},\ \frac{a^2+1}{a}=\left(\frac{a}{2}+1\right)\frac{\sqrt{a^2+1}}{a}$

$\sqrt{a^2+1}=\frac{a}{2}+1,\ a^2+1=\frac{a^2}{4}+a+1,\ 3a^2-4a=0$

$a(3a-4)=0\qquad \therefore a=\frac{4}{3}\ (\because a>0)$ 답 ②

1208

유형 09 곡선과 접선으로 둘러싸인 도형의 넓이

|전략| 먼저 원점에서 곡선 $y=\sqrt{x-4}$에 그은 접선의 방정식을 구한다.

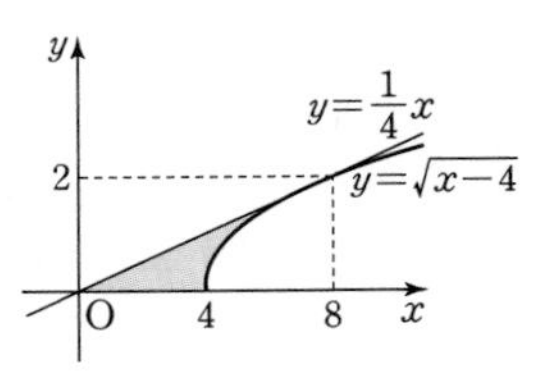

$y=\sqrt{x-4}$에서 $y'=\frac{1}{2\sqrt{x-4}}$이므로

곡선 위의 점 $(a, \sqrt{a-4})$에서의 접선의 기울기는 $\frac{1}{2\sqrt{a-4}}$이고 접선의 방정식은

$y-\sqrt{a-4}=\frac{1}{2\sqrt{a-4}}(x-a)$

이 직선이 원점을 지나므로

$-\sqrt{a-4}=\frac{-a}{2\sqrt{a-4}},\ 2(a-4)=a\qquad \therefore a=8$

즉, 곡선 $y=\sqrt{x-4}$ 위의 점 $(8, 2)$에서의 접선의 방정식은

$y-2=\frac{1}{4}(x-8)\qquad \therefore y=\frac{1}{4}x$

따라서 구하는 넓이는

$\frac{1}{2}\times8\times2-\int_4^8\sqrt{x-4}\,dx=8-\Big[\frac{2}{3}(x-4)^{\frac{3}{2}}\Big]_4^8$

$=8-\frac{16}{3}=\frac{8}{3}$ 답 ③

1209

유형 10 함수와 그 역함수의 그래프로 둘러싸인 도형의 넓이

|전략| $y=g(x)$는 $y=f(x)$의 역함수이므로 두 함수 $y=f(x)$, $y=g(x)$의 그래프는 직선 $y=x$에 대하여 대칭임을 이용한다.

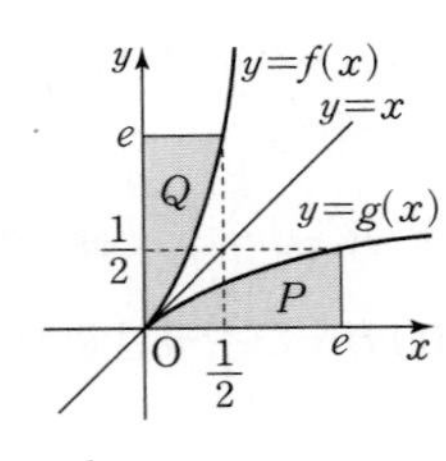

오른쪽 그림과 같이 두 곡선 $y=f(x)$와 $y=g(x)$는 직선 $y=x$에 대하여 대칭이므로 $P=\int_0^e g(x)dx$의 값은 곡선 $y=f(x)$와 y축 및 직선 $y=e$로 둘러싸인 도형의 넓이, 즉 Q와 같다.

$\therefore \int_0^e g(x)dx=\frac{1}{2}\times e-\int_0^{\frac{1}{2}}f(x)dx=\frac{e}{2}-\int_0^{\frac{1}{2}}2xe^{2x}dx$

이때, $\int_0^{\frac{1}{2}}2xe^{2x}dx$에서 $u(x)=2x$, $v'(x)=e^{2x}$으로 놓으면

$u'(x)=2$, $v(x)=\frac{1}{2}e^{2x}$이므로

$\int_0^{\frac{1}{2}}2xe^{2x}dx=\Big[xe^{2x}\Big]_0^{\frac{1}{2}}-\int_0^{\frac{1}{2}}e^{2x}dx$

$=\frac{e}{2}-\frac{1}{2}\Big[e^{2x}\Big]_0^{\frac{1}{2}}$

$=\frac{e}{2}-\frac{1}{2}(e-1)=\frac{1}{2}$

$\therefore \frac{e}{2}-\int_0^{\frac{1}{2}}2xe^{2x}dx=\frac{e}{2}-\frac{1}{2}=\frac{1}{2}(e-1)$ 답 ②

1210

유형 12 입체도형의 부피 – 단면이 밑면과 수직인 경우

|전략| 닫힌구간 $[a, b]$에서 x좌표가 x인 점을 지나고 x축에 수직인 평면으로 잘랐을 때의 단면의 넓이가 $S(x)$인 입체도형의 부피는 $\int_a^b S(x)dx$임을 이용한다.

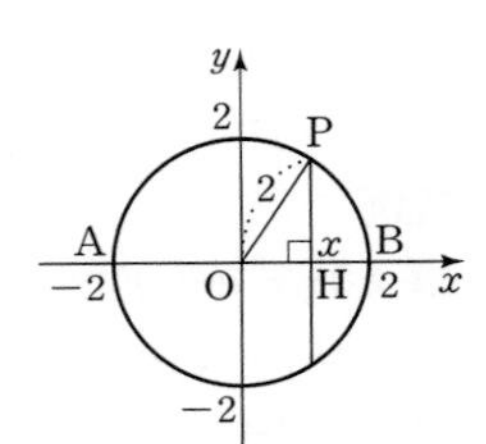

오른쪽 그림과 같이 입체도형의 밑면의 중심이 원점, 지름 AB가 x축이 되도록 밑면을 좌표평면 위에 놓고, 호 AB 위의 점 P에서 x축에 내린 수선의 발을 $\mathrm{H}(x, 0)$이라 하면

$\overline{\mathrm{PH}}=\sqrt{\overline{\mathrm{OP}}^2-\overline{\mathrm{OH}}^2}=\sqrt{4-x^2}$

점 P를 지나고 x축에 수직인 평면으로 입체도형을 자른 단면의 넓이를 $S(x)$라 하면

$S(x)=\frac{\sqrt{3}}{4}(2\overline{\mathrm{PH}})^2=\frac{\sqrt{3}}{4}(2\sqrt{4-x^2})^2=\sqrt{3}(4-x^2)$

따라서 구하는 부피는

$\int_{-2}^2 S(x)dx=\int_{-2}^2\sqrt{3}(4-x^2)dx$

$=2\sqrt{3}\int_0^2(4-x^2)dx$

$=2\sqrt{3}\Big[4x-\frac{1}{3}x^3\Big]_0^2=\frac{32\sqrt{3}}{3}$ 답 ⑤

1211

유형 15 곡선의 길이

|전략| 곡선 $y=f(x)\ (a\le x\le b)$의 길이 l은 $l=\int_a^b\sqrt{1+\{f'(x)\}^2}dx$임을 이용한다.

$y=\frac{1}{4}(e^{2x}+e^{-2x})$에서

$y'=\frac{1}{4}(2e^{2x}-2e^{-2x})=\frac{1}{2}(e^{2x}-e^{-2x})$

$-a\le x\le a$에서 곡선의 길이는

$\int_{-a}^{a}\sqrt{1+\left\{\frac{1}{2}(e^{2x}-e^{-2x})\right\}^2}\,dx$

$=\int_{-a}^{a}\sqrt{\left\{\frac{1}{2}(e^{2x}+e^{-2x})\right\}^2}\,dx$

$=\frac{1}{2}\int_{-a}^{a}(e^{2x}+e^{-2x})\,dx$

$=\frac{1}{2}\left[\frac{1}{2}e^{2x}-\frac{1}{2}e^{-2x}\right]_{-a}^{a}$

$=\frac{1}{2}\left\{\left(\frac{1}{2}e^{2a}-\frac{1}{2}e^{-2a}\right)-\left(\frac{1}{2}e^{-2a}-\frac{1}{2}e^{2a}\right)\right\}$

$=\frac{1}{2}(e^{2a}-e^{-2a})$

이때, $\frac{1}{2}(e^{2a}-e^{-2a})=\frac{1}{2}(e^{6}-e^{-6})$이므로

$2a=6 \quad \therefore a=3$

답 ⑤

1212

유형 05 곡선과 직선 사이의 넓이

| 전략 | 곡선과 직선의 교점의 x좌표를 구한 후 {(위쪽 그래프의 식)−(아래쪽 그래프의 식)} 의 정적분의 값을 구한다.

곡선 $y=\frac{2n}{x}+2$와 직선 $y=-\frac{x}{n}+5$의 교점의 x좌표는

$\frac{2n}{x}+2=-\frac{x}{n}+5$에서

$2n^2+2nx=-x^2+5nx$

$x^2-3nx+2n^2=0$

$(x-n)(x-2n)=0 \quad \therefore x=n$ 또는 $x=2n$ ··· ❶

$S_n=\int_{n}^{2n}\left\{\left(-\frac{x}{n}+5\right)-\left(\frac{2n}{x}+2\right)\right\}dx$

$=\int_{n}^{2n}\left(-\frac{x}{n}+3-\frac{2n}{x}\right)dx$

$=\left[-\frac{1}{2n}x^2+3x-2n\ln|x|\right]_{n}^{2n}$

$=(4n-2n\ln 2n)-\left(\frac{5}{2}n-2n\ln n\right)$

$=n\left(\frac{3}{2}-2\ln 2\right)$ ··· ❷

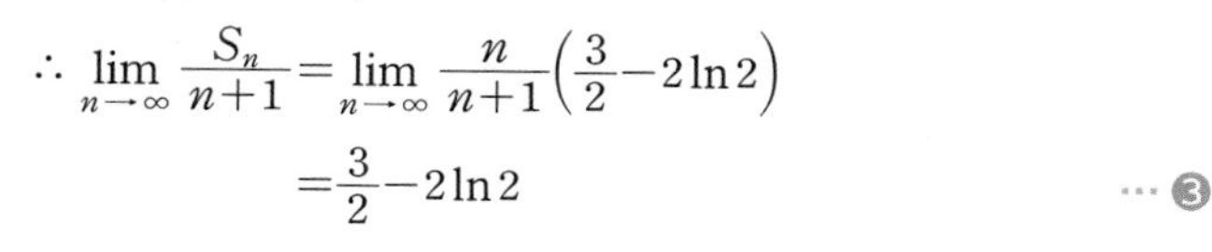

$\therefore \lim_{n\to\infty}\frac{S_n}{n+1}=\lim_{n\to\infty}\frac{n}{n+1}\left(\frac{3}{2}-2\ln 2\right)$

$=\frac{3}{2}-2\ln 2$ ··· ❸

답 $\frac{3}{2}-2\ln 2$

채점 기준	배점
❶ 곡선과 직선의 교점의 x좌표를 구할 수 있다.	1점
❷ S_n을 n에 대한 식으로 간단히 나타낼 수 있다.	3점
❸ $\lim_{n\to\infty}\frac{S_n}{n+1}$의 값을 구할 수 있다.	2점

1213

유형 14 평면 위를 움직이는 점이 움직인 거리

| 전략 | 좌표평면 위를 움직이는 점 P의 시각 t에서의 위치 (x, y)가 $x=f(t)$, $y=g(t)$일 때, 시각 $t=a$에서 $t=b$까지 점 P가 움직인 거리 s는 $s=\int_{a}^{b}\sqrt{\{f'(t)\}^2+\{g'(t)\}^2}\,dt$임을 이용한다.

$x=t^2-2\ln t,\ y=4t$에서

$\frac{dx}{dt}=2t-\frac{2}{t},\ \frac{dy}{dt}=4$

점 P의 시각 t초에서의 속력은

$\sqrt{\left(2t-\frac{2}{t}\right)^2+4^2}=\sqrt{\left(2t+\frac{2}{t}\right)^2}=2t+\frac{2}{t}\ (\because t>0)$ ··· ❶

$t>0$이므로 산술평균과 기하평균의 관계에 의하여

$2t+\frac{2}{t}\ge 2\sqrt{2t\times\frac{2}{t}}=4$ (단, 등호는 $2t=\frac{2}{t}$, 즉 $t=1$일 때 성립)

즉, $t=1$일 때 점 P의 속력이 최소가 된다. ··· ❷

따라서 $t=1$일 때부터 3초 동안, 즉 4초까지 움직인 거리는

$\int_{1}^{4}\left(2t+\frac{2}{t}\right)dt=\left[t^2+2\ln t\right]_{1}^{4}$

$=(16+2\ln 4)-1=15+4\ln 2$ ··· ❸

답 $15+4\ln 2$

채점 기준	배점
❶ 점 P의 시각 t초에서의 속력을 구할 수 있다.	2점
❷ 점 P의 속력이 최소일 때의 시각을 구할 수 있다.	2점
❸ 점 P의 속력이 최소일 때부터 3초 동안 움직인 거리를 구할 수 있다.	3점

1214

유형 02 정적분과 급수의 활용

| 전략 | 주어진 급수를 $\frac{k}{n}$를 포함한 식으로 나타낸 다음 정적분으로 변형하여 그 값을 구한다.

(1) 반원의 중심을 O, 점 C_k에서 선분 AB에 내린 수선의 발을 H_k라 하면 $\angle AOC_k=\frac{k}{n}\pi$, $\overline{OC_k}=2$이므로 $\overline{C_kH_k}=2\sin\frac{k}{n}\pi$

$\therefore S_k=\frac{1}{2}\times 4\times 2\sin\frac{k}{n}\pi=4\sin\frac{k}{n}\pi$

(2) $\lim_{n\to\infty}\frac{1}{n}\sum_{k=1}^{n-1}S_k=\lim_{n\to\infty}\frac{1}{n}\sum_{k=1}^{n-1}4\sin\frac{k}{n}\pi$

$=\frac{4}{\pi}\lim_{n\to\infty}\sum_{k=1}^{n-1}\sin\frac{k}{n}\pi\times\frac{\pi}{n}$

$=\frac{4}{\pi}\int_{0}^{\pi}\sin x\,dx$

$=\frac{4}{\pi}\left[-\cos x\right]_{0}^{\pi}=\frac{8}{\pi}$

답 (1) $4\sin\frac{k}{n}\pi$ (2) $\frac{8}{\pi}$

채점 기준	배점
(1) S_k를 사인함수로 나타낼 수 있다.	6점
(2) $\lim_{n\to\infty}\frac{1}{n}\sum_{k=1}^{n-1}S_k$의 값을 구할 수 있다.	6점

창의·융합 교과서 속 심화문제

1215

|전략| 각 함수의 대칭성을 파악하고 각각의 급수의 합을 정적분의 형태로 변형한다.

조건 (가)에서 $f(-x)=f(x)$, $g(-x)=-g(x)$이므로 $f(x)$는 우함수, $g(x)$는 기함수이다.

조건 (나)에서

$$\lim_{n\to\infty}\sum_{k=1}^{n} f\left(\frac{k}{n}\right)\times\frac{1}{n}=\int_0^1 f(x)dx=3$$

$$\lim_{n\to\infty}\sum_{k=1}^{n} f\left(1+\frac{2k}{n}\right)\times\frac{2}{n}=\int_1^3 f(x)dx=7$$

$$\lim_{n\to\infty}\sum_{k=1}^{n} g\left(1+\frac{2k}{n}\right)\times\frac{1}{n}=\frac{1}{2}\lim_{n\to\infty}\sum_{k=1}^{n} g\left(1+\frac{2k}{n}\right)\times\frac{2}{n}$$
$$=\frac{1}{2}\int_1^3 g(x)dx=8$$

$$\therefore \int_1^3 g(x)dx=16$$

$$\therefore \int_{-1}^3 \{f(x)-g(x)\}dx$$
$$=\int_{-1}^1 f(x)dx+\int_1^3 f(x)dx-\int_{-1}^1 g(x)dx-\int_1^3 g(x)dx$$
$$=2\int_0^1 f(x)dx+\int_1^3 f(x)dx-\int_1^3 g(x)dx$$
$$=2\times3+7-16=-3$$

답 -3

1216

|전략| 함수 $y=f(x)$의 그래프의 개형을 유추하여 조건을 만족시키는 k의 값을 찾고, 함수의 그래프와 직선으로 둘러싸인 도형의 넓이를 구한다.

$f(x)=x+2\sin x$에서

$f(2\pi-x)=2\pi-x+2\sin(2\pi-x)=2\pi-x-2\sin x$

$\therefore f(x)+f(2\pi-x)=2\pi$

이때, $x=\pi+t$로 놓으면

$f(\pi+t)+f(\pi-t)=2\pi$

$\therefore \dfrac{f(\pi+t)+f(\pi-t)}{2}=\pi\ (-\pi\le t\le\pi)$

즉, 함수 $y=f(x)$의 그래프는 점 (π, π)에 대하여 대칭이다.

$f'(x)=0$에서 $1+2\cos x=0$

$\cos x=-\dfrac{1}{2}\qquad \therefore x=\dfrac{2}{3}\pi$ 또는 $x=\dfrac{4}{3}\pi\ (\because 0\le x\le 2\pi)$

x	0	…	$\frac{2}{3}\pi$	…	$\frac{4}{3}\pi$	…	2π
$f'(x)$		+	0	−	0	+	
$f(x)$	0	↗	$f\left(\frac{2}{3}\pi\right)$	↘	$f\left(\frac{4}{3}\pi\right)$	↗	2π

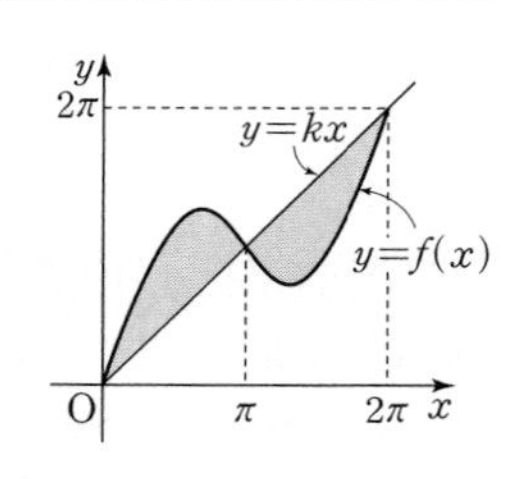

함수 $f(x)=x+2\sin x$의 그래프의 개형은 오른쪽 그림과 같고, 함수 $f(x)=x+2\sin x$의 그래프와 원점을 지나는 직선 $y=kx$가 서로 다른 세 점에서 만나고 이 세 점의 x좌표들이 등차수열을 이루기 위해서는 $k=1$이어야 한다.

이때, 함수 $y=f(x)$의 그래프와 직선 $y=x$의 교점의 x좌표는 0, π, 2π이므로 구하는 넓이는

$$\int_0^{2\pi}|(x+2\sin x)-x|dx=\int_0^{2\pi}|2\sin x|dx$$
$$=\int_0^{\pi}2\sin x dx+\int_{\pi}^{2\pi}(-2\sin x)dx$$
$$=4\int_0^{\pi}\sin x dx=4\Big[-\cos x\Big]_0^{\pi}$$
$$=4\times2=8$$

따라서 $k=1$, $A=8$이므로 $k+A=9$

답 9

1217

|전략| 주어진 곡선과 직선을 각각 x축의 방향으로 -1만큼 평행이동하여 식을 간단히 한 후 입체도형의 부피를 구한다.

곡선 $y=\sqrt{4x-4}$와 두 직선 $y=x-1$, $y=2x-2$를 각각 x축의 방향으로 -1만큼 평행이동하면

$y=\sqrt{4(x+1)-4}=2\sqrt{x}$, $y=(x+1)-1=x$,

$y=2(x+1)-2=2x$

오른쪽 그림에서 곡선 $y=2\sqrt{x}$와 직선 $y=x$의 교점의 x좌표는 $2\sqrt{x}=x$에서

$4x=x^2$, $x(x-4)=0$

$\therefore x=0$ 또는 $x=4$

곡선 $y=2\sqrt{x}$와 직선 $y=2x$의 교점의 x좌표는 $2\sqrt{x}=2x$에서

$x=x^2$, $x(x-1)=0$

$\therefore x=0$ 또는 $x=1$

따라서 입체도형의 단면은 닫힌구간 $[0, 1]$에서 한 변의 길이가 $2x-x=x$인 정삼각형이고, 닫힌구간 $[1, 4]$에서 한 변의 길이가 $2\sqrt{x}-x$인 정삼각형이므로 각각의 단면의 넓이를 $S_1(x)$, $S_2(x)$라 하면

$$S_1(x)=\frac{\sqrt{3}}{4}x^2,\ S_2(x)=\frac{\sqrt{3}}{4}(2\sqrt{x}-x)^2$$

입체도형의 부피는

$$\int_0^1 S_1(x)dx+\int_1^4 S_2(x)dx$$
$$=\int_0^1\frac{\sqrt{3}}{4}x^2dx+\int_1^4\frac{\sqrt{3}}{4}(2\sqrt{x}-x)^2dx$$
$$=\frac{\sqrt{3}}{12}\Big[x^3\Big]_0^1+\frac{\sqrt{3}}{4}\int_1^4(4x-4x\sqrt{x}+x^2)dx$$
$$=\frac{\sqrt{3}}{12}+\frac{\sqrt{3}}{4}\left[2x^2-\frac{8}{5}x^{\frac{5}{2}}+\frac{1}{3}x^3\right]_1^4$$
$$=\frac{\sqrt{3}}{12}+\frac{\sqrt{3}}{4}\times\frac{7}{5}=\frac{13}{30}\sqrt{3}$$

따라서 $p=30$, $q=13$이므로 $p+q=43$

답 43

1218

| 전략 | 좌표평면 위를 움직이는 점 P의 시각 t에서의 위치 (x, y)가 $x=f(t)$, $y=g(t)$일 때, 시각 $t=a$에서 $t=b$까지 점 P가 움직인 거리 s는
$s=\int_a^b \sqrt{\{f'(t)\}^2+\{g'(t)\}^2}\,dt$임을 이용한다.

$x=(1-t^2)\cos t$, $y=(1-t^2)\sin t$에서

$$\frac{dx}{dt}=-2t\cos t-(1-t^2)\sin t$$

$$\frac{dy}{dt}=-2t\sin t+(1-t^2)\cos t$$

시각 $t=0$에서 $t=k$까지 점 P가 움직인 거리는

$$\int_0^k \sqrt{\{-2t\cos t-(1-t^2)\sin t\}^2+\{-2t\sin t+(1-t^2)\cos t\}^2}\,dt$$

$$=\int_0^k \sqrt{4t^2+(1-t^2)^2}\,dt=\int_0^k \sqrt{(t^2+1)^2}\,dt$$

$$=\int_0^k (t^2+1)\,dt=\left[\frac{1}{3}t^3+t\right]_0^k=\frac{k^3}{3}+k$$

이때, 움직인 거리가 자연수가 되기 위해서는 k^3이 3의 배수이어야 한다.

따라서 이를 만족시키는 자연수 k의 최솟값은 3이므로 $a=3$이고, 그때의 움직인 거리는

$$b=\frac{3^3}{3}+3=12$$

$\therefore a+b=15$

답 15

1219

| 전략 | 주어진 정적분 식의 기하적 의미를 파악한다.

$\int_0^3 \sqrt{\{1+f'(x)\}^2-2f'(x)}\,dx=5$에서

$\int_0^3 \sqrt{\{1+f'(x)\}^2-2f'(x)}\,dx=\int_0^3 \sqrt{1+\{f'(x)\}^2}\,dx$이므로

$0\le x\le 3$에서 곡선 $y=f(x)$의 길이는 5이다.

이때, 두 점 $(0, 0)$, $(3, k)$를 지나는 곡선 중에서 길이가 5이면서 k의 값이 최대가 되는 경우는 두 점을 직선으로 연결한 선분인 경우이다.

$\sqrt{3^2+k^2}=5$에서 $k^2=16$ $\quad \therefore k=4$ ($\because k$는 최대)

즉, 함수 $g(x)$의 식은 두 점 $(0, 0)$, $(3, 4)$를 지나는 직선의 방정식이므로

$$g(x)=\frac{4}{3}x$$

$$\therefore \int_0^k e^{g(x)}\,dx=\int_0^4 e^{\frac{4}{3}x}\,dx=\left[\frac{3}{4}e^{\frac{4}{3}x}\right]_0^4=\frac{3}{4}\left(e^{\frac{16}{3}}-1\right)$$

답 ①

Memo

Memo

Memo